»Kein Mensch hat damals so gelebt wie die Helden der Artusromane, deren ganzes Streben darauf gerichtet war, in Ritterkampf und Minnedienst höfische Vorbildlichkeit zu erringen. Die Dichter haben eine Märchenwelt beschrieben... Das poetische Idealbild hat jedoch eine große Wirkung entfaltet und das reale gesellschaftliche Verhalten der adligen Oberschicht in mannigfacher Weise beeinflußt. Der höfische Ritter und die höfische Dame wurden gesellschaftliche Leitbilder, die jahrhundertelang gültig geblieben sind.«

Joachim Bumke:
Höfische Kultur
Literatur und Gesellschaft im hohen Mittelalter

Band 2

Deutscher
Taschenbuch
Verlag

Originalausgabe
April 1986
© Deutscher Taschenbuch Verlag GmbH & Co. KG,
München
Umschlaggestaltung: Celestino Piatti
Vorlage: Markgraf Otto IV. von Brandenburg (aus der
Großen Heidelberger Liederhandschrift, 14. Jahrhundert)
Gesamtherstellung: C. H. Beck'sche Buchdruckerei,
Nördlingen
Printed in Germany · ISBN 3-423-04442-X

Inhalt

Kapitel V
Das höfische Gesellschaftsideal

Nach der Schilderung der Dichter erhielt der ganze höfische Gesellschaftsbetrieb mit seinem materiellen Prunk und seinen zeremoniellen Umgangsformen überhaupt erst seinen Sinn, wenn man ihn auf das Ideal der Courtoisie, der höfischen Vollkommenheit, bezog, wie es von den Rittern der Tafelrunde am Hof König Artus' und von den höfischen Damen im Lied der Trobadors und Minnesänger poetisch verwirklicht wurde. Daß in diesem Idealbild die Liebe als höchster gesellschaftlicher Wert eingesetzt war, demonstriert die extreme Wirklichkeitsferne dieser poetischen Konstruktion. Kein Mensch hat damals so gelebt wie die Helden der Artusromane, deren ganzes Streben darauf gerichtet war, in Ritterkampf und Minnedienst höfische Vorbildlichkeit zu erringen. Die Dichter haben eine Märchenwelt beschrieben, in der alle politischen, wirtschaftlichen und sozialen Probleme und Konflikte, mit denen die adlige Gesellschaft in der Realität konfrontiert war, künstlich ausgeklammert blieben. Es ist sicher kein ganz abwegiger Gedanke, daß der Zauber, den die höfische Literatur auf die Zeitgenossen ausgeübt hat, wenigstens zum Teil darin begründet war, daß die Schilderungen der Dichter manche Härten und Zwänge der Wirklichkeit für kurze Zeit vergessen ließen.

Das kann aber nur die eine Seite des Bildes gewesen sein. Die andere wird durch die Tatsache erhellt, daß das poetische Idealbild eine große Wirkung entfaltet und das reale gesellschaftliche Verhalten der adligen Oberschicht in mannigfacher Weise beeinflußt hat. Der höfische Ritter und die höfische Dame wurden gesellschaftliche Leitbilder, die jahrhundertelang gültig geblieben sind. Man kann vermuten, daß das große Interesse, das die literarischen Texte beim adligen Publikum fanden, nicht zuletzt darauf gerichtet war, daß hier viele reale Einzelheiten des höfischen Gesellschaftslebens in einen verklärten Zusammenhang gebracht waren, den man zwar sofort als unwirklich erkennen konnte, den man aber als schmeichelhaft empfand und zu dem man sich gerne bekannte, weil er als Rechtfertigung und Verherrlichung der eigenen gesellschaftlichen Ansprüche und Bestrebungen empfunden wurde.

Wie weit die Dichter bei den Ausformulierungen ihrer idealen Vorstellungen Begriffe und Gedanken aufgenommen haben, die schon vorher im Selbstbewußtsein der adligen Gesellschaft lebendig waren, ist nicht ganz deutlich. Über die historischen Grundlagen des höfischen Gesellschaftsideals läuft eine wissenschaftliche Diskussion, die sehr kontrovers geführt wird und die noch nicht zu einem abschließenden Ergebnis gelangt ist. Sicherlich wird man die Situation in Deutschland anders beurteilen als die in Frankreich und im normannischen England. Während es dort bereits seit dem 11. Jahrhundert Anzeichen und Zeugnisse dafür gab, daß sich neue Normen des gesellschaftlichen Verhaltens, die in spezifischem Sinn als höfisch galten, beim hohen Adel durchsetzten, ist das höfische Gesellschaftsideal in Deutschland offenbar nicht allmählich gewachsen, sondern zum großen Teil als literarischer Import aus Frankreich übernommen worden. Das Interesse des deutschen Hochadels an der französischen Gesellschaftskultur war nicht nur auf Einzelheiten der materiellen Kultur und auf die modernen Formen des gesellschaftlichen Umgangs gerichtet, sondern ebenso sehr auf die verklärende Überhöhung des Gesellschaftsbildes im Ideal von Rittertum und Liebe. In dieser Konstellation gewann die weltliche Dichtung eine große Bedeutung für das gesellschaftliche Selbstverständnis des hohen Adels. Das spiegelte sich in der Wertschätzung und Hochachtung, die den Dichtern, auch wenn sie niedriger Herkunft waren, an den Höfen entgegengebracht wurde, und in der Bereitschaft der großen Fürstenhäuser, einen aufwendigen Literaturbetrieb an ihren Höfen zu organisieren und zu finanzieren.

1. Der höfische Ritter

a. Das traditionelle Herrscherideal

Fürstenspiegel

Im höfischen Ritterbild sind alte und neue Vorstellungen von adliger Vorbildlichkeit zusammengekommen. Mit den modernen Forderungen der Courtoisie verbanden sich der religiöse Rittergedanke aus der Gottesfriedens- und Kreuzzugsbewegung sowie Elemente eines christlich geprägten Herrscherideals, das sich bis in die Spätantike zurückverfolgen läßt. Dieses traditionelle Herrscherbild hat einen vielfältigen literarischen Niederschlag gefunden: in der lateinischen Geschichtsschreibung des Mittelalters ebenso wie in den Krönungsordines der Kaiser und Könige, in Herrscherakklamationen und liturgischen Gebeten, in Mahnschreiben von Päpsten und Bischöfen an weltliche Große, in der panegyrischen Dichtung und vor allem in den Fürstenspiegeln, die zumeist aus den praktischen Erfordernissen der Prinzenerziehung entstanden sind und die den zukünftigen Herrscher über seine Aufgaben und Pflichten belehren sollten. Fürstenspiegel dieser Art hat es zuerst im 9. Jahrhundert gegeben, und die Schriften aus dieser Zeit waren alle für Mitglieder des karolingischen Herrscherhauses bestimmt: ›Der Weg des Königs‹ (Via regis) von Smaragd von St. Mihiel, ›Über das Königtum‹ (De institutione regia) von Jonas von Orléans, ›Das Buch über die christlichen Herrscher‹ (Liber de rectoribus christianis) von Sedulius Scottus sowie verschiedene Werke von Hincmar von Reims. Nach längerer Pause und ohne Kenntnis der karolingischen Vorläufer ist die Gattung der Fürstenspiegel im 12. Jahrhundert zu neuer Bedeutung gelangt. Am Anfang dieser neuen Entwicklung stand der ›Policraticus‹ von Johannes von Salisbury, der allerdings über die engere Thematik der Herrschererziehung hinaus eine allgemeine Gesellschafts- und Staatslehre bot. Der ›Policraticus‹ hatte einen großen Einfluß auf die Fürstenspiegel des späten 12. und des 13. Jahrhunderts, zu denen die Schriften ›Über die Erziehung des Fürsten‹ (De principis instructione) von Giraldus Cambrensis, ›Über die gute Herrschaft des Fürsten‹ (De bono regimine principis) von Helinand von Froidmont, ›Die Erziehung der Könige und Fürsten‹ (Eruditio regum et principum) von Gilbert von Tournai und ›Über die Erziehung königlicher Kinder‹ (De eruditione filiorum regalium) von Vinzenz von Beauvais gehörten. Die meisten Werke stammten aus England, Frankreich, Spanien und Italien. Erst an der Wende vom 13. zum 14. Jahrhundert begann auch in Deutschland die Fürstenspiegelliteratur mit den Schriften des Abtes Engelbert von Admont: ›Über die Regierung der Fürsten‹ (De regimine principum) und ›Spiegel der sittlichen Kräfte‹ (Speculum virtutum moralium). Der Verfasser stand in enger Verbindung zum Habsburger Königshof unter König Albrecht I. († 1308).

An den Fürstenspiegeln kann man den Wandel des Herrscherbildes vom frühen Mittelalter bis in die Neuzeit verfolgen. Es gab jedoch auch Aspekte des Herrscherbildes, die fast unverändert weitergegeben wurden. Dazu gehörten die christlichen Grundpflichten, die bereits von den Kirchenvätern formuliert worden waren und die das ganze Mittelalter hindurch ein unverzichtbarer Teil jeder Schrift über die Fürstenerziehung geblieben sind. Einen sehr wirkungsstarken Ausdruck haben diese Gedanken in der Pseudo-Cyprianschen Schrift ›Über die zwölf Mißstände der Welt‹ (De duodecim abusivis saeculi) aus dem 7. Jahrhundert gefunden, besonders im neunten Kapitel, das vom »ungerechten König« (*rex iniquus*) handelte, dem das positive Gegenbild des »gerechten Königs« (*rex iustus*) entgegengestellt wurde. »Die Gerechtigkeit des Königs besteht darin, niemanden durch Gewalt ungerecht zu bedrücken; ohne Ansehen der Person über die Menschen zu richten; ein Verteidiger der Fremden, der Waisen und der Witwen zu sein; Diebstahl zu unterbinden; Ehebruch zu bestrafen; die Ungerechten nicht zu erheben; die Schamlosen und die Spielleute nicht zu versorgen; die Gottlosen zu vernichten; Mördern und Meineidigen nicht zu leben gestatten; die Kirchen zu schützen, die Armen mit Almosen zu speisen; die Gerechten mit den Reichsgeschäften zu betrauen; erfahrene, weise und besonnene Ratgeber zu haben; sich nicht nach den abergläubischen Bräuchen der Zauberer, Wahrsager und Wahrsagerinnen zu richten; Zornesausbrüche zu unterdrücken; das Vaterland tapfer und wirksam gegen Feinde zu verteidigen und in allem auf Gott zu vertrauen.«[1] Dieser Text ist in vielen Fürstenspiegeln benutzt oder wörtlich zitiert worden. Seine weiteste Verbreitung erhielt er durch die Aufnahme in die berühmte Dekretaliensammlung von Gratian (12. Jahrhundert). Im 15. Jahrhundert ist die Schrift auch mehrfach ins Deutsche übersetzt worden. Auf knappstem Raum sind hier die Hauptmotive der christlichen Herrschervorstellung zusammengefaßt. Die Forderungen, daß der König gerecht in seiner Herrschaft sei, daß er die Frevler bestrafe und die Würdigen

---

[1] Iustitia vero regis est neminem iniuste per potentiam opprimere, sine acceptione personarum inter virum et proximum suum iudicare, advenis et pupillis et viduis defensorem esse, furta cohibere, adulteria punire, iniquos non exaltare, impudicos et striones non nutrire, impios de terra perdere, parricidas et periurantes vivere non sinere, ecclesias defendere, pauperes elemosynis alere, iustos super regni negotia constituere, senes et sapientes et sobrios consiliarios habere, magorum et hariolorum et pythonissarum superstitionibus non intendere, iracundiam differe, patriam fortiter er iuste contra adversarios defendere, per omnia in Deo confidere (S. 51 f.)

erhebe, daß er Witwen und Waisen schütze, die Armen nähre, die Kirche verteidige, daß er im Krieg tapfer sei und im Urteil weise, daß er sich mit guten Ratgebern umgebe und auf Gott vertraue: diese Forderungen bildeten den Kernbestand eines Herrscherbildes, das viele Jahrhunderte hindurch gültig blieb.

Im Mittelpunkt des traditionellen Herrscherbildes stand der Gedanke, daß Gerechtigkeit (*iustitia*) und Friedenswahrung (*pax*) die vornehmsten Pflichten des Herrschers seien. Das Ideal des »gerechten und friedenstiftenden Königs« (*rex iustus et pacificus*), das sich sowohl auf Cicero als auch auf Augustinus berufen konnte, ist auch die Grundlage des höfischen Herrscherbildes geworden. Ebenso bedeutsam wie die begriffliche Koppelung von *pax* und *iustitia* war die Verbindung von *iustitia* und *pietas,* die aus antiken Quellen stammte und in den Krönungsordines des hohen Mittelalters begegnet, wo dem Herrscher »die Krone der Gerechtigkeit und Frömmigkeit« (*corona iustitiae et pietatis* Vogel-Elze, S. 255) verheißen wurde. *Pietas* bedeutete in diesem Zusammenhang auch Gnade und Barmherzigkeit, schloß den Schutz der Kirche ein und das richtige Verhalten zu Gott. Im mittelalterlichen Bild vom guten Herrscher sind antike und christliche Vorstellungen und Formulierungen zusammengetroffen. Das gilt besonders für den Begriff »Tugend« (*virtus*), der einerseits in Verbindung mit *clementia* (Gnade), *iustitia* und *pietas* der römisch-augustäischen Tradition angehörte – im ›Monumentum Ancyranum‹ berichtete Augustus, daß diese vier Begriffe auf dem goldenen Schild gestanden hätten, den der römische Senat ihm zu Ehren aufstellen ließ –, und der andererseits, zusammen mit *sapientia* (Weisheit), zu den »zwei Namen Christi« gehörte, von denen Paulus im Ersten Korintherbrief sprach: »Christus, göttliche Kraft und göttliche Weisheit«[2].

Für das höfische Herrscherbild ist noch ein anderer Aspekt der antiken Herrscherverherrlichung wichtig geworden: der »Glanz des Herrschers« (*splendor imperii*), in dem seine »Tugend« (*virtus*) und sein »Heil« (*charisma*) offenbar wurden. Konkrete Gestalt gewann der Herrscherglanz im Nimbus des Kaisers und in seiner Krone. Im prunkvollen Auftreten bezeugte sich die »Majestät« (*maiestas*) des Herrschers, seine Erhabenheit und seine »Hoheit« (*magnificentia*). In diesem Zusammen-

---

[2] ... Christum Dei virtutem, et Dei sapientiam (1,24)

hang war die Herrschertugend der »Freigebigkeit« (*liberalitas, largitas*) von besonderer Bedeutung, die sich christlich im Almosenspenden (*largitas elemosiarum*), in der liebenden Fürsorge für die Bedürftigen (*caritas*) und in kirchlichen Stiftungen manifestierte. Ihre weltliche Erscheinungsform war die Aufwendigkeit der kaiserlichen Bewirtungen und Geschenke. Man konnte sich auch auf die Bibel berufen, um zu belegen, daß der gute Herrscher nicht geizig sein durfte. In den Sprüchen Salomos wurde der »gerechte König« (*rex iustus*) dem »geizigen Mann« (*vir avarus*) gegenübergestellt (Liber proverbiorum 29,4).

Musterkönige

Zur Verdeutlichung des traditionellen Herrscherideals wurden die großen Könige der Vergangenheit als Vorbilder zitiert. Die erste Stelle unter den »Musterkönigen« (*exempla regis*) nahmen die ehrwürdigen Königsgestalten des Alten Testaments ein, Salomo und David. Vor allem König David als Präfiguration von Christus (*typus Christi*) ist für die literarische und auch die künstlerische Ausformung des Herrscherbilds im Mittelalter wichtig geworden. In seiner Doppelrolle als »König und Prophet« (*rex et propheta*) galt er zumal in der Karolingerzeit als Inbegriff des christlichen Herrschers. Später trat der Gedanke seines geistlichen Amtes etwas zurück. Aber als »gerechter König« (*rex iustus*) und als »demütiger König« (*rex humilis*) wurde er das ganze Mittelalter hindurch als Vorbild gefeiert. Prototyp königlicher »Weisheit« (*sapientia*) war sein Sohn Salomo, der auch wegen seines Reichtums und seiner Machtfülle von den mittelalterlichen Herrschern gerne als Muster angenommen wurde. Außerdem wurde ihm der Ehrentitel eines »Friedensfürsten« (*rex pacificus*) zuteil. Im ›Ordo für die Weihe des Königs‹ (*Ordo ad regem benedicendum*) wurde Gott angefleht, den neugeweihten König so regieren zu lassen, »wie du Salomo sein Reich in Frieden hast besitzen lassen«[3].

Neben den Königen des Alten Testaments wurden die antiken Kaiser den Herrschern als Muster vorgeführt. Unter den heidnischen Kaisern hat außer Augustus, auf den sich die mittelalterliche Kaisertitulatur berief, Kaiser Trajan eine große Rolle gespielt, dessen Gerechtigkeit und Umgänglichkeit ge-

---

[3] sicut Salomonem fecisti regnum obtinere pacificum (Vogel-Elze, S. 250)

priesen wurden. In der deutschen ›Kaiserchronik‹ des 12. Jahrhunderts hieß es: »Nun sollen sich alle Könige der Welt daran ein Vorbild nehmen, wie der edle Kaiser Trajan die Gnade Gottes erfuhr, weil er auf gerechte Weise Recht sprach.«[4] In der höfischen Zeit trat Kaiser Alexander als Bezugsfigur in den Vordergrund. Ihm haftete das Odium der sündhaften »Überhebung« (*superbia*) an, weil er – wie die mittelalterlichen Alexanderromane berichteten – bis an die Pforten des Paradieses vorgedrungen war; aber mit seiner legendären Großmütigkeit und Freigebigkeit hatte er großen Einfluß auf das höfische Herrscherbild. »Schaut Alexander an, der hat in Fülle gegeben. Daher breitet sich sein Ruhm in allen Ländern aus.«[5]

Unter den christlichen Kaisern der Antike nahm Konstantin den ersten Platz ein, den bereits Eusebius von Caesarea († um 340) in seiner sogenannten ›Vita Constantini‹ zum christlichen Idealherrscher stilisiert hatte. Neben ihm wurde Kaiser Theodosius wegen seiner Bußfertigkeit als Muster des »demütigen Königs« (*rex humilis*) verehrt. Von allen Herrschern der Vergangenheit war Karl der Große der gegenwärtigste. Auf ihn beriefen sich die Könige in Deutschland und Frankreich als ihren Vorfahren und als das Vorbild ihrer Regierungstätigkeit. Und die Dichter feierten ihn als ideale Verkörperung christlichen Herrschertums. »Karl war ein wahrer Gotteskämpfer. Die Heiden hat er gezwungen, das Christentum anzunehmen. Karl war tapfer, Karl war schön, Karl war beständig und besaß wahre Güte. Karl war preiswürdig, Karl war furchtgebietend. Er besaß die größte Vortrefflichkeit.«[6]

Die Übertragung von Attributen königlicher Herrschaft auf die Fürsten

Wenn die Fürstenspiegel von »Fürsten« (*principes*) sprachen, haben sie, wie die Auftragsverhältnisse und die Widmungen bezeugen, fast ausnahmslos an Mitglieder der königlichen Fa-

[4] Nû suln alle werltkunige dâ bî nemen pilede, wi der edel kaiser Trajân dise genâde umbe got gewan, want er rehtes gerihtes phlegete (6083-87)

[5] seht an Alexander, der gap unverspart: des vert sîn lop in allen rîchen wîten (Sigeher 7,12–13)

[6] Karl was ain wârer gotes wîgant, die haiden er ze der cristenhaite getwanc. Karl was chuone, Karl was scône, Karl was genaedic, Karl was saelic, Karl was teumuote, Karl was staete, und hête iedoch die guote. Karl was lobelîch, Karl was vorhtlîch, Karlen lobete man pillîche in Rômiscen rîchen vor allen werltkunigen: er habete di aller maisten tugende (Kaiserchronik 15073–87)

milie gedacht. Es war ein Vorgang von großer Bedeutung, als man im 12. Jahrhundert begann, die traditionellen Attribute königlicher Vorbildlichkeit auf die weltlichen Fürsten zu übertragen. Darin spiegelte sich die faktische Verschiebung der Machtverhältnisse zugunsten der Fürsten, die von der Schwächung des Königtums, besonders in Deutschland, profitierten und immer mehr Hoheitsrechte, die bis dahin als Signum königlicher Gewalt angesehen worden waren, für sich in Anspruch nahmen. Sie benutzten jetzt in ihren Urkunden die alte Königsformel »von Gottes Gnaden« (*Dei gratia*) und ließen in lateinischen Geschichtswerken ihre neue Machtfülle darstellen. Die um 1170 verfaßte ›Geschichte der Welfen‹ hat die königliche Stellung dieses großen Fürstenhauses mit allem Nachdruck betont: »Als Herren eines Landes und durch festen Wohnsitz in ihrer Kraft gestärkt, begannen die Unsrigen ihren Machtbereich weiter auszudehnen und in verschiedenen Gegenden immer mehr Güter und Würden zu erwerben. Dadurch wurden sie so reich, daß sie, an Besitz und Ehren Königen voranstehend, selbst dem römischen Kaiser die Lehnshuldigung verweigerten.«[7] Mehr noch als die lateinische Geschichtsschreibung hat jedoch die volkssprachliche Dichtung seit der Mitte des 12. Jahrhunderts eindrucksvolle Fürstenporträts geliefert, in denen die neue Blickrichtung zum Ausdruck kam. Das erste Herrscherlob dieser Art stand in der ›Kaiserchronik‹ und war dem Herzog Heinrich dem Stolzen († 1139) gewidmet (17097 ff.). Noch deutlicher wurde im Epilog zum ›Rolandslied‹, in der Verherrlichung Heinrichs des Löwen, der Fürstenpreis auf die Typologie des traditionellen *rex iustus*-Bildes ausgerichtet. »In diesem Zeitalter können wir dem König David niemanden so treffend vergleichen wie den Herzog Heinrich. Gott hat ihm die Macht verliehen, alle seine Feinde zu besiegen. Die Christenheit hat er zu hohem Ansehen gebracht; die Heiden wurden von ihm bekehrt. So zu handeln, war ihm rechtmäßig anererbt. Niemals hat er seine Fahne zur Flucht gewandt. Gott hat ihm immer den Sieg verliehen. An seinem Hof wird es niemals Nacht: ich meine das ewige Licht, das verlischt ihm nie. Er haßt Unaufrichtigkeit, er liebt die rechte Wahrheit. Der

---

[7] Igitur potiti terra et habitatione certa confortati, nostri vires suas ultra protendere et in diversis provinciis praedia et dignitates sibi accumulare coeperunt. Unde et in tantum ditati sunt, ut, divitiis et honoribus regibus praestantiores, ipsi quoque Romano imperatori hominium facere recusabant (Historia Welforum, S. 4)

Fürst befolgt alle Gebote Gottes, und ebenso handelt sein adliges Hofgesinde. An seinem Hof findet man ganze Beständigkeit und ganze Sittsamkeit. Da herrschen Freude und waches Gedenken, da sind Vorbildlichkeit und Ansehen. Habt ihr je gehört, daß irgendwo jemand mehr mit Glück gesegnet war? Seinem Schöpfer bringt er sich mit Leib und Seele dar, so wie König David.«[8] Es war etwas vollkommen Neues und Unerhörtes, daß ein Fürst als zweiter David gefeiert und dadurch mit den gekrönten Häuptern auf eine Stufe gestellt wurde. Später sind die höfischen Dichter in der Anwendung königlicher Herrscherattribute auf ihre fürstlichen Gönner und Auftraggeber noch weitergegangen. Auch inhaltlich wurde dieser Gedanke in das Idealbild höfischen Rittertums einbezogen: an König Artus' Tafelrunde hat man nicht mehr zwischen königlicher und fürstlicher Abkunft unterschieden; alle, die dort Platz nehmen durften, waren in ihrer höfischen Vorbildlichkeit als ranggleich gedacht und alle waren einem Ideal verpflichtet, in das wesentliche Aspekte des traditionellen Herrscherbildes des *rex iustus et pacificus* eingegangen sind.

Kaiserbilder und Fürstenbilder

Der Grundtyp des mittelalterlichen Kaiserbildes zeigt den Herrscher in strenger Frontalität auf dem Thron sitzend, angetan mit den Insignien seiner Macht. Die wesentlichen Elemente dieses Bildaufbaus, in dem der universale Anspruch und die Erhabenheit der kaiserlichen Majestät zur Anschauung kamen, waren bereits am Ende des 4. Jahrhunderts, unter Kaiser Theodosius († 395), fertig ausgebildet und haben ein ganzes Jahrtausend lang die Herrschaftsauffassung mitgeformt, sowohl im byzantinischen Reich als auch im abendländischen Westen. Hier hat diese Bildform ihre bedeutendsten künstlerischen Ausprägungen zuerst im 9. Jahrhundert, am westfränkischen Hof Kai-

[8] Nune mugen wir in disem zîte dem chûninge Dauite niemen so wol gelichen so den herzogen Hainrichen. got gap ime di craft daz er alle sine uiande eruacht. di cristen hat er wol geret, di haiden sint uon im bekeret: daz erbet in uon rehte an. zefluchte gewant er nie sin uan: got tet in ie sigehaft. in sinem houe newirdet niemir nacht. ich maine daz ewige licht: des nezerinnit im nicht. untruwe ist im lait, er minnit rehte warhait. io ôbit der herre alle gotlike lere, vnt sin tuire ingesinde. in sime houe mac (man) uindin alle state unt alle zucht. da ist vrôde unt gehucht, da ist kûske unt scham; willic sint ime sine man; da ist tugint unt ere. wa fraistet ir ie mere daz imen baz geschahe? sime schephere opherit er lip unt sele sam Dauid der herre (9039–68)

ser Karls des Kahlen, und dann an der Wende vom 10. zum 11. Jahrhundert, unter den letzten Ottonen, gefunden. Die Kaiserbilder Ottos III. († 1002) und Heinrichs II. († 1024) stellten in der Pracht und Kostbarkeit ihrer Ausführung und in der sakralen Stilisierung der Herrschermajestät einen Höhepunkt dar, der später nicht wieder erreicht worden ist. Das feierliche Thronbild wurde auch im 12. und 13. Jahrhundert weiterbenutzt. Die ganzseitigen Bilder Kaiser Heinrichs in den Liederhandschriften B (Weingarten-Stuttgart) und C (Heidelberg) bezeugen, daß diese Bildtradition noch am Ende der höfischen Zeit lebendig war. Meistens war das Thronbild in dieser Zeit jedoch weniger aufwendig, kleiner in den äußeren Dimensionen und privater in der Aussage. Das zeigt zum Beispiel das Bild Kaiser Friedrichs I. in der Fuldaer Handschrift der ›Historia Welforum‹ vom Ende des 12. Jahrhunderts. Wie auf den älteren Kaiserbildern ist der thronende Herrscher hier in feierlichem Ornat mit Krone, Szepter und Globus abgebildet; aber rechts und links von ihm stehen seine Söhne Heinrich und Friedrich, die mit lebhaften Handgebärden den Kaiser ansprechen, und dieser wendet den Kopf leicht nach rechts, die strenge Frontalität damit aufhebend, seinem ältesten Sohn Heinrich zu (vgl. Abb. 28). Das Thronbild ist zum Familienbild geworden. Unverändert blieb der alte Bildtyp der thronenden Majestät jedoch auf den Siegeln der Kaiser und Könige.

Andere Typen des Herrscherbildes wurden seltener verwendet: das Belehnungs- oder Krönungsbild, auf dem die Krönung des Kaisers durch die Hand Gottes dargestellt war; das Devotionsbild, das den Herrscher oder das Herrscherpaar in anbetender Haltung zu Füßen Christi zeigte; und das Dedikations- oder Widmungsbild, auf dem der Kaiser das Modell einer von ihm gestifteten Kirche dem Heiligen überreichte, auf dessen Name sie geweiht wurde. Seit der Mitte des 12. Jahrhunderts traten daneben neue Bildmotive in Erscheinung, durch die die Herrscherdarstellung eine bis dahin unbekannte Vielgestaltigkeit gewann. Dabei verschob sich der Akzent von der Symbolik der universalen Kaisermajestät zu einem mehr erzählenden Bildstil, der den Herrscher auch handelnd zur Erscheinung brachte, wie es die zahlreichen Bilder in der Berner Handschrift des ›Liber ad honorem Augusti‹ von Petrus de Ebulo belegen. Mit den Inhalten änderten sich auch die Darstellungsmittel. Neben gemalten Miniaturen findet man kolorierte Federzeichnungen; in Regensburg wurde bereits im 12. Jahrhundert das große

Abb. 28 Kaiser Friedrich I. mit seinen Söhnen. Zu beiden Seiten des Kaiserthrons stehen Heinrich VI. und Friedrich von Schwaben. Der Kaiser wendet den Kopf nach rechts zu seinem Sohn Heinrich. Aus der Fuldaer Handschrift der ›Historia Welforum‹ (Hessische Landesbibliothek, D 11). Ende des 12. Jahrhunderts.

Wandbild zur Herrscherdarstellung benutzt. Außerdem begannen plastische Gestaltungen verschiedener Form. Auf dem von Kaiser Friedrich I. gestifteten Aachener Armreliquiar Karls des Großen (heute in Paris) ist der Kaiser zusammen mit seiner Gemahlin Beatrix, seinem Vater, Herzog Friedrich von Schwaben, und seinem Onkel, König Konrad III., in Gestalt von (aus Silberblech getriebenen) Halbfiguren dargestellt. Kleinfiguren aus Stein gibt es von Kaiser Friedrich I. im Kreuzgang des Klosters St. Zeno in Reichenhall und – wieder zusammen mit Beatrix – am Westportal des Doms in Freising. Eine der großartigsten Kaiserfiguren des 12. Jahrhunderts ist der Cappenberger Barbarossakopf, den Friedrich I. dem Grafen Otto von Cappenberg († 1171) zum Geschenk gemacht hat. Die steinerne Großplastik begegnet erst um die Mitte des 13. Jahrhunderts in Bamberg, in den Figuren Kaiser Heinrichs II. und seiner Gemahlin Kunigunde, und wenig später in Magdeburg.

Seit der Mitte des 12. Jahrhunderts wurden auch weltliche Fürsten bildlich dargestellt. Ältere Fürstenbilder hatte es nur ganz vereinzelt gegeben, wie das eigenartige Bild des bayerischen Herzogs Heinrich des Zänkers († 995) im Regelbuch des Klosters Niedermünster. Dieser Heinrich war der Vater Kaiser

Abb. 29 Herzog Heinrich der Zänker. Der Herzog hält in der Rechten die Lanze als Zeichen seiner Herrschaft, in der Linken ein Buch. Den Heiligenschein hat er sich vielleicht als Wohltäter des Stifts Niedermünster verdient. Aus dem Regelbuch von Niedermünster (Bamberg, Staatsbibliothek, Lit. 142). 10. Jahrhundert.

Heinrichs II. und ist selber, nach dem Tod Ottos II. († 983), als Gegenkönig aufgetreten. So erklärt es sich vielleicht, daß ein Bild von ihm angefertigt wurde. Er ist ohne Herrscherinsignien dargestellt, aber mit einem Nimbus: ein ganz ungewöhnliches Motiv in der weltlichen Malerei (vgl. Abb. 29). Die Fürstenbilder des 12. Jahrhunderts waren Dokumente des neuen Selbstbewußtseins der großen Fürstenhäuser. Das belegen die Bilder Heinrichs des Löwen, mit denen die Geschichte des Fürstenbildes in Deutschland begann. Heinrich der Löwe hat im Kloster Helmarshausen (bei Karlshafen an der Weser), dessen Vogt er war, mehrere Handschriften bestellt, die mit kostbaren Bildern geschmückt wurden. Das sogenannte Gmunder Evangeliar, das für die Kirche St. Blasius und Ägidius in Braunschweig bestimmt war, enthält ein Widmungsbild, das dem Typus des kaiserlichen Dedikationsbildes folgte: der Herzog, gekleidet in einen Purpurmantel, überreicht dem hl. Blasius das Buch, während der hl. Ägidius daneben die ebenso kostbar gekleidete Herzogin Mathilde begrüßt. Das Krönungsbild in derselben Handschrift schloß an den alten Kaisertyp des Belehnungsbildes an: zwei aus den Wolken herabreichende Hände setzen dem

Abb. 30 Krönungsbild Heinrichs des Löwen. Der Herzog und seine Gemahlin Mathilde werden von göttlichen Händen gekrönt. Hinter dem Herzog seine Eltern, Heinrich der Stolze und Gertrud, und seine Großeltern mütterlicherseits, Kaiser Lothar III. und Richenza. Hinter Mathilde ihr Vater, König Heinrich II. von England und dessen Mutter, Kaiserin Mathilde. Aus dem Evangeliar Heinrichs des Löwen (Wolfenbüttel, Herz. August Bibl., Cod. Guelf. 105 Noviss. 2°). 12. Jahrhundert.

Herzog und der Herzogin die Kronen auf, und hinter ihnen stehen ihre vornehmen Ahnen: auf der Seite des Herzogs sein Vater Heinrich der Stolze und dessen Frau Gertrud sowie deren Eltern, Kaiser Lothar III. († 1137) und Kaiserin Richenza († 1141), auf der Seite der Herzogin ihr Vater, König Heinrich II. von England und dessen Mutter Mathilde, die mit Kaiser Heinrich V. verheiratet gewesen war (vgl. Abb. 30). Ein drittes Bild des Herzogspaares, im sogenannten Londoner Psalter, der ebenfalls aus Helmarshausen stammte, setzte den Typ des Devotionsbildes fort: Heinrich der Löwe und Mathilde knien zu Füßen des gekreuzigten Christus. In allen drei Fällen haben die Maler Bildformeln benutzt, die in der Geschichte des Kaiserbildes schon eine lange Tradition hatten.

Nicht alle Formen des Kaiserbildes wurden von den Fürsten übernommen. Der thronende Herrscher mit den Insignien seiner Macht ist ein Reservat der gekrönten Häupter geblieben, wie die Siegelpraxis zeigt. Während die Könige im 13. Jahrhundert – auch die Könige von Böhmen – immer mit dem *majestas*-Bild gesiegelt haben, haben die Fürsten dieses Bild auf ihren Siegeln so gut wie nie benutzt. Eine Ausnahme machte der

393

Abb. 31 Siegel Heinrichs VII. von Bayern. Das älteste deutsche Fürstensiegel. Der Herzog ist stehend mit Schild und Lanze dargestellt. 1045.

Landgraf Konrad von Hessen († 1241), der Sohn Hermanns I. von Thüringen und Hochmeister des Deutschen Ordens, der 1232/33 mit einem Thronbild gesiegelt hat. Wie er zu dieser Bildwahl kam, ist unklar; auch in seiner Eigenschaft als Ordensmeister hat Konrad ungewöhnliche Siegelbilder benutzt. Sonst gibt es nur noch zwei mecklenburgische Thronsiegel aus dem späteren 13. Jahrhundert. Danach haben erst um 1500 wieder die Kurfürsten von Brandenburg das Thronbild auf ihren Siegeln verwendet.

Anders verhielt es sich mit den Münzbildern. Heinrich der Löwe hat Münzen prägen lassen, auf denen ein thronender Herrscher mit Lilienzepter und Schwert abgebildet ist; und ähnliche Darstellungen gab es gelegentlich auf anderen Münzprägungen, sogar von nicht-fürstlichen Personen: eine Münze des Grafen Berthold von Ziegenhain († 1258) zeigt den thronenden Herrscher mit Schwert und fünfblättriger Rose. Wie diese Münzbilder zu interpretieren sind, muß vorerst offenbleiben. Die Auswertung der Münzen für die Geschichte des mittelalterlichen Herrscherbildes hat noch kaum begonnen. Vielleicht spiegelte sich in den Münzbildern das Bewußtsein, daß das Recht zur Münzprägung ursprünglich nur den Königen zustand.

Das älteste erhaltene deutsche Fürstensiegel ist das des Herzogs Heinrich VII. von Bayern († 1047) aus dem Jahr 1045 (vgl. Abb. 31). Es zeigt den Herzog stehend (oder schreitend), mit Lanze und Schild, ein Bildtyp, der schon am Ende des 10. Jahrhunderts von Kaiser Otto III. († 1002) und dann in den Jahren

394

Abb. 32 Siegel Heinrichs III. von Kärnten. Eines der ältesten deutschen Reitersiegel. 1103.

1028–1038 von Kaiser Konrad II. († 1039) benutzt worden war. Solche Standbildsiegel sind noch in der höfischen Zeit von den Askaniern in Brandenburg, von den Piasten in Schlesien und auch von den Zähringern verwendet worden. Zu den ältesten Fürstensiegeln gehörte ferner das Brustbildsiegel des Grafen Adalbert von Anhalt aus dem Jahr 1073, das ebenfalls einem kaiserlichen Bildtyp folgte. Bereits am Ende des 11. Jahrhunderts trat als charakteristische Form des Fürstensiegels das Reitersiegel in Erscheinung. Das älteste Siegel dieser Art stammte vom Jahr 1083 (Graf Konrad von Luxemburg); es folgten die Reitersiegel des Herzogs Heinrich III. von Kärnten (1103) (vgl. Abb. 32), des rheinischen Pfalzgrafen Siegfried (um 1112), des Markgrafen Leopold III. von Österreich (1115), des Markgrafen Konrad von Meißen (1123), des Herzogs Heinrich des Schwarzen von Bayern (1125) usw. Das Reitersiegel, das den Siegelführer als schwergepanzerten Ritter zu Pferd darstellte, war ein typisches Fürstensiegel, das nie von Kaisern geführt worden ist. Der Anstoß dazu kam aus Frankreich, wo die ersten Reitersiegel von Graf Geoffroi II. Martell von Anjou († 1060) und von dem normannischen Herzog Wilhelm dem Eroberer († 1069) geführt wurden. Im 12. und 13. Jahrhundert haben auch Mitglieder gräflicher Familien in Deutschland Reitersiegel geführt: Florentin III. von Holland (1162), Balduin V. von Hennegau (1164), Dietrich V. von Kleve (1191), Adolf III. von Holstein (1196), Wilhelm II. von Jülich (1201) usw. Es handelte sich jedoch durchweg um Angehörige des höchsten Adels, vor allem aus den westlichen Reichsteilen. Nur vereinzelt haben später, in der zweiten Hälfte des 13. Jahrhunderts, auch kleinere Adlige ein Reitersiegel geführt. Die Siegel zeigten immer ein typisches und idealisiertes Ritterbild, das in den Einzelheiten der Haltung und Bewaffnung dem Ritterbild der Dichter entsprach. Eine ausgesprochen höfische Haltung wiesen auch die Jagdsiegel auf, die den ungerüsteten adligen Herrn zu Pferd darstellten, mit dem Jagdvogel auf der behandschuhten Hand. Dieser Typ, der auch als Frauensiegel vorkam, ist allerdings nur selten verwendet worden.

Die reiche Entfaltung des Fürsten- und Adelsbildes im 13. Jahrhundert ist noch gänzlich unerforscht. Die einzige Arbeit von Steinberg und Steinberg über diesen Gegenstand (›Die Bildnisse geistlicher und weltlicher Fürsten und Herren‹) endet mit dem Jahr 1200. Bei diesem Forschungsstand ist noch nicht einmal eine skizzenhafte Charakterisierung der weiteren Entwicklung möglich. Es soll hier aber wenigstens auf die künstlerisch bedeutendste Darstellungsform hingewiesen werden, auf die Grabplastik. Figürliche Darstellungen des Toten auf seinem Grabmal hatte es schon früher gegeben; vor allem die Gräber von Bischöfen und Äbten sind auf diese Weise geschmückt worden. Es gab auch schon das figürliche Königsgrab. Angeblich soll bereits Karl der Große auf seinem Grab abgebildet gewesen sein; davon ist jedoch nichts erhalten. Das erste Figurengrab eines deutschen Königs ist das Grabmal des Gegenkönigs Rudolf von Rheinfelden († 1080) im Merseburger Dom. Die gegossene Grabplatte mit dem Flachrelief des Toten ist kunstgeschichtlich von großer Bedeutung. Eine Tradition hat dieses Königsgrab jedoch nicht begründet. In der Folgezeit sind die Könige wieder in bildlosen Tumben beerdigt worden. Erst das Grabmal Rudolfs von Habsburg († 1291) im Speyerer Dom zeigt wieder das Bildnis des Toten. Als es geschaffen wurde, stand jedoch das figürliche Adelsgrab bereits in hoher Blüte.

Das Zentrum der weltlichen Grabmalskunst lag im 13. Jahrhundert im thüringisch-sächsischen Raum. Die Adelsgräber konnten an die sakrale Grabplastik anknüpfen, die in der Zeit um 1200 dort besonders hoch entwickelt war. Das Grab des Magdeburger Ministerialen Hermann von Plothe (urkundl. 1135–1170) in Altenplathow, mit einem sehr altertümlichen Bild des Toten, gehört zu den ältesten Beispielen des figürlichen Adelsgrabes. Bald nach 1200 setzte sich ein anderer, ganz moderner Stil durch, und damit begann die Blütezeit der mitteldeutschen Grabplastik. Zu den wichtigsten Arbeiten gehört das

Abb. 33 Grabbild Heinrichs des Löwen und seiner Frau. Der Herzog hält in der rechten Hand ein Modell der von ihm erbauten St. Blasius-Kirche, in der Linken, als Symbol seiner Macht, ein Schwert. Die Herzogin hat die Hände zum Gebet gefaltet. Braunschweig, Dom. 13. Jahrhundert.

Doppelgrab Heinrichs des Löwen und seiner Frau Mathilde im Braunschweiger Dom (um 1230), das Grab Wiprechts von Groitzsch in der St. Lorenz-Kirche in Pegau (um 1230), das Doppelgrab des Wettiner Markgrafen Dedo und seiner Frau Mechthild in der Schloßkirche von Wechselburg (um 1230–1240), der Rittergrabstein im Merseburger Dom (um 1250) und das interessante Drillingsgrab des Grafen von Gleichen mit seinen beiden Frauen im Dom von Erfurt (um 1260). Die meisten dieser Grabmäler zeigen das Bestreben, in der figürlichen Ausformung der adligen Damen und Herren ein Schönheitsideal zur Geltung zu bringen, das sich unmittelbar den Schönheitsvorstellungen der höfischen Dichter vergleichen läßt. Heinrich der Löwe war 65 Jahre alt, als er 1195 starb, und er hatte in den letzten Jahren seines Lebens unter verschiedenen Altersbeschwerden zu leiden. Das Grabmal im Braunschweiger Dom (vgl. Abb. 33), das seine Nachfahren ihm errichten ließen, zeigt ihn jedoch in fast jugendlicher Schönheit mit glattem, faltenlosem Gesicht, bartlos, mit langem, offenem, leicht gelocktem Haar und in reicher Gewandung. Mit der rechten Hand greift er in den Mantel und hält zugleich ein Modell der von ihm

Abb. 34 Grabbild Ottos von Botenlouben-Henneberg und seiner Frau. Die beschädigten Grabsteine zeigen das gräfliche Paar in höfischer Gewandung und Haltung. Der Graf rafft mit der Linken seinen Mantel auf; die Gräfin greift mit der Rechten in die Tasselschnur. Frauenroth, Klosterkirche. 13. Jahrhundert.

erbauten Braunschweiger St. Blasius-Kirche; in der Linken liegt, als einziges Attribut seiner Macht, das Schwert. Seine Frau Mathilde neben ihm trägt einen pelzbesetzten Tasselmantel mit reichem Faltenwurf. Unter dem Mantel sieht man ein in der Taille gegürtetes Kleid mit enganliegenden Ärmeln, die bis auf die Hände reichen. Noch stärker höfisch akzentuiert ist das prächtige Doppelgrab des Grafen und Minnesängers Otto von Botenlouben-Henneberg († um 1245) und seiner Frau Beatrix in dem von ihnen gestifteten Kloster Frauenroth bei Kissingen (vgl. Abb. 34).

In diesem Zusammenhang sind auch die zwölf überlebensgroßen Stifterfiguren im Westchor des Naumburger Doms zu nennen, denen unter den Fürstenbildern des 13. Jahrhunderts aufgrund ihres hohen künstlerischen Rangs eine Sonderstellung zukommt. Es handelt sich um Mitglieder des Wettiner Fürstenhauses und der mit ihnen verschwägerten Ekkehardinger, den Vorfahren der im 13. Jahrhundert regierenden Markgrafen von Meißen und auch des Bischofs Dietrich von Naumburg († 1272), unter dessen Episkopat diese Plastiken aller Wahrscheinlichkeit nach geschaffen worden sind. Die Verbindung der Naumburger Stifterfiguren mit der Grabplastik ergibt sich daraus, daß alle figürlich Dargestellten tatsächlich im Westchor der Naumburger Kirche begraben waren. Ungewöhnlich ist dieser Figurenzyklus auch deswegen, weil hier Mitglieder einer hochadligen Familie in einer Form dargestellt worden sind, die sonst nur Heiligen und Kaisern vorbehalten war.

b. Der religiöse Ritterbegriff *(militia Christi)*

Adelsethik und Reformgedanke

Seit den Anfängen der christlichen Kirche hatten die Begriffe *milites Christi* (Soldaten Christi) oder *milites Dei* (Soldaten Gottes) einen festen Stellenwert. Anknüpfend an das Wort des Apostels Paulus, der Timotheus gemahnt hatte: »Mühe dich ab wie ein guter Soldat Jesu Christi. Niemand, der für Gott kämpft, läßt sich auf weltliche Geschäfte ein«[9], verstand man unter den *milites Christi* zunächst die Apostel und Missionare, später die Märtyrer und die Asketen und im Mittelalter vor allem die Mönche, die mit geistlichen Waffen im Dienst Christi gegen den Teufel kämpften. Dabei wurde der Begriff *militia Christi* (Christi Ritterschaft) immer in scharfem Gegensatz zu *militia saecularis* (weltliche Ritterschaft) gesehen, die aus dieser Perspektive geradezu als eine *militia diaboli*, als »Gefolgschaft des Teufels«, erscheinen mußte. Vor dem Hintergrund dieser älteren Terminologie war es eine geradezu revolutionäre Wende, als man am Ende des 11. Jahrhunderts zum erstenmal von *milites Christi* in bezug auf weltliche Ritter und Herren sprach, die ihre Waffen im Dienst der Kirche und des christlichen Glaubens führten.

Diese neue religiöse Ritterterminologie war die Frucht mannigfacher Bemühungen der Kirche um den weltlichen Adel. Eine große Rolle spielte dabei die Gottesfriedensbewegung, die sich seit dem Ende des 10. Jahrhunderts von Südostfrankreich aus verbreitete und die darauf zielte, das Fehderecht des Adels einzuschränken. Neu war daran, daß die Friedenswahrung – eigentlich eine Aufgabe der weltlichen Mächte – von der Kirche übernommen wurde. Einzelne Bischöfe erließen auf lokaler Ebene einen Gottesfrieden, der in der älteren Form meistens einen Sonderschutz für die Kirchen und für den wehrlosen Teil

[9] Labora sicut bonus miles Christi Jesu. Nemo militans Deo implicat se negotiis saecularibus (Ad Timotheum secunda 2,3–4)

der Bevölkerung – Mönche, Kleriker, Pilger, Kaufleute, Bauern und Frauen – beinhaltete. Die jüngere Form, die sogenannte *Treuga Dei* (Gottesfriede), verbot jegliche Kriegshandlung an bestimmten Tagen – meistens von Donnerstag bis Sonntag – und zu bestimmten Zeiten des Jahres. Zur Durchsetzung solcher Maßnahmen wurden Friedensmilizen unter kirchlicher Leitung aufgestellt, denen der Kampf gegen Rechtsbrecher und der Schutz der von unrechter Gewalt Bedrohten zur religiösen Pflicht gemacht wurde. Dieser Waffendienst galt als verdienstvolle Tat.

Aus dem 10. Jahrhundert stammten auch die ersten literarischen Dokumente einer neuen, in den Reformklöstern entwickelten Laienethik, die dem weltlichen Adel zum Vorbild für eine fromme Lebensführung dienen sollte. Besonders interessant ist die Vita des Grafen Gerald von Aurillac aus der Feder des Abtes Odo von Cluny († 942). Nach Odos Darstellung ist dieser Graf Gerald nicht erst durch die Abkehr von der Welt zum Heiligen geworden, sondern hat bereits als weltlicher Herr ein heiligenmäßiges Leben geführt. Er widerstand den Verlockungen der Macht und des Luxus und bewahrte stets einen »demütigen Sinn«[10]. Wenn er zu den Waffen griff, geschah es nicht, um sich zu bereichern, sondern um Frieden und Recht zu wahren. Er wollte lieber selber Hunger leiden, als sich an fremdem Gut zu vergreifen. Um kein Blut zu vergießen, kämpfte er nur mit umgekehrten Waffen; und wenn er den Sieg errungen hatte, dachte er nicht an Rache, sondern an Schonung und Versöhnung. Er nahm sich besonders der Armen und Schutzbedürftigen an und bedachte Kirchen und Klöster mit reichen Gaben. So war er »eine Stütze der Bedürftigen«, »ein Ernährer der Waisen«, »ein Schutz der Witwen« und »ein Trost der Betrübten«[11]. Diese Begriffe tauchten später immer wieder auf, wenn von den religiösen Pflichten der Ritter gesprochen wurde.

Um die Mitte des 11. Jahrhunderts wurde Graf Burkhart von Vendôme († 1007) von seinem Biographen, dem Mönch Eudes von Saint-Maur, als Vorbild eines frommen Ritters gefeiert. »Er war ein treuer Verteidiger der Kirchen, ein Spender von Almosen, ein Trost der Armen und ein sehr frommer Helfer der Mönche, der Geistlichen, der Witwen und der im Kloster Gott

---

[10] mens humilis (Vita sancti Geraldi, Sp. 646)
[11] sustentator indigentium ... nutritor pupillorum ... defensor viduarum ... dolentium consolator (Sp. 692)

dienenden Jungfrauen.«[12] Aus Deutschland ist vor allem der ›Ruodlieb‹ zu nennen, ein lateinischer Versroman aus der Mitte des 11. Jahrhunderts, der vom Ideengut der Reformbewegung geprägt war. Der Held der Dichtung, der *miles* Ruodlieb, stammte zwar »aus angesehenem Geschlecht«[13], blieb aber sein Leben lang in einer dienenden Stellung. Selbstlose Dienstbereitschaft, Verzicht auf Rache und der Einsatz für den Frieden kennzeichneten seine Handlungsweise. »Als Ratgeber ist niemand dir gleich, und niemand ist, der so gerecht und würdig Recht spräche und der Witwen und Waisen so verteidigte, wenn ihnen aus rechtswidriger Habgier Schaden zugefügt wird.«[14] Die alten Herrscherpflichten der Gerichtspflege und des Schutzes für Bedrängte wurden hier auf einen »Ritter« (*miles*) übertragen, der selber keine Herrschaftsrechte wahrnahm.

Gegen Ende des 11. Jahrhunderts hat Bonizo von Sutri, der bedeutendste Parteigänger des Papstes im literarischen Kampf gegen Kaiser Heinrich IV., in seinem ›Buch vom christlichen Leben‹ ausführlich die Pflichten der »Ritter« (*milites*) behandelt. Er rief sie zu »treuem Dienst für ihre Herren« auf und ermahnte sie, so zu kämpfen, »daß sie sich nicht gegen den christlichen Glauben wenden«[15]. »Insbesondere ist ihnen aufgegeben, ihren Herren ergeben zu sein, nicht nach Beute zu streben, zum Schutz des Lebens ihrer Herren das eigene Leben nicht zu schonen, für das Wohl der Allgemeinheit bis zum Tod zu kämpfen, Schismatiker und Ketzer zu bekriegen, Arme, Witwen und Waisen zu verteidigen, die gelobte Treue nicht zu brechen und ihren Herren nicht meineidig zu werden.«[16] An wen dieser erste »christliche Gebotekodex für den Ritter« (Carl Erdmann) konkret gerichtet war, ist nicht leicht zu sagen. Es

[12] Erat enim fidelis defensor ęcclesiarum . . ., largitor elemosinarum, consolator miserorum, sublevator piissimus monachorum, clericorum, viduarum atque virginum in cęnobiis Deo militantium (Vita Burcardi, S. 6)

[13] prosapia vir progenitus generosa (I, 1)

[14] Tunc in consilio dando par est tibi nemo, Qui vel tam iuste ius dicat tam vel honeste Et qui sic viduas defendat sive pupillos, Propter avariciam cum damnabantur iniquam (V, 238–41)

[15] . . . fidem servantes dominis . . . ut Christianę non obvient religioni (Liber de vita christiana, S. 248)

[16] His proprium est dominis deferre, predę non iniare, pro vita dominorum suorum tuenda suę vitę non parcere et pro statu rei publice usque ad mortem decertare, scismaticos et hereticos debellare, pauperes quoque et viduas et orphanos defensare, fidem promissam non violare nec omnino dominis suis periurare (S. 248 f.)

fällt auf, daß der Dienstgedanke, den Bonizo von Sutri so stark betont hat, hier in Verbindung mit ausgesprochenen Herrscherpflichten erscheint.

Die neue Konzeption des religiös motivierten Kriegsdienstes ist im 12. Jahrhundert von geistlichen und gelehrten Autoren weiter ausformuliert worden. Eine sehr ausführliche und eindringliche Behandlung hat dieses Thema im ›Policraticus‹ von Johannes von Salisbury erfahren, dessen sechstes Buch fast ganz den Pflichten der *militia* als der »bewaffneten Hand des Gemeinwesens«[17] gewidmet ist. Nach Johannes von Salisbury bestanden »die Aufgaben des richtigen Rittertums« vor allem darin, »die Kirche zu beschützen, die Treulosigkeit zu bekämpfen, das Priesteramt zu ehren, Ungerechtigkeiten gegenüber den Armen zu beseitigen, das Land zu befrieden, für seine Brüder – wie es die Eidesformel lehrt – sein Blut zu vergießen und notfalls das Leben hinzugeben«[18].

Von großer Bedeutung für die Ausbildung des religiösen Ritterbegriffs waren die liturgischen Formeln für Schwertsegnungen und Waffenweihen, von denen bereits im Zusammenhang mit der Schwertleite die Rede war (vgl. S. 333). Unter dem Titel ›Segnung des neu gegürteten Schwertes‹ (*Benedictio ensis noviter succincti*) steht im Römisch-deutschen Pontifikale aus dem 10. Jahrhundert ein Text, der mit den Worten beginnt: »Erhöre, Herr, unsere Bitten und segne mit der Hand Deiner Majestät dieses Schwert, mit dem dieser Dein Knecht N. umgürtet zu werden wünscht, damit es Verteidigung und Schutz sei für Kirchen, Witwen und Waisen, für alle Diener Gottes gegen das Wüten der Heiden, und damit es den Gegnern Angst und Schrecken einflöße.«[19] Wer auf diese Weise angesprochen wurde, ist nicht ganz deutlich. Im 10. Jahrhundert hat man solche Texte wahrscheinlich bei der feierlichen Wehrhaftmachung von Königs- und Fürstensöhnen benutzt. Im 12. Jahrhundert fanden jedoch dieselben Texte für die ritterliche Schwertleite Ver-

---

[17] manus rei publicae armata (Bd. 2, S. 2)

[18] usus militiae ordinatae ... Tueri Ecclesiam, perfidiam impugnare, sacerdotium uenerari, pauperum propulsare iniurias, pacare prouinciam, pro fratribus (ut sacramenti docet conceptio) fundere sanguinem et, si opus est, animam ponere (Bd. 2, S. 23)

[19] Exaudi, quesumus, domine, preces nostras, et hunc ensem, quo hic famulus tuus N. se circumcingi desiderat, maiestatis tue dextera benedicere dignare, quatinus defensio atque protectio possit esse aecclesiarum, viduarum, orphanorum omniumque Deo seruientium contra sevitiam paganorum, aliisque insidiantibus sit pavor, terror et formido (Vogel-Elze, S. 379)

wendung. Das ergibt sich aus der Tatsache, daß die ›Benedictio ensis‹ aus dem Römisch-deutschen Pontifikale in einer Klosterneuburger Handschrift vom Ende des 12. Jahrhunderts (Stiftsbibliothek Nr. 622) unter der Überschrift steht: »Um neue Ritter zu machen«[20]. Die Worte, die den Ritter zur Verteidigung der Kirche und zum Schutz von Witwen und Waisen verpflichteten, waren der Liturgie der Königskrönung entlehnt. Das bedeutet, daß ein wesentlicher Aspekt des religiösen Ritterbegriffs daraus zu erklären ist, daß kirchliche Forderungen, die zunächst für den Herrscher galten, so verallgemeinert wurden, daß sie auf alle »Ritter« anwendbar waren.

Kreuzzugspropaganda

Seine wirkungsvollste Ausformung hat der Gedanke des geistlichen Kriegsdienstes in der Kreuzzugsliteratur gefunden. Von grundlegender Bedeutung war die große Predigt, die Papst Urban II. am 27. November 1095 auf dem Konzil von Clermont vor einer großen Versammlung von Geistlichen und Laien gehalten hat und mit der er die Christenheit zum bewaffneten Zug nach Palästina und zur Befreiung der orientalischen Kirche aufrief. Die verschiedenen Berichte über diese Predigt – der Text selbst ist nicht erhalten – lassen erkennen, daß der Papst sich dabei besonders an den französischen Adel gewandt hat mit der Verheißung, als »Gottesstreiter« (*milites Dei*) in einem gerechten Krieg gegen die Feinde des Glaubens den Ablaß der zeitlichen Sündenstrafen und ewigen Lohn gewinnen zu können. Dabei scheint Urban II. recht harte Worte für die üblichen Gewalttätigkeiten des Adels gefunden zu haben, um davon um so glänzender das neue Bild des geistlichen Ritters abzuheben. Die Berichte weichen im Wortlaut voneinander ab, stimmen aber in der Sache überein. »Die sollen jetzt Christi Ritter werden, die solange Räuber waren.«[21] »Bisher habt ihr willkürliche Kriege geführt, habt immer wieder wütend die Waffen zu gegenseitigem Morden erhoben, nur aus Habgier und Übermut.«[22] »Wendet die Waffen, die ihr in gegenseitigem Morden auf sträf-

[20] ad faciendos novos milites (Flori, S. 273)
[21] nunc fiant Christi milites, qui dudum exstiterunt raptores (Fulcher v. Chartres, Historia Hierosolymitana, S. 136)
[22] Indebita hactenus bella gessistis; in mutuas caedes vesana aliquotiens tela, solius cupiditatis ac superbiae causa, torsistis (Guibert v. Nogent, Historia, S. 138)

liche Weise blutig gemacht habt, gegen die Feinde des Glaubens und des Christentums.«[23] Nach dem Bericht von Robertus Monachus soll Urban II. die ständigen Fehden des Adels auf die Übervölkerung Frankreichs zurückgeführt und den Kreuzrittern Landgewinn im Orient versprochen haben: »Kein Besitztum soll euch aufhalten und keine Besorgnis über Vermögenssachen. Denn dieses Land, das ihr bewohnt, ist auf allen Seiten vom Meer und von Gebirgszügen eingeschlossen und ist durch eure Zahl zu eng geworden. Es hat keinen Überfluß mehr an Reichtümern und gewährt seinen Bewohnern kaum mehr genügend Lebensmittel. Daher kommt es, daß ihr miteinander streitet und kämpft, daß ihr Kriege anfangt und euch oft gegenseitig verwundet und tötet. Macht ein Ende mit dem Haß unter euch, hört auf mit dem Streit, steht ab vom Krieg und laßt alle Gegensätze und Meinungsverschiedenheiten ruhen. Begebt euch auf den Weg zum heiligen Grab, entreißt dem gottlosen Volk jenes Land und unterwerft es euch, jenes Land, das Gott den Kindern Israels zum Besitz gegeben hat, wie die heilige Schrift bezeugt, ›wo Milch und Honig fließen.‹«[24] Besonders ausführlich ist Balderich von Dol auf die Passagen der Rede Urbans II. eingegangen, die die Untaten des weltlichen Adels beschrieben: »Umgürtet mit dem Gürtel der Ritterschaft prangt ihr in großem Übermut. Ihr reißt eure Brüder in Stücke und zerfleischt euch gegenseitig. Das ist keine Ritterschaft Christi, wenn einer in den Schafstall des Erlösers einbricht. Die heilige Kirche hat den Kriegsdienst zum Schutz ihrer Kinder vorbehalten. Ihr aber entwürdigt auf bösartige Weise den Kriegsdienst zur Übeltat. Um die Wahrheit zu gestehen, deren Verkünder zu sein uns aufgegeben ist: ihr geht wahrhaftig nicht den Weg zum ewigen Leben. Ihr bedrückt die Waisen, ihr beraubt die Witwen, ihr mordet, ihr schändet die Kirchen, ihr verletzt fremde Rechte.

[23] Arma, quae caede mutua illicite cruentastis, in hostes fidei et nominis Christiani convertite (Wilhelm v. Tyrus, Historia, S. 41)

[24] Non vos protrahat ulla possessio, nulla rei familiaris sollicitudo, quoniam terra haec quam inhabitatis, clausura maris undique et jugis montium circumdata, numerositate vestra coangustatur, nec copia divitiarum exuberat et vix sola alimenta suis cultoribus administrat. Inde est quod vos in invicem mordetis et contenditis, bella movetis et plerumque mutuis vulneribus occiditis. Cessent igitur inter vos odia, conticescant jurgia, bella quiescant et totius controversiae dissensiones sopiantur. Viam sancti Sepulcri incipite, terram illam nefariae genti auferte, eamque vobis subjicite, terra illa filiis Israel a Deo in possessionem data fuit, sicut Scriptura dicit, »quae lacte et melle fluit« (Historia Hierosolymitana, S. 728)

Dafür, daß ihr Christenblut vergießt, erwartet ihr Räuberlohn. Und wie die Geier, die das Aas wittern, so späht ihr aus und trachtet nach Kriegen in den entferntesten Gegenden. Das ist gewiß der schlimmste Weg, weil er ganz von Gott abgekehrt ist. Wenn ihr aber für eure Seele sorgen wollt, so legt schleunigst den Gürtel einer solchen Ritterschaft ab und tretet mutig in den Kriegsdienst Christi und eilt zur Verteidigung der orientalischen Kirche.«[25] Auch nach dem Bericht Balderichs von Dol wurde den Kreuzrittern weltlicher Besitz verheißen: »Die Habe der Feinde wird euer werden, da ihr sie ihrer Schätze berauben werdet.«[26] Sehr interessant ist, daß in Balderichs Bericht – sein Werk ist zu Beginn des 12. Jahrhunderts verfaßt worden – auch der Gedanke auftauchte, daß die Ritter durch die Schönheit der Frauen von der Teilnahme am Kreuzzug abgehalten werden könnten: »Die verführerischen Reize der Frauen und eurer Besitztümer sollen euch nicht dazu verlocken, daß ihr nicht auszieht.«[27] In der höfischen Kreuzzugslyrik, die in Frankreich um 1150, in Deutschland um 1180 einsetzte, hat dieser Gedanke später eine wichtige Rolle gespielt.

Bei der Gegenüberstellung des verdammungswürdigen weltlichen Raubrittertums und des verdienstvollen Gottesstreitertums benutzte man gerne das Wortspiel *militia – malitia* (Ritterschaft – Schlechtigkeit). Bernhard von Clairvaux schrieb in seinem Kreuzzugsaufruf an die Ostfranken und Bayern vom Jahr 1146: »Aufhören soll jene frühere *militia* oder richtiger *malitia,* die darin bestand, daß ihr euch gegenseitig niedergehauen, euch gegenseitig zugrundegerichtet, euch gegenseitig vernichtet habt. Jetzt, tapferer Ritter und kriegserprobter

[25] Vos accincti cingulo militiae, magno superbitis supercilio; fratres vestros laniatis, atque inter vos dissecamini. Non est haec militia Christi, quae discerpit ovile Redemptoris. Sancta Ecclesia ad suorum opitulationem sibi reservavit militiam, sed vos eam male depravatis in malitiam. Ut veritatem fateamur, cujus praecones esse debemus, vere non tenetis viam per quam eatis ad vitam: vos pupillorum oppressores, vos viduarum praedones, vos homicidae, vos sacrilegi, vos alieni juris direptores: vos pro effundendo sanguine Christiano expectatis latrocinantium stipendia; et sicut vultures odorantur cadavera, sic longinquarum partium auspicamini et sectamini bella. Certe via ista pessima est, quoniam omnino a Deo remota est. Porro si vultis animabus vestris consuli, aut istiusmodi militiae cingulum quantocius deponite, aut Christi milites audacter procedite, et ad defendendam Orientalem Ecclesiam velocius concurrite (Historia, S. 14)

[26] Facultates etiam inimicorum vestrae erunt: quoniam et illorum thesauros expoliabitis (S. 15)

[27] Non vos demulceant illecebrosa blandimenta mulierum nec rerum vestrarum, quin eatis (ebd.)

Mann, gibt es eine Ritterschaft, in der du ohne Gefahr kämpfst, wo der Sieg Ruhm bringt und der Tod Gewinn.«[28] Dieses Wortspiel begegnet auch in dem Kreuzzugsbrief des Kardinallegaten Heinrich von Albano an die geistlichen und weltlichen Fürsten Deutschlands aus dem Jahr 1187 oder 1188, der mit besonderer Schärfe die Gewalttätigkeiten des Adels verurteilte: »Nicht *militia*, sondern *malitia* war es, daß die Christen bisher nur darauf aus waren, zu morden, zu rauben und Schandtaten zu begehen, womit sie sich das ewige Feuer verdienen und die Qualen der ewigen Hölle. Fremd ist ihnen der seligmachende Kriegsdienst, in welchem der Sieg Ruhm bringt und noch größeren Gewinn das Sterben. Dazu ruft uns heute derjenige auf, dem die Seelen lieb sind.«[29]

Wenn die geistlichen Autoren von »Rittern« (*milites*) und »Ritterschaft« (*militia*) sprachen, haben sie schwerlich immer eine klare Vorstellung davon gehabt, welche ständische Realität diesen Begriffen entsprach. Der Kreuzzugsaufruf richtete sich grundsätzlich an die gesamte Christenheit, speziell aber an den Adel, und zwar sowohl an die großen Fürsten als auch an die kleineren Herren. Nur die Könige wurden zu Anfang bewußt nicht angesprochen, weil die Kirche sich die Leitung des heiligen Unternehmens vorbehielt. Schon seit dem Zweiten Kreuzzug von 1147 bis 1149 hat jedoch die Entscheidung der Könige fast immer den Ausschlag gegeben. Für die adligen Herren, die dem Aufruf zum Kreuzzug folgten, war es sicherlich etwas Ungewöhnliches, als »Soldaten« oder »Diener« (*miles* konnte beides heißen) angesprochen zu werden. Der Gedanke, daß es auch für einen großen Herrn, der sich vor niemandem zu verbeugen brauchte, eine Auszeichnung sein konnte, »Diener« genannt zu werden, wenn sein Dienst Gott und dem christlichen Glauben galt, war ein wichtiger Aspekt des religiösen Ritterbegriffs. Schon die Kirchenväter hatten gelehrt, daß die Begriffe Herrschaft und Dienst, die in der sozialen Wirklichkeit krasse Gegensätze bezeichneten, in bezug auf Gott in fast paradoxer Weise zusammenfielen. Von Gregor dem Großen († 604)

[28] Cesset pristina illa non militia, sed plane malitia, qua soletis invicem sternere, invicem perdere, ut ab invicem consumamini … Habes nunc, fortis miles, habes, vir bellicose, ubi dimices absque periculo, ubi et vincere gloria, et mori lucrum (Epistola 363, S. 315)

[29] Malitia fuit, non militia, quod hactenus Christianorum caedibus et rapinis et execrabilibus intenti ignem inexstinguibilem et immortalium cruciatus vermium meruerunt. Felix eis abest militia, in qua et vincere gloria, sed magis mori lucrum. Ad hanc invitat nos hodie, qui amat animas (Epistola 32, Sp. 250)

stammte der Satz, daß »Gott dienen herrschen ist«[30]. Und der heilige Augustinus hatte in seinem Werk ›Über den Gottesstaat‹ von den Fürsten des Volkes Gottes geschrieben: »Die, die herrschen, dienen denen, die sie zu beherrschen scheinen.«[31] Wie lebendig diese Gedanken in der Zeit der Kreuzzüge waren, bezeugt der Brief des Grafen Henri von Saint Pol an den Herzog von Brabant über die Eroberung von Konstantinopel im Jahr 1203, der in der ›Kölner Königschronik‹ zitiert wurde: »Wenn jemand Gott dienen will, ihm, dem zu dienen herrschen heißt, und wenn er einen ausgezeichneten und berühmten Namen unter der Ritterschaft erringen will, so nehme er das Kreuz und folge dem Herrn und komme zu dem Turnier des Herrn, zu dem er von dem Herrn selbst eingeladen wird.«[32] Noch einen Schritt weiter gingen die Reformtheologen, die auch den Dienst an der menschlichen Gemeinschaft – als Schutz der Bedrängten und Unterstützung der Notleidenden – denen, die zur Herrschaft berufen waren, zur Pflicht machen wollten. Ins Weltliche gewendet ist dieser Dienstgedanke zu einer wichtigen Komponente des höfischen Ritterbegriffs geworden. Über die Erziehung des Freiherrn Bernhard II. zur Lippe († 1224), der zunächst für die geistliche Laufbahn bestimmt war, dann aber in den Laienstand zurücktrat, berichtete das ›Lippiflorium‹: »Bekleidet mit dem Gewand des Laien, fängt er an, sich in den Waffen zu üben. Als ein Knecht trägt er das Joch dessen, der dient. Mit Freuden will er dienen; er verschmäht es nicht, Mühen zu ertragen, bereit zum Gehorsam und bemüht, nicht träge zu sein. Nicht der Mangel an Reichtum zwingt ihn zu dienen, sondern seine innewohnende Tugend, das Lob und der Beifall der Leute. Er dient, weil er herrschen will; er dient, damit er dadurch an Ansehen zunimmt.«[33]

Welche Wirkung die Idee der *militia Christi* auf die adligen Herren, die zum Kreuzzug aufgerufen wurden, gehabt hat, ist schwer abzuschätzen. Als besonders wirksames Werbungsmit-

[30] Deus . . ., cui servire regnare est (Liber sacramentorum, Sp. 206)

[31] qui imperant seruiunt eis, quibus uidentur imperare (De civitate Dei, Bd. 2, S. 681)

[32] Si quis ergo Deo vult servire, cui servire est regnare, et nomen habere milicie conspicuum et clarum, tollat crucem et sequatur Dominum et veniat ad tornamentum Domini, ad quod ab ipso Domino invitatur (S. 208)

[33] Induitur cultu laicali, transit ad usum Armorum, servus portat herile jugum, Vult servire libens, non spernit ferre laborem, Promptus ad obsequium, non piger esse studet, Quem non compellit servire penuria rerum, Indita sed virtus, laus populique favor. Servit, abinde volens dominari; servit, ut inde Sit major (61–68)

tel erwies sich der Ablaß, der den Teilnehmern (später auch denen, die anderen die Teilnahme an der Kreuzfahrt ermöglichten) von der Kirche gewährt wurde. Obwohl er sich, streng genommen, nur auf die zeitlichen Sündenstrafen bezog, wurde er offenbar von Anfang an als eine vollständige Tilgung der Sündenschuld verstanden; und die Kirche hat sich kaum bemüht, diesem Mißverständnis entgegenzutreten. In vielen Fällen werden sich die religiösen Motive mit der Hoffnung auf materiellen Gewinn verbunden haben. Die Aussicht auf Landgewinn und Beute ist in der Kreuzzugsliteratur zwar immer ein untergeordneter Punkt geblieben; aber man kann damit rechnen, daß gerade dieser Punkt großes Interesse bei den weltlichen Teilnehmern fand. Daß den Kreuzfahrern ein genereller Zinsaufschub für ihre Schulden gewährt wurde – zuerst von Papst Gregor VIII. († 1187) in seiner Kreuzzugsbulle *Quam divina patentia* –, hatte sicherlich eine große praktische Bedeutung. Am stärksten haben wahrscheinlich die Friedensgebote, die für die Dauer des Kreuzzugs erlassen wurden, und der besondere Schutz, unter den der Besitz der Kreuzfahrer von seiten der Kirche gestellt wurde, die tatsächlichen Lebensverhältnisse des Adels berührt. Ob jedoch die religiöse Propaganda zu einem Umdenken in der Laiengesellschaft geführt hat und zu der Bereitschaft, grundsätzlich das Leben zu ändern, wie es die Idee des religiösen Kriegsdienstes verlangte, ist zweifelhaft. Im Verlauf des 13. Jahrhunderts wurden die kritischen Stimmen immer lauter. Im ›Reinfried von Braunschweig‹, am Ende der höfischen Zeit, wurden neun Gründe aufgezählt, warum christliche Ritter in das Heilige Land zogen. »Reinen Herzens Gott zu dienen«[34], war nur einer der neun Gründe. Die übrigen acht waren weltliche Motive: der eine fuhr »aus freiem Verlangen des Herzens«[35]; der zweite suchte »ritterlichen Kampf«[36]; der dritte wollte sich »die Welt ansehen«[37]; der vierte wollte »seiner Dame um ihre Liebe dienen«[38]; der fünfte wollte um seines rechten Herrn willen »Not leiden«[39]; den sechsten trieb die Hoffnung auf »Gewinn«[40]; der siebente fuhr

[34] daz er lûterlîchen got diende (14624–25)
[35] durch frîgen muotgelust (14617)
[36] ritterlîchen just (14618)
[37] schouwen (14619)
[38] sîner frouwen wolt dienen umb ir minne (14620–21)
[39] lîden pîn (14626)
[40] guot (14631)

einfach »zum Vergnügen«[41]; der achte »um des Ruhmes willen«[42].

Die geistlichen Ritterorden

Eine Gruppe von französischen Kreuzrittern, unter der Führung von Hugo de Payns, beschloß im Jahr 1118/19, im Heiligen Land zu bleiben und sich dort ganz dem Schutz der Pilger auf ihrem Weg nach Jerusalem zu widmen. Sie bekannten sich zu einer religiösen Lebensform und nahmen die Regel der Augustiner-Chorherren vom Heiligen Grab an. Das war die Geburtsstunde der geistlichen Ritterorden, in denen das Ideal des christlichen Rittertums seine bezeichnendste Verwirklichung erfuhr, auch wenn das machtpolitische Gebaren, das die Orden später an den Tag gelegt haben, kaum noch etwas von dieser religiösen Motivierung erkennen ließ. Für die Zeitgenossen muß es – trotz der Vorbereitung durch die *militia Christi*-Propaganda – ein neuer und zunächst ganz fremder Gedanke gewesen sein, daß Mönchtum und Rittertum, geistlicher und weltlicher Kriegsdienst, *militia spiritualis* und *militia saecularis*, sich so miteinander verbinden ließen. Den eigentümlichen Charakter des neuen Ordensrittertums erläutern zwei Dokumente der Zeit: die erste Regel des Templerordens aus den Jahren 1128 bis 1130 und das etwa gleichzeitig entstandene ›Buch an die Ritter des Tempels zum Lob der neuen Ritterschaft‹ (Liber ad milites Templi de laude novae militiae) von Bernhard von Clairvaux. Mit dem Verbot jeglichen weltlichen Prunks, mit der Mahnung zum Gehorsam gegenüber den Oberen und mit der Warnung vor dem Umgang mit Frauen machte die Templerregel die sogenannten drei evangelischen Räte der Armut, des Gehorsams und der Keuschheit für die Ordensritter verbindlich. »Die Ritter sollen nicht achtgeben auf das Aussehen einer Frau. Wir glauben nämlich, daß es für jeden Frommen gefährlich ist, zu sehr auf das Aussehen einer Frau zu achten; und deswegen soll keiner der Brüder sich erdreisten, eine Witwe oder eine Jungfrau oder eine Mutter oder eine Schwester oder eine Tante oder irgendeine andere Frau zu küssen. Christi Ritterschaft soll also den Kuß einer Frau vermeiden.«[43] Nach Bernhard von Clair-

---

[41] durch kurzewile (14633)
[42] durch ruon (14635)
[43] Ne attendant vultum mulieris. Periculosum esse credimus omni religio(so)

vaux war »die neue Ritterschaft« (*nova militia*) der Templer dadurch ausgezeichnet, daß sie nicht nur einen körperlichen, sondern auch einen geistigen Kampf führte, daß sie die Aufgaben des Ritters mit denen des Mönchs verband. Sowohl von der Ordensregel als auch von Bernhard wurde mit besonderem Nachdruck der Verzicht auf weltlichen Luxus gefordert. Nach der Regel sollten die Brüder mit einfacher Speise zufrieden sein und »sich an gewöhnlichen Tagen mit zwei bis drei Gemüsegerichten begnügen«[44]; sie sollten nur »einfarbige Kleider«[45] anziehen, auf kostbares Pelzwerk verzichten und »nur Schafsfelle tragen«[46]; es wurde verboten, »daß an den Zügeln und Brustriemen der Pferde und an den Sporen und Steigbügeln Gold oder Silber – die Zeichen des Reichtums – zu sehen ist«[47]; die Ritter sollten »nicht mit Jagdvögeln auf Vögel jagen«[48] und überhaupt »unter allen Umständen von der Jagd abstehen«[49]. Ähnlich wurde den Ordensrittern von Bernhard von Clairvaux eingeschärft, »Schachspiele und Würfel zu verachten, nichts von der Jagd wissen zu wollen, am Sport mit Raubvögeln nicht wie sonst üblich Freude zu haben, Spielleute, Zauberkünstler und Erfinder von Märchen zu verabscheuen und Scherzlieder und Schauspiele als leeren Schein und dumme Torheit von sich zu weisen«[50]. Außerdem sollten die Tempelritter ihre Haare nicht lang tragen, ihre Rüstungen sollten schmucklos sein und ihre Pferde sollten keine bunten, wappengeschmückten Decken haben. »Sie sollen an Kampf denken, aber nicht an Prunk, an den Sieg, aber nicht an den Ruhm.«[51] An solchen Bestimmungen wurde sichtbar, daß die kirchlichen Bemühungen um die Ver-

vultum mulieris nimis attendere, et ideo nec viduam nec virginem nec matrem nec sororem nec amitam nec ullam aliam feminam aliquis ex fratribus osculari presumat. Fugiat ergo feminea oscula Christi militia (Regula commilitonum Christi, S. 153)

[44] Ut aliis diebus duo vel tria leguminis fercula sufficiant (S. 138)

[45] Vestimenta quidem unius coloris (S. 140)

[46] Ut pellibus agnorum utantur (S. 141)

[47] ut aurum vel argentum, que sunt divitie peculiares, in frenis aut in pectoralibus vel calcaribus vel in strevis unquam appareat (S. 144)

[48] Quod nullus cum ave accipiat aliam avem (S. 146)

[49] Ut omnem occasionem venationis caveant (ebd.)

[50] Scacos et aleas detestantur; abhorrent venationem, nec ludicra illa avium rapina, ut assolet, delectantur. Mimos et magos et fabulatores scurrilesque cantilenas, atque ludorum spectacula, tamquam vanitates et insanias falsas respuunt et abominantur (Liber ad milites Templi, S. 220)

[51] pugnam quippe, non pompam, victoriam, sed non gloriam cogitantes (S. 221)

geistlichung des Kriegerberufs nicht nur an der Herrschaftspraxis des Adels, an den Gewalttätigkeiten und Unrechtshandlungen, Anstoß nahmen, sondern ebenso entschieden Kritik übten an dem materiellen Luxus des Adels und an seinen Unterhaltungsformen. Auf dem Mainzer Hoftag des Jahres 1188, auf dem der Kreuzzug Kaiser Friedrichs I. beschlossen wurde, hat der Bischof Heinrich von Straßburg insbesondere die Vorliebe des weltlichen Adels für Spielleute und Schaustellungen gegeißelt: »O wunderbare Sache, o ihr vorzüglichen Ritter! Eure angeborene Tapferkeit und eure Tüchtigkeit hat euch durch Waffentaten berühmt gemacht und vor den übrigen Menschen ausgezeichnet. Ich wundere mich und es erregt Erstaunen, daß eure Ehrfurcht vor Gott in einer so großen Notlage auf so schändliche Weise erkaltet und erlahmt und daß ihr eure gewohnte Tapferkeit vergessen habt, wie Bösewichter und Feiglinge. Ein Spielmann oder ein Schauspiel würde leicht mit seinem Zauber euer Ohr gewinnen, während die Worte Gottes, die ihr in so störrischem und taubem Sinn vernehmt, bei euch kein Gehör finden.«[52]

Die geistliche Kritik, die im Namen der *militia Christi* an dem höfischen Gesellschaftsstil des Adels geübt wurde, richtete sich nicht nur an diejenigen, die dem neuen Ritterorden beitraten. In seinem Kreuzzugsschreiben an den Herzog Wladislaus von Böhmen vom Jahr 1147 hat Bernhard von Clairvaux den Kreuzfahrern allgemein abverlangt, »daß niemand buntes oder graues Pelzwerk und seidene Kleider trägt«[53]. Außerdem wurden den Kreuzrittern Gold- und Silberschmuck am Zaumzeug und an den Sätteln ihrer Pferde verboten. Ähnliche Bestimmungen begegneten in der (offenbar unter dem Einfluß Bernhards von Clairvaux redigierten) Kreuzzugsbulle ›*Quantum praedecessores*‹ von Papst Eugen III. vom Dezember 1145 und noch deutlicher in der Neufassung dieses Dokuments vom März 1146, in der »diejenigen, die Gott mit dem Schwert dienen«, aufgerufen wurden, »sich in keiner Weise mit prächtigen Klei-

---

[52] O res miranda, o milites egregii, quos animositas et probitas innata armorum exercicio famosos reddidit et pre ceteris gentibus insignivit. Miramur plurimum et miratione dignum est, quod in tanta necessitate erga deum sic modo turpiter alget et torpescit vestra devotio et obliti estis virtutis assuete velut degeneres et ignavi. Vestrum utique auditum mimus aliquis seu fabula theatralis demulcendo alliceret, et verba dei in vobis non capiunt que tam difficili et surdo percipitis intellectu (Historia peregrinorum, S. 123)

[53] ne quis aut variis aut griseis seu etiam sericis utatur vestibus (Epistola 458, S. 436)

dern und dem Schmuck der äußeren Erscheinung abzugeben, auch nicht mit Jagdhunden und Falken und den anderen Zeichen ausgelassener Weltlichkeit«[54]. Verzichten sollten sie auch »auf Buntwerk und Grauwerk an ihren Kleidern wie auf Gold und Silber an ihren Waffen«[55]. Dieselben Verbote findet man in späteren Kreuzzugserlassen, zum Beispiel in der Bulle ›Audita tremendi‹ von Papst Gregor VIII. aus dem Jahr 1187. Welche Wirkung solche Bestimmungen hatten, ist schwer zu beurteilen. Sicherlich ist oft genug gegen sie verstoßen worden. Es gibt jedoch ein Zeugnis dafür, daß diese Forderungen der Kirche auch von den weltlichen Herrschern als verpflichtend anerkannt worden sind. Als die Könige Philipp II. August von Frankreich und Heinrich II. von England im Januar 1188 bei Grisors zusammenkamen, um gemeinsam das Kreuz zu nehmen, beschlossen sie ein Heeresgesetz, das die kirchlichen Warnungen vor höfischem Luxus übernahm. In diesem bemerkenswerten Dokument wurde festgelegt: »1. Daß niemand rechtswidrig schwören soll. 2. Daß niemand mit Würfeln spielen soll. 3. Daß niemand Buntwerk, Grauwerk, Zobel oder Scharlach tragen soll. 4. Daß alle, Geistliche und Laien, sich beim Essen mit zwei Gängen begnügen sollen. 5. Daß niemand eine Frau mit auf die Fahrt nehmen soll, abgesehen von Waschfrauen, die unverdächtig sind. 6. Daß niemand geschlitzte oder gefranste Kleider tragen soll.«[56] Erlasse dieser Art von seiten weltlicher Herrscher scheinen jedoch die Ausnahme gewesen zu sein. Aus Deutschland ist nichts derartiges bekannt, abgesehen von dem Verbot von Wirtshäusern und kostbarer Kleidung in der Heeresordnung für den Mongolenkrieg aus dem Jahr 1241 (MGH Const. 2, Nr. 335, S. 445). Man muß auch beachten, daß die weltlichen Heeresgesetze den Teilnehmern am Feldzug einen zeitlich begrenzten Verzicht auf bestimmte Bequemlichkeiten oder Vorrechte auferlegten, während die kirchlichen Aufrufe, auch wenn sie sich konkret auf ein bestimmtes Kreuzzugsunter-

---

[54] illi, qui Domino militant, ... nequaquam in vestibus preciosis nec cultu forme nec canibus vel accipitribus vel aliis, que portendant lasciviam, debent intendere (Caspar, S. 304)

[55] in vestibus variis aut grisiis, sive in armis aureis vel argenteis (ebd.)

[56] Ut nullus enormiter juret. Et quod nullus ad aleas vel ad decios ludat. Et quod nullus vario vel grisio vel sabellinis vel escarletis utatur. Et quod omnes tam clerici quam laici duobus ferculis ex empto sint contenti. Et quod nullus aliquam mulierem secum in peregrinatione ducat, nisi lotricem peditem, de qua nulla suspicio habeatur. Et quod nullus habeat pannos decisos vel laceatos (Conrad, S. 123)

nehmen bezogen, immer mit dem Anspruch auftraten, daß die Adressaten sich grundsätzlich zum Gedanken des religiösen Kriegsdienstes bekennen sollten.

Volkssprachliche Zeugnisse

Die geistlichen Schriftsteller, die im 12. Jahrhundert die Idee der religiösen Ritterschaft propagiert haben, dürften mit ihren Schriften nur wenige von denen erreicht haben, für die die neue Theorie bestimmt war. Denn sie bedienten sich ausschließlich der lateinischen Sprache, die vom Laienadel, jedenfalls in Deutschland, nicht verstanden wurde. Allenfalls die Kreuzzugspredigten sind übersetzt worden; aber über Inhalt und Form der volkssprachlichen Kreuzzugspropaganda wissen wir sehr wenig. Es ist damit zu rechnen, daß der geistliche Ritterbegriff eine breitere Wirkung in der Laiengesellschaft erst erlangte, als er von den Autoren aufgenommen wurde, die in der Volkssprache für ein höfisches Publikum dichteten. Es waren vor allem die Didaktiker geistlichen Standes, die das Gedankengut der Reformbewegung aufnahmen und für ihre adlige Zuhörerschaft bereitstellten. In Frankreich beziehungsweise im normannischen England ist an erster Stelle Etienne de Fougères († 1178) zu nennen, der als Kleriker am Hof König Heinrichs II. von England tätig war, bevor er Bischof von Rennes wurde. In seinem ›Buch der Sitten‹ (Livre des manières), das der Gräfin von Hereford gewidmet war, hat er die sittlichen und religiösen Pflichten des Ritters ausführlich dargestellt und dabei die Bindung an die Kirche besonders betont. In Deutschland ist Thomasin von Zirklaere der wichtigste Zeuge, der 1215/16 eine umfangreiche Tugendlehre (›Der Wälsche Gast‹) in deutscher Sprache verfaßt hat. Bei der Behandlung der Ritterpflichten in den Büchern VI und VII ist Thomasin, wie vor ihm die Kreuzzugsprediger, von einem düsteren Bild der Wirklichkeit ausgegangen, dem um so wirkungsvoller die Idee des religiösen Kriegertums gegenübergestellt wurde. »Wer den armen Mann totschlägt, der kämpft nicht wie ein richtiger Ritter; und wer ihm seinen Besitz nimmt, der hat unritterlichen Sinn. Ritter, denkt an eure Bestimmung! Wozu seid ihr Ritter geworden? Weiß Gott, nicht um zu schlafen. Soll ein Mann deswegen Ritter sein, weil er sich gerne ausruht? Davon weiß ich nichts. Glaubt ihr, wegen des guten Essens und des guten Weins seid ihr Ritter? Darin habt ihr euch getäuscht. Das Vieh frißt gerne, das ist wahr. Ihr seid auch nicht Ritter wegen der Kleider und des kostbaren Schmucks.«[57] »Wer das Ritteramt versehen will, der muß mehr Mühe auf sich nehmen als gut zu essen.«[58] »Wenn ein Ritter das tun will, wozu er verpflichtet ist, so soll er sich Tag und Nacht mit allen Kräften für die Kirchen und für die armen Leute abmühen. Aber es gibt heute sehr wenige Ritter, die das tun. Ihr sollt wissen: wer nicht so handelt, der sollte lieber Bauer sein; dann wäre er Gott nicht so verhaßt. Ihr sollt das wissen: wer seine Ritterschaft so ausübt, daß er Hilfe und Rat verweigert, dem wird seine Ritterschaft aberkannt.«[59]

Es waren jedoch nicht nur die geistlichen Didaktiker, die so gesprochen haben. Die Idee des religiösen Rittertums ist in der höfischen Dichtung überall dort anzutreffen, wo die Kreuzzugsthematik berührt wurde. Die mittelhochdeutsche Kreuzzugsdichtung, ebenso wie die französische, hat sich das ganze Gedankenarsenal der kirchlichen Propaganda zu Nutze gemacht. Das ›Rolandslied‹ bietet dafür reiches Anschauungsmaterial. Auch die höfische Lyrik kannte den Gedanken, daß die Teilnahme an der heiligen Fahrt eine innere Umkehr notwendig mache und die Bereitschaft, sich ganz dem Dienst an der religiösen Sache hinzugeben. »Das Kreuz fordert eine reine Gesinnung und ein sündloses Leben. So kann man Heil und höchsten Besitz erlangen.«[60]

Eine andere Gelegenheit, die religiösen Aspekte des Rittertums zu erläutern, bot sich den höfischen Dichtern bei der Schilderung der Schwertleite. Die feierliche Umgürtung war fast immer von mahnenden Worten begleitet, die dem neuen Ritter die Pflichten des Ritternamens vor Augen führen sollten.

---

[57] der vihtet niht nâch rîters reht der den armen man sleht, und der im nimt sîn guot, der treit unrîterlîchen muot. gedenket, rîtr, an iuwern orden: zwiu sît ir ze rîter worden? durch slâfen, weizgot ir ensît. dâ von daz ein man gerne lît, sol er dar umbe rîter wesen? ichn hânz gehoeret noch gelesen. waenet dar umbe ir rîter sîn, durch guote spîse und guoten wîn? dar an sît ir betrogen gar: jâ izzet daz vihe gern, deist wâr. durch kleider und durch schoene gesmît sît ir niht rîter (7765–80)

[58] Swer wil rîters ambet phlegen, der muoz mêre arbeit legen an sîne vuor dan ezzen wol (7785–87)

[59] Wil ein rîter phlegen wol des er von rehte phlegen sol, sô sol er tac unde naht arbeiten nâch sîner maht durch kirchen und durch arme liute. der rîter ist vil lützel hiute die daz tuon: wizzet daz, swerz niht entuot, ez waere baz daz er ein gebûre waere, er waere got niht sô unmaere. ir sult daz vür wâr wizzen, im wirt sîn rîterschaft verwizzen, swer sîn rîterschaft sô hât daz er nien gît helfe unde rât (7801–14)

[60] Dem kriuze zimet wol reiner muot und kiusche site, sô mac man saelde und allez guot erwerben dâ mite (H. v. Aue, Lieder 209, 25–28)

»Beschirme die Armen: das ist Ritterschaft. Sprich für sie: das ist tugendhaft; so wirst du vor Gott erkannt. Deswegen hat man dir das Schwert gesegnet.«[61] Ganz ins Geistliche gewendet ist die Ritterlehre im ›Prosa-Lancelot‹. »Das Rittertum wurde geschaffen, insbesondere um die heiligen Kirchen zu beschützen und zu beschirmen.«[62] In diesem Sinne sollten die Ritter »immerfort kämpfen, um den Glauben zu stärken«[63].

Die meisten höfischen Dichter haben die religiösen Ritterpflichten mit den höfisch-weltlichen Motiven des Rittertums, die am deutlichsten im Frauendienst zum Ausdruck kamen, in harmonische Übereinstimmung zu bringen gesucht. In der Ansprache des Markgrafen Willehalm vor der Schlacht gegen die Heiden hieß es: »Jeder denke daran, was den Ritter auszeichnet, wie es ihn der Segen lehrt, der über ihn gesprochen wurde, als er das Schwert empfing. Wer Ritterschaft so ausüben will, wie es richtig ist, der soll Witwen und Waisen vor den Gefahren schützen, die ihnen drohen. Dafür erwartet ihn ewiger Lohn. Er kann sein Herz aber auch dahin wenden, wo man Frauen um ihren Lohn dient und wo man andere Töne hört: wie die Lanzen durch die Schilde krachen, wie die Frauen sich darüber freuen, wie die Freundin den Kummer des Freundes stillt. Ein zweifacher Lohn winkt uns: der Himmel und die Gunst edler Frauen.«[64]

[61] beschirme die armen, daz ist ritterschaft, sprich ir wort, daz ist tugenthaft: so bist du vor Got wert: dar umbe segent man dir daz swert (Der magezoge 43–46)

[62] Ritterschaft wart gemacht betalliclichen umb die heiligen kirchen zu beschutten und zu beschirmen (Bd. 1, S. 120)

[63] alweg fechten umb den glauben zu stercken (S. 123)

[64] ein ieslîch rîters êre gedenke, als in nu lêre, do er dez swert enphienc, ein segen, swer rîterschaft wil rehte pflegen, der sol witwen und weisen beschirmen von ir vreisen: daz wirt sîn endelôs gewin. er mac sîn herze ouch kêren hin ûf dienst nâch der wîbe lôn, dâ man lernet sölhen dôn, wie sper durch schilde krachen, wie diu wîp dar umbe lachen, wie vriundîn vriunts unsemftekeit semft. zwei lôn uns sint bereit, der himel und werder wîbe gruoz (W. v. Eschenbach, Willehalm 299, 13–27)

c. Höfische Tugenden

Das ritterliche Tugendsystem

Der Begriff »ritterliches Tugendsystem« stammt von Gustav Ehrismann. Er ist insofern mißverständlich, als es eine Systematik der höfischen Morallehre nie gegeben hat. Die höfische Tugendlehre ist fast nur in poetischer Form vorgetragen worden, und die Dichter haben wohl gelegentlich ganze Tugendkataloge aufgeführt, aber an einem System der Begriffe waren sie, schon aus Rücksicht auf ihr Publikum, kaum interessiert. Mißverständlich und problematisch war auch Ehrismanns These, daß die höfische Ritterethik in der Hauptsache auf die antike Tugendlehre, wie sie von Cicero in seiner Schrift ›Über die Pflichten‹ (De officiis) formuliert worden ist, zurückgeführt werden könnte. Nur auf diesen Punkt bezog sich die berühmt gewordene Kritik des Romanisten Ernst Robert Curtius an Ehrismanns Vorstellung vom ritterlichen Tugendsystem, die nach dem Zweiten Weltkrieg eine lebhafte Diskussion in der Germanistik ausgelöst hat. Blickt man aus dem Abstand eines Menschenalters auf den damaligen Streit zurück, so begreift man kaum, wie der mit unerfreulicher Polemik gegen die Germanistik gewürzte Angriff von Curtius so viel Staub aufwirbeln konnte. Außerdem muß man feststellen, daß die ganze Diskussion wenig Klarheit gebracht hat und daß das historische Verständnis des höfischen Ritterbegriffs durch sie kaum gefördert worden ist. Nicht einmal das Sonderproblem, ob es einen Zusammenhang zwischen der Ausbildung des adligen Gesellschaftsideals und der Antikerezeption im 12. Jahrhundert gegeben hat, konnte befriedigend geklärt werden. Praktisch muß die Forschung wieder da anknüpfen, wo Ehrismann 1916 stehengeblieben war: bei der Bestandsaufnahme und Analyse der Vorstellungen und Begriffe von ritterlicher Vorbildlichkeit in der höfischen Literatur.

Manchmal haben die Dichter eine Fülle von Tugendprädikaten gehäuft und haben dabei religiöse, moralische und gesellschaftliche Begriffe ohne erkennbare Ordnung aneinandergereiht. »Er war eine Blume gänzlicher Vollkommenheit, ein Felsen beständiger Tugend, ein Spiegel der Freigebigkeit und des höfischen Benehmens, er war rein und demütig, von mannhafter Güte, klug, auf verständige Weise gutmütig, tapfer und hochgesinnt.«[65] Entsprechend breit war das Spektrum der Leh-

---

[65] Er was ain blůme ganzer tugent, Ståter trúwe ain adamas, Milte und zúhte

ren, die dem Ritter den Weg zu höfischer Vollkommenheit wiesen. Als Beispiel kann das kleine Gedicht ›Der Lehrer‹ (Der magezoge) aus dem 13. Jahrhundert dienen, das den jungen Adligen Anweisungen zum richtigen Verhalten geben wollte: »Liebe Gott aus ganzer Kraft«, »gewöhne dich an Tugend«, »bemühe dich um gutes Benehmen«, »rede nicht bösartig«, »sei brav und anständig«, »ertrage den Haß der Bauern«, »danke dem, der aufrichtig zu dir spricht«, »laß dich jeden Tag von der Tugend belehren«, »fürchte die Hölle«, »folge der Lehre Gottes«, »ehre Vater und Mutter«, »höre auf den Rat der Weisen«, »beschütze die Armen«[66] usw. Hinter der scheinbaren Beliebigkeit solcher Ansammlungen verschiedenartiger Lehren sind jedoch feste Ordnungsgrundsätze zu erkennen. Die gemeinsame Grundlage bildete überall ein Fundus von christlichen Geboten, der den höfischen Dichtern aus geistlichen Quellen zugeflossen sein muß.

Unter den religiösen Rittertugenden nahm die Demut den ersten Platz ein. »Befleißigt euch der Demut«[67], hieß es an zentraler Stelle in der Ritterlehre, die Gurnemanz dem jungen Parzival erteilte. »Sei demütig und ohne Falsch«[68], wurde Tristan bei seiner Schwertleite gemahnt. Ritterliche Demut offenbarte sich in der Erkenntnis, daß die eigene Tüchtigkeit nichts vermochte ohne den Segen Gottes. »Er handelte wie es die Weisen tun, die für alle Anerkennung, die ihnen zuteil wird, Gott danken und die darin ein Geschenk Gottes sehen.«[69] Das Gebot: »Vor allen Dingen liebe Gott«[70] war daher auch für den höfischen Ritter grundlegend. Gegenüber den Menschen bewies der Ritter seine Demut als Mitleid und Barmherzigkeit. »Laßt Barmherzigkeit bei der Kühnheit sein.«[71] Das zielte nicht nur auf die Schonung besiegter Feinde, sondern auch auf den Schutz

ain spiegelglas, Kúsch und demúte Mit manlicher gúte, Wis, beschaidenlichen gút, Ellenthaft und hohgemút (R. v. Ems, Wilhelm v. Orlens 12550–56)

[66] minne in von allem mute (15); wene dich der tugent (17); vlis dich schoner gebere (21); sag niht schalkhaft mere (22); wis biberbe und wol gezogen (25); den geburen nit den vertrage (27); nige im der dir rehte sage (29); lerne tugent alle tage (30); furht die helle (33); volge der Gotes lere (35); dinen vater und dine muter ere (36); hore gerne der wisen rat (37); beschirme die armen (43)

[67] vlîzet iuch diemüete (W. v. Eschenbach, Parzival 170, 28)

[68] wis diemüete und wis unbetrogen (G. v. Straßburg 5027)

[69] er tete sam die wîsen tuont, die des gote genâde sagent swaz si êren bejagent und ez von im wellent hân (H. v. Aue, Erec 10085–88)

[70] vor allen dingen minne got (H. v. Aue, Gregorius 257)

[71] lât derbärme bî der vrävel sîn (W. v. Eschenbach, Parzival 171, 25)

der Hilfsbedürftigen und das Mitleid mit den Notleidenden, das Erec gegenüber den achtzig trauernden Witwen in Brandigan vorbildlich bewies: »Ihn erbarmte die jammervolle Schar.«[72] Zur religiösen Unterweisung der Ritter gehörte auch die Mahnung, regelmäßig die Kirche zu besuchen und den Geistlichen mit Ehrfurcht zu begegnen.

Um die Vortrefflichkeit des Ritters zum Ausdruck zu bringen, stand eine große Zahl auszeichnender Prädikate bereit: *guot, reine, biderbe, vrum, lobesam, tiure, wert, ûz erwelt.* Mit den Begriffen *schame* und *kiusche* wurde die Reinheit und Lauterkeit des sittlichen Empfindens bezeichnet. *güete* stand für innere Gutheit. Auch das Wort *triuwe* konnte eine sehr weite Bedeutung haben. *triuwe* war zunächst ein Rechtsbegriff und bezeichnete die Vertragstreue, auch die Bindung des Vasallen an seinen Herrn. Im weiteren Sinn war *triuwe* die Aufrichtigkeit und Festigkeit der Bindungen zwischen Menschen überhaupt, die Liebe zu Gott und die Liebe Gottes zu den Menschen (»da Gott selber *ein triuwe* ist«[73]). Für den Ritter bestand die *triuwe* im Einhalten sittlicher Verpflichtungen: »Rechte *schame* und edle *triuwe* verleihen immerwährenden Ruhm.«[74]

Wo Moralbegriffe gebraucht wurden, die sich inhaltlich deutlicher fassen ließen, war eine Zuordnung zum Begriffskanon der christlichen Kardinaltugenden möglich. Das gilt insbesondere für die Begriffe *mâze* und *staete,* die von den Dichtern und von den Didaktikern, die sich an ein Adelspublikum wandten, mit dem größten Nachdruck genannt wurden. *staete* läßt sich mit Hilfe des christlich-lateinischen Begriffs *constantia* (»Beständigkeit«) erläutern, *mâze* stand einerseits zur christlichen *temperantia* (»Mäßigung«) in Beziehung, andererseits zur *medietas,* der richtigen Mitte zwischen zwei Extremen. »*staete* und *mâze* sind Schwestern, sie sind die Kinder ein und derselben Tugend.«[75] *staete* als festes Beharren wurde vom Ritter vor allem im Frauendienst bewährt: »Bevor ich meine ritterliche *staete* gegenüber guten Frauen brechen würde . . .«[76] In einem allgemeineren Sinn war *staete* das Festhalten am Guten. »Beständig-

---

[72] im erbarmte diu ellende schar (H. v. Aue, Erec 9798)

[73] sît got selbe ein triuwe ist (W. v. Eschenbach, Parzival 462, 19)

[74] rehtiu scham und werdiu triwe gebent prîs alt unde niwe (ebd. 321, 29–30)

[75] staete und mâze swester sint, si sint einer tugende kint (T. v. Zirklaere 12339–40)

[76] E daz ich mîn ritterlîche staete braeche an guoten wîben . . . (U. v. Liechtenstein, Gedichte XXV, 67)

keit ohne jedes Wanken kann ich deiner Güte zusprechen.«[77] In dieser Bedeutung konnte *staete* geradezu als Grundlage der gesamten Morallehre betrachtet werden. »Die anderen Tugenden sind ein Nichts, wenn nicht die *staete* dabei ist.«[78] Auch die *mâze* ist als »Mutter aller Tugenden« gefeiert worden: »Die Mutter aller Tugenden steht den jungen Leuten gut an: *mâze* ist so genannt.«[79] Das Gebot, in allen Dingen maßzuhalten und den richtigen Mittelweg zu gehen, fehlte in keiner Ritterlehre. Besonders den Frauen wurde *mâze* anempfohlen: »Die edle *mâze* adelt Person und Ansehen. Nichts, was jemals die Sonne beschien, ist so beglückend wie die Frau, die sich und ihr Leben der *mâze* anheimgibt.«[80]

Adel und Schönheit

Der höfische Ritter war nicht nur fromm und tugendhaft, er war auch schön, stolz, reich, prachtliebend, voll Ruhmverlangen und von hoher Abkunft. An der Bewertung dieser weltlichen Vorzüge schieden sich die Positionen. Die *militia Christi*-Idee beruhte auf der Unterscheidung zwischen weltlicher Ritterschaft, die nicht nur wegen ihrer Gewalttätigkeit, sondern auch wegen ihres höfischen Prunks der Verdammung verfiel, und der religiösen Ritterschaft, die ganz auf Gott gerichtet war. In der höfischen Dichtung ist dieser Gegensatz verschwunden. Was die geistlichen Autoren verdammt hatten, wurde bei den Dichtern zum Bestandteil von Vorbildlichkeit: zwar nicht Unrecht und Gewalt, aber doch die äußere Machtstellung, die körperliche Schönheit, die prächtige Ausstattung und das feine Benehmen. Die positive Bewertung der adligen Gesellschaftskultur und die scheinbar ganz unproblematische Verbindung dieser weltlichen Werte mit den Tugendbegriffen des traditionellen Herrscherideals und der religiösen Kreuzzugsethik war kennzeichnend für die poetische Konzeption des höfischen Rittertums.

[77] ich mac wol dîner güete jehn staete âne wenken (W. v. Eschenbach, Parzival 715, 14–15)

[78] die andern tugende sint enwiht, und ist dâ bî diu staete niht (T. v. Zirklaere 1819–20)

[79] Mvter aller tvgende Gezimet wol der Jvgende Mazze ist so genant (Die Maze 1–3)

[80] mâze diu hêre diu hêret lîp und êre. ezn ist al der dinge kein, der ie diu sunne beschein, sô rehte saelic sô daz wîp, diu ir leben unde ir lîp an die mâze verlât (G. v. Straßburg 18017–23)

Eine theoretische Rechtfertigung dafür, daß Adel, Ruhm und Reichtum als »Güter« betrachtet und den Tugenden zugeordnet wurden, konnte man in der römischen Moralphilosophie finden. Cicero hatte Schönheit, Vornehmheit, Stärke, Macht, Ansehen usw. unter den Begriff des »Nützlichen« (*utile*) gestellt und hatte sie in »Glücksgüter« (*bona fortunae*) und »körperliche Güter« (*bona corporis*) geteilt. Eine der einflußreichsten Tugendlehren des 12. Jahrhunderts, das ›Moralium dogma philosophorum‹ (von Wilhelm von Conches oder Walter von Châtillon), nahm diese Gedanken auf und lehrte, daß es zwischen dem »Guten« (*honestum*) und dem »Nützlichen« (*utile*) keinen prinzipiellen Gegensatz gebe. »Deswegen halte fest und bezweifle nicht, daß alles Gute nützlich ist, weil es nichts Nützliches gibt, das nicht gut wäre.«[81] Durch Thomasin von Zirklaere, der das ›Moralium dogma philosophorum‹ gekannt und als Quelle benutzt hat, ist die Lehre vom *utile* auch an die Laiengesellschaft vermittelt worden. Allerdings hat Thomasin die Akzente anders gesetzt: Die Güter des *utile* waren für ihn nicht einfach gut, sondern moralisch zwiegesichtig, zugleich »böse und gut«[82]; und was er über sie zu sagen hatte, stand der christlichen Morallehre näher als der antiken Philosophie: »Männer und Frauen besitzen fünf Dinge an ihrem Körper und fünf, die nicht an den Körper gebunden sind. Über diese muß die Seele regieren, sonst bewirken sie große Untugend bei Alten wie bei Jungen. Die fünf, die man am Körper trägt, sind: Stärke, Behendigkeit, Gesundheit (Lebensfreude), Schönheit und Geschicklichkeit. Die fünf Güter außerhalb des Körpers sind: Adel, Macht, Reichtum, Ansehen und Herrschaft. Wer diese zehn nicht mit dem Verstand beherrschen kann, der soll nicht Mensch heißen.«[83] Spuren der Lehre von den *bona corporis et fortunae* findet man auch bei anderen lateinisch gebildeten Autoren. Aber man darf die Bedeutung dieser Gedankengänge nicht überschätzen. Für die meisten Dichter war die positive Darstellung der adligen Gesellschaftskultur kein philo-

---

[81] Firmissime itaque tene et nullatenus dubites ita omne honestum utile esse, quod nichil est utile nisi sit honestum (S. 69)

[82] übel unde guot (5743)

[83] beidiu man unde wîp hânt vümf dinc an ir lîp und vümfiu ûzem lîp; vür wâr, diu muoz diu sêle rihten gar, ode si bringent grôze untugent beidiu an alter und an jugent. diu vümf man imme lîbe treit: sterk, snelle, glust, schoene, behendekeit. ûzem lîbe hânt vümf kraft: adel, maht, rîchtuom, name, hêrschaft. swer diu zehen niht rihten kan mit sinne, der sol niht heizen man (9731–42)

sophisches Problem. Je weniger man nach einer theoretischen Begründung fragte, um so leichter war es, die poetischen Ritter und Damen als schön, reich und vornehm hinzustellen und sie zugleich mit allen Tugendprädikaten zu überhäufen. Das schloß nicht aus, daß man vorformulierte Begründungszusammenhänge aufgriff, wo sie sich anboten.

Das galt auch für die Lehre vom Tugendadel. Der Gedanke, daß ein adliger Herr in besonderer Weise zu tugendhaftem Handeln verpflichtet sei und daß dem Adel seiner Geburt ein ebenso hoher Adel der Gesinnung entsprechen müsse, hat in der Adelsethik seit der Antike eine große Rolle gespielt. In der höfischen Dichtung, die von Rittern erzählte, die ihrem sozialen Status nach Königs- und Fürstensöhne waren, hatten solche Gedanken ein besonderes Gewicht. Der vollkommene Ritter sollte beides besitzen, Adel der Geburt und Adel der Gesinnung. »An ihm war keine gute Eigenschaft vergessen, die ein junger Ritter besitzen muß, um hohen Preis zu gewinnen. Von niemand sagte man damals so viel Gutes in allen Ländern. Er besaß Adel und Macht; auch war seine Tugend sehr groß. Wie groß auch sein Besitz war und wie makellos seine fürstliche Abkunft, er war doch längst nicht so ausgezeichnet durch Geburt und Besitz wie durch Ansehen und hohe Gesinnung.«[84] Gelegentlich ist der Gedanke des Tugendadels auch zur Kritik am Adel genutzt worden. »Man sagt, daß niemand adlig sei, außer wer edel handelt. Wenn das wahr ist, können sich viele Herren schämen, die mit Schande beladen sind und außerdem Falschheit und Bosheit besitzen. Diese drei verderben Freigebigkeit, Ansehen und Adel. Ach, daß es reiche Leute gibt, die sich von Schande und Bosheit um ihr Ansehen bringen lassen! So einer sollte die armen Hochherzigen betrachten, wie die mit höfischer Gesinnung nach hoher Würde streben. Ein Armer, der den richtigen Weg der Tugend geht, ist vornehm, während ein Reicher, der sich der Schande zugesellt, aus ganz niedrigem Geschlecht ist.«[85] Diese Art von Kritik, die die Gleichung von

[84] an dem enwas vergezzen nie deheiner der tugent die ein ritter in sîner jugent ze vollem lobe haben sol. man sprach dô nieman alsô wol in allen den landen. er hete ze sînen handen geburt unde rîcheit: ouch was sîn tugent vil breit. swie ganz sîn habe waere, sîn geburt unwandelbaere und wol den vürsten gelîch, doch was er unnâch alsô rîch der geburt und des guotes so der êren und des muotes (H. v. Aue, Armer Heinrich 32–46)

[85] Man giht, daz nieman edel sî niwan der edellîchen tuot. und ist daz wâr, des mugen sich genuoge hêrren schamen, Die niht vor schanden sint behuot, jâ wont in valsch und erge bî: diu drî verderbent milte und êre und ouch den edelen

Geblütsadel und Tugendadel nicht ernsthaft in Frage stellte, hat sich die adlige Gesellschaft wahrscheinlich ganz gerne gefallen lassen. Je mehr man darauf bestand, daß dem angeborenen Adel wahre Tugendhaftigkeit entsprechen müßte, um so eher konnte man auch umgekehrt von der adligen Stellung auf die inneren Vorzüge schließen. Nur selten wurde die Lehre vom Tugendadel, mit einer antifeudalen Tendenz, zu dem Gedanken verschärft, daß wahrer Adel nicht durch Geburt erworben werde, sondern nur durch vornehme Gesinnung. Der geistliche Didaktiker Thomasin von Zirklaere erklärte: »Niemand ist vornehm, außer dem Menschen, der sich mit Herz und Sinn zum wirklichen Gutsein bekennt.«[86] Denselben Gedanken findet man bei Hugo von Trimberg: »Niemand ist vornehm außer demjenigen, den die Gesinnung adelt und nicht der Besitz.«[87] Am deutlichsten ist Freidank geworden: »Wer Tugend besitzt, der ist vornehm. Ohne Tugend ist Adel nichts wert. Ob eigen oder frei, wer nicht adliger Abkunft ist, der kann durch Tugend Adel erwerben.«[88] In der höfischen Gesellschaft hat man solche Äußerungen vermutlich als Ausdruck eines wirklichkeitsfremden Rigorismus empfunden. Jedermann wußte, daß der Adel keine soziale Konkurrenz durch die Tugendhaften zu befürchten brauchte.

Die adlige Abstammung des Ritters fand ihre Ergänzung nicht nur in tugendhafter Gesinnung, sondern auch in körperlicher Schönheit. »Ein Blumenkranz männlicher Schönheit«[89] war der junge Parzival in seinem Bauernkleid, als er den Rittern im Wald begegnete, die an der Schönheit seine hohe Abkunft erkannten. »›Ihr seid wohl aus adligem Geschlecht.‹ Von den Rittern wurde er angestaunt: die Kunst Gottes war an ihm

namen. Ôwê daz er ie guot gewan, der sich die schande und erge lât von manegen êren dringen! der solte sehen die armen hôchgemuoten an, wie die mit hövescheit kunnen wol nâch ganzer wirde ringen. ein armer der ist wol geborn, der rehte vuore in tugenden hât; sô ist ein ungelahte gar, swie rîche er sî, der schanden bî gestât (Bruder Wernher, Nr. 22)

[86] niemen ist edel niwan der man der sîn herze und sîn gemüete hât gekêrt an rehte güete (3860–62)

[87] Nieman ist edel denne den der muot Edel machet und niht daz guot (1417–18)

[88] Swer tugent hât, derst wol geborn: ân tugent ist adel gar verlorn. Er sî eigen oder frî, der von geburt niht edel sî, der sol sich edel machen mit tugentlîchen sachen (54, 6–11)

[89] Aller manne schoene ein bluomen kranz (W. v. Eschenbach, Parzival 122, 13)

offenbar.«[90] Daß die menschliche Schönheit von Gott geschaffen war, konnten die Dichter von den Theologen lernen; und aus derselben Quelle stammte die Vorstellung, daß die Schönheit des Menschen als ein Spiegel seiner inneren Vollkommenheit angesehen werden kann. Für die scholastische Ästhetik war Schönheit die Anschaubarkeit des Wahren und Guten. »Die Schönheit ist also wesenhaft der Güte gleich.«[91] Daher ließ sich aus der äußeren Schönheit der Dinge ihre innere Schönheit erkennen. »Da nun aber die Schönheit der sichtbaren Dinge in ihren Formen gegeben ist, läßt sich entsprechend aus den sichtbaren Formen die unsichtbare Schönheit beweisen, weil die sichtbare Schönheit ein Abbild der unsichtbaren Schönheit ist.«[92] Für die höfischen Dichter ist dieser Gedanke einer Harmonie von inneren und äußeren Werten zu einem der wichtigsten Mittel geworden, höfische Vorbildlichkeit darzustellen. Wenn man die philosophischen Implikationen außer acht ließ, konnte man mit Hilfe dieser Harmonielehre den äußeren Glanz des höfischen Lebens als Erscheinungsbild einer gottgewollten Werthaftigkeit hinstellen.

Von der Schönheit wurde hauptsächlich in bezug auf Frauen gesprochen. Eine ausführliche Beschreibung männlicher Schönheit findet man nur ausnahmsweise, zum Beispiel bei Konrad Fleck: »Flore hatte schönes Haar, eher blond als braun und überall leicht gelockt. Seine Stirn war weiß und hoch, ohne jeden Makel; dazu passend feine Augenbrauen, in der richtigen Höhe und ganz vollkommen, in der Farbe des Haares. Seine Augen waren strahlend und groß und blickten so lieblich, als ob sie häufig lachen wollten, was ihm gut stand. Seine Nase war ebenso makellos, gerade und gleichmäßig geformt. Die Natur hatte seine Wangen rot und weiß geschaffen, wie Milch und Blut. Der Mund war ohne jeden Tadel, gleichbleibend rosenfarben. Die ebenmäßigen Zähne strahlten von weißem Glanz. Das Kinn war rund, Hals und Kehle schön, seine Arme stark und lang, seine Hände gerade und weiß, die Finger ohne Fehl und an

[90] »ir mugt wol sîn von ritters art«. von den helden er geschouwet wart: Dô lac diu gotes kunst an im (123, 11–13)

[91] Est ergo pulchritudo realiter idem quod bonitas (Ulrich v. Straßburg, De pulchro, S. 76)

[92] Quia enim in formis rerum visibilium pulchritudo earundem consistit, congrue ex formis visibilibus invisibilem pulchritudinem demonstrari dicit, quoniam visibilis pulchritudo invisibilis pulchritudinis imago est (Hugo v. St. Victor, Commentaria in hierarchiam coelestem, Sp. 949)

der Spitze die Fingernägel hell wie Glas. Seine Brust war schön gewölbt, in der Körpermitte war er schlank, seine ganze Gestalt war gerade wie ein Rohr. Er hatte herrliche Beine und schön geformte Waden, nicht zu dünn und nicht zu dick, und was man schmalgewölbte Füße nennt. Um auch alles zu sagen: seine Zehen waren so geformt, daß er sich keinen besseren Wuchs wünschen konnte. Die Natur hatte an ihm nichts vergessen, was zur Schönheit gehört.«[93] Was hier über das Gesicht gesagt ist, würde auch in eine Beschreibung weiblicher Schönheit passen; ebenso die weißen Hände, der aufrechte Wuchs und die schmale Taille. Geschlechtsspezifische Schönheitsmerkmale sind nur die gewölbte Brust und vor allem die Beine, die bei den Damen verhüllt blieben, während die männliche Mode darauf angelegt war, sie zur Schau zu stellen (vgl. S. 198f.).

Unter den »Gütern des Körpers« (*bona corporis*) war für den höfischen Ritter, neben der Schönheit, die Stärke am wichtigsten. Die Helden der höfischen Romane besaßen alle gewaltige Körperkräfte, die sie befähigten, auch in den schwersten Kämpfen Sieger zu bleiben. »Er war ein Stahl in jedem Kampf; siegreich errang er hohen Ruhm.«[94] Die Handlung der höfischen Romane bestand fast immer aus einer Kette von Zweikämpfen, in denen sich der Held bewähren mußte. Dabei wurde allerdings auch gezeigt, daß rohe Kraft allein nicht ausreichte, um die Diversen Abenteuer erfolgreich zu bestehen. Oft ließ die überlegene Beherrschung der ritterlichen Waffentechnik den Helden selbst gegen Gegner siegen, die ihm an Körperstärke

[93] Flôre hâte schoene hâr, minre brûn danne val, unde was daz über al allez ze mâzen reit: sîn tinne wîz unde breit, aller missewende frî: cleine brâwen dâ bî, als ez sich dar zuo gezôch, niht ze nidere noch ze hôch, nâch dem wunsche garwe, und wâren an der varwe sînes hâres genôz: diu ougen lieht unde grôz, mit süezem anblicke, als sie solten lachen dicke, daz im harte wol gezam. sîn nase was im alsam nâch wunsche eben unde sleht, wol geschaffen unde reht. dô schuof der nâture flîz diu wangen rôt unde wîz alsô milch unde bluot. der munt was ouch behuot aller missewende gar, staeticlîche rôsenvar. gelîche zene cleine; von wîze lûhtens reine: und daz kinne sinwel: schoenen hals unde kel: sîn arme starc unde lanc, sîne hende sleht unde blanc, die vinger âne missewende, wol geschaffen an dem ende die nagele lûter als ein glas. sîn brust wol ûferhaben was, und iedoch enmitten smal. dar zuo was er über al wol geslihtet als ein zein. er hâte ritterlîchiu bein unde wolstânde waden, niht ze cranc noch überladen, und daz sie heizent holn fuoz. sît ich ez allez sagen muoz, der mâze zen zêhen, dorfte er niemen flêhen, daz ers im besnite baz; wan diu nâture vergaz an im deheiner zierde (6816–63)

[94] er stahel, swa er ze strîte quam, sîn hant dâ sigelîchen nam vil manegen lobelîchen prîs (W. v. Eschenbach, Parzival 4, 15–17)

überlegen waren. Der martialische Charakter der Kampfhand-
lungen wurde auch dadurch gedämpft, daß die Ritter meistens aus edlen Motiven kämpften: um hilfsbedürftigen Frau-
en beizustehen oder um das Land von Unholden zu befreien.
Wenn alleine die Begierde nach Ruhm den Kämpfer motivier-
te, wurde das von den Dichtern öfter als Indiz dafür bewertet,
daß der Status höfischer Vollkommenheit noch nicht erreicht
war.

hövescheit (courtoisie)

Der eigene Charakter des höfischen Ritterbildes wird besonders deutlich in der Verbindung von Tugendforderungen mit
Vorschriften des gesellschaftlichen Verhaltens. Der Ritter sollte nicht nur Weisheit, Gerechtigkeit, Mäßigung und Tapferkeit besitzen, er sollte nicht nur vornehm, schön und geschickt in den Waffen sein, sondern er sollte auch die feinen
Sitten des Hofes beherrschen, die Regeln des Anstands und
der Etikette, die richtigen Umgangsformen, den guten Ton,
vor allem gegenüber den Damen. Die Dichter haben die höfische Anstandslehre mit den Begriffen *zuht* und *vuoge* umschrieben. »Er war schön und stark, er war aufrichtig und gut
und er war verträglich. Er besaß genügend Kenntnisse, höfische Erziehung und Anstand.«[95] Öfter begegneten *zuht* und
vuoge in Verbindung mit dem Begriff, der zum Kennwort der
neuen Gesellschaftslehre geworden ist, mit *hövescheit*. »Er
hatte seine Zeit und seine Kraft auf *vuoge* und auf *hövescheit*
verwandt.«[96]

Das mittelhochdeutsche Wort *hövescheit*, das im Neuhochdeutschen mit »höfische Erziehung«, »höfisches Wesen«, »höfische Tugend« wiedergegeben werden muß, weil es keinen entsprechenden Begriff gibt (»Höflichkeit« erfaßt nur einen Teil
der Bedeutung), war vermutlich eine Lehnbildung nach altfran-
zösisch *corteisie* beziehungsweise provenzalisch *cortesia* (»courtoisie«). Der provenzalische Dichter Garin le Brun (Ende
12. Jahrhundert) hat in einem Lehrgedicht geschrieben: »*Cortesia* ist – wenn ihr es wissen wollt – von solcher Art: wer gut zu
reden und zu handeln weiß und sich dadurch beliebt macht und

[95] er was schoene unde starc, er was getriuwe unde guot und hete geduldigen
muot. er hete künste gnuoge, zuht unde vuoge (H. v. Aue, Gregorius 1238–42)
[96] an fuoge unde an höfscheit hete er gewendet unde geleit sîne tage und sîne
sinne (G. v. Straßburg 7709–11)

wer sich vor Ungehörigkeiten hütet.«[97]» Höfisches Wesen zeigt
sich in der Kleidung und im schönen Empfang. Höfischheit
zeigt sich im Verehren (im Lieben, N) und im feinen Reden.
Höfischheit zeigt sich in der angenehmen Geselligkeit.«[98] In
Deutschland begegnet das Wort *hövescheit* zum ersten Mal im
›König Rother‹, um 1170, und zwar in bezug auf das höfische
Verhalten gegenüber den Damen: »Und er erreichte durch seine
Höfischheit, daß die schöne Jungfrau ihrem Vater entfloh.«[99] In
dieser Bedeutung fand das Wort rasche Verbreitung. Schon im
›Graf Rudolf‹ umfaßte *hövescheit* den ganzen Bereich des vor-
bildlichen gesellschaftlichen Verhaltens und stand im Gegensatz zur *dörperheit* (»bäurisches, unhöfisches Benehmen«), einem Begriff, der für alle galt, die an der höfischen Lebensweise
keinen Anteil hatten. Es ging dort um die Erziehung des Prinzen Appollinart, die der Graf Rudolf seinem Neffen anvertraute: »Um meinetwillen sollst du es dir angelegen sein lassen, ihn
zur Höfischheit zu führen. Mache ihm alles unhöfische Wesen
verhaßt. Mache, daß er Freude daran hat, geschickt zu buhur-
dieren und sich mit dem Schild zu decken. Außerdem soll er
freigebig sein und einen festen Sinn haben; das ist für sein Ansehen gut. Er soll gerne zu den Damen gehen und wohlerzogen
vor ihnen stehen und bei ihnen sitzen. In jeder Beziehung soll er
Klugheit beweisen, wie es richtig für ihn ist. Wo er tapfere
Männer von Mannhaftigkeit sprechen hört, da soll es ihn nicht
verdrießen, gerne zuzuhören. Dabei kann er lernen, was sein
Ansehen in der Gesellschaft befördert.«[100] Manchmal zielte *hövescheit* speziell auf die künstlerischen Formen der höfischen
Geselligkeit, besonders auf Instrumentenspiel und Gesang. Am
Hof der Königin Candacis gab es «tausend Jünglinge unter
ihrem Hofgesinde, die widmeten sich der Höfischheit mit Sai-

---

[97] Cortesia es tals, se voleç saber cals: qui ben sap dir e far per c'om lo deia
amar, e se garda d'enueis (427–31)

[98] Cortesia es en guarnir e en gent acuillir; cortesia es d'onrar (damar Handschrift N) e es en gen parlar; cortesia es en solaz (457–461)

[99] Vnde ir warh mit sinir houisheit Daz die magit lossam. Ir uater inran
(3776–78)

[100] (du)rch minen willen saltu phlegen wisen (zu der hov)ischeit unde leide ime
die dorpericheit. (gevuge beh)urdieren daz saltu ime lieben, daz er sich (ouch
d)ecke mit meschilde, dar zu wesen milde, zu (stete brin)gen sinen mut. daz ist
ime an den eren gut. (zu den vr)ouwen sal er gerne gan, gezogentliche vor in (stan
unde o)uch bi in sizzen. zallen dingen sal er wizze (han na)ch sime rechte. sva er
gute knechte horet reden (von m)anheit daz ne sal ime nicht wesen leit. daz sal (er
horen) gerne. da bi mach er lerne daz ime zu den eren (wole stat) (γb 27–46)

426

teninstrumenten aller Art«[101]. Auch Fremdsprachenkenntnisse
galten als Ausweis der *hövescheit* (G. v. Straßburg 7985 ff.). Gelegentlich sind sogar wissenschaftliche Kenntnisse in das Idealbild des höfischen Ritters eingebracht worden. Der Spruchdichter Boppe hat in der zweiten Hälfte des 13. Jahrhunderts dieses
Idealbild mit einer witzigen Pointe versehen: »Wenn ein Held
in fünf Ländern den höchsten Preis erränge, wenn er in vollkommener körperlicher Schönheit gestaltet wäre, wenn er aufrichtig, freigebig und bedacht in seinen Worten wäre, wenn er
schreiben, lesen, dichten und die Fiedel spielen könnte, außerdem pirschen, jagen, parieren und auf ein Ziel treffen könnte
und wenn er in jeder Beziehung mit den Waffen umgehen
könnte; wenn er die schwarzen Bücher verstünde und die
Kunst der Grammatik beherrschte und wenn sein Verstand geschult wäre zur Musik und zum Singen aller Estampien; wenn
er den Wurfstein um zwölf Fuß weiterwerfen könnte als alle
seine Genossen, und wenn er imstande wäre, einen wilden Bä-
ren zu erlegen; wenn alle Damen ihm ihren Gruß auf höchst
huldvolle Weise zuteilwerden ließen und wenn er den Schatz
der Sieben freien Künste besäße und singen und sagen könnte –
das alles würde ihm gar nichts einbringen, besäße er nicht auch
Geld.«[102]

Wer den Forderungen der *hövescheit* entsprach, besaß *vreude*
und *hôhen muot*. Im religiösen Bereich wurde *hôher muot* als
»Hochmut« verstanden (»Besitz bewirkt Hoffart und Hochmut
und läßt Gott vergessen.«[103]) Im höfischen Kontext dagegen
stand es für die Hochherzigkeit und das gesellschaftliche Hochgefühl des Ritters. Auch der Begriff *vreude* war auf die Gesellschaft gerichtet. *vreude* bezeichnete nicht ein subjektives Ge-

---

[101] tûsint jungelinge von irn ingesinde, di plâgen hubischeite vile mit allir slahte
seitspile (Straßburger Alexander 6035–38)
[102] Ob in vünf landen ûzerwünschet waere ein helt, des lîbes schoene in ganzen
tugenden ûz erwelt, getriuwe, milte, staete in sînen worten; Er künde schrîben,
lesen, tihten, ouch kunst der gramacîen, unt waere in sinnen wol bereit ze doenen,
singen alle stempenien, unt wurfe den blîden stein wol zwelf schuoh lanc vor
allen sînen sellen, dâmit er kwaeme des in ein, daz er einn wilden beren künde
vellen; unt alle vrouwen teilden im ir gruoz ze hôhem dinge, hete er der siben
künste hort unt wîse unt wort – daz waer vil gar an im verlorn, unt hete er niht
pfenninge (I, 21)
[103] Ez (daz guot) birt hochvart, hohen muot unt Gotes vil vergezzen (Pseudo-
Gottfried III, 6, 5)

fühl, sondern den Zustand der festlichen Erregtheit und der Erhobenheit über den Alltag, ein gesteigertes Selbstbewußtsein, wie es sich im Lärm der Hoffeste bezeugte. »Da war Freude und Glanz, festliche Hochstimmung und große Ritterschaft und von allen leiblichen Genüssen ein Überfluß.«[104] Die höfische Ritterlehre, die Tristan bei seiner Schwertleite empfing, schloß mit den Worten: »Sei immer höfisch, sei immer froh!«[105] Ob die Gesellschaft im Hochgefühl der *vreude* lebte, hing weitgehend vom Verhalten des Herrschers ab, der durch seine Freigebigkeit, sein freundliches Entgegenkommen und seine Leutseligkeit dem Hof und seinen Leuten *vreude* vermittelte. »Allen, denen er Freude bringen sollte, denen war der Herr Zeit seines Lebens eine freudestrahlende Sonne. Er war für alle ein Inbegriff der Vollkommenheit; der Ritterschaft war er ein Vorbild, für seine Familie eine Zier, für sein Land eine Zuflucht. Ihm fehlte keine auszeichnende Eigenschaft, die ein Herr haben sollte.«[106] Als Erec über der Liebe zu seiner Frau Enite seine gesellschaftlichen Pflichten als Herrscher vernachlässigte, »verlor sein Hof alle Freude und verfiel der Verachtung«[107].

Höfische Vorbildlichkeit setzte sich in gesellschaftliches Ansehen um. Das Stichwort dafür hieß *êre*. Für die geistlichen Autoren war weltlicher Ruhm durchaus suspekt: »Ruhm das ist leerer Schall.«[108] Die höfischen Dichter dagegen haben in dem Begriff *êre* alles zusammengefaßt, was den Ritter in der Welt auszeichnete, und haben dem weltlichen Ruhm insofern einen zentralen Wert zuerkannt, als sie die Forderung aufstellten, daß höfische Vollkommenheit sowohl den Geboten der christlichen Religion als auch den Erwartungen der Gesellschaft entsprechen müßte. »Wessen Leben sich so vollendet, daß Gott nicht um die Seele betrogen wird durch die Schuld des Leibes, und wer gleichzeitig die Huld der Welt mit Würde bewahren kann, von dem kann man sagen: das ist eine lohnende Mühe!«[109] Der

---

[104] dâ was wünne und êre, vreude und michel rîterschaft und alles des diu überkraft des man zem lîbe gerte (H. v. Aue, Iwein 2442–45)

[105] wis iemer höfsch, wis iemer frô! (G. v. Straßburg 5043)

[106] den er fröude solte tragen, den was der hêrre in sînen tagen ein fröude berndiu sunne. er was der werlde ein wunne, der ritterschefte ein lêre, sîner mâge ein êre, sînes landes ein zuoversiht. an ime brast al der tugende niht, der hêrre haben solde (ebd. 251–59)

[107] sîn hof wart aller vreuden bar unde stuont nâch schanden (H. v. Aue, Erec 2989–90)

[108] Rum daz iz itel ere (W. v. Elmendorf 1183)

[109] swes lebn sich sô verendet, daz got niht wirt gepfendet der sêle durch des

Gedanke, daß es möglich sein müßte, zugleich Gott und der Welt zu genügen, begegnete schon in der Mitte des 12. Jahrhunderts. In der ›Kaiserchronik‹ wurde der römische Kaiser Domitian allen Königen als abschreckendes Beispiel vorgehalten, damit »sie ihre Seele bewahren und auch das weltliche Ansehen behalten«[110]. Wie ein roter Faden zog sich dieser Gedanke durch die höfische Dichtung. »Ich will dich noch eine Tugend lehren, die nützlich ist für das gesellschaftliche Ansehen und die dir zugleich Gottes Huld einbringt.«[111] »Ein Mann soll weltliches Ansehen besitzen und er soll doch manchmal auch auf die Seele Rücksicht nehmen, damit ihn sein Übermut nicht zu sehr verführe.«[112] »Wer Gott und die Welt behalten kann, der ist ein glücklicher Mensch.«[113] Gottfried von Straßburg hat den Ausgleich von religiösen und weltlichen Forderungen zum Zentralpunkt der Adelserziehung gemacht und in den Begriff *morâliteit* gefaßt: »*morâliteit* ist eine liebliche Wissenschaft, beseligend und rein. Ihre Lehre befindet sich in Übereinstimmung mit der Welt und mit Gott. In ihren Gesetzen unterweist sie uns darin, Gott und der Welt zu gefallen. Sie ist eine Nährmutter aller vornehmen Menschen, damit sie Nahrung und Lebenskraft aus ihrer Lehre beziehen. Denn weder Besitz noch Ansehen wird ihnen zuteil, wenn sie nicht die Lehre der *morâliteit* haben.«[114] Auch bei Walther von der Vogelweide begegnet der Gedanke an zentraler Stelle. Im Ersten Reichsspruch trat der Sänger in der Rolle des Trauernden auf, der mit übereinandergeschlagenen Beinen auf einem Stein saß und keine Antwort wußte auf die Frage, »wie man drei Dinge erwerben könnte, ohne daß eins davon zunichte würde. Zwei von ihnen sind Ansehen und bewegliche Habe, die häufig einander Abbruch tun. Das dritte ist die Gnade Gottes, weit höher gel-

lîbes schulde, und der doch der werlde hulde behalten kan mit werdekeit, daz ist ein nütziu arbeit (W. v. Eschenbach, Parzival 827, 19–24)

[110] behuoten ir sêle, behalten ouh werltlîch êre (5681–82)

[111] Noch salich dich ein tugent lerin, di beide nutzze iz zu den erin vnd gibet dir gotis hulde (W. v. Elmendorf 647–49)

[112] Ein man sol haben êre und sol iedoch der sêle under wîlen wesen guot, daz in dehein sîn übermuot Verleite niht ze verre (Spervogel 29, 34–30,3)

[113] Swer got und die werlt kan behalten, derst ein saelic man (Freidank 31, 18–19)

[114] morâliteit daz süeze lesen deist saelic unde reine. ir lêre hât gemeine mit der werlde und mit gote. si lêret uns in ir gebote got und der werlde gevallen; si ist edeln herzen allen ze einer ammen gegeben, daz sî ir lîpnar unde ir leben suochen in ir lêre, wan sîne hânt guot noch êre, ez enlêre sî morâliteit (8012–23)

tend als die beiden anderen. Die wollte ich gerne zusammen in einen Kasten bringen.«[115] Im Gegensatz zu den anderen Dichtern hat Walther jedoch an der Realisierbarkeit dieses Harmonieprogramms gezweifelt: »Leider kann das nicht sein, daß Besitz und weltlicher Ruhm und außerdem Gottes Huld zusammen in ein Herz kommen.«[116] Der Blick auf die rauhe Wirklichkeit der politischen Situation nach dem Tod Kaiser Heinrichs VI. sollte ins Bewußtsein rufen, daß der konfliktlose Ausgleich religiöser und weltlicher Werte nur ein poetisches Ideal war.

Die Forderung, daß der höfische Ritter zugleich Gott und der Welt gefallen sollte, ist kaum als Ergebnis eines philosophisch ernstzunehmenden Denkprozesses zu würdigen. Dennoch besitzt diese Formel eine eigene Aussagekraft, weil in ihr die neue Wertschätzung weltlicher Kultur zum Ausdruck kam. Gegenüber der traditionellen christlichen Lehre, die davon ausging, daß der Mensch wählen müsse zwischen der Verführung der Welt und den Freuden des ewigen Lebens, haben die höfischen Dichter ein Ideal konzipiert, das den Anspruch stellte, den Forderungen nach beiden Seiten zu genügen. Es ist offensichtlich, daß damit in erster Linie die adlige Hofkultur gegen christliche Kritik gerechtfertigt werden sollte. Ebenso deutlich ist jedoch, daß der Versuch der Dichter, die gesellschaftlichen Umgangsformen und die diesseitigen Wertvorstellungen des weltlichen Adels in ein höfisches Ideal einzubringen, das auch die traditionellen Tugendbegriffe umfaßte und das die Forderungen der christlichen Religion ernstnahm, die Laienethik auf eine neue Grundlage gestellt hat.

d. Ideal und Wirklichkeit

Das höfische Ritterideal und die gesellschaftliche Realität des adligen Lebens standen zueinander im Verhältnis krasser Gegensätzlichkeit. Die Diskrepanz zwischen dem hohen moralischen Anspruch, der sich mit dem Namen Ritter verband, und der gelebten Wirklichkeit ist am deutlichsten von Klerikern ge-

[115] wie man driu dinc erwurbe, der keines niht verdurbe. diu zwei sint êre und varnde guot, daz dicke ein ander schaden tuot: daz dritte ist gotes hulde, der zweier übergulde. die wolte ich gerne in einen schrîn (8, 12–18)
[116] jâ leider desn mac niht gesîn, daz guot und weltlich êre und gotes hulde mêre zesamene in ein herze komen (8, 19–22)

sehen worden, die das Hofleben und die Hofgesellschaft aus eigener Erfahrung kannten. Petrus von Blois († nach 1204) war als Prinzenerzieher am sizilianischen Königshof tätig und gehörte als Hofkaplan zum engsten Kreis um den englischen König Heinrich II. In seinem Brief Nr. 94 an den Archidiakon Johannes schrieb er: »Der Orden der Ritter besteht heute darin, keine Ordnung zu halten. Denn derjenige, der am meisten seinen Mund mit unflätigen Worten besudelt, der am abscheulichsten flucht, der am wenigsten Gott fürchtet, der die Diener Gottes verächtlich macht, der die Kirche nicht ehrt, der wird heute im Kreis der Ritter als der tüchtigste und berühmteste geachtet.«[117] »Früher verpflichteten sich die Ritter durch das Band des Eides dazu, daß sie für die öffentliche Ordnung eintreten würden, daß sie in der Schlacht nicht fliehen würden und daß sie ihr Leben für das allgemeine Wohl hingeben würden. Auch heute empfangen die Ritter ihre Schwerter vom Altar und sollen geloben, daß sie Söhne der Kirche sind und daß sie das Schwert empfangen haben zur Ehre der Priester, zum Schutz der Armen, zur Bestrafung der Übeltäter und zur Befreiung des Vaterlandes. Aber diese Sache hat sich ins Gegenteil verkehrt. Denn sobald sie mit dem Rittergürtel geschmückt sind, erheben sie sich gegen die Gesalbten des Herrn und wüten im Erbland des Gekreuzigten. Sie plündern und berauben die unbemittelten Diener Christi und, was schlimmer ist, sie unterdrücken erbarmungslos die Armen und sättigen am Schmerz der anderen ihre eigenen verbotenen Gelüste und ihre außerordentlichen Begierden.«[118] »Die im Kampf gegen die Feinde des Kreuzes Christi ihre Kräfte beweisen sollten, die liegen lieber mit ihrer Trunkenheit im Streit, geben sich dem Nichtstun hin, erschlaffen in Völlerei, und durch ihr verderbtes und unanständiges Leben

[117] Porro ordo militum nunc est, ordinem non tenere. Nam cujus os majore verborum spurcitia polluitur, qui detestabilius jurat, qui minus Deum timet, qui ministros Dei vilificat, qui Ecclesiam non veretur, iste hodie in coetu militum fortior et nominatior reputatur (Sp. 294)

[118] Olim se juramenti vinculo milites obligabant, quod starent pro reipublicae statu, quod in acie non fugerent, et quod vitae propriae utilitatem publicam praehaberent. Sed et hodie tirones enses suos recipiunt de altari, ut profiteantur se filios Ecclesiae, atque ad honorem sacerdotii, ad tuitionem pauperum, ad vindictam malefactorum et patriae liberationem gladium accepisse. Porro res in contrarium versa est; nam ex quo hodie militari cingulo decorantur, statim insurgunt in christos Domini, et desaeviunt in patrimonium Crucifixi. Spoliant et praedantur subjectos Christi pauperes, et miserabiliter atque immisericorditer affligunt miseros, ut in doloribus alienis illicitos appetitus et extraordinarias impleant voluptates (ebd.)

schänden sie den Namen und die Pflichten des Rittertums.«[119]
»Wenn unsere Ritter zuweilen einen Feldzug unternehmen müssen, werden die Lastpferde nicht mit Waffen, sondern mit Wein beladen, nicht mit Lanzen, sondern mit Käse, nicht mit Schwertern, sondern mit Schläuchen, nicht mit Wurfspeeren, sondern mit Bratspießen. Man meint, daß sie zu einem Gelage ziehen, nicht in den Krieg. Sie tragen herrlich vergoldete Schilde mit sich und sind mehr auf die Beute der Feinde aus als auf den Kampf mit ihnen; ihre Schilde bringen sie sozusagen jungfräulich und unberührt zurück. Auf ihre Sättel und Schilde lassen sie Kriegsszenen und Reiterschlachten malen, damit sie sich im Bild der Phantasie an den Kämpfen erfreuen, die sie in Wirklichkeit nicht zu bestehen oder mitanzusehen wagen.«[120] Die Einseitigkeit der klerikalen Perspektive, die in dieser Stellungnahme zum Ausdruck kommt, sollte nicht dazu verleiten, den Zeugniswert der Aussage zu verkleinern. Das Urteil von Petrus von Blois wird von anderen zeitgenössischen Äußerungen bestätigt; und es waren nicht nur die Kleriker, die so geurteilt haben. Die höfischen Dichter selber haben dadurch, daß sie das poetische Idealbild des Rittertums in eine ferne Vergangenheit verlegt haben – in die Zeit, als König Artus und die Ritter seiner Tafelrunde am Leben waren –, den Abstand zwischen diesem Ideal und den Gesellschaftsverhältnissen ihrer eigenen Gegenwart ins Bewußtsein gerufen. Auf der anderen Seite ist der Appellcharakter des höfischen Ritterideals nicht zu übersehen. Die poetischen Schilderungen waren offensichtlich nicht nur auf literarische Erbauung der adligen Zuhörerschaft angelegt, sondern sie wollten auch auf die gesellschaftliche Praxis Einfluß nehmen. Ob das gelungen ist, wird sich nur schwer feststellen lassen. Man kann aber angeben, in welchen Bereichen der Wirklichkeit eine Orientierung an den idealen Forderungen stattfand. Das gilt insbesondere für die Erziehung der jungen Adligen.

[119] Qui contra inimicos crucis Christi vires suas exercere debuerant, potibus et ebrietatibus pugnant, vacant otio marcent crapula, vitamque degenerum in immunditiis transigentes nomen et officium militiae dehonestant (ebd.)

[120] Quod si milites nostros ire in expeditionem quandoque oporteat, summarii eorum non ferro, sed vino, non lanceis, sed caseis, non ensibus, sed utribus, non hastis, sed verubus onerantur. Credas eos ire ad demum convivii, non ad bellum. Clypeos deferunt optime deauratos, praedam potius hostium cupientes, quam certamen ab hostibus, et eos referunt, ut ita loquar, virgines et intactos. Bella tamen et conflictus equestres depingi faciunt in sellis et clypeis, ut se quadam imaginaria visione delectent in pugnis, quas actualiter ingredi, aut videre non audent (Sp. 296)

Über die Adelserziehung im hohen Mittelalter ist nur wenig bekannt. Das liegt nicht zuletzt daran, daß die historischen Zeugnisse, die darüber Auskunft geben, noch nicht in dem erwünschten Umfang gesammelt und ausgewertet worden sind. Es ist bezeichnend für den Stand der Forschung auf diesem Gebiet, daß man die reichsten Informationen, was Deutschland betrifft, in einem Aufsatz aus dem Jahr 1858 findet, nämlich in Georg Zapperts Akademieabhandlung ›Über ein für den Jugendunterricht Kaiser Maximilian's I. abgefaßtes lateinisches Gesprächsbüchlein‹. Auch die literarischen Zeugnisse bedürfen noch der kritischen Sichtung. Beide Quellengruppen stimmen darin überein, daß die jungen adligen Männer hauptsächlich körperlich geschult wurden, durch sportliche Übungen und das Erlernen der ritterlichen Reit- und Waffentechnik. So wurde zum Beispiel über die Erziehung des späteren Abts Hugo von Cluny († 1109) berichtet: »Der Vater, in Sorge um einen Erben seiner vergänglichen Besitztümer, bestimmte den Sohn zur weltlichen Ritterschaft. Als dieser noch im Kindesalter war, trieb er ihn daher an, zusammen mit gleichaltrigen Jungen zu reiten, das Pferd im Kreis zu bewegen, die Lanze zu schwingen, mühelos den Schild zu führen und – was dieser am meisten verabscheute – auf Raub und Beute auszugehen.«[121] Wenn nicht der Vater selber diese Aufgabe wahrnahm, wurde die ritterliche Erziehung einem erfahrenen Waffenmeister übertragen. Kaiser Otto III. wurde von Graf Hoico in den Waffen unterwiesen; Kaiser Heinrich VI. wahrscheinlich von Heinrich von Stalden aus der Familie der Reichsministerialen von Pappenheim. Eher ungewöhnlich war es, wenn junge Adlige von einem geistlichen Herrn in weltlichen Fertigkeiten unterrichtet wurden, wie man von Abt Notker von St. Gallen († 975) erzählte, der die Söhne seiner adligen Lehnsleute »streng erzog«[122].

Gut bezeugt ist es, daß die jungen Adligen zur Erziehung an einen anderen Hof geschickt wurden. Von Herzog Welf V. († 1120) berichtete die ›Historia Welforum‹: »Sein Haus hielt er

---

[121] At pater, haeredem transitoriae possessionis desiderans, saecularis militiae insignia puero destinabat. Unde cum jam pupillares annos attigisset, eum cum coaevis urgebat equitare juvenibus, equum flectere in gyrum, vibrare hastam, facile clypeum circumferre, et, quod ille altius abhorrebat, spoliis instare et rapinis (Hildebert v. Lavardin, Vita Hugonis, Sp. 860)

[122] severe educaverat (Ekkehard IV., Casus s. Galli, S. 262)

in bester Ordnung, weshalb ihm auch die Edelsten beider Herzogtümer, miteinander wetteifernd, ihre Söhne zur Lehre und Erziehung anvertrauten.«[123] Neben sportlichen und militärischen Übungen hat am Hof das Erlernen höfischer Umgangsformen eine große Rolle gespielt. Graf Balduin V. von Hennegau († 1195) schickte seinen Sohn an den deutschen Kaiserhof, damit er dort »die deutsche Sprache und die Hofsitten lernte«[124]. Die jungen Adligen dienten an den Höfen als Pagen und Edelknappen, wie es Ulrich von Liechtenstein beschrieben hat (Frauendienst 26, 1 ff.). Nach der bayerischen Hofordnung von 1294 sollten jederzeit »acht Jungherren«[125] am Hof Dienst tun; das waren »Adelskinder aus dem Land«[126], zu deren Pflichten es gehörte, die Herzöge »bei Tisch zu bedienen«[127]. Der junge Graf Arnald von Guines kam zur Ausbildung an den Hof seines Lehnsherrn, des Grafen von Flandern, »um die Hofsitten zu lernen und gründlich in die ritterlichen Obliegenheiten eingewöhnt und eingeführt zu werden«[128]. Diese beiden Teile der ritterlichen Erziehung – Ritterlehre und Hoflehre – bestimmten auch die Ausbildung des jungen Parzival am Hof des Fürsten Gurnemanz von Graharz, die sich in einen theoretischen und einen praktischen Teil gliederte. Gurnemanz begann seine Lehre mit einem Appell an die *schame*, die »Reinheit der Gesinnung« (W. v. Eschenbach, Parzival 170, 15 ff.). Dann wandte er sich zunächst an den zukünftigen Herrscher (»ihr seid wahrscheinlich zum Herrscher bestimmt«[129]) und legte hier den Akzent auf die christlichen Tugenden »Barmherzigkeit«, »Wohltätigkeit«, »Güte«, »Demut«[130]. Wer so handelte, dem würde die Gnade Gottes (*der gotes gruoz,* 171,4) zuteil. Den größten Raum in der Fürstenlehre nahmen die Anweisungen zur richtigen Praxis der Freigebigkeit ein. Der Herr sollte weder seinen Besitz verschleudern noch knauserig sein: »Laßt das richtige

---

[123] Domum suam ordinatissime disposuit. Unde et nobilissimi quique utriusque provinciae filios suos eius magisterio educandos certatim commendaverunt (S. 22)

[124] ad discendam linguam theutonicam et mores curie (Gislebert v. Mons, S. 234)

[125] viii junch heren (Monumenta Wittelsbacensia, Abt. 2, Nr. 198, S. 53)

[126] edelchinde von dem lande (S. 53 f.)

[127] di vns ze tische dienent (S. 57)

[128] moribus erudiendus et militaribus officiis diligenter imbuendus et introducendus (Lambert v. Ardres, Historia comitum Ghisnensium, S. 603)

[129] ir mugt wol volkes hêrre sîn (170, 22)

[130] erbarmen, milte, güete, diemüete (170, 25 ff.)

Maß walten.«[131] An die Herrscherlehre schloß sich die Hoflehre, die das richtige Verhalten in der Gesellschaft zum Gegenstand hatte und darauf zielte, *unfuoge* zu vermeiden. Dazu gehörten die Mahnungen, nicht vorlaut zu sein, mit Überlegung zu antworten, dem besiegten Gegner Sicherheit zu gewähren und sich nach dem Kampf zu waschen (172, 9 ff.). Am ausführlichsten wurde Parzival über den Umgang mit Damen und über »edle Liebe« (*werde minne*, 172, 15) unterrichtet. Damit endete der theoretische Teil. Die praktische Lehre (173, 11 ff.) war ganz auf die Einübung der ritterlichen Waffentechnik abgestellt. Parzival mußte lernen, die Gangarten des Pferdes zu kontrollieren, Schild und Lanze richtig zu halten und den Gegner in der Tjost vom Pferd zu stechen. Unwirklich ist an dieser Schilderung nur die zeitliche Verkürzung des Erziehungsgangs: in vierzehn Tagen wurde aus dem walisischen Toren ein perfekter Ritter.

Von der Ausbildung intellektueller Fähigkeiten war in dem höfisch-ritterlichen Erziehungsprogramm selten die Rede. Parzival ist offenbar zeit seines Lebens ein Analphabet geblieben, und er hat sich in diesem Punkt nicht von den meisten Mitgliedern des Hochadels in Deutschland unterschieden. Nur die zur Nachfolge in der Königsherrschaft bestimmten Prinzen sind auch literarisch und wissenschaftlich ausgebildet worden; ihre Lehrer waren in der Regel Mitglieder der Hofkapelle. So wurde Otto III. durch Bernward, den späteren Bischof von Hildesheim († 1022), erzogen; und die Lehrer Heinrichs VI. waren Konrad von Querfurt, später Bischof von Würzburg († 1202), und Gottfried von Viterbo († um 1200), der dem Kaiser mehrere seiner Werke gewidmet hat. In diesem Punkt haben sich andere höfische Dichter weniger streng an die Verhältnisse gehalten, indem sie verschiedentlich ihren Helden eine wissenschaftliche Ausbildung zukommen ließen. Für Wilhelm von Orlens begann bereits mit fünf Jahren die Schulzeit. Mit zwölf anderen adligen Kindern wurde der junge Fürst im Lesen und Schreiben unterrichtet (R. v. Ems, Wilhelm v. Orlens 2744 ff.). Wie in der Klosterschule wurde der Unterricht lateinisch gehalten (2754 f.). Der Schwerpunkt lag auf Grammatik und Rhetorik (»Reden und Bücher lesen«[132]). Verschiedene Lehrer waren dazu bestellt, die Kinder in fremden Sprachen zu unterweisen (2762 ff.). Von seinem achten Lebensjahr an lernte Wilhelm dann ritterliches Verhalten und höfisches Benehmen. Dazu ge-

[131] gebt rehter mâze ir orden (171, 13)
[132] Reden und an bůchen lesen (2765)

435

hörte die Kunst des Reitens und des Waffengebrauchs, außerdem Singen, Schachspielen und mit Hunden und Vögeln jagen (2773 ff.). Für seine erste Auslandsreise wurde er nicht nur aufs prächtigste ausgestattet; sein Ziehvater, Herzog Jofrit von Brabant, gab ihm auch eine komplette höfische Tugend- und Verhaltenslehre mit auf den Weg (3390 ff.). Wilhelm verbrachte dann mehrere Jahre am Hof des Königs von England, wo er als Edelknappe an der königlichen Tafel aufwartete (5246 ff.) und der Prinzessin und ihren Hofdamen aus französischen Büchern vorlas oder mit ihnen sang und spielte (3918 ff.). Zwischendurch lernte er auch turnieren (3950 ff.) und wurde mit den Regeln des Minnedienstes vertraut gemacht (4010 ff.). Mit vierzehn Jahren kehrte er in die Heimat zurück und leitete das Schwert. Bezeichnenderweise waren es diejenigen Dichter, die selbst eine gelehrte Schulbildung besaßen – Hartmann von Aue, Gottfried von Straßburg, Rudolf von Ems –, die ihren Helden eine gründliche literarische Ausbildung zuteil werden ließen. Vielleicht haben diese poetischen Herren, die lesen und schreiben konnten, auf die deutschen Zuhörer wie Ausländer gewirkt. Man wußte vermutlich, daß die Laienbildung beim französischen Adel weiter verbreitet war als in Deutschland. Tristan wurde jedenfalls von Gottfried von Straßburg als ein französischer Herr beschrieben, und auch Wilhelm von Orlens stammte aus dem französischen Hochadel. Ob das deutsche Publikum darin einen Appell gesehen hat, selber schreiben und lesen zu lernen, ist nicht zu erkennen; gerichtet hat man sich danach jedenfalls nicht.

In Frankreich und England verlangte man im 12. Jahrhundert, daß ein gebildeter Herrscher auch fremde Sprachen kennen sollte. Von König Heinrich II. von England wurde berichtet, daß er »Kenntnis aller Sprachen besaß, die es zwischen der Nordsee und dem Jordan gibt«[133]. Auch Kaiser Friedrich II. »wußte in vielen Zungen zu reden«[134]. Graf Adolf II. von Holstein († 1164), der geistlich erzogen worden war, »beherrschte nicht nur das Lateinische und Deutsche geläufig, sondern kannte auch die slawische Sprache«[135]. Erzbischof Christian von Mainz († 1183) »bediente sich der lateinischen, romanischen,

---

[133] linguarum omnium quae sunt a mari Gallico usque ad Jordanem habens scientiam (Walter Map, De nugis curialium, S. 227)
[134] multis linguis et variis loqui sciebat (Salimbene v. Parma, Cronica, Bd. 1, S. 508)
[135] Preter facundiam enim Latinae et Teutonicae linguae Slavicae nichilominus linguae gnarus erat (Helmold v. Bosau, S. 190)

französischen, griechischen, apulischen, lombardischen und flandrischen Sprache wie seiner eigenen Muttersprache«[136]. Angeblich war König Adolf von Nassau († 1298) »des Französischen, Lateinischen und Deutschen kundig«[137]. Die höfischen Dichter haben den Gedanken, daß Sprachkenntnisse dem adligen Ritter zum Ruhm gereichten, aufgegriffen und ausgestaltet. Den jungen Tristan schickte man, »um fremde Sprachen zu lernen, in fremde Länder«[138]. Nach der Schilderung Gottfrieds von Straßburg konnte er nicht nur lateinisch, französisch und deutsch sprechen, sondern verstand außerdem vier keltische Sprachen und zwei skandinavische (3688 ff.).

Auch für den ungebildeten Adel in Deutschland war Sprachkultur ein Merkmal höfischer Erziehung. Das bezeugen historische und poetische Quellen. Über Kaiser Friedrich I., der keine Schulbildung besaß, schrieb Rahewin: »In seiner Muttersprache ist er sehr redegewandt.«[139] Ein Beispiel seiner sprachlichen Ausdrucksfähigkeit hat Otto von Freising überliefert. Als einmal eine Gesandtschaft der Römer in hochfahrender Rede vor ihm auftrat, unterbrach er sie und sprach zu ihnen »nach italienischer Weise ausführlich und in vielfach gegliederten Perioden«, wobei er »in der Besonnenheit seiner Haltung und in der Liebenswürdigkeit seiner Rede königliche Gesinnung bewies und aus dem Stegreif sehr gewandt antwortete«[140]. Daß sich Sprachgewandtheit auch beim Laienadel hoher Wertschätzung erfreute, zeigt eine Bemerkung in Bertholds Zwiefaltener Chronik über den Freiherrn Otto von Streußlingen: »ein wortgewaltiger Mann, ein vollendeter Meister weltlicher Beredtsamkeit, dessen Umsicht und Klugheit bei den Fürsten des Reiches sehr viel galt«[141]. Auch im ritterlichen Idealbild der Dichter hat höfische Redekultur eine große Rolle gespielt. Die jungen Adligen mußten lernen, »höfisch zu sprechen«[142]. »Anständige Worte«[143] galten als Ausweis höfischer Bildung.

[136] utens lingua Latina, Romana, Gallica, Graeca, Apulica, Lombardica, Brabantina, uti lingua materna (Albert v. Stade, S. 347)

[137] sciens Gallicum, Latinum et Germanicum (Annales Colmarienses, S. 257)

[138] durch fremede sprâche in fremediu lant (G. v. Straßburg 2061)

[139] In patria lingua admodum facundus (Gesta Frederici, S. 710).

[140] more Italico longa continuatione peryodorumque circuitibus sermonem producturus ... cum corporis modestia orisque venustate regalem servans animum ex improviso non inprovise respondit (Gesta Frederici, S. 346)

[141] vir magniloquus, forensis eloquentiae declamator facundissimus, coram regni principibus prudentia et consilio paene inter primos habitus (S. 244)

[142] mit zühten sprechen (W. v. Grafenberg 1240)

[143] kiuschiu wort (T. v. Zirklaere 389)

Nur aus der Dichtung ist zu erfahren, daß auch die Ausbildung musikalischer Fähigkeiten einen festen Platz im Erziehungsprogramm des weltlichen Adels hatte. Vom jungen Lanzelet hieß es: »Harfe und Geige spielen und andere Saiteninstrumente, davon verstand er überaus viel, denn es war dort Landesbrauch. Gleichzeitig lehrten ihn die Damen, fröhlich zu singen.«[144] Für Alexander den Großen wurde extra ein Lehrer gewonnen, der ihn in den musikalischen Künsten unterwies: »Der zweite Lehrer, den er bekam, der unterrichtete ihn in Musik und lehrte ihn, selber zu singen.«[145] Natürlich sind nicht alle Adligen so unterrichtet worden. Aber einige haben es offenbar zu hohen Fertigkeiten gebracht. Schon im ›Ruodlieb‹ begegnete das Motiv, daß der adlige Laie im Harfenspiel den Berufsmusiker in den Schatten stellte (XI, 37 ff.). Der junge Tristan hat sich am englischen Hof durch sein bezauberndes Instrumentenspiel eine Vertrauensstellung beim König erworben (G. v. Straßburg 3545 ff.). Im Anhang zum ›Alexander‹ von Ulrich von Etzenbach wurde sogar behauptet, daß nur adlige Abstammung zum kunstvollen Spiel von Saiteninstrumenten qualifiziere (1968 ff.). Der singende und harfende König, der in der Gestalt König Davids eine so große Bedeutung für die mittelalterliche Herrscherauffassung besaß – aus der David-Typologie erklärt es sich, daß die Harfe im Mittelalter auch als Herrschaftssymbol betrachtet wurde –, war nicht nur eine literarische Figur. Kaiser Friedrich II. »konnte lesen, schreiben, singen und Kantilenen und Gesänge erfinden«[146]. Die Tatsache, daß auch in Deutschland zahlreiche Mitglieder fürstlicher und gräflicher Familien – die ihrem Bildungsstand nach in der Regel Analphabeten gewesen sein dürften – im 12. und 13. Jahrhundert persönlich als Verfasser und Komponisten von Minneliedern hervorgetreten sind, liefert den Beweis dafür, daß Musizieren und Dichten nicht nur in den poetischen Beschreibungen, sondern auch in der Wirklichkeit der Adelserziehung ihren Platz hatten.

---

[144] harpfen unde gîgen und allerhande seiten spil, des kund er mê danne vil, wand ez was dâ lantsite. die vrouwen lêrten in dâ mite baltlîche singen (U. v. Zatzikhoven 262–67)

[145] Der ander meister, den er gewan, der lêrtin wol mûsicam … unt von ime selben heven daz gesanc (Lamprecht, Alexander 177–78; 82)

[146] legere, scribere et cantare sciebat et cantilenas et cantiones invenire (Salimbene v. Parma, Bd. 1, S. 508)

Wenn man zu erfahren sucht, wie weit die Grundsätze der höfischen Erziehung das praktische Handeln der adligen Herren bestimmt haben, wird man den Blick zuerst auf den Umgang mit den ritterlichen Waffen und das Verhalten im Kampf richten. Es kann keinem Zweifel unterliegen, daß viele adlige Herren persönliche Tapferkeit und Geschicklichkeit im Gebrauch der Waffen hochgeschätzt und für sich erstrebt haben. Die Lebensgeschichte des englischen Adligen William Marshall bezeugt, daß ein erfahrener Turnierkämpfer aus seinen Fähigkeiten nicht nur materiellen Gewinn ziehen konnte, sondern daß ihm seine Überlegenheit im ritterlichen Kampf auch hohe Achtung in der Adelsgesellschaft eintrug. Sicher ist auch, daß beim kriegerischen Zusammentreffen mit Standesgenossen manchmal ein ritterlicher Ehrenkodex anerkannt wurde. Hinterlist und Grausamkeit haben zwar meistens die Praxis der adligen Fehde- und Kriegführung bestimmt, aber es gibt auch Beispiele dafür, daß Gebote der Fairneß berücksichtigt wurden, daß man sich scheute, einen unbewaffneten Gegner zu überfallen oder daß man nicht zu mehreren gegen einen kämpfen wollte. Es gibt auch Beispiele für die Schonung von besiegten Gegnern, für die Freilassung auf Ehrenwort, für die anständige Behandlung von Gefangenen, wenn es sich dabei auch eher um Ausnahmefälle gehandelt haben dürfte. Auch die Einhaltung rechtlicher Bindungen und Verpflichtungen galt sicherlich in der adligen Gesellschaft als praktische Pflicht, obwohl nicht selten dagegen verstoßen wurde. Aufrichtigkeit und Vertrauenswürdigkeit zeichneten den Vasallen und den Ministerialen ebenso aus wie den Lehnsherrn. Viele historische Quellen bezeugen, daß die Herrschertugend der Freigebigkeit in der höfischen Zeit auf eindrucksvolle Weise verwirklicht worden ist, wennschon das tugendhafte Handeln vermutlich in vielen Fällen politisch motiviert war oder der Verherrlichung des eigenen Namens diente.

Weniger deutlich ist die Einhaltung höfischer Umgangsformen historisch zu belegen. Die historischen Berichte über Fürstentage und Hoffeste, Heeresversammlungen, diplomatische Missionen, Krönungsfeierlichkeiten und Hochzeiten liefern zwar ein reiches Anschauungsmaterial für die Entfaltung eines aufwendigen Herrschaftsprotokolls, rücken jedoch die mehr privaten Formen der Höflichkeit, zum Beispiel gegenüber den Damen, so gut wie niemals ins Licht. Zu den wenigen Quellenzeugnissen, die über diesen Bereich des gesellschaftlichen Lebens Auskunft geben, gehört der Bericht des Annalista Saxo über die Vorgänge in Speyer während des Krieges zwischen Kaiser Lothar III. und seinem staufischen Gegner, Herzog Friedrich II. von Schwaben, im Jahr 1130. Die Stadt stand auf der Seite des Herzogs, mußte aber dem Kaiser die Tore öffnen. »Die Gemahlin des Herzogs Friedrich, welche vom Herzog zur Ermutigung der Bürger in der Stadt zurückgelassen worden war, von Hunger und Mangel schwer geplagt, wurde von König Lothar mit königlichen Geschenken großmütig beehrt und zog mit den Ihren ab.«[147] Drei Jahre später, 1133, eroberte der bayerische Herzog Heinrich der Stolze die Burg Wolfratshausen, die dem Grafen Otto VI. von Wolfratshausen († 1136) gehörte. »Als aber die Gattin des Grafen, die sich unter den Belagerten in der Burg befunden hatte, vor ihn geführt wurde, nahm der Herzog sie gütig auf und übergab sie unter tröstenden Worten ihrem Vater, dem Pfalzgrafen.«[148] Bevor man jedoch diese Verhaltensweisen als höfische Behandlung adliger Frauen verbucht, muß man bedenken, daß in beiden Fällen verwandtschaftliche oder politische Rücksichten eine Rolle gespielt haben dürften. Die Gemahlin Friedrichs II. von Schwaben war die Welfin Judith, die Schwester Heinrichs des Stolzen, der seit 1127 der Schwiegersohn Lothars III. war. Und die Gemahlin Ottos VI. von Wolfratshausen war die Tochter des bayerischen Pfalzgrafen Otto V. von Wittelsbach († 1156), der damals als einziger unter den Großen in Bayern auf der Seite Heinrichs des Stolzen stand. Dennoch scheint Höflichkeit gegenüber den Damen ein Faktor gewesen zu sein, der damals auch praktische Bedeutung besaß. Im Frühjahr 1211 versammelten sich eine Reihe der bedeutendsten deutschen Fürsten in Naumburg, um über eine Erhebung gegen Kaiser Otto IV. zu beraten. Als einer der Gründe für die geplante Absetzung des Kaisers wurde sein unhöfisches Benehmen genannt. »Sie zogen dort die rohen Sitten des Kaisers in Betracht, die nach ihrer Meinung sehr wenig für den kaiserlichen Hof paßten, nämlich daß er kirchliche Würden nicht achtete, Erzbischöfe einfach und in beleidigender Weise

---

[147] Coniunx ducis Friderici, que civibus ad solatium a duce infra urbem relicta fuerat, fame et nuditate acriter afflicta, a rege Lothario regalibus donis liberaliter ditata, cum suis discessit (S. 766)

[148] Adducitur autem uxor illius, quae et ipsa in castro obsessa fuerat, quam dux benigne suscipiens et bene consolans patri suo palatino commisit (Historia Welforum, S. 40 f.)

Kleriker nannte, Äbte als Mönche bezeichnete und ehrwürdige Frauen als Weiber und daß er alle herabsetzte, die Gott zu ehren befohlen hat.«[149] Auch wenn in Naumburg die dort anwesenden Erzbischöfe von Mainz und von Magdeburg den Ton angegeben haben dürften, ist es doch bemerkenswert, daß auch weltliche Fürsten – der Landgraf von Thüringen, der Markgraf von Meißen und der König von Böhmen waren unter den Verschwörern – eine solche Begründung mitgetragen haben (sofern der Bericht der Erfurter Chronik den Tatsachen entsprach). Das setzte voraus, daß auch in der Laiengesellschaft der Gedanke, daß adlige Frauen mit Hochachtung behandelt werden sollten, nicht nur einen theoretischen Anspruch darstellte.

Offenbar haben die Normen des höfischen Benehmens die gesellschaftliche Praxis nur partiell und nur sehr langsam verändert. Daß dabei die Dichtung als Vorbild mitgewirkt hat, ist an der Veränderung des Turnierwesens abzulesen. Die Tafelrundenturniere, die in der ersten Hälfte des 13. Jahrhunderts die ältere Form der Massenturniere verdrängten, knüpften an die literarische Institution von König Artus' Tafelrunde an. Später gab es in verschiedenen deutschen Städten Artushöfe – die erste *curia regis Artus* ist 1350 in Danzig bezeugt –, in denen diese Tradition gepflegt wurde. Im 13. Jahrhundert war Ulrich von Liechtenstein in Deutschland der wichtigste Zeuge für die Ausstrahlung der Dichtung auf die gesellschaftlichen Veranstaltungen des Adels. Er zog im Jahr 1240 als König Artus verkleidet durch Österreich und wurde dabei von einer adligen Turniergesellschaft unterstützt, deren Mitglieder sich literarische Namen zulegten (vgl. S. 363). Ob Liechtenstein von seinen Standesgenossen als der Narr betrachtet wurde, als der er sich in seiner ironischen Selbstdarstellung im ›Frauendienst‹ hingestellt hat, ist sehr zweifelhaft. Der große Zulauf, den seine Turnierzüge beim einheimischen Adel fanden – es besteht kein Grund, die Faktizität seiner Darstellung in diesem Punkt in Zweifel zu ziehen –, ist ein Indiz dafür, daß Geselligkeiten nach literarischen Vorbildern sich beim Adel großer Beliebtheit erfreuten. Eine Wirklichkeitsgrundlage besaß wahrscheinlich auch die Ritterfahrt des böhmischen Adligen Johann von Michelsberg

---

[149] Ibi recolligentes inconcinnos mores imperatoris, quos arbitrati sunt imperiali aule minime conducere, pro eo quod ecclesiasticis dignitatibus insultans, archipresules simpliciter et vituperiose clericos, abbates monachos, reverendas matronas mulieres appellans, universosque, quos Deus honorare precepit, ... inhonoravit (Chronica s. Petri Erfordensis, S. 209)

(† 1294) nach Paris, die dieser nach der Schilderung Heinrichs von Freiberg mit großem Aufwand als »der neue Parzival« (*der niuwe Parzival*, 178) unternahm. Zu Pfingsten des Jahres 1306 wurde in London die Schwertleite des englischen Thronfolgers, Edwards von Carnarvon, prunkvoll gefeiert. Auf dem Festbankett legte König Edward I. († 1307) den feierlichen Schwur ab, daß er seine Feinde in Schottland besiegen und dann ins Heilige Land ziehen werde. »Der Sohn des Königs aber schwor, daß er niemals zwei Nächte unter einem Dach verweilen werde, bis er – soweit er es vermöchte – in Erfüllung von seines Vaters Schwur nach Schottland gelangt sei.«[150] Es ist recht wahrscheinlich, daß diese feierlichen Gelöbnisse literarisch inspiriert waren. Der Schwur des Prinzen erinnert jedenfalls an das öffentliche Versprechen, das Perceval bei seinem Aufbruch vom Artushof gab, »daß er, solange er lebe, niemals zwei Nächte in derselben Herberge schlafen werde, bis er erfahren habe, wen man mit dem Gral bedient«[151].

Daß die höfische Dichtung den Gesellschaftsstil des Adels beeinflußt hat, ist auch daran zu erkennen, daß die adligen Familien seit dem 13. Jahrhundert ihre Kinder auf Personennamen aus der höfischen Dichtung taufen ließen (vgl. S. 711 f.). Man kann außerdem darauf verweisen, daß im 13. Jahrhundert bildliche Darstellungen literarischer Motive begegnen – auf Wandteppichen, Gebrauchsgegenständen, Kleidungsstücken und in Form großer Gemälde (Iweinfresken in Rodeneck und Schmalkalden) –, die wohl dahin interpretiert werden können, daß die adligen Auftraggeber sich selbst zu den dargestellten literarischen Vorgängen und Personen in Beziehung setzen wollten. In dem französischen Abenteuerroman ›Blancandin et l'Orgueilleuse d'amour‹ (1. Hälfte 13. Jahrhundert) wurde erzählt, daß der junge Titelheld, der ohne Kenntnis ritterlicher Waffen aufwuchs, im Zimmer der Königin ein Ritterbild erblickte. »Im Zimmer der Königin war ein Bettvorhang aufgespannt, der war ganz bemalt mit Rittern.«[152] Der Anblick dieses Bildes weckte in ihm den Wunsch, selber Ritter zu werden. »Blancandin aß

---

[150] Vovit autem regis filius, quod nunquam duas noctes in uno loco moraretur, quousque prosecuturus, quantum in ipso erat, votum paternum, in Scotiam perveniret (Nicholas Trevet, Annales, S. 409)

[151] Qu'il ne gira an un ostel Deus nuiz a trestot son aage ... Tant que il del graal savra Cui l'an a sert (Chrétien de Troyes, Conte du Graal 4728–29; 35–36)

[152] Dedenz la chanbre a la roïne Avoit pendu une cortine; Tote ert pointe de chevaliers (57–59)

aber wenig, weil er immer noch in Gedanken bei den Rittern war, die er in ihren Eisenrüstungen in dem Zimmer gemalt gesehen hatte. Und er schwor bei Gott, daß er so viele Abenteuer suchen würde, wie es gäbe, mit Tjosten und Turnieren.«[153] Bei Thomasin von Zirklaere findet man die Ansicht, daß gemalte Bilder einen hohen Erziehungswert besäßen für alle, die nicht lesen könnten, in erster Linie für Kinder, aber auch für Erwachsene, die Analphabeten geblieben waren. »Bauern und Kinder werden durch gemalte Bilder oft erfreut. Wer nicht verstehen kann, was ein gescheiter Mann aus der Schrift zu erkennen vermag, der soll sich mit Bildern begnügen. Der Kleriker soll Geschriebenes lesen, während der ungebildete Mann Bilder ansehen soll, da er nicht lesen kann.«[154] Dieser Standpunkt war im Mittelalter weit verbreitet. Er konnte sich auf Gregor den Großen berufen, der geschrieben hatte: »Bilder sollen deshalb in den Kirchen angebracht werden, damit jene, die nicht lesen können, wenigstens sehend an den Wänden wahrnehmen, was sie nicht in Büchern lesen können.«[155]

Am schwierigsten ist es, einen Einfluß der Literatur auf das moralische Bewußtsein der Adelsgesellschaft nachzuweisen. Sicher ist nur, daß die Dichter den Anspruch gestellt haben, einen solchen Einfluß auszuüben. Im Prolog zum ›Wigalois‹ von Wirnt von Grafenberg hieß es: »Wer gute Dichtung schätzt und ihr gerne zuhört, der soll jetzt höflich schweigen und aufmerken: das ist gut für ihn. Die Dichtung läutert die Gesinnung manch eines Menschen, denn er findet darin leicht das, was ihm zur Besserung gereicht.«[156] Auch im ›Jüngeren Titurel‹ ist der Vorbildcharakter der Dichtung erläutert worden: »Wer Ritterschaft auf ritterliche Weise üben will, zum Spaß und auch im Ernst, der soll nie davon ablassen zuzuhören, wenn davon vor-

---

[153] Mais Blanchandins petit menja Quar aillors son penser torna Au chevaliers qu'il ot veüz Poinz en la chanbre fervestuz, Et jure Dieu que il querra Tant aventure qu'il l'avra De joster et de tornoier (127–33)

[154] von dem gemâlten bilde sint der gebûre und daz kint gevreuwet oft: swer niht enkan verstên swaz ein biderb man an der schrift verstên sol, dem sî mit den bilden wol. der pfaffe sehe die schrift an, sô sol der ungelêrte man diu bilde sehen, sît im niht diu schrift zerkennen geschiht (1097–106)

[155] Idcirco enim pictura in Ecclesiis adhibetur, ut hi qui litteras nesciunt, saltem in parietibus videndo legant quae legere in Codicibus non valent (Epistolae, Sp. 1027 f.)

[156] swer guote rede minne und si gerne hoere sagen, der sol mit zühten gedagen und merken si rehte: daz ist im guot. si getiuret (vil) manges mannes muot, wand er vernimt vil lîhte dâ des er sich gebezzert sâ (82–88)

gelesen, gesprochen und gesungen wird. Das verleiht ihm mehr Geschicklichkeit und Mut, als wenn er mit Toren im Scherz ringt. Schöne höfische Sitten in Rede und Gebärde, danach soll man trachten, damit man am Hof den Herren und Damen höfisch begegnen kann. Um Tugenden zu spenden, wurden deutsche Bücher mit unverbrüchlicher Treue erdacht. Tugend und Mannhaftigkeit spricht man den Hochedlen zu, die einstmals mit ganzer Kraft nach Würdigkeit strebten. Mannheit, Aufrichtigkeit, Anstand, Mäßigkeit und Freigebigkeit, die reine Wohlerzogenheit der Damen: Männer und Frauen waren da auf hohe Würde ausgerichtet. Dasselbe verleiht noch heute, glaube ich, Ansehen in der Welt. Darin werden alle edlen Menschen hier unterwiesen. Dies Buch lehrt niemanden Nichtswürdiges. Von denen, die niemals auf deutsch haben vorlesen hören, sieht man immer mehr zugrunde gehen.«[157]

Anders als die höfischen Epiker haben sich die geistlichen Didaktiker zu dieser Frage geäußert. Thomasin von Zirklaere wollte den höfischen Erzählungen einen Bildungswert nur im Rahmen der Kindererziehung zugestehen. »Junge Adlige sollen die Geschichten von Gawein hören, von Cliges, Erec, Iwein, und sie sollen sich in jungen Jahren nach Gaweins unbefleckter Vorbildlichkeit richten. Folgt dem edlen König Artus, der stellt euch viele gute Lehren vor Augen, und denkt auch an König Karl, den guten Helden.«[158] Auch Alexander, Tristan, Segremors und Kalogreant könnten der Jugend als Vorbilder empfohlen werden (1050ff.). Wegen ihrer Lügenhaftigkeit (»Häufig sind die Gedichte sehr schön in Lügen gekleidet«[159], sei die

---

[157] Swer ritterlich geverte sol ritterlichen triben in schimpf und ouch in herte, der sol daz nimmer gerne lan beliben, ern hôre da von lesen, sagen, singen. daz git im kunst und ellen noch mere dann mit toren gampel ringen. Sprechen und gebaren mit hovschen siten riche, des sol man gerne varen, daz man zu hove kunne hoveliche werben gen den herren und den vrowen. erdaht durch tugende schulde wart diutscher bûch mit triwen unverhowen. Tugende, manheit jehende ist man den hohen werden, di wilent waren spehende niht wan daz si werdicheit begerden. manheit, triwe, zuhte, maz und milte, der vrowen zuht mit kûsche, ir beider wirde sich hie mit hohe zilte. Daz selbe, wene ich, hûte in al der werlde priset. alle werde lûte werdent des hie vil wol under wiset. swachiu dinc, di lert iz nieman werben. di diutsch nie lesen horten, der siht man tusent stunde mer verderben (2958,1–2961,4)

[158] Juncherren suln von Gâwein hoeren, Clîes, Erec, Iwein, und suln rihten sîn jugent gar nâch Gâweins reiner tugent. volgt Artûs dem künege hêr, der treit iu vor vil guote lêr, und habt ouch in iuwerm muot künic Karln den helt guot (1041–48)

[159] die âventiure sint gekleit dicke mit lüge harte schône (1118–19)

Dichtung jedoch nur für diejenigen von Wert, die die richtige Weisheit nicht begreifen können (»Wer den Tiefsinn nicht versteht, der soll Gedichte lesen«[160]). Grundsätzlich ist die didaktische Bedeutung der höfischen Dichtung von Thomasin bejaht worden: »Obwohl die Dichtung uns Lügen vorführt, schelte ich sie nicht, denn sie enthält Sinnbilder der höfischen Erziehung und der Wahrheit.«[161] Und weiter: »Wenn die erfundenen Geschichten auch nicht wahr sind, sie stellen doch sinnbildlich dar, was ein jeder Mensch, der ein vorbildliches Leben führen will, tun soll.«[162] Kritischer war Hugo von Trimberg, der nicht nur die Lügenhaftigkeit der weltlichen Dichtung angeprangert hat (»Diese Bücher sind doch voll von Lügen«[163]), sondern auch den poetischen Schmuck: »Wer sich um ausgefallene Verse bemüht, der will, daß der Leim seines Kunstverstands außen an den schönen Wörtern klebt und daß innen wenig Belehrendes ist. In Deutschland kennt man dafür Erec, Iwein, Tristan, König Rother, Herrn Parzival und Wigalois, der viel Zustimmung gefunden hat und hohen Ruhm. Wer daran glaubt, der ist dumm.«[164] Nach Hugo von Trimberg bedeutete die Beschäftigung mit solcher Literatur sogar eine Gefahr für das Seelenheil: »Wenn ich es richtig sehe, so hat die Lehre dieser deutschen Bücher schon manchem Mann Leben und Seele, Besitz und Ansehen gekostet.«[165] Aber dieser rigorose Standpunkt hat in der Laiengesellschaft gewiß wenig Zustimmung gefunden. Hugo von Trimberg hat selber bezeugt – das ist besonders bemerkenswert an seinen Äußerungen zu diesem Thema –, daß viele Adlige sich die epischen Helden zum Vorbild genommen haben: »Denn manch einer glaubte, er wäre nichts, wenn er nicht ein solcher Ritter würde, wie die vorgenannten Helden.«[166]

[160] der tiefe sinne niht verstên kan, der sol die âventiure lesen (1108–09)

[161] ich schilt die âventiure niht, swie uns ze liegen geschiht von der âventiure rât, wan si bezeichenunge hât der zuht unde der wârheit (1121–25)

[162] sint die âventiur niht wâr, si bezeichent doch vil gar waz ein iegîch man tuon sol der nâch vrümkeit wil leben wol (1131–34)

[163] Doch sint diu buoch gar lügen vol (21644)

[164] Swer gar sich flîzet an seltsên rîm, Der wil ouch, sînes sinnes lîm Ûzen an schoenen worten klebe Und lützel nutzes dâr inne swebe. Alsô sint bekant durch tiutschiu lant Êrec, Îwan und Tristrant, Künic Ruother und her Parcifâl, Wigalois, der grôzen schal Hât bejaget und hôhen prîs: Swer des geloubt, der ist unwîs (1217–26)

[165] Als ich mich versinnen kan, sô hât verlorn manigem man Sôgetâner tiutschen buoche lêre Lîp und sêle, guot und êre (21653–56)

[166] Wenne maniger wênt er wêr enwiht, Würde er ein sôgetân degen niht Als die helde vor genant (21657–59)

445

Wichtig ist auch, daß das Verdammungsurteil des geistlichen Didaktikers sich nur gegen die höfische Epik richtete, während der Lyrik ein hoher ethischer Wert zuerkannt wurde, und zwar erstaunlicherweise sowohl dem Minnesang (genannt wurden Otto von Botenlouben, Heinrich von Morungen, der Schenke von Limburg, Gottfried von Neifen, Walther von der Vogelweide und andere 1184ff.) als auch der Spruchdichtung (Reinmar von Zweter, Der Marner, Konrad von Würzburg, dessen *meisterlîchez tihten* [1214] gerühmt wurde): »Wer die Lieder der genannten Dichter und ihre edle und schöne Dichtung hochhält, der findet Tugend, Anstand und Ruhm, weltliche Höfischheit und die Lehre, durch die sein Leben wohlgefällig und niemandem widerwärtig wird.«[167]

Historische Voraussetzungen. Die Rolle der Hofkleriker

Wenn es zutrifft, daß im Idealbild des höfischen Ritters traditionelle Herrschervorstellungen sich mit dem religiösen Ritterbegriff der Reformbewegung, mit christlichen Tugendforderungen und mit dem modernen Kodex des feinen Benehmens verbunden haben, dann müssen geistlich Gebildete an der Ausformulierung dieses Ideals maßgebend beteiligt gewesen sein; denn nur die Gebildeten hatten Zugang zu den verschiedenen literarischen Überlieferungen. Die Bedeutung der Kleriker und Hofkapläne für die Entstehung der höfischen Kultur ist bereits von Hennig Brinkmann und Reto R. Bezzola gesehen worden; in jüngster Zeit hat C. Stephen Jaeger diesen Gesichtspunkt besonders betont.

Die Wörter »höfisch« (*curialis*) und »Höfischheit« (*curialitas*) sind seit dem Ende des 11. Jahrhunderts dazu benutzt worden, eine besondere Qualität des gesellschaftlichen Auftretens zu bezeichnen, die bei Bischöfen und Hofgeistlichen angetroffen wurde. Bischof Meinwerk von Paderborn († 1036) war »aus königlichem Geschlecht geboren und durch die Feinheit seiner Sitten für den Königsdienst geeignet«[168]. Der Kardinal Guido von Crema († 1168) war »ein Mann von hoher Abstammung,

---

[167] swer noch behelet Der vor genanten singer doene Und ir getihte reine und schoene: Der vindet tugent, zuht und êre, Hübscheit der werlde und ouch die lêre, Von der sîn leben wirt genême Und selten ieman widerzême (1236–42)

[168] regia stirpe genitus, regio obsequio morum elegantia idoneus (Vita Meinwerci, S. 7)

sehr höfisch und angesehen und von angenehmer Beredtsamkeit«[169]. Bischof Gardolf von Halberstadt († 1201) war »von angeborenem Edelmut und außerordentlicher Freigebigkeit, geschmückt mit der Höfischheit seiner Sitten und der vornehmen Art vollkommener Rechtschaffenheit«[170]. Allerdings hat es auch Widerstände dagegen gegeben, daß einem geistlichen Würdenträger höfische Umgangsformen lobend zugeschrieben wurden. Wenn in der Abtsgeschichte des Klosters St. Bertin von Abt Leonius († 1145) gesagt wurde, er sei »höfisch erzogen und in höfischen Sitten unterrichtet gewesen«[171], so war das, aus der Sicht des Verfassers, alles andere als ein Kompliment. Der Reformkardinal Petrus Damiani († 1072) hatte bereits im 11. Jahrhundert von »höfischen Bischöfen«[172] gesprochen, denen die wahre Frömmigkeit fehlte. Wo die *curialitas* der geistlichen Herren positiv bewertet wurde, manifestierte sie sich in hoher Bildung, Leutseligkeit, Redegewandtheit, in der Schönheit der äußeren Erscheinung und vor allem in der Beherrschung feiner Umgangsformen. »Anstand der Sitten« *(probitas morum)*, »Vornehmheit der Sitten« *(nobilitas morum)*, »Feinheit der Sitten« *(elegantia morum)*, »Liebenswürdigkeit der Sitten« *(venustas morum)*: mit diesen Begriffen wurde in den Bischofsviten des 12. Jahrhunderts die neue Qualität des gesellschaftlichen Benehmens umschrieben. Ein Musterbild höfischen Anstands war Bischof Otto von Bamberg († 1139), der unter Kaiser Heinrich IV. der Hofkapelle angehörte und der auch als Baumeister hohen Ruhm genoß. »In seiner ganzen Handlungsweise nämlich besaß er – was selbst den Ungläubigen rühmenswert erschien – als eine Gabe des Heiligen Geistes, wie ich sicher glaube, eine einzigartige Lauterkeit und, möchte ich sagen, ein so vornehmes und feines Benehmen, daß er niemals etwas Ungeziemendes, Unpassendes oder Unehrenhaftes gestattete, sei es beim Essen und Trinken, in seiner Redeweise, in seinen Gebärden oder in seiner Kleidung. Vielmehr bewies er in jeder äußeren Verrichtung eine innere Haltung, ausgezeichnet durch Gü-

[169] vir alti sanguinis valdeque curialis et honestus dulcique eloquio (Balderich, Gesta Alberonis, S. 596)
[170] Ipse quoque ingenua liberalitate ac eximia largitate, morum quoque curialitate et tocius probitatis elegantia redimitus (Gesta episcoporum Halberstadensium, S. 114f.)
[171] curialiter educatus et curialibus moribus instructus (Simon, Gesta abbatum s. Bertini Sithiensium, S. 661f.)
[172] curiales episcopi (Contra clericos aulicos, Sp. 472)

te, Erziehung und umsichtige Klugheit.«[173] Herbords Werk ist vor 1160 abgefaßt.

Bereits vor der Mitte des 12. Jahrhunderts wurde das neue *curialitas*-Ideal auch auf Personen weltlichen Standes angewandt. Ekkehard von Aura († nach 1125) schrieb über den Grafen Konrad von Beichlingen († 1103), er sei »einer der großen Herren gewesen, ausgezeichnet mit allem, was dem Menschen zur Würde gereicht, durch Geburt, Bildung, Tapferkeit und Reichtum hervorragend, durch vornehmes Wesen und Beredtsamkeit allen Rechtschaffenen liebenswert und angenehm«[174]. In der um 1150 verfaßten ›Vita Paulinae‹ des Mönchs Sigeboto hieß es über den Sohn der Klostergründerin Paulina († 1107), er habe »sich in höfischer Lebensweise und in herrlicher Erlauchtheit so sehr ausgebildet, daß er sich unter Hofleuten und unter den durch weltlichen Ruhm besonders ausgezeichneten Männern nichts an bäurischer Einfältigkeit zuschulden kommen ließ und allen rühmenswert erschien«[175]. In diesen Lobesworten waren wesentliche Aspekte des höfischen Ritter- und Herrscherbildes angelegt, das die Dichter später zu reicher Entfaltung gebracht haben. Daß die höfischen Prädikate von den geistlichen Autoren jedoch nicht ohne Vorbehalte vergeben wurden, beleuchtet die Bemerkung Gerhohs von Reichersberg († 1169) über Herzog Friedrich II. von Schwaben († 1147), »den wir als einen höfischen Menschen kennen, gänzlich ergeben der vornehmen Lebensweise, um nicht zu sagen: der Eitelkeit der Welt«[176].

Gebildete Kleriker waren es, die die ersten Hoflehren verfaßt haben. Am Anfang dieser neuen Literatur stand die ›Disciplina

[173] Ipse namque in omni actione sua, quod et paganis dignum laude videbatur, quandam a Spiritu sancto – hoc enim potissimum credo – cuiusdam singularis munditiae atque, ut ita dixerim, elegantis et urbanae disciplinae praerogativam habebat, ita ut nichil unquam indecens aut ineptum inhonestumve quid in cibo aut potu, sermone, gestu vel habitu admitteret, sed in omni officio exterioris hominis, quaenam esset compositio interioris, ostendebat, bonitate, disciplina et prudentiae cautela conspicuus (Herbord, Dialogus de vita Ottonis, S. 66 f.)

[174] de magnis principibus unus et cui nihil in omni rerum humanarum dignitate supra, natu scilicet, literarum etiam scientia, fortitudine atque divitiis satis prepollens, elegantia atque facundia bonis omnibus amabilis et affabilis (Chronica, S. 184)

[175] curialibus disciplinis et splendida quadam claritudine mentem adeo informans, ut inter aulicos et viros mundana gloria prefulgidos nihil rusticanae simplicitatis admitteret omnibusque gloriosus appareret (S. 920)

[176] quem scimus esse hominem curialem totumque urbanitati, ne dicamus vanitati, deditum (Expositio Psalmorum, S. 53)

clericalis‹ des spanischen Arztes Petrus Alfonsi, der zu Beginn des 12. Jahrhunderts tätig war. Darin hat der Verfasser ein komplettes höfisches Erziehungsprogramm zusammengestellt. Auf die Bitte seines Sohnes: »Lieber Vater, gib mir die richtige Definition dessen, was Adel heißt«[177], antwortete dieser mit dem Verweis auf den Brief des Aristoteles an seinen Schüler Alexander: »Nimm einen Mann, der in den sieben freien Künsten ausgebildet, in den sieben weisen Regeln erzogen und in den sieben Fertigkeiten geübt ist. Das halte ich für den vollendeten Adel.«[178] Unter den »sieben weisen Regeln« (*septem industriae*) wurden in der Hauptsache höfische Anstandslehren verstanden: »Man soll kein Fresser sein, kein Säufer, nicht ausschweifend, nicht gewalttätig, kein Lügner, nicht geizig und nicht von schlechtem Lebenswandel.«[179] Die »sieben Fertigkeiten« (*septem probitates*) bezogen sich auf die ritterliche Erziehung und umfaßten »reiten, schwimmen, Bogenschießen, boxen, jagen, Schachspielen und Verse machen«[180]. Die hier vorgenommene Verbindung von ritterlich-sportlichen Fertigkeiten mit höfischen Umgangsformen und einer literarischen Ausbildung umfaßte wesentliche Aspekte des höfischen Gesellschaftsideals, das in der Schrift von Petrus Alfonsi seine erste Ausformulierung erlebt hat.

Im weiteren Verlauf des 12. Jahrhunderts sind zahlreiche lateinische Werke in Vers und Prosa entstanden, die das richtige Verhalten am Hof und vor allem das gute Benehmen bei Tisch zum Gegenstand hatten. Am bekanntesten sind der ›Urbanus‹ und der ›Facetus‹. Die Überlieferungsgeschichte dieser Werke und das Verhältnis der verschiedenen Fassungen zueinander ist noch weitgehend unerforscht. Sicher ist jedoch, daß die lateinischen Schriften einen bestimmenden Einfluß auf die ersten Hoflehren in französischer und deutscher Sprache hatten. In Deutschland stand ein fragmentarisch überliefertes Gedicht mit dem Titel ›Der heimliche Bote‹, das um 1170 bis 1180 datiert wird, am Anfang. Es enthält im ersten Teil eine Minnelehre, für die sich der unbekannte Verfasser auf den ›Facetus moribus et

---

[177] Edissere mihi, pater karissime, veram nobilitatis diffinitionem (S. 9)

[178] Accipe ait, talem qui septem liberalibus artibus sit instructus, industriis septem eruditus, septem etiam probitatibus edoctus, et ego hanc aestimo perfectam esse nobilitatem (S. 10).

[179] Ne sit vorax, potator, luxoriosus, violentus, mendax, avarus et de mala conversatione (S. 11).

[180] Equitare, natare, sagittare, cestibus certare, aucupare, scaccis ludere, versificari (S. 10)

vita‹ berief (»Denn das Buch ›Facetus‹ sagt uns genug von guter Minne«[181]), während der zweite Teil sich mit einer Hofzucht an die Ritter wandte: »Wenn einer tut, was ich ihm rate, so ist sein Ansehen grün und beständig.«[182] Eine komplette Hoflehre in deutscher Sprache hat der italienische Kanoniker Thomasin von Zirklaere im ersten Buch des ›Wälschen Gasts‹ gegeben. Nach seiner eigenen Aussage stützte er sich dabei auf einen Text, den er selbst »in romanischer Sprache« (*in welhscher zunge*) verfaßt hatte.

Als Erzieher am Hof haben die Kleriker sicherlich einen bedeutenden Einfluß auf die Gesellschaftsvorstellungen des weltlichen Adels ausgeübt. Der Gedanke, daß die Ritter das feine höfische Benehmen und die Kunst der Liebe von den Klerikern lernen konnten, war im 12. Jahrhundert unter den Gebildeten weit verbreitet. »Vom Kleriker ist der Ritter zum Minnediener gemacht worden.«[183] Dieser Satz stammte aus dem poetischen Streitgespräch zweier junger adliger Damen, Phyllis und Flora, über die Frage, ob ein Ritter oder ein Kleriker als höfischer Liebhaber den Vorzug verdiente, ein Thema, das im 12. und 13. Jahrhundert in lateinischen und französischen Gedichten wiederholt behandelt worden ist. Fast immer ist die Entscheidung zugunsten der Kleriker ausgefallen, die sich in den Augen der Damen (beziehungsweise der Autoren dieser Gedichte, die selber Kleriker waren) durch ihr feines Benehmen, durch ihre gepflegte Rede, durch ihre Liebenswürdigkeit, aber auch durch ihren Wohlstand und ihre Freigebigkeit auszeichneten. »Wir wissen, daß die Kleriker freundlich, anmutig und liebenswürdig sind. Sie besitzen *curialitas* und Rechtschaffenheit. Sie verstehen sich nicht auf Täuschung und böse Rede. In der Liebe haben sie Erfahrung und Klugheit. Sie machen schöne Geschenke und halten ihr Wort.«[184] Die Ritter dagegen wurden in diesen Gedichten meistens als ungeschlacht, kampfbesessen, grob und ärmlich hingestellt. Allerdings haben die Damen, die lieber einen Ritter als Liebhaber wollten, auch positive Eigenschaften der Ritter genannt: ihren Mut, den Glanz ihrer Waffen, ihre

---

[181] wäde vns phase(t) saget eī bv̊h. von gv̊t⁵ mīnē gnǒc (15)
[182] sver diz tv̊t alse ih ime rate. so ist sin er grv̊ne vñ state (33–34)
[183] factus est per clericum miles Cythereus (Carmina Burana 92, 41, 3)
[184] Quos scimus affabiles, gratos et amabiles; Inest curialitas clericis et probitas. Non noverunt fallere, neque maledicere, Amandi periciam habent, et industriam; Pulchra donant munera, bene servant federa (Das Liebeskonzil zu Remiremont 69–73)

Dienstbereitschaft, und manchmal wurde ihnen sogar ein höherer Grad an *elegantia* zuerkannt (Carmina Burana 92, 16,3). Am deutlichsten ist diese Wertung in dem berühmten Brief aus der Tegernseer Briefsammlung des 13. Jahrhunderts formuliert, der mit den deutschen Versen: *Dû bist mîn, ich bin dîn* (MF 3, 1) endet. Dort antwortete die Schreiberin ihrem geistlichen Freund und Lehrer auf dessen Warnung, »sich vor den Rittern wie vor Ungeheuern zu hüten«[185]; sie versicherte, daß sie sich vor deren Liebesanträgen in acht zu nehmen wüßte, wollte jedoch den Rittern ihren Wert nicht absprechen: »Denn sie sind es, möchte ich sagen, durch die die Gesetze der *curialitas* herrschen. Sie sind die Quelle und der Ursprung aller gesellschaftlichen Achtung.«[186]

2. Die höfische Dame

a. Das neue Bild der Frau

Das Schönheitsideal

»Wenn ich die Wahrheit sagen soll, so hat es, nächst der Majestät Gottes, niemals etwas so Begnadetes gegeben wie die Frau und ihre Art. Diesen Ruhm hat Gott ihr verliehen, daß man sie als den höchsten Wert auf Erden ansehen und immer preisen soll.«[1] So war noch niemals von Frauen gesprochen worden. Gegen die eingewurzelten Vorstellungen von der Minderwertigkeit und Schlechtigkeit des weiblichen Geschlechts setzten die höfischen Dichter ein neues Bild der Schönheit und Vollkommenheit. »Seht ihre Augen an und betrachtet ihr Kinn; seht die weiße Kehle an und merkt auf ihren Mund. Sie ist wirklich wie die Liebe gestaltet. Nie ist mir etwas so Liebenswürdiges

---

[185] a militibus quasi a quibusdam portentis cauerae (Kühnel, S. 76)
[186] Ipsi enim sunt per quos ut ita dicam reguntur iura curialitatis. ipsi sunt fons et origo totius honestatis (ebd.)
[1] sol ich der warheit iehen, so wart nie, nach der gotes kraft, niht dinges so genadehaft so vrowen lip mir leben. die ere hat in got gegeben, daz man si uf der erde zu dem ho(e)hsten werde erkennen sol mit eren und ir lop immer meren (Stricker, Frauenehre 222–30)

unter den Damen bekannt geworden.«[2] Der Schönheitspreis der
Dichter zielte nicht auf individuelle Züge, sondern auf ein Ideal,
das sich in einem festen Kanon von Schönheitsprädikaten manifestierte. Man folgte dabei meistens den Vorschriften der Rhetorik, die eine Beschreibung von oben nach unten empfahl, vom
Kopf bis zu den Füßen. Das Gesicht bot die reichste Gelegenheit, Schönheitsmerkmale zu benennen: das blond gelockte
Haar, die weiße Stirn, die wie ein Pinselstrich gezogenen Brau-
en, die herrlich strahlenden Augen, die kleinen Ohren, die gerade Nase, das Rot der Wangen lieblich gemischt mit dem Weiß
der Haut, der rote Mund, die weißen Zähne, das runde Kinn,
die weiße durchsichtige Kehle, der schöne Hals. Von dort
sprang die Schönheitsbeschreibung auf die weißen Hände und
die kleinen Füße; von der Form des Körpers erfuhr man nur in
allgemeinen Wendungen. Arme und Beine waren, wenn sie
überhaupt erwähnt wurden, weiß, rund und glatt, der Busen
klein, die Taille schmal. Vielfach ging der Schönheitspreis schon
am Hals in eine ausführliche Kleiderschilderung über.

In der körperlichen Schönheit offenbarte sich die innere Tugendhaftigkeit der Frau. Die Minnesänger feierten »alle ihre
guten Eigenschaften und ihre Schönheit«[3], »ihre Schönheit und
ihre Güte«[4]. Die Harmonie von Schönheit und moralischer
Vollkommenheit war ein wesentlicher Aspekt des höfischen
Frauenbildes. Nur wenn die Frage gestellt wurde, ob höfische
Vorbildlichkeit sich mehr in den äußeren oder mehr in den
inneren Werten manifestierte, geriet die Schönheit gegenüber
der Tugendhaftigkeit in eine nachgeordnete Position. Solche
Gesichtspunkte findet man vor allem bei den Didaktikern geistlichen Standes. »Schönheit ist nichts gegenüber Güte.«[5] »Ein
törichter Mann sieht an einer Frau nur den Liebreiz ihres Körpers; er sieht nicht, was an guten Tugenden und an Klugheit in
ihr ist.«[6] »So ist ihre äußere Schönheit ein Nichts, wenn sie
nicht im Innern schön ist.«[7] Auch von den Minnesängern wurde der Unterschied manchmal erstaunlich kraß formuliert.

[2] Seht an ir ougen und merkent ir kinne, seht an ir kele wîz und prüevent ir
munt. Si ist âne lougen gestalt sam diu minne. mir wart von vrouwen so liebez
nie kunt (H. v. Morungen 141, 1–4)

[3] alle ir tugende und ir schoene (H. v. Morungen 130, 15)

[4] ir schoene und ir güete (Rietenburg 19, 29)

[5] schoene ist ein niht wider güete (T. v. Zirklaere 956)

[6] Ein toerscher man der siht ein wîp waz si gezierd hab an ir lîp. er siht niht
waz si hab dar inne an guoter tugende und an sinne (ebd. 1304–07)

[7] so ist ir uzer schoen enwiht, si ist schoene innerthalben niht (ebd. 951–52)

»Nach der Schönheit der Damen soll niemand zuviel fragen. Wenn sie gut sind, soll man zufrieden sein.«[8]

Als Inbegriff der Schönheit und der moralischen Vollkommenheit erfüllte die höfische Dame eine wichtige gesellschaftliche Funktion, indem sie die Werte, die sie repräsentierte, an den Mann vermittelte. »Frauen sind durchaus der Ursprung des Vollkommenen und des Guten, Frauen vermitteln tugendhafte Gesinnung, Frauen wecken hohe Freude, Frauen führen das verwundete Herz mit freundlicher Fürsorge auf den hohen Pfad geradeaus, Frauen brechen die Fesseln drückender Sorgen, Frauen geben süßen Trost, Frauen bewirken Kühnheit, Frauen lassen Feinde überwinden, Frauen sind das volle Maß der Güte, edle Frauen sind des Mannes Glück.«[9] Die Frau konnte diese hohe Aufgabe erfüllen, weil sie durch ihre Schönheit und Vollkommenheit im Mann die Kraft der hohen Minne weckte. »Wer gibt den Rittern Heldenmut? Wer gibt ihnen gute Eigenschaften? Wer läßt sie zu höfischer Freude kommen, wenn nicht die Minnegewalt der Damen?«[10] »Daß Ritter ritterlich leben, das haben sie von den Damen.«[11]

Das höfische Frauenbild war eine Erfindung der Dichter. Die Vorstellung, daß die adligen Herren zu den Frauen verehrungsvoll aufblickten, weil sie ihnen ihre ritterlichen Fähigkeiten und damit ihr gesellschaftliches Ansehen verdankten, verkehrte das Verhältnis der Geschlechter, wie es in Wirklichkeit bestand, ins Gegenteil. Gelegentlich haben die Dichter im poetischen Spiel und sicherlich zum Ergötzen des Publikums den Schleier der Fiktivität ein wenig gelüftet, so daß man sehen konnte, daß dahinter nichts war als die dichterische Phantasie. Ein Meister solchen Spiels war Walther von der Vogelweide, der in seinem Scheltlied ›Lange zu schweigen hatte ich gedacht‹[12] die umwor-

---

[8] Nâch vrowen schoene nieman sol ze vil gevrâgen. sint si guot, er lâzes ime gevallen wol (H. v. Rugge 107, 27–29)

[9] wîp sint voller urhap vollekomener dinge guot. wîp gebent tugentlîchen muot, wîp hôhe fröude erweckent, wîp versêret herze erstreckent ze hôher stîge rihte mit froelîcher phlihte, wîp brechent vester sorgen bunt, wîp gebent süezes trôstes vunt, wîp tuont wesen ellenhaft, wîp sint an vînden sigehaft, wîp sint saelden voller teil, werdiu wîp sint mannes heil (U. v. Etzenbach, Wilhelm v. Wenden 1418–30)

[10] wer gît in heldes muot, wer gît in tugent? wer mûzet si ze vröuden, ezn tuo der vrouwen minniclich gewalt? (R. v. Zweter 48, 5–6)

[11] daz Ritter Ritterlichen lebent, daz hant si von den vrowen (Stricker, Frauenehre 642–43)

[12] Lange swîgen des hât ich gedâht (72, 31)

bene ungnädige Dame als sein eigenes Phantasieprodukt entlarvt hat: »Sie will mich nicht ansehen! Sie, der ich doch solchen
Ruhm verschaffte, daß sie jetzt derart hochgemut ist! Sie
bedenkt wohl nicht, daß, verstummt mein Lied, auch ihr Ruhm
zergeht!«[13] Der Ruhm der Dame existierte nur im Lied des
Dichters; daher mußte sie, wenn der sich im vergeblichen
Minnedienst verzehren sollte, mit ihm »sterben«: »Ihr Leben ist
nur so viel wert wie mein Leben: wenn ich sterbe, dann ist auch
sie tot.«[14] Auf denselben Punkt zielte Hartmann von Aue bei
seiner Abrechnung mit den Minnesängern: »Ihr Minnesänger,
ihr werdet immer scheitern. Was euch um den Erfolg bringt, ist
der leere Wahn.«[15] Auf andere Weise hat Neidhart die Fiktivität
des höfischen Frauenpreises aufgedeckt, indem er seinen Ritter
von Riuwental die von ihm umworbenen Bauernmädchen wie
höfische Damen besingen ließ: »Ich glaube, niemand auf der
Welt hat ein vollkommeneres Mädchen gefunden; nur daß ihr
die Füßchen zerkratzt sind.«[16] Hier wird deutlich, daß der
Frauenpreis ein Mittel der dichterischen Technik darstellte, das
auch zur Erzielung komischer Effekte eingesetzt werden
konnte.

Frauenverehrung und Frauenverachtung

Das Frauenbild der höfischen Dichter wirkt wie ein Gegenent-
wurf zu der übermächtigen Tradition christlicher Frauenfeindlichkeit, die in der weltverneinenden und weltverachtenden,
körper- und sinnenfeindlichen Grundeinstellung des Christentums ihre Wurzel hatte. Nur in der Gestalt unberührter Jungfräulichkeit war die Frau, im Schmuck ihrer Keuschheit und
Reinheit, für die Christen ein Gegenstand der Verehrung. Als
Geschlechtswesen dagegen wurde sie verdächtigt, den sündhaften Begierden des Fleisches leichter zu erliegen als der Mann.
Den Beweis dafür fand man in den heiligen Schriften der Bibel,
vor allem in den Lehrbüchern des Alten Testaments. »Alle Bos-

[13] mich enwil ein wîp niht an gesehen: die brâht ich in die werdekeit, daz ir
muot sô hôhe stât. jon weiz si niht, swenn ich mîn singen lâze, daz ir lop zergât
(73, 1–4)
[14] ir leben hât mînes lebennes êre: stirbe ab ich, sô ist si tôt (73, 16–17)
[15] Ir minnesinger, iu muoz ofte misselingen, daz iu den schaden tuot, daz ist
der wân (Lieder 218, 21–22)
[16] ich waen, alle, die der sint, ein bezzer kint niht vunden, wan daz ir diu
vüezel sint zeschrunden (49, 1–2)

heit ist gering gegen die Bosheit der Frau. Schaue nicht auf die schöne Gestalt der Frau und begehre nicht die Frau beim Anblicken. Groß ist der Zorn der Frau und ihr Ungehorsam und ihr Vergehen. Von der Frau hat die Sünde ihren Ursprung genommen.«[17] »Ich fand die Frau bitterer als den Tod, sie, die die Falle der Jäger ist, deren Herz ein Netz ist und deren Arme Fesseln sind.«[18] »Drei Dinge sind unersättlich: die Hölle, der Mund der Gebärmutter und das Land, das nicht satt wird an Wasser.«[19] Auf Grund solcher Bibelstellen konnte der Kirchenvater Hieronymus († 420) lehren: »Alles Böse kommt von den Frauen.«[20] Im Lichte dieser Auffassung ließ sich die Geschichte vom Sündenfall (Genesis 3, 4–6) interpretieren, indem man Evas Handlungsweise als Offenbarung der weiblichen Natur verstand, ihres angeborenen Ungehorsams und ihrer Schwachheit gegenüber den Verführungen des Bösen. Auch der Schöpfungsbericht wurde als Beweis für die Minderwertigkeit der Frau herangezogen; denn dort stand, daß Gott die Frau nur »dem Mann zur Hilfe« (*ei adjutorium*, Genesis 2, 18) geschaffen habe; das ließ sich als eine Bestimmung zu Dienstbarkeit und Untertänigkeit interpretieren. Diesen Gedanken hat der Apostel Paulus in seinen Briefen in den Mittelpunkt gestellt. »Die Frauen sollen ihren Männern untergeordnet sein wie Gott dem Herrn; denn der Mann ist das Haupt der Frau.«[21] »Die Frauen sollen in der Gemeinde schweigen; denn es wird ihnen nicht gestattet zu reden, sondern sie sollen sich unterordnen, wie es das Gesetz fordert.«[22] »Eine Frau soll sich still und in aller Unterordnung belehren lassen. Zu lehren aber erlaube ich einer Frau nicht, und auch nicht, über ihren Mann zu herrschen.«[23] Die Verdrängung der Frauen aus dem kirchlichen Amt, aus dem

---

[17] Brevis omnis malitia super malitiam mulieris ... Ne respicias in mulieris speciem, et non concupiscas mulierem in specie. Mulieris ira, et irreverentia, et confusio magna ... A muliere initium factum est peccati (Ecclesiasticus 25, 26–33)

[18] inveni amariorem morte mulierem, quae laqueus venatorum est, et sagena cor ejus, vincula sunt manus illius (Ecclesiastes 7, 27)

[19] Tria sunt insaturabilia ... Infernus, et os vulvae, et terra quae non satiatur aqua (Liber proverbiorum 30, 15–16)

[20] Omnia mala ex mulieribus (Adversus Jovinianum, Sp. 291)

[21] Mulieres viris suis subditae sint, sicut Domino; quoniam vir caput est mulieris (Ad Ephesios 5, 22–23)

[22] Mulieres in ecclesiis taceant; non enim permittitur eis loqui, sed subditas esse, sicut et lex dicit (Ad Corinthios prima 14, 34)

[23] Mulier in silentio discat cum omni subjectione. Docere autem mulieri non permitto, neque dominari in virum (Ad Thimothaeum prima 2, 11–12)

Lehrberuf und überhaupt aus dem öffentlichen Leben fand in diesen Sätzen ihre biblische Rechtfertigung. Auf dem Weg über die Kirchenväter (»Es ist die natürliche Ordnung unter den Menschen, daß die Frauen den Männern dienen.«[24]) wurde diese Anschauung zu einem festen Bestandteil der christlichen Gesellschaftslehre. Im Grundbuch des Kirchenrechts, dem ›Decretum‹ von Gratian († um 1160), wurde sie festgeschrieben: »Wegen ihres Standes der Dienstbarkeit soll die Frau dem Mann in allem unterworfen sein.«[25] Die scholastische Theologie des 13. Jahrhunderts hat die überkommenen christlichen Wertungen mit der neu rezipierten aristotelischen Naturlehre vereinigt und war so in der Lage, die Minderwertigkeit der Frau auch wissenschaftlich zu begründen. Nach Thomas von Aquin war die Frau, auf Grund ihrer feuchteren und wärmeren Beschaffenheit, zwar in der Lage, die genossene Nahrung in Blut zu verwandeln, aber die Weiterverwandlung des Bluts in Sperma gelang nur dem Mann. Bei der Zeugung wirkte das männliche Sperma als der aktive Teil, als Werkzeug, während dem Mutterblut nur die passive Funktion eines Werkstoffs zukam. Eigentlich müßte ein Mann immer männliche Kinder erzeugen, weil jede Wirkungsursache etwas ihr Ähnliches hervorbringt. Nur wenn »widrige Umstände« (*occasiones*) bei der Zeugung einwirkten (wenn das Sperma oder das Gebärmutterblut defekt war oder wenn feuchte Südwinde bewirkten, daß Kinder mit größerem Wassergehalt entstanden), wurden Mädchen gezeugt. Das Mädchen war danach nichts anderes als »ein mißglücktes Männchen« (*mas occasionatus*). Allgemeiner gesagt: »Die Frau ist ein unvollkommener Mann.«[26] Die mangelnde Vollkommenheit der Frau bezeugte sich nach Thomas von Aquin sowohl in der geringeren Körperkraft als auch in der geistigen und moralischen Minderwertigkeit der Frau. »Die Frau ist von Natur aus geringer an Tugend und Würde als der Mann.«[27] Auf Grund dieses Mangels war die Frau der sündhaften Begehrlichkeit der Sinne mehr ausgesetzt als der Mann: »In den Frauen ist nicht genügend Kraft des Verstandes, um den

---

[24] Est etiam ordo naturalis in hominibus, ut seruiant feminae uiris (Augustinus, Quaestiones in Heptateuchum, S. 59)

[25] propter condicionem seruitutis, qua uiro in omnibus debet subesse (Sp. 1254)

[26] femina est mas occasionatus (Summa theologiae, Teil I, Quaestio 92, Articulus 1)

[27] mulier naturaliter est minoris virtutis et dignitatis quam vir (ebd.)

Begierden zu widerstehen.«[28] Deswegen bedurfte die Frau in jeder Beziehung der Leitung des Mannes. Sowohl im Hauswesen als auch im gesellschaftlichen Zusammenleben sollte der Grundsatz gelten: »Die Frau wird regiert, der Mann regiert.«[29] Diese Stellung der Geschlechter zueinander verpflichtete den Mann, die Frau gegebenenfalls »mit Worten und mit Schlägen«[30] zu strafen. Mit solchen Anweisungen arbeitete die scholastische Theologie den zeitgenössischen Rechtsvorstellungen in die Hand.

Nicht weniger wirksam war die profane Tradition der frauenfeindlichen Literatur, die sich auf die römischen Klassiker berief. Man zitierte Vergils Vers: »Schillernd und wankelmütig ist immer die Frau.«[31] Man las in Ovids ›Heilmitteln gegen die Liebe‹, wie man sich zum Ekel vor den Frauen erzog: »Wo du es kannst, verkehre die Vorzüge des Mädchens in Nachteile und verfälsche dein Urteil ein wenig. Aufgeschwollen nenne sie, wenn sie üppig ist; ist sie dunkel, nenne sie schwarz. Ist sie schlank, so kannst du ihr Magerkeit zum Vorwurf machen.«[32] In Juvenals sechster Satire fand man ein ganzes Arsenal von Vorwürfen gegen den Stolz, den Hochmut, die Zanksucht, die List, die Herrschsucht, die Heuchelei und vor allem gegen die unbezähmbare Sinnlichkeit und Lüsternheit der Frau, aber auch gegen den Bildungsanspruch von Frauen, die sich anmaßten, über Literatur mitreden zu wollen: »Lästiger noch ist jene, die eben zum Mahle gekommen, gleich Vergil preist und Didos Freitod verteidigt, Dichter paart und vergleicht, in die eine Schale Vergil legt und Homer in die andre. Grammatiker räumen das Feld gleich, Redner strecken die Waffen, es schweigt die ganze Gesellschaft.«[33] Aus solchen Quellen haben sich die gelehrten Autoren des Mittelalters zu frauenfeindlichen Dich-

[28] in mulieribus autem non est sufficiens robur mentis ad hoc quod concupiscentiis resistant (ebd., Teil II, 2, Quaestio 149, Articulus 4)

[29] uxor regitur, et vir regit (ebd., Teil III, Supplementum, Quaestio 64, Articulus 5)

[30] verbis, et verbere (ebd., Quaestio 62, Articulus 2)

[31] varium et mutabile semper femina (Aeneis IV, 569–70)

[32] Qua potes in peius dotes deflecte puellae Iudiciumque brevi limite falle tuum. Turgida, si plena est, si fusca est, nigra vocetur; In gracili macies crimen habere potest (Remedia amoris 325–28)

[33] Ille tamen gravior, quae cum discumbere coepit, laudat Vergilium, periturae ignoscit Elissae, committit vates et comparat, inde Maronem atque alia parte in trutina suspendit Homerum. cedunt grammatici, vincuntur rhetores, omnis turba tacet (Saturae VI, 434–39)

tungen, Exkursen und Abhandlungen in lateinischer Sprache inspirieren lassen und hatten damit viel Erfolg. Dieser Strang der Literatur ist über Jahrhunderte nicht abgerissen.

Frauenschelte und Frauenlob lagen nicht so weit auseinander, wie man denken möchte. Wenn man zwischen guten und schlechten Frauen unterschied, konnte man die einen preisen und die anderen tadeln; und sowohl der Preis als auch der Tadel ließen sich so formulieren, als sei das ganze Geschlecht gemeint. Der Bischof Marbod von Rennes († 1123) hat in seinem ›Buch in zehn Kapiteln‹ (Liber decem capitulorum) in dem Abschnitt »Über die Hure« (De meretrice) von »dem bösen Geschlecht, der lasterhaften Saat«[34] der Frauen gesprochen und im nächsten Abschnitt »Über die ehrwürdige Frau« (De matrona) gehandelt, die »schöner als Silber und kostbarer als rotes Gold ist«[35]. Von demselben Autor stammten Huldigungsgedichte auf hochgestellte Damen der Zeit, die schon den Ton höfischer Frauenverehrung anklingen ließen. Besonders interessant ist das Gedicht ›An die englische Königin‹ (Ad reginam Anglorum, Carmina varia Nr. 24) – gemeint war Mathilde von Schottland († 1118), die Gemahlin Heinrichs I. –, in dem nicht zuletzt die körperliche Schönheit der Königin gefeiert wurde. Mathilde von England war auch die Adressatin eines großen Preisgedichts von Hildebert von Lavardin († 1133), der außerdem ihre gleichnamige Tochter († 1167) und die Gräfin Adele von Blois († 1137), die Schwester Heinrichs I. von England, in Gedichten besungen hat. Hildebert von Lavardin war aber zugleich der Verfasser des im Mittelalter sehr beliebten Gedichts ›Wie schädlich die Frau, der Geiz und die Prunksucht für heilige Männer sind‹[36], worin die Frauen als ein Verderbnis für das ganze Gemeinwesen wie für jeden einzelnen Mann dargestellt wurden. Noch auffälliger ist das Nebeneinander von Frauenverherrlichung und Frauenfeindlichkeit in dem lateinischen Traktat ›Über die Liebe‹ (De amore) von Andreas Capellanus vom Ende des 12. Jahrhunderts. Während im ersten Buch, im Gespräch der adligen Gesellschaft, das höfische Konzept vorgetragen wurde, wonach die Frau »Grund und Ursprung des Guten sein soll«[37], hat der Autor im dritten Buch einen langen Katalog der Frauenlaster zusammengetragen, in welchen der ganze Vorrat

---

[34] mala stirps vitiosa propago (Sp. 1698)
[35] Pulchior argento, fulvo pretiosior auro (Sp. 1700)
[36] Quam nociva sint sacris hominibus femina, avaritia, ambitio
[37] esse debere causam et originem bonorum (S. 159)

an traditionellen Anschuldigungen und Verdächtigungen eingegangen ist.

Auch die volkssprachliche Dichtung kannte diese Doppelgesichtigkeit. In der Limburger Chronik des Tileman Elhen von Wolfhagen (14. Jahrhundert) wurde erzählt, daß Herr Reinhart von Westerburg († 1353) in Gegenwart Kaiser Ludwigs des Bayern († 1347) ein Schmählied auf seine Dame vortrug, das mit den Worten begann: »Wenn ich mir ihretwegen den Hals breche, wer kommt dann für den Schaden auf?«[38] In dem Bericht der Chronik hieß es weiter: »Als der vorgenannte Kaiser Ludwig das Lied hörte, tadelte er den Herrn von Westerburg dafür und sagte, er wolle, daß der Dame Genugtuung geschehe.«[39] Da sang der Herr von Westerburg zur Buße ein Minnelied im höfischen Stil der Frauenverehrung: »In kummervollen Schmerz bin ich gestoßen von einer so liebenswerten Frau.«[40] Je nach den Wünschen des Publikums konnte der adlige Sänger scheinbar beliebig zwischen Frauenschelte und Frauenpreis wechseln.

Tatsächlich haben auch in der höfischen Dichtung die negativen Akzente der Frauendarstellung eine viel größere Rolle gespielt, als man auf den ersten Blick vermutet. Das neue Frauenbild vertrug sich überraschend gut mit den alten Vorstellungen von der Minderwertigkeit der Frau, denen es nach außen hin so vehement widersprach. Dabei ist allerdings die Einschränkung zu machen, daß die frauenfeindlichen Töne der provenzalischen und französischen Dichter im Prozeß der Rezeption vielfach abgeschwächt oder gänzlich getilgt worden sind, so daß das Frauenbild der höfischen Dichtung in Deutschland im ganzen positiver wirkt. Typisch dafür ist der Kommentar Hartmanns von Aue zu dem raschen Sinneswandel der Königin Laudine, die den Entschluß faßte, den Mann, der ihren Mann getötet hatte, zu heiraten, als dieser noch kaum begraben war. Chrétien de Troyes bemerkte in diesem Zusammenhang, »daß eine Frau tausenderlei Launen hat«[41], und tadelte an Laudine »eine Untugend« (*une folor*), die sie mit anderen Frauen gemein habe: »Beinahe alle tun so, daß sie ihre Torheiten nicht wahrhaben

---

[38] Ob ich durch si den hals zubreche, wer reche mir den schaiden dan? (S. 29)
[39] Da der vurgenant keiser Ludewig daz lit gehorte, darumb so strafte he den herren von Westerburg unde saide, he wolde ez der frauwen gebeßert haben (ebd.)
[40] In jamers noden in gar vurdreven bin durch ein wif so minnecliche (ebd.)
[41] Que fame a plus de mil corages (Yvain 1436)

mögen und laut verdammen, was sie eigentlich wünschen.«[42]
Hartmann von Aue nahm wörtlich auf diese Stelle Bezug: Laudine »tat doch wie die Frauen nun einmal tun. Aus bloßer Laune widersprechen sie dem, was ihnen doch oft eigentlich sehr gut erscheint.«[43] Aber dann wies er diesen Vorwurf zurück und wandte sich damit direkt gegen seine literarische Vorlage: »Der tut Unrecht, der sagt, das liege an ihrer Launenhaftigkeit. Ich weiß besser, woher es kommt, daß man sie oft so wankelmütig findet: es kommt von ihrem weichen Herzen.«[44] Die Argumentation des deutschen Dichters ist nicht besonders überzeugend. Aber sie zeigt sein Bemühen, einen Tadel der Frauen in das Gegenteil zu wenden. Der Grund dafür lag sicherlich nicht darin, daß man in Deutschland allgemein positiver über die Frauen geurteilt hätte. Man war in Deutschland offenbar mehr an der idealen Komponente des Frauenbildes interessiert.

Die negativen Züge fehlten jedoch auch in der deutschen Dichtung nicht. In den Liedern Kürenbergs, des ersten namentlich bekannten Minnesängers, gab es die Frau, die den Mann ihrem unbändigen Liebesverlangen zu unterwerfen suchte (»er muß mein Land verlassen oder ich bekomme ihn«[45]) und die den geliebten Mann verfluchte, der nachts an ihrem Bett stand, ohne sie zu wecken (»dafür hasse dich Gott! Ich war doch kein wilder Eber, sprach die Frau«[46]). Der latente Spott, der in dieser Darstellung mitschwang, trat offen zutage, wenn der Mann sich herausgefordert fühlte, den Stolz der starken Frau zu brechen: »Frauen und Jagdvögel lassen sich leicht zähmen. Wenn man sie richtig anlockt, fliegen sie auf den Mann.«[47]

Die erste Frauenscheltstrophe des höfischen Minnesangs stammte von Friedrich von Hausen († 1190), der dabei dem Ton provenzalischer Absagelieder gefolgt ist. »Niemand darf mir

[42] Et a bien pres totes le font, Que de lor folies s'escusent Et ce, qu'eles vuelent, refusent (1642–44)

[43] doch tete sî sam diu wîp tuont: sî widerredent durch ir muot daz sî doch ofte dunket guot (Iwein 1866–68)

[44] er missetuot, der daz seit, ez mache ir unstaetekheit: ich weiz baz wâ vonz geschiht daz man sî alsô dicke siht in wankelm gemüete: ez kumt von ir güete (1873–78)

[45] er muoz mir diu lant rûmen, alder ich geniete mich sîn (8, 7–8)

[46] des gehazze got den dîn lîp! jô enwas ich niht ein eber wilde, sô sprach daz wîp (8, 13–16)

[47] Wîp unde vederspil diu werdent lîchte zam. swer sî ze rehte lucket, sô suochent sî den man (10, 17–20)

das als Unbeständigkeit anrechnen, wenn ich die hasse, die ich vorher geliebt habe. Ich wäre ein Dummkopf, wenn ich ihre Torheit für gut hielte. Das wird mir niemals mehr passieren.«[48] Hausen hat damit wenig Nachfolge gefunden, und auch das *sumerlaten*-Lied (72, 31) von Walther von der Vogelweide, das der hartherzigen Dame Schläge »mit jungen Zweigen«[49] androhte, blieb ein Einzelfall. Stilbestimmend wurde in der deutschen Lyrik die Haltung Reinmars des Alten, der die Klage über den ungelohnten Dienst unterdrückte, weil man über Frauen nur Gutes sagen sollte: »Ich könnte euch die größte Not klagen, nur daß ich von den Frauen nicht schlecht reden kann.«[50] Erst als sich mit Neidharts Bauernliedern, den Minneparodien Tannhäusers und den Herbstliedern Steinmars und Hadloubs ein komisch-satirischer Stil in der Lyrik durchsetzte, wurden abfällige Äußerungen über das Minnewesen und auch über die Frau als Repräsentantin dieser Kultur häufiger.

In der höfischen Epik hat es solche Schranken nicht gegeben. Die Frauendarstellung dieser Gattung wirkt vielfach realistischer, weil hier die Hochstilisierung der höfischen Dame öfter mit negativen Motiven verbunden wurde. »Frauen sind eben immer Frauen.«[51] Diese tiefsinnige Feststellung war keineswegs als Kompliment gemeint. »Eine Frau tut selten das beste.«[52] Denselben Gedanken konnte man auch schärfer formulieren: »Ich habe selten eine Frau gesehen, die an Herz und Leib untadlig gewesen wäre, gleich ob es eine Jungfrau oder eine Ehefrau war.«[53] Wo zwischen guten und schlechten Frauen unterschieden wurde, waren nach dem Urteil einiger Dichter die schlechten meistens in der Mehrzahl: »Es stimmt mich traurig, daß so viele ›Frau‹ genannt werden. Sie haben alle eine hohe Stimme. Aber viele überlassen sich der Falschheit, wenige sind frei von Falsch.«[54] »Der weise Salomo spricht, daß unter zehn

[48] Niemen darf mir wenden daz zunstaete, ob ich die hazze, die ich dâ minnet ê ... ich waer ein gouch, ob ich ir tumpheit haete vür guot. ez engeschiht mir niemer mê (47, 33–34; 48, 1–2)

[49] mit sumerlaten (73, 22)

[50] ich solte iu klagen die meisten nôt, niuwen daz ich von wîben niht übel reden kan (171, 2–3)

[51] wîp sint et immer wîp (W. v. Eschenbach, Parzival 450, 5)

[52] daz waegste selten wîp getût (U. v. Türheim, Rennewart 3386)

[53] ich hân selten wîp gesehen, (ez waere maget ode wîp) den daz herze und der lîp ân allen wandel waere (Otte, Eraclius 2110–13)

[54] Ez machet trûric mir den lîp, daz alsô mangiu heizet wîp. ir stimme sint gelîche hel: genuoge sint gein valsche snel, etslîche valsches laere (W. v. Eschenbach, Parzival 116, 5–9)

Frauen kaum eine ist, die rein und wirklich beständig ist.«[55] Nicht selten war in der höfischen Epik von Eva und ihrer verderblichen Rolle beim Sündenfall die Rede, und daran ließen sich wenig schmeichelhafte Kommentare über die Frauen im allgemeinen knüpfen, über ihre moralische Schwäche, ihren Ungehorsam und ihre Begehrlichkeit. Gottfried von Straßburg hat Evas Handlungsweise mit dem höfischen Thema der *huote*, der Bewachung von Frauen, in Zusammenhang gebracht: Es sei sinnlos, Frauen zu überwachen und ihnen Verbote aufzuerlegen, weil sie dadurch nur zur Übertretung aufgereizt würden. Sie lehnten sich gegen jedes Verbot auf, »weil es von ihrer Wesensart herrührt und die Natur es an ihnen bewirkt«[56]. Die höchste Aufgabe für die Frau sei es daher, ihre Natur zu überwinden und moralisch »zum Mann« zu werden: »Denn wenn eine Frau gegen ihre Wesensart tugendhaft ist und gegen ihre Anlage ihren Ruf, ihr Ansehen und ihre Persönlichkeit freudig bewahrt, dann ist sie nur noch mit Namen eine Frau, ihrer Gesinnung nach aber ein Mann.«[57] »Eine Frau mit männlichem Geist«[58]: das war das höchste Lob für eine Frau, das Dichtern und Geschichtsschreibern einfiel. Nur an körperlicher Kraft sollte die Frau den Männern nicht gleichkommen. Sonst wurde sie ihnen unheimlich, wie die starke Brünhild im ›Nibelungenlied‹, die die Helden aus Worms das Zittern lehrte und die deswegen als »Teufelsweib« verketzert wurde. »Wohin nun, König Gunther? Wir verlieren das Leben! Die ihr da zur Liebe begehrt, die ist des Teufels Weib.«[59] Als dann in der Hochzeitsnacht Siegfried, trotz seiner Zwölfmännerstärke, die ihm die Tarnkappe verlieh, gegen Brünhild im Ringkampf zu unterliegen drohte, trieb ihn der verletzte männliche Stolz zur höchsten Anstrengung seiner Kräfte. »O weh, dachte der Held, wenn ich jetzt mein Leben durch eine Jungfrau verliere, dann können hinterher alle Frauen auf immer übermütig gegen ihre Männer sein.«[60]

[55] Salomô der wise ... sprichet der sie eine Vnd (Vnder) zehen kvme reine Die rechtliche stete si (H. v. Fritzlar 8519, 25–27)

[56] sît in daz von arte kumet, und ez diu natiure an in frumet (17971–72)

[57] wan swelh wîp tugendet wider ir art, diu gerne wider ir art bewart ir lop, ir êre unde ir lîp, diu ist niwan mit namen ein wîp und ist ein man mit muote (ebd. 17975–79)

[58] virilis ingenii femina (Vita Heinrici IV, S. 414)

[59] wâ nu, künec Gunther? wie verliesen wir den lîp! der ir dâ gert ze minnen, diu ist des tiuveles wîp (438, 3–4)

[60] Owê, gedâhte der recke, sol ich nu mînen lîp von einer magt verliesen, sô

Die moralische Schwäche der Frauen trat deutlich zutage, wenn von Tugendproben erzählt wurde. Kaiser Focas lud die adligen Töchter seines Landes ein, um sich unter ihnen eine zur Frau zu wählen. Die meisten Damen kamen der Einladung nur ungern nach. »Darunter waren sehr viele, die gerne auf die Teilnahme am Fest verzichtet hätten, weil sie schon vor geraumer Zeit ihre Jungfräulichkeit verloren hatten. Viele erfreuen sich nur kurze Zeit daran. Dann gab es auch noch sehr viele, die schon viel vom Liebesspiel gehört hatten und die es gerne ganz erfahren hätten, wenn sich ihnen eine gute Gelegenheit geboten hätte.«[61] Als die Damen am Hof versammelt waren, richtete Eraclius, der für den Kaiser die Braut auswählen sollte, den Blick zuerst auf eine, die zwar noch Jungfrau war, die aber nur daran dachte, sich zu bereichern: »das ist böse und heißt Habgier«[62]. Dann faßte er eine Dame ins Auge, die schon Liebesverhältnisse hatte und die sich sofort vornahm, ihren Ehemann zu betrügen: »Ich mache ihn leicht zu einem Affen, meinen Herrn, wie klug er auch ist.«[63] Aufgrund einer besonderen Begabung entdeckte Eraclius in jeder einzelnen »das Laster« (*diu untugende*), wie tief es auch verborgen lag. Es ergab sich der deprimierende Befund, daß unter tausend vornehmen Damen nicht eine einzige war, die des Kaisers wert gewesen wäre. Eraclius entließ die Frauen mit der erheuchelten Versicherung, er wolle nicht, daß eine von ihnen auf Kosten der anderen ausgezeichnet würde, denn alle seien sie gleich würdig, und »selbst bei der geringsten von ihnen wären Krone und Land gut aufgehoben«[64]. Hier ist der Frauenpreis zur leeren Höflichkeitsfloskel geworden, zur Lüge.

Sehr beliebt waren in der höfischen Epik Keuschheitsproben mit Hilfe von wunderbaren Kleidungsstücken, einem Mantel oder einem Handschuh, die nur derjenigen paßten, die ohne Makel war, oder einem Becher, aus dem nur trinken konnte, wer ganz rein war. In Frankreich ist dieses Thema bereits im 12. Jahrhundert mehrfach in schwankhafter Form behandelt

---

mugen elliu wîp her nâch immer mêre tragen gelpfen muot gegen ir manne (673, 1–4)

[61] dâ was vil manegiu under, diu der hôchzît wol hete enborn, wande sie hete verlorn den magetuom vor maneger zît, der maneger kurze freude gît. ir was ouch gnuoc unde vil, die von dem selben zabelspil mit worten heten vil vernomen und waern sîn gerne zende komen, mohten sies guot state hân (Otte, Eraclius 1914–23)

[62] daz ist boese und heizet gîtecheit (2003)

[63] ich gemache in wol zeinem affen, mînen herrn, swie wîse er ist (2066–67)

[64] ze der swachesten waere wol bewant beide krône unde lant (2165–66)

worden (›Du mantel mautaillié‹, ›Lai du corn‹). In Deutschland bot der ›Lanzelet‹ von Ulrich von Zatzikhoven das erste Beispiel. Ein Zaubermantel wurde König Artus als Geschenk einer Meerfee überbracht, und alle Damen am Hof mußten ihn anprobieren. Der Königin Ginover, die ihn als erste anzog, reichte er nur bis an die Fußknöchel: sie hatte zwar keinen Fehltritt begangen, sich aber unlauterer Gedanken schuldig gemacht. Den übrigen Damen erging es viel schlechter: der einen stand der Mantel hinten hoch, der anderen vorne. Die frauenverachtende Tendenz dieser Szene wurde noch dadurch verstärkt, daß es eine Frau war, die Botin der Meerfee, die den jeweiligen Befund der Anprobe im Sinne der traditionellen Lasterkataloge auslegte: die eine Dame war zu gierig nach Männern, die andere gab sich zu schnell hin, die dritte war unfreundlich zu ihrem Ehemann, die vierte war schwatzsüchtig, die fünfte einfältig. In der ›Krone‹ von Heinrich von dem Türlin kommentierte der Truchseß Keie, der für seine scharfe Zunge gefürchtet war, einen entsprechenden Vorgang und labte sich mit Spott und Verachtung daran, daß jede Frau bloßgestellt wurde. Bei allen diesen Proben war das fatale Ergebnis, daß sämtliche Damen am Artushof, die sonst als Inbegriff höfischer Tugendhaftigkeit dargestellt wurden, mit Makeln behaftet waren und sich gegen die Gebote der Keuschheit vergangen hatten.

Nicht selten wurde im höfischen Epos davon erzählt, daß Frauen benachteiligt, entwürdigt, gequält und geschlagen wurden. Diese Motive standen in einem merkwürdigen Kontrast zu der offiziellen Frauenverherrlichung der Gattung. Aber es scheint so, als hätten die Erzähler diesen Gegensatz gar nicht bemerkt. Wenn es um Erbangelegenheiten ging oder um die Verfügung über persönlichen Besitz, war die Schlechterstellung der Frau ganz normal. Es konnte auch keine Verwunderung erregen, wenn Frauen wie eine Sache behandelt wurden. Ohne männlichen Beistand waren sie den gröbsten Ungerechtigkeiten ausgesetzt. Das mußte Cunneware erfahren, die als Schwester des Herzogs Orilus zu den vornehmsten Damen am Artushof gehörte, die aber von dem Truchsessen Keie, dem obersten Hofbeamten, brutal verprügelt wurde, als sie scheinbar gegen ein ihr auferlegtes Verbot verstieß. »Da faßte der Seneschall Keie Frau Cunneware de Lalant an ihrem lockigen Haar. Er wickelte ihre langen schönen Zöpfe um seine Hand und hielt sie wie mit einem Eisenband fest. Mit dem Stock stabte er keinen Eid auf ihren Rücken, sondern ließ ihn herabsausen, bis von dem Stock nichts mehr übrig war: es ging ihr durch das Kleid und durch die Haut.«[65] Am Artushof fand niemand ein Wort des Tadels für diese Mißhandlung, außer dem bäurischen Toren Parzival. Ebenso schutzlos war Enite den Zudringlichkeiten des Grafen Oringles preisgegeben, als Erecs Scheintod sie des männlichen Schutzes beraubte. Der Graf war von Enites Schönheit so geblendet, daß er sie sofort heiraten wollte und dabei alle Rücksichten vergaß. Als Enite sich weigerte, im Angesicht ihres tot daliegenden Mannes zum fröhlichen Hochzeitsmahl Platz zu nehmen, griff er zu Beschimpfung und Gewalt und »schlug sie mit der Faust, so daß die Edle heftig blutete. Er sagte: ›Ihr eßt jetzt, böse Haut!‹«[66] Die Kritik aus seiner Umgebung wies der Graf zurück. »Ihr Tadel ärgerte ihn. Er sagte heftig: ›Ihr Herren, ihr seid wunderlich, daß ihr mich für das tadelt, was ich mit meiner Frau tue. Es steht niemandem zu, Gutes oder Schlechtes darüber zu reden, was ein Mann seiner Frau tut. Sie gehört mir und ich ihr; wie wollt ihr mich daran hindern, mit ihr zu tun, was mir gefällt?‹ Damit brachte er sie alle zum Schweigen.«[67]

Für die fast unbeschränkte Verfügungsgewalt des Ehemannes über seine Frau bietet die höfische Epik viele Beispiele. Daß der Mann seine Frau verließ, um auf Abenteuer auszuziehen, und daß die Frau manchmal jahrelang auf seine Rückkehr warten mußte, war noch harmlos. Der Mann konnte seine Frau auch einschließen und bewachen lassen, er konnte sie öffentlich bloßstellen und erniedrigen, sie mit Verdächtigungen quälen. Der Ehemann konnte seiner Frau auch das Reden verbieten, am wirkungsvollsten gleich mit Androhung der Todesstrafe, wie es der jungen Enite geschah, als kaum die Flitterwochen in Karnant zuende waren. Enite mußte es auch erdulden, daß ihr Mann sie Knechtsdienste tun ließ und ihre eheliche Gemeinschaft willkürlich aufhob. Daß sie dies alles nicht nur ertrug,

[65] Dô nam Keye scheneschlant froun Cunnewâren de Lâlant mit ir reiden hâre: ir lange zöpfe clâre die want er umbe sîne hant, er spancte se âne türbant. ir rüke wart kein eit gestabt: doch wart ein stap sô dran gehabt, unz daz sîn siusen gar verswanc, durch die wât unt durch ir vel ez dranc (W. v. Eschenbach, Parzival 151, 21–30)

[66] daz er si mit der hant sluoc alsô daz diu guote harte sêre bluote. er sprach: »ir ezzet, übel hût!« (H. v. Aue, Erec 6521–24)

[67] ir strâfen was im ungemach. vil unsenfteclîche er sprach: »ir herren, ir sît wunderlich, daz ir dar umbe strâfet mich swaz ich mînem wîbe tuo. dâ bestât doch niemen zuo ze redenne übel noch guot, swaz ein man sînem wîbe tuot. si ist mîn und bin ich ir: wie welt ir daz erwern mir, ich entuo ir swaz mir gevalle?« dâ mite gesweicte er si alle (6538–49)

sondern auch noch guthieß, zeigte ihre Qualität als Ehefrau. »Was immer mein Gefährte mir antut, ich dulde es von Rechts wegen. Ob er mich zur Frau, zum Knecht oder wozu immer haben will, ich bin ihm in allem untertan.«[68] Wenn der Ehemann einen Verdacht auf Untreue gegen seine Frau hegte, waren seiner Strafgewalt keine Grenzen gesetzt. Jeschute wurde von ihrem Mann, Herzog Orilus, mit Entbehrungen gequält, bis sie ganz ausgemergelt und zerschunden war und ihr das Kleid in Fetzen vom Leib hing. Als sich nach einem Jahr herausstellte, daß der Verdacht unbegründet gewesen war, mußte Orilus zwar zugestehen, daß sein Verhalten falsch war (»ich habe unbeherrscht ihr gegenüber gehandelt«[69]); aber für seine Frau hatte er kein Wort der Entschuldigung oder des Bedauerns. Und auch der Erzähler tadelte nur den Fehler, den Orilus gemacht hatte, nicht aber sein Vorgehen.

Körperliche Züchtigung durch den Ehemann war auch bei anderen Anlässen üblich. Nicht ohne Stolz erzählte Kriemhild davon, wie Siegfried das Hausrecht über sie ausgeübt hat, nachdem sie beim Frauenzank vor dem Münster öffentlich die burgundische Königin beleidigt hatte. »Es hat mich seither sehr gereut, sagte die edle Frau. Er hat mich deshalb auch tüchtig durchgeprügelt.«[70] Die Frau selber von den Schwächen ihres Geschlechts sprechen zu lassen, war ein besonders wirkungsvolles Darstellungsmittel. »Eine Frau sagt doch leicht etwas, was sie nicht sagen sollte. Wer alles bestrafen wollte, was wir Frauen sagen, der hätte viel zu strafen. Wir Frauen bedürfen doch täglich der Nachsicht wegen törichter Reden, denn was wir sagen, ist oft verletzend, aber doch ohne Arglist, verfänglich, aber ohne Haß: wir können es leider nicht besser.«[71]

Die schmückende und die dienende Rolle der Frau

Das poetische Schönheits- und Tugendideal, das die Dichter entworfen haben, erfuhr seine reichste Ausgestaltung dort, wo

[68] swaz ouch mir mîn geselle tuot, daz dulde ich mit rehte. ze wîbe und ze knehte und ze swiu er mich wil hân, des bin ich im alles undertân (ebd. 3811–15)

[69] ich hân unfuoge an ir getân (W. v. Eschenbach, Parzival 271, 7)

[70] Daz hât mich sît gerouwen, sprach daz edel wîp. ouch hât er sô zerblouwen dar umbe mînen lîp (Nibelungenlied 894, 1–2)

[71] jâ gesprichet lîhte ein wîp des sî niht sprechen solde. swer daz rechen wolde daz wir wîp gesprechen, der müese vil gerechen. wir wîp bedurfen alle tage daz man uns tumbe rede vertrage; wand sî under wîlen ist herte und doch ân argen list, gevaerlich und doch âne haz: wan wirne kunnen leider baz (H. v. Aue, Iwein 7674–84)

es um die schmückende und dienende Rolle der Frau in der höfischen Festgesellschaft ging. Auf den großen Hoffesten, von denen die Epiker erzählten, hat erst die Anwesenheit zahlreicher festlich geschmückter Damen die gesellschaftliche Hochstimmung geschaffen, die mit dem Wort *vreude* umschrieben wurde. »Auch wurde ihnen dort am Hof in jeder Beziehung ein Wunschleben geboten: viele Mädchen und Frauen, die schönsten aus allen Ländern, machten ihnen das Hoffest und ihr Leben dort angenehm.«[72] Auf König Markes Hoffest war die Aufmerksamkeit der ganzen Gesellschaft auf Blanscheflur, die schöne Schwester des Gastgebers, gerichtet (G. v. Straßburg 625 ff.). König Telion von Rom veranstaltete sogar mehrmals im Jahr Hoffeste einzig zu dem Zweck, die wunderbare Schönheit seiner Tochter Beaflor zur Schau zu stellen (Mai u. Beaflor 13, 12 ff.). Den Anblick der festlich geschmückten Damen hat Walther von der Vogelweide geschildert: »Immer wenn eine vornehme, schöne, keusche Dame mit schönem Kleid und schönem Gebende zur Unterhaltung in große Gesellschaft geht, in höfischer Hochstimmung und begleitet von Gefolge, zuweilen ein wenig sich umblickend, so wie die Sonne die Sterne überstrahlt, dann kann uns der Mai seine ganze Pracht bringen: was ist so Herrliches darunter wie ihre liebliche Gestalt? Wir lassen alle Blumen stehen und starren auf die herrliche Frau.«[73]

Bei den festlichen Versammlungen fielen den höfischen Damen in erster Linie repräsentative Aufgaben zu. Sie schauten von den Zinnen herab oder aus den Fenstern und Lauben zu, wenn die Herren sich in ritterlichen Spielen maßen; sie ließen den Rittern bei solchen Gelegenheiten wohl auch aufmunternde Geschenke zukommen; sie beteiligten sich an höfischen Tänzen und Spielen; sie führten höfische Gespräche, und sie ließen sich von den Herren in festlichem Aufzug zu Tisch führen. Manchmal übernahmen sie auch die Begrüßung und Betreuung der Gäste. Als Kalogreant, ein Ritter der Tafelrunde, einmal auf einer Burg, die an seinem Weg lag, Herberge suchte, wurde er von dem Burgherrn und seinem Gesinde freundlich empfangen.

[72] ouch wart in dâ ze hove gegeben in allen wîs ein wunschleben: in liebte hof und den lîp manec maget unde wîp, die schoensten von den rîchen (H. v. Aue, Iwein 43–47)

[73] Swâ ein edeliu schoene frowe reine, wol gekleidet unde wol gebunden, dur kurzewîle zuo vil liuten gât, hovelîchen hôhgemuot, niht eine, umbe sehende ein wênic under stunden, alsam die sunne gegen den sternen stât, – der meie bringe uns al sîn wunder, waz ist dâ sô wünneclîches under, als ir vil minneclîcher lîp? wir lâzen alle bluomen stân, und kapfen an daz werde wîp (46, 10–20)

»Als ich in die Burg ging, sah ich alsbald eine junge Dame kommen, die mich willkommen hieß.«[74] Diese junge Dame entsprach in allem dem höfischen Frauenideal. »An ihr fand ich Klugheit und Jugend gepaart, hohe Schönheit und innere Vollkommenheit.«[75] Das höfische Mädchen zog dem Ritter die Rüstung aus und bekleidete ihn mit einem Scharlachmantel; sie führte ihn in den Garten; »sie setzte sich freundlich zu mir, und was ich auch sagte, das hörte sie an und antwortete darauf mit Liebenswürdigkeit.«[76] Manchmal gehörte es auch zu den höfischen Pflichten der Mädchen, den Ritter zu baden und ihn ins Bett zu geleiten.

Bei besonderen Anlässen trugen die Damen zur Unterhaltung der Hofgesellschaft durch künstlerische Darbietungen bei. »Nun ergab es sich häufig, wenn ihr Vater gutgelaunt war oder wenn fremde Ritter sich bei dem König am Hof aufhielten, daß Isolde in den Palas zu ihrem Vater gerufen wurde. Und mit all ihrem Können in höfischer Kunst und feinem Anstand unterhielt sie ihn und viele andere dort.«[77] Die Prinzessin beherrschte ein großes Repertoire: »sie sang, sie dichtete und sie las vor«[78]; außerdem spielte sie, zur Freude des Vaters und der Gäste, auf verschiedenen Saiteninstrumenten. Von König Telion wurde erzählt, daß er seinen Gästen die Wahl ließ, mit welchen Fertigkeiten seine Tochter sie erfreuen sollte. »Ich sorge dafür, daß meine Tochter euch alles vorliest, was ihr auf Französisch hören wollt. Meine Tochter ist so höfisch erzogen. Wenn ihr Brettspiele mit ihr spielen wollt, das kann sie sehr gut, das glaubt mir. Sie macht alles, was ihr wollt, wenn sie euch Gesellschaft leistet.«[79]

Durch ihre Schönheit, ihr feines Benehmen und ihre Fertigkeiten sollten die Damen den Männern das Hochgefühl höfi-

[74] vil schiere sach ich komen, dô ich in die burc gienc, ein juncvrouwen diu mich enpfienc (H. v. Aue, Iwein 312–14)

[75] hie vant ich wîsheit bî der jugent, grôze schoene und ganze tugent (339–40)

[76] sî saz mir güetlichen bî: und swaz ich sprach, daz hôrte sî und antwurt es mit güete (341–43)

[77] nu gevuogete ez sich dicke alsô, ir vater sô der was fröudehaft oder als fremediu ritterschaft dâ ze hove vor dem künege was, daz Îsôt in den palas vür ir vater wart besant; und allez daz ir was bekant höfscher liste und schoener site, da kurztes im die stunde mite und mit im manegem an der stete (G. v. Straßburg 8040–49)

[78] si sanc, si schreip und si las (8059)

[79] ich lâze iu mîne tohter lesen swelch maere ir welt in franzois. mîn tohter ist sô kurtois, und welt ir zabelen mit ir, daz kan si wol: daz habet ûf mir. si tuot swaz ir wellet, ob si sich ziu geselle (Mai u. Beaflor 230, 30–36)

scher Freude vermitteln oder sie zum Minnedienst animieren. Wie gut die Minneinspiration sich mit der schmückenden und dienenden Rolle der Frau verbinden ließ, zeigt die Rede Gyburgs an ihre Hofdamen nach der Ankunft des französischen Ersatzheeres in Orange. Die Frauen hatten die Stadt wochenlang alleine gegen die Übermacht der Heiden verteidigt und waren darum noch schmutzig und müde vom Kampf mit den Waffen. Jetzt sollte, zur Ehre der Fürsten im Heer, ein festlicher Empfang gegeben werden, und dafür mußten die Frauen rasch ihre Rolle wechseln und wieder ihren Platz in der höfischen Festgesellschaft einnehmen. »Gyburg konnte ihre Rüstung nun in Ehren ablegen; sie und ihre Hofdamen können sich von Rost und Staub säubern. Sie sprach: ›Das Glück ist rund. Lange hat mich die Sorge bedrückt; zum Teil ist sie jetzt von mir genommen. Alle jungen Damen hier fordere ich auf, eure besten Kleider anzuziehen. Ihr sollt euch schmücken, Gesicht und Haare so zurechtmachen, daß ihr lieblich ausseht, damit ein Mann, der Minne sucht, und der euch seinen Dienst um Liebe anträgt, nicht so bald davon genug hat, sondern daß ihm der Abschied von euch schwer wird. Vorher sollt ihr noch etwas anderes tun. Beherzigt eine Regel der Höfischheit und benehmt euch so, als ob euch von den Feinden kein Leid geschehen sei. Macht nicht viele Worte, wenn sie euch nach eurem Leid fragen, sondern sagt: ›Seid so gut und kehrt euch nicht an unsere Reden. Wir haben keinen Grund mehr zu klagen, denn eure tröstliche Ankunft hat uns aus der Bedrohung durch die Feinde erlöst. Wenn ihr uns eure Unterstützung gewährt, so brauchen wir uns nicht mehr zu sorgen.‹ Zeigt euch entgegenkommend. Kein Fürst steht so hoch, daß er nicht gerne das Ja-Wort einer Jungfrau hörte. Wo ihr auch sitzt, wenn ein Ritter neben euch Platz nimmt, so gebärdet euch ihm gegenüber so, daß er eure Tugendhaftigkeit erkennt. Durch die Geliebte wächst des Mannes Kühnheit; die Tugend der Frau aber gibt dem Mann hohen Mut.‹«[80] Nur selten ist so deutlich ausgesprochen worden, wie

---

[80] Gyburc moht ir wâpenroc nu mit êren von ir legn: si unde ir juncfrouwen megn dez harnaschrâm tuon von dem vel. si sprach »gelüke ist sinewel. mir was nu lange trûren bî: dâ von bin ich ein teil nu vrî. Al mîne juncvrouwen ich man, leget iwer besten kleider an: ir sult iuch feitieren, vel und hâr sô zieren, daz ir minneclîchen sît getân, ob ein minne gerender man iu dienst nâch minne biete, daz er sihs niht gâhs geniete, und daz im tuo daz scheiden wê von iu. daz sult ir schaffen ê: und vlîzt iuch einer hövescheit, gebâret als iu nie kein leit von vînden geschaehe. sît niht ze wortspaehe, ob si iuch kumbers vrâgen: sprechet ›welt irz wâgen, sone kêrt iuch niht an unser sage. wir sîn erwahsen ûzer klage: wan iwer

sehr Passivität und Selbstverleugnung zur höfischen Rolle der Frau gehörten. Weibliche Schönheit und Tugendhaftigkeit waren keine Werte in sich, sondern dienten dazu, den Mann zu erfreuen und anzuspornen. Vor dem ernsten Hintergrund des Heidenkriegs wirkt die Rolle der Frau in der Festgesellschaft angelernt und einstudiert. Wie brüchig der Boden dieser gesellschaftlichen Konventionen für den ›Willehalm‹-Dichter war, wird daran deutlich, daß Gyburg die Anweisungen, die sie ihren Damen gab, selbst nicht befolgte und damit aus der Rolle fiel: während die anderen festlich tafelten, erzählte sie weinend ihrem Schwiegervater von den Schrecken des Krieges.

b. Lehren für Frauen. Erziehung und Bildung

Weil die weibliche Natur so schwach war, mußten Frauen sorgfältiger belehrt und angeleitet werden als Männer. Das hatten bereits die Kirchenväter festgestellt, die in zahlreichen Schriften die Frauen zur Keuschheit gemahnt und vor den Verlockungen der Welt gewarnt hatten. Vor allem die Briefe des hl. Hieronymus an verschiedene Damen der römischen Gesellschaft mit Ratschlägen für die Erziehung ihrer Töchter waren eine Hauptquelle der christlichen Frauenlehre. Wie aktuell die Ansichten und Anweisungen der alten Kirchenlehrer noch in der höfischen Zeit waren, zeigt die Schrift ›Über die Erziehung königlicher Kinder‹ (De eruditione filiorum regalium) von Vinzenz von Beauvais, die König Ludwig IX. von Frankreich († 1270) gewidmet ist. In den letzten Kapiteln hat der Verfasser zusammengestellt, was bei der Erziehung adliger Mädchen zu berücksichtigen war. Dabei konnte er das meiste wörtlich aus den Sprüchen Salomos und aus den patristischen Schriften zitieren.

Das erste Gebot lautete, daß die Mädchen einer strengen Bewachung unterworfen sein sollten, um ihre Jungfräulichkeit nicht zu gefährden. Am besten hielt man sie ständig im Haus; auf dem Weg zur Kirche sollte die Mutter die Tochter begleiten. Zuhause mußten die Mädchen beschäftigt werden, sonst kämen

künfteclîcher trôst hât uns vîntlîcher nôt erlôst. welt ir uns iwerr helfe wern, sô muge wir trûrens wol enbern.‹ nu gebâret geselleclîche. nie fürste wart sô rîche, ern hoer wol einer meide wort. ir sitzet hie oder dort, parriert der rîter iuch benebn, dem sult ir die gebaerde gebn daz iwer kiusche im sî bekant. bî vriundîn vriunt ie ellen vant: diu wîplîche güete gît dem man hôhgemüete« (W. v. Eschenbach, Willehalm 246, 24–248, 2)

sie auf schlimme Gedanken. Sie sollten arbeiten, beten und lernen. Arbeiten hieß spinnen, weben und nähen; aber nicht modische, weit ausgeschnittene Kleider, sondern Gewänder aus dikkem Stoff, die vor Kälte schützten. Die Mädchen sollten auch lesen lernen und sich viel mit dem Psalter und den heiligen Schriften beschäftigen. Außerdem sollten sie »in guten Sitten und Bräuchen« (*in moribus et consuetudinibus bonis*) unterwiesen werden. »Vier Dinge sind es besonders, über die sie belehrt und unterrichtet werden sollen, nämlich [1.] Schamhaftigkeit und Keuschheit, [2.] Demut, [3.] Schweigsamkeit und [4.] Würde der Sitten und Gebärden.«[81] Schamhaftigkeit und Keuschheit zeigten sich darin, daß alle unnütze Ergötzung des Fleisches unterblieb. Die Mädchen sollten nur essen und trinken, um den Hunger zu stillen; sie sollten nicht zu viel schlafen und auch nicht baden. Zu diesem Punkt wurde aus dem Brief des Hieronymus an Laeta zitiert: »Mir mißfallen Bäder sehr bei einer erwachsenen Jungfrau, die über sich selbst erröten muß und die sich nicht nackend soll sehen können.«[82] Die größten Gefahren drohten der Schamhaftigkeit und Keuschheit der Mädchen nach Vinzenz von Beauvais durch ihre weltliche Putzsucht und durch schlechte Gesellschaft. In ihrer Kleidung sollten sie alles meiden, was dazu diente, Wollust zu entzünden. Denn das Kleid »ist ein Zeichen der Seele«[83]. Sie sollten keine eng anliegenden Gewänder mit Schleppen und Schlitzen, keine Seide und Purpur, keine kostbaren Gürtel und Haarbänder tragen, und vor allem sollten sie sich nicht schminken und nicht die Haare färben: das war sündhaftes Teufelswerk, weil dadurch Gottes Schöpfung verfälscht würde. Statt mit leichtfertigen Mädchen und geschwätzigen Weibern umzugehen, sollten sie Witwen und Jungfrauen von erprobter Reinheit zur Begleitung wählen. – Demut, Schweigsamkeit und Sittenreinheit bewährten sich im gesellschaftlichen Auftreten. Das Mädchen sollte nicht viel reden, nicht viel lachen, sich einfach kleiden, einen ehrbaren Gang haben und vor allem nicht die Augen herumschweifen lassen. »Die Mädchen sollen in jeder Gebärde Würde bewahren, vor allem aber in ihren Blicken, denn darin wird ihre

---

[81] Precipue uero in IIII eas instruere conuenit et informare, sc. in pudicicia siue castitate et in humilitate et in taciturnitate et in morum siue gestuum maturitate (S. 178)
[82] Michi lauacra omnino displicent in adulta uirgine que se ipsam debet erubescere, nudamque uidere non posse (S. 181)
[83] animi est indicium (S. 181)

Keuschheit und auch das Gegenteil, ihre Unkeuschheit, am meisten deutlich.«[84] In einem eigenen Abschnitt hat Vinzenz von Beauvais zusammengestellt, was ein Mädchen wissen mußte, wenn es in den Stand der Ehe trat. Ihre Eltern sollten sie darüber belehren, daß sie den ehelichen Verkehr nicht aus Lust suchen sollte, sondern aus Gehorsam und um Kinder zu bekommen. Außerdem sollten die Eltern sie anweisen, wie sie mit ihrem Mann leben sollte: »Ihre Schwiegereltern ehren, ihren Mann lieben, das Gesinde befehligen, das Haus verwalten und sich selbst tadellos halten.«[85] Die Liebe zu ihrem Mann sollte sich darin beweisen, daß sie ihm gehorsam war, ihn ehrte und fürchtete, ihm zu gefallen suchte, sowohl um sich seiner Liebe zu erfreuen als auch um ihn davon abzuhalten, andere Frauen zu lieben, und daß sie seine Fehler und Schwächen geduldig und liebevoll ertrug. Mit einer Abhandlung über Witwenschaft und einem Lob der Jungfräulichkeit beschloß Vinzenz von Beauvais diesen Teil seines Werks, der ein ausgezeichnetes Bild davon vermittelt, mit welchen Fragen die Erziehung adliger Mädchen im 13. Jahrhundert hauptsächlich beschäftigt war. Das meiste davon findet man in der volkssprachlichen Literatur der Zeit wieder. In Deutschland hat Thomasin von Zirklaere in seinem ›Wälschen Gast‹ am ausführlichsten über die Erziehung adliger Mädchen gehandelt.

Wie der Unterricht für junge Damen praktisch organisiert war, entzieht sich weitgehend unserer Kenntnis. Was die praktischen Fertigkeiten betraf, dürfte er in der Hand von Frauen gelegen haben; für die literarische Ausbildung wird in der Regel ein Hofkaplan oder ein eigens dafür angestellter Hauslehrer zuständig gewesen sein. Oder man gab das junge Mädchen zur Erziehung in ein geistliches Stift. Ulrich von Dachsberg schenkte im Jahr 1223 dem Chorherrenstift in Understorf ein Grundstück mit der Auflage, daß seine Tochter Ottilia dort »so lange verköstigt werde, bis sie den Psalter gelernt habe«[86].

[84] maturitas puellis seruanda sit in omni gestu, precipue tamen in aspectu, in quo precipue apparet pudicicia et econtrario similiter impudicicia (S. 192)

[85] honorare soceros, diligere maritum, regere familiam, gubernare domum et seipsam irreprehensibilem exhibere (S. 197)

[86] ... et filiae meae, quoad psalterium discat, victum similiter praebeant (Monumenta Understorfensia, S. 146)

Die adligen Mädchen sollten spinnen und weben, nähen und sticken lernen, und viele werden einen großen Teil ihres Lebens mit solchen Tätigkeiten zugebracht haben, auch wenn sie nicht von der Arbeit ihrer Hände leben mußten. Für die Didaktiker war es ein schlechtes Zeichen, wenn eine Dame »den Spinnrokken haßt, nicht webt, nicht spinnt, nicht haspelt« und nur ihre Zeit damit verbrachte, »daß sie sich schön und hübsch macht und sich weiß oder rot anmalt«[87]. Weben, Sticken und Verzieren der Kleider galten auch für große Damen als ehrenwerte Tätigkeiten, während die ersten Stufen der Flachsbearbeitung meistens den Mägden überlassen blieben. Die dreihundert adligen Frauen im ›Iwein‹, die in die Gewalt eines Riesen geraten und von ihm in ein Arbeitshaus gesperrt worden waren, mußten alle Arbeiten selber verrichten. »Viele von ihnen waren damit beschäftigt, alles das herzustellen, was man aus Seide und Goldfäden wirken konnte. Viele arbeiteten am Webrahmen, und deren Arbeit war nicht schimpflich. Die sich nicht darauf verstanden, sortierten die Fäden und wickelten sie auf; eine schlug den Flachs, eine brach ihn, eine hechelte ihn; die einen spannen, die anderen nähten.«[88] Von dem jungen Hugdietrich wurde erzählt, daß er sich Zugang zu der (von ihrem Vater in einen Turm eingesperrten) Hildburg verschaffte, indem er sich als kunstfertige Frau verkleidete. Ein ganzes Jahr lang lernte er von einer Meisterin nähen, spinnen und vor allem die kunstvolle Seidenstickerei, das Entwerfen von figürlichen Mustern und die Ausschmückung mit Bändern und Borten (Wolfdietrich B 22, 2ff.). Manche Frauen haben es in dieser Kunst zu hohem Ansehen gebracht (vgl. S. 196). Die um 1200 entstandene Lebensbeschreibung der Kaiserin Kunigunde († 1033) berichtete, daß die Kaiserin »in Grammatik und in anderen Wissenschaften ebenso erfahren war wie in der Fertigkeit, kirchliche Gewänder mit Gold und Edelsteinen zu verzieren«[89].

---

[87] qui heit conoille, Ne teist, ne file, ne traoille ... de sei faire belle et gente Et sei peindre blanche ou rovente (Etienne de Fougières 1053–58)

[88] gnuoge worhten under in swaz iemen würken solde von sîden und von golde. genuoge worhten an der rame: der werc was aber âne schame. und die des niene kunden, die lâsen, diese wunden, disiu blou, disiu dahs, disiu hachelte vlahs, dise spunnen, dise nâten (6196–205)

[89] litterarum et artium aliarum, distinguere auro gemmisque sacras vestes, peritissima fuit (Vita s. Cunegundis, S. 822)

Es war nicht ungewöhnlich, daß adlige Mädchen lesen und schreiben lernten; und in Verbindung damit haben nicht wenige Frauen auch elementare Kenntnisse im Lateinischen erworben, so daß sie imstande waren, den Psalter lateinisch zu lesen. Albert von Stade berichtete über Hildegard von Bingen († 1179), sie habe »nichts weiter gelernt als den Psalter, wie es bei adligen Mädchen üblich war«[90]. Im Landrecht des ›Sachsenspiegels‹ wurde aufgezählt, was zum »Frauenerbe« (*rade*) gehörte: Haustiere, Schmuck und »Psalter und alle Bücher, die beim Gottesdienst gebraucht werden und in denen die Damen zu lesen pflegen«[91]. Mit dem Psalter in der Hand haben die Künstler des 13. Jahrhunderts die adligen Frauen dargestellt, zum Beispiel die Gräfinnen Gerburg und Gepa im Westchor des Naumburger Doms; und so haben auch die Dichter sie geschildert. »Jede Nacht, bis es Tag wird, liest sie in ihrem Psalter.«[92] »Sie trug einen Psalter in der Hand.«[93] »Kniend las sie im Psalter.«[94] Für die Minnesänger war die ständige Beschäftigung der Damen mit dem heiligen Buch eher ein störender Faktor. »Herzensgeliebte, meine Königin, willst du eine Betschwester – eine ›Psalterfrau‹ – sein?«[95] Die kostbaren Psalterien, die aus der höfischen Zeit erhalten sind, waren wahrscheinlich zum größten Teil für Frauen bestimmt.

Eine höhere Bildung besaßen die Frauen nur im Hinblick auf die Laiengesellschaft. Von der gelehrten Bildung, die durch das Studium des Trivium und des Quadrivium erlangt wurde, waren sie fast gänzlich ausgeschlossen. Zwar hat es auch in den Nonnenklöstern Schulen gegeben, aber deren wissenschaftliches Niveau scheint im allgemeinen nicht sehr hoch gewesen zu sein. Offenbar waren die Lateinkenntnisse der Nonnen vielfach so gering, daß zu ihnen auf deutsch gepredigt wurde. Das hatte bedeutende Konsequenzen für die Ausbildung eines religiösen Schrifttums in der Volkssprache: Legenden, Gebete und Erbau-

---

[90] ... nichil umquam didicerit, nisi solum psalterium more nobilium puellarum (S. 330)

[91] saltere, unde alle buke, de to Goddes denste horet, de vrowen pleget to lesene (I, 24 § 3)

[92] alle naht unz ez taget liset sî an ir salter (K. Fleck, Flore 6222–23)

[93] Si truoc ein salter in der hant (W. v. Eschenbach, Parzival 438, 1)

[94] an ir venje si den salter las (ebd. 644, 24)

[95] Herzentrût, mîn künigîn, ... wilt du ein saltervrouwe wesen? (Steinmar 11, 34; 36)

ungsbücher sind speziell für ein Frauenpublikum aus dem Lateinischen übersetzt worden. Die Äbtissin von Hohenburg, Herrad von Landsberg († nach 1196), die selbst hervorragend gebildet war, hat ihren ›Garten der Lüste‹ (Hortus deliciarum), der für die Unterweisung ihrer Nonnen bestimmt war, nicht nur mit vielen Bildern geschmückt, sondern hat den lateinischen Text außerdem mit über tausend Interlinearglossen, also mit Übersetzungen einzelner Wörter, versehen, weil sie offenbar mit Verständnisschwierigkeiten bei den Nonnen rechnete. Trotz dieser widrigen Umstände hat es immer wieder einzelne hochgebildete Frauen gegeben, nicht nur in den Klöstern, sondern auch unter den großen weltlichen Damen. Aus dem 10. Jahrhundert sind mehrere Mitglieder des sächsischen Kaiserhauses zu nennen; aus dem 11. Jahrhundert die Kaiserinnen Gisela von Schwaben († 1043) und Agnes von Poitou († 1077). Im 12. Jahrhundert trifft man Frauen mit hoher Bildung auch an den weltlichen Fürstenhöfen. Die Königin Judith von Böhmen, eine Tochter des Landgrafen Ludwig I. von Thüringen († 1140), war nicht nur »durch Schönheit und Anmut« (*specie et decore*) ausgezeichnet, sondern war auch »in den Wissenschaften wie in der lateinischen Sprache sehr unterrichtet«, was – wie der Verfasser hinzufügte – »die Anmut adliger Fräulein ganz besonders erhöht«[96]. Leider ist das historische Belegmaterial für Frauenbildung in Deutschland aus dieser Zeit noch nicht gesammelt worden. Die Ansicht von Vinzenz von Prag wurde übrigens nicht von allen geteilt. In dem französischen Lehrgedicht ›Urbain le courtois‹ gab ein Vater seinem Sohn den Rat: »Nimm keine Frau wegen ihrer Schönheit und keine, die literarisch gebildet ist.«[97] Philippe de Novare, ein renommierter Jurist, ist dafür eingetreten, daß Frauen überhaupt nicht Lesen und Schreiben lernen sollten, weil sie diese Fähigkeiten nur dazu nutzten, gegen die Gebote der Keuschheit zu verstoßen. »Eine Frau soll man nicht im Lesen und Schreiben unterrichten, außer wenn sie eine Nonne werden will. Denn vom Lesen und Schreiben der Frauen ist manches Übel gekommen. Es gibt nämlich Männer, die es wagen, ihnen Briefe mit Dummheiten und Bitten in Form von Liedern oder Gedichten oder Erzählungen zu übergeben, zu schicken oder zuzuwerfen, was sie nicht mündlich zu bitten und zu sagen wagen würden und auch

---

[96] litteris et Latino optime eruditam eloquio, ... quod maxime domizellarum nobilium exornat decorem (Vinzenz von Prag, S. 664)
[97] Pernez nule por sa beauté Ne nule ke soit en livre lettrié (A 151–52)

nicht durch Boten entbieten.«[98] Auch wenn eine Frau keinerlei Neigung zum Bösen hätte, würde es dem Teufel doch gelingen, sie dazu zu bringen, diese Briefe zu lesen und zu beantworten. Dann aber würde »die Schwäche der natürlichen Beschaffenheit der Frau«[99] dazu führen, daß sich daraus eine gefährliche Korrespondenz entwickelte. Mit dieser Auffassung scheint Philippe de Novare allerdings ziemlich alleine gestanden zu haben.

In enger Verbindung mit dem literarischen Unterricht stand die Ausbildung künstlerischer Fertigkeiten. Von einer höfischen Dame wurde erwartet, daß sie Saiteninstrumente spielen, singen und tanzen konnte. Auch das Schachspiel und die Vogelbeize gehörten zu den höfischen Künsten. Was die Dichter darüber erzählten, war meistens ganz ins Ideale stilisiert. Der Bericht Gottfrieds von Straßburg über die Erziehung der jungen Isolde läßt aber wenigstens erkennen, welche Einzelheiten des Bildungsganges als vorbildlich angesehen wurden. Die Prinzessin war zunächst von einem Hofkaplan der Königin unterrichtet worden; sie hatte Französisch und Lateinisch gelernt (*si kunde franzois und latîn,* 7990), und beherrschte verschiedene Saiteninstrumente. »Außerdem sang das begabte Mädchen lieblich und mit schöner Stimme.«[100] Zur Vervollkommnung in diesen Fächern wurde die weitere Ausbildung einem kunstreichen Wanderlehrer (dem verkleideten Tristan) übertragen. Dieser legte im Literaturunterricht den Akzent auf angewandte Rhetorik und ließ die junge Dame Texte in Prosa und in Versen anfertigen. »Sie konnte Texte und Melodien für Liebeslieder verfassen und ihre Werke schön ausgestalten.«[101] Im Musikunterricht wurden vor allem die modernen französischen Lied- und Melodienformen geübt, die sich beim höfischen Publikum offenbar besonderer Hochschätzung erfreuten. »Sie fiedelte ihre Tanzweisen, Lieder und fremdartigen Melodien, die fremdartiger nicht hätten sein können, im französischen Stil von Sens und Saint-Denis.«[102] »Sie sang ihre Pastourelle, ihre ›Rotrouen-

[98] A fame ne doit on apanre letres ne escrire, se ce n'est especiaument por estre nonnain; car par lire et escrire de fame sont maint mal avenu. Car tieus li osera baillier ou anvoier letres, ou faire giter devant li, qui seront de folie ou de priere, en chançon ou en rime ou en conte, qu'il n'oseroit proier ne dire de bouche, ne par message mander (Les quatre âges de l'homme, S. 16)

[99] la foiblece de la complexion de la fame (S. 17)

[100] ouch sanc diu saeldenrîche suoze unde wol von munde (8000–01)

[101] si kunde ... brieve und schanzûne tihten, ir getihte schöne slihten (8141–44)

[102] si videlte ir stampenîe, leiche und sô fremdiu notelîn, diu niemer fremeder kunden sîn, in franzoiser wîse von Sanze und San Dînîse (8062–66)

ge‹ und ihr Rondeau, Chanson, Refloit und Folate über alle Maßen wunderschön.«[103]

Anstandsregeln

Einen wichtigen Teil der Erziehung bildeten die Anstandsregeln, denen das gesellschaftliche Verhalten der jungen Mädchen unterworfen war. Was dabei alles zu beachten war, ist den Anweisungen von Thomasin von Zirklaere zu entnehmen. »Eine Dame soll nicht mutwillig scherzen.«[104] »Eine Dame soll einen fremden Mann nicht direkt ansehen.«[105] »Eine junge Dame soll wohlgefällig und nicht zu laut sprechen.«[106] »Der Anstand verbietet es allen Damen, beim Sitzen ein Bein übers andere zu schlagen.«[107] »Eine Dame soll beim Gehen niemals zu stark auftreten oder zu große Schritte machen.«[108] »Eine Dame soll sich beim Reiten nach vorne, zum Kopf des Pferdes, wenden und nicht ganz quer sitzen.«[109] »Eine Dame soll beim Reiten nicht ihre Hand aus dem Kleid herausstrecken; sie soll Augen und Kopf stillhalten.«[110] »Eine Dame, die auf Anstand achtet, soll nicht ohne Mantel ausgehen. Wenn sie kein Oberkleid anhat, soll sie ihren Mantel zusammenhalten. Es verstößt gegen die gute Sitte, wenn irgendein Teil ihres Körpers unbedeckt zu sehen ist.«[111] »Sie soll beim Gehen nach vorne schauen und sich nicht viel umsehen.«[112] »Eine junge Dame soll wenig sprechen, wenn man sie nicht fragt; eine erwachsene Dame soll auch nicht viel sprechen, besonders beim Essen.«[113] Eine Dame soll nur kleinere Geschenke von ihrem Freund annehmen, Handschuhe, Spiegel, Fingerring, Brosche, Kranz und Blumen (1338ff.).

[103] si sang ir pasturêle, ir rotruwange und ir rundate, schanzûne, refloit und folate wol unde wol und alze wol (8076–79)

[104] ein vrouwe sol niht vrevelîch schimphen (397–98)

[105] ein vrouwe sol niht vast an sehen einn vrömeden man (400–01)

[106] Ein juncvrouwe sol senfticlîch und niht lût sprechen (405–06)

[107] zuht wert den vrouwen alln gemein sitzen mit bein über bein (411–12)

[108] ein vrouwe sol ze deheiner zît treten weder vast noch wît (417–18)

[109] ein vrouwe sol sich, daz geloubet, kêren gegen das pherstes houbet, swenn si rîtet; ... si sol niht gar dwerhes sitzen (421–24)

[110] ein vrouwe sol recken niht ir hant, swenn si rît, vür ir gewant; si sol ir ougen und ir houbet stille haben (437–40)

[111] Wil sich ein vrowe mit zuht bewarn, si sol niht âne hülle varn. si sol ir hül ze samen hân, ist si der garnatsch ân. lât si am lîbe iht sehen par, daz ist wider zuht gar (451–56)

[112] si sol gên vür sich geriht und sol vil umbe sehen niht (461–62)

[113] ein juncvrouwe sol selten iht sprechen, ob mans vrâget niht. ein vrowe sol ouch niht sprechen vil ... und benamen swenn si izzet (465–69)

»Keine sittsame Frau soll sich von einem Mann anfassen lassen, der nicht das Recht dazu hat.«[114]

Noch weiter ins Detail gingen die Anweisungen im ›Chastoiement des dames‹ von Robert de Blois (Mitte 13. Jahrhundert), der seine Verhaltenslehren für adlige Frauen in 21 Punkte gegliedert hat. 1. Auf dem Weg zur Kirche sollte eine Dame »gemessenen Schritts«[115] gehen, nicht zu langsam und nicht zu schnell; und sie sollte die Leute, die ihr begegneten, »freundlich grüßen«[116] und sollte die Armen mit Gaben oder mit gütigen Worten erfreuen. 2. »Paßt auf und laßt keinen Mann seine Hand an euren Busen legen, außer dem, der das Recht dazu hat.«[117] Nur dem Ehemann sollte das erlaubt sein. »Wenn er es will, laßt es willig geschehen, weil ihr ihm Gehorsam schuldet.«[118] Deswegen wurden die Broschen erfunden, daß niemand eine Frau da anfaßte, wo es ihm nicht erlaubt war. 3. Ebenso sollte eine Dame niemandem erlauben, sie auf den Mund zu küssen, außer ihrem Ehemann. 4. Eine Dame sollte ihre Augen hüten und »soll keinen Mann wiederholt anblicken«[119]. Er würde sonst glauben, »es geschehe aus Liebe«[120]. 5. »Wenn jemand euch um eure Liebe bittet, paßt auf, daß ihr euch nicht damit rühmt.«[121] Sich der Liebe zu rühmen, wäre eine »Dörperheit«[122]. 6. Eine Dame setzte sich dem Tadel aus, wenn sie zuviel von ihrem Körper sehen ließ. »Manche zeigen offen ihre Brüste, damit man sieht, wie weiß ihre Haut ist. Eine andere läßt willentlich an der Seite ihren Körper sehen. Eine andere entblößt ihre Beine zu weit.«[123] Die Frau, die so auftrat, nannte man eine Dirne. Was eine Dame sehen lassen durfte, waren »ihre weiße Kehle, ihr weißer Hals, ihr weißes Gesicht, ihre weißen Hände«[124]: daran konnte man erkennen, »daß sie schön

---

[114] dehein biderbe wîp sol ane grîfen lân ir lîp deheinn man der sîn niht reht hât (1392–94)

[115] tot le beaul pas (73)

[116] Saluez debonairemant (83)

[117] Gardez que nus home sa main Ne laissiez matre en votre sain, Fors celui qui le droit i a (97–99)

[118] Quant qu'il voudra, bien le sosfrez, Qu'obedience li davez (107–08)

[119] Sovant regarder ne davez Nul home (145–146)

[120] que ce soit par amor (154)

[121] S'aucuns de votre amor vos prie, Gardez ne vos en vantez mie (169–70)

[122] vilonie (171)

[123] Aucune laisse desfermee Sa poit(e)rine, por ce c'on voie Confaitemant sa char blanchoie. Une autre laisse tot de gré Sa char aparoir au costé; Une ses jambes trop descuevre (192–97)

[124] Blanche gorge, blanc col, blanc vis, Blanche mains (203–04)

ist unter ihren Gewändern«[125]. 7. Eine Dame, die auf ihren Ruf hielt, sollte keine Geschenke von einem Mann annehmen. Denn solche Geschenke »kosten ihre Ehre«[126]. Nur Verwandte durften ihr kleine Geschenke machen, »einen schönen Gürtel oder ein schönes Messer, eine Almosentasche, eine Schnalle oder einen Ring«[127]. 8. »Vor allem will ich euch warnen, ihr Damen, daß ihr nicht streitet.«[128] Eine Dame, die zankte und schalt, verdiente nicht mehr den Namen einer Dame. Ihr »fehlen Verstand und courtoisie«[129]. 9. Eine Dame sollte nicht schwören; sie sollte nicht zu viel trinken und nicht zu viel essen. Denn »es gibt keine größere Dörperheit für eine Dame als Gefräßigkeit«[130]. »Höfischheit, Schönheit, Klugheit kann keine Dame besitzen, die betrunken ist.«[131] 10. Wenn ein mächtiger Herr sie grüßte, sollte eine Dame den Schleier heben und ihm antworten. Überhaupt brauchte eine Frau nur dann verschleiert zu sein, wenn sie zur Kirche ging oder durch die Straßen ritt. Eine häßliche Frau würde oft einen Schleier tragen, eine schöne nicht. 11. »Eine Dame, die eine blasse Farbe hat oder keinen guten Geruch«[132], sollte etwas dagegen tun. Guter Wein belebte die Farbe, und gegen schlechten Atem half es, wenn »ihr oft am Morgen Anis, Fenchel und Kümmel eßt«[133]. 12. In der Kirche mußte eine Frau besonders auf ihr Benehmen achten, weil sie dort von vielen beobachtet wurde. »Wie man über euch in der Kirche urteilt, gut oder schlecht, so wird man immer urteilen.«[134] »Vor zu viel lachen, vor zu viel reden soll man sich in der Kirche hüten.«[135]. 13. Bei der Lesung des Evangeliums sollte man sich erheben; am Anfang und am Schluß sollte eine Dame sich »höfisch bekreuzigen«[136]. 14. Wenn der Gottesdienst beendet war, sollte eine Dame erst die Menge der Leute hinausgehen lassen. 15. »Wenn ihr eine gute Singstimme habt, so singt frei heraus. Schöner Gesang, am rechten Ort zur rechten Zeit,

---

[125] Que bele soit desoz ses dras (205)
[126] li costent son honor (221)
[127] Bele corroie ou bel coutel, Aumosniere, esfiche ou enel (241–42)
[128] Sor totes choses de tancier Vos vuil je, dames, chestïer (255–56)
[129] Ne remai(e)nt sans ne cortoisie (271)
[130] En dame ne sai vilonie Nule plus grant que glotenie (305–06)
[131] Cortoisie, beautez, savoir Ne puet dame yvre en soi avoir (311–12)
[132] Dame, qui ai paule color Ou qui n'ai mie bone oudor (373–74)
[133] D'ennis, de fenoil, de cumin, Vos desjuenez sovant matin (383–84)
[134] Le tesmoing qu'a mostier avez, Bon ou mavais, toz jors l'avrez (401–02)
[135] De molt rire, de molt parler Se doit on en mostier garder (407–08)
[136] vos soigniez cortoisemant (417)

ist eine sehr wohlgefällige Sache.«[137] Man sollte aber in Gesellschaft nicht zu viel singen, denn »schöner Gesang langweilt oft«[138]. Eine Dame sollte ihre Hände pflegen. »Schneidet häufig die Fingernägel.«[139] Denn »Gepflegtheit und Sauberkeit sind viel wertvoller als Schönheit«[140]. 17. Beim Essen sollte eine Dame nicht zu viel lachen und nicht zu viel sprechen. Wenn sie mit jemand anders speiste, sollte sie diesem die besten Stücke vorlegen. Sie sollte keine zu großen und keine zu heißen Stücke in den Mund stecken. »Jedesmal wenn ihr trinkt, wischt euren Mund gut ab, damit der Wein nicht fettig wird.«[141] Eine Dame sollte nicht ihre Nase oder ihre Augen am Tischtuch abwischen, und sie sollte nicht zu viel essen, wenn sie zu Gast war. 18. »Niemand wird eine Dame lieben oder ihr dienen, die oft lügt.«[142] 19.–21. »Manch eine Dame ist so bestürzt, wenn man sie um ihre Liebe bittet, daß sie nichts zu antworten weiß.«[143] Das war nicht gut; denn man glaubte dann, sie wäre leicht zu erobern. Wenn ein Mann zu einer Dame sagte: »Herrin, eure Schönheit macht, daß ich mich Tag und Nacht nach euch sehne«[144], und wenn er ihr seinen Liebesschmerz schilderte, dann sollte sie antworten: »Ich liebe den, den ich lieben soll, dem ich meine Treue versprochen habe, meine Liebe, mein Herz und meine Dienstbereitschaft, nach den Gesetzen der heiligen Kirche.«[145] Sie konnte auch sagen, daß sie dem Werber verzeihen würde, wenn er nie wieder so zu ihr spräche. Das sollte sie aber nicht lachend sagen, sondern in vollem Ernst.

Manche Didaktiker haben zugestanden, daß es nicht einfach war für eine junge Dame, allen diesen Verboten, die ihr gesellschaftliches Verhalten einengten und sie auf eine passive Rolle festlegten, Rechnung zu tragen. Redete sie, so sagte man, »sie redet zu viel«[146]; schwieg sie, so sagte man, »sie weiß die Leute

---

[137] Se vos avez bon estrument De chanter, chantez baudemant. Beaux chanters en leu et en tans Est une chose molt plaisanz (453–56)

[138] Beaux chanters ennue sovant (460)

[139] Sovant les ongles recoupez (470)

[140] Avenandise et natetez Vaut molt muez que ne fait beautez (475–76)

[141] Totes les foiz, que vos bevez, Votre boiche bien essuez, Que li vins engraissiez ne soit (521–23)

[142] Nuls ne doit amer ne servir Dame, qui par costume ment (542–43)

[143] Mainte dame, quant on la prie D'amors, en est si esbaïe, Qu'ale ne set que doie dire (565–67)

[144] dame, nuit et jor Me fait votre beautez languir (610–11)

[145] Celui ainz je, que amer doi, A cui j'ai promise ma foi, M'amor, mon cors et mon servise Par loiauté de sainte yglise (698–701)

[146] Trop parle (Robert de Blois, Chastoiement des dames 18)

nicht anzusprechen. Daher weiß eine Dame manchmal nicht, was tun.«[147] Sie sollte in allem das richtige Maß wahren und sich in ihren Gebärden und Reden größte Zurückhaltung auferlegen; »denn schöne Gebärden und gute Rede krönen die Handlungsweise einer Frau«[148].

Tugendlehre

In der adligen Mädchenerziehung nahm die Tugendlehre breiten Raum ein. Die Frau sollte ihr ganzes Leben den Normen des sittlichen Handelns unterwerfen und sollte sich auszeichnen durch »ihre hohe Moral, ihre Keuschheit, ihre guten Taten, ihre Aufrichtigkeit und ihre Beständigkeit, ihre Preiswürdigkeit und ihre Höfischheit, ihren guten Ruf, ihre Vornehmheit und ihre Tugend«[149]. Das weibliche Tugendideal umfaßte alle sittlichen Werte, die auch für den höfischen Ritter verbindlich waren. Aber die Akzente wurden verschieden gesetzt. Für die Frauen bestand tugendhaftes Verhalten vor allen Dingen in der Reinerhaltung ihres guten Rufs, der sich fast ausschließlich nach ihrem sexuellen Verhalten bemaß. Schamhaftigkeit, Keuschheit, Reinheit standen in den Tugendkatalogen für Frauen obenan, gefolgt von Werten eines eher passiven Verhaltens: Sanftmütigkeit, Bescheidenheit, Barmherzigkeit, Güte und Demut. Thomasin von Zirklaere hat an einer Stelle Männertugenden und Frauentugenden einander gegenübergestellt. »Falschheit« (*valsch*) war für jeden schädlich; aber »eine Dame soll sich noch mehr vor Falschheit bewahren als ein Mann«[150]. Jeder sollte »freigebig« (*milte*) sein, auch die Frauen. »Dennoch ziemt Freigebigkeit den Rittern mehr als den Damen.«[151] »Demut« (*diemüete*) zierte Männer und Frauen. »Aber den Damen steht Demut besser an.«[152] »Tapferkeit« (*vrümkeit*) war eine Männertugend; »Aufrichtigkeit und Wahrheit« (*triuwe und wârheit*) waren Frauentugenden. Der Ritter sollte sich vor »Geiz« (*arc*)

---

[147] Qui ne set les genz araisnier. Por ce ne set dame que faire (26–27)

[148] wan schoene gebaerde und rede guot die kroenent daz ein vrouwe tuot (T. v. Zirklaere 203–04)

[149] ir guote site, ir kiusche, ir guot getaete, ir triwe und ouch ir staete, ir prîs und ihr hüfscheit, ir guoten namen und edelkeit, ir tugent (T. v. Zirklaere 1415–20)

[150] ein vrouwe sich behüeten sol vor valsche harter dan ein man (970–71)

[151] doch zimt diu milt den rîtern baz denn den vrouwen (975–76)

[152] doch stêt diemüete den vrouwen baz (979–80)

hüten; »eine Dame soll vor Unbeständigkeit, Unaufrichtigkeit und Hoffart behütet sein, das ist gut. Wenn sie diese Tugenden nicht besitzt, so ist ihre Schönheit nichts wert.«[153]

Philippe de Novare hat an den Anfang seiner Tugendlehre für Frauen die Forderung gestellt, die jungen Mädchen müßten lernen, gehorsam zu sein, »weil nämlich unser Herrgott bestimmt hat, daß die Frau immer in Untertänigkeit und Abhängigkeit sei«[154]. Deswegen »soll sie in ihrer Jugend denen gehorchen, die sie ernähren; und wenn sie verheiratet ist, soll sie ihrem Mann gehorchen als ihrem Herrn«[155]. Auch der französische Autor hat betont, daß manche Tugenden für Frauen einen anderen Wert besäßen als für Männer. Freigebigkeit war nichts für Frauen. Junge Mädchen brauchten keine Geschenke zu machen, und für die verheiratete Frau stellte sich die Sache so: »Wenn sie freigebig ist und ihr Mann ist freigebig, dann wird ihnen nichts bleiben. Wenn aber ihr Mann geizig ist und sie ist freigebig, dann macht sie ihrem Herrn Schande.«[156] Daraus folgerte der Autor: »Eine Frau soll nicht freigebig sein.«[157] Nur das Almosenspenden sollte ihr erlaubt sein. Nach Philippe de Novare hatten es die Frauen einfacher als die Männer. Der Mann mußte nämlich eine Reihe von Tugenden besitzen, er sollte »höfisch, freigebig, tapfer und klug «[158] sein. Dagegen beschränkte sich die Vorbildlichkeit einer Frau im Grunde auf einen einzigen Punkt: »Wenn sie als anständige Frau ihren Körper bewahrt, dann bleiben alle ihre sonstigen Fehler verborgen, und sie kann immer mit erhobenem Kopf gehen.«[159]

Nach Thomasin von Zirklaere besaßen die moralischen Qualitäten für Frauen einen höheren Rang als die intellektuellen. Eine Frau brauchte nur so viel Verstand, um »höfisch und gesittet« (*hüfsch unde gevuoc*) zu sein. »Wenn sie mehr Verstand hat,

---

[153] ein vrowe sol vor unstaetekeit und vor untriuwen sîn behuot und vor hôhvart, daz ist guot. sint dise tugende an ir niht, so ist ir schoene gar enwiht (990–94)

[154] car Nostre Sires comenda que fame fust touz jours en comendement et en subjecion (Les quatres âges de l'homme, S. 14)

[155] en anfance doit ele obeïr a çaus qui la norrissent, et quant ele est mariée, outréemant doit obeïr a son mari, comme a son seignor (ebd.)

[156] se ele est large, et li mariz larges, riens ne lor durra; et se li mariz est eschars, et ele est large, ele fait honte a son seignor (S. 15 f.)

[157] Fame ne doit estre large (S. 15)

[158] cortois et larges et hardiz et sages (S. 20)

[159] se ele est prode fame de son cors, toutes ses autres taches sont covertes, et puet aler partot teste levée (S. 20)

482

so soll sie den Anstand und die Weisheit besitzen, nicht zu zeigen, wieviel Verstand sie hat. Man will sie nicht als Herrscherin haben. Ein Mann soll in vielen Wissenschaften bewandert sein. Die Erziehung einer vornehmen Dame schreibt vor, daß eine Edelfrau, die anständig und von guter Abstammung ist, nicht zu viel Klugheit besitzt. Einfältigkeit steht den Damen gut an.«[160] Ähnliche Gedanken begegnen, in Verbindung mit der (schon im Alten Testament dokumentierten) Vorstellung, daß die Frau ihren Platz im Haushalt haben sollte, in einem Gedicht des Teichners (Mitte 14. Jahrhundert): »Es ist unnötig, daß eine Frau viel reden kann. Wozu soll sie reden können? Wenn sie für das Ansehen des Hauses sorgt und wenn sie das Paternoster kann und wenn sie die Bediensteten tadelt und zu rechtem Benehmen anhält, dann versteht sie genug vom Reden, so daß es keiner Disputationskunst bedarf aus den sieben hohen Künsten.«[161]

Die moralische Unterweisung der adligen Mädchen wird hauptsächlich in den Händen von Geistlichen oder von geistlich Gebildeten gelegen haben. Nicht nur in ihrer Jugend, auch später dürften die meisten adligen Frauen mehr und engeren Umgang mit Geistlichen gehabt haben als ihre Männer. Man wird damit rechnen können – auch wenn das historisch schwer zu belegen ist –, daß die kirchlichen Lehren für das Selbstverständnis der Frauen von größerer Bedeutung waren und daß die Frauen sich mehr als die Männer bemüht haben, den sittlichen Forderungen, die an sie herangetragen wurden, gerecht zu werden, schon weil sie daran gemessen wurden und weil ihr Ansehen in der Gesellschaft weitgehend an ihren guten Ruf gebunden war.

[160] sô hab die zuht und die lêre, erzeig niht waz si sinnes hât: man engert ir niht ze potestât. ein man sol haben künste vil: der edelen vrouwen zuht wil daz ein vrouwe hab niht vil list, diu biderbe unde edel ist: einvalt stêt den vrouwen wol (842–49)

[161] da leit nicht an daz ain fraw vil reden chan. waz bedarf si reden mer? wann si schaft ir haus er und den pater noster chan und auch straft ir undertan und die weist auff rechte fůg, dar an chan si rede gnůg, dazz nicht disputierns darf auss den siben chünsten scharf (470, 149–58)

c. Handlungsspielräume

Die Frau als Herrscherin

Bis zum Ende der salischen Zeit war es üblich, daß der Kaiser in Urkunden und offiziellen Dokumenten seine Gemahlin als »Mitherrscherin« (*consors regni*) erwähnte und die von ihm beglaubigten Rechtsakte als auch von seiner Frau gewollt oder geradezu von ihr initiiert bezeichnete. »Auf den Rat unserer teuersten Gattin, der erhabenen Mitkaiserin Theophano, Teilhaberin im Kaisertum wie im Königreich«[162]; »Auf die Fürsprache der erlauchtesten Kaiserin Gertrud, Teilhaberin an königlicher Erhabenheit und königlichem Ruhm«[163]; »Auf die gütige Bitte unserer verehrtesten Gefährtin Beatrix, Römischer Kaiserin und vornehmster Herrscherin«[164]. Solche Formeln wurden von den staufischen Kaisern nur noch selten verwandt und sind dann gänzlich verschwunden. Die Gründe für den Wandel im Kanzleistil sind noch nicht genügend aufgeklärt. Man hat vermutet, daß sich darin ein faktischer Rückgang des politischen Einflusses und der öffentlichen Wirksamkeit der Herrscherinnen dokumentierte. Eher spiegelt der Wechsel des Protokolls eine Änderung der Herrschaftsauffassung. Während in der Karolingerzeit das Reich fast als ein Privatbesitz des regierenden Hauses angesehen wurde, trat im hohen Mittelalter der institutionelle Charakter der Herrschaft mehr in den Vordergrund. Das kann dazu geführt haben, daß die familiären Motive im Herrschaftsprotokoll in den Hintergrund gerückt wurden. Die Gemahlin des Herrschers hieß auch im 12. Jahrhundert »Römische Königin« (*regina Romanorum*) beziehungsweise »Römische Kaiserin« (*imperatrix Romanorum*), wenn ihr Mann die Kaiserkrone empfangen hatte. Wenn die Umstände es zuließen, wurde die Herrscherin zusammen mit ihrem Mann gekrönt. Sie empfing dabei nur die Krone, nicht auch die übrigen Insignien der Herrschaft. Ungewöhnlich war es, daß die byzantinische Prinzessin Irene bei der Königskrönung Philipps von Schwaben im Jahr 1198 in Mainz zwar neben ihrem Mann auf dem Thron-

---

[162] consilio dilectissimae coniugi nostrae Theophanu coimperatrici augustae nec non imperii regnorumque consorti (MGH Dipl. O II, Nr. 76, S. 92)

[163] serenissimę interventu Gerdrudis augustę consortis regię celsitudinis et glorię (MGH Dipl. K III, Nr. 32, S. 52)

[164] pia petitione dilectissimę consortis nostrę Beatricis Romanorum augustę et illustrissimę imperatricis (MGH Dipl. F I, Nr, 279, S. 90)

sessel saß, aber nur mit einem goldenen Reif geschmückt war und nicht selbst gekrönt wurde. Vielleicht waren dabei Rücksichten auf das byzantinische Herrschaftsprotokoll maßgebend. Als Philipp sich 1205 in Aachen noch einmal krönen ließ, empfing auch seine Frau zusammen mit ihm die Krone.

Wie großen Anteil die Königin an der Herrschaft ihres Mannes hatte, hing zum großen Teil von persönlichen Faktoren ab. Die Tatsache, daß die deutschen Kaiserinnen und Königinnen im 12. und 13. Jahrhundert keine so große Rolle in der Reichspolitik gespielt haben wie im 10. und 11. Jahrhundert, ist in erster Linie darauf zurückzuführen, daß die Umstände ein Hervortreten der Frauen nicht begünstigt haben. Die staufischen Kaiser waren in der Mehrzahl mit ausländischen Prinzessinnen verheiratet, von denen einige wie Beatrix von Burgund († 1184) und Konstanze von Sizilien († 1198) in ihren Erbländern wichtige Herrschaftspositionen eingenommen haben. In Frankreich hat es im 12. Jahrhundert eine Reihe bedeutender Herrscherinnen gegeben; am bekanntesten sind Eleonore, die Erbin von Aquitanien und Poitou († 1204), die als englische Königin ihre Erbländer zeitweilig selbständig regiert hat, und die Vizegräfin Ermengarde von Narbonne († 1197). Zwei der größten französischen Kronlehen, die Champagne und Flandern, wurden jahrzehntelang von Frauen regiert. Im 13. Jahrhundert haben Blanche von Kastilien († 1252), die Gemahlin Ludwigs VIII. († 1226), und Margarete von der Provence († 1295), die Gemahlin Ludwigs IX. († 1270), die französische Geschichte wesentlich mitgeprägt. In Deutschland hat sich Frauenherrschaft in dieser Zeit hauptsächlich im Rahmen der Territorialgeschichte abgespielt. Die Gräfin Mathilde von Schwarzburg († 1191/92), die Witwe des Grafen Adolf II. von Holstein († 1164), war eine sehr tatkräftige Frau, die während der Unmündigkeit ihres Sohnes »unbeschränkt die Angelegenheiten seines Hauses mit Weisheit versah«[165]. Von der Herzogin Elisabeth von Böhmen, der Schwester König Belas III. von Ungarn († 1196) und Gemahlin Herzog Friedrichs von Böhmen († 1189), wurde erzählt, daß »sie mehr als ihr Gemahl über Böhmen herrschte«[166]. Der Markgräfin Mechtild von Brandenburg († 1255) gelang es nach dem Tod ihres Mannes, des Markgrafen Albrecht II. († 1220),

---

[165] ... soluta a lege mariti, domum illius sapienter disponebat (Arnold v. Lübeck, S. 130)

[166] quae publicam rem Boemiae plus quam vir regebat (Gerlach v. Mühlhausen, S. 691)

den von Kaiser Friedrich II. zum Vormund für ihre unmündigen Söhne bestellten Erzbischof Albrecht von Magdeburg († 1232) zu verdrängen, indem sie ihm für 1900 Silbermark die Lehnsvormundschaft abkaufte. Als auch der Vormund für den Eigenbesitz der Askanier-Erben, Graf Heinrich I. von Anhalt († 1252), auf die Wahrnehmung seiner Rechte verzichtete, konnte Mechthild die Mark seit 1225 im Namen ihrer Söhne alleine regieren. Die Landgräfin Sophie († 1284), die Tochter Ludwigs IV. von Thüringen und der heiligen Elisabeth, hat nach dem Aussterben der männlichen Linie des Thüringer Landgrafenhauses mit großer Entschiedenheit in langjährigen Kämpfen ihren Erbanspruch auf Hessen sowohl gegen den Erzbischof von Magdeburg als auch gegen den Markgrafen von Meißen mit Erfolg verteidigt. Diese historischen Zeugnisse über das politische Wirken von Frauen in den deutschen Territorien haben noch nicht die Aufmerksamkeit der Forschung erregt.

In Frankreich besaßen Frauen das Erbfolgerecht an Lehen, in Deutschland nicht. Nur den Babenbergern war bei der Errichtung des Herzogtums Österreich im Jahre 1156 die weibliche Erbfolge als ein besonderes Privileg vom Kaiser zugestanden worden. 1184 erhielten die Grafen von Hennegau und Namur dasselbe Recht, 1204 die Herzöge von Brabant, 1235 die Herzöge von Braunschweig-Lüneburg. Wie sehr die Fürsten daran interessiert waren, beweist die Reaktion des Landgrafen Hermann I. von Thüringen († 1217), als Kaiser Heinrich VI. im Jahr 1196 den Fürsten die unbeschränkte Erblichkeit der Reichslehen anbot. Hermann bestimmte sofort, daß seine damals noch unmündige Tochter Hedwig ihm in der Landgrafschaft nachfolgen sollte, da er zu dieser Zeit noch keine Söhne hatte. Diese Haltung war sicherlich weniger durch die Sorge um die rechtliche Besserstellung der Töchter bestimmt als durch dynastische Überlegungen.

Die Geschichte des hohen Mittelalters bietet viele Beispiele dafür, daß die lehnsrechtliche Erbfolge den Frauen nicht automatisch einen größeren Handlungsspielraum verlieh. Je bedeutender das Lehen war, das in die Hand einer Frau gelangte, um so größer war auch das politische Interesse an ihrer Person. Besonders rücksichtslos wurde die lehnsrechtliche Aufsicht über die Thronerbinnen von den französischen Baronen im Königreich Palästina wahrgenommen. Nach dem Tod König Balduins II. († 1131) haben dort über siebzig Jahre lang seine drei

Töchter nacheinander regiert. Die Wahl ihrer Ehemänner lag weitgehend in der Hand der Barone. Als Sibylla 1190 starb, wurde ihr Mann, König Guido von Lusignan († 1194), abgesetzt, weil das Thronrecht auf Sibyllas Schwester Isabella übergegangen war. Isabella († um 1208) war damals mit Humfred von Toron verheiratet, der aber den Baronen nicht genehm war. Sie nötigten die Königin, sich scheiden zu lassen und den von ihnen ausgewählten Konrad von Montferrat († 1192) zu heiraten, der schon zwei Jahre später von den Assassinen ermordet wurde. Ihre nächsten Ehemänner, Heinrich von Champagne († 1197) und Amalrich II. († 1205), starben ebenfalls im Abstand weniger Jahre, so daß Isabella mit 31 Jahren schon dreimal verwitwet und einmal geschieden war.

Als Sibylla von Palästina nach dem Tod König Balduins V. im Jahr 1186 den Patriarchen von Jerusalem aufforderte, ihr die Krone aufzusetzen, soll dieser sich geweigert haben mit der Begründung, er »wisse nicht, warum dir die Krone gebühren sollte, da du ja eine Frau bist«[167]. Mit dieser Ansicht stand der geistliche Fürst nicht alleine. In den Prager Annalen wurde vom Ursprung des Prmslidenhauses erzählt und von Libussa, die vom böhmischen Volk zur Herrscherin gewählt worden war. Nach einiger Zeit habe das Volk jedoch angefangen, geringschätzig von ihr zu sprechen, indem man sagte, »jedwede Frau eigne sich besser für die Umarmungen der Männer als zur Rechtsprechung über Ritter«[168]. In der ›Rhetorica ecclesiastica‹ vom Ende des 12. Jahrhunderts wurde gelehrt: »Es ist nicht Sache der Frauen zu richten, zu herrschen, zu lehren oder Eide zu schwören.«[169] Die deutschen Fürsten sollen der Kaiserin-Witwe Agnes von Poitou († 1077) die Vormundschaft über den unmündigen Thronfolger Heinrich IV. mit dem Argument entzogen haben, »es gehöre sich nicht, daß eine Frau das Reich regiere«[170]. Der Autor der ›Vita Heinrici IV.‹ hat diesen Fürstenspruch kritisch kommentiert, indem er daran erinnerte, daß doch »von vielen Königinnen berichtet wird, die die Reiche mit männlicher Weisheit gelenkt haben«[171]. Solche Stimmen waren

---

[167] quomodo tibi corona debeatur, nescio, que femina es (Arnold v. Lübeck, S. 165)
[168] quamlibet feminam magis virilibus amplexibus aptam, quam dictare militibus iura (Annales Pragenses III, S. 209)
[169] Mulierum enim non est iudicare aut regnare aut docere aut testari (S. 2)
[170] non decere regnum administrari a femina (Vita Heinrici IV., S. 416)
[171] cum multae reginae legantur administrasse regna virili sapientia (ebd.)

selten. In der höfischen Dichtung wurde auf verschiedene Weise zum Ausdruck gebracht, daß Frauen zur Herrschaft ungeeignet seien. Öfter wurde davon erzählt, daß der Held in den Herrschaftsbereich einer Königin oder einer Fürstin gelangte, die sich als unfähig erwies, ihr Land gegen äußere Feinde zu verteidigen. Gerade im rechten Moment, kurz vor der endgültigen Niederlage, traf er dort ein und befreite die Frau aus ihrer Notlage. Meistens heiratete er sie anschließend und übernahm mit männlicher Tatkraft die Herrschaft im Land. Die moralische und gesellschaftliche Hochschätzung der Frau ließ sich problemlos mit der Diskriminierung ihrer Herrschaftsfähigkeit verbinden. Eine Frau sollte schön und tugendhaft sein; aber »man braucht sie nicht zur Herrschaft«[172].

Zu den wenigen Beispielen einer positiven Darstellung von Frauenherrschaft gehört die Herzogin Bene im ›Wilhelm von Wenden‹, der die Krone über ein verwaistes Land angetragen wurde, nachdem der Adel sich dort jahrelang in inneren Fehden verzehrt hatte. Daß man ausgerechnet eine Frau mit der Herrschaft betrauen wollte, wurde ganz realistisch begründet: weil sie leichter wieder abgesetzt werden konnte als ein starker Mann, falls man mit ihr nicht zufrieden wäre (U. v. Etzenbach, Wilhelm v. Wenden 4294 ff.). Bene reagierte auf das Ansinnen zunächst mit einer Beteuerung ihrer Unfähigkeit: »Ich bin eine schwache Frau. Wie könnte ich die Herrin des Landes sein?«[173] Doch nachdem sie sich davon überzeugt hatte, daß es den Fürsten mit ihrem Vorschlag Ernst war, akzeptierte sie und erwies sich als außerordentlich tatkräftige und erfolgreiche Herrscherin. Der Dichter hat die einzelnen Maßnahmen, die sie zur Sicherung ihrer Herrschaft und zur Befriedung des Landes ergriff, genau beschrieben (4385 ff.). Der erste Schritt war der Erlaß eines allgemeinen Landfriedens und die Wiederherstellung der landesherrlichen Gerichtsbarkeit. Es folgten wirtschaftliche und finanzpolitische Anordnungen. Zur Durchsetzung ihrer Regierungsbeschlüsse wurde die Hofverwaltung neu organisiert. Die Aufsicht über die Rechtsprechung wurde in die Hände eines von den Fürsten vorgeschlagenen Richters gelegt, der zugleich als erster Berater fungierte. Binnen kurzer Zeit wurde das von inneren Kriegen zerrüttete Land dank der überlegenen Herrschertätigkeit einer Frau zu neuer Blüte geführt.

[172] man engert ir niht ze potestât (T. v. Zirklaere 844)
[173] ein kranker wibes name ich bin. wie möhte ich landes frouwe sîn? (4363–64)

Ob in diesem Fall außerliterarische Gründe den Anstoß gegeben haben – die Figur der Herzogin Bene war eine Huldigung für die Königin Guta von Böhmen († 1297), wie der Verfasser durch die Namensgleichsetzung *Bene = guote = Guta* deutlich gemacht hat (4667ff.) –, ist nicht zu entscheiden. Auffällig ist jedoch, daß die höfischen Dichter von der Möglichkeit, Frauenherrschaft positiv darzustellen, weniger Gebrauch gemacht haben, als ihnen von den Wirklichkeitsverhältnissen nahegelegt wurde.

Das ist noch deutlicher im Bereich des militärischen Handelns. In den historischen Quellen ist nicht selten davon die Rede, daß adlige Frauen auch im Krieg ihren Mann standen. Im Jahr 1129 kam die Markgräfin Sophie ihrem Bruder, Herzog Heinrich dem Stolzen, »mit achthundert Gepanzerten«[174] zu Hilfe und übernahm an seiner Stelle die Belagerung der Burg Falkenstein. 1159 führte die Kaiserin Beatrix die von ihr aufgebotenen Ritter über die Alpen, um das Heer des Kaisers zu verstärken (Rahewin, Gesta Frederici, S. 602). Im Jahr 1180 verteidigte die Gräfin Mathilde von Holstein die Burg Segeberg gegen den Angriff Heinrichs des Löwen »voll Ausdauer«[175]. 1184 leistete in Prag die Herzogin Elisabeth von Böhmen gegen die Angriffe Wladislaws von Mähren zusammen mit den Bürgern »wirksamen Widerstand«[176]. In der höfischen Dichtung dagegen ist das Motiv der kämpfenden Frau auffallend selten. Ein eigenes Gewicht hat es nur in Wolframs ›Willehalm‹ gewonnen, wo die Markgräfin Gyburg wochenlang ganz alleine mit ihren Frauen die Stadt Orange gegen den Ansturm des großen Heidenheeres verteidigte. »Jetzt stand Frau Gyburg kampfbereit mit hoch emporgehobenem Schwert, als ob sie kämpfen wollte.«[177] Gyburg hat auch in anderer Hinsicht den engen Handlungsspielraum, der sonst den Frauen gesteckt war, überschritten und sich in Funktionen bewährt, die üblicherweise den Männern vorbehalten waren.

Aus dem ›Willehalm‹ ist auch zu erfahren, daß Frauen manchmal über eigene Finanzmittel verfügten. Die alte Gräfin Irmenschart von Paveie, Willehalms Mutter, ließ zur Unterstützung ihres Sohns eine Söldnertruppe anwerben und brauchte

---

[174] cum octingentis loricis (Historia Welforum, S. 30)
[175] constanter (Arnold v. Lübeck, S. 137)
[176] firmiter resistebant (Gerlach v. Mühlhausen, S. 705)
[177] nu stuont vrou Gyburc ze wer mit ûf geworfeme swerte als op si strîtes gerte (227, 12–14)

sich dazu nicht einmal mit ihrem Mann abzusprechen. In ihrem Gefolge befand sich ein Kaufmann aus Narbonne, der als ihr Bankier fungierte und der die gesamte Ausstattung der Söldner finanzierte (195, 12 ff.). Ein geregeltes Einkommen haben fürstliche Frauen wohl nur selten gehabt, außer wenn sie ihr Erbgut selbständig verwalteten. Es scheint jedoch üblich gewesen zu sein, daß bei Tributzahlungen oder ähnlichen Sondereinnahmen ein gewisser Prozentsatz ausdrücklich für die Gemahlin des Herrschers bestimmt wurde. Als Siena sich 1186 Heinrich VI. unterwarf, zahlte die Stadt 4000 Mark an den König, 600 Mark an die Königin und 400 Mark an den Hof (MGH Const. 1, Nr. 313, S. 440). In der ›Vereinbarung mit dem Grafen von Hennegau‹ (*Conventio cum comite Hainoensi*) aus dem Jahr 1184 wurde festgelegt, daß der Graf an Kaiser Friedrich I., seinen Sohn Heinrich und den Hof zusammen achthundert Mark in Silber zahlte, an die Kaiserin Beatrix fünf Mark in Gold (MGH Const. 1, Nr. 298, S. 423).

Aus der Dichtung erfahren wir, daß die Königinnen auch eigene Hofbeamte hatten. Ein Marschalk der Königin Ginover wurde im ›Parzival‹ erwähnt (662, 20), ein Truchseß der Königin Isolde in Gottfrieds ›Tristan‹ (8953), ein Kämmerer der Königin Beatrise im ›Wilhelm von Orlens‹ von Rudolf von Ems (3856). Es ist auch davon die Rede, daß die Königin mit ihren Damen einen eigenen Palas bewohnte (W. v. Grafenberg 222). In Frankreich scheint sich die Aussonderung eines Hofstaats für die Königin bereits in der zweiten Hälfte des 12. Jahrhunderts angebahnt zu haben. Entsprechende Nachrichten für Deutschland fehlen.

Ein Weg der politischen Einflußnahme, der den Frauen offenstand, war die persönliche Einwirkung auf den Ehemann. In historischen Quellen war davon selten die Rede, während die Dichter solche Motive öfter benutzt haben. Kriemhild hat in ihren beiden Ehen die wichtigsten Entscheidungen, die der Zustimmung ihres Mannes bedurften, im Ehebett in Gang gebracht. »Als sie eines Nachts bei dem König lag – er hatte die edle Herrin mit seinen Armen umfangen, wie er es zu tun pflegte, wenn er sich mit ihr in inniger Liebe vereinigte: er liebte sie wie sein Leben –, da dachte die herrliche Frau an ihre Feinde. Sie sagte zum König: ›Lieber Herr und Gemahl, wenn ihr es gestattet, so wollte ich euch gerne um etwas bitten . . .‹«.[178] Diese

---

[178] Dô si eines nahtes bî dem künege lac, (mit armen umbevangen het er si, als

Bettpolitik wurde vom Dichter nicht kommentiert. Die Darstellung wird jedoch eher dazu beigetragen haben, die negativen Vorurteile gegenüber Frauen zu verstärken, als sie zu zerstreuen. Nur in Ausnahmefällen wurde die Beeinflussung des Ehemanns positiv akzentuiert. Eine solche Ausnahmegestalt war die alte Königin Isolde von Irland in Gottfrieds ›Tristan‹, die das Vertrauen, das ihr Mann, König Gurmun, ihr entgegenbrachte – er ließ seine Frau sogar in der Öffentlichkeit in seinem Namen sprechen –, auf souveräne Art nutzte, indem sie alles selbständig plante und klug ins Werk setzte und dabei die Interessen des ganzen Landes immer im Auge behielt.

Welche Wichtigkeit der Einflußnahme der Herrscherin auf ihren Ehemann von seiten der Kirche zuerkannt wurde, beweisen verschiedene Briefe, die von Päpsten an deutsche Königinnen geschrieben worden sind. So wandte sich Innozenz III. im Jahr 1208 an die Gemahlin König Philipps von Schwaben mit der Bitte, sie möchte ihren Mann bewegen, seine Unterstützung für den Bischof Waldemar von Schleswig aufzugeben (Böhmer V, 2, S. 1100). Einen solchen Schritt hätte der Papst sicherlich nicht unternommen, wenn er nicht an einen Erfolg geglaubt hätte. Daß Frauen kirchlichen Mahnungen gegenüber aufgeschlossener seien als Männer, war eine Vorstellung, die durch Erfahrung bestätigt wurde. In dem Beichtspiegel von Thomas von Chobham aus dem Jahr 1216 hieß es: »Den Frauen soll stets zur Buße auferlegt werden, daß sie Prediger ihrer Ehemänner seien. Denn kein Priester kann das Herz eines Mannes so erweichen, wie es eine Ehefrau vermag. Deswegen wird die Sünde eines Mannes häufig der Frau zugeschrieben, wenn ein Mann durch die Nachlässigkeit seiner Frau nicht zum Besseren geführt wird. Im Bett und mitten in seinen Umarmungen soll sie ihren Mann zärtlich ansprechen; und wenn er hart und grausam ist und ein Unterdrücker der Armen, soll sie ihn zum Mitleid bewegen. Wenn er ein Räuber ist, soll sie die Räubereien verwünschen. Wenn er geizig ist, soll sie die Freigebigkeit in ihm erwecken; und sie soll heimlich von ihrem gemeinsamen Besitz Almosen geben. Die Almosen, die er versäumt, soll sie in ganzem Umfang spenden. Es ist nämlich einer Frau erlaubt, viel von dem Besitz ihres Ehemanns zu seinem Nutzen und zu frommen Zwecken auszugeben, auch wenn er nichts davon

er pflac die edeln frouwen triuten; si was im als sîn lîp), dô gedâhte ir vîende daz vil hêrlîche wîp. Si sprach zuo dem künege: »vil lieber herre mîn, ich wolde iuch bitten gerne . . .« (Nibelungenlied 1400,1–1401,2)

weiß.«[179] Besonders wenn es darum ging, den Herrscher milde und versöhnlich zu stimmen, traute man den Ehefrauen einen maßgeblichen Einfluß zu. Es gibt viele historische Zeugnisse dafür, daß ein Besiegter oder ein in Ungnade Gefallener die Königin um Vermittlung bat; und offenbar hatte die Vermittlung in vielen Fällen auch Erfolg. Deswegen wurde den Schutzflehenden manchmal gar nicht erst gestattet, ihre Bitte der Königin vorzutragen, wenn nämlich der Herrscher entschlossen war, keine Gnade walten zu lassen. So geschah es 1162, als die Mailänder sich Kaiser Friedrich I. unterwarfen und ihre Abgesandten in feierlicher Prozession, jeder mit einem Kreuz in der Hand, im kaiserlichen Lager erschienen. »Sie warfen aber in der Hoffnung auf Erbarmen die Kreuze, die sie in den Händen trugen, durch die Fenstergitter in die Kemenate der Kaiserin, da sie vor ihr Angesicht keinen Zutritt hatten.«[180]

Neben der Untadeligkeit des persönlichen Lebenswandels war es das Ausmaß der karitativen Tätigkeit, woran sich das Ansehen einer großen Dame bemaß. »Wie groß eure Klugheit, eure edle Art, euer Eifer ist, das zeigen eure Werke, nämlich die verschiedenen Zuwendungen an Klöster, die Unterstützung der Geistlichen und der Armen.«[181] Diese Worte galten der Königin Judith von Böhmen, der Gemahlin Wladislaws II. († 1175). Welchen Umfang fromme Stiftungen durch adlige Frauen im 12. Jahrhundert hatten, bezeugt am besten die Zwiefaltener Chronik des Mönchs Berthold, der den Besitz des Klosters und sein Anwachsen getreulich registriert hat. »Die Kapelle des hl. Nikolaus, ein Anbau am westlichen Ende des Münsters, ist

---

[179] Mulieribus tamen semper in penitentia iniungendum est quod sint predicatrices virorum suorum. Nullus enim sacerdos ita potest cor viri emollire sicut potest uxor. Unde peccatum viri sepe mulieri imputatur si per eius negligentiam vir eius non emmendatur. Debet enim in cubiculo et inter medios amplexus virum suum blande alloqui, et si durus est et immisericors et oppressor pauperum, debet eum invitare ad misericordiam; si raptor est, debet detestari rapinam; si avarus est, suscitet in eo largitatem, et occulte faciat eleemosynas de rebus communibus, et eleemosynas quas ille omittit, illa suppleat. Licitum enim mulieri est de bonis viri sui in utiles usus ipsius et in pias causas ipso ignorante multa expendere (Summa confessorum, S. 375)

[180] Illi autem spe misericordiae cruces, quas tenebant in manibus, per cancellos in caminatam imperatricis proiciebant, cum ante conspectum eius introitum non haberent (Chronica regia Coloniensis, S. 111)

[181] quante sitis prudentie, nobilitatis et industrie, vestra indicant opera, monasteriorum videlicet diversi ornatus, clericorum et pauperum solatia (Vinzenz v. Prag, S. 659)

von der Gräfin Udelhilde von Zollern errichtet worden. Für sie hat sie auch einen Kelch, ein Meßgewand, eine Stola und alle notwendigen Kirchengeräte gestiftet; obendrein hat sie noch eine Hube in Stetten, eine in Engstlatt, eine in Hart, eine in Streichen und zwei in Thanheim an die gleiche Kirche gegeben.«[182] »Sophie, die Herzogin von Mähren, Schwester der Richenza und Gemahlin des Herzogs Otto, gab eine Kirchenfahne, eine weiße Dalmatika, zwölf Vorhänge, sechs Mark Silber und vieles andere, auch ein Kästchen aus Elfenbein. Zusammen mit ihrer Schwester Richenza hat sie den Speisesaal der Laienbrüder samt dem Schlafsaal auf eigene Kosten von Grund auf erbauen lassen und diese Stätte mit ihren Geschenken aufs beste ausgestattet.«[183] »Seztibrana, eine slawische Frau aus Böhmen, sandte unter anderen Geschenken einen großen Wandbehang aus Wollstoff, in den eine Darstellung der Herrlichkeit des Herrn und ein Bildnis Karls eingestickt sind, der Himmelskönigin hierher.«[184] »Gisela von Hiltensweiler, aus freiem Geschlecht entsprossen, gab zwei Huben im Dorf Kohlberg mit dem angrenzenden Wäldchen Bernbold.«[185] »Seine [sc. Berns von Dettingen] Gattin Salome gab acht Unzen Gold und eine reiche Menge kostbarer Steine zum Schmucke des aus Jerusalem zu uns verbrachten Kreuzes.«[186] »Ulrichs [von Gammertingen] Witwe, die Gräfin Adelheid, schenkte uns neben sonstigem Schmuck, den sie hergab oder mit eigenen Händen anfertigte, zwei große leinene Tücher . . . Solange sie lebte, versah sie uns aus den Gütern, die sie sich zur Nutznießung vorbehalten hatte, auf das reichlichste mit Korn und Wein und ließ die

[182] Capella sancti Nicolai ad occasum in fine monasterii apposita ab Udilhilde comitissa de Zolro est constructa. Ad quam etiam calicem, casulam, stolam cum universis utensilibus necessariis contulit. Insuper unam hubam ad Stetin, unam ad Ingislatt, unam ad Harde, unam ad Striche, duas ad Danhaim eidem ecclesiae dedit (S. 170 f.)

[183] Sophia ductrix Morabiae, soror Richinzae, uxor Ottonis ducis, dedit unum vexillum, dalmaticam albam, XII pallia, VI marcas argenti aliaque perplura, capsam eburneam. Ipsa etiam cum sorore sua Richinza refectorium fratrum barbatorum cum dormitorio proprio sumptu a fundamentis extruxit et omnibus bonis istum locum cum suis honoribus implevit (S. 174)

[184] Seztibrana quaedam mulier slava ex Boemia inter alia dona dorsale magnum ex lana contextum, Maiestate et Caroli imagine insignitum, huc misit reginae coelorum (S. 178)

[185] Gisela de Hiltiniswilare, libera propagine orta, dedit duos mansus in villa Colberc nuncupata cum adiacente silvula Berinbolt vocitata (S. 184)

[186] Huius uxor Salome dedit VIII uncias auri et lapidum pretiosorum multitudinem copiosam ad sanctam crucem ornandam de Hierosolimis allatam (S. 186)

Kirche und das Kloster der Nonnen zum größten Teil auf ihre Kosten erbauen.«[187] »Mathilde von Spitzenberg, eine Schwester des Grafen Werner von Frickingen, gab sechs Huben in Burkhausen, das heißt das ganze Dorf.«[188] »Mathilde, die Gemahlin Mangolds von Sulmetingen, schmückte – abgesehen von anderen Geschenken, die sie uns gemacht hat – ein schwarzes Meßgewand aufs schönste mit breiter Goldstickerei.«[189] »Seine [Herzog Heinrichs des Schwarzen von Bayern] Gemahlin Wulfhilde gab eine elfenbeinerne Büchse, ihren roten Mantel für die Anfertigung eines Chormantels, eine Decke, ebenfalls für einen Chormantel, und eine goldene Stola.«[190] Diese Auszüge aus einem viel reicheren Belegmaterial werfen zugleich ein Licht auf die tatsächliche Verfügungsgewalt adliger Frauen über liegende und fahrende Habe. In der höfischen Dichtung wurde die karitative Tätigkeit der großen Damen meistens nur beiläufig erwähnt. Das ist um so auffälliger, als man annehmen muß, daß fromme Stiftungen und Armenpflege auch im wirklichen Leben der adligen Frauen einen hohen Stellenwert besaßen. Nur ihre ärztlichen Kenntnisse und Fähigkeiten sind auch von den Dichtern gewürdigt worden.

Der Weg aus der Welt

Zahlreiche adlige Frauen, die nicht heiraten konnten oder nicht heiraten wollten, gingen ins Kloster oder schlossen sich einer religiös lebenden Frauengemeinschaft an. Das war in vielen Fällen eine Versorgungsfrage; aber offenbar sind immer mehr Frauen diesen Weg gegangen, um einer inneren Bestimmung zu folgen. Seit dem Ende des 12. Jahrhunderts hat die Zahl der Frauen, die nach einer religiösen Lebensweise verlangten und die die Ideale der Armut und Keuschheit und der Nachfolge

---

[187] Huius vidua Adilhait comitissa . . . inter cetera ornamenta, quae dedit vel quae propriis manibus contexuit, magna duo vela linea . . . Nam quamdiu vixit ex eis praediis, quae sibi usu fructuario retinuit, frumento et vino nos sufficientissime pavit et ecclesiam sanctimonialium cum claustro suo sumptu ex maxima parte construxit (S. 198)

[188] Mahtilt de Spizzinberc, soror Werinheri comitis de Frikkingen . . . dedit VI mansus ad Burchusen, villam scilicet universam (S. 214)

[189] Mahtilt, uxor Manegoldi de Sunemotingen, inter alia dona, quae nobis contulit, nigram casulam magno aurifrisio decentissime perornavit (S. 226)

[190] Huius uxor nomine Wolphilt dedit pixidem eburneam, mantellum suum rubeum ad cappam, unum pallium similiter ad cappam et unam stolam auream (S. 232)

Christi zu verwirklichen trachteten, ständig zugenommen. Die meisten von ihnen fanden in den neu gegründeten Bettelorden eine Zuflucht. Im Verlauf des 13. Jahrhunderts sind alleine in der deutschen Ordensprovinz etwa 70 Dominikanerinnenklöster gegründet worden, von denen manche mit mehr als hundert Schwestern belegt waren. Dazu kamen etwa zwanzig Frauenklöster der Franziskaner. Die neuen Orden haben schon bald angefangen, sich gegen diesen Zustrom zur Wehr zu setzen. Manche Frauen haben es vorgezogen, ohne den Schutz eines Ordens in freien Gruppen, als Beginen, ein frommes Leben zu führen. Diese ganze religiöse Frauenbewegung hatte sicherlich auch soziale Ursachen. Es kann kein Zufall sein, daß religiöse Frauengemeinschaften besonders zahlreich in Gegenden mit reich entwickelter Stadtwirtschaft auftraten, in Flandern, im Rheinland, im nordöstlichen Frankreich. Aber die These, daß die Frauenbewegung aus der sozialen Notlage der städtischen Arbeiterinnen erwachsen sei, läßt sich in dieser Form gewiß nicht halten. Es ist gut bezeugt, daß unter den Frauen, die in frommer Armut leben wollten, zahlreiche Adlige waren, die mit ihrem Entschluß, dem weltlichen Leben zu entsagen, nicht einem wirtschaftlichen Druck nachgaben, sondern einem frommen Bedürfnis folgten. In wievielen Fällen dabei auch der Wunsch mitgespielt hat, sich einer Gesellschaftsordnung zu entziehen, in der die Frauen in fast jeder Beziehung benachteiligt und der Willkür männlicher Herrschaft unterworfen waren, läßt sich nicht überprüfen. Man kann nur feststellen, daß die religiöse Lebensform den Frauen einen größeren Spielraum der Selbstbestimmung und Selbstverwirklichung geboten hat als das normale Adelsleben.

Einen Einblick in den Frömmigkeitsstil und die religiöse Ausdrucksweise der Frauen, die ohne kirchliche Organisation in frommen Gemeinschaften zusammenlebten, vermittelt Jakob von Vitry, der als Augustinerchorherr im Stift Oignies (bei Namur) in engem Kontakt mit den belgischen Beginen stand und der nach 1213 die Lebensgeschichte der Marie von Oignies († 1213) beschrieben hat, die den geistigen Mittelpunkt einer in Nivelles lebenden Frauengruppe bildete. In dem Widmungsbrief an den Bischof Fulko von Toulouse, der dem Werk vorangestellt ist, schilderte Jakob von Vitry die Lebensweise dieser »modernen Heiligen«[191], die »aus Liebe zum himmlischen Kö-

---

[191] sanctae modernae (Vita s. Mariae Oigniacensis, S. 638)

nigreich die Reichtümer dieser Welt verschmähten, in Armut und Demut dem himmlischen Bräutigam anhingen und durch die Arbeit ihrer Hände ihren kargen Lebensunterhalt erwarben, obwohl ihre Eltern Überfluß an großem Reichtum hatten. Sie selbst wandten sich aber von ihren Leuten und von dem väterlichen Haus ab und wollten lieber Mangel und Armut auf sich nehmen, als im Überfluß unrecht erworbener Reichtümer leben und mit Gefahr (für ihre Seele) unter den prachtliebenden Weltleuten bleiben.«[192] Ein anderes Mal hat Jakob von Vitry davon gesprochen, daß die frommen Frauen »die Reichtümer ihrer Eltern geringachteten und die ihnen angetragenen Ehen mit vornehmen und mächtigen Männern verschmähten, in großer und fröhlicher Armut lebten und nichts anderes besaßen, als was sie durch Spinnen und durch die Arbeit ihrer eigenen Hände erwerben konnten, und daß sie mit einfacher Kleidung und bescheidenem Essen zufrieden waren«[193].

Sehr interessant ist die Beschreibung von verschiedenen Formen ekstatischer Frömmigkeit, die Jakob von Vitry in der Vorrede zur Vita der Marie von Oignies gegeben hat. Einige Frauen lagen jahrelang »vor Sehnsucht krank« im Bett und »hatten keine andere Krankheitsursache als Ihn, nach dem ihre Seelen verlangten und in Sehnsucht zerschmolzen«[194]. Bei anderen »ergoß sich aus der Wabe der geistlichen Süße in ihren Herzen der Geschmack des Hönigs spürbar im Mund«[195]. Wieder andere »wurden in so großer Geistestrunkenheit aus sich selbst entrückt«[196], daß sie den ganzen Tag wie leblos dalagen. Dieselben Formen des religiösen Erlebens haben später den Frömmigkeitsstil der Nonnenmystik geprägt.

Manchen Frauen wurde es von ihren Angehörigen sehr

[192] contemptis etiam amore regni caelestis hujus mundi divitiis, in paupertate et humilitate Sponso caelesti adhaerentes, labore manuum tenuem victum quaerebant, licet parentes earum multis divitiis abundarent. Ipsae tamen obliviscentes populum suum et domum patris sui, malebant angustias et paupertatem sustinere, quam male acquisitis divitiis abundare, vel inter pomposos seculares cum periculo remanere (S. 636)

[193] que divicias parentum contempnentes et maritos nobiles ac potentes sibi oblatos respuentes in magna et leta paupertate viventes nichil aliud habebant, nisi quod nendo et manibus propriis laborando acquirere valebant, vilibus indumentis et cibo modico contente (Sermo ad virgines, S. 47)

[194] prae desiderio languerent . . . nullam aliam causam infirmitatis habentes nisi illum, cujus desiderio animae earum liquefactae (S. 637)

[195] ex favo spiritualis dulcedinis in corde, redundabat mellis sapor sensibiliter in ore (ebd.)

[196] extra se tanta spiritus ebrietate rapiebantur (ebd.)

schwer gemacht, ihren Entschluß zu einem religiösen Leben zu verwirklichen. Von einem solchen Fall erzählte die Lebensgeschichte der Gräfin Jolande von Vianden († 1283), die Bruder Hermann, der mit den persönlichen Verhältnissen der Gräfin gut bekannt war, wohl bald nach ihrem Tod in mittelhochdeutschen Versen verfaßt hat. Jolande war die Tochter des Grafen Heinrich von Vianden († 1252) und seiner Frau Margarete von Courtenay († 1270), die aus höchstem französischen Adel stammte. Jolande zeigte schon früh eine Neigung zum religiösen Leben. Mit zwölf Jahren faßte sie den Entschluß, in das 1232 gegründete Dominikanerkloster Mariental (bei Luxemburg) einzutreten, gerade als der Familienrat beschloß, sie mit dem Grafen Walram von Montjoie, einem Verwandten der Grafen von Luxemburg, zu vermählen. Der Mutter gelang es nur durch das falsche Versprechen, ihr bei der Verwirklichung ihrer Pläne zu helfen, Jolande dazu zu bewegen, wieder an den Vergnügungen des Hoflebens teilzunehmen. »Sie sang, sie schritt und sprang im Tanz, aber es war gegen ihren Willen. Wie fröhlich sie dort auch war, ihr Herz befand sich doch anderswo. Ihr Körper konnte singen, tanzen und springen, während ihr Herz in Sorgen war, wie sie den guten Entschluß ausführen könnte, den sie sich vorgenommen hatte.«[197] Die Mutter verbot jeden Verkehr mit dem Kloster und mit den Dominikanern. Zusätzlichen Kummer machten Jolande weibliche Verwandte aus dem Zisterzienserorden, die sie für ihren Orden zu gewinnen suchten. Auf einer Reise nach Luxemburg gelang es Jolande im Jahr 1245, der mütterlichen Aufsicht zu entkommen. Sie ließ sich in Mariental die Haare abschneiden, legte die Ordensgelübde ab und wurde feierlich in das Kloster aufgenommen. Aber der Graf von Luxemburg erzwang, unter Androhung von Gewalt gegen das Kloster, ihre Auslieferung an ihre Familie. Ihre Mutter nahm ihr das Ordensgewand weg und zwang sie, wieder höfische Kleider zu tragen. Daraufhin verfiel Jolande in schwere Krankheit. Ihr Bruder Heinrich, der Dompropst an der Bischofskirche in Köln war, kam nach Vianden und versuchte, sie von ihren Plänen abzubringen; unter dem Eindruck ihrer Entschlossenheit trat er aber auf ihre Seite. Wenn große Gesellschaft in Vianden war, wurde Jolande gezwungen, daran teilzu-

---

[197] sy sanc, sy danzet unde spranc. dat was doch sunder hiren danc: sô wat sy vrôiden plêge dâ, dat herze was doch anders wâ. der lif wol mohte singen, jâ danzen unde springen, hir herze was in sorgen doch, wy sy volbringen mohte noch den gûden willen den sy drûch (1301–09)

nehmen und vor den Gästen aufzutreten. »Sie mußte singen, und es geschah: sie sang, sie schrie, so daß man die heißen Tränen, deren sie sich zu keiner Zeit enthalten konnte, aus ihren Augen fließen sah. Die Gute weinte und sang, und sie ging wie eine Nonne. Soviel man auch bettelte und bat, den Firelei tanzte sie nicht. Ihr Herz wollte nicht mitmachen; ihr Gang störte den gemeinschaftlichen Tanz, so daß man es ihr erlassen mußte.«[198] Die Familie wandte sich nach Köln, an Albertus Magnus, der auf Jolande einzuwirken suchte, dann aber doch den Rat gab, sie nicht gegen ihren Willen zu zwingen. Ihr Verlobter, der Graf von Montjoie, verlangte inzwischen seine Braut oder eine hohe Entschädigung. Er fand jedoch eine andere Braut und verzichtete auf die Ehe mit Jolande. Zwischendurch kam es immer wieder zu unerfreulichen Auseinandersetzungen mit der Mutter, die sich dabei zu unbeherrschten Zornesausbrüchen hinreißen ließ. 1247 fand eine große Familienversammlung in Münstereifel statt, an der auch der Erzbischof von Köln, ein Verwandter der Grafen von Vianden, teilnahm. Noch einmal versuchte man ohne Erfolg, Jolande umzustimmen. Schließlich kam der Graf zu dem Beschluß, Jolande nach Mariental gehen zu lassen. Die Mutter widersetzte sich noch immer, und es bedurfte weiterer Verhandlungen, bis endlich auch sie ihre Einwilligung gab. Im Januar 1248 – fünf Jahre nachdem Jolande beschlossen hatte, dem weltlichen Leben zu entsagen – wurde sie von ihrer Mutter nach Mariental gebracht. Sie hat dann 35 Jahre lang dort gelebt, seit 1258 als Priorin des Klosters; und sie erlebte noch die Freude, daß auch ihre Mutter in das Kloster eintrat. Der Ruf von Jolandes heiligem Leben hat das kleine Kloster weit bekannt gemacht. Im Jahr 1283 ist sie dort gestorben und in der Klosterkirche begraben worden.

Noch schwerer als Jolande von Vianden hatte es die englische Adlige Christina von Markyate († nach 1155), deren Leben ein unbekannter Mönch des Klosters St. Alban um 1160 in lateinischer Prosa beschrieben hat. Christina stammte aus einer angesehenen angelsächsischen Familie, die in der Grafschaft Huntingdonshire großen Besitz hatte. Anläßlich eines Besuchs im

---

[198] sy mûste singen. dat geschach: sy sanc, sy schrê, dat man gesach dy heize trênen vlyzen und ûz den ôigen gyzen, des sy doch eine stunde sich nyt enthalden kunde. dy gûde weinede und sanc, vil klôsterlîche was ir ganc. den vyralley sy nyt entrat, wat man gevlêde, wat man bat. ir herze nyt enwolde dar, ir gân zebrach des danzes schar, dat man sy mûste des erlân (3095–107)

Kloster St. Alban legte sie schon als kleines Mädchen das Gelübde ab, Jungfrau zu bleiben. Wenig später besuchte der Bischof Ralph von Durham († 1128) die Familie. Er fand Gefallen an Christina, ließ sie in sein Schlafzimmer bringen und versuchte dort, ihr Gewalt anzutun. »Der unzüchtige Bischof hielt die Jungfrau schamlos an einem Ärmel ihres Kleides fest, und mit dem heiligen Mund, der sonst den Gottesdienst abhielt, verlockte er sie zu einer verruchten Tat. Was sollte das arme Mädchen in solcher Not tun? Die Eltern alarmieren? Die waren schon schlafen gegangen. Sich preisgeben wollte sie auf keinen Fall. Sich offen zu widersetzen, wagte sie auch nicht, denn wenn sie offen widersprach, würde sie ohne Zweifel Gewalt erleiden.«[199] Durch eine List gelang es Christina, aus dem Raum zu entkommen; aber sie hatte sich den Bischof zum unversöhnlichen Feind gemacht. Er rächte sich an ihr, indem er dafür sorgte, daß ein junger Adliger namens Burthred um ihre Hand anhielt und die Zustimmung ihrer Eltern erlangte. Mit allen Mitteln versuchte die Familie, Christina zur Einwilligung zu überreden; und in einer schwachen Stunde gab sie ihr Jawort. Sie wurde sofort mit Burthred verlobt; aber sie änderte ihre Haltung nicht und war weiterhin entschlossen, »ihren Hals auf keinen Fall durch die fleischliche Umarmung eines Mannes entweihen zu lassen«[200]. Davon ließ sie sich weder durch Bitten noch durch Drohungen abbringen. Sie mußte es erdulden, daß man ihr den Umgang mit Geistlichen verbot und ihr sogar den Zugang zur Kapelle verwehrte. Statt dessen mußte sie an öffentlichen Gelagen und Lustbarkeiten teilnehmen, weil man hoffte, sie würde dabei Gefallen finden an den Vergnügungen der Welt. Als auch dies nichts fruchtete, ließen die Eltern – Christina lebte noch bei ihren Eltern – heimlich ihren Bräutigam in ihr Schlafzimmer, »damit er, wenn er etwa die Jungfrau im Schlaf fände, sie plötzlich überwältigen und schänden würde«[201]. Christina war jedoch angekleidet und empfing den Bräutigam

[199] impudicus episcopus virginem per alteram tunice manicam irreverenter arripuit et ore sancto quo misteria (divina solebat) conficere. de re nephanda (sollicitavit). Quid ergo faceret m(isera puell)a inter tales angustias appr(ehensa)? Clamaretne parentes? Iam (dor)mitum abierant. Consentire nullo modo voluit. aperte contradicere ausa non fuit. Quia si aperte contradiceret. proculdubio vim sustineret (Vita Christinane, S. 42)

[200] collum suum nulla racione contaminandum fore carnali(bu)s viri amplexibus (S. 46)

[201] quatinus si forte dormientem virginem reperiret: repente oppresse illuderet (S. 50)

wie einen Bruder. Sie erklärte sich bereit, ihm als seine Ehefrau in sein Haus zu folgen, wenn er seine Zustimmung dazu gäbe, daß ihre Ehe keusch bliebe und daß sie beide nach einigen Jahren in ein Kloster einträten. Die Eltern wollten davon jedoch nichts wissen und stachelten Burthred auf, es noch einmal mit Gewalt zu versuchen. Diesmal versteckte sich Christina in ihrem Zimmer: mit beiden Händen hielt sie sich an einem Nagel fest und hing, zitternd vor Angst, zwischen dem Vorhang und der Wand und blieb tatsächlich unentdeckt. Bei einem dritten Überfall durch den Bräutigam gelang es ihr, aus dem Raum zu fliehen und ein hohes Gitter zu überklettern. Als der Tag, der für ihre Hochzeit angesetzt war, herankam, fiel sie in starkes Fieber, das auch nicht dadurch wegzubringen war, daß man sie in kaltes Wasser tauchte. Schließlich wurde die Sache vor den Bischof Robert von Lincoln († 1123) gebracht, der entschied – übrigens ohne Christina selbst anzuhören –, daß sie nicht zur Heirat gezwungen werden sollte. Nachdem er jedoch von Christinas Vater mit Geld bestochen worden war, änderte er seine Entscheidung und bestimmte, daß das Eheversprechen bindend sei und daß Christina ihrem Mann angehören müßte. Da sie sich aber weiter weigerte, diesem Rechtsspruch Genüge zu tun, wurde sie zu Hause wie eine Gefangene behandelt. Ihre Mutter schwor, »daß es ihr gleichgültig wäre, wer ihre Tochter schändete, wenn sie nur auf irgendeine Art geschändet werden könnte«[202]. Die Spuren der Schläge, die sie von ihrer Mutter erhielt, blieben auf Christinas Rücken bis an das Ende ihres Lebens sichtbar. Der Verfasser der Lebensgeschichte glaubte das Verhalten von Christinas Eltern aus zwei Ursachen erklären zu können: einmal aus ihrer engstirnigen Dickköpfigkeit und zweitens aus der Tatsache, daß Christina so ungewöhnlich klug, begabt und schön gewesen sei, »liebenswürdiger als alle anderen Frauen«[203], daß die Eltern hofften, aus ihren Begabungen weltlichen Gewinn zu ziehen und ihre außergewöhnlichen Fähigkeiten auf ihre Kinder vererbt zu sehen. Durch Bestechung der Diener gelang es Christina, Kontakt mit dem Eremiten Eadwin aufzunehmen, der ihr bei ihrer Flucht aus dem elterlichen Haus behilflich sein sollte. Dank Christinas überlegter Planung glückte das Unternehmen. Sie begab sich nach Flamstead zu der

---

[202] quod non consideraret quis filiam suam corrumperet. (si) tantum aliquo casu corrumpi potuisset (S. 72)
[203] super reliquas feminas esset amabilior (S. 66 f.)

Einsiedlerin Alfwen, wo sie sich lange in einem kleinen dunklen Raum versteckt halten mußte, weil ihre Eltern Suchtrupps durch die ganze Gegend schickten, »die sie eilig verfolgen und unter Mißhandlungen zurückbringen sollten, wenn sie sie ergriffen hätten, und die jeden, den sie in ihrer Begleitung anträfen, töten sollten«[204]. Christina blieb zwei Jahre lang in Flamstead; dann siedelte sie nach Markyate über, zu dem hochangesehenen Eremiten Roger, mußte sich aber auch dort noch versteckt halten und lebte unter den größten Entbehrungen, weil die Eltern und der Bräutigam die Suche nach ihr noch immer nicht aufgegeben hatten. Nach dem Tod des Eremiten Roger wurde sie an verschiedenen Orten verborgen, kehrte dann aber in die Eremitage von Markyate zurück. Erst nachdem der Bischof von Lincoln gestorben war und der Erzbischof Thurstan von York ihre Ehe mit Burthred für ungültig erklärt hatte, konnte sie ihr frommes Leben als Einsiedlerin ohne äußere Bedrohung fortsetzen. Ihre Eltern hat sie offenbar niemals wiedergesehen.

Für die meisten Frauen war eine religiöse Selbstverwirklichung nur durch die Abkehr von der Welt und durch den Eintritt in eine religiöse Gemeinschaft zu erreichen. Es hat jedoch auch Frauen gegeben, die versucht haben, ihre religiösen Ideale als Mitglieder der adligen Gesellschaft zu verwirklichen. Die Herzogin Hedwig († 1243), die Gemahlin Herzog Heinrichs I. von Schlesien († 1238), und ihre Nichte, die Landgräfin Elisabeth von Thüringen († 1231), haben durch ihr heiligmäßiges Leben das Staunen ihrer Zeit erregt. Sie sind beide schon kurze Zeit nach ihrem Tod heiliggesprochen worden. Was wir über das fromme Leben dieser beiden Fürstinnen wissen, ist alles im Zusammenhang mit den Kanonisationsprozessen entstanden und daher nicht frei von tendenzieller Färbung. Auch bei kritischer Auswertung der Quellen ist jedoch zu belegen, daß in beiden Fällen ein ganz persönliches Engagement, das sich auch gegen Widerstände am Hof durchsetzen mußte, die Ausdrucksformen ihrer Frömmigkeit bestimmt hat.

Wie die religiösen Neigungen der adligen Frauen in der höfischen Gesellschaft bewertet wurden, erfährt man aus dem ›Frauenbuch‹ von Ulrich von Liechtenstein, wo sich Männer und Frauen gegenseitig für den traurigen Zustand der Gesellschaft in ihrer Gegenwart verantwortlich machten. Die Damen

---

[204] qui velociter illam prosequerentur (et apprehen)sam reducerent cum contumelia interfecto quemcumque reperissent (in) eius comitatu (S. 94)

mußten sich sagen lassen, daß es keine höfische Freude mehr gäbe, weil sie den Männern nicht mehr mit Freundlichkeit entgegenkämen, sondern nur noch ein frommes Leben führen wollten. »Als ob sie eine Betschwester wäre«[205], würde eine jede sich kleiden und benehmen. Das Gebende würden sie bis auf die Augen herunterziehen, Mund und Wangen mit dem Schleier verdecken. Wenn aber einmal eine Frau kostbare Gewänder anlegte, »dann muß das Zobelband, das ihr am Busen hängt, eine Betschnur sein«[206]. Man müßte glauben, eine solche Frau »sei aus Schmerz in ein geistliches Leben eingetreten«[207]. Statt mit den Männern zu tanzen, »sieht man euch Tag und Nacht in der Kirche«[208]. Dieser Kritik hielten die Frauen entgegen, daß es den Männern an höfischer Gesittung fehlte. »Ihr habt den Frauendienst aufgegeben und könnt nur noch prahlen.«[209] Die Männer seien so unhöflich und unfreundlich, »daß wir Angst vor euch haben«[210]. Wenn eine Frau sich schön kleiden und sich einem Mann gegenüber aufmerksam verhalten würde, würde sie gleich in den Verdacht geraten, Ehebruch begehen zu wollen. Von ihren Ehemännern aber würden die Frauen zurückgewiesen, wenn sie sie liebevoll umarmen wollten. Gleich am Morgen würden die Männer mit ihren Jagdhunden in den Wald ziehen. »Da rennt er dann den ganzen Tag und läßt seine tugendhafte Frau ohne jede Freude leben.«[211] Wenn er schließlich abends müde nach Hause käme, »dann legt er sich über den Tisch und hat nur noch den Wunsch, daß man ihm ein Spielbrett bringt. Da spielt er dann die halbe Nacht und trinkt, bis ihn alle Kraft verläßt. Dann geht er dahin, wo seine Frau immer noch auf ihn wartet, die ihn mit den Worten: ›Willkommen, mein Herr‹ begrüßt und sich höflich erhebt und ihm höflich entgegengeht. Doch er antwortet ihr nicht und ist nur darauf aus, sich hinzulegen und bis zum Morgen zu schlafen.«[212] Da ihr Mann kein

[205] sam si ein swester sî (601, 17)

[206] der zobel underheftelîn muoz sâ ein pâter noster sîn, der an ir puosem hanget (601, 27–29)

[207] si hab sich begeben vor leide in ein geistlîch leben (601, 31–32)

[208] sô siht man iuch ze kirchen stân beidiu die naht und ouch den tac (602, 8–9)

[209] ir habt iuch frowen dienst bewegen: ir künnet niht wan rüemens phlegen (600, 15–16)

[210] daz wir in vorhten gên iu sîn (599, 27)

[211] dâ rennet durch den tac sîn lîp und lât hie sîn vil reine wîp ân aller slahte freude leben (607, 15–17)

[212] ûf einen tisch legt er sich nider: ez ist sîn geschefte und ouch sîn pet, daz man im bringe dar ein pret: dâ spilt er unz an mitte naht, und trinket daz im gar

Interesse an ihr hätte und sie mit Fremden keinen Umgang haben dürfte, »so gibt es für sie nichts besseres, als sich mit Herz und Sinn ganz dem Dienste Gottes zu widmen«[213].

Sonst war in der höfischen Dichtung vom Anteil der Frauen an der religiösen Armutsbewegung noch weniger die Rede als von ihrem politischen Einfluß als Herrscherinnen. Damit blieben gerade diejenigen Bereiche der Wirklichkeit weitgehend ausgespart, in denen die adligen Frauen der höfischen Zeit wenigstens ansatzweise eine gewisse Eigenständigkeit erlangen konnten. Das poetische Idealbild der Frau zielte nicht auf Möglichkeiten der Selbstverwirklichung, sondern es stand ganz im Dienst des neuen Gesellschaftsentwurfs, der auf die höfische Vorbildlichkeit des adligen Ritters ausgerichtet war. Die Frau hatte darin nur insofern einen eigenen Platz, als sie Aufgaben erfüllte, die der Vervollkommnung des Mannes dienten: als Repräsentantin höfischer Tugend, als verehrter Gegenstand des ritterlichen Minnedienstes und als Ehefrau des nach Vorbildlichkeit strebenden Herrschers.

3. Höfische Liebe

a. Was ist höfische Liebe?

Definitionen

»Kann mir jemand sagen, was Liebe ist?«[1] Die Frage nach dem Wesen der Minne wurde für die höfischen Dichter zu einem zentralen Thema. Je mehr man aber darüber nachdachte, um so klarer trat nur zutage, daß menschlicher Verstand nicht ausreichte, das Geheimnis der Liebe zu ergründen, die mit zerstö-

---

sîn maht geswîchet und verswindet. sô gêt er dâ er vindet sîn wîp dannoch warten sîn. diu spricht »willkumen, herre mîn«: mit zühten si gên im ûf stêt, durch ir zuht si gên im gêt. sô gît er ir antwurte niht, wan daz er vlîziclîche siht wâ er sich dâ sâ nider lege, slâfens unz an den morgen phlege (607, 32–608, 14)

[213] so ist ir niht dinges alsô guot sô daz si herze unde muot wende an gotes dienst gar (609, 13–15)

[1] Saget mir ieman, waz ist minne? (W. v. d. Vogelweide 69,1)

rerischer Gewalt über die Menschen herrschte und die doch
eine Quelle höchster Beseligung war. »Was kann das sein, was
alle Welt Liebe nennt? Ich glaube nicht, daß irgendjemand es
herausfinden könnte.«[2] So unterschiedlich die Antworten waren, die man auf die Frage nach den Rätseln der Liebe gab, über
eines waren sich die Dichter einig: Liebe war eine Sache von
höchster Wichtigkeit, wenn es darum ging zu sagen, was höfisches Wesen und höfische Vollkommenheit war.

Der Begriff »höfische Liebe« (*amour courtois*) ist erst im
19. Jahrhundert geprägt worden. Er stammt von dem französischen Romanisten Gaston Paris, der 1883 in einem Aufsatz
über den ›Lancelot‹ von Chrétien de Troyes vier Merkmale
herausgestellt hat:

1. Höfische Liebe ist ungesetzlich, *illégitime*, und daher auf
Heimlichkeit angewiesen. Sie schließt die volle körperliche
Hingabe ein.

2. Höfische Liebe verwirklicht sich in der Unterordnung des
Mannes, der sich als Diener seiner Dame betrachtet und die
Wünsche seiner Herrin zu erfüllen sucht.

3. Höfische Liebe fordert von dem Mann das Bemühen, besser und vollkommener zu werden, um dadurch seiner Dame
würdiger zu sein.

4. Höfische Liebe ist »eine Kunst, eine Wissenschaft, eine
Tugend« (*un art, une science, une vertu*) mit eigenen Spielregeln
und Gesetzen, die die Liebenden beherrschen müssen.

Diese Definition von Gaston Paris hat eine große Forschungsdiskussion in Gang gebracht, die gerade in den letzten
Jahrzehnten wieder mit besonderer Intensität geführt worden
ist und deren Ende sich nicht absehen läßt. Was höfische Liebe
ist, scheint heute weniger sicher zu sein als vor hundert Jahren.
Alle Einzelheiten und die ganze Konzeption sind umstritten.
Man hat sogar die These vertreten, daß die höfische Liebe nur
ein Hirngespinst der Forscher sei. Mehr und mehr verbreitet
sich die Einsicht, daß die Schwierigkeiten, die einer Verständigung über den Begriff der höfischen Liebe entgegenstehen,
hauptsächlich darin begründet sind, daß Liebe in der höfischen
Literatur auf ganz verschiedene Weise dargestellt worden ist
und daß dabei gattungsspezifische Besonderheiten eine entscheidende Rolle gespielt haben. Höfische Liebe war in der

---

[2] Waz mac daz sîn, daz diu welt heizet minne? ... ich wânde niht, daz ez
iemen enpfunde (F. v. Hausen 53, 15; 18)

Lyrik anders als in der Epik, im Tagelied anders als in der Minnekanzone, wieder anders im Kreuzlied und in der Pastourelle, im höfischen Epos anders als in der Versnovelle oder im Schwank. Und innerhalb der einzelnen Gattungen haben die Autoren die Akzente sehr verschieden gesetzt. Höfische Liebe konnte unerfüllte Liebe sein, konnte sich aber auch im sinnlichen Genuß verwirklichen. Die Liebe konnte sich an eine Dame höheren Standes oder an eine Frau von geringerer Herkunft richten. Wenn die Frau verheiratet war, hatte höfische Liebe einen ehebrecherischen Charakter; aber auch die Liebe zur eigenen Ehefrau konnte höfisch sein, ebenso wie die Liebe zwischen Unverheirateten. Höfische Liebe forderte vielfach ein langes Dienen des Mannes; manchmal fand sie jedoch rasche Erfüllung ohne Dienst. Die meisten Versuche, höfische Liebe zu definieren, mußten eine Reihe dieser Aspekte vernachlässigen, um zu einer einheitlichen Konzeption zu gelangen. Sofern man nicht einfach die Augen vor den genannten Gegensätzen verschließt, wird man zugestehen müssen, daß das Phänomen höfische Liebe durch inhaltliche Bestimmungen dieser Art kaum hinreichend zu erfassen ist, so wichtig die Inhalte für das historische Verständnis der Liebe auch sind. Als gemeinsames Kennzeichen aller Erscheinungsformen von höfischer Liebe bleibt dann immer noch etwas sehr Wesentliches, nämlich der spezifisch höfische Charakter der Liebe, das heißt ihre Einbettung in den höfischen Gesellschaftsentwurf.

Andreas Capellanus

Im Mittelpunkt der Diskussion über das Wesen der höfischen Liebe hat immer der lateinische Traktat ›Über die Liebe‹ (De amore) von Andreas Capellanus gestanden, der wahrscheinlich zwischen 1180 und 1190 verfaßt worden ist. Andreas war nach eigener Aussage »königlicher Hofkaplan« (*aulae regiae capellanus*, S. 148) und wäre danach am Hof König Philipps II. August (1180–1223) zu suchen. Die Zuweisung zum Hof der Grafen von Champagne, damals ein berühmtes Zentrum höfischer und lateinischer Literatur, bleibt eine Vermutung. Andreas hat sein Werk in drei Bücher eingeteilt. Buch I und II behandeln die Fragen, wie man Liebe erwerben soll und wie man sie behalten kann; Buch III begründet, warum man sich besser der Liebe enthält. Der Hauptgrund gegen die Liebe war für den Autor die angebliche Schlechtigkeit der Frauen, die in einem ausführlichen Lasterkatalog von Andreas belegt wurde. Der Wechsel der Perspektive zwischen den Büchern I und II und Buch III ist verschieden interpretiert worden. Dabei hat man sich meistens von der Frage lenken lassen, in welchem Teil des Werkes die persönliche Auffassung des Autors zum Ausdruck komme, und hat nicht genügend beachtet, daß es im Mittelalter durchaus üblich war, einen Gegenstand von zwei gegensätzlichen Standpunkten aus zu betrachten, ohne daß die eine Position als richtig und die andere als falsch hingestellt wurde. Hinzu kommt, daß auch schon Ovid, dessen ›Liebeskunst‹ (Ars amatoria) die ganze Konzeption von Andreas' Schrift über die Liebe beeinflußt hat, seiner praktischen Liebeslehre eine Warnung vor der Liebe, in Gestalt der ›Heilmittel gegen die Liebe‹ (Remedia amoris), nachgeschickt hatte.

Schwerer ist die Frage zu beantworten, wie die Ausführungen über die Liebe in den Büchern I und II zu verstehen sind. Der Autor hat im ersten Buch im Stil einer wissenschaftlichen Abhandlung definiert und dargelegt, ›Was Liebe ist‹ (Quid sit amor, Kap. 1), ›Zwischen wem Liebe vorkommen kann‹ (Inter quos possit esse amor, Kap. 2), ›Woher das Wort *amor* kommt‹ (Unde dicatur amor, Kap. 3), ›Welche Wirkung die Liebe hat‹ (Quis sit effectus amoris, Kap. 4) usw. Der gelehrte Charakter der Untersuchung konnte den Eindruck erwecken, daß es dem Verfasser um eine methodische Aufarbeitung seines Themas zu tun gewesen sei, und diesem Eindruck verdankt Andreas' Werk seinen einmaligen Ruhm: es wurde und wird zum Teil noch heute als Dokumentation einer umfassenden Theorie der höfischen Liebe angesehen. Wenn man wissen wollte, was höfische Liebe war, brauchte man sich nur den Ausführungen von Andreas anzuvertrauen. Die ältere Forschung ist fast durchweg so verfahren. Erst allmählich hat man bemerkt, daß die Definitionen und Bestimmungen, zu denen man auf diesem Weg gelangte, nur auf einen kleinen Teil der höfischen Literatur anwendbar waren. Heute wird die Andreas Capellanus-Forschung von der Frage beherrscht, ob die wissenschaftliche Darstellungsweise des Verfassers überhaupt als Ausdruck eines ernstgemeinten Erkenntnisinteresses zu werten ist oder ob das Werk eher einen ironisch-doppelsinnigen Charakter besitzt. Allein die Tatsache, daß mehr als die Hälfte des gesamten Werks aus Muster-Dialogen besteht, die von Männern und Frauen verschiedenen Standes geführt werden und die alle den Zweck haben, daß jeweils der Mann mit rhetorischen Mitteln die Frau zur Liebe und zur

Hingabe zu überreden sucht, kann als Indiz dafür gewertet werden, daß es dem Autor weniger um die Lösung wissenschaftlicher Probleme ging als darum, sein Thema für ein Hofpublikum aus Klerikern und gebildeten Laien interessant und witzig darzustellen. Manche Mißverständnisse und Fehler der ›De amore‹-Interpretation sind dadurch entstanden, daß man die pointierten Aussagen der Dialogpartner für Überzeugungen des Verfassers gehalten hat.

Angesichts der bestehenden Forschungskontroversen sind alle Aussagen über die Zielsetzung von ›De amore‹ mit Vorbehalten zu versehen. Als eine neue opinio communis scheint sich jedoch die Auffassung abzuzeichnen, daß der Traktat von Andreas Capellanus nicht als ein Handbuch der höfischen Liebe gelesen werden darf und daß das Werk daher für die Frage nach den Merkmalen der höfischen Liebe nur einen begrenzten Aussagewert besitzt. Das schmälert allerdings nicht seine Bedeutung. Kein anderes literarisches Werk aus dieser Zeit gibt uns so genaue Auskünfte darüber, welche große Rolle die Erörterung von Liebesfragen in der französischen Hofgesellschaft des 12. Jahrhunderts gespielt hat.

Der Dienstgedanke

Der große Lehrmeister der Liebe, Ovid, hatte bereits gelehrt, daß die Liebe ein Dienst ist: »Jeder Liebende dient . . .«[3]. Die Trobadors und Minnesänger haben diesen Gedanken in den Mittelpunkt gerückt. Die eigentümliche Konstruktion, daß in der Minnebeziehung Mann und Frau einander nicht als Partner begegnen, sondern daß die Frau als Herrin erscheint und der Mann als Diener zu ihr aufblickt, und daß die Leistung, die der Mann vollbringt, um der Minne würdig zu werden, als Dienst aufgefaßt wird, ist sicherlich das auffälligste Merkmal der höfischen Liebe. »Seit ich überhaupt zu Verstand gekommen bin, riet mir mein Herz, daß ich in ihrem Dienst sein sollte, wenn ich je ein Mann würde. Jetzt ist die Zeit gekommen, daß ich ihr dienen muß. Nun helfe mir Gott, daß ich ihr so diene, daß ich von Kummer frei werde. Die wundervolle edle Frau, sie ist Herrin über mich und mein Herz. Wem würde ich lieber gehören?«[4] Die Verpflichtung, den Frauen zu dienen, nahm in der

---

[3] Militat omnis amans . . . (Amores I, 9, 1)
[4] Dô ich êrste sin gewan, dô riet mir daz herze mîn, obe ich immer wurde ein

ritterlichen Tugendlehre einen wichtigen Platz ein: »Diene ihnen gerne, wenn du Verstand hast; du wirst in um so höherem Ansehen leben. Der ist von Gott gesegnet, dem ihre Huld zuteil wird, wenn er ihnen aufrichtig gedient hat.«[5]

Die Minnesänger haben ihren Damen dadurch gedient, daß sie Lieder zu ihrem Ruhm verfaßt haben. In der Epik war der Dienst durch ritterliche Waffentat das übliche. Beides zusammen hat Ulrich von Liechtenstein geleistet, jedenfalls nach seiner Selbstdarstellung im ›Frauendienst‹. Darin ist in allen Einzelheiten beschrieben, wie das Leben eines Ritters aussah, der sich dem Minnedienst verschrieben hatte. Er zog von Turnier zu Turnier, um sich im Dienst seiner Dame zu bewähren und in der Hoffnung, durch diese Taten ihre Huld zu gewinnen. Außerdem schickte er ihr jedes neue Lied, das er zu ihrem Preis gedichtet hatte. Die komischen und ironischen Akzente in dieser Minnesänger-Autobiographie und die Tatsache, daß die Darstellung fast ganz aus literarischen Motiven zusammengesetzt ist, lassen vermuten, daß es dem Verfasser darum zu tun war, den poetischen und fiktionalen Charakter des Dienstgedankens herauszustellen.

Ulrich von Liechtenstein hat verschwiegen, wer die Dame war, in deren Dienst er einen großen Teil seines Lebens verbracht hat. Seiner Darstellung ist jedoch zu entnehmen, daß sie in der Adelshierarchie einen höheren Rang bekleidete als er selbst (Frauendienst 18,5 ff.). Liechtenstein stammte aus einer steirischen Ministerialenfamilie und wurde, seiner eigenen Darstellung zufolge, mit zwölf Jahren an einen fremden Hof geschickt, wo er, zusammen mit anderen Edelknappen, der Herrin des Hofes aufwartete (22,1 ff.). Diese Dame erkor er zu seiner Minneherrin und diente ihr, solange er noch kein Ritter war, indem er Blumen für sie pflückte und das Wasser trank, in dem sie ihre Hände gewaschen hatte (25,5 ff.). Verschiedentlich ist angenommen worden, daß es sich generell so verhalten habe und daß der Dienstgedanke daraus zu erklären sei, daß die höfische Liebe stets an eine Dame höheren Standes gerichtet gewe-

man, sô solte ich ir ze dienste sîn. nu ist mir komen diu zît daz ich ir dienen sol. nu helf mir got daz ich ir tuo den dienest schîn, dâ von ich leides mich erhol. Sî ist über mînen lîp frouwe und al des herzen mîn, sî vil wundern werdez wîp: nû wes solde ich gerner sîn? (U. v. Liechtenstein, Lieder III, 3,1–4,4)

[5] sô diene in gerne, hâstû sin, dû lebest in êren deste baz. got sîn an saelden nie vergaz, dem ir genâde wirt beschert und er mit triuwen dienet daz (Winsbeke 16, 3–7)

sen sei. Manche Aussagen der Minnesänger scheinen eine solche
Deutung nahezulegen. »Es tut sehr weh, wenn einer herzlich
liebt an so hoher Stelle, wo man seinen Dienst gänzlich verschmäht.«[6] »Sie herrscht und ist Herrin in meinem Herzen und
ist erhabener als ich selber bin.«[7] »Ich kann ihrer Gewalt nichts
entgegensetzen: sie ist oben und ich bin unten.«[8] Es ist jedoch
keineswegs sicher, daß »oben« und »unten« hier im Sinne der
Ständehierarchie zu verstehen sind. Wo die Sänger die erhöhte
Position ihrer Dame näher bestimmt haben, wird deutlich, daß
sie nicht den sozialen Rang, sondern den höheren Grad an höfischer Tugendhaftigkeit im Auge hatten.

Die epische Dichtung bestätigt, daß die Geltung des Dienstgedankens nicht an die Standesverhältnisse geknüpft war. Es ist
zwar nicht selten vorgekommen, daß die Frau gesellschaftlich
höher stand als der Mann. Tristan gehörte als Herr von Parme-
nie und Lehnsmann des Herzogs von der Bretagne nicht einmal
zu den Fürsten (allerdings stammte er mütterlicherseits aus königlicher Familie), während seine Geliebte die Königin von
England und Tochter des Königs von Irland war. Gahmuret
war zwar ein Königssohn, aber als Zweitgeborener blieb er
ohne Anteil an der Herrschaft, und erst durch seine Heiraten
mit den Königinnen Belakane und Herzeloyde ist er selber zum
König geworden, ebenso wie Iwein durch seine Heirat mit Laudine, Lanzelet durch die Heirat mit Iblis, Wigalois durch die
Heirat mit Larie und mancher andere Ritter der Tafelrunde. Es
kam aber auch vor, daß umgekehrt der Mann sich mit einer
Frau verband, die nicht denselben Rang bekleidete wie er selbst.
Als Tochter eines verarmten Grafen war Enite gegenüber dem
Kronprinzen Erec in einer geringeren Position. König Meljanz
im ›Parzival‹ warb sogar um die Tochter seines eigenen Lehns-
manns, des Fürsten Lippaut. Auch König Loys im ›Willehalm‹
war mit der Tochter eines seiner Vasallen, des Grafen von Narbonne, verheiratet. Ungeachtet solcher Rangunterschiede gehörten sie alle jedoch zum engen Kreis des Hochadels und waren in diesem Sinne standesgleich. Von Eheverbindungen über

[6] Ez tuot vil wê, swer herzeclîche minnet an sô hôher stat, dâ sîn dienst gar
versmât (H. v. Morungen 134, 14–16)
[7] Sî gebiutet und ist in dem herzen mîn vrowe und hêrer, danne ich selbe sî (H.
v. Morungen 126, 16–17)
[8] ich enmac ir kreften niht gestemen: sô ist si obe, sô bin ich unden (U.
v. Gutenburg 72, 39–40)

Standesgrenzen hinweg wurde nur in legendenhaften Geschichten (Hartmann von Aue: ›Der arme Heinrich‹) oder in Schwänken (›Das Häslein‹) erzählt.

Wenn der Minnedienst erfolglos blieb, haben die Minnesänger sich manchmal im Zorn von ihrer Dame abgewandt, aber nur, um sogleich einer anderen ihre Dienste anzutragen oder – wie Ulrich von Liechtenstein es eine Zeitlang gemacht hat – um allen Frauen zu dienen, solange sie noch keine gefunden hatten, die ihren Dienst annehmen wollte. Nur selten wurde die Aufkündigung eines Minneverhältnisses dazu benutzt, den Dienstgedanken überhaupt in Frage zu stellen. Der poetische Protest richtete sich dann gegen die Einseitigkeit und Unergiebigkeit des Dienstes und stellte dagegen die Forderung nach einer beiderseitigen Liebesbeziehung mit körperlicher Hingabe der Frau. Dabei spielte auch die soziale Stellung der Umworbenen eine Rolle. Im sogenannten ›Unmutslied‹ von Hartmann von Aue reagierte der Sänger auf die Aufforderung seiner Freunde: »Hartmann, wir wollen adlige Damen aufsuchen«[9], mit dem Bekenntnis: »Ich kann mir die Zeit besser mit einfachen Frauen vertreiben«[10], denn diese würden seinen Wünschen bereitwilliger entgegenkommen: »Was nützt mir ein zu hohes Ziel?«[11] Mit derselben Frage: »Was habe ich von den Hochvornehmen?«[12] hat Walther von der Vogelweide seine Abkehr vom Frauendienst begründet. Nach der Devise: »Ich will meine Preislieder an Frauen richten, die zu danken verstehen«[13], hat er in seinen Mädchenliedern junge Frauen verherrlicht, die nicht so »vornehm und reich«[14] waren wie die höfischen Damen des hohen Minnesangs, und die statt der goldenen Ringe und Edelsteine nur einen »Glasring«[15] besaßen, um sich zu schmücken, die dafür aber dem Sänger ihre Huld gewährten. Die Interpretation dieser kritischen Äußerungen, die übrigens ohne große Resonanz geblieben sind und der Gültigkeit des Dienstgedankens keinen Abbruch tun konnten, ist umstritten. Der Akzent lag nicht auf dem Standesunterschied zwischen dem Sänger und den *ritterlîchen vrouwen* – denn

[9] Hartman, gên wir schouwen ritterlîche vrouwen (216, 31–32)
[10] ich mac baz vertrîben die zît mit armen wîben (216, 39–217, 1)
[11] waz touc mir ein ze hôhez zil? (217, 5)
[12] waz hân ich von den überhêren (49, 24)
[13] ich wil mîn lop kêren an wîp die kunnen danken (49, 22–23)
[14] edel unde rîche (51, 1)
[15] glesîn vingerlîn (50, 12)

auch der Sänger war als ein Mitglied der adligen Gesellschaft gedacht –, sondern auf dem Gegensatz zwischen den abweisenden Damen und den liebesbereiten Frauen von niederer Herkunft. Diese soziale Typik begegnet auch in Vagantenliedern und Pastourellen; sie gründete insofern auf Wirklichkeitserfahrungen, als Frauen niederen Standes sich nur schwer den sexuellen Wünschen adliger Herren entziehen konnten.

Es hat auch Minneverhältnisse gegeben, für die der Dienstgedanke ohne Bedeutung war. Als Gawan nach Schampfanzun kam, begann gleich mit dem Begrüßungskuß, den Antikonie ihm gab, eine sexuelle Beziehung, die nur deswegen nicht bis zur körperlichen Vereinigung gedieh, weil die beiden durch den Eintritt eines Fremden gestört wurden. Wolfram von Eschenbach hat seiner Schilderung dieser Szene einige ironische Lichter aufgesetzt, aber Zweifel an dem höfischen Charakter dieses Liebesverhältnisses hat er nicht geweckt. Wie die Handlung weiterlief, wenn niemand dazwischenkam, wurde in der ersten Fortsetzung des ›Conte du Graal‹ erzählt. Wieder war Gawan der Held, und seine Partnerin war hier die Schwester von Bran de Lis, die dem ihr bis dahin gänzlich Unbekannten bei der Begrüßung sogleich ihre Liebe anbot. »Mit einem Kuß ergriff er von ihr Besitz. Dann sprachen sie so viel von Liebe, von fröhlicher Unterhaltung und höfischer Art und lachten und scherzten in schöner Weise so lange, bis sie den Namen einer Jungfrau verloren hatte.«[16] Auch Tristan hat nicht Isolde gedient, bevor sie ein Paar wurden, und Iwein nicht Laudine, ohne daß ein Schatten des Unhöfischen auf ihre Liebe fiel. Am deutlichsten ist das Programm einer schnellen Liebe ohne langen Dienst von Meinloh von Sevelingen formuliert worden, der zu den älteren Minnesängern gezählt wird: »Es kann nicht Liebe genannt werden, wenn einer lange um eine Frau wirbt. Die Leute bemerken es, und aus Mißgunst wird nichts daraus. Unentschlossene Freundschaft führt nur zu Unbeständigkeit. Man soll zur Liebe eilen, das ist gut gegen die Aufpasser. Damit niemand es merkt, bevor sie ihren Willen gehabt haben, soll man es geheimhalten. Das ist schon vielen gelungen, die es so gemacht haben.«[17] Diese

---

[16] Par un baisier l'en a saisie. D'amor, de jeu, de cortoisie Ont puis ensamble tant parlé Et bonement ris et jüé, Tant qu'a perdu non de pucele (2711–15; Bd. 1, S. 74)

[17] Ez mac niht heizen minne, der lange wirbet umbe ein wîp. diu liute werdent sîn inne und wirt zervüeret dur nît. unstaetiu vriuntschaft machet wankeln muot.

Aussage steht allerdings ziemlich isoliert im Minnesang, und man wird die Strophe wohl nur richtig verstehen können, wenn man sie mit einer anderen Strophe Meinlohs zusammensieht, in der der Dienstgedanke positiv erläutert wurde: »Wer edlen Frauen dienen soll, der muß sich entsprechend verhalten. Wenn er weiß, wie man sich richtig ihnen gegenüber benimmt, dann muß er zuweilen Liebesleid heimlich im Herzen tragen; er darf es niemand sagen. Wer den Frauen tatkräftig dient, der empfängt von ihnen entsprechenden Lohn.«[18] Vielleicht wurden beide Auffassungen in der höfischen Gesellschaft diskutiert. Vielleicht war es aber der Sinn der Gegenüberstellung, eine richtige und eine falsche Art der Liebe zu unterscheiden. Jedenfalls wurde fast immer, wenn es darum ging, das Wesen der höfischen Liebe zu erläutern, dem Dienstgedanken eine besondere Wichtigkeit zuerkannt. »Wer kann Liebe ohne Dienst haben? Er würde sich versündigen, wenn ich euch das sagen darf. Wer auf hohe Minne aus ist, der muß vorher und hinterher dienen.«[19] In einem provenzalischen Streitgedicht zwischen Guillem de la Tor und Imbert (Pillet-Carstens 236, 8), in dem es um die Frage ging, ob eine Dame, die einen langen Dienst unbelohnt ließ, liebenswerter sei als eine andere, die ihre Gunst schenkte, noch ehe man sie darum bat, wurde die richtige Diensthaltung von Guillem de la Tor vertreten: »Ein wahrhaft Liebender soll nicht den Mut verlieren, wenn seine Dame ihm ihre Liebe nicht sofort zugestehen will, sondern er soll ihr dienen, wenn er freigebig und tüchtig ist, bis der Lohn kommt.«[20] Im ›Tristrant‹ von Eilhart von Oberg wurde erzählt, daß Gymele, eine Hofdame der Königin Isalde, den Prinzen Kehenis, als dieser zudringlich wurde, mit den Worten zurückwies: »Wo habt ihr euren Verstand gelassen, daß ihr mich in so kurzer Zeit

wan sol ze liebe gâhen: daz ist vür die merkaere guot. Daz es iemen werde inne, ê ir wille sî ergân, sô sol man si triegen. dâ ist gnuogen ane gelungen, die daz selbe hânt getân (12, 14–26)

[18] Swer werden wîben dienen sol, der sol semelîchen varn. ob er sich wol ze rehte gegen in kunne bewarn, sô muoz er under wîlen senelîche swaere tragen verholne in dem herzen; er sol ez nieman sagen. Swer biderben dienet wîben, die gebent alsus getânen solt (12, 1–11)

[19] wer mac minne ungedienet hân? muoz ich iu daz künden, der treit si hin mit sünden. swem ist ze werder minne gâch, dâ hoeret dienst vor unde nâch (W. v. Eschenbach, Parzival 511, 12–16)

[20] E fins amans no·is deu desconortar Si tot sidonz no·il vol al comenssar Donar s'amor, mas s'el es larcs e pros Serva sidonz tro vegna·l guizerdos (Bertoni, S. 263)

um meine Liebe bittet? Ihr seht doch wohl, daß ich keine Bäuerin bin. Ich glaube aber, ihr seid ein Bauer.«[21]

Erfüllte und unerfüllte Liebe

Die Vorstellung, daß höfische Liebe in ihrer höchsten Form unerfüllte Liebe sei, wurde aus dem Gedanken entwickelt, daß die läuternde und veredelnde Wirkung der Liebe sich nur dann entfalten könnte, wenn das Liebesverlangen des Mannes ohne letzte körperliche Erfüllung bliebe. Die erzieherische Rolle der Frau und ihre Unnahbarkeit standen danach in einem engen Zusammenhang. Man sah sich in dieser Ansicht von den Trobadors und Minnesängern bestätigt, deren Lieder mit den Klagen über die Erfolglosigkeit ihres Liebeswerbens angefüllt sind. Vor allem aber berief man sich auf Andreas Capellanus, der die unerfüllte Liebe als »reine Liebe« (*amor purus*) definierte und von der niedrigeren Form der »erfüllten« oder »vermischten Liebe« (*amor mixtus*) abgehoben hat. Im achten Dialog erklärte der hochadlige Herr (*nobilior*) seiner Dame, »daß es eine reine Liebe gibt und eine, die man vermischt nennt. Rein ist die Liebe, die die Herzen zweier Liebender durch das vollkommene Gefühl der Liebe verbindet. Sie besteht in der Anschauung der Seele und dem Gefühl des Herzens und geht bis zum Kuß, zur Umarmung und bis zur keuschen Berührung der nackten Geliebten, wobei das letzte Vergnügen unterlassen wird; denn denen, die rein lieben wollen, ist dies nicht erlaubt.«[22] Diese Liebe ist nach Ansicht des adligen Sprechers von so hohem Wert, »daß aus ihr der Quell jeglicher Tugend hervorgeht«[23]. Vermischte Liebe dagegen sei eine Liebe, »die in allen Freuden des Fleisches ihre Wirkung erweist und die mit dem letzten Liebesakt endet«[24]. In dieser Unterscheidung von *amor purus* und *amor mixtus* hat man geradezu ein Grundgesetz der höfischen

---

[21] wâ tût ir hen ûwirn sin? jâ sêt ir wol daz ich nicht bin eine gebûrinne daz ir mich bittet umme minne in sô gar korzir zît: ich wêne ir ein gebûr sît (6679–84)

[22] quod amor quidam est purus, et quidam dicitur esse mixtus. Et purus quidem amor est, qui omnimoda dilectionis affectione duorum amantium corda coniungit. Hic autem in mentis contemplatione cordisque consistit affectu; procedit autem usque ad oris osculum lacertique amplexum et verecundum amantis nudae contactum, extremo praetermisso solatio; nam illud pure amare volentibus exercere non licet (S. 182)

[23] quod ex eo totius probitatis origo descendit (S. 183)

[24] qui omni carnis delectationi suum praestat effectum et in extremo Veneris opere terminatur (S. 183)

Liebe sehen wollen. Dabei wurde außer acht gelassen, daß der adlige Sprecher bei Andreas Capellanus diese Begriffe im Zusammenhang einer Überredungsstrategie benutzte, die darauf abzielte, die Gesprächspartnerin zur Liebe zu verführen. Bezeichnenderweise antwortete die Dame darauf, für sie seien dies »unerhörte und unbekannte Worte« (*inaudita et incognita verba*), und eine solche reine Liebe würde »von allen Menschen für widernatürlich gehalten«[25]. Auch die Tatsache, daß Andreas Capellanus in einem anderen Zusammenhang auf diese Begriffe zurückgekommen ist und dort erklärt hat, daß »jedoch in richtiger Betrachtung *amor purus* seinem Wesen nach für dasselbe gehalten wird wie *amor mixtus*«[26], spricht nicht eben dafür, daß damit eine grundsätzliche Kategorienbildung beabsichtigt war.

Das, was Andreas Capellanus unter »reiner Liebe« verstand – eine Beziehung, die sexuelle Kontakte erlaubte, aber die vollständige Hingabe ausschloß –, kam in der höfischen Literatur nur selten vor. Eine provenzalische Tenzone zwischen Aimeric de Peguilhan und Elias d'Uisel (Pillet-Carstens 10, 37) nahm darauf Bezug, daß Aimerics Dame dem Sänger eine Nacht mit ihr verheißen hatte, wenn er sich dabei mit einem Kuß begnügen wollte. Gestritten wurde nun darüber, ob der Mann sich daran halten sollte oder nicht. Ein ähnlicher Fall wurde in einem französischen »jeu-parti« zwischen Guillaume le Vinier und Gilles le Vinier (Långfors Nr. 129) verhandelt. Eine Dame hatte ihrem Liebhaber versprochen, als Lohn für treue Dienste eine Nacht lang mit ihm »ganz nackend«[27] zusammenzuliegen, sich dabei aber mit Küssen und Umarmungen zu begnügen. Die Streitfrage lautete hier: Wer tut mehr für den anderen bei dieser Enthaltsamkeit, der Mann oder die Frau? Im deutschen Minnesang gab es bei Dietmar von Aist die Vorstellung des »törichten Beilagers«, die offenbar ähnlich gemeint war. Wie bei Andreas Capellanus war es die Dame, die diese Art der Liebesbeziehung ablehnte: »Was half es, daß er in Torenweise bei mir lag? Ich bin niemals seine Frau geworden!«[28] In anderer Wendung findet man diesen Gedanken auch bei Reinmar dem Alten, der in einem Lied von der Erwartung sprach, daß ihm die Erfüllung seiner Liebe versagt bleiben würde, und der seine Dame bat,

---

[25] Monstrosum namque iudicatur a cunctis (S. 184)

[26] recte tamen intuentibus purus amor quo ad sui substantiam idem cum mixto iudicatur amore (S. 264)

[27] Tout nu a nu (Långfors, Nr. 129, I, 6; Bd. 2, S. 113)

[28] waz half, daz er toerschen bî mir lac? jô enwart ich nie sîn wîp! (41, 6)

doch wenigstens »einmal so zu tun, als ob es Wirklichkeit wäre, und mich bei ihr liegen zu lassen und mir eine Zeitlang die Zärtlichkeiten zu erweisen, als ob es ernst wäre«[29]. Diesem Gedanken haftete jedoch überall etwas Skurriles und Hypothetisches an.

In der erzählenden Literatur erscheint das Motiv des keuschen Beilagers manchmal mit komischen Akzenten. Als Parzival und Condwiramurs Hochzeit hielten, hinderte ihre Unerfahrenheit sie daran, sich einander ganz hinzugeben. »Er lag so sittsam da, wie es heutzutage vielen Frauen nicht genügen würde.«[30] Dieses Verhalten seines Helden nahm der Dichter zum Anlaß, sich boshaft über die Frauen auszulassen, die ihr Liebesverlangen hinter gesellschaftlicher Etikette versteckten. Damit kontrastierte Wolfram das Verhalten eines treuen Liebhabers, der endlich seinen Lohn erhielt und nun, während er bei der geliebten Frau lag, so zu sich sprach: »Diese Frau, der ich viele Jahre um Lohn gedient habe, hat mir Gewährung geschenkt. Jetzt liege ich hier. Bisher bin ich immer zufrieden gewesen, wenn ich mit meiner bloßen Hand ihr Kleid berühren durfte. Wenn ich jetzt meiner Begierde folgen würde, so wäre das eine Ungehörigkeit. Sollte ich sie jetzt nötigen und uns beiden Schande machen? Ein zärtliches Gespräch vor dem Schlaf, das ist edlen Frauen angemessen.«[31] Diese Haltung des schüchternen Liebhabers läßt sich mit dem vergleichen, was Andreas Capellanus als *amor purus* beschrieben hat. Aber im Kontext der Erzählung von Parzivals Hochzeit war damit offenbar ein komischer Effekt beabsichtigt.

In der erzählenden Dichtung führte höfische Liebe fast immer zur körperlichen Vereinigung. Unerfüllte Liebe begegnete hier nur in Ausnahmefällen, wenn die Dame die Liebe des Ritters nicht erwiderte (Ulrich von Liechtenstein: ›Frauendienst‹) oder wenn die Umstände eine Erfüllung verhinderten (Konrad von Würzburg: ›Herzmaere‹) oder wenn der Tod die Liebenden trennte, bevor sie sich einander hingeben konnten (Sigune und

---

[29] sô tuo gelîche deme, als ez doch wesen solde, Und lege mich ir wol nâhen bî und biete ez eine wîle, als ez von herzen sî (167, 7–9)

[30] er lac mit sölhen fuogen, des nu niht wil genuogen mangiu wîp (W. v. Eschenbach, Parzival 201, 21–23)

[31] ich hân gedienet mîniu jâr nâch lône disem wîbe, diu hât mîme lîbe erboten trôst: nu lige ich hie. des hete mich genüeget ie, ob ich mit mîner blôzen hant müese rüeren ir gewant. ob ich nu gîtes gerte, untriwe es für mich werte. solt ich si arbeiten, unser beider laster breiten? vor slâfe süeziu maere sint frouwen site gebaere (202, 6–18)

Schionatulander im ›Parzival‹). Häufiger war das Motiv in der Lyrik. Aber nur wenige Minnesänger haben sich zu einer so entsagungsvollen Haltung bekannt wie Reinmar der Alte, der selbst ohne jede Hoffnung auf Erhörung in der liebenden Verehrung seiner Dame verharrte. »Ich liebe sie, und mir scheint, daß ich ihr vollkommen gleichgültig bin. Was soll es? Ich ertrage das und bleibe ihr doch in Aufrichtigkeit verbunden.«[32] Andere Minnesänger haben deutlich gesagt, was sie von den Frauen erhofften. »Der Kuß eines roten Mundes, das ist eine Herzensfreude; dazu ein Umarmen von zwei schönen weißen Armen.«[33] Manche Dichter haben von einer ganzen Stufenleiter der Liebeserfüllung geträumt. »Geschieht es aber, daß du Erfolg hast in der Weise, daß eine liebe Frau dich erhört, ach, was für Freuden dich dann erwarten, wenn sie wehrlos vor dir steht: umarmen, liebkosen, bei ihr liegen.«[34] In den Tageliedern und in den Frauenliedern wurden die Freuden des vollen Liebesgenusses beschrieben, und diese Tagelied-Liebe war nicht weniger höfisch als die Klagen der Kanzonen-Dichter über die Erfolglosigkeit ihres Liebeswerbens.

Hohe und niedere Minne

Wenn die Liebe zum Gegenstand des Nachdenkens gemacht wurde und ihre Eigentümlichkeit ergründet werden sollte, ist man fast immer so vorgegangen, daß man verschiedene Arten von Liebe unterschieden hat; meistens eine gute und eine schlechte Liebe. Grundlegend für die christliche Liebesphilosophie des Mittelalters war die Unterscheidung zwischen »geistlicher Liebe« (*amor spiritualis*) und »fleischlicher Liebe« (*amor carnalis*), die von den Kirchenvätern begründet worden war. »Die Liebe, die falsch ist, wird Begierde oder Wollust genannt; die richtige Liebe heißt Fürsorge und Gottvertrauen.«[35] Der Gegensatz zwischen *caritas* (»religiösen Liebe«) und *cupiditas* (»Sinnenlust«) blieb auch für die Theologie des hohen Mittelal-

---

[32] Si ist mir liep, und dunket mich, wie ich ir vollecliche gar unmaere sî. waz darumbe? daz lîde ich: ich was ir ie mit staeteclîchen triuwen bî (159, 10–13)

[33] ein kus von rôtem munde der fröit von herzen grunde, dar zuo ein umbevanc von zwein schoenen armen blanc (Kristan v. Hamle IV, 1, 9–12)

[34] Ist aber daz dir wol gelinget, sô daz ein guot wîp dîn genâde hât, hei waz dir danne fröiden bringet, sô si sunder wer vor dir gestât, halsen, triuten, bî gelegen (W. v. d. Vogelweide 91,35–92,1)

[35] amor . . . qui cum prauus est, uocatur cupiditas aut libido; cum autem rectus, dilectio uel caritas (Augustinus, Enarrationes in Psalmos, S. 66)

516

ters entscheidend. »Die Liebe ist ein Feuer. Es gibt eine gute Liebe, ein gutes Feuer, das ist das Feuer der *caritas*, und eine schlechte Liebe, ein schlechtes Feuer, das ist das Feuer der *cupiditas*.«[36] »Es gibt zwei Arten von Liebe: die eine ist gut und rein und bewirkt, daß man die Weisheit und Tugend liebt; die andere ist unrein und schlecht, durch sie werden wir zum Laster verlockt.«[37] »Eine Quelle der Liebe entspringt im Inneren und ergießt sich in zwei Strömen: der eine ist die Liebe zur Welt, *cupiditas*; der andere ist die Liebe zu Gott, *caritas*. *cupiditas* ist die Wurzel alles Bösen, *caritas* aber die Wurzel alles Guten.«[38] Auf diese Art der begrifflichen Unterscheidung haben die höfischen Dichter Bezug genommen, als sie ihrerseits begannen, zu definieren, was richtige Liebe war. Das christlich-theologische Begriffspaar Weltliebe – Gottesliebe hat allerdings in der höfischen Literatur nur eine untergeordnete Rolle gespielt. Es wurde hauptsächlich von geistlichen Didaktikern benutzt. Die Laiendichter haben davon nur in religiösen Liedern Gebrauch gemacht, in denen die Abkehr von der Welt und die Abwendung vom höfischen Minnedienst zum Thema wurde; am eindrucksvollsten in den »Frau Welt«-Liedern Walthers von der Vogelweide und den »Weltsüße«-Liedern Neidharts. »Wenn ich die irdische Liebe preise, so ist das der Seele ein Schmerz. Sie sagt, das sei nur Lüge und Unsinn. Nur die wahre Liebe, sagt sie, besitzt vollkommene Beständigkeit; nur diese sei gut und immerwährend. Leib, laß ab von der Liebe, die dich verloren sein läßt, und halte die Liebe wert, die andauert.«[39] Auch die Kreuzzugslyrik hat mit diesem begrifflichen Gegensatz gearbeitet: viele Lieder waren so aufgebaut, daß der Ritter zwischen den Forderungen des höfischen Minnedienstes und der religiösen Verpflichtung zum Kampf für den Glauben stand. Schon

[36] Amor est enim ignis: et est amor bonus, ignis bonus, ignis videlicet charitatis; et est amor malus, ignis malus ignis cupiditatis (Hugo v. St. Victor, Miscellanea, Sp. 571)

[37] Itidemque Amores duo; alter bonus et pudicus, quo sapientia et virtutes amantur; alter impudicus et malus, quo ad vitia inclinamur (Mythographus Vaticanus III, S. 239)

[38] Unus fons dilectionis intus saliens duos rivos effundit. Alter est amor mundi, cupiditas: alter est amor Dei, charitas ... Et omnium malorum radix cupiditas, et omnium bonorum radix charitas (Hugo v. St. Victor, Institutiones in Decalogum, Sp. 15)

[39] lobe ich des lîbes minne, deis der sêle leit: si gibt, ez sî ein lüge, ich tobe. der wâren minne gibt si ganzer staetekeit, wie guot si sî, wies iemer wer. lîp, lâ die minne diu dich lât, und habe die staeten minne wert (W. v. d. Vogelweide 67, 24–29)

bei Friedrich von Hausen, der diesen Liedtyp als erster verwendet hat, ist die Entscheidung gegen die höfische Liebe und für die Liebe zu Gott gefallen. »Ich hatte den Verstand verloren: das hat die Liebe bewirkt, die manch einem solche Beschwernis zufügt. Jetzt will ich mich an Gott halten, der die Menschen aus der Not zu befreien vermag.«[40] Hartmann von Aue hat in einem seiner Kreuzlieder den religiösen Liebesbegriff zu einem scharfen Angriff gegen den ganzen höfischen Minnesang benutzt: »Ihr Minnesänger, ihr werdet immer wieder erfolglos sein. Was euch den Abbruch tut, das ist die leere Einbildung. Ich kann mich rühmen, daß ich gut von der Liebe singen kann, da die Liebe von mir Besitz ergriffen hat und ich von ihr. Warum könnt ihr Armseligen nicht solche Liebe lieben wie ich?«[41] Das war jedoch eine extreme Position, die so nur von wenigen Dichtern vertreten wurde. In vielen Fällen ist der Gegensatz zwischen irdischer und göttlicher Liebe in den Kreuzliedern ohne jede Schärfe formuliert worden, so daß sich der Gedanke durchsetzen konnte, es müßte möglich sein, beide Arten der Liebe harmonisch miteinander zu verbinden. Die Kreuzlieder Albrechts von Johansdorf legen davon Zeugnis ab. Geradezu programmatisch formuliert ist die Harmonie von höfischer Dienstliebe und religiöser Gottesliebe, wiederum im Zusammenhang mit dem Kreuzzugsgedanken, im ›Willehalm‹ von Wolfram von Eschenbach. Auf dem Schlachtfeld von Aliscans kämpften die Christen »für die beiden Arten der Liebe: für den Lohn der Frauen hier auf Erden und für den Gesang der Engel im Himmel«[42].

Wenn es um die Definition der höfischen Liebe ging, trat der Gegensatz zwischen weltlicher und geistlicher Liebe in den Hintergrund. Die Dichter haben die Unterscheidung zwischen einer guten und einer schlechten Liebe von den Theologen übernommen, haben darunter aber nicht die geistliche und die weltliche Liebe verstanden, sondern zwei Arten der weltlichen Liebe. Gute und schlechte Liebe wurde von ihnen als wahre

[40] von wîsheit kêrte ich mînen muot; daz was diu minne, diu noch manigem tuot die selben klage. nu wil ich mich an got gehaben, der kan den liuten helfen ûz der nôt (46, 23–27)

[41] Ir minnesinger, iu muoz ofte misselingen, daz iu den schaden tuot, daz ist der wân. ich wil mich rüemen, ich mac wol von minnen singen, sît mich diu minne hât und ich si hân … wan müget ir armen minnen solhe minne als ich? (218, 21–24; 28)

[42] durh der zweir slahte minne, Uf erde hie durh wîbe lôn und ze himel durh der engel dôn (16,30–17,2)

und falsche Liebe definiert, als vernünftige und blinde Liebe, als hohe und niedere Liebe. Ein besonders schwieriges Problem war die Bewertung der offensichtlichen Vernunftswidrigkeit der geschlechtlichen Liebe. Die höfischen Lyriker haben, in den Farben Ovids, alle Symptome der Krankheit und Sinnenverwirrung geschildert, die im Dienst der Liebe auftraten; und in der erzählenden Literatur gibt es viele Beispiele einer blindwütigzerstörenden Liebe, von der tödlichen Liebesraserei der Königin Dido in Veldekes ›Eneit‹ bis zu der Minnetorheit des großen Philosophen Aristoteles, der aus blinder Leidenschaft für die schöne Phyllis als ihr Reittier im Garten herumtrabte und zum Gespött des ganzen Hofes wurde (›Aristoteles und Phyllis‹). Diese blindmachende, verwirrende und vernichtende Liebe ist oft zur Zielscheibe bitterer Vorwürfe gemacht worden. »Liebe, du Unheil für uns alle! Das Glück, das du bescherst, ist so kurz, du bist so unbeständig. Was nur liebt alle Welt an dir? Ich sehe genau, daß du es ihr lohnst, so wie Betrüger es tun. Dein Ende ist nicht so angenehm, wie du es jedem versprichst, wenn du ihn zunächst verlockst mit kurzem Glück zu langem Schmerz. Deine verzaubernde Falschheit, die sich mit trügerischer Wonne umgibt, täuscht alles, was lebt.«[43] »Frau Minne, eure Gewohnheit ist seit je der Betrug. Ihr raubt vielen Frauen ihren guten Ruf und stiftet sie zur Blutschande an. Eure Macht bewirkt, daß mancher Herr sich an seinem Lehnsmann, mancher Freund sich an seinem Freunde und mancher Lehnsmann sich an seinem Herrn vergangen hat. Diese eure Gewohnheit ist ruchbar geworden. Frau Minne, ihr solltet euch schämen, daß ihr den Leib an Begierden gewöhnt, zum Schaden der Seele. Frau Minne, eure Werke sind von heimtückischer Falschheit, da ihr die Macht habt, die kurze Zeit der Jugend früh altern zu lassen.«[44] Dieser blindmachenden, begierlichen, betrügerischen Liebe hat

[43] minne, al der werlde unsaelekeit! sô kurziu fröude als an dir ist, sô rehte unstaete sô du bist, waz minnet al diu werlt an dir? ich sihe doch wol, du lônest ir, als der vil valschafte tuot. dîn ende daz ist niht sô guot, als dû der werlde geheizest, so du sî von êrste reizest mit kurzem liebe ûf langez leit. dîn gespenstigiu trügeheit, diu in sô valscher süeze swebet, diu triuget allez, daz der lebet (G. v. Straßburg 1398–1410)

[44] frou minne, ir pflegt untriuwen mit alten siten niuwen. ir zucket manegem wîbe ir prîs, unt rât in sippiu âmîs. und daz manec hêrre an sînem man von iwerr kraft hât missetân, unt der friunt an sîme gesellen (iwer site kan sich hellen), unt der man an sîme hêrren. frou minne, iu solte werren daz ir den lîp der gir verwent, dar umbe sich diu sêle sent. Frou minne, sît ir habt gewalt, daz ir die jugent sus machet alt, dar man doch zelt vil kurziu jâr, iwer werc sint hâlscharlîcher vâr (W. v. Eschenbach, Parzival 291,19–292,4)

Wolfram von Eschenbach die »wahre Liebe«, die Liebe mit *triuwe*, gegenübergestellt: »Wahre Liebe ist wirkliche *triuwe*«[45], wobei *triuwe* das Fehlen von Falschheit, die Aufrichtigkeit der gegenseitigen Bindung bezeichnete.

Aus dem Protest gegen die blind-betrügerische Liebe erwuchs der Gedanke, die richtige Liebe müßte durch Vernunft kontrolliert sein. »Vernünftig lieben« (*sapienter amare*) wurde zum Programm, wie es die hochadlige Dame (*nobilior*) bei Andreas Capellanus formuliert hat: »Es gibt nichts Lobenswerteres in diesem Leben als vernünftig zu lieben.«[46] Rationalisierung der Liebe, Kontrolle der Affekte, Sublimierung der Triebhaftigkeit: das waren in der Tat Kennzeichen der höfischen Liebe. Dazu war es gut, daß man die Liebe mit den Mitteln der Wissenschaft anging, daß man das unheimliche Phänomen durchforschte und durchgliederte, daß man Definitionen fand und Regeln der Liebe aufstellte. Höfische Liebe war eine Wissenschaft; man mußte ihre Gesetze kennen, ihre Gebote befolgen. In der französischen ›Liebeskunst‹ (L'art d'amour) aus dem 13. Jahrhundert wurde die Liebe in das System der Wissenschaften eingeordnet. Der Autor unterschied die »freien Künste« (*ars liberaux*) und die »nicht-freien Künste« (*ars non liberaux*), und diese teilte er danach ein, ob sie, nach den Gesetzen der Kirche und der Welt, erlaubt oder verboten waren. Weder verboten noch »vorgeschrieben« (*octroiees*) waren, nach Ansicht des Verfassers, die Astronomie und die »Liebeskunst« (*l'art d'amours*). »Sie ist nicht verboten, weil diejenigen, die von der Liebe verwundet sind, sonst nicht wüßten, wie sie ihre Gesundung und Heilung suchen sollten, und so zu Tode kämen oder niedrige Sünden gegen die Natur begingen.«[47]

Es blieb jedoch ein ungeklärter Rest, der mit rationalen Mitteln nicht aufzulösen war. Man mußte anerkennen, daß der Liebe immer etwas Unvernünftiges anhaftete. Wolfram von Eschenbach hat das in der Episode der drei Blutstropfen im Schnee dadurch zum Ausdruck gebracht, daß »Frau Witze« (*witze* = Verstand)[48] jedesmal weichen mußte, wenn »Frau

---

[45] reht minne ist wâriu triuwe (ebd. 532, 10)
[46] in hac vita nil est laudabilius quam sapienter amare (S. 167)
[47] si n'est mie deffendue du tout pour ce que aucuns qui avoient esté navrés d'amours ne savoient querre leur santé ne leur guarison, si en venoient a droite mort et en villains pechiés contre nature (S. 67 f.)
[48] frou witze (Parzival 288, 14)

Minne« erschien und Parzivals ganzes Denken auf die Liebe
lenkte. Im französischen ›Rosenroman‹ (Roman de la rose) blieben die Bemühungen der »Vernunft« (Raison), den Liebenden
in seinem Denken und Handeln zu beeinflussen, ohne Erfolg.
Der unaufgelöste Widerspruch trat besonders deutlich in den
›Consaus d'amours‹ von Richard de Fournival hervor, wo die
Liebe zwischen Mann und Frau einerseits als »Wurzel aller
Tugenden und alles Guten«[49] gefeiert wurde, andererseits jedoch von ihr gesagt wurde: »Die Liebe ist eine Verwirrung des
Geistes, ein unauslöschliches Feuer, ein unstillbarer Hunger,
ein süßes Übel.«[50] Der vernunftwidrige Charakter der Liebe
zeigte sich, nach Ansicht des Verfassers, darin, »daß ein König
oder ein großer Herr von Liebe zu einer Frau ohne Ansehen
ergriffen wird, daß ein armer Mann es wagt, eine Königin zu
lieben, und ein einfaches Mädchen einen König«[51].

Der Gegensatz zwischen der blinden und der vernünftigen
Liebe, der das Nachdenken über das Wesen der höfischen Liebe
so stark beeinflußt hat, ist selten in ein einfaches Begriffspaar
gefaßt worden. Wenn sie die positive und die negative Wirkung
der Liebe beschreiben wollten, haben die Dichter manchmal
von »hoher« und »niederer« Minne gesprochen. Walther von
der Vogelweide hat diese Begriffe in seinem Lied an Frau Mâze
(46, 31) definiert: »Niedere Minne heißt die Liebe, die so er-
niedrigt, daß der Körper nach wertloser Freude strebt; diese
Liebe schmerzt auf unrühmliche Weise. Hohe Minne spornt an
und bewirkt, daß der Sinn sich zu hohem Wert aufschwingt.«[52]
Es gibt eine große Forschungsdiskussion darüber, wie die Begriffe »hoch« und »niedrig« hier zu verstehen sind. Hält man
sich an den Wortlaut der Aussage, so ist klar, daß hoch und
niedrig nicht auf den sozialen Rang der Geliebten zielen: davon
ist mit keinem Wort die Rede. Auch der Gegensatz zwischen
erfüllter und unerfüllter Liebe steht nicht im Vordergrund,
wenn auch die Aussage über die niedere Minne, daß sie »nach
blindem Genuß« (nâch kranker liebe 47, 6) strebe, sicherlich auf

[49] racine de toutes vertus et de tous biens (S. 9)
[50] Amours est une foursenerie de pensée, fus sans estaindre, fains sans soeler,
cous mals (ebd.)
[51] que uns roys u uns grans sires est souspris de l'amour d'une femme de
noient de pris, . . . uns povres hom osera amer une royne et une garche osera amer
un roy (ebd.)
[52] Nideriu minne heizet diu sô swachet daz der lîp nâch kranker liebe ringet:
diu minne tuot unlobelîche wê. hôhiu minne reizet unde machet daz der muot
nâch hôher wirde ûf swinget (47, 5–9)

den sinnlichen Genuß der Liebe zielte. Daraus ist jedoch nicht zu folgern, daß die hohe Minne ohne körperliche Erfüllung blieb. Der Schwerpunkt der Aussage liegt offensichtlich auf der verschiedenen Werthaftigkeit der Liebe: hohe Minne ist auf »hohen Wert« (*hôhe wirde* 47, 9) gerichtet, niedere Minne wirkt »in schmachvoller Weise« (*unlobelîche* 47, 7). Die eine Liebe zieht den Menschen empor, die andere zieht ihn hinab. Das ist die wichtigste und allgemeinste Aussage über die höfische Liebe. Höfische Liebe ist ein Wert, eine Tugend. Sie grenzt sich ab gegen die Liebe, die ohne Wert ist. »Wo die Liebe einer Frau die Tüchtigkeit des Mannes vergrößert, da sei die Frau und die Frauenliebe gepriesen. Wo aber ein Mann durch die Liebe einer Frau an Tüchtigkeit und Wert verliert, da ist die Liebe mit Unvernunft gemischt, auch wenn der Mann sonst alles hat, was ich auch habe.«[53]

Der höfische Charakter der Liebe
(Liebe als gesellschaftlicher Wert)

»O was für eine wunderbare Sache ist die Liebe, die den Menschen in so vielen Tugenden erstrahlen läßt und ihn eine solche Fülle edler Sitten lehrt.«[54] In diesem Punkt gab es keine Meinungsverschiedenheiten zwischen Andreas Capellanus und den höfischen Dichtern. Die Liebe, vor deren Gefahren sie eben noch gewarnt hatten, wurde von ihnen als höchster irdischer Wert und Quelle alles Guten verherrlicht. »Liebe ist ein Hort aller Tugenden.«[55] »Von der Liebe kommt uns alles Gute, die Liebe schafft tugendhafte Gesinnung.«[56] »Daher ist die Liebe die Königin der Tugenden.«[57] »Ein Mann wird edler als er es war, wenn er sich hoher Minne hingibt.«[58] »Wer sich so verhalten will, wie es die Liebe lehrt, der muß alles unterlassen, was

---

[53] Swâ wîbes minne mannes tugende mêret, dâ sî wîp unt wîbes minne gêret: swâ aber ein man von wîbes minne an tugende, an wirden wehset abe, der habe im allez, daz ich habe, diu minne ensî gemischet mit unsinne! (R. v. Zweter 103, 7–12)

[54] O, quam mira res est amor, qui tantis facit hominem fulgere virtutibus tantisque docet quemlibet bonis moribus abundare! (Andreas Capellanus, S. 10)

[55] minne ist aller tugende ein hort (W. v. d. Vogelweide 14, 8)

[56] Von minne kumet uns allez guot, diu minne machet reinen muot (H. v. Veldeke, Lieder 62, 1–2)

[57] da von ist die minne der tugende kuniginne (Stricker, Frauenehre 1259–60)

[58] Ein man wirt werder, dan er sî, gelît er hôher minne bî (Freidank 100, 18–19)

nicht gut ist. Das erfordert ein ständiges Bemühen und ein dauerndes Hindenken auf die Liebe. Wer zu ihrem Gefolge gehören will, der braucht eine solche Einstellung, daß er das Gute mehr mit Werken als mit Worten leistet. Er darf niemals seine Treue brechen. Freigebigkeit und Tapferkeit stellen sich in den Dienst der Liebe.«[59]

Eine Liebe, die den Menschen tugendhafter und besser machte, konnte keine Sünde vor Gott sein. »Die Liebe wurde niemals unter den Sünden angetroffen. Einem guten Mann kann sie die richtige Lehre geben. Viele Leute sagen, daß Unminne Sünde sei. Liebe ist von allen Sünden frei.«[60] »Wer so liebt, wie man lieben soll, gänzlich ohne Falsch, der steht ohne Sünde vor Gott. Diese Liebe veredelt und ist gut.«[61] »Wer behauptet, daß Liebe Sünde sei, der soll sich das vorher gut überlegen. Sie besitzt ein hohes Ansehen, dessen man sich mit Recht erfreuen kann; und in ihrem Gefolge sind große Beständigkeit und Glückseligkeit. Daß jemand irgend Unrecht tut, das ist ihr zuwider. Ich meine nicht die falsche Liebe, die besser Unminne heißen sollte; die werde ich immer ablehnen.«[62] Wir wissen nicht, wie solche Aussagen damals aufgenommen worden sind. Ihre Unbefangenheit und die Gewißheit des Tons deuten darauf, daß die Sänger dabei mit Zustimmung rechneten. Die Geistlichen unter den Zuhörern müssen sich jedoch bekreuzigt haben, wenn sie hörten, daß die geschlechtliche Liebe, die eine jahrhundertealte theologische Tradition als *amor carnalis* und sündhafte Lust verdammte, zu einer gottgefälligen Sache und zur Quelle aller Tugenden emporgehoben wurde. In der Umwertung der weltlichen Liebe offenbarte sich am deutlichsten

---

[59] swer ir lêre iht wil phlegen der muoz lâzen under wegen swaz anders heizet danne guot und minnen rehtes mannes muot. dâ hoeret arebeit zuo beide spâte unde vruo und daz man vil gedenke an sî … Swer ir ingesinde wesen wil der bedarf sölhes muotes vil daz er gedenke dar zuo wie er mêre guotes getuo danne er dâ von gespreche: sîn triuwe durch nieman breche. milte unde manheit ist ir ze dienste niht leit (H. v. Aue, Klage 609–15, 21–28)

[60] minne wart nie bî den sünden funden, sî kan guoten man wol rehte lêren. genuoge liute sprechent sô, daz unminne sünde sî. minne ist aller sünden frî (O. v. Brandenburg IV, 3, 3–7)

[61] Swer minne minneclîche treit gar âne valschen muot, des sünde wirt vor gote niht geseit. si tiuret und ist guot (A. v. Johansdorf 88, 33–36)

[62] Swer giht daz minne sünde sî, der sol sich ê bedenken wol. ir wont vil manic êre bî, der man durch reht geniezen sol, und volget michel staete und dar zuo saelikeit: daz iemer ieman missetuot, daz ist ir leit. die valschen minne meine ich niht, diu möhte unminne heizen baz: der wil ich iemer sîn gehaz (W. v. d. Vogelweide 217, 10–18)

der neue Anspruch der Laiengesellschaft auf die Eigengewichtigkeit irdischer Wertbegriffe.

Wenn höfische Liebe »Ursprung und Ursache alles Guten«[63] war, dann war Liebeslehre zugleich Tugendlehre. »Die Liebe lehrt große Freigebigkeit, die Liebe lehrt große Tugend.«[64] Im ›Jüngeren Titurel‹ wurde die Liebe unter den zwölf »Tugendblumen« genannt: Tapferkeit (*belde*), Reinheit (*küsche*), Freigebigkeit (*milte*), Aufrichtigkeit (*triwe*), Mäßigung (*maz*), Fürsorge (*sorge*), Schamhaftigkeit (*scham*), Klugheit (*bescheiden*), Beständigkeit (*staete*), Demut (*diemüte*), Geduld (*gedulde*) und Liebe (*minne*, Str. 1911 ff.). Die höfische Liebe sollte jedoch nicht nur das moralische Handeln der Menschen steuern, sondern sie sollte auch die Regeln für das gesellschaftliche Verhalten geben. Im französischen ›Roman de la rose‹ von Guillaume de Lorris hat Gott Amor selber die Gebote verkündet, die jeder befolgen mußte, der sich dem Dienst der Liebe verschrieb. Als erstes verlangte der Gott, daß alle »Dörperheit« (*vilanie*) der Liebe fernbliebe. An Gauvain, »der für seine Höfischheit gepriesen wird«[65], sollte der Liebende sich ein Vorbild nehmen. Er sollte »in seiner Rede angenehm und vernünftig sein«[66], keine häßlichen Wörter benutzen und sollte auf der Straße als erster grüßen. »Diene allen Frauen und ehre sie.«[67] Ihre Achtung sollte sich der Liebende durch Taten verdienen. »Wer sich der Liebe hingeben will, muß sich einer vornehmen Haltung befleißigen.«[68] Dazu gehörten »schöne Kleider und schöner Schmuck«[69]. Der Liebende sollte sich einen guten Schneider suchen, der die Ärmel »kleidsam und elegant«[70] zu arbeiten verstünde, und sollte seine Schuhe und Stiefel öfter erneuern; »und achte darauf, daß sie so eng anliegen, daß die Bauern sich darüber streiten, wie du da hineinkommst und wie wieder heraus«[71]. Auch Handschuhe, Gürtel, Blumenhut und eine seidene Tasche gehörten zur höfischen Kleidung. Entsprechend sollte

---

[63] Omnis ... boni ... origo et causa (Andreas Capellanus, S. 29)

[64] diu minne lêret grôze milte, diu minne lêret grôze tugent (R. v. Zweter 31, 9–10)

[65] Par sa cortoisie ot de pris (2094)

[66] De paroles douz e raisnables (2100)

[67] Toutes fames serf e eneure (2115)

[68] qui d'amors se viaut pener, Il se doit cointement mener (2133–34)

[69] Bele robe e bel garnement (2143)

[70] vestanz e cointes (2148)

[71] E gar qu'il soient si chauçant Que cil vilain aillent tençant En quel guise tu i entras E de quel part tu en istras (2151–54)

die Körperpflege sein. »Wasche deine Hände, putze dir die Zähne. Wenn unter deinen Nägeln etwas Schwarzes erscheint, so laß es da nicht bleiben. Knüpfe deine Ärmel eng, kämme dein Haar, aber schminke dich nicht und male dich nicht an. Das ziemt sich nur für Damen oder Leute von schlechtem Ruf, die zu ihrem Unglück Liebe wider die Natur gefunden haben.«[72] Im Dienst der Liebe sollten »Heiterkeit« (*envoiseüre*), »Freude« (*joie*) und »Vergnügen« (*deduit*) herrschen. Liebe »ist eine sehr höfische Krankheit, bei der man spielt und lacht und sich unterhält«[73]. Ein Gebot der Liebe war es, ein guter Reiter zu sein, galoppieren und tjostieren zu können; denn »wenn du mit Waffen schön ausgerüstet bist, wirst du deshalb zehnmal mehr geliebt werden«[74]. Tanz, schöner Gesang, Geigen- und Flötenspiel, das stand dem Liebenden wohl an. Auch große Freigebigkeit wurde von ihm gefordert. »Wer Amor zu seinem Herrn machen will, der muß höfisch und ohne Stolz sein; er soll elegant und heiter auftreten und soll berühmt sein für seine Freigebigkeit.«[75] Es mag uns seltsam anmuten, daß in dieser höfischen Liebeslehre die Fragen, die für die ›amour courtois‹-Forschung im Mittelpunkt stehen, gar nicht angesprochen wurden. Ob die Geliebte verheiratet war oder nicht, ob sie höher oder tiefer stand, ob der Liebe die letzte Erfüllung versagt blieb: davon war mit keinem Wort die Rede. Statt dessen sollte es darauf ankommen, daß der Liebende eng anliegende Stiefel und Schmuckärmel trug, daß er keine schmutzigen Fingernägel hatte, daß er vornehm und heiter war und die Kunst der eleganten Rede beherrschte. Höfische Liebeslehre ist hier zur Gesellschaftslehre geworden. Das scheint der wichtigste Punkt zu sein, wenn es um das Verständnis der höfischen Liebe geht. Höfische Liebe war ein gesellschaftlicher Wert, der sich in der Praktizierung höfischer Tugenden und in der Beachtung höfischer Umgangsformen verwirklichte. Höfische Liebe war die Liebe eines Menschen, der nach höfischer Vollkommenheit strebte. Dieser Gedanke ist auch bei Andreas Capellanus zu

[72] Lave tes mains, tes denz escure; S'en tes ongles pert point de noir, Ne l'i laisse pas remenoir. Cous tes manches, tes cheveus pigne, Mais ne te farde ne ne guigne: Ce n'apartient s'as dames non, Ou a ceus de mauvais renon, Qui amors par male aventure Ont trovees contre Nature (2166–74)

[73] C'est maladie mout courtoise, Ou l'en jeue e rit e envoise (2179–80)

[74] s'as armes es acesmez, Par ce seras dis tanz amez (2201–02)

[75] Qui d'Amors viaut faire son maistre Cortois e senz orgueil doit estre; Cointes se teigne e envoisiez E de largece soit proisiez (2229–32)

[76] Qui vult ergo dignus haberi in amoris exercitu militare (S. 64)

finden, im dritten Dialog, wo die hochadlige Dame (*nobilior*) den einfachen Mann (*plebeius*) darüber belehrte, was von demjenigen gefordert wurde, »der für wert gehalten sein will, im Heer der Liebe zu dienen«[76]. An erster Stelle wurde hier die Freigebigkeit genannt. »Für ein Zeichen großer Höfischheit und Freigebigkeit wird es erachtet«[77], wenn einer die hungernden Armen speiste. Seinem Herrn sollte der Liebende mit Respekt begegnen, Gott und die Heiligen sollte er ehren. »Er soll sich gegen alle demütig zeigen und soll bereit sein, allen zu dienen.«[78] Er sollte niemanden mit Worten herabsetzen, »denn böse Zungen können nicht im Haus der *curialitas* bleiben«[79]. Wer höfisch lieben wollte, sollte niemanden verspotten und sollte keinen Streit suchen. »In Gegenwart von Frauen soll er nicht laut lachen.«[80] Er sollte die Gesellschaft von mächtigen Herren suchen »und soll an die großen Höfe gehen«[81]. Um Würfelspiel sollte er sich nicht viel kümmern. »Die großen Taten der Vorfahren soll er eifrig studieren und sich zum Vorbild nehmen.«[82] Er sollte tapfer im Kampf sein, klug und vorsichtig gegenüber seinen Feinden. »Er soll nicht gleichzeitig mehrere Frauen lieben, sondern soll nur einer unter allen Frauen ein ergebener Diener sein.«[83] Auf den Schmuck des Körpers sollte er nicht viel geben, aber er sollte »sich allen gegenüber klug und umgänglich und freundlich zeigen«[84]. Der Liebende sollte nicht lügen und sollte sich vor zu vielem Reden ebenso hüten wie vor zu vielem Schweigen. Er sollte keine unüberlegten Versprechungen machen, sollte Geschenke mit freundlicher Miene annehmen, sollte keine häßlichen Worte gebrauchen und keine Untaten begehen, sollte gastfreundlich sein gegen jedermann, sollte über Geistliche und Mönche nichts Häßliches sagen, sondern ihnen jegliche Ehre erweisen; er sollte oft in die Kirche gehen und der Botschaft des Herrn mit frohem Herzen zuhören, »obwohl einige Menschen in ihrer Einfalt glauben, daß sie den Frauen besonders gefallen, wenn sie alles Kirchliche ver-

---

[77] magna curialitas atque largitas reputatur (S. 65)

[78] humilem se debet omnibus exhibere et cunctis servire paratus adesse (ebd.)

[79] quia maledici intra curialitatis non possunt limina permanere (ebd.)

[80] Modico risu in mulierum utatur aspectu (S. 66)

[81] magnasque curias visitare (ebd.)

[82] Magna debet antiquorum libenter gesta recolere atque asserere (ebd.)

[83] Plurium non debet simul mulierum esse amator, sed pro una omnium debet feminarum servitor exsistere atque devotus (ebd.)

[84] sapientem atque tractabilem et svavem se omnibus demonstrare (ebd.)

ächtlich machen«[85]. Nur die Vorschrift, daß ein Mann nicht mehrere Frauen gleichzeitig lieben dürfte, betraf das Liebesverhalten im engeren Sinn. Alles andere war Gesellschaftslehre und höfische Morallehre. Was dem *plebeius* zur höfischen Liebe fehlte, war *curialitas*, Höfischheit. Deswegen sollte er die großen Höfe besuchen und dort die feinen Umgangsformen lernen. Die Bindung der Liebe an den Hof und an die feinen höfischen Umgangsformen liefert auch die Erklärung dafür, daß die Bauern, nach Andreas Capellanus, nicht fähig waren, höfisch zu lieben. »Wir erklären, daß es kaum vorkommen kann, daß Bauern am Hof der Liebe dienen; vielmehr verrichten sie das Liebeswerk auf natürliche Weise, wie Pferde und Maulesel.«[86] *Curialitas* (höfisches Wesen), *urbanitas* (elegantes Benehmen), *probitas morum* (Feinheit der Sitten): das waren nach Andreas Capellanus die Kennzeichen der höfischen Liebe. »Die Lehre der Liebe zeigt uns, daß keine Frau und kein Mann auf der Welt glücklich sein kann und weder *curialitas* erlangen noch irgendetwas Gutes vollbringen kann, wenn nicht das Feuer der Liebe sie beherrscht.«[87] »Jegliche *urbanitas* geht doch aus der Stärke des Liebesstroms hervor.«[88] Durch fünf Qualitäten konnte der Mann die Liebe einer Frau gewinnen: durch körperliche Schönheit, Feinheit der Sitten, Redegewandtheit, Reichtum und Freigebigkeit. Aber nur eine davon, die *probitas morum*, machte ihn im höfischen Sinne liebenswert. »Eine kluge Frau wird daher als Liebhaber nur einen Mann wählen, der durch die Feinheit seiner Sitten ausgezeichnet ist.«[89]

Curialitas und *probitas morum* zielten nicht nur auf die Beherrschung der höfischen Etikette, sondern auf alles, was von dem Liebenden verlangt wurde: Beständigkeit, Aufrichtigkeit, Ergebenheit, Treue, Keuschheit, Selbstlosigkeit und Geduld. Diese Begriffe stammten aus der traditionellen Tugendlehre. Im Hinblick auf die Liebe bekamen sie jedoch einen neuen Sinn.

[85] licet quidam fatuissime credant, se satis mulieribus placere, si ecclesiastica cuncta despiciant (S. 68)

[86] Dicimus enim vix contingere posse, quod agricolae in amoris inveniantur curia militare, sed naturaliter sicut equus et mulus ad Veneris opera promoventur (S. 235)

[87] amoris hoc nobis doctrina demonstrat, quod neque mulier neque masculus potest in saeculo beatus haberi nec curialitatem nec alique bona perficere, nisi sibi haec fomes praestet amoris (S. 118)

[88] Quum enim omnis ex amoris rivuli plenitudine procedat urbanitas (S. 63)

[89] Sapiens igitur mulier talem sibi comparare perquirat amandum, qui morum sit probitate laudandus (S. 15f.)

Aufrichtigkeit unter den Liebenden schloß nicht aus, daß die Liebenden Betrug übten, um ihre Liebe zu verbergen. Beständigkeit konnte das Festhalten an einer heimlichen Beziehung meinen. Vernünftigkeit in der Liebe mochte von außen als pure Unvernunft erscheinen. Treue beinhaltete manchmal Untreue gegenüber dem Ehepartner. Besonders deutlich war die Umwertung der Tugendbegriffe im Hinblick auf die Keuschheit. Keuschheit in der Liebe bedeutete nicht, wie in der christlichen Morallehre, sexuelle Enthaltsamkeit, sondern die ausschließliche Bindung an die Geliebte und den Verzicht auf Vielweiberei. Im Reich der Liebe und der *curialitas* galten andere Normen als die der christlichen Moral. Die höfische Liebe hatte eigene Gesetze, deren Einhaltung von allen verlangt wurde, die sich auf das Ideal der *curialitas* verpflichteten. Dieser Anspruch auf eine höfische Eigengesetzlichkeit der Liebe war es, was den entschiedenen Widerspruch aller derjenigen auf den Plan rief, die an der Verbindlichkeit der christlichen Moralbegriffe für die Laiengesellschaft festhielten. Aus der Sicht der Geistlichen waren die höfische Liebe und das ganze höfische Gesellschaftsideal, das sich unter das Zeichen der Liebe stellte, Symptome eines gefährlichen moralischen Niedergangs und einer sittlichen Korruption der Adelsgesellschaft. Sie haben das deutlich ausgesprochen. Man wird jedoch dem Phänomen der höfischen Liebe nicht gerecht, wenn man sie nur aus dieser Perspektive betrachtet.

Höfische Liebe war eine Gesellschaftsutopie. Liebe stand als Kennwort für eine neue, bessere Gesellschaft, eine Gesellschaft, die es nicht gab und die es in der Wirklichkeit nicht geben konnte, die nur im poetischen Entwurf der Dichter existierte. Was die Gesellschaft der Liebe von der Wirklichkeit unterschied, war die utopische Annahme, daß alles Schlechte und Ungezogene ausgeschlossen sein sollte, wo die Liebe herrschte. Im französischen ›Roman de la rose‹ war das Reich der Liebe ein geschlossener Garten, und auf den Mauern, die den Garten umgaben, war alles abgebildet, was keinen Zutritt hatte: Haß (*haine*), Bosheit (*felonie*), Gemeinheit (*vilanie*), Habsucht (*covoitise*), Geiz (*avarice*), Neid (*envie*), Traurigkeit (*tristece*), Alter (*vieillece*), Heuchelei (*papelardie*) und Armut (*povreté*). Damit war die ganze Wirklichkeit des Alltagslebens ausgeschlossen. Eingelassen wurde nur derjenige, der bereit und fähig war, sein Leben der Höfischheit (*cortoisie*), dem Vergnügen (*deduiz*), der Fröhlichkeit (*leece*), der Schönheit (*biautez*), dem Reichtum (*richece*), der Freigebigkeit (*largece*), der Freimütigkeit (*franchise*), der Sorglosigkeit (*oiseuse*) und der Jugend (*jonece*) zu widmen. Ein solches Idealbild spiegelte die Wunschvorstellungen einer dünnen adligen Oberschicht, die sich nicht auf die Gebote sozialer Verantwortlichkeit festlegen lassen wollte. Man darf aber nicht übersehen, daß dieser Garten der Liebe nicht nur eine Stätte heiter-festlicher Unterhaltung und des schönen Müßiggangs war. Unter der strengen Herrschaft Amors mußte der Liebende dort in die harte Schule der Selbstüberwindung und der Läuterung gehen, bis er das Stadium höfischer Vollkommenheit erreichte, das ihm zum Ziel gesetzt war. Die sittlichen Forderungen, die im Namen der *curialitas* gestellt wurden, waren kaum weniger streng als die der christlichen Morallehre. Wer in den Dienst der Minne trat, mußte alle Falschheit und alle Gewalt von sich tun. Das eiserne Tor, das in Gottfrieds ›Tristan‹ den Eingang zur Minnegrotte verschloß, bedeutete, daß »Falschheit und Gewalt ausgeschlossen«[90] waren. So unbefriedigend die Utopie der höfischen Liebe im Hinblick auf die Prinzipien der modernen Soziallehre bleiben muß, so ist doch nicht geringzuschätzen, daß sich die adlige Gesellschaft im 12. und 13. Jahrhundert durch ihre Dichter auf ein Ideal verpflichten ließ, das die Härte und Rücksichtslosigkeit, mit der diese Gesellschaft in der Realität ihre Interessen wahrnahm, verdammte und die Menschen dazu aufrief, sich den Forderungen der *curialitas* und der Liebe zu unterwerfen.

b. Liebe – Ehe – Ehebruch

Die Unvereinbarkeit von Liebe und Ehe

Seit man sich mit dem Phänomen Höfische Liebe beschäftigt, gilt der Gedanke, daß diese Liebe sich nur außerhalb der Ehe voll verwirklichen könne, als ein besonders auffallendes und besonders anstößiges Merkmal. Man hat geradezu vom ehebrecherischen Charakter der höfischen Liebe gesprochen und hat die Lyrik der Trobadors und Minnesänger als Ehebruchspoesie charakterisiert.

---

[90] valsch unde gewalte vor bespart (17034)

Die These von der Unvereinbarkeit von Liebe und Ehe beruft sich in erster Linie auf Andreas Capellanus, speziell auf den siebenten Dialog, in dem der hochadlige Herr (*nobilior*) und die adlige Dame (*nobilis*) darüber stritten, ob die Liebe einer verheirateten Frau zu ihrem Ehemann ein hinreichender Grund sei, um einen Liebhaber abzuweisen, was von der Dame bejaht, von dem Herrn dagegen mit folgenden Worten bestritten wurde: »Ich bin doch sehr erstaunt, daß ihr für die eheliche Zuneigung, die alle Verheirateten nach der Hochzeit füreinander haben sollen, den Namen der Liebe in Anspruch nehmen wollt, da doch klar ist, daß zwischen Ehemann und Ehefrau die Liebe keinen Platz beanspruchen kann.«[91] Zur Begründung dieser Ansicht führte der adlige Herr aus, daß der »ehelichen Liebe« (*maritalis affectio*) die Heimlichkeit fehle und daß es zwischen Ehemann und Ehefrau keine Eifersucht gebe. Dem moralischen Einwand der Frau, daß nur in der Ehe Liebe »ohne Sünde«[92] möglich wäre, hielt der Mann entgegen, daß auch in der Ehe das geschlechtliche Vergnügen, das »über den Wunsch nach Kindern und die Ableistung der ehelichen Pflicht«[93] hinausginge, »nicht ohne Sünde sein kann«[94]. Die Streitfrage, »ob wahre Liebe zwischen Verheirateten einen Platz haben könne«[95], wurde schließlich der Gräfin von Champagne vorgetragen, die darauf – in einem auf den 1. Mai 1174 datierten Brief – mit dem berühmten Urteilsspruch antwortete: »Wir verkünden und setzen unverrückbar fest, daß die Liebe zwischen zwei Eheleuten ihre Macht nicht entfalten kann.«[96] Die Gräfin begründete diesen Spruch damit, daß nur Liebende sich einander freiwillig hingäben, während Eheleute unter dem Gebot gegenseitiger Pflichtleistung stünden. Ferner könnte durch den Vollzug des ehelichen Verkehrs »keiner von beiden an Tugendhaftigkeit zunehmen«[97]. Außerdem gäbe es keine Eifersucht zwischen Eheleuten. In demselben Sinn wie die Gräfin von Champagne hat sich,

[91] Vehementer tamen admiror, quod maritalem affectionem quidem, quam quilibet inter se coniugati adinvicem post matrimonii copulam tenentur habere, vos vultis amoris sibi vocabulum usurpare, quum liquide constet inter virum et uxorem amorem sibi locum vindicare non posse (S. 141)

[92] sine crimine (S. 145)

[93] ultra prolis affectionem vel debiti solutionem (S. 147)

[94] crimine carere non potest (ebd.)

[95] an scilicet inter coniugatos verus amor locum sibi valeat invenire (S. 151)

[96] Dicimus enim et stabilito tenore firmamus, amorem non posse suas inter duos iugales extendere vires (S. 153)

[97] quum neutrius inde possit probitas augmentari (S. 154)

nach Andreas Capellanus, auch die Vizegräfin Ermengarde von Narbonne geäußert, als sie mit dem Fall befaßt wurde, daß eine Dame nach ihrer Eheschließung eine frühere Liebesbeziehung nicht fortführen wollte. »Das falsche Verhalten dieser Frau wurde von Frau Ermengarde von Narbonne mit den Worten verurteilt: Ein neu eingegangener Ehebund beendet nicht eine frühere Liebe.«[98] Am Schluß des zweiten Buches von ›De amore‹ hat Andreas Capellanus 31 »Regeln der Liebe«[99] zusammengestellt, die der Gott der Liebe erlassen hatte. Die erste Regel lautete: »Die Ehe ist kein zureichender Grund, sich der Liebe zu entziehen.«[100] Welche Bedeutung diese Aussagen von Andreas Capellanus besitzen, ob sie eine Auffassung widerspiegeln, die damals in der adligen Hofgesellschaft verbreitet war, oder ob sie eher als Ausdruck eines skurrilen Geistes zu verstehen sind, ist – wie so vieles in der »amour-courtois«-Forschung – heftig umstritten. Andreas Capellanus stand mit seiner Ansicht jedenfalls nicht ganz alleine.

Abaelard berichtete in seiner ›Leidensgeschichte‹ (Historia calamitatum), daß seine Geliebte Heloise, nachdem sie ein Kind von ihm geboren hatte, sich weigerte, seine Ehefrau zu werden, indem sie sagte, »daß es ihr lieber sei und für meinen Ruf besser, wenn sie meine Geliebte und nicht meine Ehefrau heiße, damit ich alleine durch Liebe ihr erhalten bliebe und nicht der Zwang des Ehebands mich an sie bände«[101]. In ihrem ersten Brief an Abaelard – die Frage der Authentizität der Briefe wird hier ausgeklammert – hat Heloise diese Auffassung bestätigt: »Gott ist mein Zeuge, ich habe in dir niemals etwas anderes gesucht als dich; dich alleine habe ich begehrt und nicht deinen Besitz.«[102] »Auch wenn der Name Ehefrau heiliger und höher scheint, süßer war mir immer der Name der Freundin oder – wenn du es nicht für unwürdig hältst – der Name einer Konkubine oder Dirne.«[103] Unter den Gründen, »warum ich der Liebe vor der

[98] Sed huius mulieris improbitas Narbonensis Mengardae dominae taliter dictis arguitur: Nova superveniens foederatio maritalis non recte priorem excludit amorem (S. 280)

[99] regulae amoris (S. 308)

[100] Causa coniugii ab amore non est excusatio recta (S. 310)

[101] et quam sibi carius existeret mihique honestius amicam dici quam uxorem ut me ei sola gratia conservaret, non vis aliqua vinculi nuptialis constringeret (S. 78)

[102] Nichil umquam (Deus scit) in te nisi te requisivi: te pure, non tua concupiscens (ebd., S. 114)

[103] Et si uxoris nomen sanctius ac validius videretur, dulcius mihi semper extitit amice vocabulum aut, si non indigneris, concubine vel scorti (ebd.)

Ehe den Vorzug gegeben habe und der Freiheit vor der Fessel«[104], standen für Heloise Freiwilligkeit und Selbstlosigkeit der Liebe obenan.

Nach Richard de Fournival gab es verschiedene Arten von weltlicher Liebe. »Es gibt eine weltliche Liebe, die aus der Gewalt der Natur kommt, und eine Liebe, die einfach aus dem Willen des Herzens erwächst.«[105] Die Liebe als Zwang der Natur war für den Autor die Liebe zwischen Verwandten und Eheleuten. »Es ist die Liebe unter Angehörigen, wie man seinen Vater liebt und seine Mutter, seine Brüder, seine Eltern, seine Verwandten und seine Ehefrau.«[106] Diejenige Liebe dagegen, die im freien Willen des Herzens wurzelte, war die geschlechtliche Liebe »zwischen Mann und Frau«[107]. Diese Liebe war es, die die Liebenden, wenn ihr Herz voll hohem Edelmut war, mit allen höfischen Tugenden begabte. »Die eheliche Liebe ist eine Liebe der Pflicht; die Liebe, von der ich hier spreche, ist eine Liebe der Gunst. Obwohl es höfisch ist, zu bezahlen, wozu man verpflichtet ist, ist es dennoch keine Liebe, für die man so viel Dank schuldet wie für die Liebe, die aus der Gunst und aus der reinen Freimütigkeit des Herzens kommt.«[108]

Ähnliche Argumente begegnen in einigen provenzalischen und französischen Streitgedichten, in denen es um die Frage ging, ob es besser sei, der Geliebte oder der Ehemann der verehrten Dame zu sein. Zugunsten der Ehe wurden meistens die praktischen Vorteile ins Feld geführt; zugunsten der Liebe wurde in dem Partimen zwischen Gui d'Uisel und Elias d'Uisel (Pillet-Carstens 194, 2) vorgebracht, daß nur die freischenkende Liebe den Mann in seinem Wert erhöhe. »Die Sache, durch die man sich bessert, Herr Elias, halte ich für besser, und die für schlechter, durch die man immer tiefer sinkt. Wegen der Dame wächst der Wert und wegen der Ehefrau verliert man an Wert;

---

[104] quibus amorem conjugio, libertatem vinculo preferebam (ebd.)

[105] Il est amours temporeus ki vient de force de nature et amours ki naist simplement de volenté de cuer (S. 8)

[106] si est li amours ki est entre les amis carneus, si con d'amer son pere et sa mere, ses freres, ses parens, ses carneus amis et sa femme espousée (ebd.)

[107] entre homme et femme (S. 9)

[108] amours de mariage est amours de dete et l'amours dont je vous parole est amours de grace et ja soit ce que ce soit courtoise cose de bien paiier ce c'on doit, nepourquant ce n'est mie amours dont on doive savoir tant de gré con de celle amour ki vient de grace et de pure franquise de cuer (S. 15)

wegen der Verehrung einer Dame wird man geschätzt und wegen der Verehrung einer Ehefrau verspottet.«[109]

Aus Deutschland gibt es nichts Vergleichbares. Das hat wohl daran gelegen, daß die Textsorten, die sich zur Erörterung derartiger Fragen anboten – minnetheoretische Schriften und Streitgedichte – in Deutschland kaum rezipiert worden sind. Daß aber auch hier die Trennung von Liebe und Ehe bekannt war, bezeugt die komische Variante dieses Motivs im ›Frauendienst‹ von Ulrich von Liechtenstein. Der Sänger, der sich im Dienst für seine Dame verzehrte, war nebenher auch ein glücklicher Ehemann, wenn auch die Strapazen des Minnedienstes es ihm nur selten erlaubten, mit seiner Frau zusammen zu sein. Eine solche Gelegenheit bot sich, als er im Jahr 1227 als Frau Venus verkleidet durch das Land zog und in die Nähe seines Stammsitzes kam. »Ich machte mich sogleich heimlich auf und ritt voll Freude dahin, wo ich meine herzensgeliebte Ehefrau antraf. Sie war mir die liebste.«[110] Drei Tage lang genoß er »die Bequemlichkeit und das Glück«[111] des ehelichen Lebens, bis ihn der Minnedienst wieder abberief. An anderer Stelle hat Liechtenstein gesagt, daß seine Ehefrau ihm »über alles ging, obwohl ich doch zur Herrin über mich eine andere Frau hatte«[112].

Liechtensteins komische Selbstdarstellung zeigt, wie die These von der Unvereinbarkeit von Liebe und Ehe zu verstehen ist. Nicht in dem Sinn, daß man zwischen Liebe und Ehe wählen müßte. Liechtenstein war ein vorbildlicher Minnediener und zugleich ein glücklicher Ehemann. Beides ließ sich offensichtlich sehr gut miteinander vereinbaren. Gemeint war vielmehr, daß die freischenkende Liebe einen anderen Charakter, eine andere Qualität besaß als die geschuldete eheliche Liebe: dieser Gedanke fand offenbar weithin Zustimmung. Darauf zielte auch der Urteilsspruch der Gräfin von Champagne: zwischen Eheleuten war Liebe aus freiem Herzen, wie zwischen Liebenden, nicht möglich. Darin lag eigentlich keine Aufforderung zum Ehebruch und keine Rechtfertigung des Ehebruchs, son-

---

[109] La ren per c'om vai meilluran, N'Elias, tenc eu per meillor, E cella tenc per sordeior, Per c'om vai totz jorns sordeian. Per dompna vai bos pretz enan E per moiller pert hom valor, E per dompnei de dompna es hom grazitz E per dompnei de moiller escarnitz (Audiau XIV, 17-24)

[110] von danne stal ich mich zehant und reit mit freuden, dâ ich vant die herzenlieben konen mîn: diu kunde mir lieber niht gesîn (707, 5-8)

[111] gemach und wunne (709, 2-3)

[112] diu künde mir lieber niht gesîn, swie ich doch het über mînen lîp ze vrowen dô ein ander wîp (1088, 6-8)

dern nur die Anerkennung der grundsätzlichen qualitativen Verschiedenheit der Beziehung zwischen Mann und Frau innerhalb und außerhalb der Ehe. Daraus konnte abgeleitet werden, daß es Verheirateten offenstand, eine Liebesbeziehung einzugehen. Anders gesagt: eine Liebesbeziehung wurde nicht davon berührt, ob die Liebenden verheiratet waren oder nicht. Die Frage, ob beides Liebe genannt werden sollte oder ob man das Wort Liebe nur für die freiwillige Liebe in Anspruch nahm und die Bindung der Eheleute als »eheliche Zuneigung« bezeichnete, war demgegenüber von sekundärer Bedeutung und wurde verschieden beurteilt. Richard de Fournival hat treffend von einer »Liebe der Pflicht« (*amours de dete*) und einer »Liebe der freien Gunst» (*amours de grace*) gesprochen. Auch eine eheliche Beziehung konnte höfisch sein. Die charakteristischen Qualitäten der höfischen Liebe traten jedoch nur da zutage, wo die Liebe aus freiem Herzen gewährt wurde.

Ehepraxis und Ehelehre

Es ist schon lange aufgefallen, daß die minnetheoretische Trennung von Liebe und Ehe sich überraschend gut vertrug sowohl mit den tatsächlichen Eheverhältnissen in der adligen Gesellschaft als auch mit der kirchlichen Ehelehre der damaligen Zeit.

Feudale Ehepraxis

Für den Laienadel war die Ehe primär eine politische Institution, ein Instrument der dynastischen Politik. Der wichtigste Zweck der Ehe war die Fortsetzung des eigenen Hauses, also die Erzeugung legitimer Erben, vor allem legitimer Söhne. Dieses dynastische Prinzip erforderte, daß nur der Ehemann die Frau schwängern durfte. Das war einer der Gründe dafür, daß der Ehebruch der Frau nach weltlichem Recht als Verbrechen gewertet wurde, während die außerehelichen sexuellen Beziehungen des Mannes keinen strafrechtlichen Tatbestand darstellten. Die Qualität der Ehefrau bemaß sich zunächst nach ihrer Fähigkeit, Kinder zu gebären. Unfruchtbarkeit der Frau war einer der häufigsten Scheidungsgründe. Außer der Fortsetzung des eigenen Geschlechts hatte die feudale Ehe auch den Zweck, verwandtschaftliche Beziehungen zu anderen Familien herzustellen. Dabei ging es fast immer um Hauspolitik, das heißt um die Absicherung oder Erweiterung des eigenen Herrschaftsbereichs, um die Befestigung politischer Bündnisse, um die Versöhnung alter Feindschaften oder um die Einheirat in Familien von höherem Rang. Von entscheidender Bedeutung war dabei die Auswahl des Ehepartners und die vertragliche Absicherung des Ehebündnisses. Wo ein großes Erbe auf dem Spiel stand, erfüllte sich der politische Zweck einer dynastischen Eheverbindung meistens erst in der nächsten Generation; denn erst die Kinder begründeten die angestrebte Verwandtschaft zwischen den beteiligten Familien. So war die feudale Ehe auch unter diesem Gesichtspunkt auf Nachkommenschaft angelegt. Andererseits lag es im Interesse der adligen Familien, daß die Möglichkeit bestand, Ehen zu trennen. Die Hauspolitik ließ sich nicht immer auf eine ganze Generation im voraus planen. Manchmal bot sich nachträglich eine politisch günstigere Heiratsgelegenheit, die sich nur wahrnehmen ließ, wenn eine bereits bestehende Ehe aufgelöst wurde.

Die Heiratsaussichten waren nicht für alle Kinder gleich. Im Mittelpunkt der politischen Überlegungen stand die Ehe des ältesten Sohns, der die dynastische Tradition fortsetzen sollte. Dagegen war das Familieninteresse an der Verheiratung der jüngeren Söhne eher gering. Wenn sie einen eigenen Hausstand gründeten, ging ihre Versorgung zu Lasten des Familienbesitzes, es sei denn, daß es ihnen gelang, eine reiche Erbin zu heiraten und einen eigenen Herrschaftsbereich zu begründen. Sonst wurden sie vielfach für eine geistliche Laufbahn bestimmt: in hohen kirchlichen Ämtern konnten sie später wieder den Familieninteressen nützlich sein. Diese Einstellung führte jedoch zu einer Verzerrung des Heiratsmarkts: der großen Zahl heiratsfähiger Töchter stand dann nur eine kleine Anzahl heiratsbereiter Söhne gegenüber. Das drückte den Wert der Frauen im Rahmen der Ehepolitik. Nur wenn die Familie von sehr hohem Rang war, machte die Verheiratung der Töchter keine Schwierigkeiten, weil es für viele von Vorteil war, eine Verwandtschaft mit einer solchen Familie zu begründen. Sonst standen die Kosten der Mitgift oft in keinem kalkulierbaren Verhältnis zu dem zu erwartenden Nutzen. Häufig wurden die Töchter mit Männern verheiratet, die ihrem adligen Rang nach eine Stufe tiefer standen. Das konnte durchaus im dynastischen Interesse der Familien liegen, weil die Ehemänner auf diese Weise stärker an das Haus der Frau gebunden wurden. Den Töchtern, die nicht zu verheiraten waren, blieb meistens nur der Weg in ein geistliches Stift.

Man kann nicht erwarten, daß in Ehen, die unter solchen Bedingungen zustande kamen, die Liebe eine große Rolle gespielt hat. In der Regel wurden die Ehebedingungen und Eheverträge zwischen den Familien ausgehandelt, allenfalls zwischen dem Bräutigam und dem Vater der Braut. Manchmal wurden die Kinder schon im Säuglingsalter miteinander verlobt. Es kam auch vor, daß die Brautleute sich bei ihrer Hochzeit zum ersten Mal von Angesicht zu Angesicht sahen. Eine freie Gattenwahl ließen die dynastischen Interessen nicht zu. Besonders benachteiligt waren dadurch die Frauen, die selten einen Einfluß auf die Auswahl ihres Ehepartners nehmen konnten. Der Satz des hl. Ambrosius: »Es steht jungfräulicher Scham nicht an, den Ehemann zu erwählen«[113], der im 12. Jahrhundert in Gratians ›Decretum‹ zitiert wurde (Sp. 1124), entsprach den tatsächlichen Verhältnissen. Wenn einmal ein Mädchen aus großem Haus dagegen verstieß und sich nicht den politischen Plänen ihrer Familie unterwarf, war das ein Fall, der Aufsehen erregte und in die Geschichtsschreibung einging. Agnes, die Kusine Kaiser Heinrichs VI. und Tochter seines Onkels, des Pfalzgrafen Konrad († 1195), heiratete im Jahr 1194 heimlich den Herzog Heinrich, den ältesten Sohn Heinrichs des Löwen. Angeblich hatte der Kaiser vor, sie mit dem französischen König zu verheiraten. Aber Agnes »blieb fest in ihrer Liebe zu dem Herzog, den sie sich erwählt hatte«[114]. Die heimliche Eheschließung gelang nur mit Hilfe von Agnes' Mutter, die die Verbindung mit dem Welfen begünstigte. Der Kaiser soll von seinem Onkel verlangt haben, daß die Ehe wieder gelöst wurde, hatte damit aber keinen Erfolg.

Die Familieninteressen haben oft keine Rücksicht darauf genommen, ob die Eheleute zueinander paßten. Welf V. († 1120) war siebzehn Jahre alt, als er die vierzigjährige reiche Erbin Mathilde von Tuszien († 1115) heiratete. Noch krasser war der Altersunterschied zwischen König Ottokar II. von Böhmen, der 1252, zum Zeitpunkt seiner Eheschließung, etwas über zwanzig Jahre alt war, und seiner fast fünfzigjährigen Ehefrau Margarete von Österreich, der Schwester des letzten Babenberger Herzogs von Österreich. Die Ehe blieb ohne Kinder, und Ottokar II. ließ sich wieder scheiden, nachdem er Österreich, das Erbland seiner Frau, eingenommen hatte. Aber seine Herr-

---

[113] non est enim virginalis pudoris eligere maritum (De Abraham, Sp. 476)
[114] in ducis, quem elegerat, amore immobilis permanebat (Gerhard v. Stederburg, S. 227)

schaft dort war nicht von Dauer. Dieser Fall zeigt, wo die Grenzen der Rücksichtslosigkeit solcher Eheverbindungen lagen. Da der politische Zweck der Eheschließung erst erreicht war, wenn Kinder geboren wurden, mußte wenigstens ein Minimum an Bereitschaft zu persönlichem Kontakt der Ehepartner vorhanden sein.

Wenn bei der Partnerwahl einmal persönliche Motive den Ausschlag gaben, erwies sich das nicht selten als ein politischer Nachteil. Gislebert von Mons berichtete, daß der junge Graf Balduin II. von Hennegau († 1098) mit der Nichte des Grafen Robert von Flandern († 1093) verlobt war. Als er sie jedoch zum ersten Mal von Angesicht zu Angesicht sah, »verschmähte und verachtete er ihr durch übergroße Häßlichkeit entstelltes Aussehen«[115]. Er heiratete statt dessen die Tochter des Herzogs Heinrich II. von Brabant († 1078/79). Diese Sinnesänderung kostete ihn den Besitz der Festung Douai, die der Graf von Flandern zur Sicherung des Eheversprechens in seine Gewalt genommen hatte und die er nun nicht wieder herausgab. Ein ähnlicher Fall hat sich im 12. Jahrhundert in Sachsen zugetragen. Markgraf Udo von der Nordmark wollte die Tochter des letzten Billunger Herzogs Magnus († 1106) heiraten, »kehrte aber ein im Hause des Grafen Helprich von Ploceke, und als er dessen sehr schöne Schwester, Ermengarda, sah, führte er diese heim«[116]. Auch hier hatte die Rücksicht auf das Aussehen der Braut negative politische Folgen, denn »seine Vasallen waren sehr entrüstet, weil sie gleichrangig waren mit Helprich, einige sogar höher standen«[117].

In den meisten Fällen fand man sich irgendwie mit den Verhältnissen ab und lebte zusammen oder getrennt. Uta von Calw, die Gemahlin Herzog Welfs VI. († 1191), hielt sich die längste Zeit auf ihren Besitzungen jenseits der Schwäbischen Alb auf und hatte wenig Kontakt mit ihrem Mann, »zumal seine Liebe zu ihr gering war und er den Verkehr mit anderen Frauen vorzog«[118]. Besonders unerfreulich war die Situation für die Ehefrau, wenn ihr Mann sich eine Konkubine hielt, mit der er

[115] quam visam nimia turpitudine indecentem sprevit et despexit (S. 35)
[116] ... declinavit in domum Helprici comitis de Ploceke, et videns valde pulchram sororem suam, Ermengardam, duxit eam (Albert v. Stade, S. 326)
[117] multum indignati sunt vasalli sui, qui pares erant Helprico, et quidam maiores (ebd.)
[118] cum et illam minus diligeret et alienarum magis amplexibus delectaretur (Historia Welforum, S. 68)

in Liebe verbunden war. Von Landgraf Albrecht (»dem Entarteten«) von Thüringen († 1314), der mit einer Tochter Kaiser Friedrichs II. verheiratet war, wurde berichtet: »Im Jahre des Herrn 1265 setzte dieser Albrecht die Frau Margarete großem Unrecht aus wegen einer Hofdame mit Namen Kunigunde von Isenberg, die seine Konkubine war und die er liebte.«[119] Albrecht hat diese Hofdame übrigens später, nach dem Tod seiner ersten Frau, in rechtmäßiger Ehe geheiratet. Eine lebendige Schilderung von der Persönlichkeit und dem politischen Einfluß der Mätresse König Wenzels II. von Böhmen († 1305) verdanken wir Ottokar von Steiermark. Agnes war »eine schöne Frau, die musizieren und singen konnte und sich dabei höfisch und verständig anstellte; sie besaß auch genügend Klugheit in allem, womit Frauen sich bei Männern lieb und wert machen«[120]. Der König war ihr so sehr zugetan, daß er sie auch mit wichtigen diplomatischen Missionen betraute. »Sie überbrachte vertrauliche Botschaften von ihm an hohe Fürsten und sie war so geschickt, daß er sie häufig als Botschafterin in andere Länder sandte, und dadurch wurde sie ihm so lieb und teuer und so vertraut, daß die adligen Herren alle anfingen, sie deswegen zu hassen.«[121]

Eine Folge dieser Praxis war, daß an manchen Höfen eine große Zahl von Bastarden aufwuchs. Von Graf Balduin V. von Hennegau († 1195) berichtete sein Biograph Gislebert von Mons, er habe vor seinem Tode »seinen Kindern, die nicht von seiner Ehefrau, sondern von adligen Damen geboren waren, bestimmte Güter zugewiesen«[122]. Kaiser Friedrich II. war viermal verheiratet und hatte von seinen vier Ehefrauen zehn Kinder. Außerdem gab es noch mindestens neun weitere Kinder, die den Verbindungen mit acht verschiedenen Frauen entstammten.

---

[119] Anno Domini 1265. hic Albertus multum persequebatur dominam Margaretham propter quandam pedissequam et concubinam ejus nomine Kunne von Ysenberg, quem dilexit (Chronicon terrae Misnensis, Sp. 326)

[120] ... einem wîbe wolgetân, diu kunde videln und singen und was ze solhen dingen hubsch unde kluoc und het ouch list genuoc zaller parat und zallen sachen, dâ sich diu wîp mit kunnen machen den man liep unde wert (86330-37)

[121] si warp ouch heimlich botschaft von im ze hôhen fursten, si was ouch in den getur3ten, daz ers durch spehe sant dick in andriu lant, und darumb si im wart sô liep und sô zart unde sô gar heimlich, daz si die herren alle gelich darumbe hazzen begunden (86352-61)

[122] Puerisque suis, quorum quosdam non de uxore sua, sed de mulieribus nobilibus genuerat, bona quedam assignavit (S. 311)

Typisch für die feudalen Eheverhältnisse war der Fall der Margarete de Rivers, Tochter des Chamberlains des englischen Königs und Witwe des Earl Baldwin von Albemarle. Sie wurde, wie Matthäus von Paris berichtete, im Jahr 1215 von König Johann I. mit dem Söldnerführer Fawkes de Bréauté verheiratet, einem der am meisten gefürchteten und verabscheuten Männer seiner Zeit. Als er 1224 vom König verbannt wurde, erbat Margarete vom König und vom Erzbischof die Auflösung ihrer Ehe und »erklärte, daß sie niemals zugestimmt habe, mit ihm ehelich verbunden zu werden«[123]. Anläßlich ihres Todes im Jahr 1252 schrieb Matthäus von Paris mit Blick auf diese Ehe: »Es war die Heirat einer Edlen mit einem Unedlen, einer Frommen mit einem Unfrommen, einer Schönen mit einem Schändlichen, gegen ihren Willen und unter Zwang.«[124] Dazu zitierte der Geschichtsschreiber ein paar (anonyme) Verse, die das Wesen der feudalen Ehe beleuchten. »Das Gesetz hat sie vereinigt, Liebe und Eintracht im Bett. Aber was für ein Gesetz? Welche Liebe? Welche Eintracht? Ein gesetzloses Gesetz, eine Liebe, die Haß war, eine Eintracht aus Zwietracht.«[125]

Natürlich hat es auch glückliche Ehen gegeben. König Andreas II. von Ungarn († 1235) verlobte im Jahr 1208 seine Tochter Elisabeth, die gerade ein Jahr alt war, mit dem ältesten Sohn des Landgrafen Hermann I. von Thüringen. Mit vier Jahren kam sie an den Thüringer Hof, mit vierzehn feierte sie Hochzeit mit Ludwig IV. († 1227). Als Elisabeth zwanzig Jahre alt war, starb ihr Mann. Vier Jahre später war sie selber tot. Die Quellen berichteten, daß die Eheleute »sich mit außerordentlicher Zärtlichkeit geliebt haben«[126]. Im Jahr 1186 heiratete der dreizehnjährige Graf Balduin VI. von Hennegau die zwölfjährige Marie, Tochter des Grafen Heinrich I. von Champagne († 1181). Nach dem Bericht von Gislebert von Mons hatte Marie schon in früher Jugend große Frömmigkeit bewiesen, wie auch »ihr Mann Balduin, der junge Ritter, ein keusches Leben führte, alle anderen Frauen verschmähte und nur Marie in heißer Liebe liebte, was bei den Männern sonst selten angetroffen wird, daß einer so

[123] dixit se in eum nunquam consensisse ut illi matrimonio jungeretur (Chronica majora, Bd. 3, S. 87)
[124] Copulabatur tamen eidem ignobili nobilis, pia impio, turpi speciosa, invita et coacta (ebd., Bd. 5, S. 323)
[125] Lex connectit eos, amor et concordia lecti. Sed lex qualis? amor qualis? concordia qualis? Lex exlex, amor exosus, concordia discors (ebd.)
[126] miro se affectu diligentes (Libellus de dictis quatuor ancillarum, S. 121)

sehr einer einzigen Frau zugetan und mit ihr alleine zufrieden ist«[127].

Es gab noch andere Fälle von ehelicher Liebe. Die Tatsache, daß darüber in den Chroniken berichtet wurde, und der erstaunte und bewundernde Ton, in dem die Geschichtsschreiber davon sprachen, sind jedoch Indizien dafür, daß es sich um Ausnahmefälle gehandelt hat. Die Umstände, unter denen damals Ehen geschlossen wurden, haben der Liebe meistens nicht viel Platz gelassen. Liebe ist daher auch kaum der geeignete Maßstab, um die Qualität einer feudalen Ehe zu ermessen. Der Erfolg einer Ehe ließ sich eher daran ablesen, ob Mann und Frau bei der Durchsetzung der dynastischen Interessen, die der Eheverbindung zugrunde lagen, fruchtbar zusammengewirkt haben. Im 12. und 13. Jahrhundert hat es viele adlige Frauen gegeben, die an der Seite ihrer Männer oder an ihrer Stelle und in ihrem Namen mit großer Energie und großem Geschick die Interessen ihrer Häuser wahrgenommen haben. Diese Seite der historischen Wirklichkeit – der öffentliche und politische Handlungsspielraum, den die feudale Ehe den Frauen eingeräumt hat –, ist noch nicht genügend gewürdigt worden. Ein erfolgreiches Zusammenwirken der Eheleute hat sicher in vielen Fällen auch ein engeres persönliches Verhältnis zwischen ihnen begründet oder vertieft: darüber ist aus den historischen Quellen so gut wie nichts zu erfahren. Solche eheliche Zuneigung dürfte jedoch ihrer Substanz nach etwas ganz anderes gewesen sein als die leidenschaftliche Liebe von zwei Geliebten.

Scholastische Ehelehre

Auf eine Trennung von Liebe und Ehe zielte auch die kirchliche Lehre; jedenfalls konnte man sie so verstehen. Alles, was die Theologen zu diesem Thema zu sagen hatten, war geprägt durch die extrem negative Bewertung der geschlechtlichen Lust (*libido*). Das asketische Ideal der unberührten Jungfräulichkeit beherrschte die Sexualethik der Alten Kirche. Außerehelicher Verkehr war allemal verpönt, weil er nur der Lustbefriedigung dienen konnte. Auch in der Ehe war der geschlechtliche Verkehr mit dem Stigma der *libido* behaftet. Zu heiraten

[127] quam vir ejus Balduinus, juvenis eciam miles, caste vivendo, spretis omnibus aliis mulieribus, ipsam solam cepit amare amore ferventi, quod in aliquo homine raro invenitur ut soli tantum intendat mulieri et ea sola contentus sit (S. 192)

wurde deswegen nur als das Zweitbeste angesehen, für alle diejenigen, die nicht die Kraft besaßen, rein von allem Geschlechtlichen zu bleiben. Aber hatte nicht Gott selber mit den Worten: »Seid fruchtbar und mehret euch«[128] die Menschen zur Zeugung aufgefordert? Diesen Widerspruch beseitigte Augustinus durch die Theorie von der doppelten Einsetzung der Ehe, die noch von den Theologen des 12. Jahrhunderts fast ohne Einschränkung anerkannt wurde. Danach war zu unterscheiden zwischen der Ehe im Paradies, die von Gott mit den zitierten Worten begründet worden war, und der Ehe nach dem Sündenfall. Der Zweck der Paradiesehe war die Erzeugung von Nachkommenschaft; das geschah ohne geschlechtliche Lust, weil die Geschlechtsorgane im Paradies noch dem Willen unterworfen waren. Erst mit dem Sündenfall ist die *libido* in die Welt gekommen, als etwas »Böses« (*malum*), als eine Strafe für die gefallene Menschheit. Dadurch änderte sich der Charakter der Ehe grundlegend; sie diente zwar weiterhin der Fortpflanzung, wurde aber hauptsächlich zu einer Institution zur Eindämmung der bösen Sinnenlust, wie es der Apostel Paulus im Ersten Korintherbrief festgelegt hatte: »Wegen der Gefahr der Unzucht soll aber jeder seine Frau haben, und jede soll ihren Mann haben. Der Mann soll seine eheliche Pflicht gegenüber der Frau leisten und ebenso die Frau gegenüber dem Mann.«[129] Zur Rechtfertigung der Ehe nach dem Sündenfall, die immer mit dem *malum* der Geschlechtslust behaftet war, diente die Lehre von den Ehegütern. Auch in diesem Punkt folgte die Theologie des 12. Jahrhunderts im wesentlichen Augustinus, der drei Güter der Ehe genannt hatte: die Nachkommenschaft (*proles*), die Treue (*fides*) und das Sakrament (*sacramentum*). Die Zeugung von Kindern blieb auch nach dem Fall ein hohes Gut. Die »Treue« der Eheleute wurde meistens im Sinne eines »Heilmittels gegen Begehrlichkeit« (*remedium concupiscentiae*) verstanden. Das Sakrament der Ehe wurde nicht in der Gnadenspendung gesehen, sondern in dem abbildhaften Charakter der Ehe: im Verhältnis des Ehemanns zur Ehefrau spiegelte sich, nach einem Pauluswort (Ad Ephesios 5,23ff.), auf geheimnisvolle Weise das Verhältnis Christi zur Kirche. Den ersten beiden Ehegütern korrespon-

[128] Crescite, et mulitplicamini (Genesis 1, 28)
[129] propter fornicationem autem unusquisque suam uxorem habeat, et unaquaeque suum virum habeat. Uxori vir debitum reddat, similiter autem et uxor viro (7, 2-3)

dierten vom subjektiven Standpunkt aus als Motive für den ehelichen Verkehr die Hoffnung auf Kinder (*spes prolis*) und die gegenseitige Pflichtleistung der Ehegatten (*debitum*). Über die Bewertung dieses zweiten Punktes gingen die Ansichten im 12. Jahrhundert auseinander. Wenn die Bereitschaft zum Verkehr dazu diente, den Ehepartner vor Unenthaltsamkeit zu bewahren, galt sie allgemein als sündenfrei, ebenso wie der Verkehr zur Zeugung von Kindern. Wenn aber der eheliche Verkehr aus Furcht vor der eigenen Unenthaltsamkeit gesucht wurde, sah man darin meistens schon eine Sünde, wenn auch eine läßliche. Der Verkehr, der nur der Lustbefriedigung diente, wurde auch zwischen Eheleuten als Sünde verdammt. Selbst der strenge augustinische Standpunkt, daß der eheliche Verkehr niemals ohne Sünde sei, fand im 12. und 13. Jahrhundert noch zahlreiche Anhänger. »Die Geschlechtslust, ohne die kein Koitus stattfinden kann, wird wahrlich immer eine Sünde sein.«[130]

Die subjektiven Ziele beim ehelichen Verkehr konnten zugleich auch als Heiratsmotive angesehen werden. In den Ehetraktaten des 12. und 13. Jahrhunderts wurden außer der Hoffnung auf Kinder (*spes prolis*) und der Vermeidung von Unzucht (*vitatio fornicationis*) öfter auch sekundäre Ehemotive genannt, sicherlich nicht zuletzt deswegen, weil die Diskrepanz zwischen der kirchlichen Ehelehre und den tatsächlichen Verhältnissen in der Laiengesellschaft allzu groß war. Walter von Mortagne unterschied in seiner Schrift ›Über das Sakrament der Ehe‹ aus der Mitte des 12. Jahrhunderts die sekundären Motive in »ehrenwerte Gründe« (*honestae causae*) und »weniger ehrenwerte Gründe« (*minus honestae*). Ehrenwerte Heiratsmotive waren für ihn »die Versöhnung von Feinden« (*inimicorum reconciliatio*) und »die Wiederherstellung des Friedens« (*pacis redintegratio*). Hier ist die Bezugnahme auf die feudalen Ehen unverkennbar. Diesen öffentlichen Interessen gegenüber besaßen die privaten und persönlichen Gründe eine geringere Achtung. Zu den weniger ehrenwerten Motiven zählte der Verfasser »die Schönheit des Mannes oder der Frau, die häufig die von der Liebe Entflammten bewegt, die Ehe einzugehen, damit sie ihr Verlangen erfüllen können«[131], ferner »den Gewinn und die

[130] Libido vero, sine qua coitus esse non potest, semper peccatum erit (Gandolf v. Bologna, S. 536)
[131] viri vel mulieris pulchritudo; quae animos amore inflammatos frequenter

Liebe zum Reichtum«[132]. Petrus Lombardus († 1160) hat diese Bestimmungen wörtlich in sein ›Sentenzenbuch‹ übernommen und hat ihnen dadurch eine weite Verbreitung gesichert. Den zusätzlichen Ehemotiven entsprechend hat Walter von Mortagne auch die Liste der Ehegüter erweitert. Er zählte dazu auch »die Freundschaft zwischen Mann und Frau, die aus der ehelichen Gemeinschaft erwächst«[133] und »den Frieden zwischen Menschen, die vorher verfeindet waren«[134]. – In dem anonymen Ehetraktat ›Sacramentum coniugii non ab homine‹, ebenfalls aus der Mitte des 12. Jahrhunderts, wurden außer den üblichen Heiratsmotiven besondere Gründe für die Wahl des Ehemanns und der Ehefrau angeführt. »Bei der Wahl des Ehemanns werden vier Punkte berücksichtigt: seine Tugendhaftigkeit, seine Abstammung, seine Schönheit und Klugheit. Bei der Wahl der Ehefrau spielen vier Sachen eine Rolle, die den Mann bewegen: ihre Schönheit, ihre Abstammung, ihr Reichtum und ihr guter Lebenswandel.«[135] Daß der Reichtum der Frau als ein besonderer Punkt genannt wurde, der sie als Ehefrau begehrenswert machte, kann als ein realistisches Motiv gewertet werden. In derselben Schrift wurde die Meinung vertreten, daß alle Ehen gültig wären, auch wenn die primären Ehemotive nicht berücksichtigt wurden und die Ehe nur »wegen des Friedens oder wegen der Schönheit oder wegen des Reichtums«[136] geschlossen wurde. Der Verfasser fügte erklärend hinzu: »Andernfalls müßten die Ehen zum größten Teil für ungültig und nichtig gehalten werden, da die Menschen in unserer Zeit aus den genannten Gründen Ehen einzugehen pflegen, ohne überhaupt an die grundlegenden Motive zu denken.«[137]

---

impellit ad ineundum conjugium ut suum valeant explere disiderium (De sacramento conjugii, Sp. 155)

[132] Quaestus quoque et amor divitiarum (ebd.)

[133] amicitia viri et mulieris ex societate procedens conjugali (Sp. 157)

[134] pax inter homines sibi prius hostiliter adversantes (ebd.)

[135] In eligendo autem marito iiii. spectari solent: Virtus, genus, pulchritudo, sapientia. Item in eligenda uxore iiii. res impellunt hominem ad amorem: Pulchritudo, genus, diuitie, mores (Weigand, S. 45, A. 14)

[136] siue causa pacis siue pulcritudinis siue diuitiarum (ebd., A. 13)

[137] Alioquin ex maxima parte matrimonia irrita haberentur et uacua cum nostri temporis homines prefatis causis intercedentibus, immo sine constituentibus matrimonia contrahere consuescant (ebd.)

Die christliche Ehelehre stimmte in einigen wichtigen Punkten mit dem feudalen Ehemodell überein: für beide lag der Hauptzweck der Ehe in der Fortpflanzung; in beiden war von Liebe, das heißt von dem, was die Eheleute persönlich miteinander verband, kaum die Rede. In anderen wichtigen Punkten standen feudale und christliche Ehekonzeption jedoch in schroffem Gegensatz zueinander. In der adligen Gesellschaft wollten die Eltern über die Eheverbindung ihrer Kinder, insbesondere ihrer Töchter, entscheiden, während die Kirche die Zustimmung (*consensus*) beider Ehepartner forderte, um eine gültige Ehe zu begründen. In der adligen Gesellschaft waren Eheschließungen innerhalb der weiteren Verwandtschaft üblich, während die Kirche die Verwandtenehe mit einem strengen Verbot belegte. In der adligen Gesellschaft wurde kaum Anstoß daran genommen, daß ein Mann neben seiner Ehefrau Konkubinen und Mätressen hatte, während die Kirche auf strikter Monogamie bestand. Gegen die Praxis der Ehescheidung und der Verstoßung von Ehefrauen in der adligen Gesellschaft vertrat die Kirche das Prinzip der Unauflösbarkeit der Ehen. Wenn Scheidungen ausgesprochen wurden, handelte es sich aus der Sicht der Kirche um Ungültigkeitserklärungen auf Grund nachträglich erkannter Ehehindernisse. Diese unterschiedlichen Positionen trafen im 12. Jahrhundert aufeinander. Das hat zu spektakulären Auseinandersetzungen geführt, in die, vor allem in Frankreich, auch die regierenden Häuser verwickelt waren und die die Öffentlichkeit lange beschäftigt haben. Im ganzen verlief die Entwicklung so, daß die Kirche in allen Eheangelegenheiten immer mehr Einfluß gewann. Bereits seit dem Ende des 11. Jahrhunderts wurden strittige Ehefragen nur noch vor geistlichen Gerichten verhandelt. Mit dem ›Decretum‹ von Gratian (um 1140) begann die Kodifizierung eines kirchlichen Eherechts, das zunächst hauptsächlich auf Urteilssprüchen einzelner Päpste beruhte, im Verlauf des 12. Jahrhunderts aber systematisch ausgebaut wurde und in den Dekretalen (›Liber decretalium‹) Papst Gregors IX. († 1241) einen vorläufigen Abschluß fand. Aber nicht nur auf dem Weg der Rechtsprechung, auch durch die Beicht- und Bußpraxis konnte die Kirche auf die Eheangelegenheiten der Laien Einfluß nehmen. Außerdem entwickelten sich neue Formen der kirchlichen Mitwirkung beim Eintritt in die Ehe. Die feierliche Einsegnung der Ehe durch einen Priester war eine alte Forderung der Kirche, die sich allmählich Geltung verschaffte. Seit Anfang des 13. Jahrhunderts wurde, zunächst in England und in Nordfrankreich, die Eheschließung im voraus öffentlich in der Kirche angekündigt. Damit sollte der Praxis der heimlichen Ehen entgegengewirkt werden.

Der Anspruch der Kirche, Entscheidungsinstanz über alle Ehefragen zu sein, hat im 13. Jahrhundert keinen ernsthaften Widerspruch mehr gefunden. Es ist der Kirche jedoch nicht gelungen, ihre Ehekonzeption in der adligen Laiengesellschaft ohne Einschränkungen durchzusetzen. Vielfach endeten die Auseinandersetzungen mit einem Kompromiß. So auch der berühmteste Eheprozeß der Zeit, der ganz Europa zwei Jahrzehnte lang in Atem hielt und der in vielfacher Weise auch die internationale Politik beeinflußt hat. Das war der Prozeß um die Scheidung des französischen Königs Philipp II. August, der im Jahr 1193 die dänische Prinzessin Ingeborg geheiratet und unmittelbar nach der Eheschließung verstoßen hatte und der sie erst im Jahr 1213 wieder als seine rechtmäßige Ehefrau anerkannte. Der Widerstand der Laien gegen die kirchlichen Ehegebote hat sich meistens nicht argumentativ geäußert, in Form von schriftlichen Einwänden, sondern in praktischen Maßnahmen, durch die Macht des Faktischen.

In den meisten Eheprozessen des 12. Jahrhunderts hat die Frage der Verwandtschaft der Ehepartner eine entscheidende Rolle gespielt. Einer Entscheidung folgend, die Papst Alexander II. († 1073) im Jahr 1059 getroffen hatte, wurde in Gratians ›Decretum‹ festgelegt, daß Verwandtschaft bis zum siebenten Grad ein zwingendes Ehehindernis darstellte. Diese Position, die eine große Zahl feudaler Ehen mit der Feststellung ihrer Ungültigkeit bedrohte, war aber auf die Dauer nicht zu halten. Auf dem Vierten Laterankonzil im Jahr 1215 wurde die kirchenrechtliche Entscheidung dahin revidiert, daß nur noch Verwandtschaft bis zum vierten Grad als kanonisches Ehehindernis gelten sollte. Im übrigen erwies sich das Verbot der Verwandtenehe als ein zweischneidiges Instrument. Da nämlich innerhalb des Hochadels fast alle Familien in der einen oder anderen Weise miteinander verwandt waren, wurde einerseits dauernd gegen das kanonische Recht verstoßen, ohne daß die Kirche in der Lage war, wirksam dagegen vorzugehen; andererseits aber erwies sich das kirchliche Inzestverbot für den Laienadel als ein probates Mittel, die alte Praxis der Ehetrennungen fortzusetzen: man brauchte nur die Verwandtschaft mit der eigenen Ehefrau nachzuweisen, um eine kirchliche Scheidung der Ehe zu erwirken. Der Nachweis wurde mit Hilfe genealogischer Aufstellungen geführt, die dann von Zeugen beschworen werden mußten. Daß dabei Stammbäume manipuliert wurden, meistens zugunsten des scheidungswilligen Mannes, ist eine Tatsache. Ein hochinteressantes Dokument einer solchen Scheidungspraxis ist die im Briefbuch des Abtes Wibald von Stablo († 1158) überlieferte ›Tafel der Verwandtschaft‹ (Tabula consanguinitatis), die die Verwandtschaft zwischen Kaiser Friedrich I. und seiner ersten Frau Adele von Vohburg († nach 1187) bewies und die offenbar als Grundlage für die Scheidung ihrer Ehe im Jahr 1153 gedient hat. Nach der offiziellen Version wurde der Kaiser wegen zu naher Verwandtschaft geschieden. Man munkelte jedoch, daß in Wirklichkeit ganz andere Gründe maßgebend gewesen seien für die Scheidungsabsicht des Kaisers: die Unfruchtbarkeit der Ehe oder die Aussicht auf eine Verbindung mit dem byzantinischen Kaiserhaus. Böse Zungen wußten sogar von einem angeblichen Ehebruch der Kaiserin zu berichten.

In anderen Punkten hat die Kirche ihren Standpunkt im Verlauf des 12. Jahrhunderts noch verschärft. In Gratians ›Decretum‹ wurde zum Prinzip erhoben, »daß keine Frau gegen ihren Willen mit irgendjemand verheiratet werden sollte«[138]. Dieses sogenannte Konsens-Prinzip bildete seitdem die Grundlage des kirchlichen Eherechts. Während aber Gratian noch lehrte, daß die Eheverbindung durch den beiderseitigen Konsens eingegangen und dann durch den Beischlaf vollzogen würde, hat Petrus Lombardus, zwanzig Jahre später, in seinem ›Sentenzenbuch‹ (Libri IV sententiarum) festgelegt, daß allein der beiderseitige Konsens die gültige Ehe begründete, unabhängig davon, ob die Ehe vollzogen worden ist oder nicht. Darin sind ihm die späteren Dekretalensammlungen gefolgt. Wenn aber das Einverständnis der Brautleute die Hauptsache bei der Eheschließung war, dann stellte sich die Kirche damit nicht nur gegen die herrschende Praxis, die auf den Willen der zu verheiratenden Töchter in den meisten Fällen überhaupt keine Rücksicht nahm, sondern gleichzeitig wurde damit ein Punkt betont, der bis dahin in der Ehediskussion kaum eine Rolle gespielt hatte: die gegenseitige Zuneigung der zukünftigen Eheleute. Schon bei Gratian wurde bestimmt, daß alle, »die sich aus ehelicher Zu-

---

[138] quod nisi libera uoluntate nulla est copulanda alicui (Causa 31, Questio 2, c. 4, Sp. 1114)

neigung miteinander verbinden, Eheleute genannt werden«[139]. Nach dem Ehetraktat ›Sacramentum coniugii non ab homine‹ waren beim Ehekonsens drei Elemente gegeben: »die Einigung des Willens, die gegenseitige Liebe, der Schutz des Mannes über die Frau«[140]. In solchen Aussagen deutete sich an, daß die Kirche von der Auffassung der Ehe als einer Geschlechtsgenossenschaft zur Erzeugung von Kindern und zur Vermeidung von Unzucht allmählich abrückte. Am weitesten hat sich davon im 12. Jahrhundert Hugo von St. Victor entfernt, der als einer der ersten von »ehelicher Liebe«[141] sprach und für den die Ehe »ohne das Bündnis der Liebe nichtig war«[142]. Mit dieser Auffassung stand Hugo von St. Victor im 12. Jahrhundert ziemlich alleine. Erst in der Hochscholastik, bei Albertus Magnus, wurde der persönlichen Bindung der Ehepartner größere Bedeutung zuerkannt.

Ehe und Liebe in der höfischen Literatur

Was die höfischen Didaktiker über das Wesen der Ehe zu sagen hatten, paßte zu den Lehren der Kirche genauso gut wie zu den tatsächlichen Verhältnissen. »Ein mannhafter Mann, der auf sein Ansehen hält, vor dem soll eine frauliche Frau von rechtswegen ihre Hände falten. Ein mannlicher Mann und eine frauliche Frau sollen sich dies merken: Er soll Meister sein über sie und über ihren Besitz; sie soll seinem Willen gehorchen. Er soll der Mann sein und sie die Frau: so gehört es sich. Auch soll er sie wert halten, und sie soll nichts ohne seinen Rat tun: das ist gut für sie. So können sie in Freuden alt werden.«[143] Spuren dieser Auffassung findet man auch in der epischen Dichtung. Wo davon erzählt wurde, daß die adligen Männer voreinander mit ihren Ehefrauen prahlten und Wetten darüber abschlossen, wer die beste Frau besäße, war der Maßstab immer der Grad

---

[139] qui coniugali affectu sibi copulantur, ... coniuges apelluntur (Causa 32, Questio 2, c. 5, Sp. 1121)

[140] uoluntatis unio, mutua dilectio, uiri circa mulierem protectio (Weigand, S. 42, A. 3)

[141] amor conjugalis (Epistola de virginitate beatae Mariae, Sp. 876)

[142] sine delectionis foedere cassa sit (ebd., Sp. 865)

[143] Ein menlich man, der sich erlichen heldet, ein wiblich wib im billich ir hende veldet. ein menlich man, ein wiblich wib diz merken sol: Her sol sie meistern libes unde gûtes, sie si ein warterinne sines mûtes. her si der man, sie si daz wib, daz vûget wol. Ouch sol er sie erlichen halten. sie ne sol ane sinen rat nicht tûn, daz ist ir gût. So mügen sie an vreuden alten (Der Meißner II, 9, 1-9)

ihrer Demut und Unterwürfigkeit. Während der Belagerung
der Stadt Viterbo durch die Römer unterhielten sich in der
›Kaiserchronik‹ die römischen Anführer in den Kampfpausen
über Helden und gute Pferde, Jagdvögel und schöne Frauen
(4415 ff.). Die einen waren froh, von ihren Ehefrauen getrennt
zu sein; die anderen priesen die Tugendhaftigkeit ihrer Frauen,
am lautesten Conlatinus, der mit der Römerin Lucretia verheiratet war: »Ich habe die allerehrbarste Frau.«[144] König Tarqui-
nius verwettete seine Seligkeit darauf, daß seine Frau noch tugendhafter sei, und sie ritten sofort nach Rom zurück, um die
Probe zu machen. Als Conlatinus mitten in der Nacht zuhause
ankam, »sprang Lucretia aus dem Bett«[145] und lief ihrem Mann
entgegen, um ihn freundlichst zu begrüßen. Seinem barschen
Verlangen, sie sollte ihnen Essen machen, kam sie mit Eifer
nach und bediente selber die beiden Männer bei Tisch. »Als die
edle Frau ein Getränk auftrug, erhob der Wirt den Becher und
schüttete ihr den Wein ins Gesicht. Die Flüssigkeit lief auf ihr
Kleid. Sie stand auf und verneigte sich höflich vor ihm.«[146]
Klaglos zog sie sich um und nahm den Tischdienst wieder auf
und sorgte sich um den Gast, bis dieser zufrieden schlafenge-
gangen war. Ganz anders war der Empfang in der nächsten
Nacht am Königshof. Die Königin wollte nicht aufstehen, und
als der König sie bat, ihm eine Mahlzeit anzurichten, antwortete
sie: »Ich bin an diesem Hof weder Truchseß noch Schenke,
auch nicht Kämmerer oder Koch. Ich weiß nicht, was du von
mir willst. Es kümmert mich nicht, ob du noch etwas zu essen
bekommst.«[147] Daraufhin mußte der König Lucretia den Preis
zuerkennen. Geschichten dieser Art erfreuten sich offenbar
großer Beliebtheit beim höfischen Publikum.

In der höfischen Epik wurde das Verhältnis von Liebe und
Ehe sehr unterschiedlich akzentuiert. Es gab Geschichten, die
von einem Konflikt zwischen Liebe und Ehe erzählten, und
andere, in denen Liebe und Ehe sich harmonisch miteinander
verbanden. Wo der Gegensatz zwischen Liebe und Ehe die

[144] ih hân daz aller frumigiste wîp (4444)
[145] ûzer dem pette si spranc (4483)
[146] alsô diu frowe ain trinken vur truoc, der wirt den kopf ûf huop, den wîn er
ir under diu ougen gôz, daz trinken an ir gewaete flôz. si stuont, naic im gezogenlîche (4501-05)
[147] ih enpin weder truhsaeze noh schenke, kamerâre noh koch uber allen disen
hof. ih enwaiz waz dû mir wîzest: ih enruoch ob dû iemer ihtes enbîzest (4546-
50)

Handlung bestimmte, bestätigte sich meistens der Satz der Gräfin von Champagne, daß wahre Liebe zwischen Eheleuten nicht anzutreffen sei. Hier ergab sich die besondere Konstellation, die manchmal als der Normalfall der höfischen Liebe angesehen worden ist: Die Liebe, die sich im Ehebruch erfüllte. Es ist kein Zufall, daß der Begriff der höfischen Liebe aus der Analyse des Lancelotromans von Chrétien de Troyes gewonnen wurde, der diesem Erzähltypus zugehörte. Aufs Ganze gesehen war der Ehebruch jedoch ein Sonderfall, wenn auch ein sehr bedeutsamer, der eine eigene Behandlung verlangt.

Größer war die Zahl der höfischen Romane und Erzählungen, die einen Konflikt zwischen Liebe und Ehe überhaupt nicht oder nur in Neben- und Hintergrundhandlungen kannten. Dazu gehörten einmal die Geschichten, die von Liebe und Ehe als einem problemlosen Nacheinander erzählten, meistens in der Form, daß die Liebe zwischen zwei jungen Leuten eine Reihe von Hindernissen zu überwinden oder Prüfungen zu bestehen hatte, bis die beiden, glücklich vereint, heiraten konnten. Die Hochzeit bildete in der Regel den Abschluß, und die Ehe selbst war kein Gegenstand der Darstellung mehr. Der ›Wilhelm von Orlens‹ von Rudolf von Ems und Konrad Flecks ›Flore und Blanscheflur‹ sind Beispiele für diesen Handlungstyp.

Viel interessanter sind die anderen Romane, die von einer schnellen Heirat des Helden erzählten und von einer Ehe, in der sich die Liebe erst bewähren mußte. Dank der überragenden künstlerischen Bedeutung der Epen von Chrétien de Troyes (›Erec et Enide‹, ›Yvain‹, ›Le conte du Graal‹) und ihrer deutschen Bearbeitungen durch Hartmann von Aue und Wolfram von Eschenbach ist dieser Erzähltyp zur Hauptform des höfischen Romans in Frankreich und Deutschland geworden. In diesen Werken ist die Ehethematik in einer bis dahin unbekannten Weise differenziert und problematisiert worden. Die Eigenart und die Vielfalt dieser Motive können nur durch eine umfassende Textanalyse erschlossen werden. Im Hinblick auf die Ausgestaltung des höfischen Gesellschaftsideals ist das Wichtigste, daß hier der Urteilsspruch der Gräfin von Champagne über die Trennung von Liebe und Ehe keine Gültigkeit hatte. Sowohl gegenüber der kirchlichen Lehre als auch gegenüber der feudalen Realität wurde in diesen Romanen der Liebe eine zentrale Bedeutung für das Verständnis der Ehe zuerkannt. Dabei haben die Dichter durch die Handlungsführung deutlich gemacht, daß es großer Anstrengung von Seiten des jeweiligen Helden bedurfte, um Liebe und Ehe in ein fruchtbares Verhältnis zu bringen. Im ›Erec‹ und im ›Iwein‹ wurde die Handlung so geführt, daß die schnell geschlossene Ehe sehr bald in eine Krise geriet und praktisch zerbrach und erst am Schluß, nach einer langen Bewährungsphase, wiederhergestellt und neu begründet wurde. Vom Schluß her betrachtet ging es in diesen Romanen darum, durch die Harmonie von Liebe und Ehe höfische Vorbildlichkeit zu erreichen. Einen eigenen Akzent erhielt dieses Programm durch die Einbeziehung der Herrschaftsthematik. Die Ehen von Erec und Iwein waren nicht durch den Mangel an Liebe gefährdet, sondern weil es sich für die Helden der Erzählung als schwierig erwies, den bei der Hochzeit eingegangenen Herrscherpflichten gerecht zu werden. Beide mußten erst lernen, Liebe und Ehe so miteinander zu verbinden, daß die Verantwortungsbereitschaft des zur Herrschaft Bestimmten dadurch gefördert wurde. Am Schluß war das wiederversöhnte Ehepaar zugleich ein ideales Herrscherpaar.

Das poetische Programm einer solchen Harmonie von Liebe, Ehe und Herrschaft konnte als eine Kritik an der adligen Ehepraxis, speziell an dem unpersönlichen Charakter vieler Eheverbindungen, verstanden werden, vielleicht auch als eine Auseinandersetzung mit der christlichen Ehelehre, die so wenig über die Liebe zwischen den Eheleuten zu sagen hatte. Die eheliche Liebe, von der die Romane erzählten, hatte im Prinzip dieselbe Qualität wie die höfische Liebe der Minnesänger. Ihr höfischer Charakter zeigte sich darin, daß die Liebenden auf dasselbe Ideal höfischer Vollkommenheit verpflichtet wurden wie der Sänger im Minnelied. Unterschiede ergaben sich jedoch im Hinblick auf die Stellung der Frau. Ihre Rolle als vorbildliche Ehefrau erfüllte sich hauptsächlich in ihrer Fähigkeit, sich unterzuordnen, zu dienen und zu leiden. Enite hat in dieser Beziehung die erstaunlichsten Qualitäten bewiesen. Auch Condwiramurs mußte die fast fünfjährige Trennung von Parzival klaglos ertragen, und sogar Laudine hat zuletzt vor ihrem Ehemann gekniet (H. v. Aue, Iwein 8130). Nur in Ausnahmefällen ist das Verhältnis der Eheleute von den Epikern so dargestellt worden, daß die Frau einen eigenen Handlungsspielraum gewann. Die Gyburggestalt in Wolframs ›Willehalm‹ war ein solcher Fall. In diesen Motiven erwies sich die Darstellung der Romane viel stärker wirklichkeitsorientiert als die rein fiktive Liebeskonstellation der Minnelieder.

Der Ehebruch

Der Ehebruch war nach mittelalterlicher Rechtsauffassung ein Delikt, das nur von Frauen begangen werden konnte. In diesem Punkt stimmten germanische und römische Rechtsvorstellungen überein. Nur die Kirche hat darauf gedrängt, die Männer wie die Frauen zu behandeln. Die kirchlichen Forderungen haben jedoch an der faktischen Ungleichheit nur wenig geändert. Nach weltlichem Recht wurde Ehebruch mit dem Tode bestraft. Einige Rechtsbücher kannten ein besonderes Tötungsrecht des betrogenen Ehemanns, wovon offenbar auch Gebrauch gemacht worden ist.

Ehebruch in der Gesellschaft

Wie häufig Ehebruch in der adligen Gesellschaft vorkam, ist nicht leicht zu entscheiden. Einige berühmte Fälle sind in die Geschichtsschreibung eingegangen, vor allem wohl wegen der drakonischen Strafen, die der betroffene Ehemann in Selbstjustiz verhängte. Auf Befehl Herzog Ludwigs II. von Bayern († 1294) wurde im Jahr 1256 seine Frau, Maria von Brabant, auf den bloßen Verdacht des Ehebruchs hin enthauptet. Diese Tat, die dem Herzog den Beinamen »der Strenge« eintrug, ist in vielen Geschichtswerken vermerkt und meistens negativ kommentiert worden. Besonders scharf war der Protest des Spruchdichters Stolle, der die Herzogin als »Märtyrerin« (16,9) verherrlicht und der heiligen Katharina an die Seite gestellt hat. Im Jahr 1175 überraschte Graf Philipp von Flandern († 1191) seine Frau, Elisabeth von Vermendois († 1182), mit dem Ritter Gautier de Fontaines und ließ diesen, wie Benedikt von Peterborough berichtete, fesseln und foltern, mit Knütteln und Schwertern schlagen und »den Halbtoten mit dem Kopf nach unten über einer Kloake aufhängen«[148], bis der Tod eintrat. Zum Jahr 1230 meldeten die Annalen von Worcester: »Llewellyn lud zu Ostern Wilhelm von Braose, den er des Ehebruchs mit seiner Frau verdächtigte, hinterlistig ein, schnitt ihm die Gliedmaßen ab und hängte ihn am Galgen auf.«[149] Das Abschneiden der Geschlechtsteile war offenbar als Strafe für den Ehebruch be-

---

[148] semimortuum suspenderunt illum per pedes, inclinato capite deorsum in quodam vilissimo cloacali foramine (Gesta regis Henrici secundi, Bd. 1, S. 100f.)

[149] Lewelinus, vocato Willelmo de Breusa ad festum Paschale in dolo, suspicans eum adulteratum fuisse cum uxore sua, membris succisis fecit eum suspendi in patibulo (Annales de Wigornia, S. 421)

liebt. Matthäus von Paris berichtete zum Jahr 1248, daß der Ritter Godfrey de Millers das Haus eines anderen Adligen betrat, »in der Absicht, bei dessen Tochter zu liegen«[150]. Dabei wurde er, mit Hilfe des Mädchens, »die fürchtete, als Kebse betrachtet zu werden«[151], ertappt, geschlagen und kastriert. Der Chronist nannte das Mädchen eine »kleine Hure«[152] und bewertete die Bestrafung als »unmenschliches Verbrechen«[153]. Der König verfügte, daß alle, die daran beteiligt waren – darunter der Vater des Mädchens –, unter Einzug ihres Vermögens verbannt wurden. Es hat noch weitere Fälle gegeben, und entsprechend größer dürfte die Zahl der Ehebrüche gewesen sein, die nicht ans Tageslicht gekommen sind. Im ganzen gewinnt man jedoch den Eindruck, daß derartige Skandale so selten waren, daß es für wert gehalten wurde, darüber in Chroniken zu berichten. Man möchte vermuten, daß es sich mit dem Ehebruch nicht viel anders verhielt als mit den Fällen ehelicher Liebe, die ebenfalls, als bestaunenswerte Ausnahmefälle, von den Geschichtsschreibern verzeichnet worden sind. Eine Toleranz gegenüber dem Ehebruch hat es in der Adelsgesellschaft dieser Zeit nicht gegeben. Das Risiko, das die Ehefrau, aber auch der Liebhaber dabei eingingen, war im Gegenteil so groß, daß vermutlich nur wenige dazu bereit waren.

Für die Häufigkeit des Ehebruchs könnte noch geltend gemacht werden, daß dieser Fall in den Bußbüchern der Zeit so oft besprochen worden ist. Die Verfasser solcher Bücher haben dabei an alle möglichen Paarungen gedacht: daß die Ehebrecher beide verheiratet waren oder nur einer von ihnen, daß der Ehebruch mit einem Kleriker oder einer Nonne begangen wurde, mit einem Witwer oder einer Witwe, mit der Schwester der Ehefrau, mit einer Jungfrau, mit einer Magd, mit der Ehefrau oder der Tochter des Nachbarn, mit einer Jüdin oder einer Heidin und so weiter. Schon diese Aufzählung zeigt, daß es in den meisten Fällen um die sexuellen Freizügigkeiten der Männer ging. Obwohl die Bußbücher den Grundsatz vertreten haben, daß Unzucht des Mannes nicht anders zu beurteilen sei als Unzucht der Frau, ist aus manchen Einzelbestimmungen zu erkennen, daß die tatsächlich bestehenden Unterschiede der Sexualmoral auch von den Theologen in Rechnung gestellt wur-

[150] ut cum filia concumberet (Chronica majora, Bd. 5, S. 34)
[151] quae pellex fieri formidavit (ebd.)
[152] meretricula (ebd.)
[153] peccatum illud inhumanum (ebd.)

den. So hieß es zum Beispiel in der Bußordnung der aus Deutschland stammenden Handschrift Codex Vaticanus 4772 (11. Jahrhundert) über eine verbotene Stellung beim Geschlechtsverkehr: »Hast du deiner Ehefrau oder einer anderen Frau von hinten beigeschlafen, wie es die Hunde tun? Wenn du es getan hast, sollst du zehn Tage bei Wasser und Brot büßen.«[154] Der Formulierung nach war es in dieser Sache von zweitrangiger Bedeutung, ob der Mann seiner eigenen Frau oder einer anderen beigewohnt hatte. Entsprechende Formulierungen in bezug auf das Verhalten der Frauen sind in den Bußbüchern nirgends zu finden.

Ehebruch in der Literatur

Welche Bedeutung der Ehebruch als literarisches Motiv besaß, wird unterschiedlich bewertet. Die Ansicht, daß höfische Liebe in ihrer typischsten Form ehebrecherische Liebe gewesen sei, konnte sich auf Aussagen aus der höfischen Zeit berufen. Eine satirische Versdichtung des Stricker mit dem Titel ›Die Minnesänger‹ begann mit den Worten: »Früher, als man die Aufpasserei sehr tadelte und als mancher Hausherr es teuer bezahlte, daß er seine Ehefrau ohne Bedenken den Gästen vorführte, wenn sie dann nämlich ihre Treue vergaß und ihre Pflicht verletzte und ihre Ehe brach, da nannte man das hohe Minne.«[155] Es wurde dann genau beschrieben, wie es zuging, wenn ein Minnesänger bei einem gastfreundlichen Herrn zu Tisch geladen war. »Während dieser dafür sorgte, daß es dem Gast an nichts fehlte, warb der Gast um die Ehefrau und machte sie ihrem Mann abspenstig.«[156] Um die Frau seinen Wünschen geneigt zu machen, pries der Minnesänger ihr die veredelnde Wirkung der heimlichen Liebe: »Die heimliche hohe Minne, der wohnt so große Kraft inne, daß sie alle Tugenden vermehrt: sie adelt das Benehmen, sie vertreibt alles Bedrückende, sie verleiht den Gedanken Größe, sie gibt dem Leben Würde, sie ist ein Vorklang der Glückseligkeit.«[157] Von dem Verfasser wurden derartige Aus-

[154] Concubuisti cum uxore tua vel cum alia aliqua retro, canino more? Si fecisti, decem dies in pane et aqua poeniteas (Schmitz, S. 421)
[155] Hier vor do man die hu(o)te schalt und des sumlich wirt sere engalt, daz er lie sin husfrowen die geste gerne schowen, do si ir triwe über sach und ir reht und ir ê zebrach, daz hiez hohgemutiu minne (1-7)
[156] diewile er schuf umbe den gast, daz im da nihtes gebrast, die wile warp er umbe daz wip und leidet ir des wirtes lip (29-32)
[157] . . . diu hohe tougen minne. da ist so groze chraft inne, daz si . . . diu tugent

führungen, die nur den Zweck hatten, die Frau zum Ehebruch zu verleiten, als »Afferei und Betrug«[158] verurteilt. Als Gegenmittel wurde dem Ehemann empfohlen, seine Frau, falls sie solchen Werbungen keinen entschiedenen Widerstand entgegensetzte, einzuschüchtern und streng zu überwachen. Die Minnesänger aber sollte er so bewirten, wie sie es verdienten. »Wenn ein Gast das für Höfischheit hält, daß dem Wirt von einem höfischen Mann eine Schmach an seiner Frau angetan wird, so wäre es ein guter Gegenzug, wenn der Wirt den Gast so behandelte, wie er es verdient, und ihm zu verstehen gäbe, was seine Höfischheit wert ist. Wenn er sich nämlich zu Tisch setzte und gerne essen und trinken würde, so wäre es sehr passend, daß man ihm schöne Blumen, Laub und Gras auftrüge, die immer die Freude der Höflinge waren; dazu einen Vogel, der schön singen kann und einen Quell, der unter einer schönen Linde entspringt. Dann könnte er merken, wie große Freude das alles macht, wovon er ständig singt.«[159] Dieselben Vorwürfe wurden in einer Strophe aus dem 13. Jahrhundert erhoben, die von einer Dichterin oder einem Dichter namens Gedrut oder Geltar stammte. Der Verfasser warnte die Herren von Mergersdorf vor den Verführungskünsten, die ihren Ehefrauen durch einige namentlich genannte Sänger drohten: »Wenn ich einen Knecht hätte, der von seiner Herrin sänge, der müßte mir deutlich ihren Namen nennen, damit niemand glauben müßte, es wäre meine Ehefrau. Alram, Ruprecht, Friedrich, wer hätte euch das zugetraut, daß ihr die Herren von Mergersdorf so betrügt? Würde Gericht gehalten, so ginge es euch ans Leben. Ihr seid zu feist, als daß man euch glauben könnte, daß ihr die Liebesschmerzen erleidet, von denen ihr klagt. Wenn es jemand ernst wäre mit so großer Minnesehnsucht, der wäre in Jahresfrist tot.«[160] Welchen Zeugniswert solche Aussagen im Hinblick

alle richet. si edelt die gebaere, si vertribet alle swaere, si chan den gedanchen ere geben, si tiuret den lip und daz leben, si ist der selden vor louf (63-71)

[158] daz aeffen und daz triegen (107)

[159] swelch gast daz hat fur hofscheit, ob einem wirt ein herceleit von sinem hofschen libe geschaehe an sinem wibe, da wider waere ouch daz vil sleht, taete der wirt dem gaste sin reht und erzeiget im diu maere, wes sin hofscheit wert waere. swenne er dazetische saezze und gern trunch und aezze, so waere daz vil gefu(e)ge, daz man fur in tru(e)ge edel blu(o)men, loup und gras, daz ie der hofschaere vroude was, und einen vogel, der wol sunge, und einen brunnen, der da sprunge under einer schœnen linden; so moht er wol bevinden, wie grozze froude ez allez git, da von er singet alle zit (223-42)

[160] Hete ich einen kneht der sunge lîht von sîner frouwen, der müeste die bescheidenlîche nennen mir, daz des ieman wânde ez waer mîn wîp. Alram

auf die Wirklichkeitsgrundlagen der Minnelyrik besitzen, ist schwer auszumachen. Wenn man die Liebesbeteuerungen der Minnesänger wörtlich nahm, ließ sich das Motiv der Heimlichkeit der Liebe leicht zum Verdacht ehebrecherischer Beziehungen ummünzen. Vielen Trobadors sind in den Biographien (*vidas*) und Liedkommentaren (*razos*), die nachträglich aus ihren Liedern kompiliert worden sind, ehebrecherische Liebesverhältnisse angedichtet worden. In Konrad Bollstatters ›Losbuch‹ aus dem 15. Jahrhundert sind drei bekannte Minnesänger der höfischen Zeit – Heinrich von Morungen, Wolfram von Eschenbach und Reinmar von Brennenberg; dazu als vierter der sonst unbekannte Fuß der Buhler – unter der Überschrift »Die vier Buhler«[161] in Bildern dargestellt: alle vier sind damit beschäftigt, Frauen zu verführen.

Die Minnelieder selber boten solchen Verdächtigungen nur wenig Nahrung. Von den Trobadors wurde gelegentlich »der Ehemann« (*marit*) oder »der Eifersüchtige« (*gilos*) erwähnt: in diesen Fällen war die umworbene Dame offenbar als verheiratet gedacht. Ein offenes Bekenntnis zum Ehebruch hat es nur in den französischen »Liedern der schlecht-Verheirateten« (Chansons de mal-mariées) gegeben. »Mein Ehemann ist zu eifersüchtig, zu eingebildet, tückisch und anmaßend. Aber er wird bald ein Hahnrei sein, wenn ich meinen süßen Freund treffe, der so höfisch und so zärtlich ist.«[162] In der deutschen Minnelyrik ist diese Thematik vollständig ausgespart worden. Charakteristisch für die Liebesdarstellung in der Lyrik ist hier die gewollte Unbestimmtheit der gesellschaftlichen Verhältnisse. Nicht einmal die Tagelieder, für die das Motiv der Heimlichkeit und Gefährlichkeit der Liebe gattungskonstitutiv war, haben darin eine Ausnahme gemacht. Die persönlichen und familiären Verhältnisse der adligen Frau, die den Ritter nachts in ihrer Kemenate empfing, blieben unberührt; die merkwürdige Vertrautheit der Dame mit dem Wächter auf der Zinne der Burg blieb unerklärt. Wenn man die Tageliedsituation realistisch deuten wollte – wie

---

Ruoprecht Friderîch, wer sol iu des getrouwen, von Mergersdorf daz sô die herren effet ir? waere gerihte, ez gienge iu an den lîp. ir sît ze veiz bî klagender nôt: waer ieman ernst der sich alsô nâch minnen senet, der laeg inner jâres friste tôt (I, 1-9)

[161] Die Vier Pûler (fol. 142ᵛ)

[162] Trop est mes maris jalos, Sorcuidiez, fel et estouz; Mes il sera par tens cous, Se je truis mon ami douz, Si gentil, li savoros (Etienne de Meaux 1, 1-5; van der Werf, S. 142)

es Ulrich von Liechtenstein im ›Frauendienst‹ getan hat (1622, 1 ff.) –, dann konnte man sich fragen, ob das Komplott des Wächters mit den Liebenden nicht dessen Untreue gegenüber dem Burgherrn bezeugte. Liechtenstein hat deswegen den Wächter durch ein Hoffräulein ersetzt, das nur seiner Herrin gegenüber loyal zu sein brauchte. Dieser Einfall zeigt aber nur, daß eine realistische Interpretation der Liebessituation den besonderen Gegebenheiten in der Lyrik nicht gemäß war. Gerade das Verschweigen der konkreten gesellschaftlichen Bedingungen hat den eigenen poetischen Charakter der Liebe in den Liedern der Minnesänger hervorgebracht.

In der erzählenden Literatur dagegen hatte der Ehebruch einen festen Platz. Er begegnet vor allem dort, wo in einer unernsten Weise von der Liebe erzählt wurde, hauptsächlich in den Schwankerzählungen, die bereits im 13. Jahrhundert zu den beliebtesten Formen der Literatur gehörten. In vielerlei Varianten war der Ehebruch geradezu das komische Hauptmotiv dieser Gattung. Dagegen ist in der ernsthaften Literatur eine deutliche Zurückhaltung gegenüber diesem Thema zu bemerken, in Deutschland noch mehr als in Frankreich. In den höfischen Versnovellen war öfter von der Liebe eines adligen Ritters zu einer verheirateten Dame die Rede. Dabei war die Sympathie der Autoren immer auf Seiten des Liebespaares, und die moralischen Aspekte ihrer Handlungsweise wurden ausgeklammert. Der Akzent lag in diesen Erzählungen fast immer auf der Reinheit und Größe der Liebe, die sich gegen die Verdächtigungen und Nachstellungen durch den Ehemann und die Gesellschaft behaupten mußte. Dabei wurde der Ehebruch selbst in den meisten Fällen mit auffallender Scheu behandelt. Entweder kam es überhaupt nicht dazu, weil der Geliebte sein Leben ließ, bevor sich eine Gelegenheit zur körperlichen Vereinigung der Liebenden ergeben hatte: so war es zum Beispiel in der ›Frauentreue‹ und im ›Herzmaere‹ von Konrad von Würzburg. Oder die ehebrechende Frau war mit einem Ungläubigen verheiratet – so war es in der ›Heidin‹ – und heiratete anschließend ihren christlichen Geliebten; dann konnte der Bruch der Ehe geradezu als eine verdienstvolle Tat gewertet werden. Oder der Ehebruch spielte sich – wie im ›Moriz von Craûn‹ – als eine Art Vergewaltigung ab, gegen den Willen der Frau, die zwar zunächst bereit gewesen war, dem Geliebten den vollen Lohn ihrer Liebe zu gewähren, sich dann jedoch anders besonnen hatte und nun von dem enttäuschten Liebhaber durch das gewaltsame Beilager bestraft wurde. Häufig ging es in diesen Erzählungen um einen bestimmten Fall, um ein bestimmtes Problem des Minneverhaltens. Im ›Moriz von Craûn‹ lief die Handlung auf die Frage zu, wie eine Frau sich verhalten sollte, wenn sie beim verabredeten Stelldichein den Geliebten schlafend antraf. In der ›Heidin‹ wurde die Frage aufgeworfen, welchen Teil der Ritter wählen sollte, wenn seine Geliebte ihm die Wahl zwischen ihrer oberen und ihrer unteren Hälfte ließ. Solche Minnekasuistik erfreute sich offenbar großer Beliebtheit beim höfischen Publikum. Im Rahmen derartiger Erörterungen wurde der Ehebruch zu einem theoretischen Fall, den man durchspielen und diskutieren und episch ausgestalten konnte, ohne auf die moralischen Implikationen einer solchen Situation eingehen zu müssen.

Im höfischen Roman war der Ehebruch ein seltenes Motiv; und er wurde, wo er vorkam, meistens negativ bewertet. In Ottes ›Eraclius‹ zum Beispiel hat die Kaiserin Athanais ihre ehebrecherische Liebe zu Parides selber als »Untat« (*missetât* 4054) verurteilt. Immerhin stand das Ehebruchmotiv im Mittelpunkt von zwei der berühmtesten Epen aus dem Stoffkreis der keltischen Sagen, des Lancelot- und des Tristanromans. Der Prominenz dieser beiden Geschichten ist es zuzuschreiben, daß der Eindruck entstand, als sei der Ehebruch ein zentrales Thema der höfischen Epik gewesen. In Wirklichkeit hat man sich jedoch dieser heiklen Thematik gegenüber sehr vorsichtig verhalten, besonders in Deutschland. Der ›Lancelot‹ von Chrétien de Troyes, der die ehebrecherische Liebe des Helden zur Königin Guenievre zum Gegenstand hatte, war das einzige Werk des großen französischen Epikers, das nicht ins Deutsche übertragen worden ist. Ob das mit der Ehebruchthematik zusammenhing, ist nicht zu entscheiden. Jedenfalls wurde schon am Ende des 12. Jahrhunderts von Ulrich von Zatzikhoven ein anderer französischer Lancelotroman übersetzt, in dem das Ehebruchmotiv fehlte. Über die Interpretation von Chrétiens ›Lancelot‹ gehen die Ansichten in der Forschung heute weit auseinander. Wollte der Dichter die höfische Liebe verherrlichen, die stärker war als alle Gebote der Moral? Oder wollte er sich von einer solchen Liebe ironisch distanzieren? Die Tatsache, daß das Werk unvollendet geblieben ist, macht die Antwort auf diese Fragen nicht leichter. – Der französische ›Tristan‹, das andere Hauptwerk der Ehebruchthematik, ist zuerst von Eilhart von Oberg ins Deutsche übertragen worden. Hier ist die Bewertung des Ehebruchs ganz eindeutig. Der Einsiedler Ugrim, den die Liebenden in ihrer Not um Hilfe angingen, hat die Liebe Tristans und Isoldes als »Sünde« (*sunde* 4715) und »Unrecht« (*unrecht* 4719) verurteilt. Die Schuld an dem Unglück wurde dem magischen Zwang des Liebestranks zugeschrieben; als dessen Wirkung nach vier Jahren endlich erlosch, trennten sich die Liebenden sofort, und Isolde kehrte zu ihrem Ehemann zurück. Ganz anders hat Gottfried von Straßburg, eine Generation später, das Thema behandelt. Hier fiel kein Schatten eines Vorwurfs auf die Handlungsweise der Liebenden, deren fortgesetzter Ehebruch das öffentliche Ansehen des betrogenen Königs schwer in Mitleidenschaft zog. Da der Liebestrank in Gottfrieds Version keiner Befristung mehr unterlag, wurde das ehebrecherische Verhältnis zu einer permanenten Einrichtung, die erst mit dem Tod der Liebenden ein Ende finden sollte. Dabei wurde das moralische Problem des Ehebruchs von Gottfried überhaupt nicht diskutiert. Statt dessen ist die Darstellung der ehebrecherischen Liebe mit einer Kritik an der feudalen Ehe verbunden. Sowohl die politischen Motive der Eheschließung als auch das durch Besitzverlangen und sinnliche Gier bestimmte Verhältnis des Ehemanns zu seiner Frau wurden in ein negatives Licht gerückt. Diese Formen der Ehe paßten nach Gottfrieds Darstellung zu einer Hofgesellschaft, deren Handlungsweise von Mißgunst, Neid und Intrigen gesteuert wurde. Gegenüber einer Gesellschaft von so fragwürdigem moralischen Charakter wurde die ungesetzliche Liebe bei Gottfried von Straßburg zum Programm einer besseren Welt, einer Welt der *edelen herzen,* die keine Falschheit kannten und keine Hinterlist, einer Welt, in der die Liebe zum alleinigen Maßstab wurde und in der Ausdruck höchster Treue war, was den Außenstehenden als Betrug erschien.

c. Liebe und Gesellschaft

Die ungleiche Geschlechtsmoral

»Man soll es den Männern erlauben, aber nicht den Frauen.«[163] Diese Worte aus einem Minnelied von Albrecht von Johansdorf könnten als Motto über einer Darstellung der mittelalterlichen Sexualethik stehen. Von der Hochzeitsnacht des Kaisers Focas

---

[163] wan solz den man erlouben unde den vrouwen niht (89, 20)

mit Athanais wurde erzählt: »Er legte die schöne junge Dame in
sein Bett, und dann spielte er auf ihr den höchsten Einsatz eines
Spiels, auf das er sich gut verstand, während sie das vorher nie
getan hatte.«[164] Es schien selbstverständlich zu sein, daß der
Mann mit sexuellen Erfahrungen in die Ehe ging, während von
der Frau erwartet wurde, daß sie unberührt war. König Herwig
von Seeland wollte seine Braut Kudrun gleich nach der Verlobung als seine Frau heimführen. Kudruns Mutter widersetzte
sich dieser Absicht jedoch mit dem Argument, sie wolle die
Tochter erst noch auf die neue Rolle als Königin vorbereiten.
»Man gab Herwig den Rat, die Braut dort zu lassen und sich ein
Jahr lang die Zeit anderswo mit schönen Frauen zu vertreiben.«[165]

Hinter solchen Ansichten stand die Lehre der Moraltheologen und Dekretisten, daß Männer und Frauen aufgrund ihrer
verschiedenen körperlichen Beschaffenheit ein unterschiedli-
ches Sexualverhalten zeigten und daher auch unterschiedlichen
Normen des Handelns unterworfen seien. Bei den Männern
galt der Geschlechtstrieb als »natürliches Verlangen« (*appetitus
naturalis*). Der Rechtslehrer Huguccio schrieb am Ende des
12. Jahrhunderts: »Der Mann wird nämlich durch das natürliche Verlangen der Sinnlichkeit dazu bewegt, daß er sich
fleischlich mit der Frau vereint.«[166] Bei den Frauen dagegen
wurde das geschlechtliche Begehren aus ihrer schwächeren
Konstitution erklärt und mit ihrer geringeren Widerstandskraft
gegenüber den Versuchungen der Sünde in Zusammenhang gebracht. Der Satz des Kirchenvaters Hieronymus: »Die Geschlechtslust erregt in Jungfrauen eine größere Begierde, weil
sie für süßer halten, was sie nicht kennen«[167], wurde im
13. Jahrhundert von den Dekretisten zitiert. Der Kardinal Ho-
stiensis († 1271) sprach von »der Frau, deren Gefäß immer bereit ist«[168]. Deswegen sollte die Frau einer strengen Aufsicht
unterliegen. Auf die Frage, »warum von der Frau mehr gefor-

---

[164] diu juncfrouwen wolgetân leite er an sîn bette. dô spilter ûf ir wette eines
spiles, des er kunde, des sie ê nie begunde (Otte, Eraclius 2410-14)
[165] Man riet Herwîgen, daz er si lieze dâ, daz er mit schoenen wîben vertribe
anderswâ die zît und sîne stunde dar nâch in einem jâre (Kudrun 667, 1-3)
[166] Mouetur enim homo quodam naturali appetitu sensualitatis ut carnaliter
commisceatur femine (Brundage, S. 834, A. 48)
[167] Libido in virginibus maiorem patitur famem, dum dulcius esse putant quod
nesciunt (ebd., S. 832, A 33)
[168] ... ex parte mulieris, cuius vas semper paratum est (ebd., A. 32)

dert wird als vom Mann«[169], antwortete Papst Innozenz IV.
(† 1254), daß dem Ehemann erlaubt sei, mit mehreren Frauen zu
verkehren, der Ehefrau dagegen nicht der Umgang mit mehreren Männern. »Es schadet nicht, wenn ein Mann sein Fleisch
unter vielen teilt. Wenn aber eine Frau ihr Fleisch unter vielen
teilt, erlischt in ihr das Sakrament.«[170] Für diese Ungleichheit
hatte bereits Augustinus eine biblische Rechtfertigung genannt:
unter den Patriarchen habe ein Mann mehrere Frauen gehabt,
aber nicht eine Frau mehrere Männer. »Und das verstößt nicht
gegen die Natur der Ehe. Mehrere Frauen können nämlich von
einem Mann befruchtet werden, aber nicht eine Frau von mehreren Männern.«[171]

Diese doppelte Moral ist von Andreas Capellanus auf die
höfische Liebe angewandt worden. Andreas wandte sich gegen
»die alte Auffassung«[172], »daß ganz dasselbe gelten sollte im Fall
einer Frau, die einen Treuebruch begeht, wie für einen unge-
treuen Liebhaber«[173]. Auch in der höfischen Liebe sollte die
Ungleichheit der Geschlechter bestehen bleiben. »Wir werden
niemals zugestehen, daß einer Frau vergeben werde, die sich
nicht schämt, sich in fleischlicher Lust mit zwei Männern zu
vereinen. Bei Männern wird dies wegen des häufigen Vorkom-
mens gestattet und wegen des Vorrechts des männlichen Geschlechts, das den Männern zusteht, alles natürlich Sittliche in
dieser Welt freier zu begehen. Bei Frauen wird es, wegen der
Schamhaftigkeit ihres sittsamen Geschlechts, so sehr für eine
Untat gehalten, daß eine Frau, die mehrere Liebesverhältnisse
eingegangen ist, als eine unreine Hure angesehen wird und nach
allgemeinem Urteil unwürdig ist, sich dem Kreis der übrigen
Damen zuzugesellen.«[174] Im dritten Buch von ›De amore‹ hat

[169] quare magis exigitur in uxore quam in viro (ebd., S. 834, A. 43)

[170] ideo non nocet, si vir dividit carnem suam in plures; ... unde si uxor in
plures carnem suam dividat deficit in ea sacramentum (ebd.)

[171] neque enim contra naturam nuptiarum est. Plures enim feminae ab uno viro
fetari possunt; una vero a pluribus non potest (De bono coniugali, Sp. 387)

[172] antiqua ... sententia (S. 260)

[173] ea penitus esse in muliere fallente servanda, quae sunt in fallaci amatore
narrata (ebd.)

[174] Absit enim, quod tali unquam profiteamur mulieri esse parcendum, quae
duorum non erubuit libidini sociari. Quamvis enim istud in masculis toleratur
propter usum frequentem et sexus privilegium, quo cuncta in hoc saeculo etiam
naturaliter verecunda conceduntur hominibus liberius peragenda, in muliere tamen propter verecundi sexus pudorem adeo iudicatur esse nefandum, quod,
postquam mulier plurium se voluptati commiscuit, scortum quasi reputatur im-
mundum et reliquis dominarum choris associari a cunctis iudicatur indigna
(S. 261)

Andreas Capellanus diesen Gedanken noch ironischer formuliert: »Während bei Männern, wegen der Dreistigkeit ihres Geschlechts, ein Übermaß an Liebe und Unzucht toleriert wird, wird es bei Frauen für ein verdammenswürdiges Verbrechen gehalten.«[175]

Der ungleiche Standard der Beurteilung schlug sich im gesellschaftlichen Ansehen nieder. Die Didaktiker haben gewußt, »wie sehr die Sitte der Frauen und der Männer unterschieden ist: ihre Schande ist unsere Ehre. Was die Frauen herabwürdigt, das betrachten wir als Krönung. Wenn ein Mann sehr viele Frauen erobert, so tut das seinem Ansehen keinen Abbruch. Dagegen verzichten Frauen, die auf ihr Ansehen achten und die Schande meiden, wenn sie einen guten Freund haben, gewöhnlich auf andere Männer.«[176] Von den Minnesängern wurde dieser Gedanke den Frauen in den Mund gelegt: »Wenn ich euch Gewährung schenkte, würdet ihr den Ruhm davon haben und ich den Spott.«[177]

Das Verhalten der Männer

Über die sexuellen Praktiken des Adels ist aus den historischen Quellen nicht viel zu erfahren. Aus den Berichten geistlicher Autoren gewinnt man den Eindruck, daß Ausschweifungen und Gewalttätigkeiten an der Tagesordnung waren. Ein düsteres Bild vom Sittenleben seiner Zeit hat Papst Innozenz III. in seinem Brief an den Bischof von Regensburg aus dem Jahr 1209 gemalt: »Die Ritter, die darauf bestehen, daß sie sich wegen ihrer Sünden nicht einem geistlichen Gericht zu unterwerfen brauchen, begehen ungestraft Ehebruch, Unzucht und andere Sünden und werden nicht einmal dafür zurechtgewiesen.«[178] Daß sexuelle Exzesse sich durchaus mit positiven Herrschereigenschaften vertrugen, zeigt die Charakteristik des Herzogs

[175] Immo, quamvis in masculis propter sexus audaciam amoris vel luxuriae toleratur excessus, in mulieribus creditur damnabile crimen (S. 324)

[176] wie wibe und manne leben si gescheiden also sere: ir schande ist unser êre. des wip da sint gehoenet des welle wir sin gekroenet; swaz ein man wibe erwirbet, daz (er) doch niht verdirbet an sinen eren da von. dar under sin wir gewon an wiben die mit eren lebent und sich schanden begebent, diu einen guoten friunt hat, daz si der andern habe rat (Zweites Büchlein 698-710)

[177] wert ich iuch, des hetet ir êre; sô waer mîn der spot (A. v. Johansdorf 93, 35)

[178] Praeterea milites quidam, qui se asserunt de suis excessibus non debere sacerdotum judicio subjacere, adulteria, incestus et alia peccata committunt impune, nec etiam corriguntur (Epistolae, Bd. 3, Sp. 34f.)

Konrad von Schwaben († 1196), der ein Bruder Kaiser Heinrichs VI. war, bei Burchard von Ursberg: »Er war ein Mann, der sich gänzlich dem Ehebruch, der Hurerei und Schändung und jeglichen Schwelgereien und Unzüchtigkeiten hingab; gleichwohl war er tüchtig und kühn im Kampf und freigebig gegenüber seinen Freunden.«[179] Über den Grafen von Amiens, Enguerrand de Boves († 1116), wurde berichtet, er sei »ein sehr großzügiger, freigebiger und wohlhabender Mann gewesen«[180], der den Kirchen seine Verehrung erwies und sie reich beschenkte; »andererseits war er so sehr der geschlechtlichen Liebe hingegeben, daß er Frauen aller Art um sich hatte, anständige und käufliche, und fast nichts tat, als was deren Leichtfertigkeit ihm eingab«[181]. Hermann von Reichenau († 1054) klagte in seinem Gedicht ›Über die acht Hauptlaster‹, daß nur der Arme, der durch seine Armut dazu gezwungen war, sich mit einer Frau begnügte, daß aber der Reiche viele Beischläferinnen hätte und sich nicht scheute, öffentlich mit ihnen zu verkehren: »Der Arme hat erzwungenermaßen nur eine einzige legitime Ehefrau und erfreut sich der heiligen Ehe aus Furcht nur ein wenig. Der Reiche dagegen hat schändlichen Umgang mit ein, zwei oder mehreren Beischläferinnen, seiner unersättlichen Sinnlichkeit gänzlich verfallen, und scheut sich nicht, sich diesen Buhlschaften öffentlich hinzugeben.«[182] Von einem merkwürdigen Fall von Vielweiberei berichtete die ›Vita Bertholdi Garstensis‹, die in der zweiten Hälfte des 12. Jahrhunderts von einem Mönch des Klosters Garsten verfaßt wurde. Abt Berthold habe einmal im Haus Ulrichs von Berneke zwölf Frauen angetroffen, die dort in großem Luxus lebten. »Da seine Frau gestorben war, ließ dieser Herr ständig eine von ihnen nach seinen Gelüsten in seinem Bett sein.«[183] »Wo immer Ritter sich versammeln, da

[179] Erat enim vir totus inserviens adulteriis et fornicationibus et stupris, quibuslibet luxuriis et immundiciis, strennuus tamen erat in bellis et ferox et largus amicis (S. 74)

[180] vir fuit equidem admodum liberalis, largus et dapsilis (Giubert de Nogent, De vita sua, Sp. 910)

[181] alias autem amori femineo adeo deditus ut quascunque circa se aut debitas aut usurarias mulieres haberet, nihil pene faceret, quod ei earumdem petulantia dictitaret (ebd.)

[182] inops coactus publicam uxorem habet fors unicam et uel timore nuptiis parumper utetur piis. at diues unam uel duas aut concubinas plurimas constuprat haud explebili deseruiens libidini, et his stupris incumbere non pertimescit publice (De octo vitiis principalibus 1271-80)

[183] quarum singulas, quia Conjux obierat, suo lecto ille vir pro libitu adesse semper praecipiebat (Sp. 116)

wird darüber geredet, wie viele Frauen der eine und der andere behurt hat. Über ihre Untaten können sie nicht schweigen; ihr Renommee bemißt sich nur nach den Frauen. Wer aber in diesem Punkt nichts aufzuweisen hat, der kommt sich erbärmlich vor unter seinen Genossen.«[184] Bei der Bewertung derartiger Aussagen muß immer berücksichtigt werden, daß die Verfasser in der Mehrzahl engagierte Geistliche waren, die dem weltlichen Treiben des Adels voll Mißtrauen gegenüberstanden und die sich bei der Beschreibung weltlicher Zustände überkommener Deutungsschemata bedienten, die nicht an der Wirklichkeit überprüft wurden. Es ist vorgekommen, daß geistliche Eiferer von Ausschweifungen und Unzucht sprachen, wo nach weltlichen Vorstellungen eine legitime Ehe bestand. Dennoch wird der Eindruck, daß die adligen Herren die Vorrechte ihrer Position oft genug zur Befriedigung ihrer persönlichen Wünsche und Bedürfnisse ausgenutzt haben, nicht vollkommen verkehrt sein. Erst vor dem Hintergrund solcher Verhältnisse wird deutlich, wie hoch der Anspruch war, den die Idee der höfischen Liebe an die adlige Gesellschaft stellte.

In einem Lehrgedicht aus dem 13. Jahrhundert mahnte König Tirol seinen Sohn, sich nicht an den Frauen seiner Untertanen zu vergehen: »Sohn, hüte dich, daß es dich nicht in deinem Herzen gelüste nach den Frauen deiner vornehmen Männer und nach ihren schönen Töchtern; du würdest damit das Ansehen deiner adligen Vasallen schmälern.«[185] Nicht alle Herrscher scheinen sich daran gehalten zu haben. Von König Johann I. von England († 1216) wurde erzählt, »daß er die Töchter und Verwandten der Vornehmen seines Reiches vergewaltigte«[186]. Unter den Gründen für die Absetzung König Adolfs von Nassau durch die Fürsten im Jahr 1298 führte Sigfrid von Balnhusen an: »Zweitens, weil er Jungfrauen geschändet hat.«[187] Dieser Fall zeigt, daß ein solches Verhalten als verdammungswürdig angesehen wurde und in entsprechender Situation gegen den

---

[184] swâ sich diu rîterschaft gesamnet, dâ hebet sich ir wechselsage, wie manige der unt der behûret habe; ir laster mugen si nicht verswîgen, ir ruom ist niwan von den wîben. swer sich in den ruom nicht enmachet, der dunchet sich verswachet under andern sînen gelîchen (H. v. Melk, Erinnerung an den Tod 354-61)

[185] Sun, dîner werden manne wîp und ir schoenen tohter lîp: nû hüete, daz dir iht under brust in dîn herze kom der glust, dâ mit dû dînen werden man an êren mügest geswachen (Tirol und Fridebrant 32, 1-6)

[186] quod nobilium regni sui filias et consanguineas rapuit (Thomas Wykes, Chronica, S. 53)

[187] secundus, quia virgines stuprasset (Compendium historiarum, S. 713)

Urheber verwendet werden konnte. Gelegentlich ist auch vom Widerstand gegen die sexuelle Willkür großer Herren die Rede. Mathias von Neuenburg berichtete zum Jahr 1271 von dem jungen Grafen Heinrich von Freiburg: »Als Heinrich nach Neuenburg gekommen war, um am nächsten Tag den Treueid von den Bewohnern zu empfangen, vergewaltigte er am Abend beim Fleischmarkt die Ehefrau eines Bürgers, weswegen die Neuenburger sich weigerten, ihm den Eid zu leisten.«[188]

Kritik an den sexuellen Ausschweifungen der Männer ist vor allem von den höfischen Dichtern geübt worden. »Der Mann, der eine gute Frau hat und zu einer anderen geht, der ist ein Sinnbild des Schweins. Was könnte es Böseres geben? Es verläßt den lauteren Brunnen und legt sich in den trüben Pfuhl. So verhalten sich sehr viele Männer.«[189] Wie der Ehebruch wurde auch die Vielweiberei verurteilt: »Der Mann, der mit Frauen so umgeht, daß er gerne viele von ihnen hat, dieser übel gesinnte Mann soll vornehmen Frauen widerwärtig sein.«[190] Im ›Parzival‹ wurde erzählt, daß Urjans, ein Fürst aus Punturtoys, in der Nähe des Artushofs eine vornehme Jungfrau vergewaltigt hatte und dafür vom König zum Tod durch den Strang verurteilt wurde. Auf Bitten der Königin wurde ihm der Tod erlassen; aber er wurde aller seiner Ehren beraubt und zu tiefster Erniedrigung in den Hundestall gesperrt: »Zusammen mit Spürhunden und Leithunden mußte er vier Wochen lang aus einem Trog essen. So wurde die Dame gerächt.«[191] Nicht jeder mußte mit so strenger Strafe rechnen. König Meljakanz stand auf derselben Stufe wie Urjans: »Ob es eine verheiratete Frau war oder eine Jungfrau, stets hat er sich die Liebe mit Gewalt genommen. Man sollte ihn deswegen totschlagen.«[192] Meljakanz blieb jedoch ein geachtetes Mitglied der höfischen Gesellschaft. Selbst

[188] Qui Heinricus cum Nuwenburg venisset animo recipiendi in crastino fidelitatem ab hominibus, in sero sub macellis cuiusdam burgensis uxorem stupravit, propter quod Nuwenburgenses illi fidelitatem facere renuerunt (Chronica, S. 17)

[189] Swel man ein guot wîp hât unde zeiner ander gât, der bezeichent daz swîn. wie möht ez iemer erger sîn? Ez lât den lûtern brunnen und leit sich in den trüeben pfuol. den site hât vil manic man gewunnen (Spervogel 29, 27-33)

[190] swelch man mit wîben sô umb gât daz er ir gerne manege hât, der selbe ungemuote man sol werden wîben widerstân (U. v. Liechtenstein, Frauenbuch 650, 1-4)

[191] ez waer vorlouft od leithunt, ûz eime troge az sîn munt mit in dâ vier wochen. sus wart diu frouwe gerochen (528, 27-30)

[192] ez waere wîb oder magt, swaz er dâ minne hât bejagt, die nam er gar in noeten: man solt in drumbe toeten (ebd., 343, 27-30)

der Musterritter Gawan war in diesem Punkt nicht ohne Makel. »Einer schönen Jungfrau hat er gegen ihren Willen Gewalt angetan, so daß sie weinte und schrie.«[193] Hartmann von Aue erzählte, daß Iwein einmal zusammen mit einem Fräulein unterwegs war und daß sie auf einer Burg freundlich bewirtet wurden. Nachts schliefen sie dort in einem Zimmer, was den Dichter zu der Bemerkung veranlaßte: »Wer sich nun darüber wundert, daß ein ihm nicht verwandtes Mädchen nachts so nahe bei ihm lag und er sie nicht berührte, der weiß nicht, daß ein anständiger Mann sich alles dessen enthalten kann, dessen er sich enthalten will. Doch gibt es, weiß Gott, deren nur sehr wenige.«[194] Der Schlußsatz weist darauf hin, wie weit das höfische Verhalten der Männer in der Dichtung von den wirklichen Verhältnissen entfernt war.

Das Verhalten der Frauen

Ganz andere Normen galten für das Sexualleben der Frauen. Daß ein Mann seine Frau verstieß, um eine andere zu heiraten, war normal. Wenn aber eine Frau ihren Mann verließ und einen anderen nahm, setzte sie sich den schlimmsten moralischen Verdächtigungen aus. Die Gräfin Bertrade von Anjou († nach 1115), Tochter des Grafen Simon I. von Montfort, verließ im Jahr 1092 ihren Mann, Graf Fulko IV. von Anjou († 1109), und heiratete den französischen König Philipp I. († 1108). Die beiden beteiligten Männer waren übel beleumdet. Graf Fulko hatte bereits zwei Ehefrauen verstoßen, bevor er, »von Liebe entflammt«[195], die schöne Bertrade heiratete; in der Chronik der Grafen von Anjou wurde er als »Lüstling«[196] bezeichnet. König Philipp I. ist als »wollüstiger König«[197] in die Geschichtsschreibung eingegangen. Er verstieß seine erste Frau, Bertha von Holland, um Bertrade zu heiraten. Dennoch wurde die Schuld an dem öffentlichen Skandal, der damals großes Aufsehen erregt hat, von den meisten Geschichtsschreibern der Gräfin Bertrade

[193] eine maget wol getân die greif er über ir willen an, sô daz si weinde unde schrê (W. v. Grafenberg 1511-13)

[194] swer daz nû vür ein wunder ime selbem saget daz im ein unsippiu maget nahtes alsô nâhen lac mit der er anders niht enpflac, dern weiz niht daz ein biderbe man sich alles des enthalten kan des er sich enthalten wil. weizgot dern ist aber niht vil (Iwein 6574-82)

[195] amore ... succensus (Gesta Ambaziensium dominorum, S. 103)

[196] libidinosus (Chronica de gestis consulum Andegavorum, S. 65)

[197] Rex libidinosus (ebd., S. 66)

angelastet, die als »ganz Verdorbene«[198], als »begehrliche Frau«[199], als »Ehebrecherin«[200] und »schamlose Kebse«[201] denunziert wurde. Der englische Historiker William von Malmesbury hat ihren gesellschaftlichen Ehrgeiz für alles verantwortlich gemacht: »Von der Verlockung nach einem höheren Stand ergriffen«[202], habe sie den Grafen für den König aufgegeben.

Eine Frau, die ihren Ehemann verließ, mußte sogar mit schwerwiegenden rechtlichen Benachteiligungen rechnen. In der Zwiefaltener Chronik des Mönchs Ortlieb wurde von einer Frau aus der Familie der Grafen von Achalm erzählt, die in Italien verheiratet war, später aber ihren Mann verließ, nach Schwaben zurückkehrte und dort ihren Anteil am Familienerbe einforderte. »Aber weil sie ihre rechtmäßigen Ansprüche durch das schmähliche Verlassen ihres Ehemanns verloren hatte, erhielt sie aufgrund des Widerspruchs rechtskundiger Männer nichts zurück. Denn eine Frau, die ihre eheliche Unbescholtenheit eingebüßt hat, geht auch ihres Erbrechts verlustig.«[203]

Wie eng die Grenzen für eine Frau gezogen waren, wenn es um die Verwirklichung ihres persönlichen Glücks ging, und wie schnell sie in den Verdacht der Leichtfertigkeit geriet, wenn sie sich nicht gänzlich passiv verhielt, zeigt auch die Geschichte der Gräfin Ida, der vielumworbenen Erbin der Grafschaft Boulogne. Sie war zuerst mit dem Grafen Gerhard III. von Geldern verheiratet, der bereits ein Jahr nach der Hochzeit starb; dann in zweiter Ehe mit dem um vieles älteren Herzog Berthold IV. von Zähringen († 1186), den sie ebenfalls nach kurzer Ehe verlor. Zum zweiten Mal Witwe geworden, kehrte sie in ihre Grafschaft zurück und soll dort, wie Lambert von Ardres sie verdächtigte, »sich den körperlichen Begierden und den weltlichen Genüssen ergeben haben«[204]. Angeblich hat sie von sich aus ein Liebesverhältnis mit dem benachbarten Grafen Arnald von Guines angeknüpft. Aber ein Glück war dieser Liebe nicht beschieden. Auf Anstiften des französischen Königs Philipp II.

[198] Pessima illa (ebd., S. 67)

[199] lasciua mulier (Ordericus Vitalis, Bd. 4, S. 260)

[200] adultera (ebd., S. 262)

[201] peculans pelex (ebd., S. 260)

[202] pruritu altioris nominis allecta (Gesta regum Anglorum, Bd. 2, S. 293)

[203] sed quia legalia iura propter turpem abiectionem mariti perdidit, contradicentibus legis peritis minime recepit, quippe quae maritalem castitatem amisit etiam iura hereditaria perdidit (S. 24)

[204] corporis voluptatibus et secularibus deliciis indulsit (Historia comitum Ghisnensium, S. 605)

August hat Graf Renaud von Dammartin († 1227) die Gräfin Ida entführt, gefangengesetzt und dann geheiratet. – Öffentliche Vorwürfe wurden auch gegen die Königin von Frankreich, Eleonore von Aquitanien, erhoben, als ihr Mann, König Ludwig VII. († 1180), sich im Jahr 1152 von ihr scheiden ließ. Der offizielle Scheidungsgrund war zu nahe Verwandtschaft. Vielleicht hat dabei auch eine Rolle gespielt, daß Eleonore dem König nur Töchter geboren hatte. Aber schon bald wurde behauptet, daß eine Liebesaffäre der Königin mit dem Grafen Raimond von Antiochia († 1149) an dem Scheitern der Ehe schuld gewesen sei. Nach Helinand von Froidmont »hat sie sich nicht wie eine Königin, sondern eher wie eine Hure benommen«[205]. Als Beweis dafür, daß ihre Sinnlichkeit in der Ehe mit Ludwig VII. keine Befriedigung fand, wurde ihr Ausspruch zitiert, »sie habe einen Mönch geheiratet, nicht einen König«[206].

Unter solchen Umständen waren die Frauen gezwungen, die Rücksicht auf ihren guten Ruf zur Maxime ihres Handelns zu machen. Für die verheiratete Frau war es besser, sich mit dem zu begnügen, was die Ehe ihr bot. Diese Auffassung vertrat auch die adlige Dame (*nobilis*) bei Andreas Capellanus: »Alle Menschen sollten die Art von Liebe erwählen, die man täglich ohne Vorwurf praktizieren kann. Deswegen muß ich als den Mann, der sich meiner Umarmungen erfreuen soll, einen auswählen, der mir Ehemann und Liebhaber zugleich sein kann.«[207] Die unverheiratete Frau tat gut daran, sich an die Lehren der Winsbekin zu halten, die ihrer Tochter riet, gänzlich auf Liebe zu verzichten. Wenn jedoch die Minne sie dazu zwänge, einen Mann zu lieben, »so soll der von dir ohne Gewährung bleiben: das ist mein Wille«[208]. Die Dame des Minnesangs, die sich der Werbung eines Mannes beharrlich verweigerte, hatte hier ihre realgesellschaftliche Wurzel. Die ungleiche Geschlechtsmoral hat die Frauen genötigt, sich so zu verhalten. In den sogenannten Frauenstrophen, die die Minnesänger den Damen in den Mund gelegt haben, wurde darüber deutlich gespro-

---

[205] quae non sicut regina, sed fere sicut meretrix se habebat (Chronicon, Sp. 1058)
[206] se monacho non regi nupsisse (Wilhelm v. Newburgh, Historia rerum Anglicarum, Bd. 1, S. 93)
[207] Ille enim amor ab omnibus est eligendus ... qui sine crimine quotidianis potest actibus exerceri. Talis igitur est meis fruiturus amplexibus eligendus, qui mecum valeat mariti et amantis vice potiri (S. 144f.)
[208] der sol doch nâch dem willen mîn von dir belîben ungewert (27, 9–10)

chen. »Den ich von Herzen liebe, dem verweigere ich mich, nicht aus übergroßem Haß, sondern wegen meines guten Rufs.«[209] »Wenn ich den Mut dazu hätte, würde ich seinen Wunsch erfüllen, wenn ich liebende Frau nur nicht um mein Ansehen fürchten müßte und um das Leben dessen, der mir alles ist.«[210] »Liebe ist ein so gefährliches Vergnügen, daß ich mich niemals traue, damit anzufangen.«[211] »Jetzt will er, daß ich um seinetwillen Ansehen und Leben aufs Spiel setze: das ist mein Verhängnis!«[212] »Was er begehrt, das ist der Tod und reißt viele Menschen ins Verderben. Bleich und dann wieder rot macht es die Frauen. Liebe nennen es die Männer und sollte besser Unliebe heißen. Weh ihm, der damit angefangen hat.«[213] Der Wunsch, eine Freundschaft nur auf gemeinsame Gespräche zu gründen, scheiterte meistens an den Männern, die auf körperliche Erfüllung drängten. »Ach, daß wir Frauen nicht bei Unterhaltungen Freunde machen können, ohne daß diese noch mehr wollen; das bedrückt mich. Ich will keine körperliche Liebe.«[214] Daß dabei auch das persönliche Glück geopfert wurde, liegt auf der Hand.

Vereinzelt hat es schon im Mittelalter Proteste gegen die Ungerechtigkeit der zwiefachen Moral gegeben. »Wenn eine Frau eine Missetat begeht, wie sie ein Mann tausendfach begangen hat, dann soll ihr Ansehen vernichtet sein, während er Ruhm davon haben will. Das ist ein ungleiches Spiel. Ein solches Recht will Gott nicht.«[215] Im lateinischen ›Ruodlieb‹-Roman des 11. Jahrhunderts drohte der Held seiner Braut bei der Verlobung den Tod an, wenn sie ihm nicht die Treue halten würde:

[209] Der mir ist von herzen holt, den verspriche ich sêre, niht durch ungevüegen haz, wan durch mînes lîbes êre (Reinmar der Alte 186, 25–28)

[210] Getorste ich genanden, sô wolde ich im enden sîne klage, wan daz ich vil . . . sendez wîp ervürhten muoz der êren mîn und .3. . des lebennes sîn, der ist mir alsam der lîp (F. v. Hausen 54, 14–18)

[211] minne ist ein sô swaerez spil, daz ichs niemer tar beginnen (Reinmar der Alte 187, 19–20)

[212] nu wil er – daz ist mir ein nôt –, daz ich durch in die êre wâge und ouch den lîp (ebd. 192, 37–38)

[213] Des er gert, daz ist der tôt und verderbet manigen lîp; bleich und eteswenne rôt, alse verwet ez diu wîp. Minne heizent ez die man unde mohte baz unminne sîn. wê ime, ders alrêst began (ebd. 178, 29–35)

[214] Daz wir wîp niht mugen gewinnen vriunt mit rede, si enwellen dannoch mê, daz müet mich. ich enwil niht minnen (ebd. 177, 34–36)

[215] tuot ein wîp ein missetât, der ein man wol tûsent hât, der tûsent wil er êre hân, und sol ir êre sîn vertân. daz ist ein ungeteilet spil: got solches rehtes niht enwil (Freidank 102, 20–25)

»Die Treue mußt du mir bewahren oder enthauptet werden.«[216] Darauf antwortete das Mädchen: »Es gehört sich, daß beide sich dem gleichen Urteil unterwerfen. Sag, warum soll ich dir eine bessere Treue bewahren als du mir? Sag, wenn du es verteidigen kannst, ob es Adam erlaubt gewesen wäre, eine Geliebte neben Eva zu haben? Wenn du dich mit Dirnen abgäbst, wolltest du deinerseits, daß ich eine Dirne wäre? Fern sei, daß ich mich in solchem Vertrag dir verbinde; geh, lebewohl, und wann immer du huren willst, dann aber ohne mich.«[217] Der Satz des heiligen Ambrosius: »Dem Mann ist nicht erlaubt, was der Frau nicht erlaubt ist«[218], wurde im 12. Jahrhundert im ›Decretum‹ von Gratian zitiert (Causa 32, Questio 4, c. 4, Sp. 1128). Aber es ist nicht gelungen, diesem Satz volle Geltung zu verschaffen.

Minnegeselligkeit

Man kann die höfische Liebe als ein Gegenprogramm zu den Verhältnissen der Wirklichkeit interpretieren. Hier war alles anders: statt Gewalt und Hemmungslosigkeit ein ausgesuchtes Benehmen nach den Vorschriften der höfischen Etikette; statt einer Sexualität, die nur auf körperliche Befriedigung aus war, eine erotische Kultur, in der musikalische Begabung, Redegewandtheit und literarische Bildung einen hohen Stellenwert besaßen; statt Benachteiligung und Ausnutzung der Frau ein neues Rollenspiel, bei dem die Dame den Part der Herrin übernahm und der Herr zum Diener wurde, der nach höfischer Vollkommenheit streben mußte, um der Huld der Frau teilhaftig zu werden. Die Konzeption einer neuen, besseren Gesellschaft mit Liebe als zentralem Wert war ihrem Wesen nach eine poetische Idee, die von den Dichtern ausformuliert und wohl auch zum großen Teil von ihnen erdacht worden ist.

Aber hat es nicht noch eine andere Seite der Wirklichkeit gegeben? War nicht auch der höfische Frauendienst eine gesellschaftliche Realität? Wie schwierig es ist, diese Frage klar zu beantworten, veranschaulicht folgender Fall. Der französische

[216] Hanc (fidem) servare mihi debes aut decapitari (XIV, 68)
[217] Iudicium parile decet ut patiatur uterque. Cur servare fidem tibi debeo, dic, meliorem, Quam mihi tu debes? Dic, si defendere possis, Si licuisset Adae, maecham superaddat ut Evae? ... Cum meretricares, essem scortum tibi velles? Absit, ut hoc pacto tibi iungar; vade, valeto Et quantumcunque scortare velis, sine sed me (XIV, 70–73. 77–79)
[218] nec viro licet quod mulieri non licet (De Abraham, Sp. 452)

Hofkaplan Guillaume le Breton († nach 1224) hat in seinem großen lateinischen Epos über die Taten König Philipps II. August (›Philippis‹) erzählt, daß in der Schlacht von Bouvines im Jahr 1214 – wo Kaiser Otto IV. mit seinen flandrischen Verbündeten von den Franzosen schmählich besiegt wurde – einer der Ritter im Kampfgewühl »wie zum Scherz«[219] ausgerufen habe: »Jetzt soll jeder an sein Mädchen denken!«[220] In seinem historischen Prosawerk über denselben Gegenstand (›Gesta Philippi Augusti‹) hat Guillaume le Breton diese Einzelheit jedoch übergangen. Wie ist das zu erklären? War dem ernsthaften Historiker der »Scherz« des Frauenritters zu unwichtig oder hat der Dichter seine Schlachtschilderung mit einem poetisch-fiktionalen Motiv geschmückt? Daß ein adliger Herr tatsächlich im Dienst seiner Dame ritterliche Taten vollbrachte und sich damit um ihre Liebe bewarb, dafür kenne ich aus der höfischen Zeit nur ein Zeugnis: Salimbene von Parma berichtete zum Jahr 1240, daß der Markgraf Opizo von Este bei einem Turnier mitgekämpft habe, wobei ihm ein Auge ausgestochen worden sei. »Er tat das aber aus Liebe zu einem Fräulein, das zugegen war.«[221] Wenn man glaubt, daß dieser italienische Markgraf ein höfischer Musterritter gewesen sei, wird man allerdings enttäuscht. Salimbene von Parma berichtete weiter: »Es wurde von ihm behauptet, daß er die Töchter und Ehefrauen sowohl der Vornehmen als auch der einfachen Leute in Ferrara vergewaltigte. Er stand sogar in dem Verdacht, mit seinen eigenen Schwestern und mit der Schwester seiner Frau verkehrt zu haben.«[222] An diesem Opizo von Este ist abzulesen, daß ritterlicher Frauendienst und gewalttätiges Sexualverhalten sich in der Wirklichkeit scheinbar widerspruchslos miteinander verbinden ließen.

Wie aufrichtig die Gefühle waren, die der Markgraf von Este dem Fräulein entgegenbrachte, für das er im Turnier ritt, läßt sich nicht feststellen. Wir wissen jedoch, daß man die Ideale von Rittertum und Liebe auch als Mittel einer Überredungstaktik benutzen konnte, wenn es darum ging, eine Frau den eigenen

---

[219] quasi ludens (XI, 142)

[220] Nunc quisque sue memor esto puelle! (XI, 143)

[221] Faciebat enim talia amore cuiusdam mulierculae, que presens aderat (Bd. 1, S. 245)

[222] Item dictum fuit de eo quod filias et uxores tam nobilium quam ignobilium de Feraria constupraret. Item diffamatus fuit quod proprias sorores cognoverit nec non et sororem uxoris (ebd.)

Wünschen gefügig zu machen. Im französischen ›Lai du lecheor‹ diskutierten die Damen am Hof darüber, warum die Ritter so höfisch und so tapfer sind. »Warum sind sie gute Ritter? Warum lieben sie Turniere? Warum rüsten sich die jungen Herren? Warum tragen sie neue Kleider? Warum verteilen sie ihren Schmuck, ihre Bänder und ihre Ringe? Warum sind sie edelmütig und gütig? Warum hüten sie sich, Böses zu tun? Warum lieben sie es, zu hofieren, zu herzen und zu umarmen?«[223] Die Antwort lautete: »nur wegen einer einzigen Sache«[224], und diese Sache hieß *con* (von lat. *cunnus* »das Geschlechtsteil der Frau«). »Alle guten Taten werden deswegen vollbracht.«[225]

Früher hat man es für selbstverständlich gehalten, daß die Liebesbeteuerungen der Trobadors und Minnesänger von einer erlebten Wirklichkeit motiviert waren. Als Kronzeuge für praktizierten Frauendienst ist Ulrich von Liechtenstein angesehen worden. Seine poetische Selbstdarstellung im ›Frauendienst‹ bot alles, was man von einem Minneritter erwarten konnte: jahrelanges entsagungsvolles Werben um die Gunst einer gesellschaftlich höherstehenden Dame, in deren Dienst der Dichter ritterliche Fahrten veranstaltete und zu deren Verherrlichung er seine Lieder sang. Heute ist man sich einig, daß der historische Zeugniswert dieser Darstellung im Hinblick auf die Wirklichkeitsgrundlage des Minnesangs sehr gering ist. Selbst wenn alles wahr ist, was Liechtenstein von seinen Taten im Dienst der Minne erzählt hat, so hat er doch nur nachgespielt, was die höfische Dichtung ihm vorgegeben hatte. Seine Minnesänger-Autobiographie ist fast gänzlich aus literarischen Motiven zusammengesetzt. Die Wirklichkeit der höfischen Liebe ist nicht in der Echtheit der Gefühle des einzelnen Sängers zu finden. Um dem Charakter der Liebe als einer gesellschaftlichen Veranstaltung gerecht zu werden, muß man eine andere Ebene der Wirklichkeit aufsuchen: die der höfischen Geselligkeit. Die Liebe hatte ihren Platz unter den Unterhaltungsformen der adligen Gesellschaft.

[223] Par cui sont li bon chevalier? Por quoi aimment a tornoier? Por qui s'atornent li danzel? Por qui se vestent de novel? Por qui envoient lor joieaus, Lor treceors et lor aneaus? Por qui sont franc et debonere? Por qoi se gardent de mal fere? Por qoi aimment le donoier, Et l'acoler et l'embracier? (71–80)

[224] Fors sol por une chose (82)

[225] tuit li bien sont fet por lui (97)

Die Trobadors haben nicht selten ihre Lieder mit einer »Tornada« versehen; das waren Geleitstrophen, in denen einige Male die Namen von historisch nachweisbaren Mitgliedern des südfranzösischen Hochadels genannt wurden, die die Gönner und Freunde der Dichter waren. Auf diese Weise wurde eine Verbindung hergestellt zwischen den Liedtexten und der Gesellschaft, für die die Lieder bestimmt waren. Dasselbe gilt für die »Senhals«, die Verstecknamen für die besungenen Damen, die von den Trobadors in den Tornadas und auch in den Liedern selbst genannt wurden. Obwohl man diese Namen in keinem einzigen Fall entschlüsseln kann, muß man doch annehmen, daß sie für wirkliche Personen standen, weil das Versteckspiel nur dann einen Sinn hatte, wenn sich dahinter etwas verbarg. In welchem Verhältnis die Sänger zu den von ihnen so geheimnisvoll umschriebenen Damen standen, ist nicht sicher. Die Vermutung, daß die Verstecknamen dazu dienten, tatsächlich bestehende Liebesverhältnisse zu kaschieren, läßt sich nicht verifizieren. Die Namen »Schöner Blick« (*Bel Esgar*), »Reine Freude« (*Fin Joy*), »Schöne Hoffnung« (*Bel Esper*), »Besser als gut« (*Milhs de Be*) usw. dürften Gesellschaftsnamen gewesen sein, deren Identität im Kreis der Hofgesellschaft bekannt war. Aus den Namen ist jedenfalls zu ersehen, daß die Dichter mit ihren Liedern auf den Gesellschaftsbetrieb am Hof Bezug genommen haben.

Welcher Art diese Beziehung war, bezeugt ein Lied Wilhelms IX. von Aquitanien († 1126), des ersten bekannten Trobadors. »Wenn ihr mir ein Liebesspiel aufgebt, so bin ich nicht so dumm, daß ich nicht den besseren Part unter den schlechten herauszufinden wüßte.«[226] Offensichtlich bezog der Dichter sich damit auf ein Gesellschaftsspiel, das später als »geteiltes Spiel« (provenz. *joc-partit*, frz. *jeu-parti*) bezeichnet wurde und das im wesentlichen darin bestand, daß verschiedene Ansichten zu einem Liebesproblem zur Wahl gestellt wurden und daß der eine Mitspieler sich eine Position auswählte, die er dann gegen andere argumentativ vertreten mußte. Solche Spiele bildeten offenbar die Grundlage für die Entstehung des Partimen, einer Hauptform des provenzalischen Streitgedichts, die seit dem Ende des 12. Jahrhunderts bezeugt ist. Das Partimen war so orga-

---

[226] E si·m partetz un juec d'amor No suy tan fatz No·n sapcha triar lo melhor D'entre·ls malvatz (6,11–14)

nisiert, daß zwei Dichtern eine Streitfrage in »dilemmatischer Form« (»verhält es sich so, oder verhält es sich so?«) vorgelegt wurde und daß der eine die eine Position wählte und dem anderen die andere zufiel. Sie haben dann ihre gegensätzlichen Ansichten, Strophe um Strophe wechselnd, gegeneinander dargelegt, bis zuletzt das Urteil eines Schiedsrichters angerufen wurde. Die Fragen, über die gestritten wurde, betrafen fast immer die höfische Liebe. Manchmal wurden dabei Aspekte von zentraler Bedeutung diskutiert, öfter jedoch extreme oder überzogene Positionen (»Ist die Frau eines Impotenten oder eines Eifersüchtigen leichter zu gewinnen?« Pillet-Carstens 461,16) und nicht selten geradezu komische Fragen (»Zieht ihr warme Kleidung im Winter oder eine höfische Geliebte im Sommer vor?« Pillet-Carstens 129,2; »Wenn eure Dame ihre Hingabe von einer Liebesnacht mit einer zahnlosen Alten abhängig macht, wollt ihr diese Bedingung lieber vorher oder nachher erfüllen?« Pillet-Carstens 144,1; »Woran stirbt man eher, an einer Adventsnacht bei der Geliebten oder an acht Stunden unter berüchtigten Räubern?« Pillet-Carstens 129,3 usw.). Daraus wird deutlich, daß es in diesen Streitgedichten nicht in erster Linie um die gedankliche Lösung von Sachfragen ging, sondern um das gekonnte und witzige Argumentieren, daß somit der unterhaltende Charakter dieser Dichtungsgattung mindestens ebenso stark ausgeprägt war wie ihr didaktischer Zweck.

Das Interesse der französischen Adelsgesellschaft an der Erörterung von Liebesfragen ist im Verlauf des 12. und 13. Jahrhunderts noch gewachsen. Besonderer Beliebtheit erfreuten sich offenbar die Spiele, die unter dem Titel ›Der König, der nicht lügt‹ (Le roi qui ni ment) und ›Das Königs- und Königinspiel‹ (Le jeu du roi et de la reine) bekannt waren. Dabei wurde einer der Mitspieler zum König oder zur Königin gewählt, und dann wurden Fragen gestellt, vom König an die Mitspieler und umgekehrt, und zwar Liebesfragen, die zum Teil der Literatur entlehnt waren oder die sich auf die persönliche Situation des Befragten bezogen und die möglichst witzig beantwortet werden mußten. Solche Spiele gehörten zum Unterhaltungsangebot der Hoffeste. In der poetischen Beschreibung des Turniers, das Graf Ludwig von Loon im Jahr 1285 in Chauvency an der Mosel veranstaltete, heißt es: »Überall hatte man großes Vergnügen an Unterhaltungen und verschiedenen Spielen. Wer etwas zu erzählen weiß, sucht sich damit hervorzutun. Die einen tanzen im Kreis, die anderen tanzen in der Reihe; die wahrhaft Liebenden stellen Liebesfragen; die anderen verabreden untereinander das Spiel ›Vom König und von der Königin‹, und das wird nach den Regeln durchgeführt; der dritte spielt ›Der König, der nie lügt‹; ein anderer redet vertraulich über die Liebe.«[227] Diese Fragespiele waren so geschätzt, daß man im 14. Jahrhundert ganze Sammlungen von Fragen und Antworten anlegte.

Zu den Minneunterhaltungen in den romanischen Ländern gehörten auch Liebesturniere und Aufführungen verschiedener Art. Rolandinus von Padua berichtete in seiner Chronik, daß auf einem Fest, das im Jahr 1214 in Treviso stattfand, eine Minneburg errichtet wurde, die von den anwesenden Damen verteidigt und von den Herren belagert wurde (vgl. S. 301). Man kann vermuten, daß für solche Veranstaltungen öfter literarische Vorlagen benutzt wurden. Daß der Liebesgott »seine Burgen« (*sua castra*) besaß, wußte man von Ovid (Amores I,9,1). Die Erstürmung der Burg als Allegorie für die Eroberung der Frau wurde in der Minnedidaktik des 13. und 14. Jahrhunderts ein beliebtes Darstellungsmuster.

Von allen Formen der Minnegeselligkeit haben die französischen Liebeshöfe (*cours d'amour*) die größte Aufmerksamkeit in der Forschung gefunden. Diese Institution war verschiedenen Mißverständnissen ausgesetzt, bis sich die Einsicht durchgesetzt hat, daß es sich dabei nicht um richtige Gerichtshöfe gehandelt hat, sondern um gesellige Veranstaltungen, die besonders bei den Damen beliebt waren. Der Hauptzeuge für diese Liebeshöfe ist Andreas Capellanus, der in seinem Werk einen Katalog von 21 »Liebesurteilen« (*iudicia amoris*) mitgeteilt hat (S. 271 ff.), die alle von Damen gefällt worden sind. Eins dieser Urteile wurde von einem »Damenhof in der Gascogne«[228] gesprochen; die übrigen Entscheidungen hat Andreas Capellanus einzelnen Fürstinnen zugeschrieben, die alle namentlich genannt sind und die fast alle noch am Leben waren, als er sein Werk verfaßte: die Königin Eleonore von England († 1204), ihre Tochter, die Gräfin Marie von Champagne († 1198), deren Kusine, die Gräfin Elisabeth von Flandern († 1182), die Vizegräfin

---

[227] Partout demainent grant deduit En parler et en divers gieus: Cis qui plus set veut dire mieus, Desa karolent et cis dancent, Li vrai amant d'amors demandent, Et li autre en desterminent Li gieus del roi, de la roine, Qui est fait par commandement; Li tiers geue au roi qui ne ment, Et li autre d'amors consoile (Jacques Bretel, Le tournoi de Chauvency 2952–61)

[220] Dominarum . . . curia in Guasconia (S. 291)

Ermengarde von Narbonne († 1192) und vielleicht auch die Königin Alix von Frankreich († 1206). Wie die Urteile dieser Damen zustande gekommen sind oder zustande kommen konnten, hat Andreas Capellanus an einer Stelle geschildert: zwei Mitglieder der adligen Gesellschaft wandten sich brieflich an die Gräfin von Champagne mit der Bitte um ein Urteil in einer Liebesfrage, woraufhin die Gräfin ihnen ihre Entscheidung, ebenfalls in einem Brief, zukommen ließ. Die Fälle, für die das Urteil der Damenhöfe angerufen wurde, betrafen in der Hauptsache Verstöße gegen die Vorschriften der höfischen Liebe, Verstöße, die als solche deklariert und verurteilt wurden. Dazu gehörte zum Beispiel der Fall eines Mannes, der ein Liebesverhältnis mit einer Frau hatte, von der er nachträglich feststellte, daß sie seine Verwandte war. Er wollte daraufhin die Verbindung lösen, während die Frau an der Liebe festhalten wollte. Die Königin Eleonore entschied – übrigens in Übereinstimmung mit den Bestimmungen des kanonischen Eherechts –, daß eine »inzestuöse Liebe«[229] gegen alle Gesetze verstieße und deswegen aufzugeben sei. In einer kleineren Zahl von Fällen handelte es sich um Fragen, die durch eine Abwägung zwischen zwei Gütern entschieden wurde. Zum Beispiel wurde der Königin Eleonore die Frage vorgelegt, ob ein junger Mann, der »durch keine Tugend ausgezeichnet«[230] war, oder ein älterer »mit allen Tugenden geschmückter«[231] als Liebhaber vorzuziehen sei. Die Königin entschied gegen die Jugend für die Tugend. Fragen dieser Art erinnern an die Themen der Streitgedichte. Ob die Urteile, die Andreas Capellanus aufgezeichnet hat, authentisch waren, daß heißt ob sie wirklich von den Damen, denen Andreas sie zugeschrieben hat, in dieser Form ausgesprochen worden sind, läßt sich nicht feststellen. Die gelegentlich geäußerte Vermutung, daß Andreas Capellanus die Liebesurteile erfunden habe, um die Damen, denen er die Urteile in den Mund gelegt hat, lächerlich zu machen, findet an den Texten keine Stütze und verkennt zudem die Bedeutung, die die Erörterung von Fragen der höfischen Liebe in der französischen Adelsgesellschaft besaß. Auch im ›Liebeskonzil von Remiremont‹ (Veris in temporibus), einem lateinischen Streitgedicht aus der Mitte des 12. Jahrhunderts, wurden eine Reihe

---

[229] incestuosus amor (S. 279)
[230] nulla probitate decorus (S. 278)
[231] omni probitate iucundus (ebd.)

historisch bekannter Damen (Elisabeth de Granges, Elisabeth de Faucogney, Eve de Danubrium usw.) genannt, die als Richterinnen oder Gutachterinnen in Liebesfragen auftraten. Nimmt man noch die Namen der Personen hinzu, die in verschiedenen provenzalischen Partimen zur Entscheidung der dort behandelten Streitfragen angerufen wurden, so gewinnt man den Eindruck, daß Diskussionen über Fragen der höfischen Liebe beim französischen Adel ebenso beliebt wie verbreitet waren.

Die Situation in Deutschland

Erst wenn man die französischen Verhältnisse ins Auge faßt, wird deutlich, wie ganz anders die Situation in Deutschland war. Hier fehlt praktisch alles, was in Frankreich eine engagierte Minnegeselligkeit für die höfische Zeit bezeugt. Die deutschen Minnesänger haben die romanischen Liedformen übernommen; aber die »Tornadas« am Schluß der Lieder haben sie weggelassen und damit auch die Gönnernamen, die dort ihren festen Platz hatten. Die deutschen Minnesänger haben die meisten Darstellungsmittel der Trobadors rezipiert; aber die Verstecknamen, die »Senhals«, die auf die gesellschaftliche Realität des Minnebetriebs verwiesen, blieben in Deutschland bis auf wenige Ausnahmen unbekannt. Unbeachtet blieben auch die Streitgedichte, die Partimen, die in Frankreich die poetische Hauptform für die Diskussion von Liebesfragen waren. Es gibt auch keine Zeugnisse dafür, daß Liebesspiele wie ›Der König, der nie lügt‹ beim deutschen Adel bekannt waren; es gibt aus Deutschland keine Belege für Liebesturniere oder Liebeshöfe; es gibt keine Anhaltspunkte dafür, daß Mitglieder des deutschen Hochadels an Urteilen über Liebesstreitigkeiten beteiligt waren. Man kann daraus nur den Schluß ziehen, daß es einen lebhaften Austausch wie in Frankreich, zwischen Minnedichtung und Minnegeselligkeit, zwischen Literatur und gesellschaftlicher Praxis, in Deutschland nicht gegeben hat. Höfische Liebe ist offenbar fast ausschließlich als literarisches Phänomen nach Deutschland gelangt; nicht als eine Form adliger Unterhaltung, sondern als ein poetisches Ideal.

Das heißt allerdings nicht, daß nicht auch in Deutschland die Hofgesellschaft an Gesprächen und Erörterungen über Fragen der höfischen Liebe immer mehr Interesse gezeigt hätte. Dieses Interesse war hier jedoch hauptsächlich auf die Dichtung gerichtet, wo solche Fragen zur Diskussion gestellt wurden. Das bezeugt schon um die Mitte des 12. Jahrhunderts eine Szene in der ›Kaiserchronik‹, wo berichtet wird, daß während der Belagerung der Stadt Viterbo durch die Römer eine vornehme Dame aus der belagerten Stadt, während einer Waffenruhe, sich an den Römer Totila wandte mit den Worten: »Totila, du vornehmer Mann, du kannst etwas näher zu den Damen kommen. Du bist doch so kühn und an Körperkräften ein großer Held. Bei Gott, beantworte mir, was ich dich frage, ob es dir, wenn du ehrlich bist, lieber wäre, daß eine schöne Dame dich diese ganze Nacht hindurch liebte, oder ob du lieber morgen in Waffen einem Mann begegnen möchtest, der genauso tapfer ist wie du. Wenn du die Wahl hättest, was würdest du tun, welches von beiden wäre dir lieber?«[232] Solche Fragen sind auch in den provenzalischen Streitgedichten behandelt worden, zum Beispiel in einem Partimen zwischen Sordel und Bertran d'Alamanon (Pillet-Carstens 437,10), in dem es darum ging, ob ein Mann lieber die Gunst bei den Frauen verlieren würde oder seinen Waffenruhm. Man wird annehmen müssen, daß dem Dichter der ›Kaiserchronik‹ der Brauch, über derartige Fragen zu disputieren, bekannt war und daß er bei seinem Publikum Interesse dafür voraussetzte oder wecken wollte. Totila hat übrigens die an ihn gerichtete Frage nicht eigentlich beantwortet, sondern hat sich diplomatisch aus der Affäre gezogen, indem er sowohl den Kampf um *êre* als auch die Minne pries.

Von Albrecht von Johansdorf und von Walther von der Vogelweide sind einige dialogische Lieder überliefert, in denen jeweils ein Herr und eine Dame in witzig-pointierter Form über Fragen der höfischen Liebe diskutierten. So wenig man diese Lieder als Abschilderungen wirklicher Minnegespräche interpretieren darf, so deutlich bezeugt sich in ihnen doch das Interesse des Hofpublikums an derartigen Diskussionen. Dabei kam eine Minnekasuistik zur Sprache, wie sie ähnlich in Frankreich erörtert worden ist. Bei Albrecht von Johansdorf wurde zum Beispiel die auch von Andreas Capellanus behandelte Frage aufgeworfen, ob ein Ritter gleichzeitig zwei Damen dienen dürfte.

[232] Tôtîlâ, ain edel man, dû maht wol nâher zuo den frowen gân, dû bist kuone genuoc, des lîbes alzoges ain helt guot; wergot, sage mir des ih dih frâge, weder dir lieber waere an dîne triwe: ob dih ain scôniu frowe wolte minnen alle dise naht, ode dû morgen den tac in dînem gewaefen soltest gân, vehten mit ainem alsô kuonem man sô dû waenest daz dû sîst: waz dû tuon woltist, ob diu wal dîn waere, wederz dir baz gezaeme (4581–96)

»Wie dieser sich verhalten sollte, das frage ich: ob es mit höfischem Anstand geschehen könnte und ob es nicht Untreue wäre, wenn er sich zwei Frauen zu eigen gäbe, beiden in heimlicher Liebe. Sagt, Herr, würde das unschicklich sein?«[233] Die Antwort des Mannes lautete: »Man soll es den Männern gestatten, aber nicht den Frauen.«[234] Auch in Walthers Dialoglied (70,22) ging es um die Frage, ob ein Mann, der seiner Dame ergeben war, nebenher sein Vergnügen bei anderen Frauen suchen dürfte, was von der Gesprächspartnerin abgelehnt wurde: »Wer mich zur Geliebten haben will, der soll, wenn er meine Gunst erwartet, solche Unbeständigkeit unterlassen.«[235] Was umgekehrt von einer Dame zu halten wäre, die drei Ritter in ihren Dienst genommen hat, wurde von dem Minnesänger Rubin diskutiert (VII B, 4, 1 ff.). Dieselbe Frage hat auch die Trobadors beschäftigt. Ein Partimen zwischen Savaric de Mauleon, Gaucelm Faidit und Uc de la Bacalaria (Pillet-Carstens 432,2) erörterte, welchen von drei Verehrern eine Dame am meisten liebt: den, den sie liebevoll ansieht; den, dessen Hand sie ergreift; oder den, den sie lachend mit dem Fuß berührt. Was die deutschen Texte von den französischen unterscheidet, ist die Tatsache, daß es aus Deutschland nur fingierte Dialoge gibt, während die provenzalischen Streitgespräche tatsächlich von verschiedenen Dichtern geführt worden sind. Der mittelhochdeutsche Begriff »geteiltes Spiel« (*geteiltez spil*) entsprach genau dem französischen *jeu-parti* und war offenbar danach gebildet. Allerdings wurde das Wort in Deutschland nicht als Gattungsbegriff verwendet. Es diente aber im Minnesang zum Ausdruck einer »dilemmatischen« Situation, indem zum Beispiel eine Dame zwei gleich schlechte Möglichkeiten gegeneinander abwog: »Die Freunde haben mir ein ›geteiltes Spiel‹ aufgegeben, das in beiden Fällen verloren geht. Ich würde lieber darauf verzichten, eines von beiden zu nehmen, da ich nur eine schlechte Wahl habe. Die Freunde sagen, wenn ich lieben will, muß ich auf sie verzichten. Ich möchte aber beides haben.«[236] Reinmar der Alte

[233] Wie der einez taete, des vrâge ich, ob ez mit vuoge muge geschehen, waer ez niht unstaete, der zwein wîben wolte sich vür eigen geben, Beidiu tougenlîche? sprechent, herre, wurre ez iht? (89, 15–19)

[234] wan solz den man erlouben unde den vrouwen niht (89, 20)

[235] der mîn ze friunde ger, wil er mich ouch gewinnen, der lâze alselhe unstaetekeit (71, 14–15)

[236] Die vriunde habent mir ein spil geteilet vor, dêst beidenthalben verlorn: – doch ich ir einez nemen wil âne guot wal, sô waere ez baz verborn – Si jehent,

hat in seinem berühmten Preislied MF 165,10 sich selbst eine solche Alternativfrage gestellt: »Zwei Möglichkeiten habe ich mir zur Wahl gestellt, die sich in meinem Herzen mit Argumenten bekämpfen.«[237] All dies wäre allerdings nicht denkbar ohne das Vorbild der romanischen Streitgedichte und Minnedisputationen.

In höfischen Epen nach französischen Vorlagen kamen auch in Deutschland Minnehöfe und Minneurteile vor, zuerst im ›Lanzelet‹ von Ulrich von Zatzikhoven, wo von der schönen Elidia erzählt wurde, daß sie »Richterin in höfischen Angelegenheiten«[238] gewesen sei. »Wenn in der Gesellschaft über irgend etwas gestritten wurde, was einen Minnekonflikt verursachte, das entschied sie vorbildlich und endgültig.«[239] Rudolf von Ems berichtete im ›Wilhelm von Orlens‹, daß anläßlich des großen Turniers von Poy die schönsten Damen des ganzen Landes »sechs Tage vor Turnierbeginn zusammenkommen und eine Königin wählen, die über ihre Klagen richten soll. Von der werden die ganze Woche hindurch Minneurteile gefällt, genauso wie vor einem Gerichtsherrn Lehnsrecht gesprochen wird.«[240] Solche Erzählungen besagen nicht, daß auch in Deutschland Minneunterhaltungen mit Beratungen und Urteilssprüchen durch adlige Damen praktiziert wurden; aber sie bezeugen auch, daß solche Einrichtungen keineswegs unbekannt waren und daß sie auf das Interesse der Hofgesellschaft trafen.

Unmittelbar greifbar ist der Zusammenhang mit der französischen Minnekasuistik in der höfischen Verserzählung ›Die Heidin‹, die das bereits bei Andreas Capellanus diskutierte Problem, wie ein Ritter sich verhalten sollte, dem seine Dame die Wahl zwischen ihrer oberen und ihrer unteren Hälfte ließ, in den Mittelpunkt gerückt hat. »Ich will dir zwei Möglichkeiten zur Wahl geben, die beide höfisch sind. Paß auf, Herr, und nimm das beste: wenn du willst, soll dir gehören, was oberhalb

welle ich minne pflegen, sô müeze ich mich ir bewegen. doch sô râtet mir der muot ze beiden wegen (H. v. Aue, Lieder 216, 8–14)

[237] Zwei dinc hân ich mir vür geleit, diu strîtent mit gedanken in dem herzen mîn (165, 37–38)

[238] rihtaere über die hübscheit (8035)

[239] swer in der massenîe streit von ihte, daz an minne war, daz beschiet siu schône unde gar (8036–38)

[240] Dar uf sinz sehs tag e Das der turnaý da erge, Und setzent aine kúnegin Ir clag ze rihter under in, Von der wirt in der wochen Minnen reht gesprochen, Als da man rehte lehen reht Vor ainem herren machet sleht (7121–28)

des Gürtels ist. Oder, wenn du willst, nimmst du das, was vom Gürtel bis zum Boden reicht. Wenn du das beste Teil wählst, wird das dein Glück sein. Dir soll das bessere Teil gehören, das schlechtere laß mir.«[241]

Offenbar ist das Interesse an den französischen Formen der Minnegeselligkeit gegen Ende des 13. Jahrhunderts in Deutschland immer lebhafter geworden. Aus dieser Zeit stammt die Erzählung ›Die beiden ungleichen Liebhaber‹, die wie eine Einladung zum jeu-parti beginnt: »Werte Dame, ich will eurem Wohlwollen einen Streitfall zur Entscheidung vorlegen.«[242] Es ging hier um die auch in Frankreich mehrfach erörterte Frage, ob ein armer Jüngling, der *hercenlich* (43) zu lieben verstand, oder ein vornehmer Reicher, dem diese Qualität abging, als Liebhaber vorzuziehen sei. Anders als in den provenzalischen Partimen wurden die beiden Standpunkte in dem deutschen Text aber nicht von zwei verschiedenen Personen vertreten, und es gab auch keine echte Alternative, da der Dichter sich von vornherein für den edlen Armen aussprach. – Um die Wende zum 14. Jahrhundert ist auch zum ersten Mal in der deutschen Lyrik ein Versteckname für die geliebte Frau bezeugt. Heinrich Hetzbolt von Weißensee (urkundlich bis 1345) hat seine Dame als »der Schöne Glanz«[243] apostrophiert, ohne Zweifel nach französischem Vorbild. Aus derselben Zeit stammt eine Gruppe von mittelrheinischen Texten (›Der Minnehof‹, ›Die Ritterfahrt‹, ›Minne und Gesellschaft‹), in denen historisch bezeugte Damen und Herren eines Adelskreises um die Grafen von Katzenelnbogen und von Sayn als Teilnehmer an Minnespielen auftraten. Im ›Minnehof‹ wurde von der Sitzung eines Minnegerichts erzählt, das über die Frage zu beraten hatte, wie eine Dame ihren Ritter belohnen könnte, ohne dabei ihre eigene Ehre und das Leben des Ritters zu gefährden. Dabei traten die Grafen Gerhard von Jülich († 1327/28) und Johann von Sponheim († 1323/24) sowie Herr Kraft von Greifenstein (urkundl. bis 1326) als Gutachter auf (144 ff.), die alle drei in einer im Jahr 1300 ausgefertigten Urkunde der Grafen Wilhelm I. (urkundl.

---

[241] Ich wil dir zwei geteiltiu geben, die doch beide hübesch sint ... Sich, hêre; daz beste nim: oberhalp der gürtel mîn, wiltû, daz sol wesen dîn. Oder von der gürtel hin ze tal, wiltû, daz nim über al. Unt nimest dû daz beste teil, daz wirt dîn unheil. Daz bezzer teil sol wesen dîn, daz erger lâz wesen mîn (1350–51. 58–66)

[242] Liebiv frowe ich wil iv vf genade teilen ein spil (1–2)

[243] der Schoene Glanz (II, 2, 4)

bis 1331) und Diether IV. († 1315) von Katzenelnbogen als Zeugen vorkommen. Die ›Ritterfahrt‹ berichtete von dem Heereszug gegen die Burg der »schönen Frau von Limburg«[244], die sich gegen die Gesetze der höfischen Minne vergangen hatte, indem sie einen Liebhaber erwählte, der »weder Ritter noch Knecht ist«[245]. Anführerin des Zuges war die Gräfin Irmgard von Rheinfels († 1303), die Gemahlin Wilhelms I. von Katzenelnbogen, und unter den Damen und Herren, die sich an der Fahrt beteiligten, waren mehrere bekannte Persönlichkeiten des rheinischen Adels.

Noch breiter war der Personenkreis, der in ›Minne und Gesellschaft‹ (1. Hälfte 14. Jahrhundert) auftrat. Diese Texte nehmen eine Sonderstellung in der deutschen Literatur ihrer Zeit ein, weil eine so direkte Einbeziehung des adligen Publikums, für das die unbekannten Autoren gedichtet haben, sonst nicht vorkam. Offenbar war man im ausgehenden 13. Jahrhundert am Mittelrhein mit den französischen Formen der Minnegeselligkeit gut bekannt.

In Deutschland war die höfische Liebe – so kann man die unterschiedliche Situation zusammenfassen – bis zum Ende des 13. Jahrhunderts im wesentlichen ein literarisches Phänomen, während in Frankreich Liebe zugleich auch ein bevorzugtes Thema der höfischen Geselligkeit war. Welche Gründe für die verspätete Rezeption der französischen Unterhaltungsformen maßgebend waren, ist nicht deutlich zu erkennen. Man muß bedenken, daß viele Einzelheiten der französischen Adelskultur damals über die Literatur vermittelt wurden. Daß die romanischen Streitgedichte und die Minnedisputationen in Deutschland nur eine so schwache Resonanz gefunden haben, hängt sicher auch mit den Unterschieden der Laienbildung zusammen. Die Entstehungsgeschichte des provenzalischen Partimen muß ebenso wie die Freude an der klugen und witzigen Erörterung von Fragen der höfischen Liebe im Zusammenhang mit der Bildungsbewegung gesehen werden, die in Frankreich zur Entwicklung der scholastischen Methode geführt hat. Dialektik und Logik waren die neuen Wissenschaften, die einen Denkstil geprägt haben, der in Frankreich auch die Unterhaltungsformen der gebildeten Laien befruchtet hat. In Deutschland sind diese Wissenschaften zum großen Teil unbekannt geblieben (vgl.

[244] Von Limbûrg das vil scone wib (59)
[245] He en ist ritter oder knecht (14)

S. 98); und da die deutsche Adelsgesellschaft auch im 13. Jahrhundert weitgehend analphabetisch lebte, fehlten hier die intellektuellen Voraussetzungen für die Übernahme solcher Formen der Geselligkeit.

Der materielle Luxus an den großen Höfen und die weltliche Gesinnung des Adels trafen auf vielfältigen Widerstand und Protest. Den Ton der Kritik bestimmten die geistlichen Autoren, die die offen zur Schau gestellte Diesseitigkeit des Hofbetriebs als Symptom eines bedrohlichen Sittenverfalls betrachteten und als Verstoß gegen die Grundbegriffe der christlichen Moral verurteilten. Ein scharfäugiger Kritiker war am Anfang des 12. Jahrhunderts der normannische Mönch Ordericus Vitalis, der sich über das weltliche Treiben der jungen Adligen in Nordfrankreich und ihre »verkehrte Lebensart« entrüstet hat. »Jetzt stürzen sich die Laien in ihrem Übermut auf Moden, die zu ihrer verkehrten Lebensart passen.«[1] Besonders bedenklich war für den geistlichen Verfasser, daß die Adligen, die »ohne Rücksicht auf das Gesetz Gottes und die Sitten der Vorfahren ihrem eigenen Vergnügen lebten«[2], bei ihren Standesgenossen so viel Zustimmung fanden. Die Träger des neuen Gesellschaftsbetriebs waren in den Augen von Ordericus Vitalis »Höflinge« (*uiri curiales*), die es mit ihren »modischen Neuerungen« (*nouis adinuentionibus*) vor allem darauf anlegten, den Frauen zu gefallen: »Den Frauen schmeicheln die Hofleute gar sehr mit jeder Art von Leichtfertigkeit.«[3]

Ein paar Jahrzehnte nach Ordericus Vitalis, um die Mitte des 12. Jahrhunderts, hat Johannes von Salisbury die erste grundsätzliche Auseinandersetzung mit der damals in Frankreich und England erblühten Hofkultur geführt. Er ist damit zum Begründer eines hofkritischen Schrifttums geworden, das in den folgenden Jahrhunderten immer mehr an Bedeutung gewann. Im Mittelpunkt stand bei Johannes von Salisbury die Kritik an den adligen Bräuchen beziehungsweise Mißbräuchen der Jagd, die für ihn ein Symbol für das haltlose Treiben der weltlichen Hofgesellschaft war. Der Anstoß dazu kam offenbar aus eigenen Erfahrungen am englischen Hof. Die außerordentliche

---

[1] At modo seculares peruersis moribus competens scema superbe arripiunt (Historia ecclesiastica, Bd. 4, S. 186)

[2] extra legem Dei moremque patrum pro libitu suo ducebant (S. 188)

[3] feminisque uiri curiales in omni lasciuia summopere adulantur (ebd.)

Jagdleidenschaft König Heinrichs II. von England († 1189) ist von verschiedenen Schriftstellern der Zeit beanstandet worden. Fast ein Drittel von England soll im 12. Jahrhundert in Forstland umgewandelt worden sein, und Verstöße gegen die Jagdvorrechte des Hofs und des Adels wurden mit schweren Strafen bedroht. Johannes von Salisbury verurteilte die Willkür und Rücksichtslosigkeit der adligen Jäger und den Schaden, den sie der Landbevölkerung antaten. »Bauern werden von ihren Feldern ferngehalten, damit die wilden Tiere frei weiden können. Um den Weidegrund für diese noch zu erweitern, werden den Bauern ihre Saatfelder weggenommen, den Pächtern ihre Grundstücke, den Rinder- und Schafhirten ihre Weiden.«[4] Maßlosigkeit und Unbeherrschtheit waren für Johannes von Salisbury die Kennzeichen der Jagd, durch die das menschliche Empfinden und der Verstand zugrundegerichtet würden. Durch »den maßlosen Hang zum Vergnügen«[5] gehörte die Jagd in die Nachbarschaft anderer ausschweifender Veranstaltungen der Hofgesellschaft, ihrer »Festgelage, Trinkereien, Mahlzeiten, Lieder und Spiele, ihres überfeinerten Luxus, ihrer Ausschweifungen und der verschiedenen Arten von Unsittlichkeit«[6], die das Seelenheil gefährdeten und von denen die Männer noch leichter verdorben würden als die Frauen. Schädlich war nach dem Urteil des Verfassers auch die Beschäftigung des Adels mit weltlicher Musik, weil die Männer dadurch verzärtelt und verweichlicht würden. »Heute wird die Bildung der Adligen darin gesehen, daß sie sich auf die Jagd verstehen, daß sie sich in verdammenswürdiger Weise im Würfelspiel üben, daß sie der natürlichen männlichen Stimme durch Kunstgriffe einen weichlichen Ton verleihen, daß sie, uneingedenk ihrer Männlichkeit, durch Gesang und Instrumentalspiel vergessen, als was sie geboren sind.«[7]

Unter dem Eindruck des ›Policraticus‹ hat ein ganzer Kreis von lateinischen Schriftstellern, die fast alle in persönlicher Ver-

---

[4] A noualibus suis arcentur agricolae, dum ferae habeant uagandi libertatem. Illis ut pascua augeantur, praedia subtrahuntur agricolis sationalia, insitiua colonis, compascua armentariis et gregariis (Policraticus, Bd. 1, S. 31

[5] immoderato uoluptatis incursu (ebd.)

[6] ... epulis, potationibus, conuiuiis, modulationibus et ludis, cultibus operosius exquisitis, stupris et uariis immundiis (ebd., S. 33)

[7] Nunc uero nobilium in eo sapientia declaratur, si uenaticam nouerint, si in alea dampnabilius fuerint instituti, si naturae robur effeminatae uocis articulis fregerint, si modis et musicis instrumentis uirtutis immemores obliuiscantur quod nati sunt (ebd., S. 38)

bindung zum englischen Hof standen, in der zweiten Hälfte des 12. Jahrhunderts die Kritik an den modernen Gesellschaftsformen des weltlichen Adels weitergeführt. Petrus von Blois in seiner Schrift ›Über den Schwätzer und den Jasager‹ (De palpone et assentatore) und in seinem berühmten Brief Nr. 14 an die Hofkapläne König Heinrichs II. von England aus dem Jahr 1175, Johannes von Altavilla im ›Architrenius‹ (um 1185), Nigellus Wireker in dem ›Traktat gegen die Höflinge und Hofkleriker‹ (Tractatus contra curiales et officiales clericos) von 1193 waren die prominentesten Vertreter. Um die düsteren Seiten des Hoflebens zur Darstellung zu bringen, wurde der Höfling, der sich nur mit Nichtigkeiten abgab, dem Philosophen gegenübergestellt, oder das Leben am Hof wurde zum Leben im Kloster oder auf der Schule in Kontrast gebracht. Dabei konkretisierten sich auch die inhaltlichen Schwerpunkte der Hofkritik. Im Mittelpunkt standen die Begriffe »Schmeichelei« (*adulatio*) und »Ehrgeiz« (*ambitio*). Der erste konnte durch Heuchelei, Lüge, Verleumdung, Intrige variiert und näher bestimmt werden; zu dem zweiten gehörten Unrast, Besitzgier und Bestechlichkeit. Von den meisten Autoren wurden der Lärm, das Gedränge und das Durcheinander am Hof besonders negativ vermerkt, außerdem die weltliche Prachtentfaltung, der adlige Kleiderluxus, die Verschwendung beim Bauen neuer Häuser und die Prasserei bei höfischen Festgelagen. Gerne wurden auch die Beschwerlichkeiten des Hoflebens aufgezählt: die schlechte Qualität des Essens und der Unterkunft, die Unbequemlichkeit auf Reisen, das tägliche Hin und Her beim Aufbruch des Hofstaats, die Launenhaftigkeit des Hofherrn und die Anstrengung, die es kostete, bis zum Herrscher vorzudringen. Alle diese Motive sollten in der hofkritischen Literatur der nächsten Jahrhunderte ihren festen Platz behalten.

Die Hofkritik des 12. Jahrhunderts in lateinischer Sprache war zunächst ein Gespräch unter gebildeten Literaten. Von dem Inhalt dürften diejenigen, gegen die die Schriften gerichtet waren, nur in Ausnahmefällen Kenntnis erhalten haben. Bereits um die Mitte des 12. Jahrhunderts setzte in Deutschland jedoch eine religiös-didaktische Literatur in deutscher Sprache ein, die sich an ein adliges Publikum wandte und mit aller Schärfe dessen modernen Lebensstil verdammte. In der ›Rede vom Glauben‹ eines Autors, der sich ›der arme Hartmann‹ nannte und der wahrscheinlich zwischen 1140 und 1160 gedichtet hat, wurde alles aufgezählt, was zur Ausstattung eines großen Hofs gehör-

te: goldene Becher und silberne Schüsseln, Edelsteine und Elfenbein, kunstvoll gewebte Goldborten, teurer Schmuck, verschiedene Seidenstoffe, Scharlach, Mäntel, Wandbehänge, Teppiche und Vorhänge mit Goldfäden durchwirkt, außerdem
glänzende Rüstungen, leuchtende Helme, Sättel und Schilde mit
Goldverzierungen, Reitpferde und Streitrosse, lange Lanzen
mit seidenen Fähnlein, reich gedeckte Tische mit Weißbrot,
Fleisch und Fischen, der gut gefüllte Keller, eine reiche, beque-
me Bettstatt und nachts eine schöne Ehefrau in den Armen. »So
freust du dich, frohlockt dein Herz in der Brust über all diese
Wollust, womit du das Fleisch verlockst und deine Seele gefähr-
dest.«[8] Wenn jedoch der Tod komme, fuhr der Dichter fort,
nützten alle weltlichen Reichtümer nichts mehr: sie fallen den
lachenden Erben zu, während der Körper im Grab verfault, und
es zählt nur noch das, was zum Heil der Seele getan wurde.

Unter denselben Gesichtspunkten ist etwas später in der
›Erinnerung an den Tod‹ (Von des tôdes gehugde) der weltliche
Glanz des höfisch-adligen Lebens dargestellt worden. Der Autor – er wird Heinrich von Melk genannt – führte eine adlige
Dame an die Bahre ihres Mannes und zeigte ihr an der verwe-
senden Leiche die Vergänglichkeit der Welt. »Nun sieh, wo sind
seine leichtfertigen Worte, mit denen er die Hoffart der Damen
pries? Nun sieh, in welcher Weise die Zunge jetzt in seinem
Mund liegt, mit der er die Liebeslieder wohlgefällig zu singen
wußte; jetzt kann er kein Wort und keinen Ton mehr heraus-
bringen. Nun sieh, wo ist das Kinn mit dem neumodischen
Bart? Nun sieh, wie ganz unnatürlich die Arme und Hände
daliegen, mit denen er dich auf vielerlei Art liebkost und um-
armt hat. Wo sind die Füße, auf denen er höfisch mit den Damen ging? Oft konntest du an ihm bewundern, wie schön ihm
seine Hosen standen: jetzt schmiegen sie sich leider nicht mehr
so eng an die Beine. Er ist dir jetzt ganz fremd, dem du früher
sein Seidenhemd an vielen Stellen gefältelt hast. Nun sieh ihn
an: in der Mitte ist er aufgebläht wie ein Segel.«[9]

[8] so frowet sih din lib, din herze in diner bruste der manigen wol luste, da du
daz flei(s)ch mite phezzis, dine sele da mite letzis (2485–89)

[9] nû sich, wâ sint sîniu mûzige wart dâ mit er der frowen hôhvart lobet unt
säite; nû sich in wie getâner häite diu zunge lige in sînem munde dâ mit er diu
troutliet chunde behagenlîchen singen – nûne mac si nicht fur bringen daz wort
noch die stimme –; nû sich, wâ ist daz chinne mit dem niwen barthâre; nû sich,
wie recht undâre ligen diu arme mit den henden dâ mit er dich in allen enden
trout unt umbevie! wâ sint die fûze dâ mit er gie höfslîchen mit den frowen? dem
mûse dû diche nâch schowen wie die hosen stûnden an dem bâine; die brouchent

Hofkritik war auch ein Thema der ersten gereimten Tugendlehre in deutscher Sprache von Wernher von Elmendorf, die um 1170 in Thüringen entstanden ist. Der Autor warnte vor Schmeichlern, Spöttern und Schwätzern, vor Lüge, Hinterlist und Intrige, vor Überschätzung von Schönheit, Reichtum und Adel, vor Habgier und Ruhmsucht, vor Völlerei und Unmäßigkeit und vor Verschwendung beim Bauen. Noch ausführlicher haben die geistlichen Didaktiker des 13. Jahrhunderts, Thomasin von Zirklaere und Hugo von Trimberg, diese Thematik behandelt. »Man sieht leider heute sehr wenige Hofleute, die nach dem Himmel streben und auf weltlichen Ruhm nichts geben.«[10] Falschheit und Verstellung waren nach Hugo von Trimberg die Kennzeichen der Höflinge, »denn sie reden alle schön, obwohl doch ihr Herz voll Galle ist«[11]. Aufrechte, ehrliche Menschen könnte man am Hof nicht finden. »Wenn einer mit süßen Worten betrügt«[12], so ist er für den Hofdienst geeignet. Habgier und Schmeichelei beherrschten die ganze Hofgesellschaft. »Hofgesinde, Ärzte und Juristen haben Abgötter, das sind ihre Kisten«[13], in denen sie das unrecht erworbene Gut verbargen. »Hoffart, Habgier, Gefräßigkeit und Schamlosigkeit bringen den Höflingen vielerlei Verstellungen bei.«[14] Die Kritik sollte nicht nur das Hofgesinde treffen, sondern auch die Herren. »Eine Sache habe ich oft beobachtet: daß manch einem Herrn ein unredlicher Mann, der zu schmeicheln versteht, lieber ist als einer, der für seinen Besitz und sein Ansehen sorgt.«[15] Daher würden keine rechtschaffenen Leute in den Fürstenrat berufen. Früher hätten »arglistige und böse Ratgeber«[16] keinen Zugang zu den Höfen der großen Herren gehabt. »Jetzt dagegen ist das Leben an ihren Höfen gänzlich zum Schlechten verändert, so daß selten einer dort zu Ansehen gelangt, der

sich nû läider chläine! er ist dir nû vil fremde dem dû ê die sîden in daz Hemde mûse in manigen enden witten. nû schowe in an: al enmitten dâ ist er geblaet als ein segel (607–31)

[10] Man siht leider hiute vil wênic hofeliute, Die gein himel trahten Und werltlicher êre niht ahten (H. v. Trimberg 661–64)

[11] Wenne si gelobent alle wol, Swie doch ir herze sî gallen vol (665–66)

[12] Swenne er mit süezen worten trieget (687)

[13] Hofegesinde, erzte und juristen Habent abgöte, daz sint ir kisten (693–94)

[14] Hôchfart, gîtikeit, frâz, unkiusche Lêrent hofeliute vil manic getiusche (735–36)

[15] Ein dinc ich ofte gemerket hân: Daz manigen herren ein falschaft man Vil lieber ist, der smeichen kan, Denne einer der guotes und êren in gan (743–46)

[16] Schelke und boese râtgeben (1103)

nicht sieben Zungen hat.«[17] Hugo von Trimberg hat das Bild einer gänzlich verderbten Hofgesellschaft gezeichnet, in der die überkommenen Tugenden keine Gültigkeit mehr besaßen. »Aufrichtigkeit, Sittsamkeit und Wahrheit, Demut, Schamhaftigkeit und Arglosigkeit, Sittenreinheit und Mäßigung sind vom Hof vertrieben worden, und an ihrer Stelle gibt es dort Lüge, Betrug, Schurkerei, nichtsnutziges und bübisches Wesen, Falschheit, Zuchtlosigkeit, Schmeichelei, Trinken, Schmarotzen, Naserümpfen, Schlemmereien, Spiele, Diebstahl und Spott, und niemand denkt an Gott, an das Seelenheil und an den Tod.«[18]

Selbst diejenigen Werke, die ein positives Bild vom höfischen Leben zeichneten, sind in den Sog dieser geistlichen Kritik geraten. Das kann man an dem Lehrgedicht ›Der Winsbeke‹ ablesen, in welchem ein adliger Vater seinen Sohn über höfische Tugend und ritterliche Tüchtigkeit belehrte. Dieser Text hat bereits im 13. Jahrhundert eine Fortsetzung gefunden, in der der adlige Lehrer nun seinerseits belehrt wurde, und zwar über die Eitelkeit des Hoflebens. Am Schluß dieses ›Anti-Winsbeken‹ veräußerte der Vater seinen ganzen Besitz, stiftete ein Armenspital und trat dort selber als Laienbruder ein.

Die größte Breitenwirkung erreichte die geistliche Hofkritik in Deutschland am Ende des 13. Jahrhunderts in den wortgewaltigen Predigten des Franziskaners Berthold von Regensburg, der den aufwendigen Lebensstil der Hofgesellschaft als Ausdruck sündhafter Hoffart geißelte und der die Gefährdung des Seelenheils durch das Hofleben in den grellsten Farben gemalt hat. »Wenn einer auf höfische Weise eine Botschaft ausrichten kann oder eine Schüssel tragen oder höfisch einen Becher darreichen kann und seine Hände artig zu halten oder vor sich zu legen weiß, dann sagen einige Leute: ›Ach, was für ein fein gebildeter Knappe (oder Mann oder Frau) das ist! Das ist wirklich ein tugendhafter Mensch.‹ Wehe, wie tugendhaft der sich benimmt! Siehe, diese Tugend ist ein Gespött vor Gott und wird von Gott für nichts geachtet.«[19]

---

[17] nu ist daz leben In iren höfen gar verkêrt, Daz selten ieman dâ von wirt geêrt Der niht siben zungen hât (1104–07)

[18] Triuwe, zuht und wârheit, Dêmuot, scham, einveltikeit, Kiusche und mâze sint vertriben Ze hofe und an ir stat sint beliben Liegen, triegen, ribaldîe, Loterfuor und buoberîe, Unkust, unzuht, leckerschimpfen, Trinken, slinden, nasen rimpfen, Luoder, spil, diube und spot, Lützel ahten ûf got, Ûf die sêle und ûf den tôt (1145–55)

[19] Sô einer eine botschaft hovelîchen gewerben kan oder eine schüzzel tragen

Wie groß die Wirkung dieser Kritik bei denen war, gegen die sie sich richtete, ist schwer zu sagen. Aufs ganze gesehen scheinen die geistlichen Einwände wenig gefruchtet zu haben. Weder die Anprangerung des höfischen Kleiderluxus noch die zahlreichen kirchlichen Turnierverbote hatten mehr als lokale Erfolge; und die geistlichen Mahnungen haben nicht verhindert, daß die Gesellschaftsmoral des Adels immer mehr verweltlichte und sich immer mehr aus der Bevormundung durch die Kirche löste. Immer selbstbewußter wurde der Anspruch erhoben, eigene Maßstäbe für die Beurteilung des weltlichen Lebens zu setzen und die Gesellschaftspraxis auf Wertvorstellungen zu beziehen, die ganz diesseitig orientiert waren. Eine wirkungsvolle Hilfe bei der Formulierung und Verteidigung dieser Ansprüche leisteten die höfischen Dichter durch die Schilderung eines idealisierten Gesellschaftszustands, in welchem die schönen Seiten des Hoflebens scheinbar problemlos mit den traditionellen christlichen Wertbegriffen in Übereinstimmung gebracht waren.

Aber auch die höfischen Dichter haben Kritik geübt, und man kann vermuten, daß diese Kritik schärfer traf als der Tadel der Geistlichen, der von außen kam. In Südfrankreich ist bereits in der ersten Hälfte des 12. Jahrhunderts, von Cercamon und vor allem von Marcabru, die moralische Fragwürdigkeit der neuen Minnekultur angeprangert worden. Auch die nordfranzösischen Epiker haben manche ihrer höfischen Erzählungen in einem Stil vorgetragen, der Zweifel weckt, ob ihnen daran gelegen war, die Gesellschaftspraktiken des Adels zu verherrlichen. Ein Meister der höfischen Ironie war der unbekannte Verfasser von ›Aucassin et Nicolette‹, einer »chantefable« (abwechselnd aus gesungenen und erzählenden Teilen), die um 1200 entstanden ist und von der Liebe des jungen Grafensohns Aucassin zu dem Sklavenmädchen Nicolette handelte. Der Visconte, dem Nicolette gehörte, versuchte Aucassin seine Liebe auszureden: »Nehmt doch die Tochter eines Königs oder eines Grafen. Außerdem, was glaubt ihr gewonnen zu haben, wenn ihr sie zu eurer Geliebten gemacht und sie in euer Bett genommen habt? Sehr wenig habt ihr damit gewonnen, denn eure Seele würde

kan oder einer einen becher hövelichen gebieten kan unde die hende gezogenliche gehaben kan oder für sich gelegen kan, sô sprechent eteliche liute: »wech! welch ein wolgezogen kneht daz ist (oder man oder frouwe)! daz ist gar ein tugentlîcher mensche: wê wie tugentlîche er kan gebâren!« Sich, diu tugent ist vor gote ein gespötte und engevellet gote ze nihte (Bd. 1, S. 96)

dafür auf immer in der Hölle sein, und ihr würdet niemals ins
Paradies kommen.«[20] Darauf antwortete Aucassin: »Was soll
ich im Paradies? Mir liegt nichts daran, dorthin zu kommen,
sondern nur daran, Nicolette zu haben, meine liebste Freundin,
die ich so sehr liebe. Denn ins Paradies kommen nur die, die ich
dir hier nenne: die alten Priester und die alten Lahmen und
Krüppel, die Tag und Nacht vor den Altären und in den alten
Krypten hocken, bekleidet mit abgetragenen Mänteln und alten
zerschlissenen Gewändern, nackend und barfuß und ohne
Strümpfe, die vor Hunger und Durst sterben, vor Kälte und
Krankheiten. Die gehen ins Paradies ein, und mit denen will ich
nichts zu schaffen haben. Ich will vielmehr in die Hölle kommen, denn in die Hölle kommen die hübschen Kleriker und die
schönen Ritter, die in Turnieren und in prächtigen Kriegen
gefallen sind, und die guten Knappen und die freien Herren.
Mit denen will ich gehen. Dorthin gehen auch die höfischen
Damen, die neben ihren Ehemännern zwei oder drei Liebhaber
haben. Dorthin kommt Gold und Silber, Buntwerk und Grauwerk, Spielleute und Sänger und die Könige dieser Welt. Mit
denen will ich gehen, wenn ich Nicolette, meine süßeste Freundin, bei mir habe.«[21] Es ist nicht oft vorgekommen, daß ein
höfischer Dichter es gewagt hat, sein adliges Publikum mit solchen Reden, die leicht als eine Bestätigung der geistlichen Vorwürfe gegen die Sündhaftigkeit des Hoflebens mißverstanden
werden konnten, zu ergötzen.

In Deutschland, wo der unterhaltende und gesellige Charakter der Dichtung im ganzen weniger ausgeprägt war, traten die komischen und satirischen Züge meistens gegenüber

[20] prendés le fille a un roi u a un conte. Enseurquetot que cuideriés vous avoir
gaegnié, se vous l'aviés asognentee ne mise a vo lit? Mout i ariés peu conquis, car
tos les jors du siecle en seroit vo arme en infer; qu'en paradis n'enterriés vos ja
(S. 5)
[21] En paradis qu'ai je a faire? Je n'i quier entrer, mais que j'aie Nicolete, ma
tresdouće amie, que j'aim tant. C'en paradis ne vont fors tex ģens con je vous
dirai. Il i vont ći viel prestre et ćil viel clop et ćil manke, qui tote jor et tote nuit
cropent devant ćes autex et en ćes viés creutes, et ćil a ćes viés capes ereses et a ćes
viés tatereles vestues, qui sont nu et decaućet et estrumelé, qui moeurent de faim
et de soi et de froit et de mesaisés. Ićil vont en paradis; aveuc ćiax n'ai jou que
faire. Mais en infer voil jou aler; car en infer vont li bel clerc, et li bel cevalier qui
sont mort as tornois et as rices gueres, et li boin serĝant et li franc home. Aveuc
ćiax voil jou aler. Et s'i vont les beles dames cortoises, que eles ont deus amis ou
trois avoc leur barons, et s'i va li ors et li arĝens et li vairs et li gris, et si i vont
harpeor et jogleor et li roi del siecle. Avoc ćiax voil jou aler, mais que j'aie
Nicolete, ma tresdouće amie, aveuc mi (S. 5f.)

einer positiven Darstellung des höfischen Gesellschaftsideals zurück. Dabei blieb weniger Platz für kritische Intentionen als in Frankreich. Aber auch in Deutschland hat es Hofkritik gegeben, die mehr Beachtung verdient, als ihr bisher zuteil geworden ist.

In der höfischen Lyrik begann die kritische Auseinandersetzung mit der höfischen Minnekonzeption sofort in der ersten Phase der Rezeption romanischer Muster. Allerdings blieb die Absage an die weltliche Liebe in den Kreuzliedern Friedrichs von Hausen ebenso ein Sonderfall wie die Kritik an der überhöhten Position der Dame und an der Unergiebigkeit des einseitigen Dienstes in den Liedern Hartmanns von Aue und Walthers von der Vogelweide (vgl. S. 510). Erst bei Neidhart rückten die satirisch-kritischen Darstellungstendenzen in den Mittelpunkt. Ein Blick auf die neuere Neidhartforschung zeigt jedoch, daß noch keine Verständigung über die Zielrichtung seiner Gesellschaftskritik erreicht worden ist. Die häufig vertretene Auffassung, daß die satirisch verzerrte Dörperwelt in Neidharts Liedern als ein Appell an das adlige Publikum zur Rückbesinnung auf die höfische Wertordnung zu verstehen sei, läßt sich an den Texten schwerlich festmachen. Wahrscheinlich sind gerade die höfischen Wertvorstellungen der Zielpunkt seiner Kritik gewesen. In der Rezeption der Neidhartlieder gingen diese Schärfen allerdings wieder verloren: Neidhart wurde zum Bauernfeind umstilisiert und auf diese Weise dem gesellschaftlichen Selbstverständnis des Adels angepaßt.

Konkreter war die Hofkritik in der Spruchdichtung, speziell in den Sprüchen Walthers von der Vogelweide. »Ich weiß nicht, mit wem ich die Hofhunde vergleichen soll ...«[22]: So beginnt eine Strophe, die auf die Verhältnisse am Kärntner Hof unter Herzog Bernhard II. († 1256) zielte. Das Wort *hovebellen* für die Intriganten und Verleumder am herzoglichen Hof schloß an eine lateinische Begriffstradition an, die bis zu Boethius zurückreichte und die bereits im 11. Jahrhundert in den Dienst der Hofkritik gestellt worden ist (*canes palatini* »Hofhunde« = »Höflinge«). Auch der Spruch auf den Thüringer Hof: »Wer an einer Ohrenkrankheit leidet, der möge, rate ich, dem Thüringer Hof fernbleiben«[23], verarbeitete Motive, die schon aus der latei-

---

[22] Ichn weiz wem ich gelîchen muoz die hovebellen (32, 27)

[23] Der in den ôren siech von ungesühte sî, daz ist mîn rât, der lâz den hof ze Dürengen frî (20, 4–5)

nischen hofkritischen Literatur in der Nachfolge des ›Policraticus‹ bekannt waren: das laute Lärmen und die Unrast des Hofbetriebs, das Gedränge um den Hofherrn und die Unmäßigkeit der Trinkgelage: »Auch wenn ein Fuder guten Weines tausend Pfund kostete, würden dort die Becher der Ritter niemals leerstehen.«[24]

Am interessantesten ist die Hofkritik in der erzählenden Literatur. Zu den ältesten weltlichen Epen in Deutschland zählt der ›Reinhart Fuchs‹, das erste Tierepos in deutscher Sprache, das vielleicht um 1180 entstanden ist – die Datierung ist umstritten – und als dessen Verfasser sich ein sonst unbekannter Heinrich der Glichesere nennt. Der Dichter hat die bekannte Fabel vom Hoftag des Löwen dazu benutzt, ein ganz negatives Bild vom Königshof des Löwen Frevel und von der Gesellschaft dort zu entwerfen. Die Verhaltensweise des Herrschers ist durch Blindheit, Verantwortungslosigkeit, Grausamkeit und Eigennutz gekennzeichnet, während die adligen Mitglieder der Hofgesellschaft sich durch Korruption, Feigheit und Intrigantentum auszeichnen. Die Vermutung, daß die zeitgeschichtlichen Anspielungen auf den staufischen Kaiserhof unter Friedrich I. zielten, hat viel für sich, läßt sich aber nicht sichern. Wir kennen den Auftraggeber dieses satirischen Epos nicht, das zu den bedeutendsten Literaturwerken seiner Zeit gehörte, das aber – wie die spärliche Überlieferung bezeugt – nur eine geringe Wirkung gehabt hat.

In den Artusromanen sind selten kritische Akzente gesetzt worden. König Artus und sein Hof standen für höfische Vollkommenheit, und die Aufnahme in die Tafelrunde war die höchste Auszeichnung, die es für einen Ritter gab. Die Handlungsweise des Königs entsprach jedoch nicht immer den Erwartungen dieses Idealbilds; und auch die Tatsache, daß eine so zwielichtige Gestalt wie Keie als Truchseß und oberster Hofbeamter für die gesamte Ordnung am Artushof verantwortlich war, paßte nicht recht zu der repräsentativen Funktion dieses Hofs. Wie diese Motive zu interpretieren sind, ist unklar. Eine politische Deutung, die darauf abzielt, die Handlungsschwäche des Königs mit der Krise des deutschen Königtums nach 1198 in Verbindung zu bringen und in der Figur Keies eine Auseinandersetzung mit dem Machtan-

---

[24] und gulte ein fuoder guotes wînes tûsent pfunt, dâ stüende ouch niemer ritters becher laere (20, 14–15)

spruch der Ministerialität zu erkennen, geht über das, was die Texte ergeben, hinaus.

Mehr Raum für Hofkritik bot die Heldenepik mit ihren geschichtlichen Stoffen und ihrer größeren Nähe zur Wirklichkeit. Im ›Nibelungenlied‹ wurde der burgundische Königshof in Worms als ein Muster höfischer Ordnung und höfischer Prachtentfaltung dargestellt. Aber hinter der Fassade der höfischen Etikette tat sich ein Abgrund von Haß, Betrug, Machtgier und Verrat auf. Der König war zu schwach, um aus eigener Kraft den Fortbestand seiner Herrschaft zu sichern; der starke Mann am Hof, Hagen, wurde zum Mörder, weil er in Siegfried eine Bedrohung des burgundischen Königtums zu sehen glaubte. Am Ende stand der Untergang einer ganzen Gesellschaft, die ihre Korruptheit hinter höfischem Schein versteckt hatte.

Auch im ›Willehalm‹ von Wolfram von Eschenbach, der ein französisches Heldenepos zur Vorlage hatte, wurde der glänzende Gesellschaftsbetrieb am Königshof als scheinhaft und hohl entlarvt. Der König gab sich höfischen Festfreuden hin, während sein Reich von den Ungläubigen verwüstet wurde; und die Reichsfürsten zogen vom Schlachtfeld ab mit der Devise, lieber auf Turnieren und im Frauendienst ihre Tapferkeit beweisen zu wollen.

Der Höhepunkt poetischer Hofkritik in Deutschland war die Schilderung des englischen Hofs im ›Tristan‹ von Gottfried von Straßburg. König Markes Frühlingsfest am Anfang der Dichtung ließ die Hofgesellschaft zuerst im Glanz unbeschwerter Festfreude erscheinen. Später, als die steile Hofkarriere des jungen Tristan den Neid der Barone weckte, enthüllte sich mehr und mehr, daß das Hofleben von Intrigen beherrscht wurde, durch die man sich gegenseitig um den Einfluß auf den König zu bringen suchte. Dank seiner intellektuellen Überlegenheit gelang es Tristan zunächst, das ohnmächtige Intrigantentum der Hofbarone in Schach zu halten. Als jedoch der Verdacht des Ehebruchs die persönlichen Verhältnisse immer mehr vergiftete, wurde auch das Charakterbild des Königs immer düsterer. Der moralisch verkommenen Hofwelt hat Gottfried von Straßburg ein Reich der Liebe gegenübergestellt, in dem es keine Intrigen und keine Falschheit gab. Aber er hat auch deutlich gemacht, daß die Liebe außerhalb der bestehenden Gesellschaftsordnung keine Chance hatte, sich auf Dauer zu verwirklichen. Im übrigen läßt die ironische Kühle des Erzählers nicht sicher erkennen, ob mit der kritischen Hofdarstellung nur Mißstände angeprangert werden sollten, oder ob der Dichter die Brüchigkeit des ganzen höfischen Gesellschaftssystems zeigen wollte.

Die kritische Potenz, die in der höfischen Epik der Zeit um 1200 wirksam war, hat offenbar beim adligen Publikum nicht viel Resonanz gefunden. Jedenfalls ist die Gesellschaftsdarstellung im 13. Jahrhundert rasch wieder verflacht. Das ›Nibelungenlied‹ wurde durch die früh dazugedichtete ›Klage‹ entschärft, und Wolframs ›Willehalm‹ ist ebenso wie Gottfrieds ›Tristan‹ durch verharmlosende Fortsetzungen in die Normalform höfischer Idealisierung zurückgeholt worden.

Vor der Erfindung des Buchdrucks arbeiteten die Autoren unter gänzlich anderen Bedingungen als in neuerer Zeit. Es gab kein Verlagswesen, keinen Buchhandel, kein Urheberrecht und kaum eine literarische Öffentlichkeit. Die Produktionskosten waren enorm hoch. Jedes Buch mußte mit der Hand geschrieben werden – das konnte bei umfangreichen Werken mehrere Jahre dauern –, und als Schreibstoff stand jahrhundertelang nur das teure Pergament zur Verfügung, das in einem langwierigen Verfahren aus Schafs-, Ziegen- und Kalbshäuten hergestellt wurde. Erst als die Papiererzeugung im 14. Jahrhundert größere Verbreitung fand, konnten die Herstellungskosten merklich gesenkt werden, was zu einem Anstieg der Buchproduktion führte. Selbst dann blieb der Besitz von Büchern ein Vorrecht der Reichen. Geschrieben wurde stets mit lateinischen Buchstaben, deren Gebrauch in der Lateinschule gelernt wurde; das bedeutet, daß nur der ganz kleine Kreis der Lateinkenner am Literaturprozeß unmittelbar beteiligt war.

Bis zum 12. Jahrhundert lag alle literarische Tätigkeit in den Händen von Geistlichen oder geistlich Gebildeten. Die Literatur der Kleriker und Mönche, sowohl die lateinische als auch die volkssprachliche, war hauptsächlich kirchliche Gebrauchsliteratur, die im Dienst der Theologie, der Liturgie und der Exegese stand oder zu apologetisch-missionarischen, fachwissenschaftlichen oder didaktischen Zwecken verfaßt wurde. Auch die Dichtung der Klöster und Bischofssitze war entweder für den Gottesdienst bestimmt oder diente der Verherrlichung und Befestigung des christlichen Glaubens. Wenn die gelehrten Mönche in den Strophenformen der antiken Lyrik dichteten, wenn sie lateinische Versepisteln und Gelegenheitsgedichte miteinander wechselten oder die stillen Freuden des kontemplativen Lebens besangen, dann war ihre dichterische Tätigkeit eine schöne Nebensache, die sich manchmal den Vorwurf mangelnden geistlichen Ernstes gefallen lassen mußte. Weltliche Dichtung hat es in diesen Jahrhunderten nur in Ausnahmefällen gegeben, vor allem wo die Literatur in den Dienst der Herrscherverherrlichung trat (›Ludwigslied‹, ›Modus Ottinc‹).

Eine ganz neue Situation ergab sich, als der Laienadel im 12. Jahrhundert begann, auf die literarische Produktion Einfluß zu nehmen. An den großen Fürstenhöfen, die sich in dieser Zeit zu literarischen Zentren entwickelten, wurde der Literaturbetrieb von ganz anderen Faktoren bestimmt als in den Klöstern. Die wichtigste Instanz war der fürstliche Gönner und Auftraggeber, der die Dichter an seinen Hof berief, ihnen Unterhalt gewährte und ihre Arbeit kontrollierte. Die Abhängigkeit der Dichter von der Gunst ihrer Auftraggeber und vom Urteil des adligen Hofpublikums hat die literarischen Werke geprägt. Zugleich verlieh das neue Interesse der Hofgesellschaft an der weltlichen Dichtung der Literatur einen höheren gesellschaftlichen Rang, als sie vorher besessen hatte. Die Dichtung wurde zur bedeutendsten künstlerischen Ausdrucksform der Laiengesellschaft. Die Voraussetzung dafür war die Einführung einer geregelten Schriftlichkeit an den weltlichen Höfen.

1. Mündlichkeit und Schriftlichkeit in der höfischen Gesellschaft

a. Laienbildung

Laienbildung in Frankreich

In Frankreich und im normannischen England läßt sich beobachten, daß die Entstehung der höfischen Literatur in französischer Sprache mit Veränderungen im Bildungswesen Hand in Hand ging. Die moderne Hofliteratur hat sich erst dann und nur dort entwickelt, wo die fürstlichen Gönner und Auftraggeber selber lateinisch gebildet waren. Der Gedanke, daß ein vorbildlicher Herrscher literarische Bildung besitzen sollte, hat damals seinen schärfsten Ausdruck in dem polemischen Satz gefunden: »Ein ungebildeter König ist ein gekrönter Esel.«[1] Dieser Satz steht in den ›Taten der englischen Könige‹, die William von Malmesbury um 1120 verfaßt und dem Earl Robert von Glocester († 1147) gewidmet hat. Er ist dort dem englischen König Heinrich I. († 1135) in den Mund gelegt, der die Worte in

---

[1] rex illitteratus asinus coronatus (Gesta regum Anglorum, Bd. 2, S. 467)

Gegenwart seines ungebildeten Vaters, König Wilhelms des Eroberers († 1087), gesprochen haben soll. Ein paar Jahrzehnte später wurde der Satz im ›Policraticus‹ von Johannes von Salisbury (um 1160) zitiert (Bd. 1, S. 254), wo den Königen vorgehalten wurde, sie dürften nicht »unter dem Vorwand weltlicher Ritterschaft«[2] die Unkenntnis der heiligen Schriften für sich in Anspruch nehmen. Vielmehr müßten diese jeden Tag gelesen werden. »Daraus wird klar, welche Notwendigkeit die Kenntnis der Schrift für die Fürsten besitzt, die das Gesetz Gottes täglich beim Lesen überdenken sollen.«[3] Das war in der zweiten Hälfte des 12. Jahrhunderts keine unrealistische Forderung mehr. Der französische König Ludwig VII. († 1180) war ebenso lateinisch erzogen wie der englische König Heinrich II. († 1189). Auch die großen französischen Kronvasallen, die ihre Höfe damals der literarischen Kultur öffneten – Graf Heinrich I. von Champagne († 1181), sein Bruder, Graf Thibaut V. von Blois († 1191), Graf Philipp von Flandern († 1191) und andere –, hatten eine lateinische Erziehung genossen.

Der Prozeß der allmählichen Ausbreitung der Laienbildung in den französischen Fürstenhäusern fiel auf weite Strecken zusammen mit der Entstehungsgeschichte der höfischen Kultur. In Südfrankreich war der Hof der Grafen von Poitou bereits unter Wilhelm III. († 1030) ein Mittelpunkt wissenschaftlicher und literarischer Aktivitäten. Der Graf ließ Bücher abschreiben und stand im Briefverkehr mit einigen der bedeutendsten Gelehrten seiner Zeit, mit Fulbert von Chartres († 1028) und Leo von Vercelli († 1026). Der Historiker Ademar von Chabannes († 1034) schrieb über ihn: »Dieser Herzog war von Kindheit an in den Wissenschaften gebildet und besaß eine gute Kenntnis der Literatur. Er bewahrte an seinem Hof eine Menge Bücher, und wenn er irgend von dem Hofbetrieb Ruhe fand, gab er sich der eigenen Lektüre hin und verbrachte den größten Teil der Nacht mit Büchern, bis der Schlaf ihn besiegte.«[4] Sein berühmter Enkel, Wilhelm IX. († 1126), der erste Trobador, konnte von der Bildungstradition am Hof von Poitiers profitieren.

---

[2] militiae praetextu (Bd. 1, S. 250)

[3] Ex quibus liquido constat, quam necessaria sit principibus peritia litterarum, qui legem Domini cotidie reuoluere lectione iubentur (ebd., S. 254)

[4] Fuit dux iste a puericia doctus litteris, et satis noticiam scripturarum habuit. Librorum copiam in palatio suo servavit, et si forte a tumultu vacaret, lectioni per se ipsum operam dabat, longioribus noctibus elucubrans in libris, donec somno vinceretur (Chronicon, S. 176f.)

In der Grafschaft Anjou begegnet sogar schon im 10. Jahrhundert der erste gebildete Graf. Das war Fulko II. († 960), dessen Bildungsstand den französischen König Ludwig IV. († 954) zu dem Ausspruch inspiriert haben soll: »Weisheit, Beredsamkeit und Bildung stehen Königen und Grafen vor allen anderen an. Je mehr man durch seine Stellung ausgezeichnet ist, um so höher sollte die Gesittung und die Bildung sein.«[5] Auch wenn dieser Satz schwerlich historische Authentizität besitzt, zeigt er doch, wie man im 12. Jahrhundert, als er geschrieben wurde, in der Umgebung der großen französischen Höfe über diese Frage dachte. – Eine Ausnahmeerscheinung unter den weltlichen Fürsten Frankreichs war Graf Fulko IV. von Anjou († 1109), der selber auf lateinisch eine Geschichte seines Hauses verfaßt hat, von der nur Fragmente erhalten sind (›Fragmentum historiae Andegavensis‹). Sein Enkel, Graf Gottfried V. († 1151) war nach dem Zeugnis der ›Gesta consulum Andegavorum‹ »außerordentlich gut gebildet und von höchster Beredsamkeit unter Klerikern und Laien«[6]. In der von Jean de Marmoutier (um 1170–80) verfaßten Lebensgeschichte Gottfrieds V. wurde besonders hervorgehoben, daß der Graf ritterliche Tüchtigkeit und literarische Bildung miteinander verband: »er war dem Waffenhandwerk und den Wissenschaften ergeben«[7]. Welchen Wert der französische Laienadel bereits in der ersten Hälfte des 12. Jahrhunderts auf Bildung, Eleganz und höfische Umgangsformen gelegt hat, beleuchtet die Schilderung der Verlobung des damals fünfzehnjährigen Grafen Gottfried mit der Kaiserwitwe Mathilde, der Tochter König Heinrichs I. von England, die im Jahr 1127 gefeiert wurde. Jean de Marmoutier berichtete, daß Heinrich I. den jungen Grafen zu sich setzte und ihn üner vielerlei ausfragte, um zu erfahren, wie klug er zu antworten verstünde. Der Jüngling »achtete genau auf die Wahl seiner Worte und schmückte seine Rede mit rhetorischen Figuren«[8], zur Freude des Königs, der über so viel Scharfsinn verwundert war. Aus der Ehe Gottfrieds V. von Anjou mit Mathilde ging König Heinrich II. von England hervor, der wie kein anderer in seiner

---

[5] Verum est quia sapientia et eloquentia et littere maxime regibus et consulibus conveniunt. Quanto enim quis prelatior, tanto moribus et litteris debet esse lucidior (Gesta consulum Andegavorum, Additamenta, S. 140)

[6] optime litteratus, inter clericos et laicos facundissimus (S. 71)

[7] civilibus armis et studiis liberalibus deditus (Historia Gaufredi, S. 176)

[8] verborum compendio studens, eadem etiam verba rhetoricis exornans coloribus (ebd., S. 178)

Zeit ein Förderer der Literatur und der Wissenschaft war. Seit Heinrich II. hat es keinen ungebildeten König mehr auf dem englischen Thron gegeben.

Auch im normannischen Herzogshaus reichten die Anfänge der Laienbildung bis ins 10. Jahrhundert zurück. Bereits Richard I. († 996) soll in den Wissenschaften unterrichtet gewesen sein. Auf seine Anweisung schrieb Dudo von St. Quentin die erste Familiengeschichte eines französischen Fürstenhauses: ›Über Lebenswandel und Taten der ersten Herzöge der Normandie‹ (De moribus et actis primorum Normanniae ducum). Wilhelm der Eroberer († 1087) hat offenbar keine formale Erziehung genossen; aber seine Frau, Mathilde von Flandern († 1083), war, wie Ordericus Vitalis berichtete, ausgezeichnet durch »Schönheit, hohe Abstammung, literarische Bildung und den Glanz guter Sitten und Tugenden«[9]. Ihr Sohn, Heinrich I. († 1135), erhielt später wegen seiner Bildung den Beinamen »Beauclerc«. Sein Hof war ein Treffpunkt von Dichtern und Gelehrten, nicht zuletzt weil seine beiden Frauen, Mathilde von Schottland († 1118) und Adelheid (Aelis) von Brabant († nach 1157), literarisch interessiert waren. Adelheid hat als erste auch volkssprachliche Dichtung am englischen Hof gefördert. Eine ebenso gute Erziehung wie Heinrich I. hatte seine Schwester, die Gräfin Adele von Blois († 1137), genossen, die mit den berühmtesten lateinischen Dichtern ihrer Zeit, Baudri von Bourgueil und Hildebert von Lavardin, in nahem Kontakt stand und von ihnen in Gedichten verherrlicht worden ist. Auch ihr Mann, Graf Etienne-Henri von Blois-Chartres († 1102), war lateinisch gebildet; seitdem ist die Bildungstradition am Hof von Blois nicht mehr abgerissen.

In Flandern wurde bereits unter Graf Arnulf I. († 965) eine Genealogie des Grafenhauses verfaßt (›Genealogia Arnulfi comitis‹). Auch die lateinische Geschichtsschreibung hat dort früher als anderswo einen ausgesprochen dynastischen Charakter angenommen. Über die persönlichen Bildungsverhältnisse der Grafen scheint aus der älteren Zeit nicht viel bekannt zu sein. Mit Graf Robert I. († 1093) begann die Reihe der gebildeten Grafen, und in der zweiten Hälfte des 12. Jahrhunderts wurde der Hof von Flandern zu einem blühenden Zentrum der volkssprachlichen französischen Dichtung. Philipp von Harvengt,

[9] forma, genus, litterarum scientia, cuncta morum et uirtutum pulchritudo (Historia ecclesiastica, Bd. 2, S. 224)

der Abt von Bonne-Espérance (bei Mons), hat in einem bemerkenswerten Brief an Graf Philipp von Flandern († 1191) den Gedanken ausgesprochen, daß ritterliche Tüchtigkeit und gelehrte Bildung sich nicht auszuschließen brauchten, daß vielmehr die Verbindung von beiden einem weltlichen Fürsten gut anstünde, weil »ein Fürst, den keine literarische Bildung adelt, unwürdig sei wie ein Bauer«[10]. Diese Ansicht wurde nicht nur von Geistlichen propagiert, sondern hat offenbar auch beim Laienadel Zustimmung gefunden.

Es hat jedoch den Anschein, daß es am Ende des 12. Jahrhunderts nur erst in dem kleinen Kreis der höchsten weltlichen Fürsten üblich war, den Kindern eine gelehrte Erziehung zuteil werden zu lassen. Für Südfrankreich gibt es allerdings schon aus dem 10. und 11. Jahrhundert Zeugnisse dafür, daß auch Mitglieder kleinerer Adelsfamilien literarisch gebildet waren. Wahrscheinlich ist das die Erklärung dafür, daß in Südfrankreich die höfische Literatur auch an kleineren Höfen gepflegt wurde, während im Norden zunächst nur die großen Fürstenhöfe zu literarischen Sammelpunkten geworden sind. Giraldus Cambrensis († 1233) hat in seinem Fürstenspiegel lobend erwähnt, daß König Ludwig VIII. von Frankreich († 1226) sich bereits in jungen Jahren dem Studium der freien Künste gewidmet habe, und hat das als »einen Vorzug« gewürdigt, »der, wo er begegnet, um so lobenswerter und erhabener ist, je seltener er heute unter den Fürsten angetroffen wird«[11]. In demselben Sinne schrieb Walter Map († nach 1208) an Randulf von Glanville: »Die Vornehmen unseres Landes halten es entweder für unter ihrer Würde oder sind zu träge, ihre Kinder wissenschaftlich zu bilden.«[12] Danach darf man die Verbreitung der Laienbildung in der französischen Adelsgesellschaft nicht überschätzen.

---

[10] princeps quem non nobilitat scientia litteralis, non parum degenerans sit quasi rusticanus (Epistolae, Sp. 149)

[11] quae virtus quidem, quanto in principibus est hodie rarior, tanto, ubi affuerit, longe pretiosior et praeclarior (De principis instruction, S. 7)

[12] generosi partium nostrarum aut dedignantur aut pigri sunt applicare literis liberos suos (De nugis curialium, S. 8)

In Deutschland herrschten offenbar ganz andere Verhältnisse. Allerdings ist hier die Quellenlage so schlecht, daß es schwerfällt, sich ein genaues Bild zu machen. Daraus erklärt es sich, daß die Urteile über die Laienbildung in Deutschland zum Teil weit auseinandergehen. Zugunsten einer relativ hohen Bildung des deutschen Adels schon zu Beginn des 12. Jahrhunderts wird gerne eine Stelle aus der Weltchronik von Ekkehard von Aura († nach 1125) zitiert, wo zum Jahr 1110 berichtet wurde, daß Kaiser Heinrich V. († 1125) seinen Kaplan David beauftragt habe, den Romzug des Kaisers in einem Geschichtswerk zu beschreiben. Dann heißt es: »Dieser schrieb auf Befehl des Königs den Ablauf und alle Geschehnisse dieses Zuges in drei Büchern auf, in einem so einfachen Stil, der fast in nichts von der gewöhnlichen Sprechweise abweicht, und half auf diese Weise den Laien- Lesern und den anderen weniger gebildeten Leuten, damit deren Verstand es begreifen könnte.«[13] Wer diese »lesenden Laien« waren, denen die Rücksicht des Geschichtsschreibers galt, bleibt jedoch ganz unklar. Da das Werk für den Kaiser bestimmt war, hat David beziehungsweise Ekkehard dabei vielleicht an diesen und an die Laiengesellschaft am Kaiserhof gedacht. Über die Erziehung Heinrichs V. ist zwar so gut wie nichts bekannt; aber bei dem hohen Bildungsstand seines Vaters, Heinrichs IV., wäre es eher verwunderlich, wenn er nicht wenigstens einen elementaren Unterricht genossen hätte. Bei der Beurteilung der Ekkehard-Stelle ist auch zu berücksichtigen, daß die Versicherung des gebildeten Autors, daß er sich dem geringeren Verständnis der Laien anzupassen suchte, den Charakter eines Topos besaß. Ähnlich hat Gottfried von Viterbo in der Widmung seiner Weltgeschichte (›Memoria saeculorum‹) an Kaiser Heinrich VI. begründet, warum er sich »in diesem Werk nicht besonders darum bemüht habe, die Eleganz der Worte herauszustellen und kunstvolle Ausdrücke oder schmuckreiche Redewendungen einzufügen«[14]; er folge hier »einer mittleren Höhe des Stils«[15]

---

[13] Hic itaque iussus a rege totam huius expeditionis seriem rerumque in illa gestarum stilo tam facili, qui pene nihil a communi loquela discrepet, tribus libris digessit, consulens in hoc etiam lectoribus laicis vel aliis minus doctis, quorum hẹc intellectus capere possit (S. 254)

[14] non multum studui in hoc opere verborum adhibere leporem, vel dictiones cameratas vel sermones faleratos inferre (S. 105)

[15] mediocrem dictandi sequor urbanitatem (ebd.)

mit Rücksicht auf den Laienverstand des Adressaten. »Dieses einfache Schriftwerk habe ich für dich, der du als Laie nur wenig philosophisch gebildet bist, und für andere Knaben deines Alters bestimmt und eingerichtet.«[16] Von Heinrich VI. ist bekannt, daß er lateinisch gebildet war. Wenn man dasselbe auch für Heinrich V. annehmen darf, dann kann aus der Bemerkung Ekkehards von Aura doch schwerlich der Schluß gezogen werden, daß zu Beginn des 12. Jahrhunderts die meisten Adligen in Deutschland lesen konnten.

Ein genaueres Bild von den tatsächlichen Verhältnissen hat wahrscheinlich Wipo gegeben, der Kanzler Kaiser Konrads II. († 1039) und Heinrichs III. († 1056), der in seinem 1041 vollendeten ›Tetralogus‹ darüber Klage führte, daß die literarische Ausbildung der adligen Kinder in Deutschland als überflüssig oder sogar als schimpflich angesehen würde, was ihn zu der Aufforderung an seinen kaiserlichen Herrn veranlaßte, den Schulunterricht gesetzlich vorzuschreiben: »Nun erlaß ein Gesetz für Deutschland, daß die Begüterten ihren Kindern das Schreiben beibringen lassen und ihnen die Rechtskenntnisse vermitteln, damit sie, wenn sie mit Fürsten verhandeln müssen, diesen aus ihren Büchern Beispielfälle vorweisen können. Mit dieser Sitte lebte Rom einst in Ehren; durch solche Gelehrsamkeit konnte es mächtige Gewaltherrscher fesseln. Daran halten alle Italiener fest, wenn sie der ersten Kindheit entwachsen sind, und alle jungen Leute dort müssen in der Schule schwitzen. Nur den Deutschen scheint es unwichtig oder schandbar, daß man irgendjemanden unterrichtet, es sei denn, er wollte Geistlicher werden.«[17] Im 12. Jahrhundert war es in Deutschland üblich, das Wort »Laie« mit »Analphabet« gleichzusetzen[18]. Wie gelehrte Bildung vom Laienadel bewertet wurde, zeigt der Bericht über die Erziehung des Abtes Dietrich von St. Hubert († 1086), der bald nach seinem Tod abgefaßt wurde. Danach hatte seine Mutter den Knaben heimlich in den Anfangsgrün-

---

[16] tibi layco moderate philosophanti et aliis quasi pueris tibi coetaneis ista simplicia dicta proposui et adaptavi (ebd.)

[17] Tunc fac edictum per terram Teutonicorum, Quilibet ut dives sibi natos instruat omnes Litterulis legemque suam persuadeat illis, Ut, cum principibus placitandi venerit usus, Quisque suis libris exemplum proferat illis. Moribus his dudum vivebat Roma decenter, His studiis tantos potuit vincire tyrannos; Hoc servant Itali post prima crepundia cuncti, Et sudare scholis mandatur tota iuventus: Solis Teutonicis vacuum vel turpe videtur, Ut doceant aliquem, nisi clericus accipiatur (190–200)

[18] ... laicorum scilicet illiteratorum (Narratio de electione Lotharii, S. 510)

den der Wissenschaft unterrichten lassen. Als jedoch der Vater, der den Sohn »zu dem, was er selber war, machen wollte, nämlich zu einem weltlichen Krieger«[19], davon erfuhr, »ließ er seinen Sohn von den Studien entfernen und zu Hause unter Aufsicht stellen und bedrohte seine Frau mit strenger Strafe, wenn sie es künftig wagen sollte, ihm wissenschaftlichen Unterricht zukommen zu lassen«[20].

Die verläßlichsten Informationen über den Bildungsstand des deutschen Laienadels sind zu gewinnen, wenn man die Kaiser und Könige der Reihe nach durchgeht. Da zeigt sich vom 10. Jahrhundert an stets dasselbe Bild. Jedesmal, wenn eine neue Dynastie zur Regierung kam, war der erste Kaiser ein Analphabet. Bereits in der zweiten oder spätestens in der dritten Generation der neuen Häuser trifft man jedoch Herrscher an, die eine gelehrte Erziehung erhalten hatten. Das bedeutet, daß die fürstlichen Familien, aus denen die Kaiser gewählt wurden, in der Regel analphabetisch lebten, daß aber die meisten Herrscher es für wünschenswert hielten, ihren Nachfolgern auf dem Thron eine formale Erziehung zukommen zu lassen. Diese Beobachtungen gelten noch für das 12. Jahrhundert. Der Nachfolger des letzten Salierkaisers, Herzog Lothar von Sachsen (1125–1137) aus dem alten Fürstenhaus der Supplinburger, war ungebildet. Ebenso sein Nachfolger, Konrad III. (1138–1152), mit dem die Reihe der staufischen Herrscher begann. Die Staufer waren mit dem salischen Kaiserhaus verschwägert und gehörten als Herzöge von Schwaben zu den mächtigsten Reichsfürsten. Schriftkenntnis und literarische Bildung scheinen jedoch bei ihnen ebenso unüblich gewesen zu sein wie in den anderen großen Adelshäusern. Auch der Neffe und Nachfolger Konrads III., Friedrich I. (1152–1190), besaß keine gelehrte Bildung. Seinen Kindern ließ dieser jedoch eine sorgfältige Erziehung zuteil werden. Sowohl Heinrich VI. (1190–1197) als auch dessen jüngerer Bruder, Philipp von Schwaben (1198–1208), die ihm auf dem Thron folgten, waren lateinisch gebildet. Philipp von Schwaben war allerdings für die geistliche Laufbahn bestimmt und ist erst nachträglich wieder in den Laienstand zurückgetreten. Sein Gegner im Kampf um den Thron, Otto IV. (1198–1218), war der erste Kaiser aus dem Geschlecht der Wel-

[19] qui eum, quod ipse erat, fieri terrenum militem ... disponebat (Vita Theoderici abbatis Andaginensis, S. 39)
[20] Qui filium suum a litteris abstractum domi servari iussit, interminatus uxori gravia, si posthac eum praesumeret tradere his disciplinis (ebd.)

fen. Auch in dieser Familie, die schon lange für sich einen königgleichen Rang beanspruchte, war gelehrte Bildung unbekannt. In der um 1170 verfaßten Hausgeschichte, der ›Historia Welforum‹, wurden Bildungsangelegenheiten mit keinem Wort erwähnt, obwohl schon die Kaiserin Judith († 843), bis zu der die Welfen ihren Stammbaum zurückführten, im literarischen Leben des 9. Jahrhunderts eine bedeutende Rolle gespielt hatte. Von Otto IV. ist nicht bekannt, daß er lesen und schreiben konnte, was in diesem Fall verwundert, weil Otto den größten Teil seiner Jugend am englischen Hof beziehungsweise in Frankreich verbracht hat.

Alles weist darauf hin, daß die deutschen Fürsten in der zweiten Hälfte des 12. Jahrhunderts in der Regel ungebildet waren. Auf dem Reichstag von Besançon im Jahr 1157 wurde ein lateinisches Schreiben des Papstes Hadrian IV. († 1159) in öffentlicher Versammlung verlesen, und offenbar verstand keiner der anwesenden Fürsten den Text. Erst als der Brief »vom Kanzler Rainald in ziemlich genauer Übersetzung sorgfältig erläutert worden war, erfaßte die anwesenden Fürsten tiefe Empörung«[21]. In diesem Zusammenhang ist der Brief von Wichtigkeit, den Landgraf Ludwig II. von Thüringen († 1172) im Jahr 1162 oder 1163 an den französischen König Ludwig VII. schrieb (vgl. S. 106), mit der Bitte, zwei seiner Söhne, die zum Studium nach Paris reisen sollten, dort unter seinen Schutz zu nehmen. Der Landgraf begründete sein Vorhaben mit den Worten: »Ich habe mir vorgenommen, alle meine Söhne Lesen und Schreiben lernen zu lassen, auf daß derjenige von ihnen, der sich als begabter und klüger erweist, mit dem Studium fortfahre.«[22] Wenn der Brief authentisch ist, dann stellt er das bedeutsamste Zeugnis für den Bildungsanspruch eines deutschen Fürstenhauses dar, das wir aus dieser Zeit besitzen.

Eine zweite Nachricht über die Schulbildung eines deutschen Fürstensohnes aus derselben Zeit betrifft die Babenberger in Österreich. Von dem ältesten Sohn Herzog Leopolds VI. († 1230), der ebenfalls Leopold hieß, wurde berichtet, daß er »zu Lebzeiten seines Vaters starb, als er die Schule in Kloster-

---

[21] litteris ... per Reinaldum cancellarium fida satis interpretatione diligenter expositis, magna principes qui aderant indignatione commoti sunt (Rahewin, Gesta Frederici, S. 414)

[22] Filios enim meos omnes litteras discere proposui, ut qui majoris ingenii necnon majoris inter eos notaretur discretionis, in studio perseveraret (Denifle, Bd. 1, S. 39)

neuburg besuchte«[23]. Das war im Jahr 1216. Dabei muß offen bleiben, ob Herzog Leopold VI. seinen Sohn für die Nachfolge im Herzogsamt ausbilden ließ oder ob dieser vielleicht für eine geistliche Laufbahn bestimmt war.

Wie sich die Laienbildung im Verlauf des 13. Jahrhunderts in Deutschland verbreitet hat, ist noch gänzlich unerforscht. Man gewinnt jedoch den Eindruck, daß auch am Ende des 13. Jahrhunderts der größte Teil des Adels des Lesens und Schreibens unkundig war. Mit aller Selbstverständlichkeit hat Berthold von Regensburg († 1272) die Laien pauschal als Leseunkundige angesprochen: »Da ihr Laien nicht lesen könnt wie wir Kleriker.«[24] Sehr aufschlußreich ist der Bericht Ottokars von Steiermark über den Augsburger Reichstag im Jahr 1275. Dort erschien, als Bevollmächtigter König Ottokars II. von Böhmen, der Bischof Wernhart von Seckau und hielt vor dem König und den Fürsten des Reichs auf lateinisch eine kunstvoll gebaute Rede, in welcher er die Rechtmäßigkeit der Wahl König Rudolfs von Habsburg in Zweifel zog. »Hätten die Laien ihn verstehen können, so wäre ihm das sehr schlecht bekommen. Aber sie verstanden ihn nicht.«[25] Schließlich unterbrach der König ihn und sagte, er könne lateinisch reden, wenn er mit Geistlichen verhandelte. »Wenn ihr aber vor mir oder vor dem Reich ein Ansuchen vortragt, so vermag ich euren aus Büchern gelernten Worten nicht zu folgen.«[26] Falls er zulassen würde, daß Reichsangelegenheiten lateinisch verhandelt werden, würden »die Laienfürsten des Reiches«[27] alle »wie Toren und Stumme«[28] vor ihm sitzen.

Mit Rudolf von Habsburg († 1291) war im Jahr 1273 nach der Zeit des Interregnums wieder ein König aus einem deutschen Hochadelsgeschlecht gewählt worden, und wieder war der erste Vertreter der neuen Dynastie allem Anschein nach ein Analphabet, obwohl die Grafen von Habsburg zu den größten Territorialherren im Südwesten gehörten. Auch die nächsten Könige scheinen ungebildet gewesen zu sein, mit Ausnahme Adolfs von

---

[23] qui vivente patre cum frequentaret scolas Neunburch mortuus est (Continuatio Claustroneoburgensis I, S. 612)

[24] Wan ir leien niht lesen kunnet als wir pfaffen (Bd. 2, S. 233)

[25] mohten sîn die leien hân vernomen, ez waer im harte übel komen; dô verstuonden si sîn niht (13085-87)

[26] habt aber ir gegen mir oder gegen dem rîche iht ze suochen, des mac ich iu ûz den buochen mit worten niht gevolgen (13106-09)

[27] des rîches leienfursten (13114)

[28] als tôren unde stumben (13119)

Nassau († 1298). Für die Krönung Heinrichs VII. († 1313) im Aachener Münster am 6. Januar 1309 war – wie die Historiker vermuten – ein Krönungsordo bestimmt, der auf die mangelnden Lateinkenntnisse des neuen Herrschers Rücksicht nahm: »Weil der König als Analphabet und Laie die vorausgegangenen Interrogationen und Responsionen, die in lateinischer Sprache gesprochen werden, nicht versteht, wird der Erzbischof von Köln, in eigener Person oder durch einen dazu bestimmten Kleriker, dem Herrn König die vorausgegangenen Interrogationen und Responsionen in unserer Volkssprache, das heißt auf deutsch, verständlicher vortragen.«[29] Noch Ludwig der Bayer († 1347), der erste Wittelsbacher auf dem deutschen Thron, war ein Illiterat.

Es hat zu allen Zeiten auch hochgebildete Laien gegeben, zum Beispiel im 11. Jahrhundert den Grafen Heinrich II. von Stade († 1016), den Mitbegründer des Stiftes Harsefeld, der »literarisch gebildet und im Gottesdienst sehr eifrig war«[30], oder den sächsischen Pfalzgrafen Friedrich II. († 1088), der eine Büchersammlung besaß, die er dem Kloster Goseck vermachte und die unter anderem die ›Moralia‹ von Gregor dem Großen enthielt. Das waren jedoch Ausnahmefälle, die sich fast immer so erklären, daß ein zum geistlichen Beruf bestimmtes Mitglied der Familie wieder in den Laienstand zurückgetreten ist. Heinrich von Stade hat sich sogar dreimal von den geistlichen Gelübden befreien lassen, und der Pfalzgraf Friedrich II. von Sachsen war als drittgeborener Sohn im Kloster Fulda erzogen worden und ist erst nach dem Tod seines Bruders Dedo zur Nachfolge in der Pfalzgrafschaft bestimmt worden. Anders verhielt es sich mit den adligen Frauen in der Laiengesellschaft, die in viel größerem Umfang als die Männer am Bildungsleben teilgenommen haben.

[29] Et quia rex tanquam illitteratus et laicus premissas interrogationes et earum responsiones in latino dictas non intelligit, dominus Coloniensis per se vel per clericum unum cui faciendum mandaverit, premissas interrogationes et earum responsiones domino regi in vulgari nostro, id est in teutonico, manifestius declarabit (MGH Leges, Bd. 2, S. 386 f.)
[30] litteratus, et in divino servicio valde studiosus (Annalista Saxo, S. 661)

Die Begriffe *litteratus* und *illitteratus*, die in den lateinischen Quellen der Zeit den Gebildeten und den Ungebildeten bezeichneten, waren auf den elementaren Schulunterricht ausgerichtet. »Gebildet« (*litteratus*) war einer, der Latein lesen und schreiben gelernt hatte, das heißt einer, der – entweder auf einer kirchlichen Schule oder durch Privatlehrer – in den Elementarfächern des Triviums, in Grammatik und Rhetorik, unterrichtet worden war. »Ungebildet« (*illitteratus*) war derjenige, der nicht lesen und schreiben konnte, also der Analphabet. Diese Terminologie hatte ihre Schwächen. Aus der Bezeichnung *litteratus* war nicht zu ersehen, ob jemand nur in den Anfangsgründen der lateinischen Grammatik unterrichtet worden war oder ob er eine gründliche wissenschaftliche Ausbildung erhalten hatte. Nur vereinzelt und hauptsächlich von Autoren, die bewußt an römisch-antiken Sprachgebrauch anknüpften, wurde *litteratus* im klassischen Sinne von »wissenschaftlich gebildet«, »gelehrt« benutzt, zum Beispiel von Johannes von Salisbury, der sagen konnte, daß »diejenigen, die ohne Kenntnis der Wissenschaften sind, *illiterati* genannt werden, auch wenn sie lesen und schreiben können«[31]. Sonst mußte man Steigerungsformen wie »sehr gebildet« (*nimio litteratus*) oder »hochgebildet« (*litteratissimus*) benutzen, um den Gelehrten von dem einfachen *litteratus* zu unterscheiden.

Die Begriffe *litteratus* und *illitteratus* waren auch nicht imstande, die Zwischenformen zwischen Bildung und Analphabetentum zu erfassen, die gerade in der Laiengesellschaft von großer Bedeutung waren. Manche Herrscher, die ohne Schulbildung aufgewachsen waren, haben noch als Erwachsene lesen gelernt. Von Kaiser Otto I. († 973) wurde berichtet: »Nach dem Tod von Königin Edith lernte er die Schrift, die er vorher nicht kannte, so gut, daß er Bücher durchaus lesen und verstehen konnte.«[32] Es scheint nicht ganz selten vorgekommen zu sein, daß ein Laienfürst etwas Latein verstand, ohne selber lesen und schreiben gelernt zu haben. Über Kaiser Friedrich I., der nach dem Zeugnis des Bischofs Sicardus von Cremona »ein Analphabet«[33] war, hat sein Biograph Rahewin geschrieben (und hat

---

[31] Qui enim istorum ignari sunt, illiterati dicuntur etsi litteras noverint (Metalogicus, S. 58)
[32] post mortem Edidis reginae, cum antea nescierit, litteras in tantum didicit, ut pleniter libros legere et intelligere noverit (Widukind v. Corvey, S. 118)
[33] illiteratus (Chronica, S. 165)

dabei dieselben Worte benutzt, mit denen Einhard den Bildungsstand Karls des Großen charakterisiert hatte): »In seiner Muttersprache ist er sehr redegewandt; Lateinisch aber kann er besser verstehen als sprechen.«[34] Von mehreren Fürsten dieser Zeit ist bezeugt, daß sie, obwohl ungebildet, Zugang zu lateinischer Literatur gesucht haben. Heinrich der Löwe († 1195) »veranlaßte, daß die alten Geschichtswerke gesammelt, niedergeschrieben und ihm vorgelesen wurden«[35]. Dabei bleibt offen, ob der Welfe so viel Latein verstand, daß er dem Vortrag folgen konnte, oder ob er sich eine Übersetzung vortragen ließ. Ähnliches wurde über Landgraf Hermann I. von Thüringen berichtet: »Er überließ seine müden Glieder nie dem Schlaf, ohne vorher ein Stück aus der Hl. Schrift oder über die berühmten Taten vergangener Fürsten gehört zu haben; und er lieh sein stets aufnahmebereites Ohr lateinischen wie deutschen Werken.«[36] Offenbar handelte es sich dabei um einen Topos des Fürstenlobs, dessen Wahrheitsgehalt im Einzelfall nicht überprüft werden kann. Ob Landgraf Hermann außer den beiden reich geschmückten Psalterien, die in seinem Auftrag geschrieben und gemalt worden sind, noch andere lateinische Bücher besessen hat, ist nicht sicher. Eine Handschrift des ›Bellum civile‹ des römischen Epikers Lukan (1. Jahrhundert n. Chr.), die heute in Kassel liegt (Landesbibliothek, 2° Mss. poet. et rom. 5), trägt auf dem ersten Blatt den Randvermerk: »H., von Gottes Gnaden Landgraf von Thüringen und Pfalzgraf von Sachsen.«[37] Ob dieser Eintrag als ein Besitzvermerk Hermanns I. zu interpretieren ist, ist allerdings ganz unklar.

Der interessanteste Fall eines ungebildeten Fürsten, der mit lateinischen Büchern umging, war Graf Balduin II. von Guines († 1206). Lambert von Ardres berichtete, daß Graf Balduin, »obwohl er nur ein Laie und ein Illiterat war« (*licet omnino laicus esset et illiteratus*) und »gänzlich ohne Kenntnis der Wissenschaften« (*omnino ignarus artium*), Theologen und Gelehrte

[34] In patria lingua admodum facundus, Latinam vero melius intelligere potest quam pronuntiare (Gesta Frederici, S. 710)

[35] antiqua scripta cronicorum colligi praecepit et conscribi et coram recitari (Gerhard v. Stederburg, S. 230)

[36] qui nec membra lassa aliquando sopori dedit nisi preaudita collacione, modo de sacris apicibus, modo de magnanimitate principum antiquorum, quandoque latinizatis, aliquando theutonizatis aurem pervigilem adhibuit scriptis (Chronica Reinhardsbrunnensis, S. 564)

[37] H. Dei gratia Thoringiae lantgravius et Saxonie comes palatinus (Struck, S. 12)

an seinen Hof zog und es im Umgang mit ihnen so weit brachte, daß er »wie ein Gebildeter« (*quasi literatus*) über die schwierigsten Fragen diskutieren konnte. Weil er aber kein Latein verstand, ließ er sich verschiedene Werke ins Französische übertragen, unter anderem die Psalmen und eine Lebensbeschreibung des hl. Antonius, sowie ein naturkundliches Werk des römischen Geographen Solinus. »Ebenso ließ er die heiligen Bücher, die in der Kirche zum Gottesdienst gebraucht wurden, abschreiben und ausschmücken und in seinen verschiedenen Kapellen aufbewahren.«[38] Sein Bibliothekar Hasard von Aldehen war ebenfalls ein Laie, hatte jedoch im ständigen Umgang mit den Büchern des Grafen »schreiben gelernt und war zum Literaten geworden.«[39] Graf Balduin beteiligte sich auch selber an der Abfassung einer französischen Dichtung, die nach dem Hauptautor, dem Magister Walter Silens, den Titel ›Roman de Silence‹ (*romanum de Silentio*) erhielt.

An dem Grafen von Guines wird deutlich, daß der Gegensatz zwischen *litteratus* und *illitteratus* in der adligen Laiengesellschaft gänzlich verschwimmen konnte. Ein Analphabet als Büchersammler und mit der Fähigkeit zu gelehrtem Disput: das paßte nicht mehr in die herkömmlichen Kategorien. Graf Balduin war gewiß eine Ausnahmeerscheinung. Die Verhältnisse an seinem Hof sind jedoch geeignet, auch die Literatursituation in Deutschland in ein helleres Licht zu rücken. Hier wie dort haben sich adlige Herren, die selber nicht lesen und schreiben konnten, geschriebene Literatur angeeignet, indem sie sie in ihre eigene Sprache übersetzen und sich vorlesen ließen. Das war ein neuer Typ von Literatur: Texte, die nach schriftlichen Vorlagen gearbeitet waren und selbst schriftlich fixiert worden sind, die auch als Buch gelesen werden konnten, die aber nach dem Willen ihrer Auftraggeber primär für eine mündliche Verbreitung durch den Vortrag bestimmt waren. Ein großer Teil der höfischen Literatur in Deutschland gehörte zu diesem Typ, der seine Entstehung der besonderen Bildungssituation des Laienadels verdankte.

Anders als der Graf von Guines waren die deutschen Fürsten nicht so sehr an lateinischer Literatur interessiert als vielmehr an der modernen französischen Hofdichtung, die man sich

[38] Sic sic divinos ei libros et in ecclesia ad cultum et venerationem Dei necessarios scribi fecit et parari et in capellis suis hic illic collocari (Lambert v. Ardres, S. 598)

[39] litteras didicisse et litteratum factum (ebd.)

durch Übertragungen und Nachahmungen aneignete. Dadurch erfuhr das Verhältnis von Literatur und Schriftlichkeit eine bedeutsame Veränderung. Die französischen Texte, die an den deutschen Höfen rezipiert wurden, waren zwar in der Regel auch schriftlich abgefaßte Texte, nicht anders als die lateinischen, mit denen nur der literarisch Gebildete umgehen konnte. Aber man brauchte nicht lesen und schreiben zu können, um Französisch zu verstehen. Die Sprachkenntnisse wurden mündlich vermittelt, und auch ein Analphabet konnte an der französischen Literatur teilhaben, indem er sie sich vorlesen ließ. Das hatte die Konsequenz, daß neben der lateinischen Bildung, die nach wie vor an den Grammatikunterricht in der Schule gebunden blieb, seit dem 12. Jahrhundert die Anfänge einer eigenständigen Laienbildung zu beobachten sind, die auf die französische Sprache und Literatur ausgerichtet war und die auch dem Ungebildeten offenstand.

b. Mündliche Traditionen

Die Laien hatten ihre eigene Literatur, die gänzlich schriftlos war. Von der Eigenart und der Bedeutung dieser mündlichen Literatur kann man sich nur schwer eine Vorstellung machen, weil sie bis auf die geringen Spuren, die sich schriftlich erhalten haben, untergegangen ist. Außerdem ist uns die Fähigkeit abhanden gekommen, in Kategorien mündlicher Traditionen zu denken. Erst die Beobachtungen über die Eigenart mündlicher Dichtung (»oral poetry«), die von den amerikanischen Forschern Milman Parry und Albert B. Lord an der serbokroatischen Epik des 20. Jahrhunderts angestellt wurden, haben den Blick dafür geschärft, daß mündlich komponierte Werke anderen Schaffensbedingungen unterlagen und anderen Baugesetzen verpflichtet waren als die schriftlich abgefaßte Literatur.

– Der mündliche Erzähler trat als Sänger auf. Er wollte nicht – wie die Dichter, die schriftlich arbeiteten – ein Werk schaffen, sondern er wollte eine Erzähltradition fortsetzen. Häufig war Anonymität ein Kennzeichen mündlicher Überlieferung. Der Maßstab, an dem die Leistung des Sängers gemessen wurde, war die richtige Wiedergabe. Richtig war, was der Tradition entsprach.

– Das mündliche Epos war kein im Wortlaut festgelegter Text, sondern ein unfestes, variables Gebilde, das immer wieder

anders und neu erzählt wurde, wie wir es noch beim Witz
kennen.
- Eine mündliche Erzählung bestand aus Versatzstücken, die
der Sänger im Umgang mit der Tradition erlernt hatte. Die
Anzahl dieser vorgegebenen Erzählformeln war begrenzt.
- Mündliche Werke sind nicht erst gedichtet und dann vorgetragen worden. Entstehung und Aufführung fielen zusammen. Das Werk entstand im Vortrag, wobei die Bedingungen
der Vortragssituation in das Werk selbst eingingen und sich
zum Beispiel in der wechselnden Länge und der wechselnden
Akzentuierung bestimmter Themen niederschlug.

Die Einsichten in die Strukturgesetze mündlicher Dichtung, die
Werken des 20. Jahrhunderts abgewonnen wurden, können
auch zum Verständnis mittelalterlicher Überlieferungen genutzt
werden. Die mancherlei Irrwege, die die Oral-poetry-For-
schung in den letzten Jahrzehnten gegangen ist, stellen jedoch
eine Warnung vor voreiligen Schlüssen dar. Mit dem Auszählen
des Prozentsatzes von Formelhaftigkeit in literarischen Werken
aus mündlichen Stofftraditionen ist in den meisten Fällen wenig
gewonnen. Wichtiger ist, daß die Beobachtungen an der serbokroatischen Epik die Mechanismen eines mündlich funktionie-
renden Literaturbetriebs aufgedeckt haben und daß man dabei
auf Grundgesetze mündlicher Übermittlung gestoßen ist, die in
ähnlicher Weise für die mündliche Literatur der analphabetischen Laiengesellschaft im Mittelalter gegolten haben können.

Im Mittelalter umfaßte die mündliche Tradition den ganzen
Bereich von Brauchtum, Sitte und Recht. Die literarischen
Überlieferungen müssen in diesem größeren Zusammenhang
gesehen werden. Am besten nachzuweisen ist die mündliche
Überlieferung der Heldenepik. Aus den historischen Anspie-
lungen in den spät aufgezeichneten Texten ergibt sich, daß die
Geschichten jahrhundertelang mündlich weitergegeben worden
sind. Wer die Träger dieser Überlieferung waren, ist weitgehend
unklar und besonders für die ältere Zeit umstritten. In den
Quedlinburger Annalen des 11. Jahrhunderts hieß es: »Und jener war Dietrich von Bern, von dem einst die Bauern sangen.«[40]
Dieser Satz, der lange als der wichtigste Beleg für die aktive
Rolle der Bauern bei der Tradierung mündlicher Heldenepik
galt, wird heute von den Historikern als ein später Einschub des

[40] Et iste fuit Thideric de Berne, de quo cantabant rustici olim (Annales Quedlinburgenses, S. 31)

15. Jahrhunderts angesehen. Außerdem hat der Verfasser dieses Satzes wahrscheinlich gar nicht an Bauern gedacht, sondern hat *rustici* im Sinne von *illitterati* benutzt und die schriftunkundigen Laien im allgemeinen gemeint. Gut historisch dokumentiert ist dagegen das Interesse des Adels an der mündlich tradierten Heldendichtung. Welcher Beliebtheit sich die Heldensagen im 11. Jahrhundert selbst an den geistlichen Fürstenhöfen erfreuten, bezeugt Bischof Gunther von Bamberg († 1065), über den der Bamberger Domschullehrer Meinhard in einem Brief schrieb: »Niemals denkt er an Augustinus, niemals an Gregor; immer beschäftigt er sich mit Attila, immer mit Amalung [= Dietrich von Bern] und dergleichen.«[41] In einem anderen Brief hat Meinhard dem Bischof zum Vorwurf gemacht, daß er seine Zeit »auf weichen Kissen und mit höfischen Geschichten«[42] vertäte. Wenn Meinhard auch an dieser Stelle an die Vorliebe des Bischofs für die alten Heldensagen gedacht hat, könnte man den Ausdruck *fabulae curiales* (höfische Geschichten) dahin interpretieren, daß damals die Höfe der großen Herren als Zentren der Sagenvermittlung angesehen wurden. Darauf deutet auch ein historischer Beleg aus dem 12. Jahrhundert. Saxo Grammaticus berichtete in seiner Geschichte der Dänen (›Gesta Danorum‹), daß der dänische König Magnus († 1134) seinen Vetter, den Herzog Knut von Jütland, im Jahr 1131 heimtückisch zu einer Zusammenkunft einlud, um ihn dabei zu ermorden, was auch geschah. Die Einladung wurde von einem sächsischen Sänger (*cantor*) überbracht, der den Herzog vor dem Hinterhalt zu warnen versuchte; deswegen sang er vor ihm »in Form eines sehr schönen Liedes den weitbekannten Verrat Kriemhilds an ihren Brüdern«[43]. Diese Episode ist nicht nur ein wichtiges Zeugnis für die mündliche Weitergabe der Nibelungensage lange vor ihrer schriftlichen Aufzeichnung. Sie läßt auch erkennen, daß die Heldenlieder in der Adelsgesellschaft sehr geschätzt wurden. Der sächsische Sänger habe gewußt, hieß es bei Saxo, »daß Herzog Knut die Vortragsweise und den Klang des Sächsischen sehr liebte«[44]. Interessant ist ferner, daß

---

[41] Numquam ille Augustinum, numquam ille Gregorium recolit, semper ille Attalam, semper Amalungum et cetera id genus portare tractat (Erdmann-Fikkermann, S. 121; portare ist wahrscheinlich verderbt)
[42] pulvillis fabulisque curialibus (ebd., S. 110)
[43] speciosissimi carminis contextu notissimam Grimildae erga fratres perfidiam (Bd. 1, S. 355)
[44] quod Kanutum Saxonici et ritus et nominis amantissimum scisset (ebd.)

der Sänger selber zur adligen Gesellschaft gehörte oder doch eine solche Vertrauensstellung bei seinem königlichen Auftraggeber besaß, daß er mit einer wichtigen diplomatischen Mission betraut wurde.

Anspielungen auf die Dietrichsage und die Gudrunsage in Dichtungen des 12. Jahrhunderts, die für ein adliges Hofpublikum bestimmt waren, sind ein weiteres Indiz dafür, daß die höfische Gesellschaft auf vielfältige Weise mit mündlicher Heldenüberlieferung bekannt war. Die Heldendichtung spielte eine wichtige Rolle für das Geschichtsbewußtsein der analphabetischen Adelsgesellschaft. Der Ahnenkult, die Heroisierung der eigenen Vorfahren und die Verlängerung der Familiengeschichte bis zurück in eine heroische Vorzeit dienten zur geschichtlichen Legitimierung des Laienadels. In den Annalen des Klosters Pegau aus der Mitte des 12. Jahrhunderts wurde der Stammbaum des fürstlichen Stifters dieses Klosters, des Markgrafen Wiprecht von Groitzsch († 1124), auf die ostgotischen Sagenkönige Ermenrich – der hier als »deutscher König Emelrich«[45] erscheint – und seinen Bruder Herlibo, den Stammvater des sagenhaften Harlungengeschlechts, zurückgeführt. Das Interesse des schriftlos lebenden Laienadels an geschichtlichen Überlieferungen und besonders an der eigenen Familiengeschichte muß sehr groß gewesen sein. Adam von Bremen erzählte von dem dänischen König Sven Estridson († 1076), daß dieser »die gesamte Überlieferung der Barbaren im Gedächtnis behielt, als wäre sie schriftlich festgelegt«[46]. Von dem Grafen Hugo von Amboise († um 1130) wurde berichtet, daß er »wie ein Schriftkundiger nicht nur alle inländischen, sondern auch alle auswärtigen Kriege und Ereignisse im Gedächtnis behielt«[47]. Aus mündlichen Familienüberlieferungen dürften auch die meisten genealogischen Kenntnisse gestammt haben, die im 12. und 13. Jahrhundert von Mitgliedern des Hochadels anläßlich verschiedener Scheidungsprozesse vorgetragen und beschworen wurden.

Als gegen Ende des 12. Jahrhunderts an den Höfen der weltlichen Fürsten ein geregelter Literaturbetrieb begann und höfische Dichter dort an volkssprachigen Werken nach schriftlichen

[45] Emelricus, rex Theutoniae (Annales Pegavienses, S. 234)

[46] omnes barbarorum gestas res in memoria tenuit, ac (si) scriptae essent (S. 278)

[47] quasi litteratus non solum domestica, sed etiam extranea bella et facta omnia in memoria tenebat (Gesta Ambaziensium dominorum, S. 76)

Vorlagen arbeiteten, wurde zum ersten Mal mündlich tradierte Heldenepik in schriftliche Form gefaßt. Das ›Nibelungenlied‹ ist in seiner Grenzstellung zwischen Mündlichkeit und Schriftlichkeit einzigartig. Aus mündlicher Überlieferung stammten offenbar die metrische Form der Langzeilenstrophe, manche Eigentümlichkeiten des Stils, des Aufbaus und der Motivierung und natürlich der Stoff. Aber nach seiner Kompositionsform und seinem Kunstanspruch war es ein schriftlich konzipiertes Werk, das bis in viele Einzelheiten hinein die Schulung des Dichters an der zeitgenössischen schriftlichen Hofdichtung verrät. Die Stellung des ›Nibelungenlieds‹ in der Literaturgeschichte seiner Zeit ist schwer zu definieren. Einerseits scheint die Dichtung, vor allem in der sogenannten C-Bearbeitung, ein großer literarischer Erfolg gewesen zu sein. Andererseits hat das Werk auf Jahrzehnte keine Nachfolge gefunden. Erst in der zweiten Hälfte des 13. Jahrhunderts ist mit der ›Kudrun‹ wieder ein Heldenepos schriftlich konzipiert worden; aber auch dieses Werk hat der Gattung noch nicht zum Durchbruch verholfen. Offenbar hat die mündliche Überlieferung der Heldendichtung in dieser Zeit noch so gut funktioniert, daß kaum ein Bedürfnis nach Übertragungen in die Schriftform bestand.

Vieles deutet darauf, daß in der höfischen Zeit neben der schriftlich konzipierten Literatur eine intakte mündliche Literatur existiert hat. Das bedeutet, daß man die literarische Situation der Laiengesellschaft in dieser Zeit einseitig und unzureichend erfaßt, wenn man nur die in Handschriften überlieferten Werke betrachtet. Für das mündliche Weiterbestehen heldenepischer Überlieferungen im 13. Jahrhundert gibt es verschiedene Zeugnisse. Hugo von Trimberg hat von fahrenden Sängern gesprochen, die mit dem Vortrag von Heldensagen ihren Unterhalt verdienten: »Wer von Herrn Dietrich von Bern und von Herrn Ecke zu erzählen weiß und von den alten Kampfrecken, dem bezahlt man den Wein.«[48] Die mündlichen Dichter stellte man sich gerne als blinde Sänger vor. »So singen uns die Blinden, daß Siegfried eine Hornhaut hatte.«[49] Am aufschlußreichsten ist eine Strophe des Marners, eines Spruchdichters aus der Mitte des 13. Jahrhunderts, der darüber klagte, wie vielseitig das Repertoire eines fahrenden Sängers sein müßte, um allen Wünschen des Publikums gerecht zu werden. »Wenn ich vor den

---

[48] Swer von hern Dietrîch von Berne Dâ sagen kan und von hern Ecken Und von alten sturm recken, Vür den gilet man den wîn (Renner 10348-51)

[49] So singent uns die blinden, daz Sifrit hurnin were (Jg. Titurel 3364, 1)

Leuten meine Lieder singe, so will der erste hören, wie Dietrich von Bern das Land verließ, der zweite, wo König Rother zu Hause war; der dritte will vom Kampf gegen die Riuzen hören; der vierte Eckehards Not; der fünfte Kriemhilds Verrat; den sechsten erfreut es mehr zu hören, was aus den Wilzen geworden ist; der siebente möchte vom Kampf gegen Heime oder Herrn Wittich hören, von Siegfrieds oder Herrn Eckes Tod; dagegen will der achte nur höfischen Minnesang; der neunte findet das alles langweilig; der zehnte kann sich nicht entscheiden, er will bald so, bald so, mal hier, mal dort. Außerdem möchte mancher gerne vom Hort der Nibelungen hören: der wiegt nicht schwer, glaubt mir. So einer denkt nur ans Gold.«[50] Diese Liste beliebter Vortragsstücke stellt die Forschung vor viele schwierige Fragen. Sicher ist jedoch, daß der Marner dabei an mündlich tradierte Lieder und Erzählungen gedacht hat, denn die meisten der von ihm genannten Stoffe waren bis zur Mitte des 13. Jahrhunderts noch niemals schriftlich aufgezeichnet worden. Selbst die Nummern von König Rother und von Siegfrieds Tod bezogen sich wahrscheinlich nicht auf das Rotherepos des 12. Jahrhunderts und auf das ›Nibelungenlied‹, sondern auf mündliche Versionen, die neben den verschriftlichten Fassungen dieser Sagen weiterexistierten. Der etwas verächtliche Ton, in dem hier vom Geschmack und den Wünschen des Publikums gesprochen wurde, deutet an, daß der Marner selber nicht mehr ungebrochen in der Tradition mündlichen Erzählens stand. Tatsächlich wissen wir, daß er durchaus kein Analphabet war, sondern sogar eine ungewöhnlich hohe Bildung besaß. Er gehörte zu den wenigen höfischen Dichtern, die auch lateinisch gedichtet haben. Daraus ergibt sich, daß nicht nur auf Seiten des Publikums, sondern auch bei den Autoren mit Überschneidungen und Mischungen von Mündlichkeit und Schriftlichkeit zu rechnen ist.

Neben der Heldenepik muß es noch andere Formen mündlicher Dichtung gegeben haben, die aber weniger gut bezeugt

---

[50] Sing ich dien liuten mîniu liet, sô wil der êrste daz wie Dieterîch von Berne schiet, der ander, wâ künc Ruother saz, der dritte wil der Riuzen sturm, sô wil der vierde Ekhartes nôt, Der fünfte wen Kriemhilt verriet, dem sehsten taete baz war komen sî der Wilzen diet. der sibende wolde eteswaz Heimen ald hern Witchen sturm, Sigfrides ald hern Eggen tôt. Sô wil der ahtode niht wan hübschen minnesanc. dem niunden ist diu wîle bî den allen lanc. der zehend enweiz wie, nû sust nû sô, nû dan nû dar, nû hin nû her, nû dort nû hie. dâ bî haete manger gerne der Nibelunge hort. der wigt mîn wort ringer danne ein ort: des muot ist in schatze verschort (XV, 14, 261-78)

sind. Im Bereich der gesungenen Lyrik ist vor allem mit Tanzliedern zu rechnen, die sich das ganze Mittelalter hindurch großer Beliebtheit erfreuten. Wie solche Lieder ausgesehen haben,
kann die merkwürdige Geschichte der Tänzer von Kölbigk verdeutlichen, die im 11. Jahrhundert in ganz Europa Aufsehen
erregt hat. In der Weihnachtsnacht des Jahres 1018 (oder 1021)
soll eine Gruppe junger Leute in der kleinen Stadt Kölbigk (bei
Anhalt) durch ihre ausgelassenen Tänze den Kirchenfrieden gestört und dafür vom Pfarrer verflucht worden sein, was zur
Folge hatte, daß sie, als Strafe Gottes, ein ganzes Jahr ohne
Unterbrechung tanzen mußten. Einer der Tänzer, mit Namen
Theodoricus, hat später zu Protokoll gegeben: »Wir faßten uns
an den Händen und traten zum Tanz der Sünde auf dem Vor-
platz der Kirche an. Der Anführer unserer blinden Raserei,
Gerlef, stimmte im Scherz das verhängnisvolle Lied an: ›Bovo
ritt durch den grünen Wald. Er führte die schöne Merswind bei
sich. Was stehen wir? Warum gehen wir nicht?‹«[51] Ob diesem
lateinischen Text tatsächlich ein sächsisches Tanzlied des
11. Jahrhunderts zugrunde lag, muß offenbleiben. Der balla-
denhafte Inhalt, die einfache Strophenform aus zwei Langzeilen
und einem Refrain und der formelhafte Stil würden zur mündlichen Überlieferung passen. In der Sammlung lateinischer Vagantenlyrik aus dem Kloster Benediktbeuern (›Carmina Burana‹) steht auch eine deutsche Tanzstrophe unbekannter Herkunft, die sehr altertümlich wirkt: »Alle, die hier im Kreis tanzen, sind Jungfrauen. Die wollen diesen Sommer lang ohne
Männer gehen.«[52] Diese Strophe, die sich deutlich von den
Kunstformen des frühen Minnesangs unterscheidet, kann einen
Eindruck vom Aussehen volkstümlicher Tanzlyrik vermitteln.
Während solche Lieder wahrscheinlich weite Verbreitung gefunden haben, scheint ein anderer Typ mündlicher Lyrik, die
volkstümliche Spruchdichtung, wieder hauptsächlich für die
Adelsgesellschaft bestimmt gewesen zu sein. Zu ihren Themen
gehörten Herrscherlob und Gönnerpreis; auch Rätsel und
Gnomisches, religiöse Unterweisung für Laien, Weisheitslehre
und ähnliches wurde in Spruchform behandelt. Auf die Exi-

[51] Conserimus manus et chorollam confusionis in atrio ordinamus. Ductor
furoris nostri alludens fatale carmen orditur Gerlevus: Equitabat Bovo per sil-
vam frondosam, Ducebat sibi Merswinden formosam. Quid stamus? cur non
imus? (Schröder, S. 127)
[52] Swaz hie gât umbe, daz sint alle megede, die wellent ân man allen disen
sumer gân (MF 1, VI)

stenz dieser Dichtungsform wird man durch einen Rückschluß aus der schriftlichen Literatur geführt. Zur ältesten Schicht höfischer Lyrik gehören in Deutschland die unter dem Namen Spervogel überlieferten Sprüche. Da es dafür weder lateinische noch romanische Vorbilder gibt, möchte man annehmen, daß es sich um die Fortsetzung einer mündlichen Dichtungstradition handelt.

c. Die Ausbildung eines geregelten Schriftbetriebs an den weltlichen Höfen

Der analphabetische Laienadel hat durchaus nicht in vollkommener Schriftlosigkeit gelebt. An jedem Hof gab es Kapläne und Kleriker, die mit Büchern umgingen, und jede Adelsfamilie stand in engen Beziehungen zu Klöstern und Stiften in ihrem Herrschaftsbereich, deren Schreibstuben sie in Anspruch nehmen konnte, wenn ihr daran gelegen war, einen Rechtsakt urkundlich festzuhalten. Ohne selbst lesen und schreiben zu können, waren die großen Herren gewohnt, sich die Lese- und Schreibfähigkeit der geistlich Gebildeten zu Nutze zu machen und in den Dienst ihrer Herrschertätigkeit zu stellen.

Hauskloster und Herrenhof:
Die Anfänge einer dynastischen Geschichtsschreibung

Besonders intensiv gestaltete sich die Verbindung von Herrenhof und Hauskloster. Hausklöster nennt man die Klöster, die von großen Adelsfamilien auf ihrem Eigenbesitz gegründet worden sind und über die diese Familien die weltlichen Herrschaftsrechte, in Form der Vogtei, behielten. Solche Klostergründungen dienten nicht nur frommen Zwecken, sondern waren, neben Burgenbau und Städtegründung, ein Instrument zur herrschaftlichen Erschließung des Landes. Wenn sich die Grablege der Stifterfamilie in dem Hauskloster befand – was häufig der Fall war –, wurde dort oft über viele Generationen hinweg das Totengedächtnis lebendig erhalten und für das Seelenheil der Verstorbenen gebetet. Aus den Hausklöstern stammten vielfach die Kapläne und Hofgeistlichen, manchmal auch die Ärzte, Lehrer und Architekten, die am Hof Verwendung fanden. Für die Einführung eines geregelten Schriftbetriebs an den großen Höfen erwies es sich als günstig, daß die Hausklöster verschiedentlich in die architektonische Gesamtplanung der neuen Pfalzanlagen einbezogen wurden, die im 12. und 13. Jahrhundert errichtet wurden, so daß es dort zu einer engen räumlichen Verbindung von Hof und Stift beziehungsweise Kloster kam. Das läßt sich in Braunschweig beobachten, wo noch heute der Palas der von Heinrich dem Löwen erbauten Pfalz Dankwarderode und die gewaltige Stiftskirche St. Blasius – der heutige Dom – den Platz säumen, auf dem der Herzog im Jahr 1166 sein berühmtes Löwenstandbild errichten ließ.

In einigen Fällen fand die Bindung der Hausklöster an ihre Stifterfamilien bereits im 11. Jahrhundert einen literarischen Niederschlag. Im Rahmen der ersten historischen Aufzeichnungen wurde in verschiedenen Klöstern die Gründungsgeschichte (*fundatio*) festgehalten, und dabei hat man auch der weltlichen Gründer und ihrer Familien gedacht, wobei die Darstellung manchmal fast zu einer kleinen Chronik der Stifterfamilie ausgeweitet worden ist. In diesen »Stifterchroniken« (Hans Patze) sind die Anfänge der dynastischen Geschichtsschreibung in Deutschland zu sehen.

Eine zweite Stufe der Entwicklung repräsentieren genealogische Aufzeichnungen. Die ältesten Fürstengenealogien stammten aus Flandern, wo bereits im 10. Jahrhundert die Abstammung des Grafen Arnulf I. († 965) aufgeschrieben worden ist. In Frankreich begann die Überlieferung im 11. Jahrhundert mit den Genealogien der Grafen von Vendômes und der Grafen von Anjou. Der erste Text aus Deutschland ist die Genealogie der Welfen (›Genealogia Welforum‹), die vielleicht noch zu Lebzeiten Heinrichs des Schwarzen († 1126) oder bald nach seinem Tod in Altdorf-Weingarten, dem Hauskloster der süddeutschen Welfen, entstanden ist. Aus dem 12. Jahrhundert stammen auch die Genealogien von zwei anderen süddeutschen Fürstenhäusern: der Babenberger, die zunächst Markgrafen und ab 1156 Herzöge von Österreich waren (›Genealogia marchionum Austriae‹), und der Traungauer Markgrafen der Steiermark (›Genealogia marchionum Stire‹), vielleicht auch die Genealogie der Herzöge von Zähringen (›Genealogia Zaringorum‹). Im 13. Jahrhundert wurden dann die Genealogien der Landgrafen von Thüringen, der Wettiner in Meißen, der Askanier in Anhalt und Brandenburg, der Wittelsbacher in Bayern, der Herzöge von Andechs-Meran und der Spanheimer Herzöge von Kärnten aufgezeichnet. Das waren dieselben Fürstenhäuser, die sich gleichzeitig als Gönner und Mäzene der höfischen Literatur einen Namen gemacht haben. Genealogien gräflicher Familien hat es im 13. Jahrhundert nur erst in wenigen Fällen gegeben. Dabei handelte es sich entweder um mächtige Geschlechter, wie die Grafen von Habsburg, von Zollern oder von Bogen, die im Ausbau ihrer Landesherrschaften kaum hinter den großen Fürsten zurückstanden, oder um gräfliche Familien, die mit regierenden Häusern verwandt waren, wie die Grafen von Formbach. Die Verfasser der Genealogien sind in fast allen Fällen unbekannt. Soweit es sich feststellen läßt, ist die Mehrzahl der Texte in den Hausklöstern aufgezeichnet worden: die Genealogie der Herzöge von Andechs-Meran in Dießen (am Ammersee), die der Spanheimer in St. Paul (in Kärnten), die der Habsburger in Muri (in der Schweiz). Man sieht daraus, daß die Verbindung von Hauskloster und Fürstenhof noch bis ins 13. Jahrhundert hinein literarisch fruchtbar geblieben ist.

Einen weiteren Schritt auf dem Weg zur Ausbildung neuer Formen von dynastischer Geschichtsschreibung stellten die selbständigen Haus- und Landesgeschichten dar, die in Nordfrankreich und in Flandern bereits im 12. Jahrhundert einen bedeutenden literarischen Rang erreicht haben. Aus Deutschland gibt es nur ein Werk aus dem 12. Jahrhundert, das dieser Literatur an die Seite gestellt werden kann: die ›Geschichte der Welfen‹ (Historia Welforum), die um 1170, wahrscheinlich im Auftrag Welfs VI., entstanden ist. Der unbekannte Verfasser berichtete im Vorwort, daß er in alten Chroniken und Urkunden »die Geschlechterfolge unserer Fürsten«[53] aufgespürt habe. Die Darstellung begann mit Welf I., dem Vater der Kaiserin Judith († 843), und wurde um so breiter, je mehr sie sich der Gegenwart näherte. Im Mittelpunkt standen Welf VI. und sein Bruder Heinrich der Stolze († 1139), deren Kämpfe um die Erhaltung und Vergrößerung des Ansehens und des Besitzstandes der Familie ausführlich geschildert wurden. Falls die Vermutung, daß der Verfasser der ›Historia Welforum‹ ein Hofkaplan Welfs VI. gewesen ist, zutreffen sollte, dann wäre hier bereits die Verlagerung der Hausgeschichtsschreibung vom Kloster zum Fürstenhof vollzogen worden. Dabei muß allerdings die Frage nach dem Publikum dieses lateinischen Geschichtswerks offenbleiben. Herzog Welf VI. war, soweit wir wissen, ein Illiterat, und außer den Kaplänen wird es an seinem Hof nicht viele Menschen gegeben haben, die als Leser in Frage

---

[53] Generationes principum nostrorum (S. 2)

kamen. Die lateinische Geschichtsschreibung war, auch wo sie ausgesprochen dynastische Züge trug, bis weit ins 13. Jahrhundert hinein in den Klöstern zu Hause, nicht am Hof. In Reinhardsbrunn, dem Hauskloster der Thüringer Landgrafen, ist um 1200 ein bedeutendes Geschichtswerk entstanden, die ›Historia Reinhardsbrunnensis‹, in der die Ereignisse der Zeitgeschichte ganz aus der Sicht des Thüringer Hofs dargestellt worden sind. Dieses Werk ist allerdings in der ursprünglichen Form nicht überliefert, sondern wurde von Oswald Holder-Egger aus der ›Chronica Reinhardsbrunnensis‹ des 14. Jahrhunderts rekonstruiert. Mit verlorenen Werken rechnet man auch für die Anfänge der Landesgeschichtsschreibung der Welfen in Braunschweig und der Askanier in der Mark Brandenburg. Erhalten sind aus dieser Zeit nur einige kürzere Aufzeichnungen aus Österreich, Thüringen und Meißen, die als historische Quellen zumeist ohne größere Bedeutung sind, die aber als Dokumente einer auf den Fürstenhof und das Fürstenhaus bezogenen Geschichtsschreibung Interesse verdienen. Dazu gehörte die wahrscheinlich im Jahr 1177 entstandene ›Kurze österreichische Chronik aus Melk‹, deren Verfasser sich direkt an Herzog Leopold V. von Österreich († 1194) wandte, um ihn über das Geschlecht seiner Vorfahren zu belehren: »Die Stammesfolge der Fürsten dieses Landes, eurer Vorfahren, wollen wir euch in Erinnerung bringen, wie ihr es verlangt.«[54] Die Darstellung begann mit Leopold I. († 994), dem ersten Babenberger Markgrafen der Ostmark, und endete mit der Erhebung Österreichs zum Herzogtum im Jahr 1156. Um dieselbe Zeit wurde, wahrscheinlich in Klosterneuburg, dem Hauskloster der Babenberger, eine kleine Schrift über den Markgrafen Leopold III. († 1136), den Gründer von Klosterneuburg, abgefaßt (›Chronicon pii marchionis‹). In Reinhardsbrunn entstand, um oder bald nach 1200, auf der Grundlage älterer Aufzeichnungen über die Familiengeschichte der Landgrafen, die ›Kurze Geschichte der Thüringer Fürsten‹ (Historia brevis principum Thuringiae), die vor allem von Ludwig dem Springer († 1123), dem Gründer von Reinhardsbrunn und Erbauer der Wartburg, erzählte. In Lauterberg, dem Hauskloster der Wettiner, wurde wahrscheinlich vor 1215 die Genealogie der Wettiner (›Genealogia Wettinorum‹) zusammengestellt, die es verdient, den frühen landesge-

---

[54] Avitam principum huius terre nostre, parentum scilicet vestrorum, prosapiam commemorare vobis, ut petitis, cupientes (Breve chronicon Austriae Mellicense, S. 70)

schichtlichen Darstellungen an die Seite gestellt zu werden, weil sie weit mehr bietet als nur die Aufzählung von Namen. Die Familiengeschichte der Wettiner Markgrafen von Meißen wurde hier vom 10. Jahrhundert an bis in die Gegenwart verfolgt. Schließlich kann in diesem Zusammenhang noch die Lebensgeschichte des Landgrafen Ludwig IV. von Thüringen († 1227) genannt werden (›Gesta Ludowici‹), die sein Hofkaplan Berthold nach dem Tod des Landgrafen verfaßt hat. Diese erste ausführliche Fürstenbiographie ist leider nicht erhalten, sondern muß aus einer späteren Umarbeitung erschlossen werden, die ihrerseits nur in einer deutschen Übersetzung aus dem 14. Jahrhundert (Friedrich Ködiz von Salfeld, ›Das Leben des heiligen Ludwig‹) überliefert ist.

Diese frühen Zeugnisse einer neuen Geschichtsschreibung nehmen sich allesamt sehr bescheiden aus neben den bedeutenden Werken aus Flandern (Walter von Thérouanne, ›Vita Karoli‹, Galbert von Brügge, ›Passio Karoli‹), aus Anjou (Jean de Marmoutier, ›Historia Gaufredi ducis Normannorum et comitis Andegavorum‹), aus Guines (Lambert von Ardres, ›Historia comitum Ghisnensium‹) und aus dem Hennegau (Gislebert von Mons, ›Chronicon Hanoniense‹), wo die dynastische Geschichtsschreibung schon in der Zeit um 1200 zu reicher Entfaltung gelangt ist. In Deutschland konnten sich die Fürstenbiographien und Landeschroniken in dieser Zeit noch kaum entwickeln, weil an den weltlichen Höfen die Bildungsvoraussetzungen für die Aufnahme lateinischer Literatur nicht gegeben waren.

Der Codex Falkensteinensis

Zur Hofliteratur gehörten auch Lehnsbücher, Urbare und Besitzverzeichnisse in lateinischer Sprache, die im Auftrag weltlicher Herrschaften angelegt wurden, und die von den Fürsten, die diese Schriftstücke selber nicht lesen konnten, in den Dienst ihrer Regierungs- und Verwaltungstätigkeit gestellt wurden. Das eindrucksvollste Dokument ist der Codex Falkensteinensis (heute im Bayerischen Hauptstaatsarchiv in München), das älteste Traditionsbuch einer deutschen Hochadelsfamilie, das zwischen 1164 und 1170 auf Geheiß des bayerischen Grafen Siboto IV. von Neuburg-Falkenstein († um 1200) angelegt wurde. Graf Siboto ließ das Buch im Kanonikerstift Herrenchiemsee schreiben, über das er seit 1158 die Vogtei besaß: Eigene gräfliche Kanzleien hat es zu dieser Zeit noch nirgends in Deutschland gegeben. Der Anlaß zur Niederschrift war offenbar die Sorge des Grafen um den Fortbestand des Familienbesitzes nach seinem Tod. Daher stand am Anfang eine Vormundschaftsbestellung: Im Fall seines Ablebens sollte sein Schwiegervater, Graf Kuno IV. von Mödling, die Rechte seiner beiden noch unmündigen Söhne wahrnehmen. Den eigentlichen Inhalt des Kodex bildeten ein Lehnsverzeichnis und ein Urbar, das heißt eine Aufstellung der Einkünfte und Besitztümer der gräflichen Herrschaft. Diese beiden Teile sind für die Rechtsgeschichte von ebenso großer Bedeutung wie für die Wirtschaftsgeschichte. Denn das Lehnsverzeichnis im Codex Falkensteinensis ist neben dem Lehnsbuch des Reichsministerialen Werner von Bolanden, das wahrscheinlich nach 1180 verfaßt wurde, die älteste Aufzeichnung dieser Art, die es aus Deutschland gibt; und das Urbar ist in dieser Zeit ohne Parallele. Es gestattet Einblicke in die innere Organisation einer weltlichen Herrschaft, wie sie für das 12. Jahrhundert sonst nirgends zu gewinnen sind. Besonders interessant ist, daß die Auflistung der Besitztümer bereits Ansätze zur Ausbildung von Verwaltungseinheiten erkennen läßt. Das Urbar ist nämlich nach den vier Burgen gegliedert, die im Besitz der Grafen von Falkenstein waren und die die Funktion von Herrschafts- und Verwaltungsmittelpunkten für den weitgestreuten Grundbesitz der gräflichen Familie erfüllten. Dem Verzeichnis sind auch viele Einzelinformationen über die materielle Kultur und das gesellschaftliche Leben am Grafenhof zu entnehmen.

Welchen Wert Graf Siboto diesen Aufzeichnungen zugemessen hat, ist nicht zuletzt an dem kostbaren Bildschmuck der Handschrift abzulesen. Der Kodex enthält fünf große farbige Bilder und zahlreiche Randzeichnungen. Auf dem ersten Blatt befindet sich eine in drei Farben kolorierte Federzeichnung, die die halbe Seite füllt und den Grafen selbst und seine Gemahlin, beide in festlichen Gewändern, zusammen mit ihren beiden Söhnen darstellt (vgl. Abb. 35). Es ist dies das erste weltliche Familienbild, das wir aus Deutschland kennen. Die vier Personen halten ein Sprechband, dessen gut lesbare rechte Hälfte die Worte aufweist: »Wir bitten dich, Lieber, wenn du dies liest, unser zu gedenken. Das gilt für alle; am meisten für dich, liebster Sohn.«[55] Auf der linken Hälfte ist die Schrift kleiner und

[55] Qui legis hec, care, nostri petimus memorare. Hoc quidem cuncti; mage tu, carissime fili! (Codex Falkensteinensis, S. 29*, Anm. 2)

Abb. 35 Graf Siboto IV. von Falkenstein und seine Familie. Der Graf und seine Frau, nebeneinander sitzend, wenden sich belehrend ihren beiden Söhnen zu. Aus dem Codex Falkensteinensis (München, Bayer. Hauptstaatsarchiv, Kloster Weyarn 1). 12. Jahrhundert.

blasser und kaum zu entziffern. Hier soll der Text lauten: »Sag zu dem Vater: fahr wohl! Redet Gutes von eurer Mutter, ihr Söhne!«[56] Offensichtlich stand die Inschrift und die ganze Bildkomposition in einem direkten Zusammenhang mit der ursprünglichen Zweckbestimmung des Codex Falkensteinensis, der Vormundschaftsbestellung für die unmündigen Söhne Graf Sibotos IV. für den Fall seines Todes. Wenn die Lesung der linken Hälfte authentisch ist, könnte der Aufbruch des Grafen zu einer längeren Reise den Anlaß für die Vorsorge gegeben haben. Man hat vermutet, daß die Teilnahme Sibotos am vierten Italienzug Kaiser Friedrichs I. im Jahr 1166 den konkreten Anlaß gebildet hat. Die Sorge erwies sich jedoch als gegenstandslos: Graf Siboto hat noch etwa dreißig Jahre länger gelebt. In diesen dreißig Jahren ist der Kodex im Stift Herrenchiemsee als Traditionsbuch weiterbenutzt worden. Auch dieser Teil der Handschrift ist in seiner Art einzigartig, denn es

---

[56] Dic valeas patri! bene, fili, dicite matri! (ebd.)

gibt sonst keine Traditionsbücher von weltlichen Herrschaften aus dieser Zeit. Wie in den klösterlichen Traditionsbüchern wurden vor allem Eigentumsübertragungen schriftlich festgehalten.

Im Codex Falkensteinensis begegnen auch einzelne deutsche Wörter und Sätze, und zwei Textstücke sind ganz in deutscher Sprache abgefaßt. Aus Eintragungen und Angaben von Benutzern der Handschrift aus dem 16. und 17. Jahrhundert wird geschlossen, daß schon bald nach dem Abschluß der Aufzeichnungen eine vollständige deutsche Übersetzung hergestellt worden ist. Wenn sich die Existenz dieser frühen deutschen Fassung sichern ließe, wäre der Codex Falkensteinensis von noch größerer Bedeutung für die Ausbildung eines Schriftbetriebs an den weltlichen Höfen; denn man würde vermuten dürfen, daß es die Rücksicht auf die mangelnde Lateinkenntnis der gräflichen Auftraggeber war, die die Übersetzung der ganzen Sammlung ins Deutsche motiviert hat. Eine erneute Untersuchung der Handschrift könnte vielleicht genaueren Aufschluß geben.

Die Einrichtung eigener Kanzleien

Der entscheidende Schritt zur Schriftlichkeit wurde vollzogen durch die Einrichtung eigener Kanzleien an den weltlichen Fürstenhöfen. Heinrich der Löwe war der erste Laienfürst, der an seinem Hof in Braunschweig Urkunden ausstellen ließ. Bis dahin hatten die Fürsten ohne eigene Urkundenschreiber regiert. Die meisten Hoheitsakte bedurften keiner schriftlichen Bestätigungen. Gerichtsurteile wurden grundsätzlich mündlich ausgesprochen; auch Belehnungen wurden in Deutschland herkömmlicherweise durch rechtlich bindende Gebärden vollzogen und sind selten urkundlich beglaubigt worden, anders als in Italien, wo die Ausfertigung von Belehnungsbriefen üblich war. Bevor die Verschriftlichung der Verwaltung einsetzte, wurden Urkunden hauptsächlich geschrieben, um Privilegien und Schenkungen festzuhalten. Daran waren naturgemäß vor allem die davon Begünstigten interessiert, in erster Linie Klöster und Kirchen. Die ältesten Fürstenurkunden sind daher alle von den Empfängern oder von Dritten geschrieben worden.

Daß es dennoch seit der Mitte des 12. Jahrhunderts zur Ausbildung eigener weltlicher Kanzleien kam, hängt sicherlich damit zusammen, daß die modernen Formen der Landesherrschaft überall eine neue Organisation der Verwaltung notwendig machten, die sich in zunehmendem Maß der Schriftlichkeit bediente. Zu derselben Zeit, als die Kanzleien weltlicher Fürsten entstanden, hat auch der Schriftverkehr der Reichskanzlei stark zugenommen. Während in der Regierungszeit König Konrads III. (1138–1152) weniger als 300 Urkunden von der Reichskanzlei ausgestellt wurden, beträgt die Zahl für seinen Nachfolger Friedrich I. (1152–1190) bereits etwa 1400. Auch wenn man die längere Regierungszeit Friedrichs I. berücksichtigt, bedeutet das eine Vermehrung um das Doppelte. Unter Friedrich II. (1215–1250) zählt man schon über 5000 Schriftstücke aus seiner Kanzlei. Im Vergleich zu diesen Zahlen nehmen sich die Anfänge der fürstlichen Kanzleien sehr bescheiden aus. Erst im 14. Jahrhundert wurden auch dort vierstellige Zahlen erreicht.

Als die weltlichen Fürsten anfingen, selber Urkunden auszustellen, nahmen ihre Notare sich königliche Urkunden zum Vorbild. Das läßt sich am Protokoll ablesen, am Aufbau des Textes und auch an der äußeren Ausstattung. Ein gutes Beispiel dafür ist die Urkunde, die der Welfenherzog Heinrich der Schwarze von Bayern († 1126) im Jahr 1125 zugunsten des Chorherrenstifts Ranshofen ausstellen ließ. Die Urkunde besitzt ein repräsentatives Format von 44 × 30 cm und ist in einer diplomatischen Minuskel geschrieben, wie sie ähnlich in der Reichskanzlei benutzt wurde. Auch die Schmuckformen sind den Kaiserurkunden nachgebildet: ein »Chrismon« (ein verziertes C) vor dem Text, *littera elongata* (Zierschrift mit verlängerten Schäften) in der ersten Zeile, und am Schluß sogar ein Monogramm des Herzogs. Ausgefertigt wurde die Urkunde »durch die Hand des Notars Wernhard«[57]. Daß dieser Wernhard ein Notar des Herzogs war und daß Heinrich der Schwarze bereits eine eigene Kanzlei hatte, ist unwahrscheinlich. Vielleicht hat der Herzog die Hilfe eines benachbarten geistlichen Fürsten dafür in Anspruch genommen. Die ältesten Urkunden, die in den weltlichen Kanzleien geschrieben wurden, waren durch ihre unscheinbare Form und ihre bescheidene Ausstattung gekennzeichnet. Es waren häufig kleine, unregelmäßig beschnittene Pergamentstücke, in einfacher Buchschrift, manchmal von unbeholfener Hand, bis an die Ränder

---

[57] per manum wernhardi notarii (UB des Landes ob der Ems, Bd. 2, S. 162, Nr. 108)

beschrieben, in vielen Fällen ohne die in großen Urkunden üblichen Formeln und Hervorhebungen. In manchen Fällen hatten die ältesten Fürstenurkunden die einfache Form von undatierten Traditionsnotizen, in denen der Aussteller nicht in der ersten Person sprach, sondern in schlichter Erzählung von der Verfügung berichtete, die getroffen worden war. Die erste Urkunde, die Heinrich der Löwe 1144 in eigenem Namen ausstellen ließ, war als ein Brief des Herzogs an den Erzbischof von Mainz abgefaßt, mit der Bitte um eine Bestätigung der herzoglichen Verfügung zugunsten des Klosters Bursfelde. Der Mainzer Bestätigungsvermerk steht am unteren Rand des Pergamentblatts, auf dem die Siegel des Herzogs und des Erzbischofs eingedrückt sind. Protokollarische Unsicherheiten und Schmucklosigkeit der äußeren Form blieben noch lange ein Kennzeichen vieler fürstlicher Urkunden. Erst gegen Ende des 13. Jahrhunderts bahnte sich ein Wandel an: das Format der Urkunden wurde normiert, und die Beschriftung wurde festen Regeln unterworfen. Dieser langwierige Prozeß belegt, wie schwer es war, eine geregelte Schriftlichkeit in der Laiengesellschaft durchzusetzen.

Die Fürstenkanzleien des 12. und 13. Jahrhunderts darf man sich nicht als gut organisierte Behörden vorstellen. In den meisten Fällen gab es dort nur einen einzigen Notar (*notarius*), der nicht selten auch als Schreiber tätig war oder ein bis zwei Schreiber beschäftigte. Erst das Auftreten eines Protonotars (*protonotarius*) deutet darauf, daß regelmäßig mehrere Personen in der Kanzlei arbeiteten und daß erste Ansätze zu einer festen Organisation getroffen wurden. Es ist aber sehr bezeichnend, daß noch im 13. Jahrhundert die Titel *notarius* und *protonotarius* vielfach wechselten.

Die Notare waren in der Regel Geistliche. Der erste Laie ist 1296 in der niederbayerischen Kanzlei bezeugt. Bei der Auswahl und Bestellung ihrer Notare konnten die Fürsten vielfach auf ihre Hofkapläne zurückgreifen. Ebenso wie die Kanzler am Kaiserhof, in deren Händen die Leitung der Reichskanzlei lag, überwachten auch die Notare an den Fürstenhöfen nicht nur den gesamten Schriftverkehr, sondern wurden auch zu anderen vertrauensvollen Diensten herangezogen, vor allem zu diplomatischen Missionen. Dafür wurden sie dann mit hohen kirchlichen Ämtern belohnt. Hartwig von Utlede († 1207), der Notar Heinrichs des Löwen, wurde Erzbischof von Bremen; sein Notar Gerold († 1163) wurde Bischof von Osnabrück; sein Notar

Heinrich († nach 1178) wurde Propst des Stiftes St. Stephan und Willehad in Bremen.

Die sächsische Kanzlei Heinrichs des Löwen in Braunschweig ist seit 1144 nachweisbar. Sechs Notare sind namentlich bekannt; vier davon waren zugleich als Hofkapläne tätig, und diese stammten alle, bis auf einen, aus dem Blasiusstift. Zeitweilig haben mehrere Notare gleichzeitig in der Kanzlei gearbeitet; der Notar Heinrich trug im Jahr 1168 den Titel *protonotarius.* Die Notare haben die Urkunden geprüft und beglaubigt; die am Hof ausgestellten Stücke wurden von ihnen diktiert und zum Teil auch selbst geschrieben. Etwa die Hälfte der Urkunden Heinrichs des Löwen ist in seiner Kanzlei geschrieben worden; die übrigen waren Empfängerausstellungen. Gelegentlich wurden großformatige Privilegien mit graphischen Zierformen und feierlicher Diktion hergestellt; daneben schmucklose Bestätigungsurkunden in einfacher Buchschrift auf kleinem Pergament. Heinrich der Löwe hat auch nach seiner Absetzung (1180) und nach seiner Rückkehr aus dem Exil (1185) noch Notare beschäftigt. Aber seine Kanzlei hatte keinen Bestand. Erst nach der Erhebung Braunschweig-Lüneburgs zum Reichsfürstentum im Jahr 1235 begann dort eine neue Entwicklung.

Für Thüringen fehlt eine gründliche Untersuchung der ältesten Kanzleigeschichte. Die Briefsammlungen des Klosters Reinhardsbrunn lassen erkennen, daß die Landgrafen bis nach der Mitte des 12. Jahrhunderts die Schreibstube ihres Hausklosters in Anspruch nahmen. Die Kanzleigeschichte des landgräflichen Hofs begann 1168 mit einer Urkunde Ludwigs II. († 1172), die von seinem Notar Gumbert ausgefertigt wurde. Gumbert war zugleich Hofkaplan und *magister* und blieb bis 1189 als Notar tätig. 1186 arbeiteten bereits zwei Notare in der Thüringer Kanzlei. Der Notar Eckehard war Propst von Goslar und leitete die Kanzlei wahrscheinlich bis 1211. Sein Nachfolger war Heinrich von Weißensee, der die Geschäfte der Kanzlei mehrere Jahrzehnte lang, bis 1244, geführt hat. Er kommt in zahlreichen Urkunden als *notarius* oder *scriptor* vor. Aus den Anfängen der wissenschaftlichen Germanistik stammt die Vermutung, daß er identisch sei mit dem Tugendhaften Schreiber, einem Minnesänger, von dem die Große Heidelberger Liederhandschrift zwölf Lieder überliefert. Das bleibt jedoch ganz unsicher. Unter Heinrich Raspe, der 1246 zum deutschen König gewählt wurde, ist das Personal der Thüringer Kanzlei vermehrt worden. Fünf Notare sind aus dieser Zeit namentlich bekannt.

In Österreich hat es bereits seit der ersten Hälfte des 12. Jahrhunderts einen lebhaften Urkunden- und Siegelbetrieb gegeben, ohne daß sich die Existenz einer markgräflichen Kanzlei nachweisen ließe. Die erste von einem Babenberger besiegelte Urkunde stammt vom Jahr 1115. Markgraf Leopold III. († 1136) hat sie für das Kloster St. Florian ausgestellt. Enge Beziehungen bestanden zur Passauer Kirche und zu der dortigen Kanzlei. Später waren mehrere österreichische Notare gleichzeitig Domkanoniker in Passau, und einmal ist sogar belegt, daß ein Passauer Notar in den Dienst der Babenberger übergetreten ist. Daneben hatten die Klöster einen großen Einfluß auf das Urkundenwesen in Österreich. Ohne Parallele in anderen Territorien war das Urkundenarchiv im Stift Klosterneuburg. Hier wurden im 12. Jahrhundert die wichtigsten Urkunden der Babenberger – die großen Privilegien von 1058 und 1156, Kaiserdiplome, Verträge, Stiftungen und Schenkungen – gesammelt und chronologisch registriert. Nach dem Tod Herzog Friedrichs II. im Jahr 1246 haben die Klosterneuburger Urkunden große politische Bedeutung bekommen. Die Herzogin Margarete († 1267), die Schwester Friedrichs II., hat der Sammlung einige wichtige Stücke entnommen und hat anläßlich ihrer Eheschließung mit König Ottokar II. von Böhmen im Jahr 1252 in einer öffentlichen Zeremonie und im Beisein des gesamten Adels aus Österreich und der Steiermark »die Privilegien des Landes ihrem Mann übergeben«[58]. Neben Klosterneuburg hatte auch das Schottenkloster in Wien Einfluß auf die Urkundenpraxis des Hofs im 12. Jahrhundert. Das zeigt sich in den dort ausgestellten Urkunden Herzog Heinrichs II. († 1177), in denen antikisierende und byzantinische Namen vorkommen, die offensichtlich zur Verherrlichung des Fürstenhauses dienten und speziell als preisende Anspielung auf die byzantinische Herkunft der Herzogin Theodora Komnena gemeint waren. Zur Einrichtung einer eigenen Kanzlei scheint es erst unter Leopold V. († 1194) gekommen zu sein. Seit etwa 1180 vereinheitlichte sich die Form der herzoglichen Urkunden so weit, daß man eine zentrale Kontrolle vermuten kann. Der erste herzogliche Notar ist jedoch erst im Jahr 1193 bezeugt; in einer Urkun-

[58] privilegia terre marito suo exhibuit (Annales Admuntenses, Continuatio Garstensis, S. 600)

de Leopolds V. für das Kloster Seitenstetten führte er sich mit den Worten ein: »Ich Ulrich habe das Siegel angebracht«[59]. Ulrich behielt die Leitung der Kanzlei auch unter den Herzögen Friedrich I. († 1198) und Leopold VI. († 1230), bis er 1215 Bischof von Passau wurde. Bereits seit 1203 waren mehrere Notare in der Kanzlei beschäftigt, wahrscheinlich auch Heinrich, der nach Ulrichs Ausscheiden die Leitung der Kanzlei übernahm und ihr bis 1227 vorstand. Er war auch als Leibarzt des Herzogs tätig und war, wie alle Babenberger Protonotare, ein einflußreicher und begüterter Mann. Die größte Karriere hat Ulrich von Kirchberg († 1268) gemacht, der 1241 als Protonotar bezeugt ist. Er wurde 1244 Bischof von Seckau und 1256 Erzbischof von Salzburg.

In Bayern wurde die Ausbildung einer eigenen Kanzlei durch den mehrfachen Herrschaftswechsel im 12. Jahrhundert verzögert. Die älteren Welfenherzöge haben offenbar auf eigene Urkundenausstellungen weitgehend verzichtet; die schon erwähnte Urkunde Herzog Heinrichs des Schwarzen († 1126) vom Jahr 1125 (vgl. S. 625) steht ganz alleine. Dagegen haben die Babenberger, die von 1139 bis 1156 Herzöge von Bayern waren, öfter in dieser Funktion geurkundet. Besonders interessant ist eine Urkunde Leopolds IV. († 1141) für das Kloster Prüfening vom Jahr 1140. Die Urkunde wurde in der Kanzlei König Konrads III. geschrieben und in Regensburg ausgefertigt mit dem Vermerk: »Gegeben in Regensburg durch die Hand des Kanonikers Rupert, des Kaplans Herzog Leopolds«[60]. Ob das der erste Schritt zu einer bayerischen Kanzlei der Babenberger war, ist unklar. Der Kanoniker Rupert scheint später an der Urkundenherstellung der Bischöfe von Regensburg beteiligt gewesen zu sein. Heinrich der Löwe, der das Herzogtum Bayern von 1156 bis 1180 regierte, hat in Regensburg mit seinen Braunschweiger Notaren geurkundet und hat auf die Einrichtung einer eigenen Kanzlei für Bayern verzichtet. So erklärt es sich, daß die Wittelsbacher, die 1180 Herzöge von Bayern wurden, ganz von vorne anfangen mußten. Die Einrichtung einer bayerischen Kanzlei fiel in die Regierungszeit Herzog Ludwigs I. († 1231). Die ersten sicheren Belege für eine eigene Urkundenherstellung stammen aus den Jahren 1209 (Notar Gerold) und 1213

[59] Ego Vlricus sigillavi (UB zur Geschichte der Babenberger, Bd. 1, S. 120, Nr. 87)
[60] Data Ratispone per manum Rouberti Canonici et Capellani ejusdem Ducis Liupaldi (Monumenta Boica, Bd. 13, S. 171)

(Notar Ulrich). Der Notar Ulrich, aus der Wittelsbacher Ministerialenfamilie der Losenaphe, war Propst von Illmünster und erscheint 1228 als herzoglicher Protonotar, neben seinem Bruder Konrad, der der pfälzischen Kanzlei als Protonotar vorstand. Die Wittelsbacher besaßen seit 1214 auch die Pfalzgrafschaft bei Rhein und haben dort eine eigene Kanzlei aufgebaut. Unter Herzog Otto II. († 1253) nahm der Kanzleibetrieb allmählich festere Formen an. Während die Ludowinger in Thüringen und die Babenberger in Österreich um die Mitte des 13. Jahrhunderts ausstarben, zeigt die Urkundenüberlieferung aus Bayern, wie eine fürstliche Kanzlei im Verlauf des 13. Jahrhunderts ausgebaut wurde. Nach der Teilung Bayerns im Jahr 1255 gab es dort zwei Kanzleien. Unter Ludwig II. von Oberbayern († 1294) arbeiteten bereits vier Notare unter der Leitung eines Protonotars. Die Urkunden wurden jetzt in ihrer äußeren Erscheinungsform wie auch im Stil und im Aufbau immer einheitlicher. Die alten Zierformen verschwanden, die Arenga verkümmerte, als neue Eingangsformel setzte sich das dem Ausstellernamen vorangestellte *Nos* (»Wir«) durch. Kanzlei- und Archivvermerke auf der Rückseite der Urkunden waren der Ansatz zu einer geregelten Registratur. In Niederbayern lief die Entwicklung unter Herzog Heinrich XIII. († 1290) zunächst langsamer an. Erst als der Protonotar Heinrich im Jahr 1270 seine Tätigkeit begann, hat auch dort der Kanzleibetrieb einen raschen Aufschwung genommen.

Die Jahreszahlen aus der Frühgeschichte der fürstlichen Kanzleien sind auch für die Literaturgeschichte von großer Bedeutung. Den Daten ist zu entnehmen, ab wann mit einem geregelten Schriftbetrieb an den einzelnen Höfen zu rechnen ist. Die Chronologie der literarischen Texte läßt sich gut damit vereinbaren. Als erster Auftraggeber von volkssprachigen Literaturwerken ist Heinrich der Löwe hervorgetreten. Nach 1170 begann der Literaturbetrieb in Thüringen, wenig später in Österreich. Die späte Entwicklung einer eigenen Schriftlichkeit am bayerischen Hof hat sich auch literarhistorisch ausgewirkt. Man müßte noch die Anfänge des Kanzleiwesens der Wettiner in Meißen, der Andechs-Meranier in Bayern, der Zähringer im Südwesten verfolgen, um das chronologisch-geographische Gerüst für die höfische Literatur um 1200 zu vervollständigen.

Die Ausstellung von Urkunden bildete nur einen Teil des Aufgabenbereichs der neu eingerichteten Kanzleien, und wohl nicht den wichtigsten. Das System der Empfängerausfertigungen und der Ausstellungen durch Dritte hatte sich gut bewährt und blieb auch nach der Einrichtung eigener Kanzleien noch in Übung. Die neuen Formen der Verwaltung des Landes waren es in erster Linie, die nach Schriftlichkeit verlangten. Überall erwies es sich als notwendig, genaue Verzeichnisse der Besitzungen und Einkünfte anzulegen, auf Grund derer eine geregelte Güter- und Finanzverwaltung aufgebaut wurde. Die umfangreichsten Schriftstücke, die aus den fürstlichen Kanzleien hervorgegangen sind, waren Urbare, Lehnsbücher, Amts- und Geschäftsbücher, später auch Rechnungsbücher und Steuerverzeichnisse. Das erste landesfürstliche Urbar scheint in Österreich bereits unter Herzog Leopold V. († 1194) angefertigt worden zu sein. Die erhaltenen österreichischen Urbare stammen allerdings erst aus den zwanziger und dreißiger Jahren des 13. Jahrhunderts. Um dieselbe Zeit, wahrscheinlich zwischen 1231 und 1237, wurde das erste Urbar in Bayern geschrieben, und zwar in deutscher Sprache. Im Zusammenhang mit der Teilung des Landes wurde im Jahr 1255 ein weiteres Güterverzeichnis angelegt. Es folgte um 1280 das große Oberbayerische Gesamturbar in zwei Bänden. Aus den Jahren 1291–1294 ist das erste bayerische Rechnungsbuch erhalten. Im Jahr 1288 begann in der Grafschaft Tirol, unter Meinhard II. († 1295), die Führung umfangreicher Rechnungsbücher. Tirol besaß am Ende des 13. Jahrhunderts die modernste Landesverwaltung in Deutschland.

In welchem Umfang die Fürsten persönlichen Anteil an dem Kanzleibetrieb ihrer Höfe genommen haben, läßt sich nicht feststellen. Unterschriften des Herrschers hat es seit der Merowingerzeit nicht mehr gegeben. Ein sehr merkwürdiger Einzelfall ist die Signatur Kaiser Heinrichs VI. unter dem Vertrag, den er am 10. Juni 1196 mit dem Bischof von Worms und dem Wormser Martinsstift geschlossen hat: *Henrichus Ro[manorum] imp[e]r[ator]* (Böhmer-Baaken Nr. 518, S. 210). Die Eigenhändigkeit der Unterschrift ist zwar nicht zu beweisen, ist aber wahrscheinlich. Warum der Kaiser – er war schriftkundig – in diesem einen Fall so gehandelt hat, ist unbekannt. Erst Kaiser Karl IV. († 1378) hat wieder eigenhändig unterschrieben. Unter Friedrich III. († 1493) und Maximilian I. († 1519) haben diese Unterschriften eine besondere rechtliche Bedeutung erlangt.

Auch der jahrhundertelang geübte Brauch, daß der Herrscher die in seinem Namen ausgefertigte Urkunde durch einen Vollziehungsstrich im Monogramm seines Namens gültig machte, wurde am Anfang des 12. Jahrhunderts aufgegeben, wahrscheinlich weil sich inzwischen die Auffassung durchgesetzt hatte, daß die Beglaubigung der Urkunde durch die Anfügung des Siegels geschah. Eine gesiegelte Urkunde galt als vom Herrscher persönlich bestätigtes Dokument, auch wenn die Siegelung nur in seinem Auftrag vorgenommen wurde. Noch gegen Ende des 13. Jahrhunderts hat Konrad von Mure in seiner Urkundenlehre die Auffassung vertreten: »Keine Urkunden, außer den ganz einfachen, sollen ohne besondere Anordnung des Fürsten mit dem Siegel des Herrn bestätigt werden.«[61]

In einigen Fällen ist durch den Wortlaut der Urkunde der Eindruck erweckt worden, daß der fürstliche Aussteller persönlich an dem Beglaubigungsvorgang beteiligt war. So hieß es zum Beispiel in einer Urkunde Heinrichs des Löwen zugunsten des Moritzstifts in Hildesheim vom Jahr 1164: »Wir haben das vorliegende Blatt mit unserer Hand bestätigt und haben es durch den Aufdruck unseres Siegels kennzeichnen lassen.«[62] Die Formulierung »mit unserer Hand« (*manu nostra*) kann jedoch nicht wörtlich genommen werden: Die Urkunde wurde von dem Notar Hartwig ausgefertigt, der noch in einer anderen Urkunde eine ähnliche Formulierung benutzt hat. Ebenso formelhaft war der Hinweis auf die eigene Unterschrift des Fürsten, zum Beispiel in einer Urkunde Herzog Leopolds VI. von Österreich vom Jahr 1211: »Ich, Leopold, von Gottes Gnaden Herzog von Österreich und Steiermark, unterschreibe.«[63] Tatsächlich hat die Beglaubigung und Besiegelung der Urkunden in den Händen des Notars gelegen, der die von ihm ausgefertigten Stücke nicht selten mit seinem eigenen Namen gezeichnet hat. In Empfängerausstellungen ist manchmal vor der Datumszeile Platz gelassen worden, damit der Notar sich dort mit der Formel *datum per manum* (»gegeben durch die Hand«) eintragen konnte.

Die Siegelführung war kein Vorrecht der Fürsten. Gräfliche Siegel sind schon aus dem 11. Jahrhundert erhalten (Graf Dietrich von Holland 1083); im 12. Jahrhundert haben die Städte begonnen, eigene Siegel zu führen; im 13. Jahrhundert hat der

[61] nulle littere, nisi valde simplices, debent domini sigillo conmuniri, nisi de scitu principis speciali (Summa de arte prosandi, S. 166)

[62] presentem paginam manu nostra roboravimus et sigilli nostri impressione insigniri decrevimus (Jordan, S. 102, Nr. 68)

[63] Ego Liupoldus dei gratia dux Austrie ac Stirię subscribo (UB zur Geschichte der Babenberger, Bd. 1, S. 237, Nr. 177)

ganze niedere Adel gesiegelt. Es gab auch Handwerkssiegel, Schreibersiegel und Bauernsiegel. An den großen Höfen begann die Siegelführung lange vor der Einrichtung eigener Kanzleien. Die von den Empfängern oder von Dritten ausgestellten Urkunden wurden mit dem fürstlichen Siegel beglaubigt. Die österreichischen Quellen bezeugen eine ausgedehnte Siegelpraxis im 12. Jahrhundert: Markgraf Leopold III. († 1136) hat bereits vier verschiedene Siegelstempel benutzt; von seinem Sohn Heinrich II. († 1177) sind aus der Zeit nach 1156 sechs Siegelstempel bekannt. Wir wissen nicht, in wessen Händen die Siegelführung lag, solange es noch keine Kanzleien gab; später hat der Protonotar das fürstliche Siegel verwaltet. Die Siegel besaßen in aller Regel Umschriften, die den Namen und den Herrschertitel des Siegelinhabers in lateinischer Sprache nannten. Diese Siegelinschriften sind tatsächlich die ersten Schriftzeugnisse – abgesehen von den liturgischen Büchern –, die sich an den weltlichen Fürstenhöfen nachweisen lassen.

Deutschsprachige Urkunden

Die Verschriftlichung des weltlichen Rechts war ein Prozeß, der sich über mehrere Jahrhunderte hinzog. Solange die Urkunden lateinisch abgefaßt wurden, hatten die fürstlichen Auftraggeber keinen Zugang zu den in ihrem Namen geschriebenen und besiegelten Dokumenten. Erst im letzten Jahrzehnt des 13. Jahrhunderts sind städtische und fürstliche Kanzleien in größerem Umfang dazu übergegangen, Urkunden auf deutsch zu schreiben; die Reichskanzlei hat diesen Schritt erst später vollzogen. Vereinzelt hat es deutschsprachige Urkunden schon in der ersten Hälfte des 13. Jahrhunderts gegeben. Zu den ältesten im Original erhaltenen Stücken gehört der Teilungsvertrag zwischen den Grafen Albrecht II. und Rudolf III. von Habsburg aus dem Jahr 1238/39 (Corpus der altdeutschen Originalurkunden, Bd. 1, S. 20f., Nr. 6) und die Urkunde König Konrads IV. († 1254), die erste und auf lange Zeit einzige deutschsprachige Königsurkunde, vom 25. Juli 1240 über einen Vergleich zwischen dem Reichsministerialen Volkmar von Kemenaten und der Reichsstadt Kaufbeuren (Corpus, Bd. 1, S. 21f., Nr. 7).

Eine Reihe von Urkunden – besonders aus der frühen Zeit – liegt in deutscher und lateinischer Ausfertigung vor. Das berühmteste Stück ist der Mainzer Reichslandfriede, den Kaiser Friedrich II. im Jahr 1235 erlassen hat. Die Ansicht, daß die deutsche Fassung das eigentliche Original darstellte und der lateinische Text eine nachträgliche Kanzleifassung gewesen sei, gilt heute als widerlegt. Wörtliche Berührungen mit dem Landfrieden König Heinrichs (VII.) vom Jahr 1234 sichern die Priorität der lateinischen Fassung. Daß aber auch der deutsche Text einen offiziellen Charakter besaß, kann man daraus schließen, daß König Rudolf von Habsburg († 1291) und seine Nachfolger den von ihnen erlassenen Landfrieden die deutsche Fassung des Mainzer Friedens zugrundegelegt haben. Außerdem bezeugt die Kölner Königschronik, daß 1235 in Mainz »bei der Zusammenkunft fast aller Fürsten des Deutschen Reiches ein Friede beschworen wurde, alte Rechte bestätigt wurden, neue Rechte gesetzt und in deutscher Sprache auf Pergament geschrieben und allen bekanntgemacht wurden«[64]. Dem Chronisten erschien dieser Vorgang offenbar höchst bemerkenswert. Von einer lateinischen Fassung ist hier gar nicht die Rede.

Ohne das Vorbild der lateinischen Urkunden wären die deutschen nicht denkbar. Im Aufbau und Formular ist die Abhängigkeit deutlich. In ihrer sprachlichen Gestalt sind die deutschen Urkunden jedoch überraschend eigenständig. Gleich die ersten deutschen Texte zeigten eine ausgebildete und gewandte Form, die einheitlich in verschiedenen Gegenden gebraucht wurde, ohne daß eine gegenseitige Beeinflussung nachzuweisen wäre. Das kann sich nur daraus erklären, daß die deutschsprachigen Urkunden an die Traditionen der mündlichen Rechtspflege anknüpfen konnten. Syntaxuntersuchungen der deutschen Urkundensprache haben eine Nähe zum mündlichen Sprachgebrauch erwiesen, während ein Zusammenhang mit der höfischen Dichtersprache nicht festgestellt werden konnte. Das schließt jedoch nicht aus, daß höfische Literaturwerke und deutschsprachige Rechtstexte aus derselben Schreibstube hervorgegangen sind.

Wenn man die Zahl der erhaltenen Urkunden berücksichtigt, erscheinen die tausend deutschen Stücke, die vor 1290 geschrieben wurden, als ein kleines Häufchen. Sehr interessant ist die Stellungnahme Konrads von Mure zum Gebrauch des Deutschen als Urkundensprache in seiner um 1275 verfaßten ›Summa de arte prosandi‹. Der Lehrer und Kantor am Großmünster in Zürich kannte deutschsprachige Briefe und Urkunden, emp-

[64] ... ubi fere omnibus principibus regni Teutonici convenientibus, pax iuratur, vetera iura stabiliuntur, nova statuuntur et Teutonico sermone in membrana scripta omnibus publicantur (S. 267)

fahl sie aber nur zum außergerichtlichen Gebrauch »unter Freunden« (*inter amicos*). Da er es erlebt habe, daß selbst authentisch besiegelte deutsche Schriftstücke in Gerichtsverhandlungen von der gegnerischen Partei oder vom Richter abgelehnt worden seien, gab Konrad von Mure den Rat, »daß Briefe und Urkunden in lateinischer Sprache geschrieben werden«[65].

Welche Gründe für den Übergang zur deutschen Sprache im Urkundenwesen maßgebend waren, ist eine vieldiskutierte Frage, auf die es keine übereinstimmende Antwort gibt. Die These, daß die Ministerialität an dieser Entwicklung wesentlichen Anteil hatte, läßt sich im Licht der Quellen kaum halten. Viel bedeutsamer war die Rolle der städtischen Schreibstuben. Die Verschriftlichung der Wirtschaft und Verwaltung ist in den Städten schneller vorangekommen als auf dem Land, und von Anfang an hatte dabei die Volkssprache ein größeres Gewicht als das Lateinische. Wenn man jedoch die zeitliche Priorität der erhaltenen Schriftstücke berücksichtigt, gebührt dem höheren Adel das größte Verdienst bei den ersten Bemühungen um die Ausbildung einer deutschsprachigen Urkundenpraxis: den Grafen von Habsburg und von Freiburg im Südwesten, den Grafen von Jülich, von Berg und von Sayn im Raum um Köln. Dieser Dynastenadel hat auch in der Literaturgeschichte des 13. Jahrhunderts bei der Ausbildung neuer Formen der Adelsliteratur eine bedeutende Rolle gespielt. Dagegen haben sich die großen Fürstenhäuser gegenüber dem Gebrauch der deutschen Sprache im Rechtsverkehr eher zurückhaltend gezeigt. Das hängt vielleicht damit zusammen, daß dort, wo es bereits eingerichtete Kanzleien mit einem geregelten lateinischen Urkundenbetrieb gab, der Widerstand gegen die sprachlichen Neuerungen besonders groß war. Unklar ist, wo und von wem die deutschsprachigen Urkunden von gräflichen Ausstellern geschrieben worden sind, solange diese keine eigenen Kanzleien besaßen. In manchen Fällen hat man sich im 13. Jahrhundert bereits berufsmäßiger Urkundenschreiber bedient. So ist durch Schrift- und Stilvergleich nachgewiesen worden, daß in den Jahren um 1260–1270 mehrere oberschwäbische Adelsfamilien ihre Urkunden von ein und demselben Schreiber haben ausfertigen lassen, dessen Dienste auch von verschiedenen Klöstern in Anspruch genommen wurden, in einem Fall sogar von dem Bischof von Konstanz, obwohl dieser eine eigene Kanzlei hatte.

---

[65] ut littere et instrumenta . . . latino ydiomate conscribantur (S. 165)

Beim Gebrauch des Deutschen als Kanzleisprache wurde ein Unterschied gemacht zwischen den eigentlichen Urkunden und anderen Rechtsaufzeichnungen. Zu den ältesten deutschsprachigen Schriftstücken, die im ›Corpus der altdeutschen Originalurkunden‹ gesammelt sind, gehören der Erfurter Judeneid (um 1200), das Braunschweiger Stadtrecht (von 1227), das Lehnsverzeichnis der Grafschaft Zweibrücken (um 1250), die Kulmer Handfeste (nach 1251) und der ›Geschworen brief‹ der Stadt Luzern (um 1252), alles Texte, die ihrer Form nach keine Urkunden sind. Wenn man ihnen die ältesten deutschsprachigen Urbare an die Seite stellt und andere Textstücke rechtlichen Inhalts, die nur in Abschriften erhalten sind, so ergibt sich das Bild einer schon recht breiten Produktion deutschsprachiger Rechtsprosa zu einer Zeit, als Urkunden in deutscher Sprache noch eine große Seltenheit waren. Bezeichnend ist, daß die bayerische Kanzlei der Wittelsbacher sich bereits für die Abfassung des ersten Urbars (1221–1237) der deutschen Sprache bediente, während die Urkundenherstellung noch auf ein halbes Jahrhundert ausschließlich lateinisch blieb.

Das Aufkommen der deutschsprachigen Urkundenpraxis hing offenbar auch mit Veränderungen im Beweisverfahren zusammen. Während in der älteren Zeit die Urkunden nur die Funktion hatten, mündlich abgeschlossene und durch Zeugen bestätigte Rechtsgeschäfte nachträglich festzuhalten und zu beglaubigen, setzte sich im 13. Jahrhundert allmählich die Auffassung durch, daß das Geschäft erst durch die Ausstellung der Urkunde Gültigkeit erlangt. Im ›Schwabenspiegel‹ (um 1280) wurde dieser Wandel der Beweispraxis in die Worte gefaßt: »Wir sagen, daß Urkunden besser sind als Zeugenaussagen. Denn die Zeugen sterben; die Urkunden dagegen bleiben immer bestehen.«[66] Man hat vermutet, daß damit eine Veränderung der Publikationsformel im Zusammenhang stand. In lateinischen Urkunden des 13. und vereinzelt schon des 12. Jahrhunderts wurde eine neue Formel verwendet, die den Text nicht nur zum Lesen, sondern auch zum Hören anbot: »allen, die dieses Blatt hören oder lesen wollen«[67]. In den deutschsprachigen Urkunden begegnet diese Formel schon von Anfang an und in ziemlicher Regelmäßigkeit: »Wer immer dieses Schriftstück

[66] Wir sprechen, daz brieve bezer sint danne geziuge. Wan geziuge die sterbent: sô belîbent die brieve immer staete (S. 34, § 34)
[67] omnibus hanc (paginam) audientibus vel inspitientibus (UB der Stadt u. Landschaft Zürich, Bd. 1, S. 281, Nr. 396, vom Jahr 1219)

sieht oder hört«[68]; »allen denen, die diese Urkunde lesen oder hören werden«[69]. Ob die Urkunden tatsächlich in jedem Fall vorgelesen worden sind, läßt sich natürlich nicht feststellen. Es gibt jedoch Zeugnisse für die öffentliche Verlesung von Urkunden. So bestätigte im Jahr 1275 Heinrich von Hasenburg, der Kirchherr von Wilhelmsau, »daß diese mit dem Siegel des verehrten Abtes von St. Urban gesiegelte Urkunde mir von Ulrich, dem Sohn von H. dem Schneider seligen Angedenkens, übergeben wurde, deren Wortlaut ich persönlich in der obengenannten Kirche verlesen und vor vielen glaubwürdigen Leuten in die Volkssprache übersetzt habe«[70]. War die Urkunde, wie in diesem Fall, lateinisch abgefaßt, so mußte sie bei der öffentlichen Verlesung übersetzt werden. Dieser Umstand entfiel bei Urkunden in deutscher Sprache.

Unübersehbar ist schließlich, daß der Gebrauch der deutschen Sprache bei der Urkundenherstellung auch mit den Bildungsverhältnissen in der Laiengesellschaft zusammenhing. Ingeborg Stolzenberg hat die Beobachtung gemacht, daß im 13. Jahrhundert die Entscheidung, ob eine Urkunde auf deutsch oder auf lateinisch abgefaßt wurde, nicht allein beim Aussteller der Urkunde lag, sondern daß dafür häufig die Rücksicht auf den Urkundenpartner von entscheidender Bedeutung war. An der Urkundenpraxis des Grafen Konrad I. von Freiburg († 1271) läßt sich beobachten, daß fast durchweg die Geschäfte mit Orden und Kirchen lateinisch beurkundet wurden, die mit Laien dagegen auf deutsch. Man darf als sicher annehmen, daß die Verständlichkeit des Urkundentextes für die beteiligten Laien dabei eine Rolle gespielt hat. Interessant ist, daß auch für Rechtsgeschäfte innerhalb der gräflichen Familie in der Regel die deutsche Sprache gewählt wurde. Ob die Angehörigen des Grafenhauses die deutschen Urkunden schon selber lesen konnten, muß offenbleiben. Am Ende des 13. Jahrhunderts wird es schon vorgekommen sein, daß ein Laie die Fähigkeit besaß, deutsche Texte zu lesen, ohne Lateinisch gelernt zu haben.

---

[68] Swer dise schrift siht alde horet (Corpus, Bd. 1, S. 20, Nr. 6)
[69] Allen dien die disen brief werdent lesende oder hôrende (ebd., S. 25, Nr. 14)
[70] quod quedam littera sigillata sigillo venerabilis Abbatis S. Urbani fuit michi ab Volrico filio H. bone memorie dicto Sartore presentata, cuius tenorem ego personaliter in ecclesia predicta legi et exposui vulgariter multis astantibus fide dignis (Schneller, Nr. 8, S. 161 f.)

2. Die Gönner und Auftraggeber

Kunst auf Bestellung erscheint vielen als eine Kunst minderer Qualität, weil ein Auftragsverhältnis die Selbstbestimmung des Künstlers zu gefährden scheint. Im Mittelalter hat es jedoch eine Alternative zwischen der Bindung an den Auftraggeber und der künstlerischen Selbstverwirklichung nicht gegeben. Der Auftrag des Gönners hat vielmehr erst die materiellen und organisatorischen Voraussetzungen dafür geschaffen, daß Kunstwerke entstehen und künstlerische Individualität sich entfalten konnte. Obwohl die Gönnerbeziehungen nicht immer nachgewiesen werden können und obschon damit gerechnet werden muß, daß nicht jedem Werk ein Arbeitsauftrag zugrunde gelegen hat, würde es nur zu Mißverständnissen führen, wenn man zwischen Werken, die dem inneren Drang des Künstlers ihre Entstehung verdankten, und solchen, die auf Bestellung entstanden sind, unterscheiden wollte.

Da aus den historischen Quellen nur wenig über die Gönner- und Stiftertätigkeit von Königen und Fürsten zu erfahren ist und literarische Förderung so gut wie niemals erwähnt wurde, muß fast alles, was wir darüber wissen, den Literaturwerken selbst entnommen werden, vor allem den Prologen und Epilogen, in denen die Autoren Angaben zur eigenen Person, zu ihrem Werk und ihren Auftraggebern gemacht haben. Bei der Auswertung dieser Informationen ist zu berücksichtigen, daß das Gönnerlob und die Widmungsformel durch eine lange rhetorische Tradition, die bis in die Spätantike zurückreichte, geprägt waren. In manchen Fällen hat der Widmungstopos offenbar überhaupt keine konkrete Gegenwartsbedeutung besessen. In anderen Fällen können die Gönnernennungen als Höflichkeitsfloskeln betrachtet werden, die über den historischen Standort der Werke nichts aussagen. Auch mit unerbetenen Widmungen ist zu rechnen. Das ändert jedoch nichts daran, daß die Literaturproduktion wesentlich durch Abhängigkeits- und Auftragsverhältnisse beeinflußt worden ist. Allerdings müssen die Verhältnisse jeweils erst genauer erläutert werden.

Für die geistlichen Autoren, in deren Händen bis zum 12. Jahrhundert die gesamte literarische Produktion lag, hat die Institution des Auftraggebers eine geringere Rolle gespielt. Die schreibenden Mönche und Kanoniker waren nicht auf das Wohlwollen eines Gönners angewiesen, um ihrer schriftstellerischen Tätigkeit nachgehen zu können. Die Skriptorien und Bibliotheken in den Klöstern und Stiften boten ihnen alles, was sie brauchte. Die fertigen Werke wurden häufig mit Widmungen versehen und an befreundete Autoren oder an kirchliche Würdenträger verschickt, die nur in einem weiteren Sinn als Gönner der Autoren zu betrachten sind. Es ist auch vorgekommen, daß Äbte und Bischöfe spezielle literarische Aufträge vergeben haben. Das führte jedoch nicht zur Begründung persönlicher Abhängigkeitsverhältnisse, sondern wurde meistens als eine Auszeichnung für den Autor angesehen.

a. Der Kaiserhof als literarisches Zentrum

Kaiserliches Mäzenatentum

Bis zum 12. Jahrhundert war der Kaiserhof der einzige Ort der Literatur außerhalb der Klöster und Stifte. Der Gedanke, daß die Förderung von Kunst und Literatur zu den Obliegenheiten des Kaisers gehörte, stammte aus der römischen Antike. Zum Herrschaftsstil der römischen Kaiser hatte die Selbstverherrlichung durch Inschriften und durch die Errichtung öffentlicher Bauwerke gehört, die Förderung des Bildungswesens durch die Einrichtung von kaiserlichen Lehrstühlen an den Rhetorenschulen oder auch durch ein literarisches Patronat im Stil des Kaisers Augustus. Es ist kein Zufall, daß das Mäzenatentum des Kaiserhofs im Mittelalter immer dann besonders reich hervortrat, wenn ein bewußter Anschluß an römisch-antike Traditionen den Herrschaftsstil bestimmte: unter Kaiser Karl dem Großen († 814), unter Otto III. († 1002) und unter Friedrich II. († 1250). Die künstlerischen und literarischen Unternehmungen, die vom Kaiserhof initiiert wurden, kamen im Mittelalter zum größten Teil der Kirche zugute. Neben Klostergründungen und dem Bau von Kirchen hat die Ausschmückung der Kirchen und Klöster mit kostbaren Gerätschaften eine große Rolle gespielt. Der Verherrlichung des kaiserlichen Namens diente die panegyrische Hofdichtung und die Geschichtsschreibung, soweit sie vom Kaiserhof gesteuert wurde. In anderen Fällen war die Übersendung eines literarischen Werks an den Kaiser mit einer entsprechenden Widmung nichts anderes als eine Form der Veröffentlichung. Wenn das Werk am Hof mit

Interesse aufgenommen wurde, konnte der Verfasser damit rechnen, daß es bald in den Kreisen der Gebildeten bekannt wurde.

Der persönliche Anteil, den die Kaiser am Mäzenatentum ihres Hofs nahmen, war von Herrscher zu Herrscher verschieden. Nur in wenigen Fällen wurde der gesamte Bildungsbetrieb am Hof so entschieden vom Kaiser selbst bestimmt wie unter Karl dem Großen und später unter Friedrich II. Für eine persönliche Teilnahme am literarischen Leben hat es den meisten Kaisern an den notwendigen Bildungsvoraussetzungen gefehlt; denn die Literatur des Kaiserhofs war bis in die zweite Hälfte des 12. Jahrhunderts durchweg lateinisch. Vielfach dürfte die Initiative nicht vom Kaiser selbst ausgegangen sein, sondern von den Geistlichen und Klerikern am Hof, die in der Hofkapelle zusammengeschlossen waren. Ein typischer Vertreter der literarisch aktiven Hofgeistlichkeit war im 11. Jahrhundert der Burgunder Wipo, der von Kaiser Konrad II. († 1039) an den Hof berufen wurde und der noch unter Heinrich III. († 1056) dort als Kaplan Dienst tat. Sein schriftstellerisches Werk umfaßte neben religiösen Gedichten Lob- und Preisgedichte auf die beiden Salierkaiser, ferner didaktische Werke in lateinischen Versen, die ›Proverbia centum‹ und den ›Tetralogus‹, die Wipo beide in seiner Funktion als Prinzenerzieher verfaßt hat und die beide Heinrich III. gewidmet sind, sowie ein historisches Werk: die ›Taten Konrads‹ (Gesta Chuonradi), die der Verfasser dem Kaiser Heinrich mit den Worten »Dir, höchster Kaiser, widme ich dieses Werk«[1], überreicht hat. In ähnlicher Weise herrscherbezogen war im 12. Jahrhundert die literarische Tätigkeit des kaiserlichen Kaplans Gottfried von Viterbo, der unter Konrad III. († 1152) in die Hofkapelle eintrat, die meisten seiner Werke jedoch erst in der Regierungszeit Friedrichs I. verfaßt hat. Der ›Spiegel der Könige‹ (Speculum regum), ein Fürstenspiegel in der Form von kurzen Herrscherbiographien, war dem jungen Heinrich VI. gewidmet, an dessen Erziehung Gottfried von Viterbo wahrscheinlich mitgewirkt hat. Auch seine Weltgeschichte aus dem Jahr 1185 ist Heinrich dediziert worden.

In diesem Werk hat Gottfried von Viterbo die widrigen Umstände geschildert, denen die schriftstellerische Tätigkeit am Kaiserhof ausgesetzt war. Die Mobilität des Hofes, die Unruhe der täglichen Geschäfte und die vielfältigen Aufgaben, mit de-

---

[1] Tibi, summe imperator, hoc opus devoveo (S. 522f.)

nen die kaiserlichen Kapläne betraut waren, waren für die kontinuierliche Arbeit an einem größeren literarischen Werk nicht eben förderlich. »Mein geduldiges Bemühen und die Großartigkeit der behandelten Gegenstände und der Umfang des Werks mögen um so mehr Beachtung finden, als ich dies geschrieben habe in den Winkeln des kaiserlichen Palastes oder unterwegs zu Pferd, unter einem Baum oder tief im Wald, wie die Zeit es erlaubte, bei der Belagerung von Burgen, in den Gefahren von mancherlei Kämpfen. Nicht in der Einsamkeit oder im Kloster oder sonst an einem Ort der Stille habe ich dies verfaßt, sondern ständig in großer Unruhe und im Wirrwarr der Geschehnisse, im Krieg und unter kriegerischen Verhältnissen, im Lärm eines so großen Hofs, wo ich täglich zur Stelle sein mußte, als Kaplan, bei Tag und Nacht, zur Messe und zu allen Stundengebeten, bei der Tafel, bei Verhandlungen, beim Ausfertigen von Briefen, bei der täglichen Bestellung neuer Unterkünfte, bei der Sorge um den Lebensunterhalt für mich und die Meinen, bei der Durchführung sehr bedeutender Gesandtschaften, zweimal nach Sizilien, dreimal in die Provence, einmal nach Spanien, mehrfach nach Frankreich, vierzigmal aus Deutschland nach Rom und zurück, in jeglicher Anstrengung und Unruhe ständig mehr gefordert, als einer meiner Altersgenossen am Kaiserhof es ertragen hätte. Je umfangreicher und schwerwiegender dies alles ist, um so wundersamer ist es, daß ich in solchem Trubel, in solchem Rausch, in so großem Lärm und solcher Unruhe dies Werk habe schaffen können.«[2] Auch wenn diese Schilderung in Einzelheiten überzogen war, vermittelt sie doch ein gutes Bild von den spezifischen Bedingungen der literarischen Produktion an den großen Höfen.

[2] Attendant magis humanos labores meos et rerum magnitudinem operisque prolixitatem, cum ego in angulis palatii imperialis, aut in via equitando sub aliqua arborum aut in silva aliqua absconsus ad horam ista scripserim, in obsidionibus castrorum, in periculo preliorum multorum, non in heremo vel in claustro aut aliquo quietis loco positus hec dictaverim, set in omni motu et rerum turbatione assidue, et in guerra et in rebus bellicis, in strepitu tante curie, ubi me oportebat cotidie esse assiduum, utpote capellanum, die ac nocte, in missa, in omnibus horis diei, in mensa, in causis agitandis, in epistolis conficiendis, in cotidiana cura novorum hospitiorum, in stipendiis conquirendis mihi meisque, in maximis legationibus peragendis, bis in Siciliam, ter in Provintiam, semel in Yspaniam, sepe in Franciam, 40 vicibus Romam de Alemania, et in omni labore et sollicitudine assidue magis, quam aliquis meus coetaneus in imperiali curia pertulisset. Que omnia quanto plura et graviora sunt, tanto mirabilius est, quod ego in tanto motu, in tanta crapula, tanto strepitu et sollicitudine ista potui operari (Memoria saeculorum, S. 105)

Aus der Zeit Konrads III. (1139–1152), des ersten Stauferkönigs, ist über den literarischen Betrieb am Kaiserhof nicht viel bekannt. Das intellektuelle Klima am Hof wurde von den Geistlichen geprägt, die die leitenden Ämter innehatten: von dem Kanzler Arnold von Wied († 1156), dem Erbauer der für die Entwicklung der romanischen Architektur im Rheinland so bedeutsamen Kirche in Schwarzrheindorf (bei Bonn); von Arnold von Selenhofen († 1160), dem Leiter der Hofkapelle und 1151 Nachfolger Arnolds von Wied im Kanzleramt, der später Erzbischof von Mainz wurde; von dem Bischof Anselm von Havelberg († 1158), der zu den engsten Ratgebern des Königs gehörte und der berühmt geworden ist durch seine gelehrten Disputationen mit den oströmischen Theologen im Jahr 1146; und vor allem von Wibald († 1158), dem Abt der beiden Reichsklöster Stablo und Corvey, der sich häufig am Hof aufgehalten hat – nicht wenige Urkunden und Briefe Konrads III. sind von ihm verfaßt worden – und der den größten Einfluß auf die auswärtige Politik, zumal auf das Verhältnis zur Kurie, besaß. Während des Kreuzzugs Konrads III. (1147–1149) hat Wibald, als Erzieher des damals erst zehnjährigen Königs Heinrich (VI.), praktisch die Aufgaben eines Reichsverwesers erfüllt. Das Ausmaß seiner Tätigkeit dokumentiert sein umfangreiches ›Briefbuch‹ (Codex epistolaris Wibaldi), das Wibald zum großen Teil selber angelegt hat und das neben seiner eigenen Korrespondenz auch zahlreiche offizielle Schriftstücke enthält (erhalten ist nur der Teil, der die Briefe der Jahre 1147–1157 umfaßt). Aus seinen Briefen ist auch die Weite seiner gelehrten Interessen erkennbar und die hohe Achtung, deren er sich unter den Gebildeten seiner Zeit erfreute. Besonders interessant ist der Briefwechsel mit Rainald von Dassel († 1167), der damals Dompropst in Hildesheim war. Wibald hatte sich an ihn mit der Bitte um Übersendung der in Hildesheim vorhandenen Cicero-Handschriften gewandt. In seiner Antwort erbat Rainald, als Sicherung für die Ausleihe der Handschriften (»Es ist nicht üblich bei uns, daß ohne wertvolle Hinterlegungen jemandem etwas übergeben wird«[3]) ein Exemplar von Gellius' ›Attischen Nächten‹ (Noctes Atticae) sowie den Hoheliedkommentar von Origenes. Da ihm das Werk von Gellius gerade nicht zur Verfü-

---

[3] non est consuetudinis apud nos, ut sine bonis monimentis aliqui alicui concedantur (Wibald v. Stablo, Epistolae, S. 327, Nr. 207)

gung stand, schickte Wibald statt dessen die ›Kriegslisten‹ (Strategemata) von Frontin, ein damals sehr seltenes Werk. Wie gut Wibald von Stablo über die moderne Wissenschaft an den französischen Schulen informiert war, bezeugt sein Schreiben an Manegold von Paderborn (Epistolae Nr. 167). In diesem Brief hat Wibald auch eine Szene geschildert, die sich bei einem Gastmahl am Königshof zutrug und die erkennen läßt, daß König Konrad III. die Gelehrsamkeit seiner Mitarbeiter nicht ohne persönliches Interesse verfolgte. »Unser Herr, König Konrad, staunte über das, was von den Gebildeten Schlaues gesagt wurde, und versicherte, es könnte nicht bewiesen werden, daß der Mensch ein Esel sei. Fröhlich waren wir bei dem Gastmahl, und die meisten, die mit uns waren, waren nicht ungebildet. Ich sagte zu ihm, daß dies bei der natürlichen Beschaffenheit der Dinge nicht zustandegebracht werden könne; wohl aber könne es durch einen falschen Schluß gefolgert werden, indem unter einer unzulässigen Prämisse aus einer Wahrheit eine Lüge werde. Als er das nicht verstand, setzte ich ihm mit einem scherzhaften Trugschluß zu. Ich fragte: ›Habt ihr ein Auge?‹ Als er dies zugestand, fügte ich hinzu: ›Habt ihr zwei Augen?‹ Als er dem durchaus zustimmte, sagte ich: ›Eins und zwei sind drei. Also habt ihr drei Augen.‹ Geblendet von dem Spiel der Worte schwor er, daß er nicht mehr als zwei habe. Aber als er durch viele ähnliche Beispiele gelernt hatte, genau zu unterscheiden, sagte er, daß die Gelehrten ein fröhliches Leben führten.«[4]

Während der Regierungszeit Konrads III. ist das bedeutendste Geschichtswerk entstanden, das Deutschland im 12. Jahrhundert hervorgebracht hat. Der Verfasser war der Halbbruder des Königs, Otto von Freising († 1158), aus der zweiten Ehe ihrer Mutter Agnes († 1143) mit dem Markgrafen Leopold III. von Österreich († 1136). Otto hat als Bischof von Freising persönlich und politisch in enger Verbindung mit Konrad III. ge-

---

[4] Mirabatur dominus noster C(onradus) rex ea, quae á litteratis vafrę dicebantur; et, probari non posse, hominem esse asinum, aiebat. Iocundi eramus in convivio, et plerique nobiscum non illiterati. Dicebam ei, hoc in rerum natura non posse effici; set ex concessione indeterminata, nascens á vero mendatium, falsa conclusione astringi. Cum non intelligeret, ridiculo eum sophismate adorsus sum: ›Unum‹ inquam ›habetis oculum?‹ Quod cum dedisset, subieci: ›Duos‹ inquam ›oculos habetis?‹ Quod cum absolute annuisset, ›Unus‹ inquam ›et duo tres sunt; tres igitur oculos habetis‹. Captus verbi cavillatione iurabat, se tantum duos habere. Multis tamen et his similibus determinare doctus, iocundam vitam dicebat habere litteratos (S. 283)

standen; aber es ist zu bezweifeln, daß sein großes Werk, ›Die Geschichte der zwei Staaten‹ (Historia de duabus civitatibus), auch ›Chronica‹ genannt, die Otto 1146 beendet und dem Abt Isingrim von Ottobeuren gewidmet hat, dem König je zu Gesicht gekommen ist. Erst elf Jahre später – 1157, inzwischen regierte Friedrich I. – hat Otto von Freising eine überarbeitete Fassung seiner Weltchronik am Hof überreichen lassen. Die Anregung dazu ist angeblich vom Kaiser ausgegangen. Ob allerdings Friedrich I. sich persönlich damit befaßt hat, ist nicht zu erkennen. Der entscheidende Anstoß kam offenbar von Rainald von Dassel, der seit 1156 als Reichskanzler und auch später als Erzbischof von Köln, bis zu seinem Tod im Jahr 1167, einen bestimmenden Einfluß nicht nur auf die Italienpolitik Friedrichs I. gehabt hat, sondern auch auf das geistige Leben am Kaiserhof. An ihn wandte sich Otto von Freising 1157 in einem besonderen Schreiben mit der Bitte um eine wohlwollende Aufnahme seines Geschichtswerks am Hof. Wahrscheinlich hat der Kanzler Rainald von Dassel auch die Anregung gegeben, Otto von Freising zu beauftragen, in einem neuen Werk die Taten Friedrichs I. darzustellen. Jedenfalls kann der Abriß der historischen Ereignisse aus den ersten Regierungsjahren Friedrichs I., der am Kaiserhof verfaßt wurde und der Otto von Freising für sein neues Werk als Grundlage dienen sollte, nicht ohne Wissen und Billigung des Kanzlers aus der kaiserlichen Kanzlei herausgegangen sein. Das neue Werk, die ›Taten Friedrichs‹ (Gesta Frederici), das Otto von Freising nur noch zur Hälfte schreiben konnte und das von seinem Kaplan Rahewin fortgesetzt und 1160 abgeschlossen wurde, bezeugt in seiner ganz auf die Verherrlichung des Kaisers ausgerichteten Perspektive gegenüber der Weltchronik ein neues Konzept der Geschichtsschreibung. Daß dieses von der Reichskanzlei entwickelt oder jedenfalls gefördert worden ist, kann man daraus schließen, daß in den Jahren, in denen Rainald von Dassel den größten Einfluß am Kaiserhof hatte, mehrere historische Werke ähnlichen Charakters entstanden sind, die die Kriegszüge Kaiser Friedrichs in Italien poetisch verherrlichten, speziell seinen Sieg über Mailand. Dazu gehörte das große Kaisergedicht ›Gegrüßt seist du, Herr der Welt‹ (*Salve mundi domine*) des Archipoeta, der als Hofdichter Rainalds von Dassel tätig war, sowie das Geschichtsepos ›Über die Taten Friedrichs in der Lombardei‹ (Carmen de gestis Frederici I. imperatoris in Lombardia) eines unbekannten Autors, der nach 1160 gedichtet hat und der in direktem Kontakt zum Kaiserhof gestanden haben muß, wie sich aus der Tatsache ergibt, daß er die Briefe Kaiser Friedrichs an Otto von Freising und an Wibald von Stablo kannte.

Auch nach dem Tod Rainalds von Dassel behielt die staufische Hofgeschichtsschreibung einen höfisch-dynastischen Grundzug. Das bezeugen die ›Taten Friedrichs‹ (Gesta Frederici) von Gottfried von Viterbo und der ›Ligurinus‹ von Gunther von Pairis, die beide in der zweiten Hälfte der achtziger Jahre entstanden sind und beide hauptsächlich die Kriege Friedrichs I. in Italien in poetischer Form behandelten. Gottfried von Viterbo gehörte als kaiserlicher Kaplan zur Hofgesellschaft, und auch Gunther von Pairis scheint, wenigstens vorübergehend, am Kaiserhof tätig gewesen zu sein, und zwar als Erzieher Konrads († 1196), des jüngeren Sohns des Kaisers, wenn man seinen eigenen Angaben Glauben schenken kann. Seinem »adligen Zögling«[5] hatte Gunther von Pairis bereits seinen ›Solymarius‹, ein Epos über den Ersten Kreuzzug, gewidmet, während der ›Ligurinus‹ zugleich dem Kaiser und seinen fünf Söhnen zugeeignet war, denen der Verfasser im Prolog zu seinem Epos ein großartiges Herrscherlob dargebracht hat. Seine Hauptquelle waren die ›Gesta Frederici‹ von Otto von Freising und Rahewin; er hat aber auch das ›Carmen de gestis Frederici‹ benutzt; wahrscheinlich waren ihm diese Texte am Kaiserhof oder durch Vermittlung des Hofs zugänglich gemacht worden.

Es ist nicht sicher, ob es auch ein Epos in deutscher Sprache über die Taten Kaiser Friedrichs I. gegeben hat. Rudolf von Ems hat im ›Wilhelm von Orlens‹ einen sonst unbekannten Dichter namens Absolon erwähnt (2209), der von den Taten und dem Tod Kaiser Friedrichs erzählt haben soll. Rudolf von Ems war in seinen literarhistorischen Angaben sehr zuverlässig; daher wird man auch die Information über Absolon nicht ohne Grund verwerfen. Das deutsche Kaiser-Friedrich-Epos gehörte jedoch eher dem frühen 13. als dem 12. Jahrhundert an.

Wenn man der Aussage Gottfrieds von Viterbo Glauben schenken darf, hat Friedrich I. eine umfangreiche Bibliothek besessen, die in der Kaiserpfalz Hagenau untergebracht war. In einem Lobgedicht Gottfrieds von Viterbo auf diese Pfalz (›De castro Haginowa‹) hieß es: »Die Bücherschränke des Kaisers sind voll der besten [römischen] Autoren und der besten christlichen Schriftsteller. Wenn du Geschichtswerke verlangst, bietet

[5] ingenuo ... alumno (Ligurinus X, 649)

der Hof einen ganzen Markt. Rechtstexte und wissenschaftliche Schriften sind da und alle Dichter. Der große Aristoteles, Hypocrates, die Heilkunde Galens erteilen dort passende Ratschläge und sagen, wovor man sich hüten soll.«[6] Falls diese Angaben den Tatsachen entsprachen, gehörte die Büchersammlung in Hagenau zu den bedeutendsten Hofbibliotheken, die es im hohen Mittelalter gegeben hat. Der Kaiser selber kann allerdings, da er nicht lateinisch gebildet war, keinen direkten Gebrauch davon gemacht haben.

Auch die von Friedrich I. in Auftrag gegebenen Werke der Goldschmiedekunst zeigten die Tendenz zur Verherrlichung des Kaisertums und der Person des Herrschers. Dazu gehörte der riesige Radleuchter im Aachener Münster, den die Widmungsinschrift als ein Geschenk des Kaisers und seiner Gemahlin Beatrix ausweist; ferner das kostbare Armreliquiar Karls des Großen (heute in Paris), an dessen Längswänden Friedrich I. selber mit seiner Gemahlin Beatrix, seinem Vater, Friedrich II. von Schwaben, und seinem Onkel, König Konrad III., dargestellt ist; außerdem der berühmte Cappenberger Barbarossakopf (heute in der Pfarrkirche von Cappenberg), eine silberne Bildnisbüste, die der Kaiser seinem Taufpaten, Graf Otto von Cappenberg, zum Geschenk gemacht hat. Es ist nicht unwahrscheinlich, daß die Verbindung zwischen dem Kaiserhof und den Goldschmieden des Maas- und Rheinlandes von Wibald von Stablo hergestellt worden ist. Einem Brief Wibalds an den kaiserlichen Notar Heinrich von Wiesenbach ist zu entnehmen, daß Wibald nach der Königskrönung Friedrichs I. in Aachen am 9. März 1152 beauftragt worden ist, die Prägestempel für die neuen Königssiegel zu beschaffen. Bereits vierzehn Tage später konnte er »das eiserne Prägegerät für die Goldbullen«[7] zusammen mit einem Zinnsiegel und zwei fertigen Goldbullen an den Hof schicken. Ein Stilvergleich hat ergeben, daß die Goldbullen von demselben Meister angefertigt worden sind, der auch das Armreliquiar Karls des Großen geschaffen hat und der – sein Name ist nicht bekannt – zu den größten Künstlern seiner Zeit gezählt werden muß.

Im Zusammenhang mit den künstlerischen Unternehmungen

---

[6] Cesaris authorum sibi scrinia sunt meliorum, Plenaque sanctorum sibi scrinia sunt meliorum, Si petis hystorias, conferet aula forum. Leges aut artes ibi sunt, omnisque poeta, Magnus Aristotiles, Ypocras, Galiena dieta Dant ibi consilia digna, cavenda vetant (Delisle, S. 48)

[7] ferramenta ad bullandum de auro (Epistolae, S. 506, Nr. 377)

des Kaiserhofs sind auch die großartigen Burg- und Pfalzanlagen zu sehen, die Kaiser Friedrich I. errichten ließ (vgl. S. 140). Die hohe Qualität der Schmuckformen, die die in Gelnhausen und anderswo erhaltenen Stücke auszeichnet, und ihr Zusammenhang mit dem kirchlichen Bauschmuck lassen erkennen, daß der Kaiser auch für seine architektonischen Projekte die besten Künstler herangezogen hat.

Unklar ist, welche Rolle der Kaiserhof für die Ausbildung der höfischen Literatur in deutscher Sprache gespielt hat, die sich in den vier Jahrzehnten der Regierungszeit Friedrichs I. (1152–1190) von den ersten Anfängen bis zur vollen Blüte entwickelt hat. Die Staufer haben bei der Rezeption der französischen Gesellschaftskultur eine wichtige Rolle gespielt; und es ist anzunehmen, daß die Ehe des Kaisers mit Beatrix von Burgund († 1184) den literarischen Austausch gefördert hat. Wir wissen, daß Beatrix noch nach ihrer Krönung zur Kaiserin als Gönnerin französischer Dichter hervorgetreten ist (vgl. S. 103). Diesen günstigen Umständen zum Trotz läßt sich auffallend wenig von der modernen höfischen Literatur mit dem Kaiserhof in Verbindung bringen. Vielfach wird damit gerechnet, daß der Hof Friedrichs I. ein Sammelpunkt der Minnesänger war. Dafür kann man geltend machen, daß Friedrich von Hausen, der als einer der ersten im romanischen Stil gedichtet hat, seit 1186/87 zu den engsten Vertrauten und Ratgebern des Kaisers gehörte. Er hat den Kaiser 1189 auf den Kreuzzug begleitet und ist unterwegs gestorben, nur wenige Wochen vor dem Tod Friedrichs I. Die Kreuzzugsthematik nimmt in Hausens Lyrik breiten Raum ein; das bedeutet wohl, daß diese Lieder erst in den letzten Jahren seines Lebens entstanden sind. Der Ruf nach einem neuen Kreuzzug ist zwar nach dem gescheiterten Unternehmen von 1147 bis 1149 nicht mehr verstummt; aber erst die Eroberung Jerusalems durch Saladin im Jahr 1187 hat die Kreuzzugsbewegung im Westen neu entflammt. Hausens Lieder hatten einen großen Einfluß auf die Lyrik einer ganzen Gruppe von Dichtern, die man als Hausen-Schule bezeichnet. Dazu gehörten Ulrich von Gutenburg, Heinrich von Rugge, Bligger von Steinach und Bernger von Horheim, die alle in der einen oder anderen Weise mit Mitgliedern des staufischen Herrscherhauses in Verbindung standen. Es ist möglich, daß der Hof Friedrichs I. der gesellschaftliche Bezugspunkt des ganzen Dichterkreises war. Die urkundlichen Zeugnisse weisen jedoch fast alle nach Italien. An den norditalienischen Höfen blühte damals die provenzalische Lyrik, und dort konnten die deutschen Dichter ihre provenzalischen Vorbilder kennenlernen.

Noch mehr Gewicht besitzt die Tatsache, daß kein höfisches Epos mit dem staufischen Hof in unmittelbaren Zusammenhang gebracht werden kann. Nur einmal ist der Name Kaiser Friedrichs I. zu seinen Lebzeiten von einem deutschen Epiker genannt worden, von Heinrich von Veldeke, der im letzten Teil der ›Eneit‹ das Mainzer Hoffest von 1184 erwähnt und im Anschluß daran den Ruhm des Kaisers gefeiert hat (vgl. S. 280). Man nimmt an, daß Veldeke 1184 in Mainz war; in welcher Funktion und in wessen Gefolge, ist unbekannt. Der Landgraf von Thüringen, Ludwig III., war mit zahlreicher Ritterschaft nach Mainz gekommen. Wahrscheinlich arbeitete Veldeke 1184 bereits im Auftrag der Thüringer Fürsten an der Vollendung seines Werks. Ein literarisches Verhältnis zum Kaiserhof ist bei dieser Sachlage unwahrscheinlich.

Unter Kaiser Heinrich VI. (1190–1197) hat sich der Stil der lateinischen Hofliteratur kaum verändert. Gottfried von Viterbo und Petrus de Ebulo haben ihm ihre Werke gewidmet. Von dem ›Buch zu Ehren des Kaisers‹ (Liber ad honorem augusti) des süditalienischen Geistlichen Petrus de Ebulo, das in der Hauptsache die Kämpfe Heinrichs VI. um das sizilianische Erbe seiner Gemahlin Konstanze verherrlichte, ist eine reich bebilderte Handschrift erhalten, wahrscheinlich das Widmungsexemplar (Bern, Burgerbibl. Cod. 120). Die Dichtung ist in 51 Abschnitte eingeteilt, und jeder Abschnitt ist mit einem ganzseitigen kolorierten Bild geschmückt. Die künstlerische Qualität der Bilder ist nicht überragend; sie geben jedoch einen sehr interessanten Einblick in viele Einzelheiten des Hoflebens. Auch in diesem Fall hat die Hofkapelle mehr als der Kaiser selbst die literarische Produktion bestimmt. Der Auftrag zur Abfassung des Werkes ist von Konrad von Querfurt († 1202), dem Reichskanzler Heinrichs VI., ausgegangen. Das Widmungsbild der Berner Handschrift (fol. 139^r) zeigt den geistlichen Dichter, auf den Stufen des Kaiserthrons kniend, von Konrad von Querfurt dem Herrscher zugeführt, bei der Übergabe seines Werks.

Petrus de Ebulo berichtete, daß Heinrich VI. seinen Palas mit einem großen Zyklus gemalter Wandbilder schmücken ließ. In fünf Räumen waren Szenen aus dem Alten Testament dargestellt, von der Schöpfung bis zur Geschichte Davids. Der sechste Raum war einem zeitgeschichtlichen Thema vorbehalten:

dem Kreuzzug und Tod Kaiser Friedrichs I. »Im sechsten Gemach ist Friedrich in frommem Gewand dargestellt, die greise
Gestalt umgeben von den kaiserlichen Nachkommen. Hier war
Friedrich gemalt, wie er, inmitten von Tausenden, frohgemut
und zuversichtlich aufbrach, voll Verlangen, für Christus zu
kämpfen. Hier war ein uralter Hain gemalt, in dem zahlreiche
Eichen standen, ein Wald, durch den nur mit dem Schwert ein
Weg zu bahnen war. Gegen den ganzen Wald wütet das Eisen,
legt ihn völlig in Asche und schafft einen Weg, wo vorher kein
Durchkommen war. Hier waren deine erheuchelten Gelöbnisse
gemalt, treuloser Ungar, und wie Friedrich dir zum Trotz die
Reise fortsetzt.«[8] Mehrere Bilder waren der Belagerung und
Eroberung von Konstantinopel gewidmet. »Nachdem sie sich
aber an den Schätzen und dem Gold Ikonions gesättigt haben,
ziehen sie weiter; sie wollen keine Ruhe. O Jammer, bei Tarsus
schlagen sie an einem Fluß die Zelte auf, und dort teilt Friedrich
schwimmend die brausenden Wogen. Er gerät in gefährliche
Wasser, wird fortgerissen von den Wellen und verliert sein Leben. Jetzt dient er vor Gott und lebt in Ewigkeit, Friedrich, der
niemals eine Lanze gesenkt hat, ohne daß ihre Spitze traf.«[9] In
der Berner Handschrift gibt es dazu eine Bildseite, auf der die
Gemälde im Kaisersaal nach der Beschreibung des Textes abgebildet sind (vgl. Abb. 36). Oben, nach Zimmern geordnet: »Erstes Zimmer: Gott erschafft alles. Zweites Zimmer: Arche Noah. Drittes Zimmer: Abraham. Viertes Zimmer: Moses, Das
Rote Meer. Fünftes Zimmer: König David.«[10] Die mittlere und
die untere Bildleiste stellen die Gemälde des sechsten Zimmers
dar. In der Mitte thront Kaiser Friedrich und segnet seine beiden Söhne Heinrich und Philipp. Die Inschrift dazu lautet:
»Sechstes Reichszimmer: Kaiser Friedrich. Heinrich. Philipp.«

[8] Sexta Fredericum divo depingit amictu, Cesarea septum prole senile latus.
Hic Fredericus ovans, in milibus undique fretus Fervidus in Christo miles iturus
erat. Hic erat annosum multa nemus ylice septum, Non nisi per gladios silva
datura vias. In nemus omne furit ferrum, nemus omne favillat, Fit via, quod
dudum parte negabat iter. Hic erat, infide, tua fallax, Ungare, dextra, Qualiter
invito te Fredericus abit (Liber ad honorem augusti 1581–90)
[9] At postquam Conii spoliis saturantur et auro, Castra movent; nec eis cura
quietis erat. Proh dolor, ad flumen ponunt temtoria Tharsis, Quo lacerat tumidas
nans Fredericus aquas. Suspectas invenit aquas, qui raptus ab undis Exuit humanum, servit et ante deum, Vivit in eternum Fredericus, lancea cuius Nunquam
fraudato cuspide versa fuit (1598–605)
[10] Prima domus – Deus creans omnia. Secunda domus – Archa Noè. Tercia
domus – Habraham. Quarta domus – Moyses – Mare rubrum. Quinta domus –
David rex (Tafel 49)

Abb. 36 Die Gemälde im Kaiserpalast Heinrichs VI. Oben: die Gemälde in den Zimmern 1–5 (Die Erschaffung der Welt, Die Arche Noah, Abraham, Moses, König David). Mitte und unten: die Gemälde im 6. Zimmer (Kaiser Friedrich und seine Söhne Heinrich und Philipp; Kaiser Friedrich mit seinem Heer auf dem Weg ins hl. Land). Aus der Berner Handschrift des ›Liber ad honorem Augusti‹ von Petrus de Ebulo (Burgerbibliothek, 120). Ende des 12. Jahrhunderts.

Das untere Bild zeigt den Kaiser auf dem Weg ins heilige Land. »Kaiser Friedrich gibt den Befehl, den ungarischen Wald zu fällen.«[11] Man sieht den Kaiser an der Spitze des Heeres; davor zwei Soldaten, die Bäume schlagen.

Anders als sein Vater Friedrich I. war Heinrich VI. ein gebildeter Mann, »ausgezeichnet durch die Gaben einer wissenschaftlichen Erziehung und bekränzt von den Blumen der Beredsamkeit und gelehrt in kirchlichem Recht wie in den (römischen) Gesetzen kaiserlicher Hoheit«[12]. In der Widmungsvorrede seines ›Königsspiegels‹ hat Gottfried von Viterbo der Bildung seines königlichen Zöglings das höchste Lob gezollt: »Die wissenschaftliche Erziehung, in der ich deine Hoheit, Heinrich, glücklichster aller Könige, gebildet sehe, verleiht mir bei meiner

[11] Sexta domus imperii – Fredericus Imperator – Henricus – Philippus. Fredericus Imperator iubet incidi nemus Ungarie (ebd.)

[12] dotibus insignitus scientie litteralis et floribus eloquentie redimitus et eruditus apostolicis institutis et legibus imperatorie maiestatis (Alberich v. Troisfontaines, Chronica, S. 858)

Arbeit über die Geschlechterfolgen der Kaiser große Zuversicht. Ich freue mich, einen philosophierenden König zu haben, dessen Majestät sich seine Kenntnisse in Staatsangelegenheiten nicht von anderen zu erbetteln braucht.«[13] Es ist bezeugt, daß Heinrich VI. mit dem großen Propheten seiner Zeit, dem Abt Joachim von Fiore († 1202) in Verbindung stand und ihn mit einer Auslegung der Prophezeihungen Merlins und der sibyllinischen Schriften beauftragte: »Deine Hoheit befiehlt, den britischen Propheten Merlin und die Babylonische Sibylle zu interpretieren.«[14] Die Prophezeihungen des alten keltischen Sängers Merlin, die in enger Beziehung zum Stoffkreis um König Artus standen, waren im 12. Jahrhundert durch Geoffrey von Monmouth bekannt geworden.

Für die deutsche Literaturgeschichte ist vor allem wichtig, daß Heinrich VI. selber als Dichter hervorgetreten ist. Die Lieder, die in der Weingartner Liederhandschrift und in der Großen Heidelberger Liederhandschrift unter dem Namen »Keiser Heinrich« stehen, sind nach heute herrschender Ansicht von ihm verfaßt. Dafür gibt es zwar keinen eigentlichen Beweis; aber die Zweifel, die früher an seiner Autorschaft erhoben wurden, besaßen ebensowenig durchschlagende Kraft. Wenn Heinrich VI. der Verfasser war, kann man sich die Lieder am besten in den Jahren nach 1186 entstanden denken. Nach seiner Hochzeit mit Konstanze von Sizilien († 1198) und seiner Krönung zum König von Italien hat sich der junge Heinrich – er war damals 21 Jahre alt – längere Zeit in Italien aufgehalten, und in seiner Umgebung befanden sich die Minnesänger Friedrich von Hausen und Ulrich von Gutenburg, die beide 1186 in italienischen Urkunden bezeugt sind. Heinrich VI. hatte in dieser Zeit lebhaften Kontakt mit den norditalienischen Fürsten und Herren, an deren Höfen damals der provenzalische Minnesang eine Heimstätte gefunden hatte.

Aus der Zeit seiner Kaiserherrschaft gibt es keine deutschsprachigen Gönnerzeugnisse. Unklar ist, welche Rolle der Hof Heinrichs VI. bei der Abfassung des ersten deutschen Lancelot-

---

[13] Scientia literarum, o Henrice omnium regum felicissime, qua tuam eminentiam video eruditam, scribenti michi de imperiali prosapia multam prebet audaciam ... Gaudeo me regem habere philosophantem, cuius maiestatem non oporteat in causis rei publice scientiam ab aliis mendicare (Speculum regum, S. 21)

[14] Interpretari tua serenitas imperat Merlinum vatem Britannicum et Erytheam Babylonicam prophetissam (Waitz, S. 512)

epos von Ulrich von Zatzikhoven gespielt hat. Die französische Vorlage dafür stammte aus dem Besitz eines englischen Hochadligen, der 1194 als eine der Geiseln für Richard Löwenherz nach Deutschland gekommen war. »Die befahl Kaiser Heinrich zu sich nach Deutschland, denn er wollte es so. Hugo von Morville hieß eine dieser Geiseln, in dessen Besitz sich das französische Buch von Lancelot befand, als wir es kennenlernten.«[15] Offensichtlich hatte der normannische Herr sich französische Lektüre mitgebracht, um sich die Zeit der Geiselhaft in Deutschland zu verkürzen. Es ist recht wahrscheinlich, daß Ulrich von Zatzikhoven seine Vorlage am Hof des Kaisers erhielt. Ob jedoch der Kaiser oder sein Hof an der Verdeutschung der französischen Dichtung interessiert waren, ist unbekannt. Einen Gönner oder Auftraggeber hat Ulrich von Zatzikhoven nicht genannt.

Aus der Zeit des Bürgerkriegs zwischen Staufern und Welfen nach der Doppelwahl von 1198 ist von literarischen Aktivitäten des Kaiserhofs nicht viel bekannt. Der Staufer Philipp von Schwaben (1198–1208), der jüngere Bruder Heinrichs VI., war geistlich erzogen worden und hatte bereits hohe kirchliche Würdenstellungen bekleidet, bevor er, auf Wunsch seines Bruders, in den weltlichen Stand zurückgetreten war. Der Welfe Otto IV. (1198–1218) scheint dagegen ungebildet gewesen zu sein. Beide sind von Walther von der Vogelweide besungen worden. Daß Walther 1198 am Hof Philipps von Schwaben war, ist durch ihn selbst bezeugt: »Ich habe einen guten Platz am Feuer gefunden: das Reich und der König haben mich bei sich aufgenommen.«[16] Dort wird er die drei Strophen im Reichston (8,4. 8,28. 9,16) und den Spruch auf die alte Krone und den jungen König gedichtet haben. Wie lange Walther im Dienst des Stauferkönigs gestanden hat, ist nicht sicher. Der Spruch 19,5 auf die feierliche Prozession des Königspaares in Magdeburg am Weihnachtstag des Jahres 1199 (vgl. S. 298) scheint bereits eher die politischen Interessen des Landgrafen Hermann von Thüringen als die des Königshofs zu spiegeln. – Noch geringer sind die Anhaltspunkte für eine Verbindung zum Hof Ottos IV. Die feierliche Begrüßung des Kaisers bei

---

[15] di bevalch ab keiser Heinrich in tiutschiu lant umbe sich, als im riet sîn wille. Hûc von Morville hiez der selben gîsel ein, in des gewalt uns vor erschein daz welsche buoch von Lanzelete (U. v. Zatzikhoven 9335–41)

[16] ich bin wol ze fiure komen, mich hât daz rîche und ouch diu krône an sich genomen (19, 35–36)

seiner Rückkehr aus Italien: »Herr Kaiser, seid willkommen!«[17], ist vielleicht auf dem Frankfurter Hoftag im Frühling 1212 von Walther vorgetragen worden; Anspielungen auf die politische Situation in dieser Strophe lassen jedoch vermuten, daß Walther von der Vogelweide zu dieser Zeit im Dienst des Markgrafen Dietrich von Meißen (✝ 1221) stand.

Auch Kaiser Friedrich II. (1215–1250) ist von deutschen Spruchdichtern besungen worden, von Walther von der Vogelweide, von Reinmar von Zweter, vielleicht auch von Bruder Wernher. Unter Friedrich II. ist der Kaiserhof ein Zentrum der Wissenschaften und Künste gewesen, und der Kaiser selber hat, als Verfasser des lateinischen Jagdbuchs ›Über die Kunst, mit Vögeln zu jagen‹ (De arte venandi cum avibus) und als Dichter volkssprachlicher italienischer Lieder, einen bestimmenden Einfluß auf den Literatur- und Kunstbetrieb seines Hofes ausgeübt. Das gehört jedoch nicht in den Rahmen einer deutschen Literaturgeschichte; denn das Zentrum seiner Herrschaft lag in Italien, und nach seiner Kaiserkrönung 1220 hat Friedrich II. Deutschland nur noch selten besucht. Dagegen haben seine Söhne Heinrich (VII.) und Konrad IV., die seit 1220 beziehungsweise seit 1237 im Namen ihres Vaters in Deutschland die Regierung führten, die höfische Dichtung gefördert. Zwischen 1230 und 1250 war ihr Hof der Mittelpunkt eines ganzen Kreises von lyrischen und epischen Dichtern. Rudolf von Ems und Ulrich von Türheim haben dort den Auftrag zur Abfassung verschiedener Epen erhalten, und die Minnesänger Gottfried von Neifen, Burkhart von Hohenfels, Ulrich von Winterstetten, Hiltbold von Schwangau, vielleicht auch der Schenke von Limburg, gehörten wahrscheinlich zur adligen Gesellschaft am staufischen Hof. Der persönliche Anteil der beiden Könige an dieser Literatur bleibt jedoch weitgehend unklar. Heinrich (VII.) war erst neun Jahre alt, als er 1220 formell die Regierung übernahm, und genauso alt war sein Halbbruder Konrad IV. im Jahr 1237. Wir kennen den Kreis der Ratgeber, die die Richtung der Politik bestimmten und die faktisch die Regierungsgewalt ausgeübt haben. Sie waren es auch, von denen die literarischen Bestrebungen des Hofs getragen wurden, allen voran der Reichsschenke Konrad von Winterstetten, der sowohl von Rudolf von Ems als auch von Ulrich von Türheim als Auftraggeber genannt wurde. Später, wahrscheinlich nach dem Tod

---

[17] Hêr keiser, sît ir willekomen (11,30)

Friedrichs II., ist Konrad IV. (1250–1254) auch selbständig als Gönner hervorgetreten. In seinem Auftrag hat Rudolf von Ems seine Weltchronik verfaßt. »Das ist der König Konrad, der Sohn des Kaisers, der mir befohlen und mich gnädig beauftragt hat, für ihn dieses Werk zu dichten.«[18] Konrad IV. ist jedoch schon vier Jahre nach seinem Vater gestorben, und Rudolfs Weltchronik blieb Fragment.

Die Könige aus der Zeit des Interregnums haben für die deutsche Literaturgeschichte keine Rolle gespielt. Auch Rudolf von Habsburg (1273–1291) war allem Anschein nach kein Freund der Dichter. Die Spruchdichter haben seine Knausrigkeit verspottet, und von epischer Dichtung an seinem Hof ist nichts bekannt. Erst im 14. Jahrhundert, unter Ludwig dem Bayern (1314–1347) und Karl IV. (1346–1378), ist der Kaiserhof wieder zu einem bedeutenden Zentrum der Literatur geworden.

b. Das Mäzenatentum der Fürsten

Das Literaturinteresse der Fürsten

Der Literaturbetrieb der höfischen Zeit erhielt seine entscheidenden Akzente dadurch, daß seit der zweiten Hälfte des 12. Jahrhunderts die weltlichen Fürsten als Gönner und Auftraggeber in Erscheinung traten. Ihre neue Rolle als Förderer der Literatur muß im historischen Zusammenhang damit gesehen werden, daß die Fürsten in dieser Zeit im Anschluß an königliche Repräsentationsformen einen eigenen Herrschaftsstil entwickelt haben. Wie in der Organisation ihrer Hofverwaltung, im Bau ihrer Pfalzen, in ihren Münzprägungen und in ihrem Urkundenstil sind die Fürsten auch in der Förderung von Wissenschaft und Kunst dem Vorbild der Könige gefolgt.

Das literarische Mäzenatentum der Fürsten besaß jedoch von Anfang an einen eigenen Charakter. Das zeigte sich darin, daß ihre Literaturförderung die volkssprachliche Dichtung in den Mittelpunkt rückte, und außerdem in dem ungleich größeren persönlichen Engagement der Auftraggeber. Der erste Punkt hing zweifellos mit den Bildungsverhältnissen zusammen. Während der Literaturbetrieb des Kaiserhofs in der höfischen

---

[18] Das ist der künig Chûnrat, des keisirs kint, der mir hat geboten und des bete mich gerûchte biten des das ich durh in dú mere tihte (21663–67)

Zeit weitgehend lateinisch blieb, blühte an den Höfen der weltlichen Fürsten die höfische Dichtung in der Volkssprache. Auch nach der Einrichtung eigener Kanzleien war offenbar die Zahl von Lateinkennern so klein, daß lateinisch schreibende Autoren dort nicht genügend Resonanz fanden. Das unterschied die deutschen Höfe von denen der französischen Fürsten, deren Mäzenatentum sich in demselben Umfang auf lateinische Literatur erstreckte wie auf volkssprachliche.

Während die Literaturförderung am Kaiserhof weitgehend in den Händen der Hofkapelle lag, haben die weltlichen Fürsten offenbar auch persönlich Einfluß auf den Literaturbetrieb an ihren Höfen genommen. Ein sprechendes Zeugnis dafür ist der ›Eneit‹-Epilog mit den Angaben zur Entstehungsgeschichte des Werks. Wir wissen nicht, in wessen Auftrag Heinrich von Veldeke die Übertragung des französischen ›Roman d'Eneas‹ begonnen hatte. Sicher ist, daß die Gräfin von Kleve sich für die Dichtung interessierte, bevor sie vollendet war. Im Epilog wurde gesagt, daß Veldeke das unfertige Manuskript der Gräfin »zum Lesen und zum Anschauen«[19] übergeben habe. Das war anläßlich ihrer Hochzeit mit dem Landgrafen Ludwig III. von Thüringen († 1190), die um das Jahr 1175 stattgefunden hat. Bei dieser Gelegenheit wurde die Handschrift, die die Gräfin Margarete einer Hofdame anvertraut hatte, von dem Grafen Heinrich gestohlen. »Deswegen wurde die Gräfin zornig auf den Grafen Heinrich, der das Buch wegnahm und es von dort in seine Heimat nach Thüringen schickte.«[20] Meistens nimmt man an, daß es sich bei dem Dieb um den Grafen Heinrich Raspe III. († 1180), einen jüngeren Bruder des Landgrafen Ludwig III., handelte. Mehrere Handschriften haben an dieser Stelle jedoch den Namen Heinrich von Schwarzburg (*heinrich von swartzburg* HE, *von swartzburg greve heynrich* G). Die Schwarzburger waren ein bedeutendes Thüringer Grafenhaus. In Frage käme Graf Heinrich I. († 1184), der durch seine Fehden mit den Ludowinger Landgrafen bekannt geworden ist. Im einen wie im anderen Fall muß ein ungewöhnliches persönliches Interesse an der modernen höfischen Epik den Grafen Heinrich zu der Gewalttat bewogen haben. Erst neun Jahre später tauchte Veldekes Handschrift in Thüringen wieder auf; und jetzt waren es der

---

[19] ze lesene und ze schouwen (352,36)
[20] des wart diu grâvinne gram dem grâven Heinrîch, der ez nam unde ez dannen sande ze Doringen heim ze lande (353,7–10)

Pfalzgraf Hermann (der spätere Landgraf Hermann I., † 1217) und der Graf Friedrich von Ziegenhain († nach 1213), zwei weitere Brüder des Landgrafen Ludwig III., die den Dichter veranlaßten, nach Thüringen zu kommen, »wo er den Pfalzgrafen von Sachsen fand, der ihm das Buch übergab und ihm auftrug, es zu vollenden«[21]. Offensichtlich war es dem persönlichen Einsatz der Thüringer Fürsten zu danken, daß Veldekes Dichtung schließlich einen glücklichen Abschluß fand. Das Interesse der Fürsten und Herren an der neuen Literatur wird auch durch die Tatsache belegt, daß mehrere von ihnen nicht nur als Besteller fungiert haben, sondern selber als Dichter hervorgetreten sind. Die Minnesänger des 12. und 13. Jahrhunderts gehörten zu einem nicht unbeträchtlichen Prozentsatz dem Hochadel an. Was die höfische Dichtung für die großen Herren so anziehend gemacht hat, kann man sich denken. Die Darstellung der modernen französischen Gesellschaftskultur in den Epen, die nach französischen Vorlagen gearbeitet waren, besaß offensichtlich für das adlige Publikum in Deutschland ein hohes Maß an Aktualität; und in den neuen Idealen von Ritterschaft und Liebe fand man eine Idee adliger Vollkommenheit ausgesprochen, der man in den festlichen Stunden höfischer Geselligkeit nachzueifern begann.

Die Berufung des Dichters an den Fürstenhof war in der Regel der erste Schritt zur Begründung eines literarischen Auftragsverhältnisses. Ulrich von Etzenbach hat am Ende seines ›Alexander‹ mitgeteilt, daß ihm die literarische Vorlage zu dem Werk von zwei adligen Herren im Auftrag des Erzbischofs Friedrich II. von Salzburg († 1284) überbracht worden sei. Verbunden war damit eine Einladung an den Salzburger Hof. »Durch sie bot er mir seine Unterstützung an und lud mich dringend zu sich ein.«[22] Der Dichter konnte es sich erlauben, dieses Angebot abzulehnen, weil er am Prager Hof König Wenzels II. von Böhmen († 1305) eine feste Stellung besaß. »Damals wollte ich nicht weg von dem [böhmischen] Löwen, in dessen Land ich geboren bin. Und noch jetzt würde ich nicht gerne fort, was mir auch geschieht. Nächst Gott habe ich ihn mir zum Herrn erkoren.«[23] Wie die materielle Unterstützung der Dich-

---

[21] dâ her den phalinzgrâven vant von Sassen, der im daz bûch liez unde ez in volmachen hiez (353, 18–20)

[22] bî den bôt er mir sîn guot, vast er mich ze lande luot (27623-24)

[23] dô woldich von dem lewen niht, und noch ungern, waz mir geschiht: in des lande ich ich bin geborn, nâch gote ze hêrren habe ich in erkorn (27625–28)

ter am Hof organisiert war, entzieht sich unserer Kenntnis. Während die fahrenden Spruchdichter auf das angewiesen waren, was der einzelne Auftritt ihnen einbrachte, wird es für die Epiker, die jahrelang an einem Projekt arbeiteten, an dessen Vollendung auch der fürstliche Auftraggeber interessiert sein mußte, eine gewisse Absicherung ihres Lebensunterhalts durch regelmäßige Zuwendungen und eine längerfristige Bereitstellung der benötigten Arbeitsmittel gegeben haben.

Die Beschaffung der literarischen Vorlagen wird meistens dem Auftraggeber zugefallen sein, weil es für die Autoren schon aus finanziellen Gründen kaum möglich gewesen sein dürfte, in den Besitz einer Handschrift zu gelangen, die den gewünschten Text enthielt. Wolfram von Eschenbach bezeugte im Prolog zum ›Willehalm‹, daß ihm der Stoff durch seinen Gönner vermittelt wurde: »Landgraf Hermann von Thüringen hat mich mit seiner [Willehalms] Geschichte bekannt gemacht.«[24] Wo es um die Bearbeitung einer französischen Dichtung ging, mußte zunächst eine Handschrift des entsprechenden Werks aus Frankreich besorgt werden. Es ist mehrfach bezeugt, daß dies von den fürstlichen Auftraggebern organisiert wurde. Herbort von Fritzlar berichtete, daß er seinen ›Trojanerkrieg‹ auf Veranlassung Hermanns von Thüringen gedichtet habe. »Das befahl der Fürst Hermann, der Landgraf von Thüringen. Die Vorlage hatte ihm der Graf von Leiningen hergeschickt.«[25] Die Grafen von Leiningen saßen in der linksrheinischen Pfalz (ihre Stammburg stand bei Dürkheim), nicht weit von der französischen Sprachgrenze. Dort konnte man sicherlich leichter eine Handschrift des ›Roman de Troie‹ von Benoît de Sainte-Maure, Herborts Quelle, besorgen, als von Thüringen aus. Der Vermittler ist wahrscheinlich Graf Friedrich I. von Leiningen († 1220) gewesen, dessen enge persönliche Verbindungen mit dem Thüringer Landgrafenhaus auch historisch bezeugt sind. Er war vielleicht auch der Verfasser des Minneliedes, das die Große Heidelberger Liederhandschrift unter dem Namen »Graue Friderich von Liningen« überliefert. In einem anderen Fall hat ein adliger Herr die französische Handschrift von einer Reise nach Frankreich mitgebracht. Rudolf von Ems berichtete im ›Wilhelm von Orlens‹: »Diese Erzählung wurde durch einen höfischen, vornehmen Mann von Frankreich nach

[24] lantgrâf von Dürngen Herman tet mir diz maer von im bekant (3,8–9)
[25] Daz hiz der furste herman Der Lantgraue von duringe lât Diz buch hat im hergesant Der graue von Liningē (92–95)

Deutschland geschickt, durch Johannes von Ravensburg. Aus französischen Büchern sind ihm die Taten des Helden bekannt geworden. Alsbald hat er sie mit nach Deutschland gebracht, wie er sie schriftlich vorfand.«[26] Manchmal hat auch der Zufall eine Rolle gespielt. So hätte der ›Lanzelet‹ von Ulrich von Zatzikhoven nicht gedichtet werden können, wenn nicht der englische Herr Hugo von Morville, als er 1194 als Geisel für Richard Löwenherz nach Deutschland kam, »das französische Buch von Lanzelot«[27] mitgebracht hätte. Man kann damit rechnen, daß die französischen Vorlagen nur ausgeliehen und wieder zurückgegeben wurden. Von den gar nicht so wenigen französischen Handschriften, die damals in Deutschland kursiert haben müssen, hat sich keine Spur erhalten.

Durch die Quellenbeschaffung haben die fürstlichen Gönner zugleich Einfluß auf die Stoffwahl genommen. Für die moderne Interpretationsforschung, für die die Affinität zwischen dem Autor und dem Stoff eine wichtige Rolle spielt, scheint es ein fast unerträglicher Gedanke zu sein, daß Wolfram von Eschenbach mit der Bearbeitung des ›Tristan‹ hätte beauftragt werden können und daß Gottfried von Straßburg einen ›Parzival‹ hätte dichten sollen. Daß die Stoffwahl der inneren Disposition der Autoren entsprach, glaubte man bei Hartmann von Aue festmachen zu können. Die Aussagen des ›Gregorius‹- Prologs, daß der Dichter es als eine Jugendtorheit bedauerte, bisher »der Welt zu Gefallen«[28] gedichtet zu haben, und daß er sich nun, im Bewußtsein seiner Sündhaftigkeit, einem religiösen Thema zuwenden wollte, werden bis heute autobiographisch interpretiert und meistens mit dem Tod von Hartmanns Lehns- oder Dienstherrn, der auch in Hartmanns Lyrik seine Spuren hinterlassen hat (MF 206,14), in einen ursächlichen Zusammenhang gebracht. Dabei wird nicht genügend beachtet, daß die Abkehr von weltlicher Literatur ein oft verwendeter Topos der religiösen Dichtung war, der sicher nur in wenigen Fällen biographische Relevanz besaß. Meistens werden die Interessen der Auftraggeber den Ausschlag gegeben haben. Rudolf von Ems hat die Legende von ›Barlaam und Josaphat‹ im Auftrag des Abts

[26] Von Francriche in thiusche lant Wurden disiu mare gesant Bi ainem hoveschen werden man ... Van Ravenspurg Johannes. Diu getat des werden mannes Wart im an walschen bûchen kunt, Und brahte si do sa ze stunt Mit im her in thiusche lant, Alse er si geschriben vant (15601-03. 07–12)

[27] daz welsche buoch von Lanzelete (U. v. Zatzikhoven 9341)

[28] nâch der werlde lône (4)

und des Konvents des Zisterzienserklosters Kappel (bei Zürich) verfaßt, während er für seine weltlichen Epen weltliche Auftraggeber besaß. Allerdings sind religiöse Werke nicht nur für Gönner geistlichen Standes gedichtet worden. Konrad von Würzburg hat seine Pantaleonslegende im Auftrag des Basler Bürgers Johannes von Arguel (urkundl. bis 1311) gedichtet, seine weltliche Erzählung ›Heinrich von Kempten‹ dagegen auf Bestellung des Straßburger Dompropstes Berthold von Tiersberg († 1277). Entscheidend war in jedem Fall der Wunsch des Auftraggebers.

Wie sehr die Stoffwahl von den persönlichen Interessen der fürstlichen Mäzene geprägt war, ist besonders deutlich da, wo mehrere Werke im Auftrag ein und desselben Auftraggebers entstanden sind. Landgraf Hermann von Thüringen hat Heinrich von Veldeke den Abschluß der ›Eneit‹ ermöglicht; er hat Herbort von Fritzlar mit der Bearbeitung des ›Trojanerkriegs‹ beauftragt; und er hat Wolfram von Eschenbach die Vorlage zum ›Willehalm‹ vermittelt. In allen drei Fällen handelt es sich um historische Stoffe, aus der Antike (›Trojanerkrieg‹, ›Eneit‹) und aus der Karolingerzeit (›Willehalm‹). Auffällig ist die Aussparung der damals modernen Artusepik. Offenbar fand Hermann I. mehr Gefallen an historischen Stoffen, die nach der Auffassung der Zeit einen höheren Wahrheits- und Weisheitsgehalt besaßen als die märchenhaften keltischen Erzählungen von König Artus und den Rittern der Tafelrunde. In ähnlicher Weise dürfte die poetische Verwandtschaft zwischen Neidhart und Tannhäuser nicht nur in dem persönlichen Verhältnis der beiden Dichter ihren Grund gehabt haben, sondern auch in der Vorliebe ihres gemeinsamen Gönners, des Herzogs Friedrich II. von Österreich († 1246), für die neuen Formen und Themen der höfischen Tanzlyrik, an deren Aufführung er selber, wie beide Dichter bezeugen, als Vorsänger beteiligt war.

Die fürstlichen Auftraggeber haben manchmal auch auf die literarische Ausführung Einfluß genommen. In der Reimvorrede zum ›Lucidarius‹ wird berichtet, daß Heinrich der Löwe gegen die Meinung seiner Kapläne, die mit der Abfassung beauftragt waren, durchgesetzt habe, daß das Werk in Prosa abgefaßt wurde. »[Der Herzog] befahl ihnen, daß sie es ohne Verse dichten sollten. Es hätte nicht an dem Meister gelegen: er hätte es in Verse gebracht, wenn man es von ihm verlangt hätte.«[29] In

---

[29] und bat sie daz sie ez dihten ane rimen wolden . . . ez enwere an dem meister niht beleben, er het ez gerimet ab er solde (Lucidarius-Vorrede 14–15. 24–25)

einem anderen Punkt, der Titelfrage, konnte sich dagegen der Meister gegen den Herzog durchsetzen: »Der Herzog wollte, daß man das Werk ›Aurea gemma‹ betitele; den Meister dünkte es jedoch besser, daß es ›Lucidarius‹ betitelt würde.«[30] Es ist zu vermuten, daß solche Eingriffe von seiten der Auftraggeber häufiger vorgekommen sind als die unmittelbaren Zeugnisse erkennen lassen. Reinbot von Durne hat seinen ›Heiligen Georg‹ im Auftrag des bayerischen Herzogs Otto II. († 1253) und seiner Gemahlin Agnes († 1267) verfaßt. Im Prolog entschuldigte er sich für die anspruchslose poetische Form seines Werks mit dem Hinweis, daß die Herzogin ihm einen reicheren rhetorischen Schmuck untersagt habe: »Ich besitze nicht so wenig Kunstverstand, daß ich es nicht weit besser hätte ausdichten und schmücken und ganz mit Lügen durchzieren können. Aber das hat mir die Herzogin von Bayern, der ich untertänig ergeben bin, strikt verboten.«[31]

Die großen Fürstenhäuser als Förderer der Literatur

Eine Chronologie des fürstlichen Mäzenatentums muß mit den Welfen beginnen, mit Heinrich dem Löwen († 1195) und seinem Onkel Welf VI. († 1191), dessen Hof in Altdorf-Weingarten in den siebziger und achtziger Jahren des 12. Jahrhunderts ein Mittelpunkt adliger Geselligkeit war. Von der legendären Freigebigkeit des Herzogs haben später die Dichter gesungen: »Der freigebige Welf«[32] ist von Walther von der Vogelweide den Fürsten der nächsten Generation als Vorbild gepriesen worden, und noch in der zweiten Hälfte des 13. Jahrhunderts wurde »Welf von Schwaben«[33] von Tannhäuser unter den großen Gönnern der Vergangenheit genannt. Sicheren Boden der Gönnergeschichte betreten wir mit dem Welfenhof in Regensburg, wo um 1170 im Auftrag Heinrichs des Löwen das deutsche ›Rolandslied‹ entstand. Heute kann es als sicher gelten, daß der im Epilog des ›Rolandslieds‹ genannte Herzog Heinrich (»Nun wünschen wir alle zusammen dem Herzog Heinrich, daß Gott

---

[30] Der herzoge wolde daz man ez hieze da ›Aurea gemma‹, dô duhte ez dem meister bezzer sus daz ez hieze ›Lucidarius‹ (26–30)

[31] ich enbin der witze niht sô laz ich enkünne ez doch verre baz tihten unde zieren, mit lügen florieren beide her unde dar: nû hât ez mir verboten gar von Beiern diu herzogin, der ich underhoeric bin (49–56)

[32] der milte Welf (35,4)

[33] Welf von Swaben (Gedichte VI,39)

ihn belohnen möge«[34]), Heinrich der Löwe war und nicht sein Vater Heinrich der Stolze († 1139), an den man früher gedacht hat. Es kann kein Zufall sein, daß die Welfenherzöge zuerst als fürstliche Gönner bezeugt sind: bis zum Verkauf ihres süddeutschen Hausbesitzes an Kaiser Friedrich I. (1179) und bis zum Sturz Heinrichs des Löwen im Jahr 1180 haben sie an Macht und Ansehen den ersten Platz unter den deutschen Fürsten eingenommen. Schon ein bis zwei Jahrzehnte vor dem ›Rolandslied‹ war in Regensburg die deutsche ›Kaiserchronik‹ entstanden, die in ihrem Schlußteil, wo von den Ereignissen der Gegenwart die Rede war, ausführlich von den Taten Heinrichs des Stolzen berichtete. Das deutet darauf, daß der Verfasser der ›Kaiserchronik‹ dem bayerischen Welfenhof nahestand oder von dort gefördert wurde. Angesichts der wechselvollen Geschichte Regensburgs in der Mitte des 12. Jahrhunderts und da kein Auftraggeber genannt ist, bleibt jedoch die Zuordnung unsicher. Das gilt erst recht für eine Reihe weiterer Epen aus der Zeit zwischen 1150 und 1180 – Lamprechts ›Alexander‹, ›König Rother‹, ›Herzog Ernst‹ –, die für ein bayerisches Adelspublikum gedichtet worden sind oder jedenfalls früh in Bayern bekannt waren, die aber alle keine Gönnernachrichten enthalten. Am sächsischen Hof Heinrichs des Löwen, in Braunschweig, ist der ›Lucidarius‹ entstanden, mit dessen Abfassung der Herzog seine Hofkapläne beauftragte. »Dieses Buch heißt ›Lucidarius‹. Gott hat ihm den Gedanken eingegeben, dem Herzog, der es in Auftrag gab. Seinen Kaplänen trug er auf, den Stoff in den Büchern aufzusuchen.«[35]

Falls Eilhart von Oberg seinen ›Tristrant‹ für den sächsischen Hof gedichtet hat – was eine unsichere Vermutung bleibt, da kein Auftraggeber genannt ist –, war der Hof in Braunschweig auch für die Frühgeschichte der höfischen Epik von großer Bedeutung. Wie für Eilharts ›Tristrant‹ fehlen auch für den ›Straßburger Alexander‹ und den ›Trierer Floyris‹, die um 1170 am Mittel- beziehungsweise am Niederrhein entstanden sein dürften, feste Anknüpfungspunkte. Wir wissen nicht, welcher Hof im Nordwesten damals solche Werke gefördert hat. Bezeugt ist das Interesse für die moderne höfische Literatur an den

---

[34] Nu wnschen wir alle geliche dem herzogin Hainriche daz im got lone (9017–19)

[35] Diz bûch heizet Lucidarius ... got hat ime den sin gegeben, dem herzogen der ez schriben liez: sine capellane er hiez die rede sûchen an den schriften (Lucidarius-Vorrede 1.10–13)

Grafenhöfen von Loon (in Brabant) und von Kleve. Die Gräfin Agnes von Loon – die Gemahlin Herzog Ottos I. von Bayern († 1183) oder ihre gleichnamige Mutter – war die Gönnerin Heinrichs von Veldeke für seine Servatiuslegende. »Aus Huld und Zuneigung beauftragte ihn damit die vornehme Gräfin Agnes von Loon, die sehr danach verlangte, daß er es ins Deutsche übertrüge, wie es ihm aus der Vita des Heiligen bekannt geworden war.«[36] Die Gräfin Margarete von Kleve war an Veldekes ›Eneit‹ interessiert (vgl. S. 655). Es ist jedoch zweifelhaft, ob an einem dieser Grafenhöfe schon die Voraussetzungen für die Abfassung umfangreicher epischer Werke gegeben waren. Für den ›Servatius‹ steht fest, daß außer der Gräfin Agnes auch der Küster Hessel vom Servatiusstift in Maastricht den Dichter unterstützt hat: »Damit beauftragte ihn auch Herr Hessel, den man rühmlich nennen muß; er beaufsichtigte dort die Schatzkammer.«[37]

Der Literaturbetrieb am Thüringer Hof begann unter Landgraf Ludwig III. († 1190). Ob dieser die literarischen Interessen seiner Gemahlin, Margarete von Kleve, teilte, ist nicht bekannt; aber seine drei Brüder sind in die Literaturgeschichte eingegangen. Der eine, Heinrich Raspe († 1180), als der Dieb von Kleve, die beiden anderen, Hermann I. und Friedrich von Ziegenhain, als die Gönner Veldekes. Heinrich von dem Türlin hat in der ›Krone‹ unter den berühmten Dichtern der älteren Zeit den Minnesänger Hug von Salza genannt (2445), von dem kein einziger Vers überliefert ist. Ein Hugo von Salza kommt im Jahr 1174 in einer Urkunde Landgraf Ludwigs III. als Zeuge vor; falls er der Dichter war, könnte es schon in den siebziger Jahren höfischen Minnesang am Landgrafenhof gegeben haben. Deutlicher wird das Thüringer Mäzenatentum erst nach der Berufung Veldekes an den Thüringer Hof und besonders nachdem Hermann I. im Jahr 1190 seinem Bruder Ludwig als Landgraf nachfolgte. Unter Hermann I. († 1217) wurde der Thüringer Hof zum berühmtesten Mittelpunkt der höfischen Dichtung in Deutschland. Drei große Epen sind nachweislich in seinem Auftrag entstanden: Veldekes ›Eneit‹, Herborts ›Trojanerkrieg‹ und Wolframs ›Willehalm‹. Für mehrere andere Werke, die kei-

[36] dore genade ende dore minne des heme ouch bat di gravinne van Lon, di edele Agnes. di bat luste heme des dat he't te dutschen kerde, alse heme di vite lerde (6177–82)

[37] des bat heme her Hessel ouch, des men da wale ermanen mach, de du der costerien plach (6194–96)

ne Gönnernamen enthalten, wird eine Verbindung zu Hermann von Thüringen vermutet: die Bearbeitung von Ovids ›Metamorphosen‹ durch Albrecht von Halberstadt, die anonymen Epen ›Graf Rudolf‹ und ›Athis und Prophilias‹ und eine Pilatuslegende. Vielleicht war auch die Tugendlehre von Wernher von Elmendorf für den Thüringer Hof bestimmt. Außerdem blühte die Lyrik in Thüringen: Walther von der Vogelweide gehörte zeitweilig zum Hofstaat des Landgrafen (»Ich stehe im Gefolge des freigebigen Landgrafen«[34]), vielleicht auch Heinrich von Morungen. Der berühmte Sängerkrieg auf der Wartburg dagegen dürfte Legende sein. Die Dichtung, die davon erzählt – der ›Wartburgkrieg‹, dessen älteste Teile in der zweiten Hälfte des 13. Jahrhunderts entstanden sind –, enthält wenige historische Motive. Auch die Vorstellung, daß die Wartburg die thüringischen Dichter beherbergt habe, ist wahrscheinlich falsch. Landgraf Hermann scheint sich nur selten dort aufgehalten zu haben. Der prachtvolle neue Palas, das sogenannte Landgrafenhaus, ist wahrscheinlich erst unter seinem Sohn Ludwig IV. fertiggeworden. Wie sehr der Literaturbetrieb des Thüringer Hofs von der Persönlichkeit des Landgrafen Hermann geprägt wurde, ist daran zu erkennen, daß sein Tod im Jahr 1217 eine deutliche Zäsur gesetzt hat. Unter Ludwig IV. († 1227) und seiner frommen Gemahlin, der heiligen Elisabeth († 1231), scheint sich ein anderer Literaturgeschmack durchgesetzt zu haben. Von Minnesang und höfischer Epik ist aus dieser Zeit nichts mehr zu hören. Dagegen ist bezeugt, daß Landgraf Ludwig »zum Zeichen seiner großen Frömmigkeit«[39] im Jahr 1227 in Eisenach ein Passionsspiel aufführen ließ.

Der Schwiegersohn Landgraf Hermanns I. war Markgraf Dietrich von Meißen († 1221), mit dem die Gönnergeschichte der Wettiner begann. Wahrscheinlich hat Heinrich von Morungen an seinem Hof gedichtet; und auch Walther von der Vogelweide hat mehrere Strophen auf den »stolzen Meißner«[40] verfaßt. Zu einem bedeutenden Zentrum der Literatur ist der Meißner Hof allerdings erst unter Dietrichs Sohn, Markgraf Heinrich III. († 1288), geworden, der auch das Erbe der Ludowinger in Thüringen antrat und dadurch zu einem der mächtigsten Fürsten in Deutschland wurde. Heinrich III. ist von Rein-

---

[38] Ich bin des milten lantgrâven ingesinde (35,7)
[39] signum sue magne devotionis (Caesarius v. Heisterbach, Vita s. Elyzabeth, S. 354)
[40] der stolze Mîssenaere (18,16)

mar von Zweter und von Tannhäuser besungen worden und hat selber Minnelieder verfaßt. Vielleicht sind auch die ältesten Teile des ›Wartburgkriegs‹ und die ›Christherre-Chronik‹ in seinem Auftrag gedichtet worden.

Das Mäzenatentum der Babenberger, die seit 1156 Herzöge von Österreich waren, reicht in die Zeit Herzog Heinrichs II. († 1177) zurück. Die letzten Burggrafen von Regensburg aus der Familie der Grafen von Riedenburg, Friedrich († 1181) und Heinrich († 1184), waren seine Neffen und sind an seinem Hof bezeugt. In ihnen und ihrem Halbbruder Otto († 1183) sieht man die Minnesänger, die in der Großen Heidelberger Liederhandschrift unter den Namen »Der Burggraue von Regensburg« und »Der Burggraue von Rietenburg« stehen und die zur Gruppe der ältesten höfischen Lyriker in Deutschland gehörten. Wenn sie am Hof ihres Onkels gesungen haben, war Wien das erste Zentrum des deutschen Minnesangs. Zum ältesten Wiener Lyrikerkreis gehörte auch Dietmar von Aist, falls der Dichter identisch war mit dem Freiherrn Dietmar de Agist, der in der Umgebung Herzog Heinrichs II. von Österreich historisch bezeugt ist; er wurde allerdings schon im Jahr 1171 als verstorben genannt. – Die Glanzzeit des Wiener Minnesangs scheinen die neunziger Jahre gewesen zu sein, als dort Reinmar der Alte und Walther von der Vogelweide dichteten. Daß diese beiden über eine längere Zeit an ein und demselben Hof aufgetreten sind, schließt man aus den zahlreichen gegenseitigen Anspielungen in ihren Liedern. Nach dem Tod Herzog Friedrichs I. († 1198) hat Walther den Wiener Hof verlassen, vielleicht weil der neue Herzog ihm nicht gewogen war. Wie lange Reinmar dort gedichtet hat, ist nicht bekannt. Aus der Regierungszeit Leopolds VI. (1198–1230) fehlen verläßliche Nachrichten über höfische Dichtung in Wien. Erst unter dem letzten Babenberger, Herzog Friedrich II. († 1246), ist der Wiener Hof wieder zu einem lyrischen Zentrum geworden, wo Neidhart und später Tannhäuser den Ton bestimmt haben.

Die bayerischen Grafen von Wittelsbach und Scheyern sind 1180 Herzöge von Bayern geworden. Der erste Herzog, Otto I. († 1183), war mit Agnes von Loon verheiratet. Von literarischen Unternehmungen am bayerischen Hof ist aus dieser Zeit nichts bekannt. Herzog Ludwig I. († 1231) wurde einmal von Walther von der Vogelweide genannt (18, 17), ohne daß sich ein Gönnerverhältnis erschließen ließe. Man rechnet damit, daß Neidhart schon unter Ludwig I. in Bayern gedichtet hat; aber das ist unsicher. Erst unter Otto II. († 1253) begann mit dem ›Heiligen Georg‹ von Reinbot von Durne die sicher bezeugte Auftragsdichtung in Bayern. In der zweiten Hälfte des 13. Jahrhunderts haben die Söhne Ottos II., Herzog Ludwig II. von Oberbayern († 1294) und Herzog Heinrich XIII. von Niederbayern († 1290), an ihren Höfen in Landshut und München zahlreiche Dichter gesehen. Im Auftrag Ludwigs II. ist wahrscheinlich der ›Jüngere Titurel‹ gedichtet worden, vielleicht auch der ›Lohengrin‹, die beide in der Nachfolge Wolframs von Eschenbach standen. Der bayerische Hof ist auch später ein Zentrum der Wolframrezeption geblieben.

Zur selben Zeit wie die Wittelsbacher sind die bayerischen Grafen von Andechs als Markgrafen von Istrien und Herzöge von Meranien in den Reichsfürstenstand aufgestiegen. Vielleicht hat bereits Herzog Berthold VI. († 1204) höfische Epik an seinem Hof gefördert, sofern die Klage Wirnts von Grafenberg im ›Wigalois‹ über »den Tod des edlen Fürsten von Meran«[41] auf ihn zu beziehen ist. Unter seinem Sohn Otto I. († 1234) könnte Wirnt sein Werk vollendet haben. Der Bruder Ottos I., Markgraf Heinrich von Istrien († 1228), war vielleicht der poetische Lehrmeister des jungen Ulrich von Liechtenstein. Im ›Frauendienst‹ hat Liechtenstein ihm ein rühmendes Andenken gesetzt (29,3 ff.); allerdings ist die Lesung seines Namens in der einzigen Handschrift strittig. Ein anderer Bruder, Bischof Ekbert von Bamberg († 1237), der Erbauer des Bamberger Doms, wurde von Tannhäuser als Gönner gefeiert (VI,122 ff.). Ihre Schwester war die heilige Hedwig († 1243), die Gemahlin Herzog Heinrichs I. von Breslau († 1238). Mit ihr begann die Literaturgeschichte Schlesiens.

Der Hof der Herzöge von Kärnten in St. Veit hat sich unter Bernhard II. († 1256) der höfischen Dichtung geöffnet. Walther von der Vogelweide war dort zu Gast und hat dem »edlen Kärntner«[42] zwei Spruchstrophen gewidmet. Daß Herzog Bernhard auch der Auftraggeber der ›Krone‹ von Heinrich von dem Türlin war, ist nur eine Vermutung. Ebenso ungesichert ist die Annahme, daß sein Sohn Ulrich III. († 1269), mit dem die Spanheimer Herzöge ausstarben, der Gönner Ulrichs von dem Türlin gewesen sei.

In Südwestdeutschland haben die Herzöge von Zähringen im

---

[41] eines vil edeln vürsten tôt von Merân (8063–64)
[42] edel Kerendaere (32,31)

12. Jahrhundert ein eigenes Herrschaftsgebiet um Freiburg aufgebaut. Der letzte Zähringer Herzog, Berthold V. († 1218), ist als Auftraggeber eines Alexanderepos von Berthold von Herbolzheim bezeugt. Von dem Werk wissen wir nur durch Rudolf von Ems (Alexander 15772ff.). Ihre Bedeutung für die höfische Literaturgeschichte verdanken die Zähringer noch mehr der Vermutung, daß Hartmann von Aue, der in keinem seiner Werke einen Gönner genannt hat, bereits unter Berthold VI. († 1186) an ihrem Hof und in ihrem Auftrag gedichtet haben könnte. Konkrete Anhaltspunkte gibt es dafür jedoch nicht.

Auch wenn man in Rechnung stellt, daß zahlreiche Epen keine Gönnernamen enthalten, und wenn man deswegen die Möglichkeit einkalkuliert, daß es mehr literarische Zentren gegeben hat, als die Auftragsnotizen der Dichter verraten, so ist doch die Wahrscheinlichkeit gering, daß eine nennenswerte Anzahl von literarisch aktiven Höfen gänzlich unbezeugt geblieben ist. Alles deutet darauf, daß höfische Dichtung und zumal höfische Epik in der Zeit um 1200 nur erst an den wenigen Höfen der großen weltlichen Fürsten, die bereits über eigene Kanzleien verfügten, anzutreffen war. Im Verlauf des 13. Jahrhunderts scheint die Zahl nur langsam zugenommen zu haben. Viele der Fürstenhäuser, die für die Frühgeschichte des Mäzenatentums von Bedeutung waren, sind im 13. Jahrhundert ausgestorben: die Zähringer, die Andechs-Meranier, die Babenberger, die Ludowinger in Thüringen und die Spanheimer in Kärnten. Übriggeblieben sind nur die Wittelsbacher in Bayern und die Wettiner in Meißen, deren Mäzenatentum sich erst in der zweiten Hälfte des 13. Jahrhunderts voll zu entfalten begann. Übriggeblieben sind auch die Welfen, die seit 1235, als Herzöge von Braunschweig-Lüneburg, wieder zu den Reichsfürsten zählten. Unter Albrecht I. († 1279) und seinem Bruder Johann I. († 1277) war der Braunschweiger Hof wieder ein Zentrum der Dichtung. Dort entstanden die ›Braunschweigische Reimchronik‹, die den Kindern Herzog Albrechts I. gewidmet ist; und dort dichtete Berthold von Holle seinen ›Crane‹, mit dessen Stoff er durch Herzog Johann I. bekannt geworden war (28ff.), wahrscheinlich auch seine anderen Epen. Dazu kamen im 13. Jahrhundert diejenigen fürstlichen Familien, die in Ostdeutschland zu großen Territorialherren geworden sind: die Askanier im Herzogtum Sachsen und in der Mark Brandenburg, die Piasten in Schlesien und vor allem die Prmsliden als Könige von Böhmen.

Von den askanischen Fürsten ist Graf Heinrich I. von Anhalt († 1252) für die Literaturgeschichte am interessantesten, weil er als Verfasser der Minnelieder gilt, die in der Großen Heidelberger Liederhandschrift unter dem Namen »Der Herzog von Anhalte« stehen. Sein Bruder, Herzog Albrecht I. von Sachsen († 1261), wurde von Tannhäuser als Gönner gefeiert. Von den literarischen Bestrebungen an seinem Hof ist jedoch nichts bekannt. Dasselbe gilt für die askanischen Verwandten in der Mark Brandenburg, die ebenfalls von Tannhäuser rühmend genannt wurden. Erst die nächste Generation der Markgrafen von Brandenburg ist literarisch hervorgetreten: Otto IV. († 1308), der selber Minnelieder verfaßt hat und der vom Meißner besungen wurde, und seine Vettern Otto V. († 1298) und Albrecht III. († 1300), auf die Der Meißner und Der Goldener Lobsprüche gedichtet haben.

Das Mäzenatentum der Herzöge von Schlesien ist durch Tannhäuser bezeugt (Gedichte VI, 78 ff.). Sein Gönnerlob wird auf Herzog Heinrich III. († 1266) bezogen. Die Minnelieder, die in der Heidelberger Handschrift unter dem Namen »Herzog Heinrich von pressla« stehen, schreibt man jedoch meistens seinem Sohn, Heinrich IV. († 1290), zu, der auch von Frauenlob besungen wurde. Der wichtigste Förderer höfischer Literatur aus der Familie der Piasten war offenbar Herzog Bolko I. von Schweidnitz-Jauer († 1301), der das historische Epos ›Landgraf Ludwigs Kreuzfahrt‹ in Auftrag gegeben hat: »Ein blühender Zweig des königlichen Stammes, voll Ruhm und fürstlicher Tat, hat mich zu diesem Werk verpflichtet: der vortreffliche Herzog Bolko.«[43]

Das bedeutendste Zentrum höfischer Literatur in der zweiten Hälfte des 13. Jahrhunderts war der böhmische Königshof in Prag. Bereits König Wenzel I. († 1253) unterhielt eine glänzende Hofhaltung und zog auch deutsche Dichter nach Prag: Meister Sigeher und Reinmar von Zweter haben dort gewirkt. Unter Ottokar II. († 1278) entfaltete der Prager Hof einen bis dahin nie gesehenen Aufwand. Friedrich von Suonenburg, Sigeher und Der Meißner haben Lobsprüche auf den König verfaßt; mit Ulrich von dem Türlin, der seinen ›Willehalm‹ König Ottokar gewidmet hat, begann auch die höfische Epik in Prag. Ottokars Sohn und Nachfolger, Wenzel II. († 1305), hat selber Minnelie-

---

[43] des kuniclîchen stammes ein blûnder ast vol êren und furstlîcher tât mich zu dirre rede gebunden hât: der êrlîche herzoge Polke (5570–73)

der gedichtet und hat Ulrich von Etzenbach als Epiker an seinem Hof beschäftigt. Sowohl sein ›Alexander‹ als auch sein ›Wilhelm von Wenden‹ sind im Auftrag des Königs gedichtet worden.

Weniger gut bezeugt ist das Mäzenatentum der nordostdeutschen Fürstenhöfe. Herzog Barnim I. von Pommern († 1278) ist von Rumslant besungen worden, Herzog Heinrich I. von Mecklenburg († 1302) oder sein gleichnamiger Sohn († 1329) von Frauenlob, ein Herzog von Schleswig, vielleicht Waldemar IV. († 1312), von Hermann dem Damen, Fürst Wizlav III. von Rügen († 1325) von Goldener und von Frauenlob. Die Spruchdichter und ihre Kunst des Herrscherlobs waren offenbar überall willkommen; ein geregelter Literaturbetrieb ist für keinen dieser Höfe verbürgt.

Fürstliche Gönnerinnen

Welcher Anteil den adligen Frauen bei der Rezeption und Verbreitung der höfischen Literatur in Deutschland zukam, ist schwer abzuschätzen. So einflußreiche Persönlichkeiten wie die englische Königin Eleonore von Aquitanien († 1204) und ihre Töchter, die Gräfinnen Marie von Champagne und Alice von Blois, die in Frankreich und England die Entwicklung der höfischen Literatur maßgeblich bestimmt haben, hat es in Deutschland nicht gegeben. Aber es gibt doch, gerade aus der Frühzeit, eine Reihe von Nachrichten, die eine aktive Beteiligung fürstlicher Damen bei der Förderung höfischer Dichtung bezeugen. Das ›Rolandslied‹ wurde nach der Aussage des Epilogs auf Geheiß Herzog Heinrichs aus dem Französischen übertragen. »Das verlangte die vornehme Herzogin, die Tochter eines mächtigen Königs.«[44] Im Jahr 1168 hatte Heinrich der Löwe Mathilde, die Tochter König Heinrichs II. von England und seiner Frau Eleonore von Aquitanien, geheiratet. Man hat argumentiert, daß Mathilde bei ihrer Heirat erst zwölf Jahre alt gewesen sei und daß einem solchen Kind kein bestimmender literarischer Einfluß zuzutrauen sei; außerdem wollte es nicht einleuchten, daß eine Tochter Eleonores an der alten ›Chanson de Roland‹ besonderen Gefallen gefunden haben soll, während ihre Mutter und ihre Halbschwestern Marie und Alice den modernen höfischen Roman protegiert haben. Die Reichs- und

---

[44] des gerte di edele herzoginne, aines richen chüniges barn (9024–25)

Kreuzzugsthematik des deutschen ›Rolandslieds‹ entsprach gewiß den Wünschen und Vorstellungen ihres Mannes. Es ist auch zu beachten, daß der Name Mathildes und ihre königliche Abkunft bei verschiedenen Stiftungen mit besonderer Betonung genannt worden ist, sowohl in der Weihinschrift des Braunschweiger Marienaltars als auch im Widmungsgedicht des Gmunder Evangeliars, ohne daß ein persönlicher Anteil der Herzogin an diesen Werken zu erkennen wäre. Dennoch besteht kein Grund, an der Epilogaussage zu zweifeln und Mathilde die Mitwirkung bei der Übertragung des französischen ›Rolandslieds‹ abzusprechen. Falls Eilhart von Oberg seinen ›Tristrant‹ tatsächlich im Auftrag des Braunschweiger Hofs gedichtet hat, müßte man die Bedeutung der Herzogin Mathilde für die literarische Entwicklung in Deutschland noch höher ansetzen.

Um dieselbe Zeit haben die beiden Gräfinnen Agnes von Loon und Margarete von Kleve den Dichter gefördert, der dem höfischen Roman in Deutschland zum Durchbruch verholfen hat: Heinrich von Veldeke. Als Veldeke, neun Jahre nach der Hochzeit in Kleve, an den Thüringer Hof berufen wurde, war dort die Gräfin Margarete, als Gemahlin Ludwigs III., Landgräfin von Thüringen. Von ihrer Mitwirkung bei der Berufung des Dichters verlautet nichts; aber die rühmenden Worte, die Veldeke ihr im Epilog gewidmet hat, sprechen für eine Anteilnahme der Landgräfin an der Vollendung seines Werks: »Das war die freigebige und edle Gräfin von Kleve, voll hoher Gesinnung, die herrlich zu schenken wußte. Vorbildlich war ihre Lebensweise, wie es einer Dame zukam.«[45]

Ein bevorzugter Gegenstand des Mäzenatentums adliger Damen waren Legendenepen im höfischen Stil. Daß die Fürstinnen ihr literarisches Interesse besonders solchen Werken zugewandt haben, hing sicherlich damit zusammen, daß die Erziehung der Frauen viel stärker religiös ausgerichtet war als die der Männer. Den Anfang machte die Gräfin Agnes von Loon, die Veldeke mit der Verdeutschung der lateinischen Servatiuslegende beauftragte. Ihr folgte die Herzogin Clementia von Zähringen, die Gemahlin Herzog Bertholds V. († 1218), auf deren Geheiß die ›Wallersteiner Margarete‹ gedichtet worden ist: »Da nun die vornehme Herzogin Clementia von Zähringen meinen

[45] daz was diu grâvinne von Cleve diu milde und diu gûte mit dem frîen mûte, diu konde hêrlîche geben. vil tugentlîch was ir leben, als ez frouwen wol gezam (352,38–353,3)

geringen Kunstverstand dazu anspornt, daß ich mir um ihretwillen ein Herz fasse und mich an dem Buch von Sankt Margarete versuche . . .«[46] Reinbot von Durne hat seinen ›Heiligen
Georg‹ im Auftrag Herzog Ottos II. von Bayern († 1253) und
seiner Gemahlin, Agnes von Braunschweig, verfaßt: »Er und
seine tugendhafte Frau, die hochgeborene Fürstin, die sprachen
zu mir: Reinbot, du sollst ein Buch verfassen . . .«[47] Die Durchführung des Werks scheint hauptsächlich von der Herzogin be-
aufsichtigt worden zu sein, die dem Dichter auch die Stilhöhe
vorgeschrieben hat (vgl. S. 660).

Die höfischen Epiker haben wiederholt versichert, daß sie mit
ihren Werken die Zustimmung und die Gunst adliger Damen zu
gewinnen suchten. Konkrete Auftragsverhältnisse lassen sich
aus solchen Bemerkungen nicht erschließen. Es ist jedoch damit
zu rechnen, daß das höfische Publikum zu einem nicht unbe-
deutenden Teil aus Frauen bestand und daß deren Reaktion und
Urteil für den Erfolg literarischer Werke von ausschlaggebender
Bedeutung war (vgl. S. 704 ff.).

Bischöfe und geistliche Würdenträger
als Auftraggeber höfischer Literatur

Die Frage, in welchem Umfang geistliche Fürsten die weltliche
Literatur gefördert haben, ist besonders für die Frühgeschichte
der höfischen Dichtung von großer Bedeutung. Um die Mitte
des 12. Jahrhunderts war das Rheinland die führende Literatur-
provinz in Deutschland. Die religiösen Dichtungen, die zu dieser Zeit an den rheinischen Bischofssitzen und in den großen
Klöstern entstanden sind, zeichneten sich durch eine entwickelte literarische Technik aus, an die die höfischen Dichter anknüpfen konnten. Wenn man annehmen dürfte, daß am erzbi-
schöflichen Hof in Köln auch weltliche Dichtungen wie der
›Straßburger Alexander‹ verfaßt wurden, würde die Literaturgeschichte des 12. Jahrhunderts ein deutlicheres Profil gewinnen. Es gibt jedoch kein sicheres Zeugnis dafür, daß an einem
geistlichen Hof Minnesang vorgetragen oder höfische Epik in

---

[46] sît nu dar zuo gebeldet mîne kranke sinne diu edel herzoginne, daz ich
durch sie genende, von Zeringen Clêmende, und ich mich versuoche an sant
Margrêten buoche (18–24)
[47] er und sîn reinez wîp, diu hôch edel fürstin, die . . . sprächen zuo mir
»Reinbot, du solt ein buoch tihten . . .« (6–8. 20–21)

Auftrag gegeben worden ist. In welcher Weise die gebildeten geistlichen Fürsten mit höfischer Literatur umgegangen sind, zeigt das lateinische Hexameterepos von Herzog Ernst (›Gesta Ernesti ducis‹) des Magdeburger Klerikers Odo, das im Auftrag des Magdeburger Erzbischofs Albrecht von Käfernburg († 1232) gedichtet worden ist. Auch der ›Gregorius‹ von Hartmann von Aue wurde in lateinische Verse übertragen (›Gesta Gregorii peccatoris‹), und zwar von dem Abt Arnold von Lübeck († 1211/14), der auch als Geschichtsschreiber hervorgetreten ist. Er hat das Werk im Auftrag des Herzogs Heinrich von Braunschweig-Lüneburg († 1213) verfaßt; ob dieser lateinisch gebildet war, ist nicht bekannt.

Eine Ausnahmeerscheinung war Wolfger von Erla († 1218), von 1191 bis 1204 Bischof von Passau und anschließend Patriarch von Aquileja. In die Literaturgeschichte ist er als Gönner Walthers von der Vogelweide eingegangen. In seinem Reiserechnungsbuch, das davon Zeugnis ablegt, daß der Bischof beträchtliche Geldmittel für die Unterstützung und Belohnung von Spielleuten und fahrenden Künstlern aufgewandt hat, steht zum 12. November 1203 der berühmte Eintrag: »Bei Zei[selmauer] dem *cantor* Walther von der Vogelweide fünf große Schillinge für einen Pelzrock.«[48] Welche Leistungen oder Dienste Bischof Wolfger mit einem so fürstlichen Geschenk belohnte, wissen wir nicht; auch nicht, ob Walther damals zum Gefolge des Bischofs gehörte oder ob er dem Hof in Zeiselmauer (bei Wien) nur einen Besuch abgestattet hat. In Walthers Lobspruch auf die drei Höfe, um deren Gunst er sich am meisten bemüht habe, ist neben dem Wiener Hof Leopolds VI. und dem seines Vetters in Mödling »der angesehene Patriarch ohne Makel«[49] genannt. Bei der unsicheren Datierung dieser Strophe ist nicht zu entscheiden, ob Walther dabei an Wolfger oder an seinen Nachfolger, den Patriarchen Berthold von Andechs († 1251), gedacht hat. Wolfger von Erla war nicht nur an höfischer Lyrik interessiert. Heute wird angenommen, daß unter seinem Episkopat (und in seinem Auftrag?) in Passau das ›Nibelungenlied‹ entstanden ist und daß der Nibelungendichter in der Gestalt des Bischofs Pilgrim seinem geistlichen Gönner ein Denkmal gesetzt hat. Strikt beweisen läßt sich das nicht. Die Bischofsstadt

---

[48] apud Zei[zemurum] Walthero cantori de Vogelweide pro pellicio. v. sol. longos (Heger, S. 86)
[49] der biderbe patriarke missewende frî (34,36)

an der Donau wird jedoch in der Dichtung so auffällig hervorgehoben und ihre Lage, »wo der Inn mit starker Strömung in die Donau fließt«[50], so genau beschrieben, daß die Annahme, der Dichter habe dort gearbeitet, gegenüber anderen Lokalisierungen im Vorteil ist. Hat es sich tatsächlich so verhalten, dann würde der Passauer Hof einen prominenten Platz in der Gönnergeschichte der höfischen Literatur einnehmen. Als Patriarch von Aquileja war Wolfger von Erla der Vorgesetzte und vielleicht der Auftraggeber von Thomasin von Zirklaere, der 1215–1216 sein umfangreiches didaktisches Werk, den ›Wälschen Gast‹, verfaßt hat. Dabei geht man davon aus, daß der Dichter jener »Thomasinus de Corclara canonicus« (von Kries, S. 6) war, der im Totenbuch des Domkapitels von Aquileja in einem undatierten Eintrag genannt ist.

Aus dem späteren 13. Jahrhundert gibt es zahlreiche Zeugnisse für die Förderung höfischer Literatur durch geistliche Würdenträger. Erzbischof Friedrich von Salzburg († 1284) hat Ulrich von Etzenbach die Vorlage zu seinem ›Alexander‹ verschafft und hat versucht, den Dichter an seinen Hof zu ziehen (vgl. S. 656). An der Minnegeselligkeit der adligen Oberschicht in Zürich haben, wie Johannes Hadloub in einem seiner Lieder berichtete (2,93 ff.), auch hochgestellte Geistliche teilgenommen: der Fürstabt von Einsiedeln, die Fürstäbtissin am Frauenmünster in Zürich, der Abt des Klosters Petershausen und der Bischof von Konstanz, Heinrich von Klingenberg († 1306), dem Hadloub eine eigene Preisstrophe gewidmet hat (2,85 ff.). In Heinrich von Klingenberg vermutet man den Auftraggeber einer der großen Liedersammlungen, der Weingartener Liederhandschrift, die wahrscheinlich um 1300 in Konstanz geschrieben worden ist. Lobsprüche gibt es auch auf die Bischöfe Hermann von Kammin († 1289), Konrad von Straßburg († 1299) und Giselbrecht von Bremen († 1306). Die Kunst der Spruchdichter wurde auch an den geistlichen Höfen geschätzt. Konrad von Würzburg hat unter der hohen Geistlichkeit in Straßburg und Basel seine Gönner gefunden: die Verserzählung ›Heinrich von Kempten‹ ist im Auftrag des Straßburger Dompropstes Berthold von Tiersberg († 1277) gedichtet; seine Silvesterlegende im Auftrag des Basler Archidiakons Liutolt von Roeteln († 1316); sein ›Trojanerkrieg‹ im Auftrag des Basler Domkantors Dietrich am Orte (urkundlich bis 1289). Dies ist der einzige

---

[50] dâ daz In mit fluzze in die Tuonouwe gât (1295,4)

Fall, daß im 13. Jahrhundert ein geistlicher Auftraggeber für ein höfisches Epos nachgewiesen werden kann. Man wird jedoch die literarische Wirksamkeit Dietrichs am Orte anders bewerten als etwa das Mäzenatentum Wolfgers von Erla: der gesellschaftliche Bezugspunkt in Basel war, soweit wir wissen, nicht der bischöfliche Hof, sondern ein Kreis geistlicher und weltlicher Herren aus dem Basler Stadtadel, die gemeinsam oder abwechselnd den Dichter gefördert haben.

c. Die kleineren Höfe

Vielfach wird angenommen, daß neben den großen Fürstenhöfen auch die kleinen Herrensitze und Burgen Mittelpunkte der höfischen Dichtung gewesen seien. Der Hauptzeuge dafür ist Wolfram von Eschenbach, der im fünften Buch des ›Parzival‹, bei der Beschreibung des Festsaals in der Gralsburg Munsalvaesche und der großen Kamine dort, die Bemerkung einfließen ließ, daß »hier auf Wildenberg«[51] noch niemand so große Feuerstellen gesehen habe. Es gilt als sicher, daß damit die Burg Wildenberg im Odenwald (bei Amorbach) gemeint war, die damals gerade neu erbaut wurde. Der Besitzer der Burg war der Freiherr Rupert von Durne, der zum engsten Kreis um Friedrich I. und Heinrich VI. gehörte. Ob dieser Rupert von Durne Wolframs Gönner war und ob tatsächlich ein Teil des ›Parzival‹ in der einsam gelegenen Odenwaldburg entstanden ist, bleibt jedoch unsicher.

Hält man sich an die Gönnernachrichten, so ist es angeraten, zwischen Spruchdichtung und Großepik zu unterscheiden. Spruchdichter haben offensichtlich bereits im 12. Jahrhundert auch beim nichtfürstlichen Adel gastliche Aufnahme gefunden. Das bezeugen die Klagestrophen auf Wernhart von Steinsberg von Spervogel. Spervogel hat dort mehrere Gönnernamen genannt, von denen mindestens zwei historisch nachgewiesen werden können: der Freiherr Wernhart von Steinsberg, der in zwei Kaiserurkunden Lothars III., aus den Jahren 1128 und 1129, erscheint und dessen Stammsitz noch heute den Kraichgau überragt; und der Freiherr Walther von Hausen, der mehrmals in Urkunden Kaiser Friedrichs I. vorkommt. Danach hat der fahrende Spruchdichter Spervogel an südwestdeutschen

---

[51] hie ze Wildenberc (230,13)

Adelshöfen seine Gönner gefunden. Dieser Befund wird von der Spruchdichtung des 13. Jahrhunderts bestätigt. Unter den Herren, die von den fahrenden Dichtern besungen wurden, sind alle Adelsränge vertreten: Fürsten, Grafen, Freiherren und Ministerialen. Zu den Freiherren gehörten der Herr von Orte, auf den Bruder Wernher eine Strophe gedichtet hat, die Herren von Preuzzel, von Sigeher bedichtet, Ulrich von Rifenberg, der von Friedrich von Suonenburg und von Rumelant von Schwaben gefeiert wurde, sowie Zabel von Redichsdorp und Zabel von Plawe, denen Rumsland von Sachsen eine Strophe gewidmet hat. Reichsministerialen waren Volkmar von Kemenaten, der von Kelin und von Rumelant von Schwaben gepriesen worden ist, und Herdegen von Gründlach, auf den Der Meißner eine Preisstrophe verfaßt hat. Die Spruchdichter waren nicht auf Schreiber und Pergament angewiesen. Sie konnten ihre Kunst auch an den Höfen und Adelssitzen üben, die noch ohne Schriftlichkeit lebten.

Anders verhielt es sich mit den Epikern, die nur dort arbeiten konnten, wo Schreibmaterialien zur Verfügung standen. Der erste nichtfürstliche Auftraggeber von höfischer Epik war der Reichsministeriale Konrad von Winterstetten († 1243), dem Rudolf von Ems (›Wilhelm von Orlens‹) und Ulrich von Türheim (›Tristan‹) ihre Werke gewidmet haben. »Das ist der edle Schenke, der hochgesinnte Konrad von Winterstetten, der mich beauftragt hat, um seinetwillen meinen Kunstverstand zu bemühen und für euch in schön geordneten Versen zu dichten.«[52] Der gesellschaftliche Ort dieser Werke war jedoch nicht eine der Burgen der Ministerialenfamilie von Tanne-Waldheim-Winterstetten, sondern der staufische Hof König Heinrichs (VII., † 1242), zu dessen Ratgebern der Reichsschenke von Winterstetten gehörte. Eine Verbindung zu einem großen Hof gab es auch für Rudolf von Steinach, dem Rudolf von Ems seinen ›Guten Gerhard‹ gewidmet hat. Die Steinacher waren Ministerialen der Bischöfe von Konstanz, und Rudolf von Steinach nahm dort eine geachtete Stellung ein. Die vertrauliche Art, in der der Dichter seinen Gönner als »Namensvetter«[53] ansprach – beide hießen Rudolf und beide gehörten ihrem Stand nach zur Ministerialität –, läßt Zweifel zu, ob überhaupt ein

[52] Das ist der werde schenke, Der hoh gemûte Cûnrat Von Winterstetten, der mich hat Gebetten durch den willen sin Das ich durch in die sinne min Ârbaite und ûch tihte In rehter rime rihte (R. v. Ems, Wilhelm v. Orlens 2318–24)
[53] genamen (6827)

Auftragsverhältnis im herkömmlichen Sinn vorlag. Noch gegen Ende des 13. Jahrhunderts scheint es nur unter besonderen Umständen vorgekommen zu sein, daß ein umfangreiches episches Werk an einem kleineren Hof entstand. Aus Böhmen hören wir, daß Heinrich von Freiberg seine ›Tristan‹-Fortsetzung im Auftrag Raimunds von Lichtenburg (urkundlich bis 1329) gedichtet hat; und der sogenannte Anhang zum ›Alexander‹ von Ulrich von Etzenbach ist Borso II. von Riesenburg (urkundlich bis 1312) gewidmet. Die Lichtenburger und die Riesenburger gehörten zu den angesehensten und mächtigsten Adelsfamilien in Böhmen und standen in enger Verbindung mit dem Prager Hof. Ob auch ihr Mäzenatentum auf den Königshof hin ausgerichtet war, ist nicht bekannt.

d. Die Anfänge des städtischen Literaturbetriebs

Die Stadt war schon lange ein Schauplatz der Literatur. In den Städten hatten die Bischöfe ihre Sitze, dort gab es zahlreiche Klöster und Schulen, und seit der zweiten Hälfte des 12. Jahrhunderts haben auch die weltlichen Fürsten in wachsender Zahl ihre Höfe und Residenzen in die Städte verlegt. Von einem städtischen Literaturbetrieb im engeren Sinne kann jedoch nur dort gesprochen werden, wo die Stadtgesellschaft selbst oder ein Teil von ihr am literarischen Leben teilgenommen hat. Das früheste Zeugnis kommt aus Straßburg. Dort ist von 1230 bis 1240 der Stadtschreiber Hesse (*Hesso*) als Leiter der städtischen Kanzlei (*notarius burgensium*, UB der Stadt Straßburg, Bd. 1, Nr. 236, S. 186) bezeugt; das war eine sehr einflußreiche Position, da der Stadtschreiber für den gesamten auswärtigen Schriftverkehr der Stadt zuständig war. Daß er auch für die zeitgenössische Literatur eine bedeutsame Rolle gespielt hat, bezeugt Rudolf von Ems im ›Wilhelm von Orlens‹; im Prolog zum zweiten Buch antwortete er auf die Aufforderung von Frau Aventiure, die Geschichte weiterzuerzählen: »Ich würde es tun, wenn ich wüßte, ob Meister Hesse, der Schreiber von Straßburg, diese Erzählung loben würde, wenn sie es verdiente. ›Ja doch, er tut es gewiß. Er besitzt so viel Urteilsvermögen! Immer wenn er ein literarisches Werk begutachtet, das seine Korrektur verdient, fällt er treffende Entscheidungen, denn er versteht sich aufs Verbessern.‹«[54] Nach diesen Worten war Mei-

---

[54] Nu tâte ichz, ob ich wisse Ob mir maister Hesse Von Strasburg de sribaere

ster Hesse ein weithin respektierter Kenner und Kritiker der Literatur, der sich auch mit höfischer Epik beschäftigt haben muß, da Rudolf von Ems sich seinem Urteil unterwarf. Das gesellschaftliche Umfeld seiner literarischen Tätigkeit in Straßburg liegt für uns jedoch vollkommen im dunkeln.

Deutlicher wird das städtische Mäzenatentum erst gegen Ende des 13. Jahrhunderts in Basel und Zürich. In Basel hat Konrad von Würzburg gedichtet; dank seiner detaillierten Angaben über die Auftraggeber der verschiedenen Werke kann man sich ein gutes Bild von der Zusammensetzung des dortigen Literaturkreises machen. Die Mitglieder gehörten zu einer dünnen sozialen Oberschicht, waren zumeist Angehörige der ratsfähigen Geschlechter. Kennzeichnend war das Zusammenwirken von geistlichen und weltlichen Herren. Zu den Gönnern Konrads von Würzburg gehörten einerseits der Domkantor Dietrich am Orte und der Archidiakon und spätere Dompropst Liutolt von Roeteln (vgl. S. 672), andererseits der Bürgermeister Peter Schaler (urkundlich bis 1307), in dessen Auftrag der ›Partonopier und Meliur‹ nach französischer Vorlage gedichtet ist, und Johannes von Arguel (urkundlich bis 1311), der Besteller der Pantaleonslegende. Die beiden weltlichen Gönner waren übrigens politische Gegner und die Anführer der beiden großen Parteien in Basel; in ihren literarischen Interessen stimmten sie überein. Offenbar ist das erzählerische Werk Konrads von Würzburg von einem geselligen Kreis literarisch Gleichgesinnter gefördert worden, die sich in der finanziellen Unterstützung des Dichters abgewechselt oder ergänzt haben. Dabei kam es vor, daß ein geistlicher Herr, wie Dietrich am Orte, ein weltliches Epos bestellte und ein Laie, wie Johannes von Arguel, eine Legende. Diese städtische Oberschicht, die ihrer Herkunft und ihrer Lebensweise nach adlig war, verfügte über ausreichende Mittel, um literarische Großprojekte wie den ›Partonopier und Meliur‹ oder den ›Trojanerkrieg‹ zu finanzieren, Projekte, deren Förderung bis dahin in der Hand der großen weltlichen Fürstenhöfe gelegen hatte.

Das Literaturinteresse der Stadtgesellschaft war in dieser Zeit auf die traditionellen Formen höfischer Literatur ausgerichtet. Während in Basel die höfische Epik im französischen Stil noch

Wolde disú mare Prisen ob si wârent gût. – »Ja er, binamen ja, er tût! Er hat beschaidenhait so vil, Swa er tihte bessern wil, Das er ze rehte bessern sol, Da kumt sin überhören wol, Wan ez besserunge holt« (2279–89)

einmal eine Blüte erlebte, wurde Zürich zum Sammelplatz der höfischen Lyrik. Auch dort gab es einen Hauptdichter, den Minnesänger Johannes Hadloub, um den ein ganzer Gönnerkreis versammelt war; und auch in Zürich setzte sich dieser Kreis aus geistlichen und weltlichen Herren und Damen zusammen. Der gesellschaftliche Mittelpunkt scheint der Konstanzer Bischof Heinrich von Klingenberg († 1306) gewesen zu sein, der sich öfter in Zürich aufgehalten hat. Unter den weltlichen Mitgliedern des Züricher Literaturkreises waren Stadtadel und Landadel gleich gut vertreten: Graf Friedrich von Toggenburg († 1303/05), die Freiherren von Regensburg und von Eschenbach, die Ministerialen von Tellikon und von Landenberg gehörten dazu. Mit besonderer Hochachtung sprach Hadloub von Rüdiger Manesse († 1304) und seinem Sohn Johannes († 1297), aus altem Züricher Stadtadel, die eine umfangreiche Sammlung höfischer Lyrik zusammentrugen (vgl. S. 765). Das literarische Interesse des Züricher Kreises scheint hauptsächlich darauf gerichtet gewesen zu sein, die alten adligen Leitbilder ritterlicher Tugendhaftigkeit und höfischer Minne neu zu beleben. Eigenständige Formen eines spezifisch städtischen Literaturbetriebs haben sich erst sehr viel später entwickelt.

3. Autor und Publikum

a. Die gesellschaftliche Stellung der Dichter

Bis zum Beginn der höfischen Zeit war die volkssprachliche Dichtung im wesentlichen anonym. Das gilt für die ganze althochdeutsche Literatur des 9. Jahrhunderts, aus der nur Otfrid von Weißenburg namentlich hervortritt, und ebenso für die frühmittelhochdeutsche Geistlichendichtung des 11. und 12. Jahrhunderts. Die Verfasser der ›Wiener Genesis‹ und des ›Annolieds‹, die zu den bedeutendsten Dichtern ihrer Zeit gehört haben, sind unbekannt; die Information, daß das ›Ezzolied‹ von dem Bamberger Kanoniker und *scholasticus* Ezzo stammt, ist eher einem Zufall zu verdanken. Das wurde schlagartig anders, als um die Mitte des 12. Jahrhunderts der Literaturbetrieb an den weltlichen Höfen begann. Die Namen der ältesten Minnesänger waren noch anderthalb Jahrhunderte später bekannt, als die großen Sammelhandschriften angelegt wurden; und die Epiker haben sich in der Regel selber vorgestellt, oft mit besonderer Betonung gleich am Anfang ihrer Werke. Der Pfaffe Lamprecht, mit dem die Geschichte der höfischen Epik in Deutschland begann, hat schon im ersten Satz seinen Namen genannt: »Das Epos, das wir hier schaffen, das sollt ihr genau anhören. Sein höfischer Charakter ist sehr gut. Der Pfaffe Lamprecht hat es gedichtet. Er wollte uns gerne erzählen, wer Alexander war.«[1] Die Ausgestaltung der Prologe und Epiloge zu anspruchsvollen Kunstgebilden hängt nicht zuletzt damit zusammen, daß die Autoren sich an diesen Stellen ihrem Publikum bekanntmachen konnten. Nur die aus mündlichen Überlieferungen schöpfende Spielmanns- und Heldenepik, für die Anonymität die Qualität eines Gattungsmerkmals besaß, ist ohne Autorennamen überliefert. Wenn dagegen ein Epos nach französischer oder lateinischer Vorlage anonym blieb, handelt es sich meistens nur um einen Überlieferungsfehler. In den Namensnennungen bezeugte sich ein neues Selbstbewußtsein der Autoren, das sich nicht nur auf die eigenen dichterischen Fähigkeiten gründete, sondern mehr noch auf die Hochschätzung, die der höfischen Dichtung in der Adelsgesellschaft des 12. und 13. Jahrhunderts zuteil geworden ist.

Welchen Platz die Dichter in dieser Gesellschaft eingenommen haben, ist in vielen Fällen unbekannt, weil es an historischen Zeugnissen fehlt. Wenn ein Dichter Spervogel hieß oder Der Stricker oder Heinrich der Glichesære, dann scheitert der Versuch einer historischen Identifizierung schon an den Namensformen. Ebensowenig läßt sich über Walther von der Vogelweide sagen, da eine Familie von der Vogelweide in der Zeit um 1200 nicht nachgewiesen werden kann. Bei Gottfried von Straßburg ist undeutlich, was die Benennung nach der oberrheinischen Bischofsstadt besagte. Auch Wolfram von Eschenbach muß, was seine ständische Herkunft betrifft, als eine unbestimmte Größe angesehen werden. Eine adlige Familie von Eschenbach ist erst in der zweiten Hälfte des 13. Jahrhunderts in Wolframs-Eschenbach urkundlich nachweisbar; daß der Dichter deren Vorfahr war, bleibt eine unsichere Vermutung. Selbst wenn es gute zeitgenössische Bezeugungen gibt, ist die

---

[1] Diz lît, daz wir hî wurchen, daz sult ir rehte merchen. sîn gevûge ist vil reht. iz tihte der phaffe Lambret. er tâte uns gerne ze mâre, wer Alexander wâre (1–6)

Zuordnung manchmal problematisch. Der Kaplan Wernher von Elmendorf, der um 1170 eine deutsche Tugendlehre verfaßt hat, war schwerlich ein Verwandter des Heiligenstädter Propstes Dietrich von Elmendorf, in dessen Auftrag er geschrieben hat und von dem er mit großer Ehrfurcht sprach. Es kam öfter vor, daß abhängige Leute den Namen ihrer Herrschaft führten. Nur selten liegen die Verhältnisse so günstig wie im Fall Friedrichs von Hausen, der mit hoher Wahrscheinlichkeit mit dem Reichsministerialen gleichen Namens identisch war.

Weil Dichter wie Heinrich von Veldeke und Hartmann von Aue zugleich Minnesänger und Epiker waren, hat sich die falsche Vorstellung gebildet, daß Lyrik und Epik der höfischen Zeit von demselben Autorenkreis getragen worden seien. Es hat jedoch nur wenige Dichter gegeben, die lyrisch und episch gedichtet haben. Die Mehrzahl der Autoren läßt sich nur einer der beiden Gattungen zuordnen, und dabei zeigt sich, daß die Gattungsgrenzen vielfach mit den Standesgrenzen zusammenfielen.

Die Epiker

Lange Arbeitszeiten und hoher Materialverbrauch haben bewirkt, daß die Abhängigkeit von Gönnern und Auftraggebern für die Epiker besonders fühlbar wurde. Es ist anzunehmen, daß die meisten von ihnen berufsmäßig gedichtet haben, was nicht ausschließt, daß sie nebenher noch andere Aufgaben wahrgenommen haben. In vielen Fällen bezeugt schon der Umfang der literarischen Werke, daß die Autoren über einen längeren Zeitraum hinweg tätig gewesen sind. Der Pfaffe Lamprecht war der erste, von dem mehrere epische Werke überliefert sind: außer dem ›Alexander‹ hat er eine Tobiaslegende gedichtet. Das Nebeneinander von Großepik aus antiker Stofftradition und Legendendichtung begegnet auch bei Heinrich von Veldeke, der außerdem zahlreiche Lieder verfaßt hat. Hartmann von Aue ist bereits mit vier epischen Werken und einem didaktischen vertreten. Wolfram von Eschenbach hat nahezu 50000 Verse gedichtet; und diese Zahl wurde bald von anderen Dichtern übertroffen. Über das Arbeitstempo der epischen Dichter gibt es unterschiedliche Vorstellungen. Sicher hat es da einen breiten Spielraum des individuellen Verhaltens gegeben. Es düfte aber wohl nicht falsch sein, wenn man damit rechnet, daß die Herstellung eines Epos von 10000 bis 20000 Versen in der Regel mehrere Jahre in Anspruch genommen hat.

Die für das Gelingen eines epischen Großwerks notwendige Kontinuität der Arbeitssituation ist offenbar häufig gestört worden. Eine große Zahl unvollendet gebliebener Epen legt davon Zeugnis ab. Man hat die Gründe für das gewaltsame Abbrechen fast immer bei den Autoren gesucht. Tatsächlich wird es vorgekommen sein, daß ein Dichter über seinem Werk gestorben ist. Wo jedoch mehrere Epen eines Autors unvollendet geblieben sind, versagt diese Erklärung. Von Wolfram von Eschenbach gibt es zwei fragmentarische Epen (›Willehalm‹ und ›Titurel‹), ebenso von Chrétien de Troyes (›Lancelot‹ und ›Conte du Graal‹), von Rudolf von Ems (›Alexander‹ und ›Weltchronik‹) und anderen. Nicht nur in diesen Fällen ist damit zu rechnen, daß die Störfaktoren, die die Weiterarbeit verhindert haben, von außen gekommen sind. Da der Epiker nur solange dichten konnte, wie sein Auftraggeber ihm die Möglichkeit dazu bot, muß der Tod des Gönners oder – was denselben Effekt hatte – der Entzug seiner Huld katastrophale Folgen für das in Arbeit befindliche Werk gehabt haben, wenn es dem Autor nicht gelang, alsbald einen neuen Mäzen zu finden. Der Dichter des ›Jüngeren Titurel‹, von dem wir nur den Vornamen Albrecht kennen, klagte nach fast 6000 Strophen seines umfangreichen Werks: »Mir ist die Lanze der Hilfe an einem Fürsten zerbrochen.«[2] Ein paar hundert Strophen weiter hat er die Dichtung mit dem Bekenntnis »Mich bedrückt schwere Armut«[3] abgebrochen. Solche Bekundungen des Scheiterns waren selten. Meistens ist das Verstummen das einzige Indiz für ein gewaltsames Ende. Wie gefährdet die Position eines Hofdichters war, beleuchtet auch die Versicherung des unbekannten Verfassers der ›Wallersteiner Margarete‹, daß er seine ganze Existenz der Herzogin Clementia von Zähringen verdankte: »Ich habe mich so oft mit Verbeugungen für ihre Freigebigkeit bedankt, daß ich sicher sein möchte, daß sie, um deretwillen ich mich jetzt an dieses Büchlein wage, mich nicht auf der Straße verkommen läßt.«[4] In mehreren höfischen Epen finden sich Anzeichen dafür, daß die Dichter ihre Arbeit zwischenzeitlich unterbrochen haben. Die Philologie spricht verharmlosend von Arbeitspausen. Wahrscheinlich ist auch an solchen Stellen mit

[2] mir zv brach der helfe lantze An einem fvrsten (5883, 2–3)

[3] mich drücket, aremuot diu swaere (Wolf I, S. 316)

[4] ich hân sô dicke genigen ir vil milten hende, durch die ich nu genende an ditze selbe büechelîn, daz ich des wil vil sicher sîn daz sie mich niht lâze verderben ûf der strâze (62–68)

Störungen zu rechnen, die von außen gekommen sind. Direkt bezeugt ist der Zusammenhang zwischen Arbeitspause und Gönnerwechsel für Veldekes ›Eneit‹: der Dichter wurde durch eine gewalttätige Gönnereinwirkung – durch den Diebstahl seines Manuskripts (vgl. S. 655) – an der Weiterarbeit gehindert und hat neun Jahre warten müssen, bis er einen neuen Gönner fand, der einflußreich genug war, um ihm die Weiterarbeit zu ermöglichen. Am Ende des sechsten Buchs seines ›Parzival‹ hat Wolfram von Eschenbach mit resignierenden Worten die Fortsetzung seiner Dichtung einem anderen übergeben: »Diese Erzählung möge jemand weitermachen, der höfische Epen zu dichten versteht und der die Kunst des Versbaus beherrscht.«[5] In verhüllenden Wendungen hat Wolfram angedeutet, daß das Wort einer einflußreichen Dame die Weiterarbeit ermöglichen oder verhindern konnte. Philologische Beobachtungen haben bestätigt, daß an dieser Stelle eine Unterbrechung eingetreten ist, die offenbar durch die Gönnerverhältnisse bedingt war.

Die Angaben zur Entstehungsgeschichte von Veldekes Werken erlauben es, die höfische Karriere eines epischen Dichters in seinem Wechsel von Hof zu Hof zu verfolgen. Auch wenn über die zeitliche Einordnung des ›Servatius‹ keine letzte Sicherheit zu gewinnen ist, wird man doch davon ausgehen dürfen, daß Veldeke zunächst in seiner engeren Heimat, im Herzogtum Brabant, seine Gönner fand: am Hof der Grafen von Loon und im Reichsstift Maastricht. Der Besuch am Hof der Grafen von Kleve war dann ein Schritt in die große Welt; denn dort begegneten ihm die Fürsten von Thüringen, die sein weiteres Geschick bestimmt haben. Die Berufung an den Thüringer Hof, neun Jahre später, führte den Dichter in die Umgebung eines großen Mäzens und machte ihn zum angesehenen Mittelpunkt des bedeutendsten Literaturkreises, den es damals in Deutschland gab. Die Verse über das Mainzer Hoffest von 1184 im Schlußteil der ›Eneit‹ (347, 14 ff.) bezeugen, daß Veldeke zuletzt auch den Kaiserhof besucht hat; wahrscheinlich war er zu dieser Zeit ein berühmter Mann. – Ähnlich scheint die Karriere Rudolfs von Ems verlaufen zu sein, der ebenfalls seine ersten Werke im Auftrag von Gönnern aus seiner engeren Umgebung, der Nordschweiz, verfaßt hat: für den Konstanzer Ministerialen Rudolf von Steinach (›Der gute Gerhard‹) und für das Zi-

---

[5] ze machen nem diz maere ein man, der âventiure prüeven kan unde rîme künne sprechen, beidiu samnen unde brechen (337,23–26)

sterzienserkloster Kappel im Kanton Zürich (›Barlaam und Josaphat‹). Umstände, die wir nicht kennen, haben dem Dichter später Zugang zum schwäbischen Literaturkreis am Hof König Heinrichs (VII.) und Konrads IV. verschafft; als Auftraggeber des ›Alexander‹ hat man Heinrich (VII.) vermutet; die ›Weltchronik‹ ist Konrad IV. gewidmet.

Die meisten Verfasser weltlicher Epen waren gebildet. Entgegen der verbreiteten Ansicht, daß mit dem Beginn der höfischen Literatur der Kleriker als Autor von Autoren aus dem Laienstand abgelöst wurde, muß betont werden, daß die epischen Dichter in der Regel eine gelehrte Bildung besaßen, die nur an kirchlichen Schulen erworben werden konnte. Bei der Erörterung dieser Frage ist oft übersehen worden, daß das lateinische Wort *clericus* in dieser Zeit nicht primär den geweihten Priester oder den Inhaber eines kirchlichen Amtes bezeichnete, sondern den geistlich Gebildeten. Der Theologe Rupert von Deutz († 1130) hat in der Widmungsvorrede zu seinem Johanneskommentar an den Abt Kuno von Siegburg († 1132) darüber Klage geführt, daß »es üblich ist, mit dem Begriff *clericus* einen hochgebildeten Mann jeglichen Ranges und Standes zu benennen«[6]. Noch deutlicher hat sich Philipp von Harvengt († 1182) geäußert: »Wenn wir jemanden fragen, ob er ein *clericus* sei, wollen wir nicht wissen, ob er zur Verrichtung des Altardienstes geweiht ist, sondern vielmehr ob er ein *litteratus* ist. Folgerichtig antwortet der Befragte, indem er sagt, daß er ein Kleriker sei, wenn er gebildet ist, dagegen daß er ein Laie sei, wenn er ungebildet ist.«[7] Das deutsche Gegenwort zu *clericus* hieß *pfaffe*, und auch dieses Wort zielte mehr auf den Bildungsgrad als auf das Amt. In diesem Sinn konnte auch ein gebildeter Laie ein *pfaffe* sein. »Ein Laie, der Wissen besitzt, auch wenn er keine Tonsur trägt, wird trotzdem ein *pfaffe* genannt, wenn er schriftkundig ist.«[8] Von dieser Semantik her ist zu verstehen, daß die ersten Verfasser weltlich-höfischer Epen in Deutschland sich selbst als *pfaffen* vorgestellt haben: »der *pfaffe* Lamprecht«[9],

---

[6] quo nomine designari mos est cujuscumque ordinis vel habitus valenter litteratum (Sp. 203 f.)

[7] interrogamus eum utrum clericus sit, non quaerentes scire utrum sit ad agendum altaris officium ordinatus, sed tantummodo, utrum sit litteratus. At ille ad interrogata consequenter respondens, dicit se clericum esse, si litteratus est; conversum vero laicum, si illiteratus est (De institutione clericorum, Sp. 816)

[8] ain layg der sich verstatt Ob der nit ain platten hat Dannocht haist er ain pfaff dar von Das er die geschrift verstett vnd kan (Ritter oder Knecht 21–24)

[9] der phaffe Lambret (4)

der Dichter des ›Alexander‹, und »der *pfaffe* Konrad«[10], der Dichter des ›Rolandslieds‹. Über beide Dichter wissen wir sonst nichts. Von beiden ist jedoch bekannt, daß sie nicht nur Französisch, sondern auch Lateinisch verstanden. Wegen ihres Pfaffentitels hat man ihre Werke der frühmittelhochdeutschen Geistlichendichtung zugerechnet, obwohl kein Zweifel daran bestehen kann, daß es sich dabei um Hofdichtung handelt und nicht um Klosterdichtung.

Wenn Verfassernamen fehlen, ist über die Standesverhältnisse der Autoren meistens nichts auszumachen. Man vermutet, daß die Dichter des ›Herzog Ernst‹ und des ›König Rother‹ gebildete Kleriker waren, vielleicht auch der Dichter des ›Nibelungenlieds‹. Ein Kleriker war der Verfasser des ›Straßburger Alexander‹, der nach lateinischen Quellen gearbeitet hat. Ein Kleriker war sicherlich Heinrich der Glichesere, der Dichter des ›Reinhart Fuchs‹. Meistens wird gesagt, daß mit Eilhart von Oberg und Heinrich von Veldeke die ritterlichen Laien an die Stelle der Geistlichen getreten seien. Eilhart von Oberg und Heinrich von Veldeke waren die ersten Epiker mit zweigliedrigen Namen, deren zweiter Teil auf ihre Herkunft verwies. Die Familien von Oberg und von Veldeke sind als Ministerialen der Bischöfe von Hildesheim beziehungsweise der Grafen von Loon nachgewiesen; und es ist nicht unwahrscheinlich, daß die beiden Dichter Mitglieder dieser Familien waren. Ihrem Bildungsstand nach sind sie jedoch als Kleriker anzusprechen. Das ist für Veldeke ganz sicher, denn er hat den ›Servatius‹ nach einer lateinischen Quelle gedichtet. Für Eilhart ist man auf Vermutungen angewiesen. Sicher ist der Klerikerstand dagegen wieder für Herbort von Fritzlar, den Dichter des ersten deutschen Trojaromans, der sich selbst als »gelehrter Schulmeister«[11] vorgestellt hat, und für Ulrich von Zatzikhoven, den Dichter des ›Lanzelet‹, den man mit dem Thurgauer »Kaplan Ulrich von Zatzikhoven, Leutpriester in Lommis«[12] identifiziert, der in einer Urkunde der Grafen von Toggenburg für das Kloster Peterzell aus dem Jahr 1214 als Zeuge auftrat.

Eine Ausnahme war Hartmann von Aue. »Ein Ritter war so gebildet, daß er Bücher lesen konnte, alles, was darin geschrieben war. Der hieß Hartmann und war Dienstmann zu

---

[10] der phaffe Chunrat (9079)

[11] Ein gelarter schulere (18451)

[12] capellanus Vlricus de Cecinchouin plebanus Lōmeissae (Turgauisches UB, Bd. 2, Nr. 99, S. 341)

Aue.«[13] Solange die Ansicht herrschte, daß die meisten höfischen Epiker Ritter gewesen seien, konnte man den besonderen Akzent dieser Selbstaussage kaum hinreichend würdigen. Die Begriffe Ritter und Gebildeter, *miles* und *clericus*, die im Bewußtsein der Zeitgenossen Gegensätze darstellten, fielen für Hartmann zusammen. Ein Ritter, der Bücher lesen konnte, muß als ganz und gar ungewöhnlich angesehen worden sein. Ungewöhnlich war aber nicht, daß der höfische Epiker lesen konnte – das konnten sie fast alle –, sondern daß Hartmann ein Dienstmann und Ritter war. Wie sich dies Paradox im Fall Hartmanns erklärt, wissen wir nicht. Vermutlich war er, ebenso wie die anderen gebildeten Laien, die wir aus dieser Zeit kennen, für ein geistliches Amt bestimmt gewesen und ist aus irgendeinem Grund in den Laienstand zurückgetreten. In einer ähnlichen Situation wie Hartmann scheint nur noch ein Epiker des 13. Jahrhunderts gewesen zu sein: Rudolf von Ems, der sich als *knappe* und als *dienstman* der Grafen von Montfort bezeichnete (Wilhelm von Orlens 15627 ff.), der aber, wie alle seine Werke bezeugen, hoch gebildet war. Lateinkenner waren die meisten höfischen Epiker im 13. Jahrhundert, angefangen mit Gottfried von Straßburg, von dem nur das eine sicher ist, daß er ein studierter Mann war, ein *clericus* par exellence.

Man wäre wahrscheinlich gar nicht auf den Gedanken gekommen, daß neben den gebildeten Klerikern auch ungebildete Laien als Verfasser höfischer Epen eine Rolle gespielt haben, wenn nicht der berühmteste von allen, Wolfram von Eschenbach, sich als Illiterat bekannt hätte: »Ich kann keinen Buchstaben lesen.«[14] Über den Bildungsstand Wolframs gibt es die verschiedensten Ansichten. Sicher ist jedoch, daß ein fundamentaler Unterschied bestand zwischen den lateinisch gebildeten Epikern Veldeke, Hartmann und Gottfried von Straßburg auf der einen Seite und dem ohne Schulbildung dichtenden Laien Wolfram von Eschenbach auf der anderen. Das Bewußtsein dieser Verschiedenartigkeit hat sowohl Wolframs Äußerungen über seine Kunstauffassung und über seine Kollegen geprägt als auch das Urteil Gottfrieds von Straßburg im sogenannten Literaturexkurs des ›Tristan‹, der vom Überlegenheitsgefühl des Gebildeten und der Verachtung des Klerikers für den ungebildeten

---

[13] Ein ritter sô gelêret was daz er an den buochen las swaz er dar an geschriben vant: der was Hartman genant, dienstman was er zOuwe (Armer Heinrich 1–5)
[14] ine kan decheinen buochstap (Parzival 115,27)

Laien geprägt ist. Während Hartmann dort wegen der schönen Klarheit seiner »kristallenen Wörter«[15] als der größte zeitgenössische Dichter gefeiert wurde, ist Wolfram – der zwar nicht namentlich genannt ist, auf den die Verse 4636 ff. aber sicherlich zu beziehen sind – von Gottfried von Straßburg als »Spielgeselle des Hasen«[16] verspottet worden, der »auf der Wortwiese hohe Sprünge und weite Läufe mit seinen Pickelwörtern vollführt«[17]. Die höfische Epik war eine Domäne der gebildeten Literaten und ist es auch nach Wolfram geblieben. Daß ein Laie es mit den Gebildeten aufnehmen konnte, galt schon zu Wolframs Lebzeiten als sein größter Ruhm: »Laienmund hat niemals schöner gesprochen.«[18] Dieses Lobeswort von Wirnt von Grafenberg ist später oft wiederholt worden. So sehr Wolfram mit seinem neuen Erzählstil die Epik nach ihm beeinflußt hat, ungebildete Epiker hat es kaum wieder gegeben. Gerade seine leidenschaftlichsten Nachahmer waren hochgebildet.

Die Minnesänger

In der Großen Heidelberger Liederhandschrift sind die Lieder von 140 Dichtern gesammelt, und die Autoren sind dort nach ihrem Rang und Stand geordnet: Kaiser Heinrich eröffnet die Reihe, gefolgt von den Königen Konrad dem Jungen und Wenzel von Böhmen, den Herzögen, Markgrafen, Grafen, an die sich eine große Zahl von Herren anschließt. Am Ende der Sammlung stehen mehrere Sänger, die den Meistertitel führen (Meister Sigeher, Meister Rumslant), und andere mit typischen Spielmannsnamen (Der alte Meißner, Der Gast, Spervogel, Boppe). Aus dieser Liste könnte man den Eindruck gewinnen, daß alle Schichten der Gesellschaft, vom höchsten Adel bis zu den rechtlosen Landfahrern, an der Produktion höfischer Lyrik beteiligt waren. Dieser Eindruck wäre falsch. Die Dichter der Heidelberger Handschrift repräsentieren, von wenigen Ausnahmen abgesehen, nur zwei gesellschaftliche Gruppen, die in sich ziemlich homogen waren: adlige Herren und fahrende Berufsdichter. Den Adligen gehörte der Minnesang, den Fahrenden die Spruchdichtung.

[15] sîne kristallînen wortelîn (4627)
[16] des hasen geselle (4636)
[17] ûf der wortheide hôchsprünge und wîtweide mit bickelworten welle sîn (4637–39)
[18] leien munt nie baz gesprach (W. v. Grafenberg 6346)

Minnesang war Adelskunst. »Wer um getragene Kleider bettelt, der ist des Minnesangs nicht würdig.«[19] »Minnelieder singt man dort, am Hof und auf Festen, während ich so dringend alte Kleider brauche, daß ich nicht von Damen singe.«[20] Denselben Gedanken hat Der Stricker, in Form einer fiktiven Publikumseinrede, ausgesprochen: »Das ist eine schöne Geschichte, daß nun auch Der Stricker die Damen preisen will. Wenn er klug wäre, würde er sie in seinen Stücken nicht erwähnen. Sein Leben und der Ruhm der Damen haben nichts miteinander gemein. Ein Pferd und alte Kleider wären passendere Gegenstände für sein Lob.«[21] Positiv gewendet begegnet der Gedanke im ›Armen Heinrich‹, wo Hartmann von Aue das Idealbild eines adligen Ritters gezeichnet hat, zu dessen höfischen Tugenden und Vorzügen auch die Fähigkeit gehörte, von der Minne zu singen: »Er war eine Stütze im Rat und sang sehr schön von der Minne. So konnte er Ruhm und Ansehen in der Welt gewinnen. Er war höfisch und klug.«[22]

Die meisten Minnesänger lassen sich historisch bezeugten Adelsfamilien zuordnen. Im Hinblick auf die ältesten Dichter, die noch dem 12. Jahrhundert angehörten, gibt es manche Zweifel und Unsicherheiten, was ihre Standeszugehörigkeit betrifft. Vor allem kann Der von Kürenberg, der erste namentlich bekannte Minnesänger in Deutschland, nicht identifiziert werden. Der dominierende Anteil des Adels am älteren Minnesang ist jedoch deutlich genug. Hochadliger Abkunft waren die Burggrafen von Regensburg und Rietenburg, Nachfahren der alten bayerischen Adelssippe der Paponen, die mit den Babenbergern verschwägert waren. In Verbindung mit den Babenbergern stand auch der Freiherr Dietmar von Aist (vgl. S. 664). Graf Rudolf von Fenis gehörte zu der mächtigen Schweizer Familie der Grafen von Neuenburg.

Die Minnesangforschung hat sich besonders mit der Frage beschäftigt, wie groß der Anteil der verschiedenen Adelsschich-

[19] swer getragener kleider gert, derst niht minnesanges wert (Buwenburc 6,47–48)

[20] Man singet minnewîse dâ ze hove und inme schalle: so ist mir sô nôt nâch alder wât deich niht von frouwen singe (Gedrut-Geltar II, 1–2)

[21] Ditz ist ein scho(e)n mere, daz ouch nu der strickêre die vrowen wil bekennen. ern solde si niht nennen an sinen meren, wer he wis. sin leben und vrowen pris, die sint ein ander unbekant. ein pfert und alt gewant, die stunden baz in sinem lobe (Frauenehre 137–45)

[22] er was des râtes brücke und sanc vil wol von minnen. alsus kunde er gewinnen der werlde lop unde prîs. er was hövesch unde wîs (70–74)

ten an der höfischen Lyrik war. Alois Schulte und Paul Kluckhohn wollten nachweisen, daß die meisten Sänger der Ministerialität entstammten. Wenn man auf das Inhaltsverzeichnis der
Großen Heidelberger Handschrift blickt, dann fällt auf, wie
reich besonders die obersten Adelsränge vertreten sind: ein Kaiser, zwei Könige (der dritte ist der legendäre König Tirol von
Schotten), fünf Fürsten und acht Grafen stehen am Anfang der
Sammlung. Darauf folgen Mitglieder von bekannten Schweizer
und südwestdeutschen Freiherrenfamilien: Warte, Klingen, Ro-
tenburg, Sax, Frauenberg usw. Der nichtgräfliche Adel trägt in
der Handschrift nur den Titel »Herr« (*her*). Wie viele dieser
Herren Freiherren waren und wie viele Ministerialen, ist geradezu als ein Zentralproblem der Minnesangforschung angesehen worden. Nach Schulte sollte die Reihe der Freiherren bis
Nr. 34 (Heinrich von Morungen) reichen, und mit Nr. 35 (Der
Schenke von Limburg) sollten die Ministerialen anfangen, die
nach seinen Beobachtungen den ganzen Mittelteil der Sammlung bis Nr. 101 (Der Taler) einnehmen. Man braucht sich aber
nur davon zu überzeugen, daß vor Morungen schon Veldeke
(Nr. 16) steht, der gewiß kein Freiherr war, und daß nach dem
Schenken von Limburg noch der hochadlige Burggraf von Rietenburg (Nr. 42) und der Freiherr Bligger von Steinach (Nr. 58)
folgen, um zu erkennen, daß die Reihung der Dichter in der
Heidelberger Liederhandschrift im einzelnen wenig konsequent
ist, auch wenn im großen und ganzen eine Ordnung nach den
Standesverhältnissen durchgeführt ist.

Die Zahl der Ministerialen unter den adligen Minnesängern
war offenbar viel geringer, als man früher angenommen hat.
Wie wenig im Grunde die Trennung zwischen Freiherren und
Ministerialen besagt, zeigt gleich der älteste historisch gesicher-
te Ministeriale unter den Minnesängern, Friedrich von Hausen,
der zu den bedeutendsten Reichsministerialen um Kaiser Friedrich I. gehörte, dessen Vater, Walther von Hausen, jedoch als
Freiherr in mehreren Kaiserurkunden bezeugt ist. Der Übertritt
in die Reichsministerialität bedeutete zwar juristisch eine Stan-
desminderung; faktisch war damit jedoch eine größere Nähe
zum Herrscher und wahrscheinlich ein Gewinn an Macht und
Einfluß verbunden. Die Zahl der Ministerialen unter den lyrischen Dichtern hat offenbar in demselben Maß zugenommen,
wie die Ministerialität mit dem alten Adel verschmolz. Im Verlauf des 13. Jahrhunderts sind in Deutschland zahlreiche altadli-
ge Familien ausgestorben. Man schätzt, daß der Adel um 1300

zu 80 Prozent aus Ministerialen bestand. Angesichts dieser Zahlen ist die Ministerialität in der Heidelberger Sammlung eher unterrepräsentiert.

Wo die adligen Dichter ihre Kunst geübt haben, entzieht sich unserer Kenntnis. Es ist nicht auszuschließen, daß die kleinadligen Sänger auf ihren eigenen Burgen und Stammsitzen gesungen haben. Die Regel war das sicherlich nicht. Minnesang setzte höfische Geselligkeit voraus, wie man sie an den großen Höfen antraf. Literarische Beziehungen der Sänger untereinander, zum Beispiel bei den Dichtern der Hausenschule, lassen einen gemeinsamen gesellschaftlichen Beziehungspunkt vermuten. Das war für den Hausen-Kreis wahrscheinlich der Hof Heinrichs VI., für die schwäbischen Minnesänger im 13. Jahrhundert wahrscheinlich der staufische Königshof Heinrichs (VII.) und Konrads IV. Dabei waren die adligen Dichter sicherlich bis zu einem gewissen Grad dem Urteil und dem literarischen Geschmack der Hofherren unterworfen, wie es die kleine Episode mit dem Freiherrn Reinhart von Westerburg bezeugt, der von Kaiser Ludwig dem Bayern († 1347) für sein Frauenlied getadelt wurde (vgl. S. 459). Solche Formen des literarischen Patronats sind jedoch nicht zu verwechseln mit den Zwängen, denen die Berufsdichter ausgesetzt waren.

Wie die adligen Herren die Fertigkeit erworben haben, komplizierte Strophenschemata sprachlich, metrisch und musikalisch zu handhaben, ist ziemlich unklar. Man hat sich über dieses Phänomen noch nicht genügend gewundert. Bei den provenzalischen und französischen Dichtern, die den Deutschen als Muster dienten, kann man in vielen Fällen literarische Bildung voraussetzen. Für die adligen Minnesänger in Deutschland waren solche Voraussetzungen nicht gegeben; sie werden in der Regel Analphabeten gewesen sein. Die ältesten Dichter um Kürenberg, die hauptsächlich in Langzeilenstrophen gedichtet haben, knüpften in ihrer poetischen Technik offenbar an mündliche Überlieferungen an. Vor einer schwereren Aufgabe standen die Sänger, die nach romanischen Mustern arbeiteten. Am ehesten ließ sich das Problem bewältigen, wenn man einfach das fertige Strophenschema eines romanischen Liedes, die metrische Bauform zusammen mit der Melodie, übernahm. Solche Kontrafakturen haben für Hausen und seinen Kreis offenbar eine entscheidende Rolle gespielt. Nach dem Muster der übernommenen Formen ließen sich dann, durch Variation, ähnliche Kunstgebilde herstellen. Daß auf diese Weise große Dichtung entstand, war nicht zu erwarten. Aber einer außergewöhnlichen Begabung, wie sie Friedrich von Hausen besaß, ist es doch gelungen, mit erborgten Mitteln einen eigenen Ton und einen eigenen Stil zu entwickeln.

Im allgemeinen war das Niveau der Minnelieder, die von adligen Dilettanten gedichtet worden sind, nicht sehr hoch. Den poetischen Erzeugnissen der fürstlichen Sänger aus dem 13. Jahrhundert mangelt es durchweg an Kraft und Ausdrucksvermögen. Daß die höfische Lyrik auch in Deutschland trotzdem zur großen Kunst geworden ist, verdankt sie im wesentlichen den Minnesängern geringeren Standes, vor allem den Berufsdichtern, die meist literarisch geschult waren und damit über ganz andere Bildungsvoraussetzungen verfügten. In Südfrankreich haben neben den fürstlichen Dichtern wie Wilhelm IX. und Jaufré Rudel professionelle Sänger niedriger Herkunft bereits in der ersten Hälfte des 12. Jahrhunderts das Bild der Trobadorlyrik mitbestimmt. Marcabru und Cercamon waren die prominentesten unter ihnen. Bereits Marcabru hat gegen die höfischen Liebespraktiken des Adels polemisiert; und auch später hat es Stimmen gegeben, die den adligen Sängern vorwarfen, sie würden den höfischen Frauendienst verderben.

Seit wann in Deutschland professioneller Minnesang gedichtet wurde, ist eine Frage, die die Minnesangforschung kaum beschäftigt hat. Da man alle Dichter für adlig gehalten hat, auch Walther von der Vogelweide und Neidhart, hat sich ein solches Problem gar nicht gestellt. Heute kann jedoch als sicher gelten, daß Walther ein Berufsdichter unbekannter Herkunft war. Für Neidhart und Tannhäuser gilt dasselbe. Daß diese Dichter in der Großen Heidelberger Liederhandschrift den Herrentitel führen, daß sie dort mit Wappen und anderen Adelsattributen abgebildet sind, sagt über ihre tatsächlichen Standesverhältnisse nichts aus. Ob es bereits vor Walther berufsmäßige Hofsänger gegeben hat, ist unsicher. Reinmar der Alte könnte in einer solchen Position gewesen sein und vielleicht Heinrich von Morungen, an dessen adliger Abstammung nie gezweifelt worden ist, weil er mit dem »Henricus de Morungen« identifiziert wird, der in einer um 1217 datierten Urkunde des Markgrafen Dietrich von Meißen als »ausgedienter Ritter« (*miles emeritus*) bezeichnet wird. Daß der Markgraf ihm, wie es in der Urkunde weiter heißt, »wegen der hohen Verdienste in seinem Leben«[23] eine jährliche Rente von zehn

[23] propter alta vitae suae merita (UB der Stadt Leipzig, Bd. 2, Nr. 8, S. 7)

Talenten ausgesetzt hat, paßt jedoch eher auf einen verdienten Hofmann als auf einen adligen Herrn. Auch seinem Bildungsstand nach fällt Morungen aus dem Schema der adligen Dichter heraus: die vielen antiken Motive in seinen Liedern deuten darauf, daß er – wie wahrscheinlich auch Walther von der Vogelweide – eine gelehrte Schulbildung besaß und Lateinisch verstand. Sollten diese Vermutungen zutreffen, dann wären die größten Künstler unter den Minnesängern in Deutschland Berufsdichter gewesen. Daran wäre nichts Verwunderliches, denn ohne literarische Übung war die höfische Liedkunst schwerlich zur Meisterschaft zu bringen.

Die höfischen Berufslyriker waren auf die Gunst fürstlicher Gönner angewiesen und befanden sich offenbar in einer ähnlichen Lage wie die meisten Epiker, die an den Höfen arbeiteten. Neidhart zum Beispiel scheint über Jahre hinweg eine feste Position am Wiener Hof gehabt zu haben. Auch ihm waren jedoch, wenn man seinen Selbstaussagen glauben darf, die bitteren Erfahrungen eines Gönnerwechsels nicht erspart geblieben. »Ich habe ohne Schuld die Gunst meines Herrn verloren. Daher habe ich alles, was mir gehörte, in Bayern gelassen und bin auf dem Weg nach Österreich und setze meine Zuversicht auf den edlen Herrn von Österreich.«[24] Eine poetische Frucht dieser Situation war das Gönner-Minnelied, das Gönnerlob und Minnethematik miteinander verknüpfte. Wir finden es bei Neidhart und Tannhäuser.

Die Frage, ob es auch Geistliche unter den deutschen Minnesängern gegeben hat, wird von der Forschung bejaht; eine gründliche Untersuchung fehlt jedoch. Am besten bezeugt ist der geistliche Stand für Rost von Sarnen, der in der Großen Heidelberger Liederhandschrift »Rost. Kirchherr zu Sarne«[25] heißt. Die Familie von Rost gehörte zum Züricher Stadtadel, und ein Heinrich († 1330) ist als Kirchherr in Sarne und später als Chorherr in Zürich nachgewiesen. Hugo von Trimberg berichtete, »daß ein Abt von St. Gallen Tagelieder dichtete«[26]. Den kulturgeschichtlichen Hintergrund hat Hadloub deutlich gemacht: Geistliche Würdenträger beiderlei Geschlechts haben

---

[24] Ich hân mînes herren hulde vloren âne schulde: ... des hân ich ze Beiern lâzen allez, daz ich ie gewan, unde var dâ hin gein Ôsterrîche und wil mich dingen an den werden Ôsterman (74,31.75,1–2)

[25] Rôst. kilchherre ze Sarne. Die Vorschrift zur Namenszeile lautet allerdings: Her Heinrich der Rôst schriber (Pfaff, Sp. 947)

[26] Daz ein abt von sant Gallen Tageliet machte (4192–93)

an der Minneunterhaltung der adligen Gesellschaft in Zürich teilgenommen.

Die Fahrenden

Am schlechtesten gestellt waren die fahrenden Dichter, die keine feste Bleibe hatten und daher rechtlos waren. Sie boten »am Hof und auf der Straße«[27] ihre Kunst an, von der sie leben mußten. Ihre Domäne war die Spruchdichtung. Gelegentlich hat auch ein Spruchdichter, wie Der Marner oder Der Kanzler, ein Minnelied verfaßt; aber im ganzen waren die beiden lyrischen Gattungen, was die Autoren betrifft, streng getrennt. Erst vor dem Hintergrund dieser Feststellung wird deutlich, welche Sonderstellung Walther von der Vogelweide in der Geschichte der höfischen Lyrik einnimmt: er war der einzige Dichter, der im selben Umfang als Minnesänger und als Spruchdichter gewirkt hat. Man vermutet, daß der Tod seines Gönners, Herzog Friedrichs I. von Österreich († 1198), zum Verlust seiner Stellung als Hofsänger in Wien geführt hat und daß Walther von diesem Zeitpunkt an gezwungen war, sein Auskommen als Fahrender zu suchen. Walther war es auch, der die beiden Gattungen, Minnesang und Spruchdichtung, formal einander angenähert hat, indem er die Spruchstrophen auf das künstlerische Niveau der Liedstrophen hob. Dadurch ist er zum Begründer der höfischen Spruchdichtung geworden.

Über die Standesverhältnisse der Fahrenden ist nichts Genaues auszumachen. In der mittelalterlichen Gesellschaft bildeten die Rechtlosen eine Gruppe für sich, der jegliche Standesqualität fehlte. Dies muß so deutlich gesagt werden, weil es in der Literaturwissenschaft üblich ist, die fahrenden Dichter mit gesellschaftlichen Prädikaten zu versehen, die anderen Rechtssphären entlehnt sind. Für die meisten Spruchdichter wird »bürgerliche« Abkunft in Anspruch genommen: ein gänzlich irreführender Begriff, weil das Wort Bürger in rechtlichem Sinn damals nur diejenigen Stadtbewohner bezeichnete, die das Bürgerrecht besaßen, was für keinen Spruchdichter erweisbar ist. Es ist auch nicht wahrscheinlich, daß die Spruchdichter des 12. und 13. Jahrhunderts in nennenswerter Zahl aus der städtischen Bevölkerung hervorgegangen sind. Noch weniger glaubhaft ist es, daß darunter auch Adlige waren. Dies war eine

[27] ze hove und an der strâzen (W. v. d. Vogelweide 105, 28)

Lieblingsidee der älteren Minnesangforschung, die hauptsächlich in bezug auf Walther von der Vogelweide relevant geworden ist, von dem man meinte, er könnte ein jüngerer Ministerialensohn gewesen sein, der ohne Erbe geblieben und daher gezwungen war, seinen Lebensunterhalt als Fahrender zu erwerben. Auch andere Spruchdichter wurden dem Adel zugezählt: Friedrich von Suonenburg, Johannes von Ringgenberg, Pfeffel, von Wengen, hauptsächlich weil sie Namen trugen, die auch als Namen adliger Familien bezeugt sind. Daß die Dichter Angehörige dieser Adelsfamilien gewesen sind, ist jedoch in keinem Fall gesichert oder auch nur wahrscheinlich. Wohl gab es Bessergestellte und Schlechtergestellte unter den Fahrenden. Voller Verachtung haben die Gebildeten unter ihnen auf diejenigen herabgeblickt, die ihre Kunst noch als Analphabeten übten. Die Schärfe der Polemik untereinander spiegelt die Härte der Konkurrenz.

Die fahrenden Spruchdichter sind in ihrer sozialen Erscheinungsform nicht von den Spielleuten zu unterscheiden, die an den Höfen und bei festlichen Versammlungen in großer Zahl auftraten. In der germanistischen Forschung ist dieser Zusammenhang allerdings mit Vehemenz bestritten worden, weil man nicht wahrhaben wollte, daß ein Dichter wie Walther von der Vogelweide dem »armseligen Musikantengesindel« (Hans Naumann) der Spielleute gleichzustellen sei. Solche Werturteile werden jedoch der Hochschätzung, der sich gerade die Instrumentalmusiker in der Laiengesellschaft erfreuten, nicht gerecht. Es ist gut bezeugt, daß die Spielleute ein breites Unterhaltungsangebot bereithielten, das von akrobatischen Vorführungen und Zauberkunststücken bis zum Vortrag anspruchsvoller Dichtung reichte. Zum Hoffest Karls des Großen in Landit »kamen mehr als vierhundert Menestrels, die wir Spielleute nennen und die auch als Wappensprecher auftreten. Einige von ihnen verstanden sich darauf, von Abenteuern zu singen und von Ereignissen, die in alten Zeiten geschehen waren. Es gab dort auch einige, die auswendig von Minne und Liebe erzählten; einige, die die Fiedeln laut erklingen ließen; einige, die schön auf dem Horn bliesen. Einige traten als Riesen auf. Einige flöteten kunstvoll auf der Holz- und der Knochenflöte. Einige bliesen Musikstücke auf dem Dudelsack. Einige spielten Harfe und Geige, denen man schweigend zuhören konnte. Einige erfreuten traurige Herzen mit dem Psalterion. Es gab einige, die das Spiel der Zither in Paris gelernt hatten. Einige erprobte Meister zauberten unter dem Hut. Einige konnten gut die Scheibe drehen. Einige schlugen die Zimbel mit den Trommelstöcken. Einige lärmten und sprangen; einige konnten sehr gut ringen. Einige ließen nach Belieben die Böcke mit den Pferden kämpfen und ließen Meerkatzen auf ihnen reiten. Es gab einige, die mit Hunden tanzen konnten, und einige, die Steine kleinkauen konnten.«[28] Die Liste war noch nicht zu Ende: es folgten noch verschiedene Zauberkünstler und vor allem die beliebten Tierstimmenimitatoren.

Wie zahlreich und wie verschiedenartig das Volk der Fahrenden war, zeigen am deutlichsten die Reiserechnungen des Passauer Bischofs Wolfger von Erla († 1218), in denen die täglichen Ausgaben des Bischofs auf seinen Reisen durch Österreich und Italien in den Jahren 1203 und 1204 festgehalten sind. Bischof Wolfger hatte eine offene Hand für alle, die seine Unterstützung suchten und sich um ihn drängten, wo immer er hinkam. Zu den »Fahrenden« (*vagi, girovagi*) gehörte die Menge der »Armen« (*pauperes, pauperculi*) und »Alten« (*vetuli*), »Kranken« (*infirmi*), »Blinden« (*caeci*) und »Dickleibigen« (*pingues*); weiter die zahlreichen »Pilger« (*peregrini, wallerii*) und »Büßer« (*penitenciarii*), die »armen Kreuzfahrer« (*pauperes cruciferi*) und die wandernden »Mönche« (*monachi, moniales*). Nicht geringer war die Zahl von Studierten, die trotz ihrer Bildung auf dieselbe soziale Stufe abgesunken waren: die »armen Kleriker« (*pauperes clerici*), die »Scholaren« (*scolares*), die »Lotterpfaffen« (*lodderpfaffi*) und mancher »alte Kanonicus« (*vetulus canonicus*). Noch größer war die Gruppe der fahrenden Künstler, die den Bischof auf seinen Reisen aufsuchten. Sie wurden zumeist in

[28] ouch quamen dare me dan viere hundert ministriere, die wir nennen speleman inde van wapen sprechen kan. sulche kunden singen van aventuren inde dingen die geschagen in alden jaren. sulche ouch da waren die van minnen inde lieve sprachen ane brieve. sulche die die vedelen zwaren daden luden offenbaren; sulich de wale dat horen blies, sulich geberde als ein ries; sulche floteden cleine mit holze inde mit beine, sulche bliesen mutet wale up deme muset; sulche harpen inde gigen, den man mochte swigen, sulche cum salterio druvige herzen machen vro, sulche die van zitole zů Paris hielden schole. sulche meistere gůde kouchelden under dem hůde. sulche kunden driven umbe wale die schiven; sulche wale die becken entfiengen mit den stecken; sulche tumelden inde sprungen, sulche die vil wale rungen; sulche als si si begerden, die bucke mit den perden daden si samen striden inde merkatzen riden. sulche die och kunden danzen mit den hunden; sulche die ouch steine kuweden harde cleine (Morant u. Galie 5145-84)

der traditionellen kirchlichen Terminologie als »Spielleute«
(*ioculatores*), »Gaukler« (*histriones*) und »Schausteller« (*mimi*)
bezeichnet. Es begegnen aber auch genauere Namen, aus denen sich ergibt, daß die musikalischen Darbietungen der
»Geiger« (*gigari*), »Sänger« (*cantores, discantores*), »Sängerinnen« (*cantatrices*) und eines »Mädchenchors« (*puellae cantan-
tes*) sich besonderer Wertschätzung erfreuten. Als *cantor* erscheint hier auch Walther von der Vogelweide, und das Wort
cantor ist an dieser Stelle wohl am besten mit »fahrender Sänger« zu übersetzen. Die Geldbeträge, die in den Rechnungs-
büchern verzeichnet sind, werfen ein Licht auf die unterschiedliche soziale Geltung der verschiedenen Gruppen. Am
reichlichsten wurden die Vaganten und Scholaren von dem
Bischof bedacht. Fast ebenso viel hat er jedoch für die Spielleute und Musikkünstler ausgegeben. Viel geringer waren die
Aufwendungen für die große Schar der Armen und der Pilger.

Auch in sich war die Gruppe der *ioculatores* und Spielleute
ganz uneinheitlich, und die Rangordnung wurde im wesentlichen durch die Art ihrer Tätigkeit bestimmt. In einer vielzitier-
ten Passage aus der ›Summa confessorum‹ des Thomas von
Chobham († nach 1233) wurden die Spielleute in drei Klassen
geteilt und vom kirchlichen Standpunkt aus bewertet: »Es gibt
drei Arten von Spielleuten. [Erstens] solche, die ihre Körper in
schandbaren Sprüngen oder schandbaren Gebärden verdrehen
und verbiegen und die ihre Körper auf schandbare Weise ent-
blößen oder gräßliche Panzer oder Masken tragen: die sind alle
zur Verdammnis bestimmt, sofern sie nicht ihren Beruf aufge-
ben. [Zweitens] gibt es andere, die nichts anderes tun als sich in
fremde Angelegenheiten einmischen; sie besitzen keinen festen
Wohnsitz, sondern ziehen zu den Höfen der Fürsten und verbreiten Schimpf und Schande über Abwesende. Auch diese sind
der Verdammung anheimgegeben; der Apostel verbietet nämlich, mit solchen Menschen zu speisen. Sie werden *scurrae vagi*
(fahrende Possenreißer) genannt, weil sie zu nichts taugen als
zum Prassen und Schmähen. Es gibt eine dritte Kategorie von
Spielleuten, die Musikinstrumente besitzen, um die Menschen
zu erfreuen, und von denen gibt es zwei Arten. Die einen besuchen öffentliche Gelage und ausgelassene Geselligkeiten, um
dort frohe Lieder zu singen und damit die Menschen zur Unkeuschheit anzustiften. Diese sind ebenso verdammungswürdig
wie die ersten. Die anderen, die *ioculatores* genannt werden,

singen von den Taten der Könige und vom Leben der Heiligen, und diese spenden den Menschen Trost in ihren Kümmernissen und ihren Ängsten. Sie können gerettet werden.«[29]

Das Verdammungsurteil der Kirche über das fahrende Volk der Akrobaten und Schausteller hatte eine lange Tradition, die bis in die Väterzeit zurückreichte. Immer wieder wurden die Geistlichen und auch die Laien davor gewarnt, sich mit den Spielleuten einzulassen, deren Tätigkeit den strengen Sittenpredigern geradezu als Inbegriff des sündhaften Welttreibens erschien. Alle diese Mahnungen scheinen jedoch wenig gefruchtet zu haben. Ebenso wie Bischof Wolfger von Passau haben auch andere Kirchenfürsten ihre Vorliebe für die Kunst der Spielleute ungeniert zu erkennen gegeben. Mit besonderer Sorge verfolgte die Kirche im 13. und 14. Jahrhundert, daß immer mehr studierte Kleriker, die offenbar kein kirchliches Amt fanden, als *clerici vagi* die Lebensform der Fahrenden annahmen oder geradezu *ioculatores* wurden. Ein Salzburger Konzil aus dem Jahr 1310 bestimmte, daß »Kleriker, die ihren geistlichen Stand gänzlich verleugnen und Spielleute oder Goliarden oder Possenspieler werden«[30], alle Privilegien ihrer geistlichen Stellung verlieren sollten. Die Lütticher Synodalstatuten von 1287 verboten es den Geistlichen, »Gaukler, Spielleute, Finanzbeamte, weltliche Förster oder Goliarden zu werden«[31]. Wie nahe fahrende Kleriker und Spielleute einander standen, bezeugt auch der Bayerische Landfriede von 1244, der unter der Überschrift ›Über die Fahrenden und die Spielleute‹ (*De vagis et hystrioni-*

[29] Sed notandum quod histrionum tria sunt genera. Quidam enim transformant et transfigurant corpora sua per turpes saltus vel per turpes gestus, vel denudando corpora turpiter, vel induendo horribiles loricas vel larvas, et omnes tales damnabiles sunt nisi relinquant officia sua. Sunt etiam alii histriones qui nihil operantur sed curiose agunt, non habentes certum domicilium, sed circueunt curias magnatum et loquuntur obprobia et ignominias de absentibus. Tales etiam damnabiles sunt, quia prohibet Apostolus cum talibus cibum sumere. Et dicunter tales scurre vagi, quia ad nihil aliud utiles sunt nisi ad devorandum et maledicendum. Est etiam tertium genus histrionum qui habent instrumenta musica ad delectandum homines, sed talium duo sunt genera. Quidam enim frequentant publicas potationes et lascivas congregationes ut cantent ibi lascivas cantilenas, ut moveant homines ad lasciviam, et tales sunt damnabiles sicut et alii. Sunt autem alii qui dicuntur ioculatores qui cantant gesta principium et vitas sanctorum et faciunt solatia hominibus vel in egritudinibus suis vel in angustiis suis ... bene possunt sustineri tales (Summa confessorum, S. 291 f.)
[30] Clerici qui clericali ordini non modicum detrahentes, se ioculatores seu galiardos faciunt, aut buffones (Mansi, Bd. 25, Sp. 227)
[31] nec sint histriones, ioculatores, ballivi, forestarii saeculares, goliardi (Mansi, Bd. 24, Sp. 910)

bus) bestimmte: »Kleriker, die eine Laientonsur tragen und die Fahrende sind, werden ebenso wie die Laien-Spielleute für friedlos erklärt.«[32]

An den Spielleuten zeigte sich, wie wenig Erfolg der kirchlichen Predigt beschieden war, wenn es um das Unterhaltungsbedürfnis der adligen Gesellschaft ging. Die Wertschätzung, deren sich die fahrenden Künstler beim weltlichen Adel erfreuten, stand in deutlichem Gegensatz zu ihrer Verurteilung durch die Theologen. Auf allen Festen und an allen Höfen wurden sie gerne gesehen und reich beschenkt; und wenn einmal ein Herrscher sich anders verhielt und die Spielleute zurückwies, wurde das als so ungewöhnlich angesehen, daß die Geschichtsschreiber darüber berichteten (vgl. S. 317). Die Gunst, die man den fahrenden Spielleuten entgegenbrachte, eröffnete manchen von ihnen die Chance, ihre Position zu verbessern. Der als Spielmann verkleidete Tristan erzählte in Irland: »Ich war ein höfischer Spielmann und beherrschte alle höfischen Fertigkeiten. Damit erwarb ich so große Reichtümer, daß schließlich mein Besitz mich übermütig werden ließ und ich mehr haben wollte, als mir zustand. So wurde ich Kaufmann.«[33] Er habe sich mit einem anderen Kaufmann zusammengetan und ein Handelsschiff ausgerüstet, das von Spanien nach England fuhr. Diese Geschichte war zwar erfunden, aber sie sollte glaubwürdig klingen und tat es offenbar auch. Tristan hatte auch am englischen Hof seine wahre Abkunft verschwiegen und dort nur auf Grund seiner höfischen Fertigkeiten Karriere gemacht, zuerst als Jäger und dann als Instrumentalsolist. König Marke war von seinen künstlerischen Darbietungen so beeindruckt, daß er ihn zu seinem vertrauten Gesellschafter machte, der ihn mit »Harfen, Fiedeln und Singen«[34] unterhielt; außerdem ernannte er ihn zu seinem persönlichen Waffenmeister. »So wurde der Heimatlose dort am Hofe ein beliebter Mann.«[35] Auch der provenzalische ›Daurel et Beton‹ aus dem 12. Jahrhundert und der französische ›Guillaume de Dole‹ von Jean Renart aus der ersten Hälfte des 13. Jahrhunderts geben ein Bild davon, welche Vorzugs-

[32] Item clericos tonsuram laycalem deferentes, videlicet vagos, et etiam laicos istriones . . . ponimus extra pacem (MGH Const. 2, Nr. 427, S. 577)

[33] ich was ein höfscher spilman und kunde genuoge höfscheit unde fuoge . . . dâ mite gewan ich sô genuoc biz mich daz guot übertruoc und mêre haben wolte, dan ich von rehte solte. sus liez ich mich an koufrât (G. v. Straßburg 7564–66. 73–77)

[34] harphen, videln, singen (3728)

[35] sus was der ellende dô da ze hove ein trût gesinde (3740-41)

stellung ein Spielmann erreichen konnte, wenn er das Vertrauen seines Herrn besaß. Im ›Guillaume de Dole‹ war Jouglet der Spielmann des deutschen Kaisers Konrad, und es gab niemanden am Hof, der dem Kaiser so nahe stand. Jouglet blieb immer ein Diener: er sang und musizierte für den Kaiser, er half ihm beim Ankleiden, er übernahm Botschaften und betreute die Gäste. Gleichzeitig erfreute er sich der besonderen Zuneigung des Kaisers, der das persönliche Gespräch mit ihm suchte, der auch gemeinsam mit ihm sang und ihm als einzigem am Hof seine Herzensangelegenheiten anvertraute. Immer waren es die musikalischen Künste der professionellen Sänger und Instrumentalisten, die besonders hochgeschätzt wurden. In Frankreich ist es bereits im 12. Jahrhundert üblich gewesen, daß kunstinteressierte Fürsten einzelne *menestrels* fest in ihren Dienst nahmen und ihnen eine sichere Stellung an ihrem Hof gaben. Aus Deutschland sind die Zeugnisse spärlicher. In einer Urkunde, die König Heinrich VI. am 6. September 1189 in Speyer zugunsten des Klosters Steingaden ausgestellt hat, erscheint unter den Zeugen »Rupert der Spielmann des Königs«[36]. Auch Bischof Wolfger von Erla hatte seinen eigenen *ioculator,* der ihn auf seinen Reisen begleitete[37]. König Manfred († 1266), der Sohn Kaiser Friedrichs II., hielt an seinem Hof eine ganze Schar von »Geigern« (*gigaeren*) und »Fiedlern« (*videlaeren*), denen er große Privilegien einräumte.

Für die meisten Fahrenden hieß die Devise: »Geld für Ehre nehmen« (*guot umb êre nemen*). Diese Formel ist in der höfischen Zeit geradezu als eine Berufsumschreibung für die fahrenden Spielleute benutzt worden. Eneas »ließ öffentlich bekanntmachen, daß er heiraten werde und daß jeder, der Geld für Ehre nehmen wollte, fröhlich dorthin käme«[38]. Sogar die Rechtsbücher haben sich dieser Formel bedient. Im ›Schwabenspiegel‹ hieß es im Zusammenhang des Erbrechts: »Wenn ein Sohn zum Spielmann wird, indem er Geld für Ehre nimmt ...«[39] Damit war zunächst nur gemeint, daß die Fahrenden für das Lob (*êre*), das sie in ihren Sprüchen den Herren zollten, materiellen Lohn (*guot*) entgegennahmen. Aber *guot umb êre nemen* konnte auch eine andere, herabwürdigende Bedeutung

[36] Rubertus ioculator regis (Böhmer-Baaken, Nr. 90, S. 41)
[37] Joc(u)latori episcopi (Heger, S. 90)
[38] Ênêas der mâre enbôt offenbâre, daz her brûten solde, swer gût umb êre wolde, daz her frôlich quâme (H. v. Veldeke, Eneit 336, 1-5)
[39] ob ein sun ze einem spilmanne wirt, daz er guot vür êre nimt (§ 16, S. 20)

haben: »Lohn statt Achtung empfangen«. Dann bezog sich *êre* auf die Fahrenden selbst, und es wurde zum Ausdruck gebracht, daß die, die für Bezahlung sangen, dafür ihr gesellschaftliches Ansehen hingaben. Für Berthold von Regensburg gehörten die Spielleute zum Ingesinde des Teufels. »Das sind die Possenreißer, die Geiger und Trommler, wie sie auch heißen, alle, die Geld für Ansehen nehmen.«[40]

Die Aufgabe der fahrenden Spruchdichter war es, die großen Herren zu loben. »Gott hat ihnen Verstand und Wissen verliehen, um den großen Herren das Leben leichter zu machen, um ihre Laster zu vertuschen und ihre guten Taten bekannt zu machen. Dafür sind die Menestrels gemacht, daß sie überall Freude und Kurzweil schaffen.«[41] Daß sie dabei skrupellos verfuhren, indem sie die Bösen priesen und die Guten schmähten oder indem sie das Lob hinter dem Rücken des Gelobten in Schimpf umwandelten, ist ihnen oft zum Vorwurf gemacht worden; am schärfsten wieder von Berthold von Regensburg: »So einer redet von einem das Beste, was er kann, solange der das hört; und wenn der ihm den Rücken kehrt, dann redet er von ihm das Böseste, was ihm einfällt. Und er tadelt manchen, der vor Gott und der Welt ein gerechter Mann ist; und er lobt einen, der schandbar vor Gott und der Welt lebt.«[42] Die Spruchdichter selber haben gewußt, daß es ihre materielle Abhängigkeit war, die sie dazu zwang, auch den zu preisen, der keinen Lobpreis verdiente. »Das alte Sprichwort sagt uns: Wes Brot man essen will, des Lob soll man auch singen und soll nach seiner Pfeife tanzen.«[43] In einem Streitgespräch zwischen Gawein und Keie, aus dem diese Verse stammen, vertrat Gawein den Standpunkt des ehrenhaften Spruchdichters, der nur die Würdigen loben wollte. »Man soll gerne den Herrn loben, wo er

[40] Daz sint die gumpelliute, gîger unde tambûrer, swie die geheizen sîn, alle die guot für êre nement (Bd. 1, S. 155)

[41] Car Diex sens leur donne et savoir Des gentilz homes soulacier, Pour les vices d'entr'eus chacier Et pour les bons noncier leur fais: Pour ce sont li menestrel fais, Que partout font joie et deduit (Watriquet de Couvins, Li dis des trois vertus 147-52)

[42] Wan er ret eime daz beste daz er kan die wîle daz erz hoeret, und als er im den rücken kêret, sô ret er im daz boeste, daz er iemer mê kan oder mac, unde schiltet manigen, der gote ein gerehter man ist und ouch die werlte, unde lobet einen, der gote unde der werlte schedelîchen lebet (Bd. 1, S. 155)

[43] die alten sprüche sagent uns daz: swes brot man ezzen wil, des liet sol man ouch singen gerne, und spiln mit vlize, swes er spil (Der tugendhafte Schreiber XII, 2, 13-14)

Lob verdient. Aber ich will niemandem, den ich in Schande weiß, nur um seines Brotes willen nahe sein.«[44] In seiner Antwort hat Keie klargemacht, daß diese edle Haltung vor der Realität versagte: »Die großen Herren wollen nicht getadelt werden. Sie wollen, daß man alles preist, was sie tun. Dafür können sie sehr hohen Lohn geben. Was taugt dagegen ein ehrlicher Gesang? Wenn mir ein verlogenes Ja von ihnen gut vergolten wird, so bringt euch euer Nein, so wahr es ist, doch keinen Nutzen.«[45] Den guten Vorsatz, nur die zu preisen, die es verdienten, haben viele Spruchdichter gehabt: »Bevor ich einen reichen Bösen für eine kleine Gabe lobe, will ich lieber mit den guten Armen immer arm bleiben.«[46] Viele haben aber auch zugegeben, daß sie die Falschen »mit schönen Sprüchen angelogen haben«[47]. »Wegen der Armut des Leibes muß ich jetzt häufig lügen.«[48] »Mein Mund hat sie so manches Mal mit Lobpreis angelogen.«[49] »Ich muß die Wahrheit lassen und um des Mammons willen lügen. Da ich trotz hoher Kunst weder Gabe noch Gut besitze, will ich noch schlimmer lügen als alle meine Standesgenossen.«[50]

Noch drückender als das falsche Lob scheint der Zwang zu Spott und Tadel von den Dichtern empfunden worden zu sein. Manchmal wurden die Spielleute geradezu danach eingeteilt, ob sie Lob oder Tadel sprachen. »Es gibt so viele Menestrels; die einen sind höfisch, die anderen derart, daß sie keiner anderen Sache dienen, als schlecht zu reden und Schimpf und große Bosheit auszusprechen.«[51] Nach anderer Auffassung mußten auch die höfischen Spruchdichter Spottlieder singen. »Ein höfi-

---

[44] man sol den herren gerne loben, da er ze lobene si: ja enwil ich nieman durch sin brot mit wizzende siner schanden wesen bi (XII, 3, 13-14)

[45] Si wellent ane strafen leben, unt wellent, daz man alle ir vuore prise. dar ümbe kunnen si wol geben vil hohe miete: nu waz touc danne iuwer slehtiu wise? so mir ein verlogenez Ja von in vil wol vergolten wirt, so weiz ich wol, daz iuwer Nein, swie war ez ist, iu lützel vrümen birt (XII, 4, 9-14)

[46] E dan ich einen richen boesen prisete umb ein gebelin, e wolt' ich mit den milten armen immer arm sin (Der Litschower 5, 9-10)

[47] mit richen sprüchen angelogen (F. v. Suonenburg 47, 2)

[48] Nu muoz ich dikke liegen durch des libes not (Rumslant II, 4, 1)

[49] Mîn munt der hât sie angelogen mit lobe an manigen stunden (Hermann der Damen IV, 7, 5-6)

[50] ich muoz der warheit abe stan und liegen umbe guot! Sit ich bi rehter kunst bin gabe und guotes also bloz, so wil ich serer liegen denne müge einer min genoz (F. v. Suonenburg 18, 3-6)

[51] Mais il est tant de menestreus, Les uns cortois, les autres teus Qui ne siervient d'autre maistire Que de mesparler et de dire Ramposnes et grans felenies (Baudouin de Condé, Li contes dou Wardecors 77-81)

scher Spielmann«[52] sollte nach Tristans Worten nicht nur »die Leier und die Geige, die Harfe und die Rotte spielen«, sondern auch »scherzen und spotten« können.[53] Von den deutschen Spruchdichtern des 12. und 13. Jahrhunderts sind bedeutend mehr Lobsprüche erhalten als Spottstrophen. Vielleicht hat man die negative Lyrik nicht in demselben Umfang für aufbewahrenswert gehalten. Wie solche Spottlyrik aussah, zeigen die verschiedenen Sprüche auf die Knausrigkeit König Rudolfs von Habsburg († 1291). Nur wenige Dichter haben den Spott mit so verletzender Schärfe geübt wie Walther von der Vogelweide in seinem »Spießbratenspruch« (*Wir suln den kochen râten* 17,11) oder in seinen Strophen über »Herrn Otto« (26, 23; 26, 33). Walther von der Vogelweide war es auch, der den Zusammenhang zwischen der Armut und der Abhängigkeit der Spruchdichter und ihrer Verpflichtung, Scheltlieder zu verfassen, ausgesprochen hat: »Ich bin zu lange arm gewesen, gegen meinen Willen. Ich war so voller Schmähworte, daß mein Atem stank.«[54]

b. Das höfische Publikum

Historische Anhaltspunkte

Wenn man versucht, sich ein Bild davon zu machen, wie das höfische Publikum aussah, so ist man weitgehend auf Kombinationen und Hypothesen angewiesen, weil es an historischen Informationen darüber fehlt. Sicher ist nur, daß die Dichter ihre Zuhörerschaft an den Höfen gefunden haben. Eine Einschränkung ist allenfalls für die fahrenden Spruchdichter zu machen, die möglicherweise einen Teil ihres Repertoires einem nichtadligen Publikum *an der strâzen* (W. v. d. Vogelweide 105, 38) angeboten haben. Für die Minnesänger und die Epiker war der Hof die einzig denkbare Wirkungsstätte.

Über Größe und Zusammensetzung eines fürstlichen Hofstaats ist aus Chroniken und Annalen wenig zu erfahren (vgl. S. 73 ff.). Die fürstlichen Rechnungsbücher, die darüber Aus-

---

[52] ein höfscher spilman (G. v. Straßburg 7564)

[53] lîren unde gîgen, harphen unde rotten, schimpfen unde spotten (7568-70)

[54] ich bin ze lange arm gewesen ân mînen danc. ich was sô voller scheltens daz mîn âten stanc (29, 1-2)

kunft geben, stammen erst aus den letzten Jahren des 13. Jahrhunderts. Die Raitbücher der Grafen von Tirol, die im Jahr 1288 einsetzten, enthalten ein eingelegtes Blatt, das wahrscheinlich in der Zeit um 1300 geschrieben worden ist und das den Titel trägt: »Dies ist die herrschaftliche *familia* in Tirol.«[55] Genannt sind hier etwa fünfzig Personen, die, unterhalb der adligen Hofgesellschaft, zum Verwaltungspersonal beziehungsweise zur Dienerschaft der gräflichen Hauptburg Tirol gehörten: ein Kaplan, ein Lehrer, zwei Hofnarren (Wolflinus Narro und Hartel Narre, S. 386), Wächter und Pförtner, Schaffner, Weingärtner, Hirten, Förster, Müller, Schneider, Zimmerleute, ein Goldschmied, ferner Küchenpersonal und mehrere Knechte. Der einzige in dieser Liste, der den Herrentitel (*dominus*) trägt, war der Notar Rudolf. Außer diesem, dem Kaplan und dem Lehrer und vielleicht noch den Narren dürfte niemand der hier Genannten an den literarischen Veranstaltungen des Hofes teilgenommen haben.

Aufschlußreicher ist die bayerische Hofordnung vom Jahr 1294, die die Brüder Otto III. († 1310), Ludwig III. († 1296) und Stephan I. († 1310), die seit 1194 in Niederbayern gemeinsam regierten, verabschiedet haben und in der das gesamte Personal des Wittelsbacher Hofs aufgeführt ist. Jeder der Herzöge hatte einen eigenen »Kämmerer« (*chamrar*); außerdem gab es einen gemeinsamen »Kammermeister« (*chamermeister*) und einen »Kammerschreiber« (*chamerschriber*); ferner einen »Türhüter« (*tvrhvtt*), einen »Barbier« (*scheraer*), einen »Schneider« (*snider*), einen »Küchenmeister« (*chvchenmeister*), drei »Köche« (*chôch*), einen »Speisemeister« (*spiser*), einen »Kaplan« (*chapplan*). Zum Hofstaat gehörte weiter der »oberste Schreiber« (*der oberist schriber*) und der »Hofmeister« (*hofmeister*), außerdem der »Marschalk« (*marschalich*), mehrere »Schützen« (*schvtzen*), ein »Falkner« (*valchner*), ein »Jägermeister« (*jaegermeister*), acht »Jäger« (*jaeger*), drei »Spielleute« (*spilman*) und ein »Arzt« (*aerzt*), dazu diverse Knechte, Läufer und Jungen. Die Rangordnung des Hofpersonals ist an der Zahl der Pferde abzulesen, die jedem zustanden. Die erste Stelle nahm der oberste Schreiber mit sechs Pferden ein, gefolgt von dem Hofmeister mit fünf Pferden. Dann kamen die Kämmerer und die Kapläne mit vier Pferden. Alle anderen erhielten weniger. Von adliger Geburt dürften nur diejenigen gewesen sein, von denen die Hoford-

---

[55] Hec est familia domus in Tirol (Heuberger, S. 386)

nung beschworen wurde, nämlich »die Amtleute, Hofmeister, Kammermeister, Marschalk, Kellermeister, Speisemeister und Küchenmeister«[56]. Mit dieser Gruppe ist auch für den Literaturbetrieb zu rechnen. Dazu kamen am Wittelsbacher Hof ein adliger Herr aus dem Kreis der »Landherren« (*lantheren*), zwei Mitglieder der landesherrlichen Ministerialität (*dienstmannen*), zwei »Hofritter« (*hofritter*) und acht »Jungherren« (*junch heren*, S. 53), die sich für längere Zeit am Hof aufhielten. Alles in allem kommt man auf etwa fünfundzwanzig Personen adligen Standes am Hof, wobei die fürstliche Familie selbst, die Hofgeistlichkeit, die Damen und die Gäste noch nicht mitgezählt sind. Am Ende des 13. Jahrhunderts gehörte der Wittelsbacher Hof in Niederbayern zu den bedeutendsten Höfen in Deutschland. Für das Ende des 12. Jahrhunderts hätte man wahrscheinlich von kleineren Zahlen auszugehen.

Die adlige Hofgesellschaft spiegelt sich auch in den Zeugenlisten der Urkunden. Bisher ist noch nicht erprobt worden, ob mit Hilfe dieses Quellenmaterials zuverlässige Anhaltspunkte zu gewinnen sind. Als einen ersten Versuch habe ich die Thüringer Urkunden aus der Zeit Landgraf Hermanns I. (1190 bis 1217) ausgewertet. Dobeneckers Regestenwerk verzeichnet 37 Urkunden aus dieser Zeit, in denen Zeugen namentlich genannt sind. Die Zahl der Zeugen in den einzelnen Urkunden schwankt sehr stark, zwischen 4 und 37; in den meisten Fällen sind zwischen 10 und 20 Personen genannt. In 13 der 37 Urkunden ist der Ausstellungsort angegeben. Die 13 lokalisierbaren Urkunden sind an zehn verschiedenen Orten ausgestellt: ein Zeugnis dafür, daß es damals in Thüringen noch kein festes Herrschaftszentrum gab. Die Wartburg kommt als Ausstellungsort überhaupt nicht vor. Nur eine Urkunde ist in Eisenach ausgefertigt (1196). Am häufigsten ist mit drei Urkunden die landgräfliche Burg Eckartsberga vertreten (1195, 1197, 1199). Die beiden anderen Hauptburgen der Ludowinger, Weißensee und Neuenburg an der Unstrut, kommen zweimal (beide 1201) beziehungsweise einmal (1215) vor.

Im ganzen erscheinen in den Urkunden des Landgrafen Hermann mehr als 250 Personen als Zeugen. Darunter sind einige Fürsten: der Erzbischof von Magdeburg und der Markgraf Dietrich von Meißen († 1221), etwa zwanzig thüringische

---

[56] die amptlevt, hofmaister, chamermeister, marschalch, chelner, spiser, chvchenmeister (Monumenta Wittelsbacensia, Abt. 2, Nr. 198, S. 56)

Äbte und Pröpste, mehrere Domherren, Kantoren, Kustoden und Priester, eine große Anzahl von Grafen, Freiherren und Ministerialen – das ist die zahlenmäßig größte Gruppe –, sowie einige Bürger aus Eisenach und anderen Städten. Die meisten kommen nur ein einziges Mal als Zeugen vor. Das bedeutet, daß die Hofgesellschaft einem ständigen Wechsel unterlag. Es bedeutet aber auch, daß ein großer Teil des Thüringer Adels, wenigstens zeitweilig, den landgräflichen Hof besucht hat und mit dem Landesherrn in persönlichem Kontakt stand. Nur eine kleine Gruppe von etwa 40 Personen ist mehr als zweimal in den Urkunden bezeugt. Darunter befinden sich einerseits die ständigen Mitglieder der Hofverwaltung und andererseits diejenigen Grafen und Herren des thüringischen Adels, die eine besondere Vertrauensstellung genossen und sich offenbar längere Zeit hindurch am Hof des Landgrafen aufgehalten haben. Zur ersten Gruppe gehörte der Truchseß Günther von Schlotheim, der nicht weniger als zwanzigmal als Zeuge vorkommt; ferner der Notar Eckehard, der bis 1211 die landgräfliche Kanzlei geleitet hat, der Marschalk Heinrich von Eckartsberga, der bis 1200 am Hof tätig war und in dieser Zeit sehr häufig als Zeuge genannt ist, ferner der Burggraf Gotebold von Neuenburg und einige andere Ministerialen. Der alte Adel war am Thüringer Hof durch die Grafen Heinrich von Stolberg, Burchard von Mansfeld, Friedrich von Beichlingen sowie durch die Freiherren Manegold von Tannroda, Gozwin von Wengen und einige andere vertreten. Man gewinnt den Eindruck, daß es ein sehr kleiner Kreis von Vertrauten war, der sich ständig in der Umgebung des Landgrafen befand, und daß die Kontinuität der Regierungsgeschäfte hauptsächlich von den Inhabern der Hofämter gewahrt wurde. Bei besonderen Anlässen dürfte sich die Hofgesellschaft, durch den Zuzug von Gästen, beträchtlich vergrößert haben: die großen Festsäle in den thüringischen Hauptburgen Weißensee und Wartburg boten 100 bis 200 Personen Platz.

Wahrscheinlich würde man zu ähnlichen Beobachtungen gelangen, wenn man die Urkunden anderer Fürsten, die in dieser Zeit als Gönner eine Rolle gespielt haben, durchgehen würde. Im Hinblick auf den Literaturbetrieb an den Höfen läßt sich daraus der Schluß ziehen, daß es nur eine kleine Zahl von Personen gewesen sein kann, die kontinuierlich am literarischen Leben teilgenommen haben: der fürstliche Gönner selbst und seine Familie, die Hofgeistlichkeit, die Verwalter der obersten

Hofämter mit ihren Frauen, die engsten Berater des Fürsten aus dem Adel des Landes, alles in allem sicherlich nicht mehr als 20 bis 25 Personen. Bei festlichen Anlässen, wenn zahlreiche Gäste den Hof besuchten, war die Zuhörerschaft wohl um ein Mehrfaches größer. Auf diesen festlichen Versammlungen können jedoch nur kleine Stücke oder kurze Ausschnitte aus längeren Werken vorgetragen worden sein. Wenn man dagegen ein umfangreiches Epos von 10 000 bis 20 000 Versen mitanhören wollte, mußte man viel länger am Hof bleiben. Es ist damit zu rechnen, daß es in Thüringen nur wenige Menschen gegeben hat, die die ›Eneit‹ von Heinrich von Veldeke von Anfang bis zum Ende oder den ganzen ›Willehalm‹, soweit Wolfram ihn gedichtet hat, angehört haben. Diese Feststellung soll den Blick dafür schärfen, daß für das Literaturverständnis im Mittelalter offenbar andere Kategorien galten als die uns vertraute Methodik der literarischen Interpretation, die ein Kunstwerk »als Ganzes« zu erfassen sucht.

Die Rolle der Frauen

Die Zeugenlisten der Urkunden versagen, wenn es um die Frage geht, welchen Anteil die adligen Frauen an den literarischen Unterhaltungen am Hof hatten. Dafür gibt es eine Reihe anderer Indizien, die darauf deuten, daß Frauen nicht nur als Gönnerinnen, sondern auch als Leserinnen und Zuhörerinnen, als Vorleserinnen und Abschreiberinnen, als Sängerinnen und Tänzerinnen in der Hofgesellschaft hervorgetreten sind. Auf Grund ihrer besseren Bildung waren die adligen Damen in höherem Maß als die Männer qualifiziert, in Fragen der Literatur mitzureden. Dazu kam, daß die Thematik und der Stil der höfischen Dichtung sicherlich in besonderer Weise die Interessen der Frauen ansprach. Für die Minnelyrik ist anzunehmen, daß Frauen in vielen Fällen die Adressatinnen der Lieder waren, sei es daß ihnen die Dichter, wie Ulrich von Liechtenstein es beschrieben hat, ihre poetischen Erzeugnisse durch Boten und Briefe zustellen ließen, sei es daß die Frauen beim öffentlichen Vortrag der Lieder anwesend waren. Daß Frauen auch beim Vortrag höfischer Epik eine wichtige Rolle gespielt haben, beleuchtet eine kleine Szene aus dem ›Wartburgkrieg‹. Als Wolfram von Eschenbach anfing, die Geschichte von Lohengrin zu erzählen, unterbrach ihn der Landgraf von Thüringen mit den Worten: »Wenn du uns die Geschichte weitererzählen willst, so müssen wir vorher die Damen herbeibitten.«[57] Und so geschah es. »Die Landgräfin kam auch dorthin. Auf dem Palas der Wartburg sah man sie mit vierzig Hofdamen oder mehr, von denen acht vornehme Gräfinnen sind.«[58] Danach war ein literarischer Vortrag ohne die Anwesenheit von Frauen kaum denkbar.

Nicht selten haben die höfischen Epiker durch Hörer- oder Leseranreden zu erkennen gegeben, daß sie bei der Abfassung ihrer Werke hauptsächlich an ein Frauenpublikum gedacht haben. »Ihr Damen, dieses Werk will ich euch zueignen, denn ich habe es euch zuliebe begonnen.«[59] »Dieses Buch soll edlen Frauen gehören.«[60] »Die Damen sollen es gerne lesen.«[61] »Nun will ich es zu Ehren edler Frauen abschreiben lassen.«[62] »Alle Damen, die dieses Buch lesen, sollen mir Gottes Segen wünschen und mir für das danken, was ich daran getan habe.«[63] »Ihr edlen Damen, ich meine euch, die ihr in Tugend lebt, mit unwandelbarer Treue, nun bittet darum, daß mir der Herrgott die Gnade verleihe, daß ich dieses Werk vollbringe.«[64] Manchmal hat der Dichter sein Werk einer einzelnen Dame dargebracht. »So heb ich an in Gottes Namen und auch für eine edle Frau.«[65] »Eine liebenswerte Dame hat mich gebeten, daß ich es dichte und in gute Reime bringe. Nun habe ich es um ihretwillen getan.«[66] »Kleines Büchlein, wo ich auch sei, bleibe du meiner Dame nahe; sei meine Zunge und mein Mund und sage ihr meine aufrichtige Liebe.«[67] Es ist auch vorgekommen, daß der

---

[57] wilt uns diu maere künden vürebaz, wir müezen nâch den vrouwen allen senden (Rätselspiel 33, 2-3)

[58] Diu lantgrêvin quam ouch aldar: ze Wartberg ûf dem palas man wart dâ gewar bî ir wol vierzic vrouwen oder mêre. der ahte hôchgrêvinne sint (34, 1-4)

[59] Ir vrouwen . . . Dirre arebeit wil ich iu jehen, Wan ich ir durch iuch began (H. v. d. Türlin, Krone 29 990. 95-96)

[60] Ditz buoch sol guoter wîbe sîn (U. v. Liechtenstein, Frauendienst 1850, 1)

[61] die frowen süln ez gerne lesen (U. v. Liechtenstein, Frauenbuch 660, 28)

[62] nu wil ichz heizen schrîben ze êren guoten wîben (Gute Frau 3053-54)

[63] swelhe vrouwen an disem buoche lesen, die suln mir wünschen heiles und danken mir mîns teiles, des ich dar an gesprochen hân (U. v. Türheim, Tristan 3658-61)

[64] Nu wunschet, reine vrowen, ich mein, in tugent lebende mit triwen unverhowen, daz mir Altissimus di saelde gebende si, daz ich di aventûr geleite . . . (Jg. Titurel 66,1-3)

[65] sus heb ich an in gotes namen und ouch durch ein gûtes wip (U. v. Türheim, Rennewart 140-41)

[66] dô bat ein frouwe minniclîch mich, daz ich ez tihte und ez gerîmet rihte. nu hân ich ez durch sî getân (H. v. Wildonie, Der nackte Kaiser 8-11)

[67] Kleinez büechel, swa ich si, so wone miner frowen bi: wis min zunge und min munt und tuo ir staete minne kunt (Zweites Büchlein 811-14)

Gönner und Auftraggeber ein literarisches Werk speziell für seine Dame verfassen ließ. Rudolf von Ems versicherte im ›Wilhelm von Orlens‹, er habe dieses Epos für Konrad von Winterstetten gedichtet, damit seine Dame »ihn reich an Freuden mache und um ihrer Vortrefflichkeit willen und seiner Beständigkeit gedenke«[68].

Wenn das Publikum am Hof zu einem beträchtlichen Teil aus Frauen bestand, haben diese gewiß auch einen großen Einfluß auf die literarische Urteilsbildung gehabt. Für manchen Dichter wird es von entscheidender Bedeutung gewesen sein, wie die Damen sich zu ihm und seinem Werk gestellt haben. Durch den ganzen ›Parzival‹ ziehen sich die Spuren einer Auseinandersetzung des Dichters mit einer einflußreichen Dame oder einer Gruppe von Damen, deren Wohlwollen für das Gelingen des Werks notwendig war. Offenbar war es ihrem Einspruch zuzuschreiben, daß die Arbeit nach dem sechsten Buch unterbrochen wurde (vgl. S. 681). Am Schluß hat der Dichter erklärt: »Wenn vornehme Frauen Verstand haben und wenn eine von ihnen mir wohl will, werden sie mich um so höher schätzen, nachdem ich das Werk vollendet habe. Ist das um einer bestimmten Frau willen geschehen, so wird sie mir zugestehen, daß ich die Worte schön zu setzen weiß.«[69]

Das Publikum als Mitspieler

Für den höfischen Dichter, der in so starkem Maß auf die Gunst seiner Gönner und das Wohlwollen seiner Zuhörer angewiesen war, wird die Rücksicht auf den Adressatenkreis bereits bei der Abfassung seiner Werke eine große Rolle gespielt haben, so daß der Schaffensvorgang geradezu als ein fortlaufender Dialog des Autors mit seinem Publikum beschrieben werden kann. Auf diese Weise wurden die Zuhörer in die Dichtung hineingezogen; sie wurden zu Mitspielern. In der höfischen Lyrik war die Hofgesellschaft in Gestalt der Freunde anwesend, auf deren Hilfe und Verständnis der Sänger rechnete und denen er seine Minneklagen vortrug. Den epischen Dichtern diente der Prolog dazu, das Gespräch mit dem Publikum aufzunehmen, die Zu-

[68] Das si in frôden riche Und das si siner stâte Durch ir tugende raete Ze gûte an im gedenke (2314-17)

[69] guotiu wîp, hânt die sin, deste werder ich in bin, op mir decheiniu guotes gan, sît ich diz maer volsprochen hân. ist daz durh ein wîp geschehn, diu muoz mir süezer worte jehn (827, 25-30)

hörer an den Gegenstand der Erzählung heranzuführen und sie für den Autor einzunehmen. In vielen Fällen wurde das Gespräch durch das ganze Werk hindurch fortgesetzt, in Form von direkten Anreden, rhetorischen Fragen, Zwischenbemerkungen und Kommentaren, Scherzen oder Anspielungen auf Lokalitäten und Ereignisse, deren Kenntnis der Dichter voraussetzen konnte. Mitunter traten die Zuhörer selbst redend in der Dichtung auf und bezeugten ihre Teilnahme am Geschehen oder formulierten Fragen und Einwände. Ein Meister dieser fingierten Publikumseinreden war Hartmann von Aue. Als der Erzähler im ›Erec‹ sich anschickte, das kostbare Sattelzeug von Enites Reitpferd zu beschreiben, ließ er sich von einem Hörer unterbrechen. »›Sei still, lieber Hartmann, ob ich es errate‹. Ich schweige, sprecht schnell. ›Ich muß erst darüber nachdenken.‹ Dann schnell, ich habe es eilig. ›Hältst du mich für klug?‹ Gewiß. Sprecht, um Gottes willen. ›Ich will es dir sagen.‹ Das übrige mögt ihr verschweigen. ›Das Sattelzeug war aus Hainbuche.‹ Ja, woraus sonst? ›Glänzend vergoldet.‹ Wer hat euch das verraten? ›Mit starken Bindungen.‹ Ihr habt richtig geraten. ›Darüber Scharlach.‹ Ja, ihr seid ein richtiger Wetterprophet.«[70] Solche Partien erscheinen uns naiv. Es war jedoch eine berechnete Naivität, in der sich der gesellige Charakter des höfischen Erzählens bezeugte. Zugleich spiegelt sich in der Gelehrigkeit und Wißbegierde der fingierten Zuhörer der Wunsch des Autors, es auch in Wirklichkeit mit einem Publikum zu tun zu haben, das an seinen Erzählungen Anteil nahm und den Autor als überlegenen Künstler verehrte.

Formale Ansprüche des Publikums

Die höfischen Dichter haben ihr Laienpublikum mit komplizierten Reim- und Strophenformen bekannt gemacht, mit rhetorischen Ausdrucks- und Schmuckmitteln, die einer mündlich lebenden Gesellschaft nicht vertraut sein konnten. Dieser ästhe-

[70] »nû swîc, lieber Hartman: ob ich ez errâte?« ich tuon: nû sprechet drâte. »ich muoz gedenken ê dar nâch.« nû vil drâte: mir ist gâch. »dunke ich dich danne ein wîser man?« jâ ir. durch got, nû saget an. »ich wil dir diz maere sagen.« daz ander lâze ich iuch verdagen. »er was guot hagenbüechîn.« jâ. wâ von möhte er mêre sîn? »mit liehtem golde übertragen.« wer mohte iuz doch rehte sagen? »vil starke gebunden.« ir habet ez rehte ervunden. »dar ûf ein scharlachen.« des mac ich wol gelachen. »sehet daz ichz rehte errâten kan.« jâ, ir sît ein weterwîser man (7491-511)

tische Erziehungsprozeß, der eine gründliche Untersuchung verdiente, ist so erfolgreich gewesen, daß nach kurzer Zeit das Laienpublikum begann, hohe Erwartungen und Ansprüche an die poetische Formgebung der Dichter zu stellen. Das wird erkennbar an der raschen Entwicklung der poetischen Technik, die sich seit etwa 1170 in Deutschland vollzog. Im Verlauf von nur wenigen Jahrzehnten sind die literarischen Ausdrucks- und Darstellungsmittel auf ein vorher nicht bekanntes künstlerisches und technisches Niveau geführt worden. Bis zu einem gewissen Grad wird diese Entwicklung von den Dichtern selbst ausgelöst worden sein und ist als Ausdruck ihrer gesteigerten Fähigkeiten zu interpretieren, vielleicht auch als Zeugnis der Konkurrenzsituation an den Höfen. Daß dabei aber auch die Publikumserwartungen eine große Rolle gespielt haben, ist an der Rezeptionsgeschichte abzulesen, auf die die Dichter keinen unmittelbaren Einfluß hatten. Offensichtlich fanden literarische Werke, die in ihrer poetischen Technik nicht mehr ganz auf der Höhe der Zeit standen, schon bald kein Interesse mehr und wurden nicht mehr abgeschrieben und verbreitet. Auf diese Weise ist fast die gesamte frühhöfische Dichtung, die vor 1190 entstanden war, rasch veraltet und der Vergessenheit anheimgefallen, soweit sie nicht durch höfische Überarbeitungen den neuen Formansprüchen angepaßt wurde. Das älteste deutsche Alexanderepos des Pfaffen Lamprecht ist nur in der Vorauer Sammelhandschrift aus der zweiten Hälfte des 12. Jahrhunderts überliefert. Bereits um 1170 wurde eine höfische Bearbeitung hergestellt, die im ›Straßburger Alexander‹ vorliegt. Auch diese Fassung ist von der Entwicklung der poetischen Technik überholt worden und hat nicht weiter gewirkt. Erst Rudolf von Ems hat einen höfischen ›Alexander‹ gedichtet, der allen formalen Ansprüchen gerecht wurde. Das ›Rolandslied‹ des Pfaffen Konrad hat gleich nach seinem Erscheinen weite Verbreitung gefunden, ist jedoch nach 1200 kaum noch kopiert worden. Um 1220 hat Der Stricker eine höfische Bearbeitung hergestellt (›Karl der Große‹), und nur in dieser Gestalt hat das Werk bis ans Ende des Mittelalters weitergelebt. Von mehreren Epen des 12. Jahrhunderts – von ›Graf Rudolf‹, dem ›Trierer Floyris‹, Heinrichs ›Reinhart Fuchs‹, dem alten Epos von ›Herzog Ernst‹ und von Eilharts ›Tristrant‹ – sind nur Bruchstücke von Handschriften erhalten geblieben, die vor oder um 1200 geschrieben worden sind. Der ›Graf Rudolf‹ geriet vollständig in Vergessenheit. Die Geschichte von Flore und Blancheflur wurde um 1220 von

Konrad Fleck noch einmal aus dem Französischen übertragen. Der ›Reinhart Fuchs‹ ist im 13. Jahrhundert höfisch überarbeitet worden. Auch den ›Herzog Ernst‹ kennen wir in ganzem Umfang nur durch eine höfische Bearbeitung des 13. Jahrhunderts (›Herzog Ernst B‹). Die vollständigen Handschriften des ›Tristrant‹ von Eilhart von Oberg stammen erst aus dem 15. Jahrhundert, gehen aber wohl auf eine Bearbeitung des 13. Jahrhunderts zurück.

c. Die Wirkung der Dichtung

Es gibt nur wenige Zeugnisse aus der höfischen Zeit, die darüber Auskunft geben, wie die adlige Gesellschaft am Hof auf den Vortrag von Dichtung reagiert hat. Viel zahlreicher sind Äußerungen der Dichter selbst über die Ziele und Zwecke, die sie mit ihren Werken verfolgten, und über die Wirkung, die sie zu erreichen hofften. Dabei ist allerdings zu bedenken, daß den mittelalterlichen Dichtern, die zu dieser Frage Stellung nahmen, eine Reihe von Topoi vorgegeben waren, deren sie sich nach Belieben bedienen konnten. Aus der ›Ars poetica‹ von Horaz wußte man, daß »die Dichter nützen oder erfreuen wollen oder beides zugleich«[71]. Dieser Gedanke ließ sich in verschiedenster Weise verwenden, um die eigenen Wirkungsabsichten zu verdeutlichen. »Ich nenne euch den dreifachen Nutzen, den Erzählungen und Lieder bewirken. Das eine ist, daß ihr lieblicher Klang das Ohr in reichem Maß erfreut. Das zweite ist, daß sie durch ihre Lehre dem Herzen höfische Bildung vermitteln. Das dritte ist, daß die Zunge durch diese zwei sehr wohlredend wird. Ich bin der Meinung, daß Liedkunst und Erzählkunst den Menschen, die ihrer Lehre folgen, viel Hochgefühl und Herrlichkeit geben. Die beiden (Formen der Dichtung) belehren über Hofsitten und tugendhaftes Handeln.«[72]

Wie groß das Interesse war, das die höfische Gesellschaft an

---

[71] aut prodesse volunt aut delectare poetae aut simul (333-34)

[72] ich zel iu drîer hande nutz, die rede bringet unde sanc. daz eine ist, daz ir süezer klanc daz ôre fröuwet mit genuht; daz ander ist, daz hovezuht ir lêre deme herzen birt; daz dritte ist, daz diu zunge wirt gespraeche sêre von in zwein. ich bin des komen über ein, daz beide fröude und êre sanc unde rede sêre den liuten bringent unde gebent, die nâch ir zweier râte lebent unde in beiden volgent mite. si lêrent hovelîche site und alle tugentlîche tât (K. v. Würzburg, Partonopier 8-23)

den epischen Stoffen nahm, insbesondere an den Erzählungen von König Artus und den Rittern der Tafelrunde, ist aus verschiedenen zeitgenössischen Berichten zu ersehen. Nach einer Anekdote aus dem ›Dialogus miraculorum‹ von Caesarius von Heisterbach († nach 1240) haben die Rittergeschichten sogar auf die Mönche im Kloster elektrisierend gewirkt. »Als Abt Gevard, der Vorgänger des jetzigen Abtes, im Kapitelsaal Worte der Mahnung in feierlicher Form an uns richtete und als er sah, daß viele, vor allem viele der Novizen, schliefen, einige auch schnarchten, rief er mit einmal aus: ›Hört Brüder, hört, ich berichte euch Neues und Großartiges. Es war einmal ein König, der hieß Artus.‹ Nach diesen Worten brach er ab und sprach: ›Brüder, schaut dieses große Elend. Wenn ich von Gott spreche, so schlaft ihr. Sobald ich aber Worte der Leichtfertigkeit einmische, so wacht ihr auf und fangt alle an, mit gespitzten Ohren zu lauschen.‹«[73] Auch Hugo von Trimberg († nach 1313) hat im ›Renner‹ darüber Klage geführt, daß die Menschen nichts mehr von den Wundern Gottes und den frommen Taten der Heiligen hören wollten. »Die meisten Menschen, hier und in anderen Ländern, kennen sich besser aus in den Büchern, die ich vorhin genannt habe: von Parzival und Tristan, Wigalois und Eneas, Erec und Iwein und wer sonst noch in Karidol zur Tafelrunde gehörte.«[74] Für die geistlichen Lehrer war es ein schlimmes Zeichen, daß so mancher mehr den Rittern der Tafelrunde als den Vorbildern christlicher Frömmigkeit nachzueifern suchte. »Viele glauben nämlich, sie wären nichts wert, wenn sie nicht solche Helden würden wie die eben genannten.«[75] In diesem Zusammenhang hat Hugo von Trimberg auch die ergreifende Wirkung geschildert, die das Motiv des Minnedienstes auf adlige Frauen ausgeübt hat. »Wie früher die alten Helden um der Liebe zu ihrer Dame willen zusammengehauen wurden, dar-

[73] In sollemnitate quadam cum Abbas Gevardus praedecessor huius, qui nunc est, verbum exhortationis in Capitulo ad nos faceret, et plures, maxime de conversis, dormitare, nonnullos etiam stertere conspiceret, exclamavit: Audite, fratres, audite, rem vobis novam et magnam proponam. Rex quidam fuit, qui Artus vocabatur. Hoc dicto, non processit, sed ait: Videte, fratres, miseriam magnam. Quando locutus sum de Deo, dormitastis; mox ut verba levitatis inserui, evigilantes erectis auribus omnes auscultare coepistis (Bd. 1, S. 205)

[74] Vil manigem sint aber baz bekant Hie und über manic lant Diu buoch, diu ich vor hân genant: Parcifâl und Tristrant, Wigolais und Enêas, Êrec, Iwân und swer ouch was Ze der tafelrunne in Karidôl (21637-43)

[75] Wenne maniger wênt er wêr enwiht, Würde er ein sôgetân degen niht Als die helde vor genant (21657-59)

über hört man viele Damen häufiger klagen und weinen als über die heiligen Wunden unseres Herrn Christus.«[76]

Mit Verwunderung wurde im 12. Jahrhundert von geistlichen Berichterstattern registriert, wie viel Anteilnahme und Rührung die keltischen Erzählungen von König Artus und den Rittern der Tafelrunde weckten. Ein Novize bekannte: »Ich erinnere mich, daß ich durch Geschichten, die in der Volkssprache über Arthur erzählt werden, von dem ich sonst nichts weiß, manchmal bis zum Ausbruch der Tränen bewegt wurde.«[77] Petrus von Blois († nach 1204) schrieb dazu: »Oft wird in traurigen Geschichten und anderen Gesängen der Dichter und in den Liedern der Spielleute ein Held geschildert, der klug, schön, tapfer, liebenswert und in jeder Hinsicht vorbildlich ist. Es wird aber auch von den schrecklichen Bedrängnissen und Kränkungen erzählt, die diesem Helden zugefügt werden. So berichten die Spielleute von Artus und Gawan (?) und Tristan manches Wunderbare, wodurch die Herzen der Zuhörer, wenn sie es vernehmen, von Mitleid erschüttert und bis zu Tränen betrübt werden.«[78] Aus dieser Schilderung ist zu erkennen, daß die Zuhörer damals an den Geschicken und Fährnissen, denen die höfischen Ritter in den Artusromanen ausgesetzt waren, in einer Weise Anteil genommen haben, wie es der moderne Leser, der an ganz andere literarische Mittel der Spannungssteigerung gewöhnt ist, kaum nachzuvollziehen vermag.

Auch die Namensgebung ist ein Indiz dafür, daß die Mitglieder der adligen Gesellschaft sich und ihre Familien mit den berühmten Rittern der höfischen Romane in Beziehung setzen wollten. 1269 ist ein thüringischer Adliger *Conradus dictus Parcseval* bezeugt, 1282 in Bayern ein *Parcefal* von Weineck, 1324 am Mittelrhein ein *Perceval* von Eltz. 1287 begegnet ein *Tristamus* von Aich, schon 1210 ein *Walewanus* von Hemmen-

---

[76] wie hie vor die alten recken Durch frouwen minne sint verhouwen, Daz hoert man noch vil manige frouwen Mêre klagen und weinen ze manigen stunden Denne unsers herren heilige wunden (21 692-96)

[77] Nam et in fabulis, quae uulgo de nescio quo finguntur Arthuro, memini me nonnunquam usque ad effusionem lacrimarum fuisse permotum (Aelred v. Rievaulx, De speculo caritatis, S. 90)

[78] Saepe in tragoediis et aliis carminibus poetarum, in joculatorum cantilenis describitur aliquis vir prudens, decorus, fortis, amabilis et per omnia gratiosus. Recitantur etiam pressurae vel injuriae eidem crudeliter irrogatae, sicut de Arturo et Gangano et Tristanno, fabulosa quaedam referunt histriones, quorum auditu concutiuntur ad compassionem audientium corda, et usque ad lacrymas compunguntur (Liber de confessione sacramentali, Sp. 1088)

rode, 1293 ein *Erekke* von Schwanberg, 1360 ein *Wigeleis* von Nordholz. Noch häufiger sind die Töchter nach literarischen Figuren benannt worden: *Isalda* von Heinsberg (1217), *Enyta*, Tochter Heinrich Zisels (1239), *Siguna* von Braunberg (1286), *Giburgis* von Krumbach (1331), *Herczeloyde* von Wickede (1354) usw. Seit dem Ende des 13. Jahrhunderts kamen solche literarischen Namen auch in der Oberschicht der Stadtbevölkerung vor. Dieses Namensmaterial bedarf einer kritischen Überprüfung anhand der Urkundenbücher.

Wie die höfische Lyrik auf die Zuhörer gewirkt hat oder wirken sollte, hat Gottfried von Straßburg im Literaturexkurs des ›Tristan‹ beschrieben. »Die Stimmen der Nachtigallen (das heißt der Minnesänger) sind rein und schön, sie geben der höfischen Gesellschaft ein Hochgefühl und erfreuen das Herz zutiefst. Die Gesellschaft wäre freudlos und würde voll Mißmut leben, wenn dieser süße Vogelsang nicht wäre. Es erweckt angenehme Empfindungen, die unsere Gedanken nach innen kehren, wenn der süße Vogelsang der Gesellschaft von dem erzählt, was sie erfreut.«[79] Auch in anderen Aussagen der Zeit ist die gesellschaftliche Wirkung der Lyrik in den Vordergrund gerückt worden. In seiner Klage auf den Tod Reinmars des Alten hat Walther von der Vogelweide seinem Dichterkollegen und Konkurrenten als höchstes Lob nachgerufen: »Du wußtest die *vreude* der ganzen höfischen Gesellschaft zu mehren.«[80] Reinmar selbst hat gesungen: »Ich habe hunderttausend Herzen aus Kummer erlöst. Wahrlich, ich war ein Tröster der ganzen Hofwelt.«[81]

Nach der Darstellung Gottfrieds von Straßburg hat die Kunst der »Nachtigallen« vor allem durch den Zauber der Musik gewirkt. An Walther von der Vogelweide rühmte er die Schönheit der Stimme und die Kunst der musikalischen Variation. »Ei, wie die über die Heide hinschallt mit ihrer lauten Stimme! Welche Wunder sie vollbringt! Wie kunstreich sie musiziert! Wie sie

[79] ir stimme ist lûter unde guot, si gebent der werlde hôhen muot und tuont reht in dem herzen wol. diu werlt diu waere unruoches vol und lebete rehte als âne ir danc, wan der vil liebe vogelsanc ... ez wecket friuntlîchen muot. hie von kumt innenclîch gedanc, sô der vil liebe vogelsanc der werlde ir liep beginnet zalen (4757-62. 68-71).

[80] dû kundest al der werlte fröide mêren (83, 7)

[81] Ich hân hundert tûsent herze erlôst von sorgen, ... jâ was ich al der werlte trôst (184, 31-33)

ihren Gesang variiert!«[82] Die verzaubernde Wirkung des höfischen Gesangs und der Saiteninstrumente hat Gottfried an Tristans musikalischen Darbietungen am englischen Hof dargestellt. »Er spielte so schön und schlug die Harfe so vortrefflich in bretonischer Weise, daß viele da standen und saßen, die ihren eigenen Namen vergaßen. Herzen und Ohren begannen da, taub und benommen zu werden und ihren Dienst zu versagen.«[83] Verschiedentlich ist bezeugt, daß die Schönheit des Gesanges besonders auf Frauen gewirkt hat. In der ›Kudrun‹ wurde erzählt, daß Horant von Dänemark am irischen Hof so herrlich sang, daß die Vögel verstummten und die Waldtiere aufhörten zu äsen und die Fische im Wasser nicht weiterschwammen. Selbst »die Kirchenglocken klangen nicht mehr so schön wie vorher«[84]. Als die alte Königin Hilde seine Stimme durch die Fenster ihres Palas vernahm, ließ sie Horant bitten, jeden Tag für sie zu singen. Auch die junge Prinzessin Hilde war von seiner Kunst so bewegt, daß sie den Sänger heimlich in ihre Kemenate führen ließ, was Horant Gelegenheit gab, die Werbung König Hetels vorzutragen. In einer Frauenstrophe von Kürenberg hat eine höfische Dame, die als Burg- und Landesherrin dargestellt ist, davon gesprochen, daß der schöne Gesang eines Ritters in ihr das Verlangen nach dem Sänger geweckt hat: »Ich stand spät abends an der Zinne. Da hörte ich einen Ritter aus der Menge heraus sehr schön singen in Kürenbergs Melodie. Er wird mein Land verlassen müssen oder ich werde ihn für mich haben.«[85] Heloise hat in ihrem ersten Brief an Abaelard geschrieben: »Zwei Gaben waren dir, das weiß ich, in Sonderheit gegeben, durch die du die Zuneigung aller Frauen im Nu gewinnen konntest: die Gabe des Dichtens und die Gabe des Gesangs.«[86] Angaben über die Beliebtheit seiner eigenen Lieder hat Ulrich von Liechtenstein im ›Frauendienst‹ gemacht: »Die-

[82] hei wie diu über heide mit hôher stimme schellet! waz wunders sî stellet! wie spaehe si organieret! wie si ir sanc wandelieret! (4800-04)

[83] do begunde er suoze doenen und harphen sô ze prîse in britûnscher wîse, daz maneger dâ stuont unde saz, der sîn selbes namen vergaz. dâ begunden herze und ôren tumben unde tôren und ûz ir rehte wanken (3586-93)

[84] die glocken niht (en)klungen sô wol alsam ê (390,3)

[85] Ich stuont mir nehtint spâte an einer zinne, dô hôrt ich einen rîter vil wol singen in Kürenberges wîse al ûz der menigîn. er muoz mir diu lant rûmen, alder ich geniete mich sîn (8, 1-8)

[86] Duo autem, fateor, tibi specialiter inerant quibus feminarum quarumlibet animos statim allicere poteras, dictandi videlicet et cantandi gratia (Historia calamitatum, S. 115)

ses Lied wurde viel gesungen.«[87] »Das Lied hat vielen gut gefallen.«[88] Wenn jedoch Ulrich von Winterstetten »eine Alte« (*ein altes wîp*, 4,1,2) von seinen Liedern sagen ließ: »Sie schreien seine Lieder Tag und Nacht hier auf der Straße«[89], so kann das nicht wörtlich verstanden werden: Nach dem Vorbild Neidharts ist hier die höfische Szene ironisch-satirisch ins Dörfliche verlegt.

Eine ganz andere Wirkung wollte der Gesang der Spruchdichter erzielen. Ihnen ging es nicht in erster Linie um die Schönheit der Melodie, sondern um die inhaltliche Aussage, durch die sie die großen Herren verherrlichen oder herabsetzen konnten. Wie sehr die Kunst des Lobens und Rühmens von denen geschätzt wurde, die davon profitierten, belegt eine Episode aus der Lebensbeschreibung des Grafen Gottfried V. von Anjou († 1151). Einmal hatte der Graf vier Ritter aus Poitou gefangengenommen und seinem Seneschall Josselin de Tours zur Bewachung übergeben. Dieser wollte den Gefangenen helfen und riet ihnen: »Dichtet jetzt ein gereimtes Lied auf die Tugendhaftigkeit des Grafen, wie es den Leuten bei euch ohne Mühe und wie von selbst herauskommt. Ich werde, wenn sich die Gelegenheit dazu bietet, ihn hier bewirten; und wenn er hierhergekommen ist, werde ich euch zeigen, von wo aus ihr ihm zu Gehör bringen könnt, was ihr gedichtet habt.«[90] Als der Graf zu Besuch kam und nach einer guten Mahlzeit in der großen Halle saß, eilte der Seneschall zu den Gefangenen und sprach: »Kommt heraus und steigt auf den Säulengang des Turmes und tretet oben an die Fenster und singt das Lied, das ihr auf den Grafen verfaßt habt und schweigt nicht vor ihm. Überwindet euren Schmerz, vertraut auf die Erfüllung eurer Wünsche und singt das Lied mehrmals. Vielleicht wird er Mitleid mit euch haben.«[91] Der Graf war von dem Inhalt so beeindruckt,

---

[87] Gesungen wurden disiu liet vil (1621, 1-2)

[88] Diu liet gevielen manigem wol (1794, 1)

[89] si gelfent sînen sanc tac unde naht in dirre gazzen (4, 1, 9-10)

[90] Nunc ergo, ait, de probitatibus consulis aliquem componite rimulum, quod genti vestre de facili et velut ex natura decurrit. Ego autem, cum opportunum fuerit, ipsum hic hospitabor, quo cum pervenerit, dabo vobis locum ut in auribus ejus possitis cantare ea que dictata fuerint (Jean de Marmoutier, Historia Gaufredi, S. 195)

[91] Exite, inquit, et, deambulatoria turris conscendentes, prominete ad fenestras superius et quod de comite composuistis canticum ne taceatis et ne detis silentium ei; vincite tristitiam, presumite quod optatis, frequentate canticum: forsitan miserebitur vestri (ebd.)

daß er die Ritter an seinen Tisch befahl, sie mit neuen Kleidern beschenkte und sie in ihre Heimat entließ.

Am besten verstanden es die professionellen Dichter, den großen Herren mit Lobgedichten zu schmeicheln, was ihre Kunst überall sehr begehrt machte. »Hochgeehrt und viel gefeiert und sehr geliebt wurden für gewöhnlich die, die die Taten niederschrieben und die die Geschichten verfaßten. Oft gaben ihnen die Barone und die vornehmen Damen schöne Geschenke, damit sie ihre Namen in die Geschichte brächten, auf daß sie immer in Erinnerung blieben.«[92] Wenn ein Herr es an der erwarteten Freigebigkeit fehlen ließ, konnte es geschehen, daß der enttäuschte Dichter dem Fürsten das Lob verweigerte. So soll der Dichter der französischen ›Chanson d'Antioche‹ die Taten, die Graf Arnald II. von Guines auf dem Ersten Kreuzzug vollbracht hat, absichtlich mit Schweigen übergangen haben, um sich auf diese Weise dafür zu rächen, daß der Graf ihm »ein Paar Scharlachschuhe verweigerte«[93], um die der Dichter gebeten hatte. Solche Mißachtung brauchte ein großer Herr nicht zu befürchten, wenn er die Sänger auf Bestellung arbeiten ließ. Das bezeugt der boshafte Bericht des Bischofs Hugo von Coventry über William Longchamp, den Bischof von Ely, der unter König Richard Löwenherz († 1199) Kanzler von England war, aus dem Jahr 1191: »Um den Ruhm seines Namens zu vermehren, ließ er Bettellieder und schmeichelhafte Gedichte anfertigen und hatte durch Geschenke Sänger und Spielleute aus Frankreich gewonnen, die von ihm in der Öffentlichkeit singen sollten. Und schon wurde allerorten gesagt, daß es auf der Welt niemanden gäbe wie ihn.«[94]

So begehrt das Lob der Dichter war, so gefürchtet war ihr Tadel und ihr Spott. Walter Map erzählte von einem Mann namens Galeran, der sich wegen seines Witzes und seiner Scharfzüngigkeit der besonderen Gunst König Ludwigs II. von Frankreich († 879) erfreute. Als Galeran bemerkte, daß die obersten Hofbeamten den König betrogen, »dichtete er ein

---

[92] Mvlt soleient estre onure E mult preisie e mult ame Cil ki les gestes escrueient E ki les estoires faiseient. Suuent aueient des baruns E des nobles dames beaus duns, Pur mettre lur nuns en estoire, Que tuz tens mais fust de eus memoire (Wace, Roman de Rou III, 143-50)

[93] duas caligas denegavit scarlatinas (Lambert v. Ardres, S. 627)

[94] Hic ad augmentum et famam sui nominis, emendicata carmina et rhythmos adulatorios comparabat, et de regno Francorum cantores et joculatores muneribus allexerat, ut de illo canerent in plateis: et jam dicebatur ubique, quod non erat talis in orbe (Roger v. Hoveden, Chronica, Bd. 3, S. 143)

Lied in französischer Sprache«[95], in welchem er die Unterschlagungen der Hofbeamten anprangerte. Diese waren davon so getroffen, daß sie den Dichter beim König verleumdeten. Und da Galeran den Fehler machte, seine spitze Zunge auch gegen eine Verwandte des Königs zu richten, wurde er verbannt und sein Besitz konfisziert. Nicht jeder Herrscher war gegenüber poetischen Beleidigungen so nachsichtig wie der dänische König Sven († 1157), von dem Saxo Grammaticus berichtete: »Unter anderem hatte ein deutscher Sänger ein Lied auf die Flucht und Verbannung von Sven verfaßt und hatte Schimpfliches in das Gedicht eingearbeitet und hielt dem König verschiedene Schmähworte entgegen. Während er von seinen Genossen dafür scharf getadelt wurde, verbarg Sven seinen Verdruß und hieß ihn, seine Geschicke freimütig zu besingen, indem er bekannte, daß er sich nach überstandener Not gerne an die schweren Zeiten erinnerte.«[96]

Wie gefährlich es für einen Dichter sein konnte, wenn er sein Lob oder seinen Tadel an die falsche Adresse richtete, zeigt eine Episode aus dem ›Wartburgkrieg‹. Dort wurde erzählt, daß die berühmten Dichter der höfischen Zeit am Thüringer Hof einen Sängerstreit veranstalteten, bei dem es um die Frage ging, wer der freigiebigste unter den Fürsten wäre. Heinrich von Ofterdingen trat für den Herzog von Österreich ein, Walther von der Vogelweide für den König von Frankreich, der Tugendhafte Schreiber für den Landgrafen Hermann von Thüringen und Biterolf für den Grafen von Henneberg. Reinmar von Zweter und Wolfram von Eschenbach, die zunächst als Schiedsrichter fungierten, stimmten in das Lob des Landgrafen Hermann ein. Zuletzt war nur noch Heinrich von Ofterdingen anderer Meinung. Es wurde ein Streit auf Leben und Tod, denn der Scharfrichter von Eisenach, namens Stempfel, wurde zur Vollstreckung des Urteils gerufen. »Stempfel von Eisenach soll mit seinem breiten Schwert uns zu Häupten stehen und soll einen von uns wie einen Räuber strafen.«[97] Spätere Chronisten berichte-

---

[95] carmen inde composuit lingua Gallica (De nugis curialium, S. 213)

[96] Inter cetera cantor Germanicus, fugam Suenonis exsiliumque cantilena complexus, varias ei contumelias, formatis in carmen conviciis, obiectabat. Quem ob hoc acrius a conviviis increpitum Sueno, dissimulata molestia, fortunas suas liberius recinere iubet, perquam libenter se post aerumnas malorum meminisse confessus (Bd. 1, S. 404 f.)

[97] von Îsenache Stempfel muoz ob unser beider houbet stân mit sînem swerte breit, und richte über unser einen nâch roubes site (Fürstenlob 8, 11-13)

ten, daß der unterlegene Heinrich von Ofterdingen »in Lebens-
gefahr unter den Mantel der Ehefrau des Landgrafen gekrochen
sei in der Hoffnung, bei ihr Schutz zu finden«[98].

Wie sehr der poetische Spott den Betroffenen verletzen und
erregen konnte, belegt die Erzählung von Ordericus Vitalis
über den englischen König Heinrich I. († 1135), der im Jahr
1124 die normannischen Adligen, die sich gegen ihn erhoben,
einkerkern und blenden ließ. »Er befahl, daß auch Luce de la
Barre wegen seiner spöttischen Lieder und seines unbesonne-
nen Trotzes seines Augenlichts beraubt wurde.«[99] Als der Graf
von Flandern den König darauf hinwies, daß es unrecht sei,
gefangene Ritter zu verstümmeln, begründete Heinrich I. eigens sein grausames Vorgehen gegen Luce: »Dieser feine Spöt-
ter hat doch ungehörige Lieder über mich verfaßt und hat sie,
um mich zu beleidigen, öffentlich gesungen. So hat er meine
Feinde, die mir übelwollen, häufig zu lautem Lachen angestif-
tet.«[100]

Aus Deutschland besitzen wir aus dieser Zeit nur einen Beleg
über die Wirkung von politischer Spruchdichtung. Er betrifft
die antipäpstliche Propagandadichtung Walthers von der Vogelweide. In dem boshaften Spruch »Oh, wie christlich jetzt der
Papst lacht«[101] hat Walther den Papst seine Befriedigung darüber äußern lassen, daß er das Reich in Verwirrung gestürzt und
sich selbst an den Schätzen der Deutschen bereichert habe. »Ihr
Hab und Gut ist alles mein. Ihr deutsches Silber wandert in
meinen welschen Schrein.«[102] Nur wenige Jahre später hat Thomasin von Zirklaere in seinem ›Wälschen Gast‹ auf diese Verse
Bezug genommen und hat die Ungerechtigkeit gegen den Papst
beklagt: »Wie sehr hat er sich an ihm versündigt, der gute
Mann, der da in seinem Übermut gesagt hat, der Papst wolle
mit deutschem Hab und Gut seinen welschen Schrein füllen.«[103]

[98] Imminente itaque sibi mortis periculo, sub pallium conthoralis predicti lant-
gravii ob spem patrocinii confugit (Annales Reinhardsbrunnenses, S. 110)

[99] Lucam quoque de Barra pro derisoriis cantionibus et temerariis nisibus
orbari luminibus imperauit (Historia ecclesiastica, Bd. 6, S. 352)

[100] Quin etiam indecentes de me cantilenas facetus coraula composuit, ad iniu-
riam mei palam cantauit, maliuolosque michi hostes ad cachinnos ita sepe prouo-
cauit (ebd., S. 354)

[101] Ahî wie kristenlîche nû der bâbest lachet (34, 4)

[102] ir guot ist allez mîn: ir tiuschez silber vert in mînen welschen schrîn (34, 10
bis 11)

[103] Nu wie hât sich der guote kneht an im gehandelt âne reht, der dâ sprach
durch sînn hôhen muot daz der bâbest wolt mit tiuschem guot vüllen sîn welhi-
schez schrîn! (11 191-95)

Nach Thomasins Angabe hat Walther mit seiner Spottstrophe ein breites Publikum erreicht: »Denn er hat tausend Menschen irregeführt, so daß sie die Gebote Gottes und des Papstes nicht befolgt haben.«[104] Das ist wohl so zu verstehen, daß Walther in der Adelsgesellschaft, für die seine Lieder und Sprüche bestimmt waren, mit seinen gegen den Papst gerichteten Invektiven viel Zustimmung gefunden hat.

4. Aufführung und Verbreitung der Literatur

Die Vorstellung, daß Literatur für Leser bestimmt ist und daß literarische Kenntnisse durch Bücher vermittelt werden, gilt für die höfische Gesellschaft im hohen Mittelalter nur mit vielen Einschränkungen. Die meisten Adligen waren außerstande, ein Buch zu lesen. Aber auch wer lesen konnte, hat sich offenbar nur in geringem Umfang dieser Fähigkeit bedient. Denn höfische Literatur war eine gesellige Veranstaltung; ihr Sinn lag in ihrer gemeinschaftsstiftenden und gemeinschaftsbestätigenden Funktion. Daher muß ein historisches Verständnis dieser Literatur mißlingen, wenn nicht immer auch ihre Aufführung mit ins Auge gefaßt wird. Um so bedauerlicher ist es, daß die mittelalterlichen Quellen darüber nur ganz spärliche Auskünfte geben, so daß man weitgehend auf Erwägungen und Mutmaßungen angewiesen ist. Im Mittelpunkt steht das Verhältnis von Mündlichkeit und Schriftlichkeit. Da höfische Epik und höfische Lyrik sich in diesem Punkt und überhaupt in ihrer Aufführungsform beträchtlich unterscheiden, empfiehlt es sich, die beiden Gattungen gesondert zu betrachten.

---

[104] wan er hât tûsent man betoeret, daz si habent überhoeret gotes und des bâbstes gebot (11 223-25)

a. Höfische Epik

Arbeitsbedingungen

Die deutschen Dichter haben nach französischen oder lateinischen Vorlagen gearbeitet, die ihnen im Normalfall als Bücher vorgelegen haben müssen. Manche Dichter haben, wenn man ihren Angaben glauben darf, ein umfangreiches Quellenstudium betrieben, bevor sie sich für eine bestimmte Vorlage entschieden. Im Prolog zum ›Armen Heinrich‹ heißt es vom Dichter: »Er vertiefte sich in verschiedene Bücher und suchte darin, ob er etwas fände, womit er ernste Stunden leichter machen könnte.«[1] Noch genauer hat Gottfried von Straßburg beschrieben, wie er dem ›Tristan‹-Roman von Thomas von Britannien auf die Spur kam: »Was der von Tristan erzählt hat, die richtige und wahre Fassung der Geschichte, begann ich in romanischen und lateinischen Büchern zu suchen. Ich habe mich sehr bemüht, sie so richtig widerzugeben, wie er sie erzählt hat. So stellte ich viele Nachforschungen an, bis ich in einem Buch seine ganze Erzählung fand.«[2] Von den konkreten Umständen solcher Arbeit wissen wir nichts. In vielen Fällen wird es so gewesen sein, daß der Dichter die schriftliche Vorlage zusammen mit dem Arbeitsauftrag von seinem fürstlichen Gönner erhielt. Das Nachsuchen in den Büchern war ein Topos der gelehrten Literatur. Auch die epischen Dichter, die selber nicht lesen konnten, haben offenbar schriftliche Vorlagen gehabt. Wörtliche Anklänge des ›Parzival‹ an den ›Conte du Graal‹ von Chrétien de Troyes machen das sicher. Wolfram hat angegeben, daß er seine französische Quelle durch mündliche Mitteilungen kennengelernt habe. Der französische Text kann ihm vorgelesen oder paraphrasiert worden sein. In ähnlicher Weise werden die Dichter gearbeitet haben, die zwar lesen konnten, aber kein Französisch verstanden und daher auf die Hilfe von Dolmetschern angewiesen waren (vgl. S. 116).

Die schriftkundigen Epiker werden ihre Werke selber aufge-

[1] er nam im manige schouwe an mislîchen buochen: dar an begunde er suochen ob er iht des vunde dâ mite er swaere stunde möhte senfter machen (H. v. Aue, Armer Heinrich 6-11)

[2] Als der von Tristande seit, die rihte und die wârheit begunde ich sêre suochen in beider hande buochen walschen und latînen, und begunde mich des pînen, daz ich in sîner rihte dise tihte. sus treib ich manege suoche, unz ich an eime buoche alle sîne jehe gelas (155-65)

schrieben oder jedenfalls die Niederschrift überwacht haben. Eigenhändige Originalmanuskripte weltlicher Epen sind allerdings aus dieser Zeit nicht erhalten. Die Geschlossenheit der handschriftlichen Überlieferung setzt jedoch voraus, daß am Anfang des Überlieferungsprozesses ein schriftlich fixierter Text stand. Das gilt auch für die Werke Wolframs von Eschenbach, die sicherlich nicht von ihm selbst aufgeschrieben worden sind; er wird sie einem Schreiber diktiert haben. So konnte damals ein Dichter, der selber nicht lesen und schreiben konnte, schriftlich formulierte Texte nach schriftlichen Vorlagen verfassen. Wo die erhaltenen Handschriften eines epischen Werks größere Abweichungen im Textbestand aufweisen – das ist eigentlich nur beim ›Nibelungenlied‹ der Fall –, ist mit der Möglichkeit zu rechnen, daß am Anfang kein fest formulierter Text gestanden hat. Es ist aber auch möglich, daß die abweichenden Textfassungen durch nachträgliche Umarbeitungen zustandegekommen sind.

Ob die Dichter in der Regel am Hof gearbeitet haben oder an Stellen, wo sie der Unruhe des dauernden Ortswechsels der mobilen Hofhaltung enthoben waren, ist nicht auszumachen. Sie müssen jedoch während der Arbeit mit ihren Auftraggebern und ihrem Publikum in Kontakt gestanden haben. Denn die epischen Werke – jedenfalls die der berühmteren Dichter – sind bereits bekannt geworden, bevor sie abgeschlossen waren. Von Heinrich von Veldeke wissen wir, daß er das unfertige Manuskript seiner ›Eneit‹ an die Gräfin von Kleve ausgeliehen hat (352, 35 ff.). Im ›Parzival‹ und im ›Tristan‹ hat man gegenseitige Anspielungen gefunden, die sich am einfachsten erklären, wenn man annimmt, daß diese Werke stückweise bekannt geworden sind. Für den ›Parzival‹ gibt es noch andere Anhaltspunkte dafür, daß der endgültigen Redaktion der Dichtung Frühfassungen und Teilveröffentlichungen vorausgegangen sind. Auch die handschriftliche Verbreitung von fragmentarischen Werken ist ein Beweis dafür, daß die Wirkungsgeschichte der Epen schon vor ihrer Vollendung begann. Sogar unzusammenhängende Stücke wie die beiden ›Titurel‹-Fragmente von Wolfram von Eschenbach sind in ihrer unfertigen Form abgeschrieben und verbreitet worden.

Angesichts der Bildungsverhältnisse in der adligen Laiengesellschaft kann man davon ausgehen, daß die höfische Dichtung hauptsächlich hörend aufgenommen worden ist. Die Verfasser haben vielfach auf die Vortragssituation Bezug genommen, besonders in kleineren Erzählungen und Schwänken. »Wenn ihr jetzt zuhören und schweigen wollt, so will ich euch eine Geschichte erzählen.«[3] »Wenn es euch recht ist, werde ich euch die Geschichte in würdiger Form zu Gehör bringen; das würde euch gefallen. Ich bitte euch alle, fröhlich zu sein. Alle, die hören wollen, wie es weitergeht, ob Frau oder Mann, die werden es nicht bereuen. Aber die, die es nicht hören wollen, bitte ich, sich nach hinten zu setzen. Nun fängt die Geschichte an.«[4]

Bei welcher Gelegenheit und vor welchem Publikum höfische Epen vorgetragen wurden, muß aus ein paar Andeutungen erschlossen werden. Man stellt es sich wohl meistens so vor, daß der literarisch interessierte Teil der Hofgesellschaft sich abends versammelte, um dem Wort des Dichters zu lauschen. Diese Situation ist jedoch merkwürdig schlecht bezeugt. Von einem »Abendgeschichtchen« (*âbentmaerlîn*) ist einmal, mit leicht parodistischem Einschlag, in der Einleitung zu dem Schwank ›Das Häslein‹ die Rede: »Ich will euch zur Unterhaltung und den Kunstfeinden zum Trotz ein Abendgeschichtchen vorsetzen.«[5] Im ›Huon de Bordeaux‹, einer »chanson de geste« aus dem 13. Jahrhundert, hieß es: »Ehrenwerte Herren, ihr seht wohl, daß der Abend nahe ist, und ich bin sehr müde. So bitte ich euch alle, daß ihr morgen nach dem Essen wiederkommt.«[6] Von einem Epenvortrag im Freien erzählte der französische Artusroman ›Der Ritter mit den beiden Schwertern‹: Die Damen und Herren machten es sich unter schattigen Bäumen auf einer Wiese bequem, und die Königin Ginover »hielt einen Roman in ihrer Hand, aus dem sie den Rittern und Jungfrauen vorlas«[7].

---

[3] Welt ir nu hoeren unde dagen, sô wil ich iu ein maere sagen (H. v. Wildonie, Der nackte Kaiser 1-2)

[4] Welt ir, ich tuon die rede iu kunt ze hoeren durch mîn selbes munt – ez laege iu wol – mit werdekeit. Ich bite iuch alle sîn gemeit, swer hoeren welle vürbaz, der sol ez lâzen âne haz, ez sî wîp oder man. Die ez wellen niht verstân, die bite ich sitzen hin dan; nû hebet sich diu âventiure an (Die Heidin 153-62)

[5] Ich wil durch kurze wîle, den nîdaeren ze bîle Ein abent maerlîn welzen (5-7)

[6] Segnor preudomme, certes, bien le veés, Pres est de vespre, et je sui moult lassé. Or vous proi tous, . . . Vous revenés demain aprés disner (4976-78.80)

[7] et si tenoit Vn romant dont ele lisoit As che ualiers et as pucieles (Le chevalier aux deux epées 8951-53)

Manchmal ließ sich der Hofherr oder ein Mitglied der Herrscherfamilie alleine vorlesen. »Die Tochter des Königs von Persien saß da in ihrem Zelt in höfischer Freude, wie gewöhnlich. Eine schöne Jungfrau las ihr aus einem Buch die Geschichte von der Zerstörung Trojas vor.«[8] Auch im kleinen Familienkreis wurde vorgelesen. Als Iwein in die Burg vom Schlimmen Abenteuer kam, traf er den Burgherrn zusammen mit seiner Frau im Garten an, »und vor ihnen beiden saß ein Mädchen, das sehr gut französisch lesen konnte, wie ich gehört habe. Die vertrieb ihnen die Zeit. Sie brachte sie zum Lächeln. Es schien ihnen köstlich, was sie vorlas, denn es war ihrer beider Tochter«[9]. In ›Mai und Beaflor‹ ließ der König seine Tochter zur Unterhaltung der Gäste aus französischen Büchern vorlesen (230, 30f.). Fast immer waren es adlige Frauen, die bei solchen Gelegenheiten vorlasen.

Am besten bezeugt ist der Vortrag epischer Werke auf den großen Hoffesten. Wo das vielfältige Unterhaltungsangebot dieser Feste ausführlicher geschildert wurde, war meistens auch davon die Rede, daß Lieder gesungen und Abenteuer- oder Liebesgeschichten erzählt wurden. Auf dem Hoffest König Wilhelms von England hörte man »Saiteninstrumente verschiedener Art in lieblicher Melodie erklingen, hörte man schön von Minne singen und kunstvoll von Abenteuern erzählen (was man mit Anstand hören soll), hörte man von Minne und Ritterschaft sprechen«[10]. Am Artushof gab es »Berufserzähler«[11], die bei festlichen Anlässen »Geschichten und Erzählungen« (*Fabel unde maere*) vortrugen. Auf dem Hoffest in Cluse wurden Minnelieder gesungen und französische Werke vorgetragen. »Auf Französisch wurde da viel vorgelesen.«[12] »Man erzählte ihnen schöne Geschichten von Rittern, die miteinander kämpften.«[13]

---

[8] Des küniges tohter von Persîâ diu saz in ir gezelte dâ mit vreuden, als ir sit was. ein schoeniu maget vor ir las an einem buoche ein maere wie Troje zevuort waere (W. v. Grafenberg 2710-15)

[9] und vor in beiden saz ein maget, diu vil wol, ist mir gesaget, wälhisch lesen kunde: diu kurzte in die stunde. ouch mohte sî ein lachen vil lîhte an in gemachen: ez dûhte sî guot swaz sî las, wand sî ir beider tohter was (H. v. Aue, Iwein 6455-62)

[10] maniger hande seitenspil in süezer wîse erklingen, von minnen schône singen, von âventiuren sprechen wol, daz man mit zuht vernemen sol, von minnen und von ritterschaft sprechen (R. v. Ems, Guter Gerhard 5982-88)

[11] fabelieraere (H. v. d. Türlin, Krone 22112)

[12] wälsch lâsen sie dâ vil (Stricker, Daniel 8173)

[13] man sagte in schoniu maere von rittern die sich sluogen (ebd. 8190-91)

Meistens war nur ein kleinerer Teil der Festgesellschaft an literarischen Vorträgen interessiert, während andere sich mehr an den Tänzen und den sportlichen Wettkämpfen oder an den akrobatischen Darbietungen der Spielleute vergnügten. Welche Werke auf den Festen vorgetragen wurden, haben die Dichter verschwiegen. Nur einmal, im ›Helmbrecht‹, ist ein Titel genannt: da wurde geschildert, wie der Adel in früheren Zeiten seine Feste feierte, mit Tanz und mancherlei Kurzweil. »Als das dann zu Ende war, ging einer hin und las von einem vor, der Ernst hieß.«[14] Das ist sicherlich auf das Epos von ›Herzog Ernst‹ zu beziehen, das im 13. Jahrhundert weit verbreitet war. Mit seinen 6000 Versen gehörte der ›Herzog Ernst‹ zu den kürzeren Epen. Es ist jedoch ausgeschlossen, daß das ganze Werk auf einem Hoffest vorgetragen worden ist. Die Gäste, die dort dem Epenvortrag zuhörten, können nur kürzere Verserzählungen oder Ausschnitte aus größeren Epen geboten bekommen haben.

Über die Technik des Epenvortrags ist nichts bekannt. Sind die Werke auswendig gelernt worden? Das Memorieren einer längeren Versdichtung hätte an einen geübten Rezitator keine zu hohen Anforderungen gestellt. Trotzdem ist anzunehmen, daß in der Regel aus einer Handschrift vorgelesen wurde. Das haben die Dichter an mehreren Stellen ausdrücklich vermerkt. Außerdem weist die Vortragsterminologie darauf hin. Das mittelhochdeutsche Wort *lesen* hieß nicht nur »lesen«, sondern auch »vorlesen«; entsprechend war der *leser* auch der »Vorleser« (Salman und Morolf 451 a, 4). Zur Umschreibung des epischen Vortrags wurde gerne der Ausdruck »vorlesen hören«[15] benutzt. Über die Art des Vortrags gehen die Meinungen auseinander. Die meiste Zustimmung findet heute wohl die Auffassung, daß die strophische Epik – das war vor allem die Heldenepik – gesungen, die Epik in Reimpaaren gesprochen worden ist. Für die Sangbarkeit der Strophenepik kann man auf die formale Übereinstimmung der Nibelungenstrophe mit der sanglichen Strophe Kürenbergs verweisen; außerdem auf die Melodieaufzeichnung zu einer Strophe des ›Jüngeren Titurel‹ in der Wiener Handschrift Cod. Vindob. 2675 vom Ende des 13. Jahrhunderts. Für die Reimpaarepik fehlen entsprechende Zeugnisse. Die sogenannten klingenden Kadenzen, die mit zwei

---

[14] als des danne nimmer was, sô gie dar einer unde las von einem, der hiez Ernest (955-57)
[15] hoeren lesen (G. v. Straßburg 230; R. v. Ems, Alexander 20656)

Hebungen gelesen werden müssen (*minnè*), erfordern jedoch einen getragenen Tonfall. Wahrscheinlich kommt man der Realität des Vortrags näher, wenn man nicht nach Singstimme und Sprechstimme unterscheidet, sondern nach Concentus (Melodiegesang) und Accentus (Lektionsgesang). An Instrumentalbegleitung ist beim Epos in Reimpaaren wohl nicht zu denken. In welchem Umfang Mimik und Gestik den Vortrag begleiteten, ist gänzlich unbekannt. Vermutungen, die in diese Richtung angestellt wurden, haben zu keinen greifbaren Ergebnissen geführt. Unklar ist auch, ob dem Vortragenden ein Spielraum der Improvisation blieb.

Die Frage nach Umfang und Dauer eines Epenvortrags hat die Forschung seit den Anfängen der Germanistik beschäftigt. Heute muß man eingestehen, daß wir darüber nichts Verläßliches wissen. Von großem Einfluß auf die Erörterung dieser Frage war die Einteilung des ›Parzival‹ in sechzehn »Bücher«, die Karl Lachmann in seiner kritischen Wolframausgabe von 1833 vorgenommen hat. Diese Bücher, deren Umfang im Durchschnitt 1500 Verse beträgt – bei beträchtlichen Schwankungen im einzelnen –, sind häufig als Vortragseinheiten angesehen worden. Man hat ausgerechnet, daß ein Vorleser etwa 1000 Verse in der Stunde schaffen konnte. Ein Vortragsabend mit einem ›Parzival‹-Buch hätte danach etwa anderthalb Stunden gedauert. Für den ganzen ›Parzival‹ würde man 24 Stunden brauchen, für den ›Iwein‹ acht, für Gottfrieds ›Tristan‹ 19½ Stunden. Es ist jedoch fraglich, ob solche Berechnungen mehr als theoretischen Wert besitzen. In welchem Zeitraum ein ganzes Epos seine Hörer erreichte, kann nicht einmal vermutet werden. Es mag vorgekommen sein, daß ein literarischer Vortrag auf mehrere Tage verteilt wurde. Aber die Vorstellung, daß innerhalb eines kurzen Zeitraums sechzehn literarische Sitzungen zu anderthalb Stunden stattfanden, um den ganzen ›Parzival‹ zu Gehör zu bringen, ist nur aus der modernen Erwartung entstanden, daß die großen Epen dem Publikum vollständig bekannt geworden sein müssen. Man muß sich jedoch mit dem Gedanken vertraut machen, daß umfangreichere Werke wahrscheinlich nur von wenigen Personen im ganzen Umfang aufgenommen worden sind.

In den meisten Epen gibt es deutlich erkennbare Ansätze zu einer Großgliederung, die entweder durch besonders auffallende Initialen in den Handschriften markiert ist oder durch eine Einteilung in »Abschnitte« (*distinctiones* bei Herbort von Fritz-

lar), in »Aventiuren« (im ›Nibelungenlied‹) oder in »Bücher«
(im ›Alexander‹ von Rudolf von Ems). In einigen Fällen ist es
sicher, daß diese Gliederung vom Autor selber vorgenommen
worden ist. Rudolf von Ems hat ausdrücklich auf die Großab-
schnitte hingewiesen und hat sie zusätzlich durch Prologe und
Akrosticha hervorgehoben. In anderen Fällen besteht größere
Unsicherheit darüber, wie der Dichter sein Werk eingeteilt hat.
Offensichtlich diente die Großgliederung der künstlerischen
Durchgestaltung des Stoffes, indem Handlungseinheiten voneinander abgegrenzt oder Sinnabschnitte hervorgehoben wurden. Ob die Verfasser dabei auch an die Verbreitung ihrer Werke gedacht haben, das heißt ob die Sinnabschnitte zugleich als
Vortragseinheiten gedacht waren, ist nicht auszumachen. Eine
Vortragsgliederung ist in keinem deutschen Epos des 12. und
13. Jahrhunderts mit Sicherheit nachzuweisen. Wahrscheinlich
ist überhaupt nicht mit einer vom Autor gesetzten Vortrags-
norm zu rechnen. Die privaten Formen des Vortrags, im Familienkreis, werden sich nicht an solche Normen gehalten haben.
Und beim Vortrag auf Hoffesten wurde die Dauer der Veranstaltung wahrscheinlich weniger durch den Gliederungswillen
des Autors als durch die jeweiligen Umstände der Rezeption
bestimmt.

Epik als Leseliteratur

Die höfischen Epiker, die zum größten Teil lateinisch gebildet
waren, haben großen Wert darauf gelegt, daß ihre Werke
schriftlich abgefaßt waren und, im Gegensatz zur mündlichen
Dichtung, nicht nur gehört, sondern auch gelesen werden
konnten. Sie haben gegenüber dem Hofpublikum, das zumeist
aus Ungebildeten bestand, hervorgehoben, daß sie ihren Stoff
aus »Büchern« schöpften, und haben ihre eigenen Dichtungen
den Hörern als »Bücher« vorgestellt. Ulrich von Türheim
sprach im Epilog zum ›Rennewart‹ von der »Mühe, die ich an
dieses Buch gewandt habe«[16]. Der Pleier bat sein Publikum um
einen Segenswunsch für den Dichter, »weil er das Buch zur
Unterhaltung gedichtet hat«[17]. Wirnt von Grafenberg gehörte
vielleicht zu den ungebildeten Epikern und hat trotzdem seine

---

[16] die arbeit die ich han an ditz buch geleit (36493-94)
[17] wan erz durch kurzwîle tet daz er daz buoch getihtet hât (Tandareis 4076
bis 77)

Dichtung als »Buch« sprechen lassen: »Welcher Gutmeinende hat mich aufgeschlagen? Wenn es einer ist, der mich lesen und verstehen kann, so möge er mir seine Huld erweisen.«[18] Selbst Ulrich von Liechtenstein, nach eigener Aussage Analphabet hat seinen ›Frauendienst‹ offenbar nicht ohne Stolz als »Buch« betrachtet: »Alles, was ich je in neuen Strophenformen gesungen habe, das findet man hier in diesem Buch eingetragen.«[19]

Manche Dichter sind noch viel weiter gegangen, indem sie ihre zum Vortrag bestimmten Werke mit Schmuckformen ausgestattet haben, die sich nur einem Leser erschlossen. Die Kunst, Akrosticha und Anagramme zu formen, mußte man aus der lateinischen Literatur lernen. Die gelehrten Dichter haben dieses Schmuckmittel gerne dazu benutzt, ihren eigenen Namen oder den ihres Gönners verhüllend hervorzuheben. Gottfried von Straßburg scheint der erste höfische Epiker in Deutschland gewesen zu sein, der diese Technik angewandt hat. Die Anfangsbuchstaben jedes fünften Verses des ›Tristan‹-Prologs ergeben den Namen DIETERICH: das war wahrscheinlich der Name seines Gönners. In der ›Krone‹ bilden die Anfangsbuchstaben der Verse 182-216, hintereinander gelesen, das Akrostichon HEINRICH VON DEM TVRLIN HAT MIKH GETIHTET (Heinrich von dem Türlin hat mich gedichtet). Sein Namensvetter Ulrich von dem Türlin hat in den Anfangsbuchstaben der Abschnitte VII und VIII seines ›Willehalm‹ neben dem eigenen Namen auch den seines Gönners genannt: MEISTER VLRICH VON DEM TVRLIN HAT MIH GEMACHET DEM EDELN CVNICH VON BEHEIM (Meister Ulrich von dem Türlin hat mich für den edlen König von Böhmen verfertigt). Der Meister des Akrostichons unter den Epikern des 13. Jahrhunderts war Rudolf von Ems, der seine epischen Werke reich damit geschmückt hat. Es kam auch vor, daß die Dichter Anleitungen mitgaben, wie das Akrostichon zu erkennen und aufzulösen war. Ebernand von Erfurt hat sein höfisches Legendenepos ›Heinrich und Kunigunde‹ – dem er selber den Titel ›Kaiser und Kaiserin‹ geben wollte – mit einem besonders aufwendigen Akrostichon geschmückt, das die Anfangsbuchstaben aller sechzig oder einundsechzig Abschnitte, in die das Werk unterteilt ist, zu einem Text verband: EBERNANT

---

[18] Wer hât mich guoter ûf getân? sî ez iemen der mich kan beidiu lesen und verstên, der sol genâde an mir begên (Wigalois 1-4)

[19] Swaz ich in niuwen doenen ie dar von gesanc, daz vindet man hie allez an dem buoche stân (1847, 1-3)

SO HEIZIN ICH. DI ERFVRTERE IRKENNINT MICH.
KEISER VNDE KEISIRINN (Ebernand heiße ich. Die Erfurter kennen mich. ›Kaiser und Kaiserin‹). Am Schluß heißt es:
»Wenn der Leser Verstand hat und sich mit Kunstmitteln aus-
kennt, so soll er die Hauptbuchstaben, mit denen die Verse
anfangen, vom Anfang bis zum Ende lesen. Falls er nicht ganz
kindisch ist, wird er den Namen des Dichters leicht finden: die
Dichtung verrät ihn ihm. Die Buchstaben, von Anfang bis zum
Ende gelesen, ergeben Wörter. So kann er meinen Namen finden.«[20]

Ebernand von Erfurt hat deutlich gemacht, daß die Kunstform des Akrostichons nicht für Hörer, sondern für Leser bestimmt war; er hat offensichtlich damit gerechnet, daß sein
Werk nicht nur vorgetragen, sondern auch gelesen wurde. Für
die Verfasser religiöser Dichtungen scheint es ganz selbstverständlich gewesen zu sein, daß man ihre Texte lesen konnte und
lesen sollte, selbst wenn sie sich damit an ein Laienpublikum
wandten. Der Autor der mitteldeutschen ›Judith‹ (Mitte
13. Jahrhundert) sprach am Schluß den einzelnen Leser an: »Du
und alle, die in geistlicher Weise dieses Buch eifrig lesen ...«[21]
Er rechnete damit, daß mancher sich den Text abschreiben ließ,
und mahnte für diesen Fall Genauigkeit und Sorgfalt an: »Ich
bitte euch dringend darum, daß jeder, der sich dieses Buch
abschreiben läßt, es sich angelegen sein läßt, daß es richtig abgeschrieben wird.«[22] Konrad von Heimesfurt hat sich im Prolog
zur ›Urstende‹ (1. Hälfte 13. Jahrhundert) dagegen verwahrt,
»daß mir jemand mit Bimsstein oder mit einem Messer etwas
davon abschabt«[23]. Im ›Laubacher Barlaam‹ Ottos von Freising
wurde im Hinblick auf das eigene Werk gesagt, »daß man es,
um es bekannt zu machen, auf Pergament geschrieben hat, damit ein jeglicher es versteht, der lesen kann«[24]. Ein Mariengruß

[20] ist der leser kluoc, hât er an kunste die gefuoc, er lese die houbtbuochstabe
von êrst wan an daz ende herabe, darmite die verse erhaben sint. er ensî dan
genzlîch ein kint, den namen vindet er lîhte, ez saget im daz getihte: die buoch-
stabe machent wort von êrst biz an des endes ort: sus mag er vinden mînen
namen (4453-63)
[21] du und alle die da mite, die in geistlichem site lesen vlizeclich diz buch
(2725-27)
[22] ich bit ouch vlizeclich hie na, swer diz buch im schriben la, daz er vlizic
blibe, daz man ez rehte schribe (2753-56)
[23] daz mir iemen iht dar abe. Mit pvmz oder mit mezzer. schabe (14-16)
[24] daz man ez an die hiute geschriben hât ze diute, daz ez ein iegelicher man
wol vernimet der iht lesen kan (11-14)

aus dem 13. Jahrhundert hat den Leser unmittelbar angesprochen: »Leser, ich will dir noch mehr erzählen.«[25] In welchem Umfang diese Texte tatsächlich vom Laienpublikum gelesen worden sind, muß offenbleiben. Solange die meisten Laien nicht lesen konnten, blieb eine Diskrepanz zwischen dem Anspruch der geistlichen Dichter und der Wirklichkeit.

Heute wird darüber diskutiert, ob auch die höfischen Dichter ihre Werke für Leser bestimmt haben und ob schon im 13. Jahrhundert neben der Verbreitung durch den Vortrag in größerem Umfang mit Einzellektüre höfischer Epen gerechnet werden muß. Erschwert wird die Klärung dieser Fragen dadurch, daß die mittelhochdeutsche Terminologie des Hörens und Lesens ausgesprochen unscharf war. *hoeren* hieß nicht nur »hören«, sondern in weiterem Sinn auch »vernehmen«; *lesen* hieß nicht nur »lesen« oder »vorlesen«, sondern auch »erzählen«; *sagen* konnte auch »kund tun« heißen; *schrîben* auch »mitteilen«. Das bedeutet, daß die Wörter *lesen* und *schrîben* nicht schon durch sich eine schriftliche Verbreitung bezeugen, so wenig wie *hoeren* und *sagen* ohne weiteres als Beweis für mündliche Vermittlung angesehen werden können. – Ungeachtet dieser terminologischen Ungenauigkeiten ist es aber auffällig, wie häufig die höfischen Epiker davon gesprochen haben, daß ihre Werke auch gelesen werden konnten. Meistens haben sie sich der Formel »hören oder lesen« (*hoeren oder lesen*) bedient, in der zum Ausdruck kam, daß die Dichtung durch den Vortrag oder durch eigene Lektüre aufgenommen werden konnte. »Dieses Buch schicke ich als Boten an die, die es hören oder lesen«[26]; »die es lesen oder hören und denen ich es erzähle oder in Strophen singe«[27]. In einigen Fällen scheinen sich die Dichter sogar hauptsächlich an Leser gewandt zu haben: »Wer immer dieses Buch liest«[28]. »Mein Gedicht wird herumgezeigt werden und hier und dort wohl auch gelesen werden.«[29] »Leser dieses Buches, hör zu!«[30]

Angesichts der Bildungsverhältnisse in der Laiengesellschaft

[25] Leser, ich wil dir sagen mê (821, vgl. 791)

[26] ditz buch zu boten ich sende an sie die ez horen oder lesen (U. v. Türheim, Rennewart 36510-11)

[27] diez lesen oder hoeren, und der iz sag odr in dem dône singe (Jg. Titurel, Wolf II 6031,4)

[28] swer daz buoch lese (Pleier, Tandareis 4074)

[29] min getihte wirt gesehen Und vil lihte etteswa Gelesen da oder da (R. v. Ems, Wilhelm v. Orlens 5646-48)

[30] leser dises buoches, vernim (H. v. Freiberg, Tristan 2644)

kamen als Leser von höfischen Epen außer den Hofklerikern fast ausschließlich die adligen Frauen in Frage. Tatsächlich haben die Dichter an mehreren Stellen zu erkennen gegeben, daß die Leser, an die sie sich wandten, in erster Linie Leserinnen waren (vgl. S. 705). Selbst Wolfram von Eschenbach, der sich weigerte, sein eigenes Werk als »Buch« zu betrachten (Parzival 116,1), hat damit gerechnet, daß manche Dame »diese Geschichte geschrieben sieht«[31] und lesend damit umging. In welchem Umfang die Frauen von ihrer Lesefähigkeit Gebrauch gemacht haben, ist schwer abzuschätzen. Man sollte nicht mit einem Entweder-Oder rechnen, sondern mit einem Sowohl-Als-auch. Im Hinblick auf die Wirkung in der Gesellschaft war jedoch der mündliche Vortrag sicherlich die wichtigere Form der Verbreitung.

Wort und Bild

Neben dem Vortrag und der eigenen Lektüre gab es für das adlige Publikum noch einen dritten Weg, mit den epischen Stoffen bekannt zu werden: durch bildliche Darstellungen. Zu den ältesten Epenhandschriften gehört die Heidelberger Handschrift des ›Rolandslieds‹ (Cpg 112) vom Ende des 12. Jahrhunderts, die mit 39 Federzeichnungen geschmückt ist. Die Bilder sind mit brauner Tinte gezeichnet und ohne Rahmen in den Text gesetzt. Die Tatsache, daß noch eine zweite ›Rolandslied‹-Handschrift (die in Straßburg verbrannte Handschrift A) ähnliche Bilder besaß und daß in einer dritten Handschrift (dem Schweriner Fragment S) Platz für Bilder gelassen wurde, stützt die Vermutung, daß bereits das Original oder besser das Widmungsexemplar mit Federzeichnungen versehen war. Das würde bedeuten, daß gleich am Anfang der höfischen Gönnergeschichte eine repräsentative Bilderhandschrift stand. Ihrem künstlerischen Charakter nach lassen sich die ›Rolandslied‹-Zeichnungen der bayerischen Malschule in Regensburg-Prüfening oder in Freising zuordnen. Da das ›Rolandslied‹ aller Wahrscheinlichkeit nach in Regensburg entstanden ist, kann damit gerechnet werden, daß es dort Kontakte zwischen dem herzoglichen Hof und den klösterlichen Malschulen gegeben hat.

Das illustrierte ›Rolandslied‹ blieb ein Ausnahmefall. Kein anderes Epos der älteren Zeit ist in dieser Weise ausgezeichnet

---

[31] diz maere geschriben siht (337, 3)

worden. Auch im 13. Jahrhundert, als die Illustration weltlicher Texte allmählich einen größeren Umfang annahm, wurde die höfische Epik und speziell die Artusepik weitgehend ausgespart. Man illustrierte Lehrgedichte (Thomasin von Zirklaere), Rechtsbücher (›Sachsenspiegel‹), Geschichtswerke (die Weltchronik von Rudolf von Ems) und geschichtliche Dichtungen, zu denen sowohl die ›Eneit‹ von Heinrich von Veldeke als auch der ›Willehalm‹ von Wolfram von Eschenbach gerechnet wurden. Der höfische Roman im engeren Sinn blieb bis auf wenige Ausnahmen ohne Bilder. Eine Sonderstellung nahmen die drei bebilderten Münchener Handschriften des ›Parzival‹ (Cgm 19), des ›Tristan‹ (Cgm 51) und des ›Wilhelm von Orlens‹ von Rudolf von Ems (Cgm 63) ein, deren Miniaturen auf gesondert angefertigten und erst nachträglich den Texten eingebundenen Bildseiten gemalt sind. Diese Art der Ausstattung hat kaum Nachfolge gefunden. Erst im 15. Jahrhundert sind höfische Epen in größerer Zahl illustriert worden.

Es hat jedoch bereits im 13. Jahrhundert ein großes Interesse an bildlichen Darstellungen aus dem Stoffkreis der höfischen Romane gegeben. Dieses Interesse war aber nicht auf die Ausschmückung von Büchern gerichtet, sondern auf lebensnähere Formen der Darstellung. Wir besitzen fünfzehn ›Iwein‹-Handschriften aus dem 13. Jahrhundert, und keine ist illustriert. Es gibt jedoch aus dieser Zeit zwei große ›Iwein‹-Zyklen von Wandgemälden: in der Südtiroler Burg Rodeneck (bei Brixen) und im sogenannten Hessenhof in Schmalkalden. Die ursprüngliche Bestimmung der relativ kleinen Räume, die vollständig ausgemalt wurden, ist nicht bekannt. Besonders wertvoll sind die in herrlichen Farben erhaltenen lebensgroßen Figuren in Rodeneck, die erst vor kurzem freigelegt worden sind und die – wenn sich die Datierung auf die Zeit bald nach 1200 bestätigen sollte – zu den frühesten und wichtigsten Zeugnissen für die Rezeption von Hartmanns Dichtung gehören. Merkwürdigerweise sind sowohl in Rodeneck als auch in Schmalkalden hauptsächlich (in Rodeneck sogar ausschließlich) Szenen aus dem ersten Teil des ›Iwein‹ bis zu Iweins Hochzeit mit Laudine, dargestellt. Vielleicht ist auch das ein Indiz dafür, daß die umfangreichen Epen kaum jemals als Ganzes aufgenommen worden sind. Auch die Auswahl der Bildmotive ist sehr interessant. Man findet in Rodeneck einige handlungsspezifische Darstellungen von dem Zauberbrunnen und dem gräßlichen Waldmenschen; beherrscht werden die Räume jedoch von höfisch-

Abb. 37 Zweikampf zwischen Iwein und Ascalon. Die beiden reiten mit gesenkten Lanzen aufeinander los. Wandfresken in Burg Rodeneck, Südtirol. 13. Jahrhundert.

repräsentativen Szenen: den ritterlichen Zweikämpfen zwischen Iwein und Askalon in Rodeneck (vgl. Abb. 37), die eine ganze Wand füllen und in Einzelheiten über die literarische Vorlage hinausgehen; und dem großen Festmahl an der Stirnwand in Schmalkalden, einer Szene, die keine unmittelbare Entsprechung in Hartmanns Text besitzt. Daraus wird deutlich, daß es den Malern nicht in erster Linie darum gegangen ist, den Text zu illustrieren, sondern daß sie das herausheben wollten, was für das höfische Gesellschaftsbild von repräsentativem Wert war.

Die erhaltenen Denkmäler werden durch literarische Zeugnisse ergänzt. Im ›Prosa-Lancelot‹ wurde davon erzählt, daß Lancelot während seiner Gefangenschaft in der Burg Ragual einem Freskenmaler zusah. »Eines Tages fügte es sich, daß er an ein Fenster trat und sah einen Mann eine alte Geschichte malen; und auf jedem Bild war eine Inschrift. Es schien ihm die Geschichte von Äneas zu sein, wie er aus Troja geflohen war. Da faßte er den Gedanken, das Zimmer, in dem er ge-

731

fangen lag, auszumalen mit Bildern von der, die er so sehr liebte und die zu sehen er solche Begierde hatte.«[32] Er ließ sich von dem Maler Farben geben und verriegelte seine Tür. »So fing er an zu malen, wie die Frau vom Lac ihn an König Artus' Hof brachte, um Ritter zu werden, und wie er nach Camelot ritt und wie er erschrak vor der Schönheit seiner Herrin, der Königin, als er sie zum ersten Mal sah, und wie er von ihr Urlaub nahm, als er zur Herzogin von Noans ritt, um diese zu erretten. Dies alles machte er am ersten Tag; und die Bilder waren so schön und so kunstvoll gemacht, als ob er sein Leben lang dieses Handwerk betrieben hätte.«[33] An den folgenden Tagen malte er weiter an der Geschichte seiner Liebe zur Königin, Szene um Szene. »Und als Ostern vorbei war, da hatte er alles vollendet.«[34]

Wer in Räumen lebte, die mit Szenen aus der höfischen Epik ausgemalt waren, für den war diese Literatur auch im Alltag präsent. Angesichts der Zufälligkeiten, die die Erhaltung und Wiederentdeckung der Freskenzyklen bestimmt haben, ist es nicht unwahrscheinlich, daß es derartige Bildserien in größerer Zahl gegeben hat. Wie groß das Interesse gewesen ist, höfische Literatur so in Bilder zu setzen, daß man täglich damit umgehen konnte, bezeugen auch die zahlreichen Gebrauchsgegenstände, die mit literarischen Motiven geschmückt wurden. Besonderer Beliebtheit erfreuten sich Szenen aus dem Tristanroman. Das älteste Stück, aus dem frühen 13. Jahrhundert, ist ein Elfenbeinkästchen (Forrer-Kästchen) aus Ostfrankreich oder aus dem Rheinland, das sich heute im British Museum befindet. Auf dem Deckel und an den Seiten sind figürliche Darstellungen eingeschnitten, die sich wahrscheinlich alle auf die Geschichte Tristans und Isoldes beziehen. Aus dem 13. Jahrhundert stammen außerdem die bemalten Kacheln aus der Chertsey Abbey

[32] Und eins tages fugt es sich das er an ein fenster ging und sah von einem mann ein alt historien malen und off eim yglichen bild ein buchstaben stan. Es ducht yn die historye von Eneas syn wie er von Troya geflohen was; und gedacht, er wolt in der kamern maln, darinn er gefangen lag, von der die er so lieb hett und sere begeret zu sehen (Bd. 2, S. 476)

[33] Da hub er zum ersten an zu maln wie yn die fraw vom Lac in konig Artus hoff gebracht hatt ritter zu werden, und wie er geyn Camalot geritten were, und wie er erschrack von der schonheit syner frauwen der konigin als er sie von erst ane sah, auch wie er von ir urlaub nam als er reyt zur herczoginn von Noans sie zu entretten. Diß macht er alles des ersten tags; und die bild waren so wol und behentlich gemacht als hett er all syn leptag das hantwerck getriben (S. 477)

[34] Und als die ostern vergangen waren, da hett er alles gedichtet (S. 478)

mit zahlreichen Tristan-Motiven. Noch größer ist die Zahl solcher Zeugnisse aus dem 14. und 15. Jahrhundert: Teppiche, Wandbehänge und Decken, Kästchen, Kämme, Spiegelkapseln, Schreibetuis, Tafelgeschirre und anderes wurden mit Figuren aus der Tristansage verziert. Es waren durchweg spezifisch höfische Gerätschaften, die es nur in adligen Haushalten gab, speziell Gegenstände, die von Frauen benutzt wurden. Auch in dieser Hinsicht sind die Bildzeugnisse ein aufschlußreicher Indikator der literarischen Rezeption.

Zur Ergänzung sind wieder literarische Belege heranzuziehen. In Hartmanns ›Erec‹ ist das kostbare Sattelzeug von Enites Pferd mit Bildern aus der Literatur verziert. Auf der einen Seite war »das lange Lied von Troja«[35] in das Sattelgestell aus Elfenbein geschnitzt; auf der anderen Seite konnte man sehen, »wie Äneas der Kluge über das Meer fuhr«[36]. Hinten war Didos Verzweiflung dargestellt, vorne Äneas' weitere Schicksale und seine Hochzeit mit Lavinia. Auf dem Sattelkissen »war dargestellt, wie Tisbe und Piramus, bezwungen von der Liebe, ein trauriges Ende nahmen«[37]. Motive aus der antiken Literatur kamen besonders häufig vor. Helmbrechts höfische Haube war auf der einen Seite mit der Belagerung und Eroberung Trojas und mit Äneas' Flucht bestickt, auf der anderen Seite mit Szenen aus dem ›Rolandslied‹, hinten mit Motiven der Dietrichsage und vorne mit einer höfischen Tanzszene (45 ff.). Noch zahlreicher sind die Belege aus Frankreich. Szenen aus der Trojasage und aus der ›Äneis‹ gab es auf Tüchern, auf Zeltwänden und auf Kleidungsstücken. Im ›Galeran de Bretagne‹ von Jean Renart (1. Hälfte 13. Jahrhundert) wurde ein Tuch beschrieben, in das »auf der einen Seite das Leben von König Floire und von Blanchefleur in wunderbarer Kunst eingewebt war, das ganze Leben der Liebenden«[38]. Auch Bilder der Artussage kamen vor. Auf dem Mantel, den die Königin von Garadigan zu ihrer Hochzeit trug, war zu sehen, wie Merlin die Gestalt des Grafen Gorloys annahm; wie Artus in Tintaguel gezeugt wurde; wie Igerne ihren Ehemann beklagte, und wie beschlossen wurde, daß sie

---

[35] daz lange liet von Trojâ (7546)

[36] wie der herre Ênêas, der vil listige man, über sê vuor (7553-55)

[37] ... was dar an entworfen sus wie Tispê und Pîramus, betwungen von der minne, ... ein riuwic ende nâmen (7708-10.12)

[38] Du roy Floire et de Blancheflour Y ot la vie, d'une part, Tissue par merveilleux art, Toute la vie des amans (516-19)

Uter Pendragon heiratete; außerdem »waren auf dem Mantel die kühnen Taten dargestellt, die Artus alsdann vollbracht hat«[39].

Die handschriftliche Verbreitung

Wir besitzen aus Deutschland knapp zwanzig Epenhandschriften, die nach ihrem paläographischen Befund noch ins 12. Jahrhundert oder in die Zeit um 1200 datiert werden. Wenn man die ›Kaiserchronik‹ zu den Epen zählt, erhöht sich diese Zahl um sechs. Es ist bezeichnend für den Überlieferungszustand der älteren Epik, daß nur vier dieser Handschriften vollständig erhalten sind; alles andere sind Fragmente. Da es noch keine vergleichende Untersuchung dieser ältesten Überlieferungsschicht weltlicher Epik gibt, besitzen die folgenden Angaben nur vorläufigen Charakter.

Ihrem äußeren Erscheinungsbild nach lassen sich die Handschriften des 12. Jahrhunderts in zwei Gruppen teilen: in Sammelhandschriften und Einzelhandschriften. Sammelhandschriften sind:

– Die berühmte Vorauer Handschrift (Vorau, Stiftsbibl. 276) aus der zweiten Hälfte des 12. Jahrhunderts, die Lamprechts ›Alexander‹ und die ›Kaiserchronik‹ neben zahlreichen geistlichen Dichtungen in deutscher Sprache enthält, außerdem die ›Gesta Frederici‹ von Otto von Freising und Rahewin.
– Die Straßburg-Molsheimer Handschrift (Straßburg, Univ. bibl. C. V. 16. 6. 4°), die nach 1187 geschrieben wurde. Sie ist 1871 verbrannt. Sie enthielt den ›Straßburger Alexander‹ und verschiedene geistliche Gedichte.

Dazu kommen zwei fragmentarische Sammelhandschriften:

– Die Stargarder Fragmente (Berlin, Mgq 1418, derzeit Krakau, Bibl. Jagiellońska), um 1200 geschrieben, in denen ein Bruchstück von Eilharts ›Tristrant‹ und Teile der ›Tobias‹-Legende von Lamprecht sowie ein Tagzeitengedicht überliefert sind.
– Die Trierer Fragmente (Trier, Stadtbibl., Mappe X, Nr. 13), wahrscheinlich vom Anfang des 13. Jahrhunderts, die Bruchstücke des ›Trierer Floyris‹ zusammen mit Stücken des ›Trierer Ägidius‹ und des ›Trierer Silvester‹ überliefern.

Diese Sammelhandschriften gehören zu einer größeren Gruppe von Sammelhandschriften des 12. Jahrhunderts, die alle religiö-

[39] Et furent ou mantel portrait Et les proeces et li fait K'Artus fist dusqu'au ior de lores (Le chevalier aux deux epées 12195-97)

se Dichtungen in deutscher Sprache enthalten und die wahrscheinlich alle in Klöstern oder an Bischofssitzen geschrieben worden sind. Die vier genannten Handschriften unterscheiden sich von den übrigen nur dadurch, daß in ihnen jeweils ein weltliches Epos zwischen geistlicher Dichtung steht. Was die geistlichen Sammler zu einer solchen Textmischung veranlaßt hat, ist ganz unklar. Am wenigsten Schwierigkeiten macht Lamprechts ›Alexander‹ in der Vorauer Handschrift: in die weltgeschichtliche Konzeption dieser Sammlung paßte die Geschichte Alexanders des Großen gut hinein. In den anderen drei Handschriften steht der weltliche Text neben Legendendichtungen, eine Verbindung, die auch in späteren Handschriften begegnet. Dabei bleibt jedoch ungeklärt, welche Interessen die Niederschrift veranlaßt haben. Daß Liebesromane wie der ›Trierer Floyris‹ und Eilharts ›Tristrant‹ im 12. Jahrhundert zu klösterlichem Gebrauch kopiert wurden, ist wohl ausgeschlossen. Die Möglichkeit, daß die Handschriften für Bischofshöfe bestimmt waren, muß offengehalten werden. Für die Vorauer Handschrift hat man an Salzburg oder Regensburg als Entstehungsort gedacht, weil man es für unwahrscheinlich hielt, daß eine so umfangreiche Sammlung von Texten in dem kleinen, erst 1163 gegründeten Kloster Vorau (in der Steiermark) zusammengestellt worden ist. Es ist auch mit der Möglichkeit zu rechnen, daß die Handschriften für weltliche Auftraggeber angefertigt worden sind. Die Frage nach den Handschriftenbestellern ist für die Soziologie der Überlieferung von entscheidender Bedeutung. Die Tatsache, daß für keine einzige Handschrift des 12. und 13. Jahrhunderts, in der weltliche Dichtung in deutscher Sprache überliefert ist, ein Besteller zweifelsfrei nachgewiesen werden kann, zeigt jedoch, welche engen Grenzen der Erkenntnis auf diesem Gebiet gezogen sind. Mit gesicherten Ergebnissen ist hier nirgends zu rechnen.

Ein anderes Bild bieten die Einzelhandschriften des 12. Jahrhunderts. Wir besitzen zwei vollständige Handschriften:
– Die Heidelberger ›Rolandslied‹-Handschrift (Cpg 112).
– Die Heidelberger Handschrift des ›König Rother‹ (Cpg 390).
Den Fragmenten ist nicht anzusehen, ob sie aus einer Sammelhandschrift oder aus einer Einzelhandschrift stammen. Die meisten Fragmente des 12. Jahrhunderts stimmen jedoch in ihrer Einrichtung so genau mit den beiden Einzelhandschriften überein, daß man sie zu dieser Gruppe zählen kann. Es handelt sich um:

- die Schweriner Bruchstücke des ›Rolandslieds‹,
- die Arnstädter Bruchstücke des ›Rolandslieds‹,
- die Marburger Bruchstücke des ›Herzog Ernst‹,
- die Braunschweig-Göttinger Bruchstücke des ›Graf Rudolf‹,
- die Regensburger Bruchstücke von Eilharts ›Tristrant‹,
- die Magdeburger Bruchstücke von Eilharts ›Tristrant‹,
- die Regensburger Bruchstücke von Veldekes ›Eneit‹,
- die Klagenfurter Bruchstücke des ›Nibelungenlieds‹.

Etwas jünger sind vielleicht:
- die Erfurter Bruchstücke des ›Rolandslieds‹,
- die Münchener Bruchstücke des ›König Rother‹,
- die Kasseler Bruchstücke des ›Reinhart Fuchs‹,
- die Münchener Bruchstücke von Veldekes ›Servatius‹,
- die Meraner Bruchstücke von Veldekes ›Eneit‹.

In den meisten Fällen ist es nicht möglich, die Abfassungszeit einer Handschrift nur auf Grund des paläographischen Befundes auf ein oder zwei Jahrzehnte genau zu bestimmen. Das gilt auch für diese Aufstellung. Einige der genannten Handschriften sind vielleicht erst im 13. Jahrhundert geschrieben worden; vielleicht gehören andere, die ins frühe 13. Jahrhundert datiert werden, noch hierher.

Die Einzelhandschriften und die Mehrzahl der Bruchstücke unterscheiden sich von den Sammelhandschriften durch ihr Format und ihre Einrichtung.

- Das Format: Die Einzelhandschriften sind durchweg kleiner und überschreiten in vielen Fällen nicht die Größe dieses Taschenbuchs (18 × 11 cm). Die Heidelberger ›Rolandslied‹-Handschrift mißt 21 × 15 cm, die ›König Rother‹-Handschrift 17 × 11 cm, und in diesem Rahmen bleiben die meisten alten Fragmente. Die kleinste Handschrift ist die ›Nibelungen‹-Handschrift aus Klagenfurt mit 15 × 12 cm. Ungewöhnlich groß sind nur die Schweriner Bruchstücke des ›Rolandslieds‹ (26 × 22 cm). Sie reichen aber nicht an die doppelt so großen Sammelhandschriften aus Vorau und Straßburg heran. Die Vorauer Handschrift mißt 47 × 33 cm; die Straßburger war womöglich noch größer (genaue Angaben fehlen): in ihr standen 56 Zeilen auf jeder Spalte, in der Vorauer Handschrift 46. Dagegen weisen die Einzelhandschriften und die Fragmente nur 20–30 Zeilen pro Seite auf. Es hat allerdings auch kleinere Sammelhandschriften gegeben: die Trierer und die Stargarder Fragmente unterscheiden sich im Format nur unwesentlich von den Einzelhandschriften.

– Die Einrichtung: In den großen Sammelhandschriften, auch in den Trierer Fragmenten, ist der Text zweispaltig geschrieben. Diese Anordnung hatte in der Überlieferungsgeschichte der religiösen Literatur eine lange Tradition. Demgegenüber haben die beiden Einzelhandschriften und fast alle Fragmente des 12. Jahrhunderts einen geschlossenen Schriftblock, also nur eine Spalte. Nur die Kasseler Bruchstücke des ›Reinhart Fuchs‹ und die Meraner ›Eneit‹-Fragmente sind zweispaltig beschriftet. Die Meraner ›Eneit‹-Handschrift ist auch die einzige ältere Epenhandschrift, in der die Verse bereits einzeln abgesetzt sind und nicht, wie in den übrigen, fortlaufend geschrieben. Die Meraner Handschrift gehört vielleicht schon ins 13. Jahrhundert und muß damals die modernste Epenhandschrift gewesen sein.

Über die Herkunft der Einzelhandschriften ist in keinem Fall etwas Sicheres auszumachen. Die Vorstellung, daß die kleinen, ziemlich schmucklosen Handschriften, deren einzige Verzierung einfache rote Initialen sind, Taschenexemplare professioneller Erzähler gewesen seien, ist durch nichts gerechtfertigt. Das kleine Format und die einfache Ausstattung sind sicherlich nicht als Anzeichen dafür zu werten, daß es den Auftraggebern an reicheren Mitteln gefehlt hat. Eher spiegelt sich darin, daß der weltlichen Literatur in dieser Zeit noch nicht dieselbe Dignität zuerkannt wurde wie den heiligen Schriften, die oft mit großem Aufwand ausgeschmückt wurden. Prachthandschriften von weltlichen Epen, wie die für König Wenzel († 1419) geschriebene Wiener ›Willehalm‹-Handschrift, hat es nicht vor dem 14. Jahrhundert gegeben.

Die Übereinstimmung im Erscheinungsbild der alten Epenhandschriften läßt einen einheitlichen Bestellerkreis vermuten. Dafür kommen, nach Lage der Dinge, nur die weltlichen Fürstenhöfe in Frage, an denen die Texte, die in diesen Handschriften überliefert sind, nachweislich ihr Publikum gefunden haben. Ob die Handschriften auch an den Höfen geschrieben worden sind, ist eine andere Frage, auf die es keine sichere Antwort gibt. Es würde sich lohnen, einmal die ältesten Schriftstücke, die aus den fürstlichen Kanzleien hervorgegangen sind, mit den Epenhandschriften zu vergleichen. Die Urkunden, die am Hof ausgestellt wurden, besaßen bis weit ins 13. Jahrhundert hinein eine sehr einfache, schmucklose Form (vgl. S. 625). Noch interessanter wäre ein Vergleich mit den ältesten deutschsprachigen Texten aus den fürstlichen Kanzleien: dem bayerischen Herzogsurbar aus den dreißiger Jahren des 13. Jahrhunderts oder dem Fragment des Urbars der Marschälle von Pappenheim, das bis in die Lebenszeit Heinrichs von Kalden († 1214/15) zurückdatiert wird. Ob auf diesem Weg verläßliche Anhaltspunkte zu gewinnen sind, müssen künftige Untersuchungen erweisen.

Wie die schriftliche Verbreitung der Epen vor sich ging, wissen wir nicht. Konnte man bei einem befreundeten Hof eine Abschrift von einem dort entstandenen Werk bestellen? Oder hat man sich die Originalhandschrift geborgt, um selbst eine Abschrift machen zu lassen? Schickte man einen Schreiber dorthin? Oder lud man den Autor zu sich ein? Es muß bereits um 1200 eine lebhafte Kommunikation zwischen den literarisch aktiven Höfen gegeben haben. Die erhaltenen Handschriften sind Zeugen der schnellen Verbreitung. Vom ›Rolandslied‹ sind, außer der Heidelberger Handschrift, fünf Fragmente bekannt, die wahrscheinlich alle noch im 12. Jahrhundert oder zu Beginn des 13. geschrieben worden sind. Eilharts ›Tristrant‹ kennen wir aus drei bruchstückhaft erhaltenen Handschriften aus der Zeit um 1200. Ebenso viele alte Fragmente gibt es von Veldekes ›Eneit‹. Auch der ›König Rother‹ und der ›Herzog Ernst‹ sind schon bald nach ihrer Entstehung mehrmals abgeschrieben worden. Gemessen an der kleinen Zahl weltlicher Höfe, an denen der Literaturbetrieb schon vor 1200 begann, ist die Zahl der erhaltenen Handschriften aus dieser Zeit überraschend groß.

Über die Geographie der Handschriften vermag in den meisten Fällen nur ihre sprachliche Form Auskunft zu geben, gelegentlich auch der Auffindungsort. Die Dialektuntersuchungen haben jedoch vielfach nicht zu der erwünschten Eindeutigkeit geführt, weil viele Handschriften widersprüchliche Dialektmerkmale aufweisen. Die älteren Untersuchungen sind oft von der falschen Erwartung ausgegangen, daß jede Handschrift die Mundart ihres Schreibers bezeugen müßte und dadurch genau lokalisiert werden könnte. Heute weiß man, daß die sprachliche Gestalt eines Textes von verschiedenen Faktoren bestimmt wurde, unter denen die Mundart des Schreibers nur einer war. Ebenso wichtig war die sprachliche Norm des Scriptoriums oder der Kanzlei, der der Schreiber angehörte, und die sprachliche Form der Vorlage, die kopiert wurde. Wenn der Schreiber nach einer Vorlage arbeitete, die von weither kam, waren widersprüchliche Sprachformen in der Abschrift fast unvermeidlich.

Einige Epen sind offenbar weit gewandert. Die niederdeutschen Einschläge im Schweriner Fragment des ›Rolandslieds‹ deuten darauf, daß die bayerische Dichtung bereits im 12. Jahrhundert bis nach Norddeutschland gelangt ist. Umgekehrt bezeugen die oberdeutschen Mundartspuren im Regensburger Fragment von Eilharts ›Tristrant‹, daß dieses nordmitteldeutsche Werk schon früh auch in Süddeutschland bekannt wurde. Am meisten überrascht es, daß die gesamte alte Überlieferung der in Thüringen zu Ende gedichteten ›Eneit‹ von Heinrich von Veldeke bayerisch oder doch oberdeutsch ist: die Regensburger Fragmente werden als bayerisch-schwäbisch bestimmt, die Meraner Fragmente als oberdeutsch, die Pfeifferschen Bruchstücke sogar als südbayerisch. Der ›König Rother‹, der im Original offenbar niederdeutsche Spracheigentümlichkeiten aufwies, ist bereits im 12. Jahrhundert, wie die Münchener Fragmente bezeugen, ins Bayerische umgeschrieben worden, während die Prager Bruchstücke des ›Herzog Ernst‹ vom Anfang des 13. Jahrhunderts mittelfränkische Eigenheiten aufweisen und vielleicht für ein rheinisches Publikum bestimmt waren. Mehr Klarheit über diese Beziehungen werden die Untersuchungen von Thomas Klein erbringen. Besonders intensiv war offenbar der literarische Austausch zwischen dem Rheinland und Bayern, der vor dem Hintergrund der rheinisch-bayerischen Wirtschafts- und Kulturbeziehungen gesehen werden muß. Erkennbar sind auch die literarischen Verbindungswege vom Rheinland nach Thüringen und von Sachsen und Thüringen nach Bayern. Die Förderer dieses literarischen Verkehrs dürften in erster Linie die fürstlichen Gönner und Auftraggeber gewesen sein.

Veränderungen der Handschriftenpraxis im 13. Jahrhundert

In der ersten Hälfte des 13. Jahrhunderts hat sich das Erscheinungsbild der Epenhandschriften auffällig verändert. Die Handschriften wurden größer und aufwendiger. Was um 1200 noch eine Ausnahme war – Format und Einrichtung der Meraner ›Eneit‹ – Fragmente –, wurde bald zur Norm. Quartformat mit Abmessungen von etwa 23–33 cm in der Höhe und 16–22 cm in der Breite, Beschriftung der Seiten in zwei Kolumnen, Koordinierung von Versanfang und Zeilenanfang: so sahen 80 bis 90 Prozent der Epenhandschriften im 13. Jahrhundert aus. Die alte Form der einspaltig beschriebenen, meist kleinformatigen Handschriften wurde zu Anfang des 13. Jahrhunderts noch mehrfach benutzt. Die Prager Fragmente des ›Herzog Ernst‹, die Gießener ›Iwein‹-Handschrift, die Oxforder ›Lanzelet‹-Fragmente, die Kölner ›Wigalois‹-Handschrift, die Wiener ›Wigalois‹-Fragmente, die Fragmente des ›Armen Heinrich‹ aus St. Florian, die St. Pauler ›Iwein‹-Fragmente repräsentieren diesen alten Typ, der in der zweiten Hälfte des 13. Jahrhunderts fast vollständig verschwand. Zu den wenigen Handschriften, die noch am Ende des 13. Jahrhunderts in dieser Form geschrieben worden sind, gehören die Münchener Fragmente von Wolframs ›Titurel‹ und die Saganer Fragmente des ›Herzog Ernst‹. Der Saganer ›Herzog Ernst‹ ist mit einem Format von 13 × 11 cm eine der kleinsten Epenhandschriften des 13. Jahrhunderts. Daß das Format kein Zeichen von Dürftigkeit war, zeigt die winzige Gießener ›Iwein‹-Handschrift (12,5 × 8,5 cm), die mit ihrem breiten Rand (der Schriftspiegel ist nur 9 × 5,5 cm groß), ihrer schönen Schrift und ihrem kunstvollen bunten Initialenschmuck eine besonders sorgfältige Handschrift ist. Nur selten hat man im 13. Jahrhundert eine größere Epenhandschrift einspaltig beschriftet. Die Donaueschinger ›Nibelungen‹-Handschrift C, die vor 1250 datiert wird, ist ein solcher Ausnahmefall.

Im ganzen sind etwas mehr als zwanzig Epenhandschriften mit einspaltiger Beschriftung aus dem 13. Jahrhundert erhalten, die meisten in fragmentarischer Form. Fast genauso groß ist die Zahl der Handschriften, die auf jeder Seite drei Textkolumnen haben. Diese neue Form der Einrichtung wird ebenso wie der Brauch, mit jedem Vers eine neue Zeile zu beginnen, also die Verse einzeln abzusetzen, auf französischen Einfluß zurückgeführt. Dieser Vorgang bedarf jedoch noch der Dokumentierung. Die älteste dreispaltige Handschrift in Deutschland ist die Berliner ›Eneit‹-Handschrift (Mgf 282) aus der ersten Hälfte des 13. Jahrhunderts, die zu den interessantesten und schönsten Epenhandschriften der höfischen Zeit gehört. Der Schreiber hat den Text auf den ersten Seiten in zwei Spalten geschrieben, ohne die Verse abzusetzen, ist dann jedoch zu drei Spalten mit abgesetzten Versen übergegangen und hat diese Form bis zum Schluß eingehalten. Was der Handschrift den besonderen Wert verleiht, ist der ungemein reiche Bildschmuck. Auf jedes Textblatt folgt ein (nachträglich eingefügtes) Bildblatt, insgesamt 71 Bildseiten, von denen die meisten in der Mitte durch einen waagerechten Strich in eine obere und eine untere Hälfte geteilt sind, in der je ein Bild steht, so daß die Handschrift im ganzen

136 Bilder besitzt (vgl. Abb. 38). Es sind mehrfarbig kolorierte Federzeichnungen, die dem Kunstkreis der Regensburg-Prüfeninger Malschule zugerechnet werden. Die Bilder sind auch für die höfische Realienkunde von großer Bedeutung, zum Beispiel für die Entwicklung der Helmformen und für die Ausbildung des Wappenwesens. Aus den Wappenzeichnungen hat man auf den Besteller der Handschrift schließen wollen. Eine Verbindung zum Thüringer Landgrafenhaus ist jedoch auf diesem Weg nicht zu erweisen. Ihrem Sprachduktus nach ist die Handschrift oberdeutsch, speziell ostfränkisch-bayerisch. Wahrscheinlich war sie für einen süddeutschen Hof bestimmt.

Dreispaltige Epenhandschriften blieben zunächst eine Seltenheit. Aus der ersten Hälfte des 13. Jahrhunderts ist nur noch die Münchener Wolfram-Handschrift (Cgm 19) zu nennen. Die Salzburger Fragmente des ›Wilhelm von Orlens‹ von Rudolf von Ems werden in die Mitte des Jahrhunderts datiert. Alle anderen Handschriften mit drei Schriftkolumnen sind erst am Ende des 13. Jahrhunderts oder am Anfang des 14. geschrieben worden. Kleinfolioformat, wie die Berliner ›Eneit‹ (25 × 17,5 cm), haben nur relativ wenige dreispaltige Handschriften. Die meisten sind größer. Die Berliner ›Nibelungen‹-Fragmente O sind mit 44,5 × 28 cm und 78 Zeilen pro Spalte eine der größten Epenhandschriften des 13. Jahrhunderts. Fast genauso groß ist die Berliner ›Willehalm‹-Handschrift (39 × 28 cm). Es gibt allerdings auch zweispaltige Handschriften, die diese Dimensionen erreichen: die Nürnberger ›Willehalm‹-Fragmente (42,5 × 32 cm) oder die Ansbach-Wolfenbüttel-Berliner Fragmente (41 × 24 cm), die Stücke aus dem ›Eckenlied‹, ›Virginal‹, ›Ortnit‹ und ›Wolfdietrich‹ überliefern. Es sind hauptsächlich Werke der Heldenepik und der Geschichtsepik (›Willehalm‹), die in diesen großformatigen Handschriften überliefert sind. Das einzige höfische Epos, das im 13. Jahrhundert mehrmals dreispaltig geschrieben worden ist, war der ›Parzival‹; das bezeugen die Weimarer Fragmente (c), die Reiner Fragmente (d), die Berliner Fragmente (f), Die Gotha-Arnstädter Fragmente (h) und die Würzburger Fragmente (t), die übrigens alle zur Handschriftenklasse D gehören.

Manche Handschriften sind recht einfach in der Ausstattung, andere sind viel aufwendiger in der Qualität des Pergaments, in der Breite der Ränder, in der Sorgfalt der Schrift und in der Kostbarkeit des Buchschmucks. Eine Einteilung in Vortrags- und Lesehandschriften ist jedoch für das 13. Jahrhundert nicht

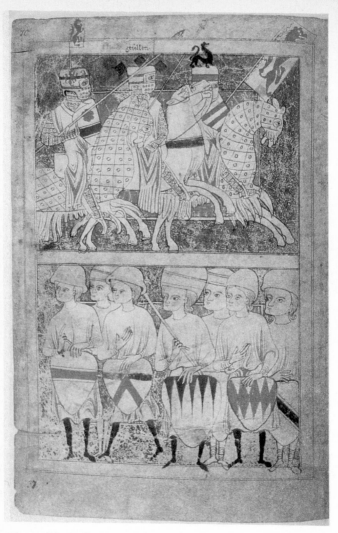

Abb. 38 Die Berliner ›Eneit‹-Handschrift (Mgf 282). Bild und Textseite. Die Bildseite ist meistens in zwei Zonen geteilt (Oben: die Ritter
des Herzogs Turnus. Unten: das Fußvolk des Herzogs Turnus). Die
Textseite ist dreispaltig beschriftet. 13. Jahrhundert.

do ſprach die kůne gninne
...

am Platz. Auch die aufwendig geschriebenen Codices zeigen vielfach starke Gebrauchsspuren, die erkennen lassen, daß diese Handschriften viel benutzt worden sind. In der Münchener ›Nibelungen‹-Handschrift A weisen fettig glänzende Fingerspuren an den Rändern darauf, daß die Handschrift oft zum Lesen oder Vorlesen in der Hand gehalten wurde. Es war sicherlich nicht ganz einfach, aus einer Handschrift vorzulesen, die ohne geregelte Orthographie und ohne Satzzeichen geschrieben war. Friedrich Ranke hat festgestellt, daß der Schreiber der Innsbrucker Fragmente von Gottfrieds ›Tristan‹, die aus der ersten Hälfte des 13. Jahrhunderts stammen, durch seine Schreibungen der metrischen Form des Textes Rechnung getragen hat und dadurch den Bedürfnissen eines Vorlesers entgegengekommen ist. Ob dies ein Ausnahmefall war, muß noch geprüft werden.

Offenbar sind die Handschriften nicht immer sofort gebunden worden. Die Heidelberger ›Iwein‹-Handschrift A aus der Mitte des 13. Jahrhunderts zeigt auffällig starke Gebrauchsspuren an den Außenblättern der Lagen, die sich am besten erklären, wenn man annimmt, daß die Lagen zunächst einzeln aufbewahrt worden sind. Hat man sie auch einzeln zum Vorlesen benutzt? In der St. Galler Sammelhandschrift 857 treten Gebrauchsspuren am Anfang der einzelnen Dichtungen auf; offenbar sind die Teile erst nachträglich vereinigt worden. Auch der Verlust ganzer Lagen, wie in der Münchener ›Parzival‹-Handschrift G^k deutet darauf, daß die Handschrift schon vor dem Binden in Benutzung war. Die Berliner ›Nibelungen‹-Handschrift J ist an den Rändern der ersten und letzten Blätter beschädigt; vielleicht wurde sie, bevor sie einen festen Einband erhielt, in einem Pergamentumschlag verwahrt. Für die Kleinepik ist eine Verbreitung auf ungebundenen Blättern wahrscheinlich gemacht worden.

Es gibt etwa 250 Epenhandschriften aus dem 13. Jahrhundert, wenn man die Handschriften mitzählt, die »um 1300« oder ins »13./14. Jahrhundert« datiert werden. Bei der zeitlichen Verteilung fällt auf, daß nur eine relativ kleine Anzahl von Handschriften mit einiger Sicherheit in die erste Hälfte oder in die Mitte des 13. Jahrhunderts datiert werden kann. Die Masse stammt aus der zweiten Hälfte des 13. Jahrhunderts und aus der Zeit um 1300. Offenbar hat die Abschreibetätigkeit nach 1200 zunächst nur langsam zugenommen, und erst gegen Ende des 13. Jahrhunderts ist dann eine starke Vermehrung erfolgt. Auch wenn man in Rechnung stellt, daß von den älteren Handschriften mehr verlorengegangen sind als von den jüngeren, kann man schätzen, daß sich die Handschriftenproduktion am Ende des 13. Jahrhunderts gegenüber dem Anfang verzehnfacht hat. Das deutet darauf hin, daß gegen Ende des 13. Jahrhunderts tiefgreifende Veränderungen im Literaturbetrieb stattgefunden haben. Ob es einen Zusammenhang zwischen der Handschriftenvermehrung und dem Einsetzen deutschsprachiger Urkunden in den letzten Jahren des 13. Jahrhunderts gegeben hat und ob die vermehrte Abschreibetätigkeit mit dem Eintritt des Landadels und der adligen Oberschicht der Städte in den Literaturprozeß in ursächlicher Verbindung stand, muß vorläufig offenbleiben.

Wo und in wessen Auftrag die vielen Handschriften geschrieben worden sind, läßt sich in keinem Fall sicher bestimmen. In der Berliner Sammelhandschrift Mgf 1062, der sogenannten Riedegger Handschrift, die um 1300 in Österreich geschrieben worden ist, steht auf dem letzten Blatt, von anderer Hand: »Ich Otto von Hakenberg und Rabensburg seinem geliebten Verwandten Albero von Kuenring.«[40] Früher hat man diesen Eintrag als Schenkungsvermerk interpretiert und hat daraus geschlossen, daß die Handschrift im Auftrag des österreichischen Ministerialen Otto von Hakenberg (urkundlich 1276–1295) geschrieben und von diesem an seinen Schwager Albero von Kuenring geschenkt worden sei. Es handelt sich jedoch nur um ein Zitat aus dem Protokoll eines Briefes oder einer Urkunde, und es muß offenbleiben, ob der Besteller der Handschrift im Umkreis dieser Familien zu suchen ist. Weitere Notizen auf dem letzten Blatt der Riedegger Handschrift weisen auf die bayerische Herzogsfamilie. Wahrscheinlich sind die meisten Epenhandschriften des 13. Jahrhunderts auf Bestellung der weltlichen Fürstenhöfe geschrieben worden. Nach der Mitte des Jahrhunderts ist, gerade in den österreichischen Ländern, auch mit Bestellern aus dem reicheren Landadel zu rechnen. In welchem Umfang die fürstlichen Kanzleien an der Handschriftenproduktion beteiligt waren, ist nicht auszumachen. Vielleicht darf die Tatsache, daß die meisten Epenhandschriften des 13. Jahrhunderts von einer Hand geschrieben sind, als Indiz dafür gewertet werden, daß sie aus kleineren Schreibstuben mit geringem Personal hervorgegangen sind. Selbst einige umfang-

---

[40] Ego Otto de Hakenberch et de Rabenspurch Dilecto Consanguineo suo. Alberonj de Chvnring (Pfeiffer, S. 54)

reiche Sammelhandschriften, wie die Riedegger Handschrift, stammen nur von einem Schreiber. Wie das Unternehmen geplant und durchgeführt wurde, ist in diesem Fall daran zu erkennen, daß am Ende der Neidhartsammlung die Rückseite von Blatt 62 freigeblieben ist und mit dem Anfang von ›Dietrichs Flucht‹ auf Blatt 63^r eine neue Lage beginnt. Offenbar wurden die beiden Teile der Handschrift gesondert geschrieben. Verzierte Oberlängen der Buchstaben in den ersten Zeilen erinnern an Urkundenschriften und lassen vermuten, daß der Schreiber in einer Kanzlei gearbeitet hat.

Nur wenige Epenhandschriften des 13. Jahrhunderts zeigen ein anderes Gesicht. Die Münchener Wolfram-Handschrift (Cgm 19) aus der ersten Hälfte des 13. Jahrhunderts ist von sechs verschiedenen Schreibern geschrieben worden. Die St. Galler Sammelhandschrift (Stiftsbibl. 857) aus der Mitte des Jahrhunderts, mit 318 Blättern die umfangreichste Epenhandschrift des 13. Jahrhunderts, stammt von sechs oder sieben verschiedenen Händen. An der Wiener Stricker-Handschrift (Nat.-Bibl. 2705) aus der zweiten Hälfte des 13. Jahrhunderts waren fünf Schreiber beteiligt. An dem Aufbau der Handschriften und der Verteilung der verschiedenen Hände ist zu erkennen, daß einige Schreiber gleichzeitig nebeneinander gearbeitet haben. Bei der Abfassung der St. Galler Handschrift wurde die Arbeit so verteilt, daß jedes Epos mit einer neuen Lage begann. Der Hauptschreiber hat zuerst den ganzen ›Willehalm‹ geschrieben und hat dann den von einem anderen Schreiber begonnenen ›Parzival‹ weitergeschrieben; schließlich war er auch an der Niederschrift des ›Nibelungenlieds‹ beteiligt. Die Schreiber der Münchener Wolfram-Handschrift sind lagenweise eingeteilt worden. Der erste Schreiber begann den ›Parzival‹ mit Lage 1 (nach heutiger Zählung), der zweite Schreiber begann mit Lage 5, der dritte mit Lage 10. Wenn die Schreiber gleichzeitig arbeiteten, mußte vorher der Umfang des benötigten Platzes berechnet worden sein. Kleinere Ungenauigkeiten waren dabei nicht zu vermeiden. So ist in der neunten Lage der Münchener Handschrift eine Seite (fol 53^v) freigelassen und die übernächste Seite (fol 54^v) nur zur Hälfte beschriftet worden. Offenbar lag der Anfang der zehnten Lage bereits fertig vor, und es gab nicht genügend Text, um die neunte Lage ganz zu füllen. Der erste ›Parzival‹-Schreiber hat später auch den ›Titurel‹ geschrieben. Diese Art der Arbeitsverteilung zeigt an, daß solche Handschriften aus großen, leistungsfähigen Scriptorien hervorgegangen sind. Für die Münchener Wolfram-Handschrift läßt sich das Bild noch insofern erweitern, als man festgestellt hat, daß die Münchener ›Tristan‹-Handschrift (Cgm 51) von demselben Schreiber stammt, der auch der Hauptschreiber der Wolfram-Handschrift war. Auch die übereinstimmende Art der Bebilderung beider Handschriften weist darauf, daß sie in derselben Schreibstube entstanden sind. Aus diesem Scriptorium sind offenbar drittens die Salzburger Fragmente des ›Wilhelm von Orlens‹ von Rudolf von Ems hervorgegangen. Diese Handschrift ist ebenso wie der Cgm 19 dreispaltig eingerichtet, und der Duktus der Schrift zeigt große Ähnlichkeit mit dem Schreiber 1 von Cgm 19 und dem Schreiber von Cgm 51. Auch die Verteilung der Initialen in den Salzburger Fragmenten erinnert an die Münchener Wolfram-Handschrift. Das Scriptorium, in dem die drei Handschriften geschrieben worden sind, muß um die Mitte des 13. Jahrhunderts zu den führenden Produktionsstätten von Epenhandschriften gehört haben. Die Sprache der drei Handschriften weist auf alemannische Herkunft. Friedrich Ranke hat die These aufgestellt, daß das Scriptorium in Straßburg beheimatet gewesen sei und daß der Leiter der Straßburger Kanzlei, Meister Hesse (vgl. S. 675), die Redaktion und Niederschrift der Texte veranlaßt habe. Das ist jedoch aus verschiedenen Gründen unwahrscheinlich. Wenn man bedenkt, daß zwei der drei Handschriften Werke enthalten, die Konrad von Winterstetten gewidmet sind – der ›Wilhelm von Orlens‹ von Rudolf von Ems und die ›Tristan‹-Fortsetzung von Ulrich von Türheim (vgl. S. 674) –, dann möchte man eher vermuten, daß der staufische Königshof Heinrichs (VII.) und Konrads IV. mit seiner großen, gutorganisierten Kanzlei der Ursprungsort dieser Handschriftengruppe gewesen sein könnte, oder daß wenigstens die Bestellung der Handschriften von dort ausgegangen ist.

Es gibt keinen Hinweis darauf, daß bereits im 13. Jahrhundert die kommerzielle Herstellung von Epenhandschriften begonnen hätte. Die Anfänge eines Büchermarktes lassen sich in Deutschland nicht über das 15. Jahrhundert zurückverfolgen, abgesehen vielleicht von den lateinischen Schulbüchern, die an den Universitäten benutzt wurden. Das bedeutet, daß für jede Handschrift im 13. Jahrhundert ein Besteller vorauszusetzen ist. Aus dieser Sachlage erklärt es sich wohl, daß manche Handschriften, ebenso wie manche epischen Dichtungen, unvollendet geblieben sind. Die Münchener ›Parzival‹-Handschrift G^k

vom Ende des 13. Jahrhunderts ist ein Beispiel dafür. Es ist ein aufwendig angelegter Kodex mit einem Format von 31 × 22 cm, in sorgfältiger Schrift von einer Hand geschrieben. Geplant war ein großes Bildprogramm, wofür der Platz freigelassen wurde. Aber nur die erste Miniatur ist zur Ausführung gelangt. Auch die Initialen, die der Schreiber vorgesehen hatte, sind nicht ausgeführt worden. Der Verlust von ganzen Lagen deutet darauf, daß die Handschrift längere Zeit ungebunden geblieben ist. Wahrscheinlich ist der Besteller gestorben oder hat seinen Auftrag zurückgezogen. Solche Gönnerabhängigkeit wird die Handschriftenproduktion im 13. Jahrhundert stark beeinflußt haben.

Die Zahl der Handschriften, die mehr als ein Epos enthalten, nahm allmählich zu. Vor allem wurden die fragmentarischen Werke der großen Meister – Gottfrieds ›Tristan‹ und Wolframs ›Willehalm‹ – selten ohne Fortsetzungen abgeschrieben. Gottfrieds ›Tristan‹ steht in keiner Handschrift des 13. Jahrhunderts alleine; in der Münchener Handschrift M und in der Heidelberger Handschrift H folgt die Fortsetzung von Ulrich von Türheim; in der Florentiner Handschrift F folgt die Fortsetzung von Heinrich von Freiberg. Ähnlich verhält es sich mit dem ›Willehalm‹: in der Berliner Handschrift B steht das Werk zwischen der ›Willehalm-Arabel‹-Vorgeschichte von Ulrich von dem Türlin und der ›Rennewart‹-Fortsetzung von Ulrich von Türheim. Die Berliner Türheim/Türlinfragmente (Mgf 923,30 und 923,32) und die Berliner ›Willehalm‹-Fragmente Nr. 16 bezeugen, daß Wolframs Werk am Ende des 13. Jahrhunderts regelmäßig in dieser zyklischen Form gelesen und abgeschrieben worden ist. Ohne die Fortsetzungen ist der ›Willehalm‹ im 13. Jahrhundert nur in der St. Galler Sammelhandschrift überliefert. Noch enger war die Verbindung zwischen dem ›Nibelungenlied‹ und der schon sehr früh dazugedichteten ›Klage‹: die beiden Werke sind im 13. Jahrhundert niemals getrennt voneinander aufgeschrieben worden.

Eine Tendenz zur Zyklenbildung zeigt auch die Überlieferung der jüngeren Heldenepik. In keiner Handschrift des 13. Jahrhunderts steht eines dieser Werke alleine. Eine große Sammlung aus der Zeit um 1300, die ›Eckenlied‹, ›Virginal‹, ›Ortnit‹ und ›Wolfdietrich‹ vereinigte, ist nur fragmentarisch überliefert. In anderen Handschriften sind ›Dietrichs Flucht‹ und ›Rabenschlacht‹ oder ›Sigenot‹ und ›Eckenlied‹ mit Werken aus anderen Gattungen zusammengestellt worden. Diese zyklische Überlieferungsform der Heldenepik hat in den Heldenbüchern des Spätmittelalters eine Fortsetzung gefunden.

Manchmal wurden auf den letzten Seiten einer Epenhandschrift kürzere Stücke anderen Charakters eingetragen. So steht in der Wiener Handschrift des ›Jüngeren Titurel‹ auf dem letzten Blatt das Fürstenlob aus dem ›Wartburgkrieg‹. Vielleicht hat die Tatsache, daß der ›Wartburgkrieg‹ ebenso wie der ›Jüngere Titurel‹ in Strophen gedichtet ist, die Zuordnung bestimmt. Kleinepik und Spruchdichtung sowie religiöse und didaktische Stücke geringeren Umfangs sind öfter auf freigebliebene Seiten geschrieben worden. In der Wiener Handschrift des ›Guten Gerhard‹ von Rudolf von Ems (A) steht am Schluß die kleine Legende ›Von Gottes Leichnam‹ von Nikolaus Schlegel. Am Ende der Berliner ›Nibelungen‹-Handschrift J folgen auf die ›Klage‹ noch ›Der Winsbeke‹ und ›Die Winsbekin‹. Ob es sich in diesem Fall bereits um ein bewußt angelegtes Handschriftenprogramm handelt, läßt sich nicht entscheiden.

Die Vereinigung mehrerer Werke in einer Handschrift spiegelt vielfach den Geschmack und die Interessen der Besteller. Öfter hat die stoffliche oder sachliche Nähe der Epen den Ausschlag gegeben. Das ist ganz deutlich, wenn Veldekes ›Eneit‹ einmal mit Ottes ›Eraclius‹ zu einem Band vereinigt wurde (M), ein anderes Mal mit einer Alexanderdichtung (Marburg, Hessisches Staatsarchiv, Bestand 147, Mappe A). Der antike Stoff hat hier die Zuordnung bestimmt. Im 14. Jahrhundert wurde die ›Eneit‹ auch mit dem ›Trojanerkrieg‹ von Herbort von Fritzlar zusammengestellt (H). Auch in der ›Willehalm‹-Überlieferung haben solche Gesichtspunkte mitgespielt. In der St. Galler Sammelhandschrift 857 steht Wolframs Dichtung hinter Strickers ›Karl‹, der höfischen Neubearbeitung des ›Rolandsliedes‹, auf das Wolfram im ›Willehalm‹ mehrfach Bezug genommen hat. Die Nähe des ›Willehalm‹ zu dem ›Evangelium Nicodemi‹ von Heinrich von Hesler, die in einer fragmentarisch erhaltenen Handschrift nebeneinanderstehen, ist aus der Rezeptionsgeschichte zu erkennen. Beide Werke wurden im Deutschen Orden hochgeschätzt und beide sind im 14. Jahrhundert in die gereimte Weltchronik Heinrichs von München eingegangen. Auch Strickers ›Karl‹ ist von Heinrich von München verarbeitet worden. Die Nähe des ›Karl‹ zur Geschichtsdichtung bezeugt ferner eine St. Galler Handschrift vom Ende des 13. Jahrhunderts, in der Strickers Dichtung hinter der ›Weltchronik‹ von Rudolf von Ems steht. Merkwürdig ist die Zusammenstellung von Strickers ›Karl‹ mit Hartmanns ›Gregorius‹ in einer Vatikanischen Handschrift des 13. Jahrhunderts. Der ›Gregorius‹, der hier am Schluß steht, ist auch sonst eigenartige Verbindungen eingegangen. In einer nur fragmentarisch erhaltenen Handschrift (L) stand er neben dem ›Winsbeken‹. Es hat offensichtlich mehrere Besteller gegeben, die an der Verbindung von höfischer Epik und höfischer Didaktik interessiert waren. Das bezeugt auch die Heidelberger ›Tristan‹-Handschrift H vom Ende des 13. Jahrhunderts, die Gottfrieds Dichtung zusammen mit Türheims Fortsetzung enthält. Zu dieser Handschrift gehörte ursprünglich auch die erst später davon getrennte Heidelberger Freidank-Handschrift A. Alle drei Werke sind von derselben Hand in unmittelbarer Folge geschrieben.

Soweit die handschriftliche Hinterlassenschaft des 13. Jahrhunderts es zu erkennen gibt, sind nur ein einziges Mal die epischen Werke eines Dichters zu einem Kodex zusammengestellt worden. Die Münchener Handschrift Cgm 19, die den ›Parzival‹, den ›Titurel‹ und zwei Tagelieder vereinigt, ist deutlich als reine Wolfram-Sammlung geplant worden. Die Prosastücke, die jetzt auf Blatt 75^r stehen, sind nachträglich von anderer Hand eingetragen worden. Am Schluß des ›Titurel‹ war Platz freigelassen worden, weil man offenbar hoffte, noch weitere Teile der fragmentarischen Dichtung zu finden. Auffällig ist, daß der ›Willehalm‹ fehlt. Wenn man sich vor Augen hält, welche Ausmaße die Verehrung der großen Dichter aus der Zeit um 1200 im Verlauf des 13. Jahrhunderts gewann, ist das Fehlen weiterer Autorensammlungen merkwürdig.

Die interessantesten Einblicke in den Literaturgeschmack der Zeit gestatten die umfangreichen Sammelhandschriften, in denen Werke verschiedenen Charakters zusammenstehen. Zwei Sammlungen sind nur fragmentarisch erhalten: Die ›Parzival‹-Fragmente h gehören zu einer Handschrift, die auch das mittelhochdeutsche ›Segremors‹-Epos enthielt; und die Züricher Bruchstücke einer dreispaltigen Handschrift aus der zweiten Hälfte des 13. Jahrhunderts (Staatsarchiv, C. VI/I, Mappe VI, Nr. 6) überliefern Stücke des ›Parzival‹ und des ›Tristan‹. Vollständig erhalten sind drei große Sammlungen:

– die St. Galler Handschrift (Stiftsbibl. 857) aus der Mitte des 13. Jahrhunderts, die Wolframs ›Parzival‹, das ›Nibelungenlied‹, die ›Nibelungenklage‹, Strickers ›Karl‹, Wolframs ›Willehalm‹ und Sprüche von Friedrich von Suonenburg enthält;

- die Berliner Handschrift (Mgf 1062) oder Riedegger Handschrift aus der Zeit um 1300, die Hartmanns ›Iwein‹, Strickers ›Pfaffen Amis‹, Neidharts Lieder, ›Dietrichs Flucht‹ und ›Die Rabenschlacht‹ vereinigt;
- die Donaueschinger Handschrift (Fürstl. Fürstenbergische Hofbibl. 74), die ebenfalls um 1300 oder zu Anfang des 14. Jahrhunderts geschrieben worden ist und die den ›Wilhelm von Orlens‹ von Rudolf von Ems, die ›Kindheit Jesu‹ von Konrad von Fussesbrunnen, die ›Himmelfahrt Mariä‹ von Konrad von Heimesfurt sowie ›Sigenot‹ und ›Eckenlied‹ überliefert.

In allen drei Sammlungen ist höfische Epik mit Heldenepik zusammengestellt, und außerdem sind noch andere Gattungen vertreten: Spruchdichtung in der St. Galler Handschrift, Schwankdichtung und Lieder in der Riedegger Handschrift, religiöse Epik in der Donaueschinger Handschrift. Offenbar haben die Besteller in allen drei Fällen eine Art Querschnitt durch die Literatur verlangt. Welche Gesichtspunkte die Auswahl und Zuordnung im einzelnen bestimmt haben, ist nicht zu erkennen. Für die Aufnahme von zwei Verslegenden aus dem Stoffbereich des Neuen Testaments in eine Epenhandschrift möchte man persönliche Wünsche des Auftraggebers vermuten. Ebenso ungewöhnlich ist die Einbeziehung einer Lyriksammlung in der Riedegger Handschrift. Am eindrucksvollsten ist das Programm der St. Galler Handschrift, hinter der als Auftraggeber ein Literaturkenner von hohem Rang gestanden haben muß, dem es darum zu tun war, eine Reihe der bedeutendsten Epen aus der Zeit um 1200 zusammenzutragen. Es ist die einzige Handschrift des 13. Jahrhunderts, die den ›Parzival‹ mit dem ›Willehalm‹ vereinigt, auch die einzige, in der Wolframs Werke mit dem ›Nibelungenlied‹ zusammenstehen. Wenn wir wüßten, auf wessen Bestellung die Handschrift geschrieben worden ist (die Sprache ist alemannisch), wäre das Bild vom Literaturbetrieb im 13. Jahrhundert um eine wichtige Facette reicher.

b. Höfische Lyrik

Vortrags-, Tanz- und Leselyrik

Das lyrische Gedicht war immer ein Lied, das zum Singen bestimmt war. Text und Musik gehörten zusammen. Während ein

Epos zuerst als Schriftwerk geschaffen wurde und dann zum Vortrag gelangte, war es beim Lied umgekehrt: es wurde primär gesungen und außerdem vielleicht noch aufgeschrieben. Dieser unterschiedliche Ausgangspunkt hat die ganze Überlieferung geprägt. Anders als in der Epik, wo wir es mit festen Textfassungen zu tun haben, die im Prozeß der schriftlichen Tradierung nur wenig verändert wurden, ist für die Lyrik mit Phasen mündlicher Überlieferung zu rechnen, in denen die Texte Veränderungen erfuhren, die sich mit den Methoden der Textphilologie nicht mehr kontrollieren und korrigieren lassen. Die Texte in den kritischen Lyrikausgaben besitzen daher im allgemeinen einen geringeren Anspruch auf Authentizität als die kritischen Epentexte.

Wie die Lieder der Minnesänger aufgeführt und verarbeitet wurden, muß im wesentlichen aus den Andeutungen der Dichter selber erschlossen werden. Historische Berichte darüber gibt es nicht. Wie groß die Ungewißheit in vielen Punkten ist, zeigt ein Blick auf die Forschung. In der Frage, welche Rolle mündliche und schriftliche Faktoren bei der Verbreitung der Lieder gespielt haben, gehen die Meinungen so weit auseinander, daß eine Zusammenfassung der Ergebnisse kaum möglich erscheint. Deswegen sollen hier nur die wichtigsten Anhaltspunkte angeführt werden, die für die Beurteilung von Bedeutung sind.

Die übliche Form der Darbietung höfischer Lyrik war sicherlich das Vorsingen der Lieder im geselligen Kreis der Hofgesellschaft. Die Minnesänger haben es oft als ihre Aufgabe bezeichnet, das höfische Publikum durch die Schönheit ihrer Melodien und ihres Gesangs zu unterhalten und das Hochgefühl höfischer *vreude* zu wecken. Wahrscheinlich sind die Dichter in der Regel selbst als Sänger aufgetreten und zugleich als Instrumentalisten, mit einem Saiteninstrument zur Begleitung ihres Gesangs. In Südfrankreich scheint es üblich gewesen zu sein, daß die adligen Trobadors eigene Sänger hatten, die ihre Lieder vortrugen. Peire Cardinal »führte seinen Jongleur mit sich, der seine Sirventesen sang«[41]. Guiraut de Borneil »führte zwei Sänger mit sich, die seine Lieder sangen«[42]. Auch für Italien ist eine solche Verteilung der Aufgaben zwischen Dichter und Sänger bezeugt. In Deutschland dagegen scheint sie im 12. und 13. Jahrhundert unbekannt gewesen zu sein. Verschiedene Min-

[41] menan ab si son joglar que cantava sos sirventes (Boutière-Schutz, S. 225 f.)
[42] menava ab se dos cantadors que cantavon las soas chansos (ebd., S. 191)

nesänger haben davon gesprochen, daß ihre Lieder von anderen gesungen wurden: »Wer immer diese Strophen vor ihr [der Dame] singt . . .«[43]. »Sehr häufig klagen ihr andere Leute meinen Kummer im Lied.«[44] Dabei werden die Dichter jedoch nicht an eine von ihnen selbst organisierte Veranstaltung gedacht haben, sondern an das Nachsingen ihrer Lieder durch Mitglieder der Hofgesellschaft oder durch professionelle Sänger.

Eine Vorstellung von den lyrischen Unterhaltungen am Hof können epische Texte vermitteln. In dem französischen ›Roman de Horn‹ aus der zweiten Hälfte des 12. Jahrhunderts wurde geschildert, wie am irischen Königshof, in Gegenwart auswärtiger Gäste, Musik gemacht wurde. Die Königstochter Lenburc begann, den ›Lai de Rigmel‹ – ein Loblied auf die bretonische Prinzessin Rigmel – zu spielen; dann nahm ihr Bruder die Harfe, und dann ging das Instrument reihum, denn »zu jener Zeit konnte ein jeder die Harfe gut spielen. Je vornehmer einer war, um so besser verstand er sich darauf.«[45] Gottfried von Straßburg hat beschrieben, wie Tristan, als Gast am Hof von Arundel, die Gesellschaft dort mit seinen Liedern unterhielt. »Oft ergab es sich auch, wenn der ganze Hof zusammensaß, er, Isolde und Kaedin, der Herzog und die Herzogin, Damen und Barone, daß er dann Lieder dichtete, Rondeaus und höfische kleine Melodien.«[46] Jedes Lied, das Tristan sang, schloß mit einem Refrain, in dem der Name Isolde vorkam. Auch im ›Roman de Horn‹ wurde ein Preislied auf eine bestimmte Dame gesungen. Daraus ist zu ersehen, daß die Lieder des Frauenpreises nicht nur zum Vortrag vor den besungenen Damen bestimmt gewesen sind. Der Auftritt eines adligen Sängers vor einer Dame fürstlichen Ranges ist im ›Nibelungenlied‹ bezeugt, wo Volker von Alzey, bei der Einkehr der Burgunder in Bechlarn, vor der Markgräfin Gotelind sang: »Der tapfere Volker trat höfisch mit seiner Geige vor Gotelind und spielte liebliche Melodien und sang für sie seine Lieder.«[47] Die Markgräfin be-

[43] Swer nu disiu liet singe vor ir (Kaiser Heinrich 5,20)
[44] Doch klaget ir maniger mînen kumber vil dicke mit gesange (H. v. Morungen 127, 18–20)
[45] A cel tens sorent tuit harpe bien manïer; Cum plus fu gentilz hom e plus sout del mester (2824–25)
[46] ofte unde dicke ergieng ouch daz, sô daz gesinde inein gesaz, er unde Îsôt und Kâedîn, der herzoge und diu herzogîn, frouwen und barûne, sô tihtete er schanzûne, rundate und höfschiu liedelîn (19209–15)
[47] Volkêr der snelle mit sîner videlen dan gie gezogenlîche für Gotelinde stân. er videlte süeze doene und sanc ir sîniu liet (1705,1–3)

lohnte seine Kunst mit zwölf goldenen Armreifen. An eine Minnesituation ist hier allerdings nicht zu denken.

Es ist anzunehmen – aber nicht bezeugt –, daß bei solchen Unterhaltungen im Hofkreis gelegentlich auch Minnesänger niederen Standes aufgetreten sind, die als Hofsänger beschäftigt waren. Besser bezeugt, wenn auch nur in poetischen Quellen, ist der Auftritt professioneller Minnesänger bei den großen Hoffesten. Zu den literarischen Unterhaltungen, die bei diesen Gelegenheiten den Gästen geboten wurden, gehörte auch der Vortrag von Minneliedern. Auf dem Krönungsfest in Cluse gab es »zwanzig Sänger, die, um den Kummer zu vertreiben, Minnelieder sangen«[48]. Auf dem Hoffest König Wilhelms von England hörte man »Saitenmusik verschiedener Art in herrlicher Melodie erklingen und schön von Minne singen«[49]. Ob diese Sänger eigene Lieder vortrugen oder ob sie aus einem Liederrepertoire sangen, was andere gedichtet hatten, ist nicht angegeben. Bei den Trobadors ist es vorgekommen, daß ein Dichter seine Lieder seinem Jongleur überließ, der sie dann für Geld vortrug. Raimon de Miraval, der in der Zeit um 1200 dichtete, hat in einem seiner Lieder den Jongleur Bayona angesprochen: »Ich weiß wohl, Bayona, daß du wegen eines Sirventes zu mir gekommen bist. Dies ist das dritte, zwei habe ich schon für dich verfaßt, mit denen du Gold und Silber, manche gebrauchte Rüstung und gute und schlechte Kleider erworben hast.«[50] In Deutschland sind solche Verhältnisse nicht bezeugt. Aber auch hier scheint man von den Berufssängern erwartet zu haben, daß sie Minnelieder singen konnten. So ist es wohl zu erklären, daß Der Marner bei der Aufzählung der Stücke, die sich beim höfischen Publikum besonderer Beliebtheit erfreuten, zwischen Themen aus der Heldenepik auch Minnesang genannt hat: »Der siebente wollte etwas über den Kampf mit Heime oder mit Wittiche hören oder Siegfrieds Tod oder Eckes Tod. Dagegen will der achte nichts als höfischen Minnesang.«[51]

Das Singen von Liedern im geselligen Kreis der adligen Hof-

[48] zweinzic singaere, die durch vertrîben swaere von minne lieder sungen (Stricker, Daniel 8163–65)

[49] maniger hande seitenspil in süezer wîse erklingen, von minnen schône singen (R. v. Ems, Guter Gerhard 5982–84)

[50] Baiona, per sirventes Sai be qu'iest vengutz mest nos, Et ab aquest seran tres, Qu'ieu vo·n avïa fatz dos, Dont mant aur et mant argen Avetz guazanhat, Baiona! E mant uzat garnimen E d'avol raub' e de bona (Witthoeft, S. 50)

[51] der sibende wolde eteswaz Heimen ald hern Witchen sturm, Sigfrides ald hern Eggen tôt. Sô wil der ahtode niht wan hübschen minnesanc (XV, 14,269–71)

gesellschaft und der Vortrag durch Berufssänger auf den Hoffesten: das scheinen die wichtigsten Wege gewesen zu sein, auf denen die höfische Lyrik ihr Publikum erreichte. Daß daneben noch mit anderen Formen der Verbreitung von Lyrik zu rechnen ist, bezeugt Ulrich von Liechtenstein, dessen Aussagen über die Aufführung und Publizierung seiner Lieder in ihrer Art einmalig sind. Kein anderer Minnesänger hat darüber so detailliert berichtet. Im ›Frauendienst‹ kommt weder der Liedvortrag im kleinen Hofkreis noch die öffentliche Aufführung bei Festen vor. Liechtenstein hat seine Lieder auf verschiedene Weise bekannt gemacht:

– Das Lied wurde vom Dichter in einer Männergesellschaft gesungen.
– Das Lied wurde von adligen Rittern als Reise- oder Turnierlied gesungen.
– Das Lied wurde von einem Boten der Dame vorgesungen.
– Das Lied wurde von einem Boten der Dame vorgelesen.
– Das Lied wurde von der Dame selber gelesen.
– Das Lied wurde getanzt und gesungen.

Danach konnten Minnelieder gesungen, getanzt und gelesen werden. Man tut gut daran, mit diesen drei Möglichkeiten als realen Faktoren der höfischen Literaturpraxis zu rechnen.

Ulrich von Liechtenstein hat auf dem Krankenlager gedichtet (Frauendienst 110, 3 ff., 350, 3 ff.), auf der Pilgerreise nach Rom (416,7 ff.) und im Gefängnis (1726,1 ff.). Einige seiner Lieder sind im Winter entstanden (159,1 ff., 1356, 1 ff.). Er hat aber auch auf den sommerlichen Ritterfahrten gedichtet und gesungen, wo er mit seinen Standesgenossen aus Österreich und der Steiermark zusammentraf (316,1 ff., 1424,6 ff.). Seine Lieder haben den adligen Herren so gut gefallen, daß sie sie gelernt und selber gesungen haben, auf der Reise und auf dem Turnier. »Mit diesem frischen Reiselied ist mancher gute Ritter den Sommer umhergezogen.«[52] »Das Lied wurde viel gesungen. Ich lüge nicht: nach dem Lied wurde manche ritterliche Tjost geritten. Man sang das Lied gerne, wo bei der Tjost die Funken aus dem Helm sprühten. Viele Ritter fanden es gut.«[53] Danach hat es bereits in der ersten Hälfte des 13. Jahrhunderts höfische Lyrik

---

[52] Mit der ûzreise hôchgemuot fuor den sumer manic ritter guot (1352,1–2)
[53] Diu liet gesungen wurden vil. für wâr ich iu daz sagen wil: bî den lieden wart geriten manic tyost nâch ritters siten. diu liet man vil gerne sanc, dâ fiwer ûz tyost von helm spranc: si dûhten manigen ritter guot (1425,1–7)

gegeben, die nicht für den Hof bestimmt war und nicht dorthin gelangte, sondern von Mitgliedern des Landadels bei Ritterspielen gesungen wurde.

Wenn man Ulrich von Liechtenstein glauben darf, hat er die meisten seiner Lieder den Damen zugesandt, um deren Liebe er sich bewarb. Von seiner ersten Dame, der er jahrelang gedient hat, ohne je Erhörung zu finden, erfahren wir, daß sie die Herrin eines großen Hofs war. Liechtenstein konnte mit ihr nur durch eine Dame aus seiner adligen Verwandtschaft verkehren, die seine Lieder und Briefe einem Boten mitgab oder selbst überbrachte. Zu diesem Zweck wurden die Lieder aufgeschrieben und entweder mündlich oder schriftlich übermittelt. Manchmal hat der Bote das Lied der Dame vorgesungen: »Herrin, durch mich hat er euch ein Lied geschickt, das ihr bitte anhören wollt. Er hat mich gebeten, Herrin, es euch vorzusingen.«[54] Manchmal wurde das Lied der Dame vorgelesen: »Ich habe ihr dein neues Lied vorgelesen.«[55] Manchmal las die Dame es alleine: »Die liebliche Schöne las den Brief: darin stand das Lied.«[56] Ob Liechtenstein tatsächlich in dieser Weise mit seinen Liedern verfahren ist, entzieht sich unserer Kenntnis. Vielleicht hat er das Botenmotiv aus der Trobadordichtung entlehnt, wo öfter davon die Rede war, daß die Dichter ihre Lieder, in schriftlicher oder mündlicher Form, durch Boten an ihre Dame oder an einen Gönner schickten. »Ohne Pergamentblatt schicke ich dieses Lied, das wir in einfacher romanischer Sprache singen, durch Filhol an Uc le Brun.«[57] Auch die Aufforderung an die Dame, das Lied zu singen, und die Aufforderung an den Boten, es ihr vorzusingen, kam bei den romanischen Lyrikern vor. »Huguet, mein höfischer Bote, singe mein Lied willig vor der Königin der Normannen.«[58] Es ist jedoch bemerkenswert, daß Liechtenstein seinen Zuhörern die Vorstellung zumuten konnte, daß Minnelieder nicht nur gesungen, sondern auch gelesen worden sind. In bezug auf seinen Leich hat Liechtenstein sogar generell von einem lesenden Frauenpublikum gespro-

[54] Er hât iu, vrowe, liet bî mir ouch her gesant, diu gerne ir hoeren sült ... er bat si, vrowe, mich singen iu (403,1–3.6)
[55] ich las ir dîniu niuwen liet (74,2)
[56] den brief diu süeze, wol getân las: dâ stuonden diu liet an (165,7–8)
[57] Senes breu de parguamina Tramet lo vers, que chantam En plana lengua romana, A·n Hugo Bru per Filhol (Jaufré Rudel 2,V,1–4)
[58] Huguet, mos cortes messatgers, chantatz ma chanso volonters a la rëina dels Normans (Bernart de Ventadorn 33,43–45)

chen: »Der Leich war gut zu singen. Manche schöne Dame hat ihn gerne gelesen.«[59]

Minnelieder wurden auch getanzt. Über sein Lied *Wol her alle, helfet singen* (Nr. 52) hat Ulrich von Liechtenstein gesagt: »Dieses Lied war meisterlich, die Reime kunstvoll gesetzt. Deswegen haben viele es gerne gesungen. Die Strophenmelodie war wahrlich nicht lang: Es eignete sich gut zum Tanzen. Und es wurde sehr viel getanzt.«[60] Ähnlich hat er sich über andere Lieder geäußert: »Das Lied ist wahrlich gut zum Tanzen.«[61] »Die Melodie wurde viel getanzt.«[62] Einem Lied hat er den Titel »Damentanz« gegeben: »Dieses Lied heißt ›Damentanz‹. Man soll es fröhlich tanzen.«[63] Von seinen insgesamt 58 Liedern tragen 38 im ›Frauendienst‹ eine Überschrift. 26 davon sind »Tanzlieder« (*tanzwîsen*). Auf die Vortragsart bezieht sich wahrscheinlich auch die Bezeichnung »Singweise« (*sincwîse*, vier Lieder); auf die Vortragssituation vielleicht der Titel »Reiselied« (*ûzreise*, zwei Lieder), während andere Überschriften auf die Bauform zielen: »Leich« (*leich*, ein Stück), »Reien« (*reie*, ein Lied), »langer Ton« (*lange wîse*, zwei Lieder); dazu kommt ein »Tagelied« (*tagewîse*). Daß die meisten Lieder als »Tanzlieder« deklariert sind, ist vor allem deswegen bemerkenswert, weil es sich dabei durchweg um Lieder in Kanzonenstrophen handelt, die weder von der Bauform noch von der Thematik her als Tanzlieder zu erkennen sind (Melodieüberlieferung zu Liechtensteins Liedern gibt es nicht). Wenn diese Lieder Tanzlieder waren, dann fehlt jedes formale Kennzeichen, um Tanzlyrik und Vortragslyrik zu unterscheiden, anders als in Frankreich, wo die Tanzlieder eigene Bauformen besaßen.

Die Frage, seit wann Lieder in Kanzonenform für den Tanz bestimmt waren, ist kaum zu beantworten. Daß etwa schon Morungens oder Reinmars Lieder getanzt worden sind, scheint fast undenkbar, weil ihr ernster Ton nicht zu einem Tanzvergnügen passen will. Ob solche Argumente aber überhaupt die Sache treffen, steht dahin. Meistens rechnet man bei Walther

[59] Der leich vil guot ze singen was: manic schoeniu vrouwe in gern las (Frauendienst 1374,1–2)

[60] Diu liet diu wâren meisterlîch unde ir rîm gar sinnerîch; dâ von sî gern maniger sanc. diu wîs was für wâr niht lanc: ze tanzen wâren sî vil guot ... si wurden oft getanzet vil (Frauendienst 1772,1–5.8)

[61] diu liet ... sint für wâr ze tanzen guot (1395,5.7)

[62] Diu wîse wart getantzet vil (1359,1)

[63] Disiu liet diu heizent frouwen tanz ... blîdeclîchen man si tanzen sol (Lied 46,1,1.6)

von der Vogelweide mit Tanzliedern. Sein Lied *Nemt, frowe, disen kranz* (74,20) ist auch eine Kanzone; aber die Anspielung auf die Tanzsituation (»Wie, wenn sie diesen Tanz mitmachte? Meine Damen, rückt die Hüte ein wenig aus der Stirn!«[64]) könnte ein Hinweis darauf sein, daß das Lied zum Tanz gesungen wurde. Oder wurde die Tanzsituation nur zitiert? Erst mit Neidhart begann die Tanzlyrik im großen Stil. Nicht nur seine Sommerlieder mit ihren unstolligen Reienstrophen, sondern auch die Winterlieder, die in Kanzonenform gedichtet sind, werden als Tanzlieder angesehen. Eine Bestätigung dafür sieht man in den Melodien zu Neidharts Liedern: kurze musikalische Einheiten, häufige Wiederholungen, das Fehlen von Melismen und eine durähnliche Tonalität gelten als Kennzeichen von Tanzmelodik. Der große Erfolg, den Neidharts Lieder hatten, hing sicherlich mit der Aufführungsform zusammen.

Lieder, die beim Tanzen gesungen wurden, sind sicherlich anders aufgenommen worden und haben anders gewirkt als Lieder, die der Dichter vor der Hofgesellschaft sang. Melodie und Rhythmik haben eine größere Rolle gespielt, und die Tänzer waren sicherlich weniger daran interessiert, durch die Aussagen des Textes zum Nachdenken animiert zu werden.

Die Handschriften und ihre Vorstufen

Während die handschriftliche Überlieferung der Epik bis in die Lebenszeit der Autoren zurückreicht, ist die höfische Lyrik fast nur in Sammelhandschriften überliefert, die erst gegen Ende des 13. Jahrhunderts und zu Anfang des 14. geschrieben worden sind, mehr als ein Jahrhundert nach der Entstehung der älteren Gedichte. Auch wenn man mit vielen Verlusten rechnet, zeigt doch die unterschiedliche Verteilung, daß schriftliche Aufzeichnungen für die Tradierung der sanglichen Lyrik offenbar eine geringere Rolle gespielt haben.

Die älteste Niederschrift eines Gedichts von einem namentlich bekannten Minnesänger stammt noch aus dem 12. Jahrhundert. Es ist der Leich von Heinrich von Rugge, der nachträglich auf die freigebliebenen Seiten einer lateinischen Handschrift (München, Clm 4570) eingetragen worden ist, hinter der Canones-Sammlung von Burchard von Worms. Es ist öfter vorgekommen, daß leere Stellen in älteren Handschriften zur Auf-

---

[64] waz obe si gêt an disem tanze? frowe, dur iur güete rucket ûf die hüete (75,5–7)

zeichnung kleinerer Einzelstücke benutzt wurden; lyrische Strophen mit ihrem geringen Umfang eigneten sich dafür besonders. Einige der Strophen, die jetzt in ›Minnesangs Frühling‹ unter dem Titel »Namenlose Lieder« abgedruckt sind, stammen ebenfalls aus lateinischen Handschriften des 12. Jahrhunderts. Wie weit es sich bei diesen anonymen Strophen um Zeugnisse höfischer Lyrik handelt, muß noch geprüft werden; mit der anspruchsvollen Kunstform von Rugges Leich sind sie nicht vergleichbar. Warum von allen Liedern des älteren Minnesangs gerade dieses Stück einer frühen Aufzeichnung für wert gehalten wurde, wissen wir nicht. Wahrscheinlich hat dabei eine Rolle gespielt, daß der Leich von Rugge eine religiöse Dichtung ist. Die Unterschrift: »Dies ist ein Leich vom heiligen Grab«[65] hat darauf aufmerksam gemacht. Ein Verfassername ist nicht genannt; daß der Leich, der sonst nirgends überliefert ist, von dem Minnesänger Heinrich von Rugge stammt, entnimmt man der Namensnennung am Schluß: »Der einfältige Mann von Rugge hat diesen weisen Rat gegeben.«[66] Bemerkenswert ist, daß der Text ohne Melodie aufgeschrieben worden ist. Daraus ist zu ersehen, daß höfische Lyrik bereits im 12. Jahrhundert als Textlyrik, als Leselyrik betrachtet werden konnte. Allerdings war die lateinische Handschrift aus dem Kloster Benediktbeuern gewiß nicht für ein Hofpublikum bestimmt.

Ein merkwürdiger Sonderfall ist auch die zeitlich nächste Aufzeichnung höfischer Lyrik, wiederum im Kontext einer lateinischen Handschrift. Es sind die berühmten ›Carmina Burana‹ (München, Clm 4660), die umfangreichste Sammlung lateinischer Vagantenlyrik, die, wie man heute annimmt, in der ersten Hälfte des 13. Jahrhunderts auf südbayerischem Sprachgebiet geschrieben worden ist. Zwischen den lateinischen Texten stehen etwa fünfzig deutsche Strophen (die geistlichen Dichtungen am Ende der Handschrift können unberücksichtigt bleiben), die einzeln an lateinische Lieder angehängt sind. Die Ähnlichkeit in der Bauform hat offenbar die Zuordnung bestimmt. Es muß einen Redaktor gegeben haben, der die Texte so arrangiert hat. Wahrscheinlich hat er die lateinischen Lieder danach ausgesucht oder sogar danach gedichtet, daß sie in der Strophenform zu den deutschen Stücken paßten. Gelegentlich wird umgekehrt die deutsche Strophe nach dem Vorbild der lateinischen Lieder entstanden sein. Eine Sammlung solcher Paarun-

[65] Diz ist ein leich von deme heiligen grabe (MF nach 99, 28)
[66] Der tumbe man von Rugge hât gegeben disen wîsen rât (99, 21–22)

gen ist dann in die Handschrift der ›Carmina Burana‹ eingegangen: dort stehen sie in ziemlich geschlossener Folge beieinander. Von Nr. 135 bis Nr. 183 ist fast jedes lateinische Lied mit einer deutschen Zusatzstrophe versehen; außerhalb dieser Partie kommen deutsche Strophen nur vereinzelt vor. Autorennamen sind weder für die lateinischen noch für die deutschen Stücke genannt. Einige der deutschen Strophen können jedoch durch anderweitige Überlieferung bekannten Minnesängern zugeschrieben werden: Dietmar von Aist (CB 113 a), Heinrich von Morungen (CB 150 a), Reinmar dem Alten (CB 143 a. 147 a. 166 a), Walther von der Vogelweide (CB 151 a. 169 a. 211 a), Otto von Botenlouben (CB 48 a) und Neidhart (CB 168 a). In den meisten Fällen sind die deutschen Strophen Anfangsstrophen von längeren Liedern, die auf diese Weise zitiert wurden. Darunter sind so berühmte Stücke wie Walthers Palästinalied *Allerêrst lebe ich mir werde* (14, 38 = CB 211 a) und Neidharts Kreuzlied *Ez gruonet wol diu heide* (11,8 = CB 168 a). Ein paarmal sind die deutschen Strophen mitten aus einem Lied herausgenommen: Aus Walthers Mailied *Muget ir schouwen* (51, 13) ist einmal die dritte Strophe (CB 151 a) und einmal die vierte Strophe (CB 169 a) zitiert, und von dem Tagelied Ottos von Botenlouben *Wie sol ich den ritter nû gescheiden* (Nr. 13) ist nur die letzte Strophe (CB 48 a) angeführt. Wie diese Auswahl zustandegekommen ist, wissen wir nicht. Ebenso unbekannt ist, woher die anderen deutschen Strophen stammten, die sonst nirgends überliefert sind und die sich daher mit keinem Dichternamen verbinden lassen. Einige davon wirken altertümlich; andere entsprechen den Normen des hohen Minnesangs. Die meisten deutschen Strophen enthalten Naturmotive. Offenbar hatte der Sammler eine Vorliebe dafür. Im übrigen ist die Thematik sehr bunt: Frauenstrophen, Tanzstrophen, Parodistisches, Antikisierendes, Pastourellenhaftes. Einige Stücke wirken wie Nachahmungen bekannter Lieder oder spielen parodierend auf solche an und bezeugen damit einen lebendigen Lyrikbetrieb. Ob der Redaktor die Strophen nach mündlichen Überlieferungen zusammengestellt hat oder ob es bereits eine schriftliche Sammlung gab, ist unsicher. Der Zustand der Texte läßt eher an mündlich umlaufendes Liedgut denken. Offenbar hat es in der ersten Hälfte des 13. Jahrhunderts mehr Minnelyrik gegeben, als die späteren Sammelhandschriften erkennen lassen. Besonders wertvoll sind die Melodien in der Münchener Handschrift (vgl. Abb. 39). Zwar sind nur wenige Stücke durch No-

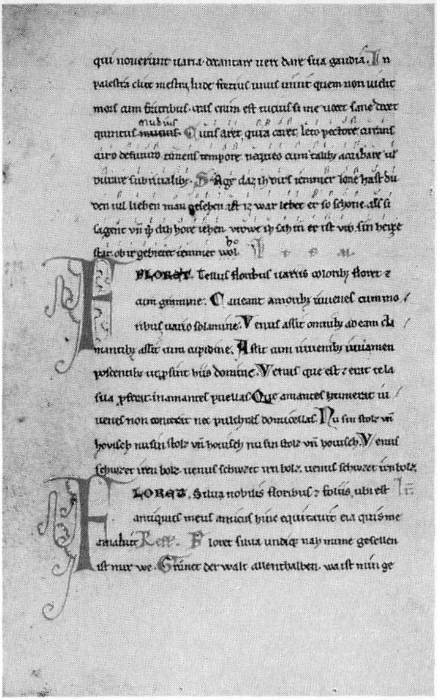

Abb. 39 Carmina Burana (München, Clm 4660). Die ältesten Melodieaufzeichnungen zu deutschen Minneliedern. Im oberen Drittel der Seite eine Strophe von Reinmar dem Alten (Sage daz ih dirs iemmer lone). 13. Jahrhundert.

ten ausgezeichnet und die Notierung in (zum Teil kaum noch lesbaren) Hakenneumen, die ohne Linien über die Textzeilen geschrieben wurden, bereitet der musikalischen Interpretation die größten Schwierigkeiten; aber immerhin besitzen wir die Melodien zu einigen deutschen Strophen oder Strophenteilen, darunter zu Liedern von Morungen (150a), Reinmar (143a. 147a) und Walther (151a). Die Noten machen es sicher, daß die Lieder zum Singen bestimmt waren. An ein weltliches Publikum ist jedoch für die lateinische Handschrift nicht zu denken. Man vermutet einen Bischofshof als Auftrags- und Bestimmungsort.

Was es sonst an schriftlichen Aufzeichnungen höfischer Lyrik aus dem 13. Jahrhundert gibt, ist später entstanden. Man kann drei Formen der lyrischen Überlieferung unterscheiden: 1. sporadische Aufzeichnungen, 2. Autorsammlungen und 3. die großen Liederhandschriften.

1. Sporadische Aufzeichnungen sind Eintragungen einzelner Strophen oder kleinerer Strophengruppen in Handschriften, die andere Texte enthalten. Das gab es schon im 12. Jahrhundert und setzte sich im 13. Jahrhundert fort. Was auf diese Weise

festgehalten wurde, ist fast alles anonym. Nur wo es Parallelüberlieferungen gibt, sind die Verfasser bekannt. Das gilt für die Spervogel-Strophe in einer Münchener Ovid- und Cicero-Handschrift (Clm 4612), für zwei Strophen Konrads von Würzburg in einer Münchener theologischen Sammelhandschrift (Clm 27329), für zwei Strophen von Reinmar von Zweter in der Wiener ›Seifried Helbling‹-Handschrift (Nat.-Bibl. 324) und auch für die fünf Strophen von Friedrich von Suonenburg auf der letzten Seite der St. Galler Sammelhandschrift 857. Auf der Grenze zwischen sporadischer Überlieferung und selbständigem Liederbuch stehen die 32 anonymen Spruchstrophen, in der Art der Spervogel-Sprüche, im Anhang zu der Heidelberger Freidank-Handschrift (Cpg 349). Es ist sicher kein Zufall, daß fast immer Spruchstrophen in dieser Form überliefert sind. Zu den sporadischen Aufzeichnungen ist vielleicht auch die kleine Sammlung von acht Strophen zu zählen, die auf dem letzten Blatt der Züricher ›Schwabenspiegel‹-Handschrift (Zentralbibl. Z.XI.302) eingetragen ist, und zwar ausnahmsweise mit Dichternamen (»von Zweter«, »von Kolmas«, »Walther«).

2. Autorsammlungen. Als man anfing, Lieder in größerem Umfang zu sammeln und aufzuschreiben, ging man meistens von den Verfassernamen aus. Im 13. Jahrhundert übertrafen drei Dichter alle anderen an Berühmtheit: Walther von der Vogelweide, Reinmar und Neidhart, wobei der Name Reinmar manchmal für Reinmar den Alten, manchmal für Reinmar von Zweter stand. Unter diesen drei Namen sind die ersten großen Autorsammlungen in Handschriften des 13. Jahrhunderts überliefert:

Die *Neidhart*-Sammlung R in der Riedegger Handschrift (Berlin, Mgf 1062), die um 1300 geschrieben worden ist (vgl. S. 751). Die Neidhart-Lieder, knapp 400 Strophen, stehen hier zwischen Strickers ›Pfaffen Amis‹ und ›Dietrichs Flucht‹. Die Nachbarschaft zur Schwankdichtung ist vielleicht daher zu erklären, daß es in Neidharts Liedern schwankhafte Elemente gab, die schon um 1300 den Anstoß zur Produktion von neuen Schwankliedern gegeben haben.

Die *Reinmar von Zweter*-Sammlung D in der Heidelberger Liederhandschrift (Cpg 350), die ebenfalls um 1300 geschrieben ist und auf vierzig Blättern, in sorgfältiger thematischer Ordnung, 193 Spruchstrophen des jüngeren Reinmar enthält, sowie einige Strophen in Zweters Stil und im Anhang eine kleine Walther-Sammlung (Str. 239–256). Die Sprüche Reinmars von Zweter sind im 13. Jahrhundert mehrfach gesammelt worden. Die Bruchstücke aus Halle (V) überliefern fünfzehn Strophen in derselben Reihenfolge wie die Handschrift D. Eine dritte Reinmarsammlung des 13. Jahrhunderts stellen die neu aufgefundenen Fragmente aus Los Angeles dar, die vierzehn Strophen in abweichender Reihenfolge enthalten. Das Besondere dieses neuen Fundes liegt darin, daß die zwei Pergamentstücke (Format 39 × 12 cm) nicht aus einem Kodex stammen, sondern von einer Rolle.

Eine umfangreiche Sammlung der Lieder und Sprüche *Walthers von der Vogelweide* ist aus dem 13. Jahrhundert nicht erhalten. Wir wissen jedoch, daß Walthers Gedichte früh gesammelt worden sind und wir besitzen mehrere Bruchstücke von Handschriften, die solche Sammlungen enthielten. Die älteste Walther-Sammlung sind die Heiligenstädter Fragmente (w^x, w^{xx}), vier Blätter mit Alterslyrik und politischen Sprüchen (elf Strophen). Dann folgen, vom Ende des 13. Jahrhunderts, die Berliner Fragmente (O) mit 44 Strophen und die Wolfenbütteler Fragmente (U^x, U^{xx}) mit 42 Strophen. Auch die Walther-Strophen am Schluß der Zwetersammlung D können als Reste einer eigenen Walther-Sammlung betrachtet werden. Auffällig ist der Unterschied in der äußeren Form: die drei Walther-Handschriften haben alle drei kleines Oktavformat (w^x, w^{xx}: 13,4 × 11 cm; O: 18 × 11 cm; U^x, U^{xx}: 15,5 × 10,5 cm) und sind alle drei einspaltig beschriftet, während die Handschriften mit Sprüchen von Reinmar von Zweter Quartformat besitzen (D: 24 × 15,5 cm; V: 26,5 × 18,5 cm) und zweispaltig geschrieben sind. Zu beachten ist, daß die Wolfenbütteler Fragmente auch Lieder Reinmars des Alten enthielten: auf dem ersten erhaltenen Blatt steht der Schluß einer Reinmar-Strophe (Nr. 67, Str. 5), und darauf folgt, ohne Überschrift, die Walther-Sammlung. Eine solche Walther-Reinmar-Doppelsammlung kennen wir sonst erst aus dem 14. Jahrhundert, aus dem ›Hausbuch‹ (E) des Michael de Leone († 1355). In E endet die Reinmar-Sammlung mit derselben Strophe, und die Walther-Sammlung beginnt, wie in U^x, U^{xx}, mit *Mir tuot einer slahte wille* (113, 31). Die Verbindung von zwei Autorsammlungen war ein Schritt zur großen Liederhandschrift.

Eine Autorsammlung eigener Art ist der ›Frauendienst‹ von Ulrich von Liechtenstein. Der Dichter hat darin seine sämtlichen Lieder im Wortlaut zitiert. Vielleicht war die Sammlung und Kommentierung der Lieder überhaupt der eigentliche Zweck, den Liechtenstein mit der Abfassung seiner fiktiven Autobiographie verfolgte. Das Werk ist, nach den Angaben des Dichters, im Jahr 1255 beendet worden. Aus dem 13. Jahrhundert ist in keinem anderen Fall bekannt, daß der Dichter selber eine Sammlung seiner Lieder veranstaltet hat. Die nächsten Beispiele für diesen Überlieferungstyp stammen erst aus der Zeit um 1400.

3. Liederhandschriften nennt man die Lyriksammlungen, in denen eine Mehrzahl von Autoren mit ihren Gedichten vertreten ist. In Frankreich heißen diese Sammlungen »Chansonniers«; und mehrere dieser Chansonniers sind bereits im 13. Jahrhundert geschrieben worden. Von den drei großen deutschen Liederhandschriften, in die fast alles eingegangen ist, was es in Deutschland an höfischer Lyrik gab, stammt nur eine noch aus dem 13. Jahrhundert: die Kleine Heidelberger Liederhandschrift (A). Die beiden anderen, die Weingartner Liederhandschrift (B) und die Große Heidelberger Liederhandschrift (C), werden in die erste Hälfte des 14. Jahrhunderts datiert. Denselben Überlieferungstyp repräsentiert die Jenaer Liederhandschrift (J) aus der Mitte des 14. Jahrhunderts, die aber eigentlich keine Liederhandschrift ist, da sie fast nur Spruchstrophen enthält. Als einzige der großen Lyriksammlungen dieser Zeit hat J auch Noten; A, B und C sind reine Textsammlungen. A enthält auf 45 Blättern knapp 800 Strophen von 34 namentlich genannten Dichtern (und einigen Ungenannten); B umfaßt 158 Blätter und ca. 750 Strophen (sowie einige unsangliche Stücke) unter 25 Dichternamen; C hat 426 Blätter und über 6000 Strophen, die 140 verschiedenen Dichtern zugeordnet sind. Im äußeren Erscheinungsbild ähneln sich A und B: sie sind relativ klein (A: 18,5 × 13,5 cm; B: 15 × 11,5 cm) und einspaltig beschriftet. C und J dagegen sind große zweispaltige Prachthandschriften (C: 35,5 × 25 cm; J: 56 × 41 cm), wie sie in der Lyriküberlieferung des 13. Jahrhunderts noch gar nicht vorkamen. In der Anordnung und in der Ausstattung sind dagegen B und C näher miteinander verwandt: in beiden sind die Dichter nach ihrem Stand geordnet und in beiden ist jeder Dichter durch ein ganzseitiges Autorenbild repräsentiert. A wirkt anspruchsloser; aber mit ihrer sorgfältigen Schrift, den bunt geschriebenen Dichternamen und den schönen Zierbuchstaben am Anfang eines neuen Tons ist auch A eine kostbare Handschrift. A, B und C stammen alle drei aus alemannischem

Sprachgebiet. Die Auftraggeber sind in keinem Fall bekannt. A ist wohl im Elsaß geschrieben, vielleicht in Straßburg. Dort käme der kunstliebende Bischof Konrad von Lichtenberg († 1299) als Besteller in Frage. B gehört wahrscheinlich nach Konstanz und ist dort vielleicht schon unter dem Episkopat Bischof Heinrichs von Klingenberg († 1306) geschrieben worden. C wird in Zürich lokalisiert, wo vielleicht der ganze Kreis der literarisch interessierten adligen Damen und Herren, den Hadloub in seinen Liedern genannt hat (vgl. S. 677), am Zustandekommen dieser großen Sammlung beteiligt war. Hadloub bezeugt, daß Rüdiger Manesse († 1304) dabei die bedeutendste Rolle gespielt hat. »Wo könnte man so viele Lieder zusammen finden? Nirgends im ganzen Königreich würde man so viele finden wie in den Handschriften in Zürich. Daher kennt man sich dort gut aus in meisterlichem Gesang. Der Manesse hat sich darum mit Erfolg bemüht, und so besitzt er jetzt die Liederbücher. Alle Sänger sollten sich seinem Hof zu verneigen und seinen Ruhm hier und anderswo verbreiten. Denn da ist Minnesang in seinem ganzen Umfang. Wüßte der Manesse, wo sonst noch gute Lyrik vorhanden ist, würde er sich eilig darum bemühen.«[67] Die Heidelberger Handschrift könnte eine Abschrift der Manessischen Sammlung sein. Mit ihrer ungemein prunkvollen Ausstattung ist C eine der kostbarsten Handschriften des Mittelalters. Sie ist aber auch ein Dokument aktiver Sammeltätigkeit: Die nachträglichen Einschübe ganzer Sektionen, die Zusatzstrophen auf den Blatträndern und die freigelassenen Spalten und Seiten am Ende verschiedener Autorsammlungen gestatten Einblicke in den Arbeitsprozeß der Sammler und Redaktoren. Offenbar war es deren Bestreben, alles aufzunehmen, dessen sie habhaft werden konnten. Die südwestdeutschen und Schweizer Dichter sind am besten in C vertreten. Für die Lyrik aus anderen Teilen Deutschlands ist mit größeren Lücken zu rechnen. Die mitteldeutsche Walther-Überlieferung in den Handschriften E, O, $U^x U^{xx}$, $w^x w^{xx}$ und Z beweist, daß gegen Ende des 13. Jahrhunderts auch in Mitteldeutschland intensiv gesammelt worden ist. Vieles davon ist offenbar nicht bis in die Schweiz gelangt. Von den 212 Walther-Strophen in der Hand-

[67] Wâ vund man sament sô manic liet? man vunde ir niet im künicrîche, als in Zürich an buochen stât. des prüeft man dik dâ meistersanc. der Maness ranc dar nâch endlîche: des er diu liederbuoch nu hât. gein sîm hof mechten nîgen die singaere, sîn lob hie prüevn und anderswâ: wan sanc hât boun und würzen dâ. und wisse er wâ guot sanc noch waere, er wurb vil endelîch dar nâ (8, 1, 1–11)

schrift E fehlen 49 in C und weitere 20 stehen dort unter anderen Dichternamen.

Die Frage, wie die Vorlagen und Vorstufen der erhaltenen Liederhandschriften aussahen, hat die Forschung viel beschäftigt. Aus der Analyse und dem Vergleich der vorhandenen Sammlungen sind dabei wichtige Aufschlüsse über die Lyriküberlieferung im 13. Jahrhundert gewonnen worden. Das bedeutendste Ergebnis dieser Untersuchungen war der Nachweis, daß die Sammler der Zeit um 1300 auf schriftliche Vorlagen zurückgreifen konnten, und zwar auf ältere Liederhandschriften, die nicht erhalten sind. Die wichtigsten dieser Sammlungen waren AC, BC und EC. (Man bezeichnet diese erschlossenen Sammlungen mit den Siglen der Handschriften, denen sie als Vorlage dienten). Daneben lassen sich noch eine Reihe kleinerer Sammlungen nachweisen. Für die Chronologie der Überlieferung bedeutet das, daß es in Deutschland Liederhandschriften schon um die Mitte des 13. Jahrhunderts gegeben hat. Aus derselben Zeit stammen übrigens die ältesten französischen Chansonniers. Ganz neue Erkenntnisse über die Vorgeschichte der erhaltenen Liederhandschriften sind von der Auswertung des neuesten Handschriftenfundes zu erwarten: die Széchényi-Nationalbibliothek in Budapest hat drei Blätter einer bebilderten Liederhandschrift erworben, die mit der Großen Heidelberger Liederhandschrift verwandt ist und unter anderem neun Strophen von Kürenberg enthält. (Die Information darüber verdanke ich Dr. A. Vizkelety.)

Besonders aufschlußreich ist, was die Kleine Heidelberger Liederhandschrift über ihre Vorlagen verrät. Sprachliche Unterschiede weisen darauf, daß die Sammlung nicht aus einem Guß ist. Der Redaktor von A hat offenbar mehrere schriftliche Aufzeichnungen benutzt, die sich verschiedenen Typen lyrischer Überlieferung zuordnen lassen:

Eine Liedersammlung berühmter Minnesänger. Im ersten Teil von A, der fast die Hälfte der ganzen Handschrift füllt, stehen vier der bekanntesten Dichter mit umfangreichen Sammlungen ihrer Lieder: Reinmar der Alte (Nr. 1; darauf folgen, als Nr. 2 und 3, Reinmar der Fiedler und Reinmar der Junge, die wohl wegen der Namensgleichheit hierher gestellt worden sind), Walther von der Vogelweide (Nr. 4), Heinrich von Morungen (Nr. 5) und Der Truchseß von Singenberg (Nr. 6). Die Verbindung von Walther- und Reinmar-Liedern ist uns schon begegnet. Aus A ist nun zu ersehen, daß es in der zweiten Hälfte des

13. Jahrhunderts schon ein Liederbuch gegeben hat, das mehrere Autorsammlungen vereinigte. Dieses Liederbuch war textkritisch von hohem Wert. Ungewöhnlich ist die Zuordnung Singenbergs, der mit 118 Strophen vertreten ist. Vielleicht spiegelt das Singenberg-Corpus die besondere Interessenlage des Auftraggebers dieser Sammlung.

Anonyme Liederbücher. Unter den Namen Niune (Nr. 8) und Gedrut (Nr. 9) schließen sich in A zwei anonyme Liederbücher an. Ein drittes Buch dieser Art steht als Nr. 31 unter dem Namen Lutolt von Seven. Dabei handelt es sich offensichtlich nicht um Autorsammlungen, denn fast alles, was in A unter diesen drei Namen steht, ist in anderen Handschriften unter anderen Namen überliefert. Von den 60 Strophen unter Niune lassen sich nicht weniger als 55 auf dreizehn verschiedene Dichter verteilen. Niune und Gedrut waren wahrscheinlich keine Minnesänger, sondern die Sammler oder Besitzer von Liederbüchern. In diesen Liederbüchern waren Stücke von verschiedenen Dichtern gesammelt, offenbar ohne Autorennamen. Die bekannten Dichter, wie Neidhart oder Walther von der Vogelweide, sind in den anonymen Liederbüchern fast nur mit Strophen vertreten, deren Echtheit zweifelhaft ist. Andere Dichter, wie Rubin von Rüdiger, Kunz von Rosenheim oder Geltar, denen die Lieder, die in A unter Gedrut stehen, in der Handschrift C zugeschrieben werden, sind ganz unsichere Größen. Man kann daraus schließen, daß die anonymen Liederbücher hauptsächlich mit Strophengut unbekannter Herkunft gefüllt waren und daß die Verfasser dieser Strophen nicht selten den Stil bekannter Dichter nachgeahmt haben. Wer ein Interesse an der Sammlung und Bewahrung solcher Dichtung hatte, ist nicht deutlich. Man hat in Niune und Gedrut professionelle Sänger und Sängerinnen – Gedrut ist ein Frauenname – vermutet, die mit diesem Liederrepertoire gereist sind.

Einzelüberlieferungen. Im dritten Teil von A stehen 22 Dichter (Nr. 13–34), die alle – sieht man von Lutolt von Seven mit seinem Liederbuch (Nr. 31) ab – nur mit ganz wenigen Strophen vertreten sind: Wolfram von Eschenbach mit vier Strophen, Albrecht von Johansdorf mit sechs Strophen, Bruder Wernher mit drei Strophen, der Burggraf von Regensburg mit zwei Strophen usw. Noch auffälliger ist, daß in diesem Teil von A mehrere Dichternamen in ähnlicher Form doppelt vorkommen: Heinrich der Riche (Nr. 14) und Heinrich von Rucche (Nr. 15), Rudolf von Rotenberc (Nr. 13) und Rudolf Offenburg

(Nr. 19), Der Markgraf von Hohenburc (Nr. 23) und der Markgraf von Rotenburc (Nr. 29). Auch Heinrich von Veldeke ist zweimal vertreten (Nr. 22 und Nr. 24). Es ist wahrscheinlich, daß diese Namensdoppelungen aus verschiedenen Vorlagen stammen. Für Heinrich von Veldeke wird dies durch einen Textvergleich bestätigt. Offenbar hat der A-Redaktor zwei kleinere Sammlungen benutzt, in denen jeweils mehrere Dichter mit wenigen Strophen vertreten waren. Die Unterschiede in den Namensformen sind ein Indiz dafür, daß es in den älteren Lyriksammlungen Störungen und Unsicherheiten gegeben hat. Erstaunlich ist jedoch, daß der Sammler von A nicht den Versuch gemacht hat, die Widersprüche seiner Vorlagen auszugleichen, sondern daß er einfach übernahm, was er vorfand. Das hat zwar für den heutigen Betrachter den Vorteil, daß auf diese Weise die Teile, aus denen die A-Sammlung zusammengesetzt ist, noch sichtbar sind; aber als Dokument der Lyriküberlieferung ist die nur in ihrem ersten Teil gut geordnete Handschrift A ein eher klägliches Gebilde. Dazu paßt die Art und Weise, wie auf den letzten Blättern der Handschrift Nachträge ohne Autorennamen eingetragen sind.

Unter den Liedersammlungen des 13. Jahrhunderts, die sich aus den erhaltenen Handschriften erschließen lassen, verdient eine, besonders hervorgehoben zu werden. Die Sammlung BC muß nicht nur eine der umfangreichsten, sondern auch eine der sorgfältigsten und eine der kostbarsten gewesen sein. Sie war gekennzeichnet durch ihr Anordnungsprinzip – nach den Standesverhältnissen der Dichter – und durch ihren reichen Bildschmuck. In diesen Punkten sind die Handschriften B und C der gemeinsamen Vorlage gefolgt. In beiden steht Kaiser Heinrich am Anfang der Sammlung; dann folgen die Grafen und Herren, und am Ende sind die Dichter ohne Adelstitel, wie Gottfried von Straßburg und Frauenlob, zu finden. Der Gedanke, die Minnesänger nach ihrer Standeszugehörigkeit zu ordnen, ist dem Redaktor von BC wohl aus Frankreich zugekommen. Die Handschrift M, einer der schönsten Chansonniers des 13. Jahrhunderts (Paris, Bibl. Nationale, f. fr. 844), ist genauso geordnet. Am Anfang stehen der Prinz von Morée, der Graf von Anjou, der Graf von Bar, der Herzog von Brabant usw. Darauf folgt der kleinere Adel, beginnend mit Gace Brulé und dem Chastelain de Coucy, und am Ende stehen die Dichter niedriger Herkunft. Man ist in Frankreich und in Deutschland gewiß nicht unabhängig voneinander auf eine solche Anordnung gekommen. Die französische Handschrift wird zwischen 1254 und 1270 datiert; die deutsche Sammlung BC könnte in derselben Zeit oder wenig später entstanden sein. Vielleicht war die hierarchische Ordnung eine Reverenz vor dem Auftraggeber. Für die französische Handschrift vermutet man Karl von Anjou († 1285), den Bruder König Ludwigs IX. († 1270), oder ein anderes Mitglied des französischen Königshauses als Besteller. Für BC fehlen sichere Anhaltspunkte. Die Tatsache, daß die Handschriften B und C die ständische Ordnung der Dichter bewahrt haben, zeigt an, daß nicht nur königliche Auftraggeber eine solche Anordnung als passend angesehen haben. Derselben französischen Quelle verdankte der Redaktor von BC vielleicht die Anregung, seine Liedersammlung mit Bildern der Dichter zu schmücken. In Frankreich gibt es mehrere Chansonniers mit Autorenbildern, die meistens im Initialenschmuck untergebracht sind. Sowohl im Format als auch im Bildprogramm ist der deutsche Sammler jedoch über die französischen Anregungen hinausgegangen.

Mündlichkeit und Schriftlichkeit in der Lyriküberlieferung

Im Mittelpunkt des Interesses an der Verbreitungsgeschichte des Minnesangs steht die Frage, wie die Lieder in der langen Zeit zwischen ihrer Entstehung und dem Beginn der handschriftlichen Überlieferung tradiert worden sind. Die Liedtexte, wie sie in den späten Sammelhandschriften stehen, weisen in vielen Fällen Störungen auf. Manchmal sind verschiedene Fassungen eines Liedes überliefert; häufig gibt es Abweichungen in der Strophenfolge oder im Strophenbestand; nicht selten wird ein Lied verschiedenen Dichtern zugeschrieben; zahlreiche Lieder werden von der philologischen Kritik nicht als das Werk der Dichter angesehen, unter deren Namen sie überliefert sind. Diese Störungen sind sicherlich zum großen Teil im Prozeß der Überlieferung entstanden. Es ist jedoch auch damit zu rechnen, daß am Anfang der lyrischen Überlieferung nicht immer ein im Umfang und Wortlaut so eindeutig festgelegter Text gestanden hat, wie das für die epischen Dichtungen vorauszusetzen ist. Ein Minnesänger kann ein und dasselbe Lied bei verschiedener Gelegenheit in verschiedener Form vorgetragen haben. In einem solchen Fall könnte man nicht mehr von einer einzigen Originalfassung sprechen, sondern von Autorvarianten, die sich in der Überlieferungsgeschichte des Lieds unterschiedlich ausgewirkt haben können. So sind zum Beispiel zu dem Lied *Ges de chantar no·m pren talans* (Nr. 21) von dem Trobador Bernart de Ventadorn, der in der zweiten Hälfte des 12. Jahrhunderts gedichtet hat, zwei verschiedene Geleitstrophen (Tornadas) überliefert, aus denen hervorgeht, daß der Dichter sein Lied einmal dem englischen König Heinrich II. gewidmet hat und es bei anderer Gelegenheit seinen Freunden in Puy zukommen ließ. Walthers Lied *Nemt, frowe, disen kranz* (74, 20) ist in drei verschiedenen Fassungen überliefert, die alle vom Dichter gewollt sein könnten; vielleicht haben sich in diesem Fall mehrere Originalvarianten erhalten. Es ist jedoch kaum zu erwarten, daß die Mehrzahl der textlichen Abweichungen so zu erklären ist. Vielmehr muß man damit rechnen, daß die meisten Veränderungen erst nachträglich aufgetreten sind. Dabei zeigen sich neben typischen Fehlern, die immer erscheinen, wenn ein Text mehrfach abgeschrieben wird, auch Spuren des Gebrauchs und der Abnutzung, wie sie bei mündlicher Tradierung vorkommen.

Die ältere Forschung hat mit einem Modell der Minnesangüberlieferung gearbeitet, das zum Teil noch heute als gültig betrachtet wird. Danach verlief die Entwicklung über drei Stufen:

1. Lose Blätter. Zuerst seien die Lieder einzeln auf lose Blätter oder andere Schreibstoffe aufgeschrieben und so verbreitet worden.

2. Liederhefte. Auf einer zweiten Stufe seien die Blätter mit den Liedern eines Dichters gesammelt und zu einem Liederheft vereinigt worden.

3. Sammelhandschriften. Schließlich seien die verschiedenen Liederhefte zu einem großen Band zusammengetragen worden; solche Sammlungen liegen in den erhaltenen Liederhandschriften vor.

Einen besonderen Akzent hat dieses Entwicklungsmodell dadurch bekommen, daß die schriftlichen Aufzeichnungen auf Stufe eins und zwei den Dichtern selber zugeschrieben wurden und daß man weiter angenommen hat, daß die Dichter bei der Zusammenstellung der Liederhefte ihre Lieder in eine chronologische Ordnung gebracht hätten. Diesen Vorstellungen ist am schärfsten die These entgegengetreten, daß es in einer ersten Phase der Lyriküberlieferung überhaupt keine schriftlichen Aufzeichnungen gegeben habe, sondern daß die Lieder ausschließlich mündlich verbreitet worden seien und daß erst zu einem späteren Zeitpunkt, als man anfing, die Leistung der großen Dichter der Zeit um 1200 historisch zu sehen, die Nieder-

schrift einzelner Lieder und ihre Zusammenstellung zu Lyriksammlungen verschiedener Art eingesetzt habe. Zwischen diesen beiden Positionen bewegt sich heute die Diskussion, wobei
die Bereitschaft, mit frühen schriftlichen Lyrikaufzeichnungen
zu rechnen, wieder zuzunehmen scheint.

Erste Aufzeichnungen

Lose Blätter mit einzelnen Liedern sind nicht erhalten. Es gibt
jedoch Zeugnisse dafür, zumindest aus Frankreich, daß die
Dichter einzelne Lieder aufgeschrieben haben oder aufschreiben ließen und sie in dieser Form an ihre Dame oder an Freunde
und Gönner verschickt haben. Bei Gontier de Soignies, der um
1200 gedichtet hat, heißt es in einer Geleitstrophe: »Gontier,
der die Worte gesetzt hat, hat sie auch niedergeschrieben. So
wird das Schriftstück schnellstens zu meiner Dame gebracht.
Herrgott, ich bin in einer glücklichen Stunde geboren, wenn sie
meine Botschaft liest.«[68] Bei Bernart de Ventadorn: »Sie kennt
und versteht die Schrift, und es macht mir Spaß, die Worte zu
schreiben. Wenn es ihr gefällt, soll sie sie lesen und mich damit
glücklich machen.«[69] Von dem Trobador Peire Cardinal berichtete seine *vida*: »Er lernte die Wissenschaften und konnte gut
lesen und singen.«[70] Von Elias Cairel hieß es: »Er schrieb sehr
schön Worte und Weisen.«[71] Von der schriftlichen Aufzeichnung einzelner Trobarorlieder zeugt auch eine anonyme Cobla
mit komplizierten Reimen, in der der Verfasser einen Jongleur
aufforderte, eine Strophe mit denselben Reimen, aber anderen
Reimwörtern, zu dichten: »Ich will dir ein Maß Roggen schenken, wenn du auf das Papier, das ich dir liniere, eine Strophe
schreiben kannst, in der sich keins von diesen Reimwörtern
wiederholt.«[72]

In Deutschland ist Ulrich von Liechtenstein in dieser Zeit der
einzige Zeuge für die schriftliche Verbreitung von Minneliedern
durch den Autor. Liechtenstein hat die meisten seiner Lieder

[68] Ki k'ait les mos ajostés, Gontiers les mist en escrit, Si sera li briés portés A
ma dame á cort respit. Dieus, de boine eure fui nés, S'ele mon message lit (1,
51–56)
[69] ela sap letras e enten, et agrada·m qu'eu escria los motz, e s'a leis plazia,
legis los al meu sauvamen (17, 53–56)
[70] et apres letras, e saup ben lezer e chantar (Boutière-Schutz, S. 225)
[71] e ben escrivia motz e sons (ebd., S. 93)
[72] Qu'eu darr' un moi de segle, S'en carta qu'eu te regle Poi scriver' una tal
cobla S'un d'aquestz motz non s'i dobla (Witthoeft, S. 66)

Abb. 40 Hartwig von Raute. Der Dichter schickt einen Boten ab, der ein leeres Sprechband hält. Warum der Bote eine kräftige Ohrfeige bekommt, ist nicht klar. Aus der Großen Heidelberger Liederhandschrift (Cpg 848). 14. Jahrhundert.

sofort aufschreiben lassen und an seine Dame geschickt (vgl. S. 756). Dabei wurde nicht nur der Text aufgeschrieben, sondern auch die Melodie: »In schöner Schrift Melodie und Worte.«[73] Ob Liechtenstein mit seinen Angaben über die schriftliche Verbreitung seiner Lieder eine gängige Praxis beschrieben hat, läßt sich nicht überprüfen. Die Vorstellung, daß der Dichter sein Lied schriftlich durch einen Boten an seine Dame sandte, hat offenbar auch im Bildprogramm der Großen Heidelberger Liederhandschrift einen Niederschlag gefunden. Es gibt dort mehrere Bilder, auf denen dargestellt ist, wie der Minnesänger einen Boten an die Dame abfertigte, indem er ihm ein Schriftband für sie übergab. Auf dem Bild Hartwigs von Raute (vgl. Abb. 40) hat der Bote das Schriftband ergriffen und ist bereits auf dem Weg. Wenn die Schriftrolle das Lied des Dichters enthielt, ist hier genau dieselbe Situation festgehalten, die Ulrich von Liechtenstein beschrieben hat.

Für die ersten Aufzeichnungen von Minneliedern ist nicht nur mit Pergamentblättern zu rechnen. Das teure Pergament wurde in der Regel nur dann benutzt, wenn Schriftstücke dauerhaft gemacht und aufbewahrt werden sollten. Für den prak-

---

[73] mit guoter schrift wîse unde wort (Frauendienst 1100, 4)

772

tischen Gebrauch gab es andere Schreibstoffe. Sehr beliebt waren Wachstafeln, die man mit einem Griffel beschrieb. Sie wurden für Briefe, Rechnungen und Notizen verschiedener Art benutzt. In der adligen Laiengesellschaft waren Wachstafel und Griffel hauptsächlich Attribute der Frauen, die besser damit umzugehen verstanden als die meisten Männer. Als die Königstochter Lavinia ihrer Mutter nicht den Namen des Mannes nennen wollte, den sie heimlich liebte, befahl ihr die Königin, den Namen aufzuschreiben. »Sie nahm ihre Tafel und einen goldenen Griffel, um darauf zu schreiben.«[74] Wahrscheinlich trug Lavinia diese Schreibgeräte am Gürtel, wie es die bildenden Künstler öfter dargestellt haben. Auch in Hartmanns ›Gregorius‹ (719 ff.) und im ›Apollonius von Tyrland‹ (2079 ff.) waren es adlige Frauen, die mit Wachstafeln und Griffeln umgingen. In Neidharts Liedern schmückten sich sogar die Bauernmädchen damit (48, 11). Bei Ausgrabungen auf thüringischen Burgen hat man Spielwürfel und Schreibgriffel aus dem 12. Jahrhundert in großer Zahl gefunden. Daß Wachstafeln auch zur Aufzeichnung von Lyrik benutzt wurden, ist gut bezeugt. »Griffel und Tafel und Ovids Lieder sind die tägliche Mahlzeit.«[75] Baudri de Bourgueil hat dem Griffel, der ihm zehn Jahre lang zur Aufzeichnung seiner Verse diente, bevor er zerbrach, ein Klagelied gewidmet: »Der große Schmerz über den zerbrochenen Griffel«[76]; in einem anderen Gedicht hat er seinen Schreiber Girardus angeredet, der die Gedichte von den Wachstafeln aufs Pergament übertrug (Nr. 44). Die Verwendung von Wachstafeln durch deutsche Minnesänger ist nicht bezeugt. Aber die Vorstellung, daß man höfische Lieder auf Wachstafeln geschrieben hat, muß im 13. Jahrhundert lebendig gewesen sein. Auf den Bildern der Großen Heidelberger Liederhandschrift kommen auch Wachstafeln vor, als Attribut des gebildeten Minnesängers (Der von Gliers) und als Instrumentarium zur schriftlichen Aufzeichnung des gerade gedichteten Textes (Reinmar von Zweter). Daß von solchen vorläufigen Aufzeichnungen in Wachs nichts erhalten ist, kann nicht verwundern.

Besser bezeugt als Wachstafeln sind Rollen für die Nieder-

---

[74] ir tavelen sie nam und einen griffel von golde, dar an si scrîben wolde (H. v. Veldeke, Eneit 282, 10–12)

[75] Stilus nam et tabule sunt feriales epule et Nasonis carmina (Carmina Burana 216, 2, 1–3)

[76] De graphio fracto gravis dolor (Nr. 154)

schrift höfischer Lyrik. Neben dem Kodex hat die Buchrolle aus aneinandergenähten Pergamentstreifen im Mittelalter eine untergeordnete Rolle gespielt. Sie wurde hauptsächlich für Schriftstücke von registerartigem oder dokumentarischem Charakter verwendet, für Rechnungsbücher, Statuten und Tarife, Nekrologien, Urkundenabschriften, Güterverzeichnisse, Erlaßsammlungen und Ähnliches. Literarische Texte wurden relativ selten auf Rollen geschrieben, vor allem dann, wenn die Texte nicht zum Lesen oder zum Vorlesen bestimmt waren, sondern zur szenischen Aufführung. Für die geistlichen Spiele, die nicht als Lesetexte, sondern als Regiebücher und Aufführungsunterlagen überliefert sind, ist neben Handschriften im Hochformat die Rollenform charakteristisch. Es gehört zu den interessantesten Entdeckungen der letzten Jahre, daß auch höfische Lyrik auf Rollen geschrieben wurde. Drei Rollenfragmente, die vielleicht alle drei noch dem 13. Jahrhundert angehören, sind jetzt bekannt:

- die Basler Fragmente (Universitätsbibl. F. IV. 12) mit Sprüchen von Konrad von Würzburg, dem Marner und dem Kanzler;
- die Los Angeles-Fragmente (University of California, Research Library, 170/575) mit Sprüchen Reinmars von Zweter.
- die Berliner Fragmente (Geheimes Staatsarchiv, Stiftung Preußischer Kulturbesitz XX. HA. StA. Königsberg, MS. 33, 11) mit Spruchstrophen aus dem ›Wartburgkrieg‹.

Die These von Franz H. Bäuml und Richard H. Rouse, den Entdeckern der Los Angeles-Rolle, daß die gesamte Lyriküberlieferung in Deutschland über eine erste Phase von Niederschriften in Rollenform gelaufen sei, wird sich kaum bestätigen. Richtig ist jedoch, daß die Buchrollen für die Lyriküberlieferung eine größere Bedeutung hatten, als man früher glaubte. Es kann kein Zufall sein, daß die drei erhaltenen Rollen Spruchdichtung überliefern. Wenn auch für die Lyrik gilt, daß auf Rollen geschrieben wurde, was in erster Linie für die Aufführung bestimmt war, dann kann aus dieser Überlieferungsform geschlossen werden, daß im 13. Jahrhundert der literarische Charakter der Spruchdichtung, die im wesentlichen von fahrenden Berufssängern getragen wurde, noch nicht sehr stark ausgeprägt war. Im Lichte der neuen Rollenfunde erhalten auch einige Dichterbilder in der Großen Heidelberger Liederhandschrift eine neue Bedeutung: Bligger von Steinach diktiert einem Schreiber, der in eine geöffnete Rolle schreibt; und Reinmar

Abb. 41 Reinmar von Zweter. Der Dichter hat die Augen geschlossen; offenbar diktiert er den beiden jungen Damen. Die eine schreibt auf einer Rolle, die andere auf Wachstafeln. Aus der Großen Heidelberger Liederhandschrift (Cpg 848). 14. Jahrhundert.

von Zweter ist von zwei jungen Damen umgeben, von denen die eine eine Wachstafel beschriftet und die andere eine Rolle (vgl. Abb. 41).

Der Gebrauch von Wachstafeln und Rollen macht deutlich, daß ein Modell, das mit losen Blättern und Liederheften als ersten Stufen der Lyrikaufzeichnung rechnet, der Vielfältigkeit des Schriftwesens dieser Zeit nicht gerecht wird. Gerade die vorläufigen Formen der Niederschrift, die mehr zum Gebrauch als zur Bewahrung bestimmt waren, werden in der ersten Phase der schriftlichen Aufzeichnung eine große Rolle gespielt haben.

Liedersammlungen

Der erste Minnesänger, von dem bekannt ist, daß er selber seine Lieder gesammelt hat und aufschreiben ließ, war Ulrich von Liechtenstein. Unstimmigkeiten in der Zählung der Lieder weisen darauf, daß Liechtenstein bei der Ausarbeitung des ›Frauendienstes‹ auf eine bereits vorhandene Sammlung seiner Lieder zurückgreifen konnte. Diese Vorlage des ›Frauendienstes‹, die wahrscheinlich vor oder um 1250 angefertigt worden war, ist die älteste erschließbare Autorsammlung in Deutschland. Nach seinen Angaben hat Liechtenstein die Lieder in chronologischer Reihenfolge zitiert. Die chronologische Reihung kann aber nicht als gesichert angesehen werden. Es ist durchaus möglich, daß der Dichter die zeitliche Ordnung erst nachträglich durch die romanhafte Ausschmückung seiner fiktiven Autobiographie hergestellt hat. Gedichte in der Reihenfolge ihrer Entstehung zu ordnen, hat wohl den Dichtern zu allen Zeiten weniger nahegelegen als den Philologen. Der Trobador Peire Vidal soll bereits kurz nach 1200 sechzehn seiner Lieder in chronologischer Folge gesammelt haben. Die erste tatsächlich bezeugte Liedersammlung eines Trobadors ist viel jünger. In der provenzalischen Liederhandschrift C (Paris, Bibliothèque Nationale, f. fr. 856) vom Ende des 13. Jahrhunderts werden die Lieder des Trobadors Guiraut Riquier, der in der zweiten Hälfte des 13. Jahrhunderts gedichtet hat, mit der Bemerkung eingeleitet: »Hier beginnen die Lieder von Herrn Guiraut Riquier aus Narbonne, nämlich Chansons, Vers, Pastourellen, Retruengen, Descorts, Albas und verschiedene andere, in derselben Reihenfolge wie er sie in seinem Buch geordnet hat; aus diesem von ihm mit eigener Hand geschriebenen Buch sind alle hier übertragen.«[77] Die romanistische Forschung nimmt an, daß auch Guiraut Riquier seine Lieder in eine chronologische Reihenfolge gebracht hat.

Für Deutschland rechnet man noch mit einer zweiten chronologisch geordneten Autorsammlung aus der Zeit vor 1250. Die Reinmar von Zweter-Sammlung in der Handschrift D vom Ende des 13. Jahrhunderts ist sehr sorgfältig nach thematischen Gruppen gegliedert: Gott und Maria (Str. 1–22), Minne (Str. 23–55), Herrenlehre (Str. 56–70), Tugenden und Laster (Str. 71–124), politische Sprüche (Str. 125–157). Gustav Roethe hat festgestellt, daß in der letzten Sektion alle datierbaren Sprüche Reinmars von Zweter aus den Jahren 1227–1240 in chronologischer Ordnung stehen. Er hat daraus geschlossen, daß 1. die Sammlung vom Dichter selber angelegt worden sei, weil nur er die Reihenfolge der Sprüche so genau kennen konnte; und daß 2. die Sammlung 1240/41 entstanden sei, weil die nach 1240 datierbaren Sprüche Reinmars von Zweter keine Aufnahme gefunden haben. Diese Thesen haben viel Zustimmung gefunden.

---

[77] Aissi comensan li can d'en Guiraut Riquier de Narbona enaissi cum es de cansos et de verse e de pastorellas e de retroenchas e de descortz e d'albas et d'autras diversas obras enaissi adordenadamens cum era adordenat en lo sieu libre, del qual libre escrig per la sua man fon aissi tot translatat (Guiraut Riquier, S. 19)

Man sollte allerdings bedenken, daß die chronologische Reihenfolge der politischen Sprüche Reinmars von Zweter viel weniger sicher ist, als Roethe seinerzeit nachweisen zu können glaubte, und daß die Unterscheidung in Sprüche vor 1240 und Sprüche nach 1240 sehr eng mit der von Roethe erschlossenen Dichterbiographie verknüpft ist, für die es nur sehr wenige konkrete Anhaltspunkte gibt. Wenn jedoch die Chronologie der Sprüche problematisch ist, dann greift das Argument nicht mehr, daß nur der Dichter selber die genaue Chronologie gekannt haben kann. Dann könnte die ganze Sammlung auch später entstanden sein.

Liechtenstein hat am Schluß des ›Frauendienstes‹ über seine Lieder Bilanz gezogen: »Achtundfünfzig Lieder habe ich gesungen, die sind vollständig hier verzeichnet.«[78] Eine ähnliche Abrechnung findet sich in Neidharts *werltsüeze*-Lied (Winterlied 28), das wahrscheinlich zu seinen spätesten Liedern gehört: »Achtzig neue Lieder, die ich über eine lange Zeit im Dienst meiner Dame zu ihrem Preis gesungen habe, begleiten mich jetzt frei von ihrer Bestimmung [nachdem Neidhart seiner Dame den Dienst aufgesagt hat]. Dies ist nun das letzte, das ich noch singen will.«[79] Hat auch Neidhart seine Lieder gezählt und gesammelt? Die Neidhart-Ausgaben verzeichnen 77 »echte« Lieder: das könnte passen. Die zitierten Verse stehen jedoch nur in einer Handschrift des 15. Jahrhunderts und stammen vielleicht gar nicht von Neidhart selbst. Die Annahme, daß in der Regel jeder Lyriker seine Lieder selbst gesammelt habe, ist in dieser allgemeinen Form ohne Grundlage.

Die Lieder eines Dichters konnten unter verschiedenen Gesichtspunkten zusammengestellt werden. Eine chronologische Reihenfolge liegt vielleicht bei Ulrich von Liechtenstein vor. Eine thematische Ordnung wird durch die Zweter-Sammlung in der Handschrift D und durch die Walther-Sammlung in den Heiligenstädter Fragmenten bezeugt. In anderen Sammlungen lassen sich nur Ansätze zu einer Gliederung nach inhaltlichen Gesichtspunkten nachweisen. Manche Sammlungen waren nach Gattungen geordnet. Minnesang und Spruchdichtung sind offenbar weitgehend getrennt überliefert worden. Eine Mischung

---

[78] Zweier minner sehtzic doene ich hân gesungen: die stânt gar hier an (1846, 1–2)

[79] Ahzic niuwer wîse loufent mir nu ledic bî, diech ze hôhem prîse mîner vrouwen lange her ze dienste gesungen hân. ditze ist nû diu leste, die ich mêre singen wil (83, 24–29)

beider Gattungen, wie in der Großen Heidelberger Liederhandschrift, war selten. Innerhalb der Minnelyrik bezeugt Liechtenstein durch die Überschriften seiner Lieder im ›Frauendienst‹ eine Gliederung nach Gattungen und nach Aufführungsformen (vgl. S. 757). Daneben gab es noch ganz andere Gliederungsmöglichkeiten. Hermann Schneider hat nachgewiesen, daß die Lieder in der erschlossenen Sammlung BC vielfach so gereiht waren, daß der Anfang des einen Liedes an den Schluß des vorhergehenden anknüpfte, sei es durch den Anklang eines Wortes oder eines Reims, sei es durch die Fortsetzung eines Gedankens. Ob eine solche kunstvolle Verkettung auch in anderen Sammlungen Anwendung gefunden hat, ist strittig. Wir sind noch weit davon entfernt, die Anordnung der Lieder in den großen Sammlungen richtig zu verstehen.

Den meisten Sammlern waren die Dichternamen von großer Wichtigkeit. Der Verfassername steht entweder als Überschrift vor einer Autorsammlung oder vor jedem Lied, wie in der Walther-Reinmar-Sammlung der Handschrift E oder in manchen Neidhart-Sammlungen. In der Regel werden die Sammler die Namen aus ihren schriftlichen Vorlagen übernommen haben. Aber woher stammten die Namen in den Vorlagen? Man hat in den Autorennamen einen Beweis dafür gesehen, daß es eine schriftliche Tradition von den Dichtern bis zu den späten Sammelhandschriften gegeben hat. Jedenfalls könnte die Zuweisung nicht erfolgt sein, wenn eine Phase anonymer Überlieferung vorausgegangen wäre. Die zahlreichen Fälle von Falschzuweisungen oder Mehrfachzuweisungen zeigen an, daß die Verbindung von Lied und Name vielfachen Störungen ausgesetzt war. Es ist jedoch auffällig, daß selbst solche Störungen noch bestimmten Regeln folgen. So gibt es bei den Doppelzuschreibungen feste Paarungen zwischen Dietmar von Aist und Heinrich von Veldeke, zwischen Heinrich von Rugge und Reinmar dem Alten, zwischen Reinmar dem Alten und Walther von der Vogelweide. Offenbar sind in diesen Fällen Autorsammlungen schon früh miteinander in Berührung gekommen und teilweise durcheinandergeraten. Eine andere Quelle von Falschzuweisungen waren die anonymen Liederbücher von der Art, wie sie in der Handschrift A unter den Namen Niune und Gedrut stehen.

Daß die Namen der Minnesänger schon früh bekannt waren, bezeugen auch die Dichterkataloge in der Literatur des 13. Jahrhunderts. Diese Dichterlisten sind als Zeugnisse für die Existenz umfangreicher Liedersammlungen gewertet worden. Einer solchen Interpretation widersetzt sich jedoch das älteste Zeugnis, in der ›Krone‹ von Heinrich von dem Türlin. Im Anschluß an einen großen Dichterpreis auf Hartmann von Aue und Reinmar den Alten heißt es dort: »Ich muß auch den edlen Dietmar von Aist beklagen und die übrigen, die ihnen Fundament und Stütze waren: Heinrich von Rugge und Friedrich von Hausen, Ulrich von Gutenburg und der edle Hug von Salza.«[80] Die ›Krone‹ läßt sich nicht genau datieren; sie wird aber nicht nach 1230 entstanden sein. Daß es um diese Zeit bereits eine Liedersammlung gegeben hat, die etwa den Umfang der Sammlung BC gehabt haben müßte, ist sehr unwahrscheinlich. Heinrich von dem Türlin kann die Namen auch aus mündlicher Überlieferung gekannt haben.

Melodieüberlieferung

Die deutsche Lyriküberlieferung des 13. Jahrhunderts ist überwiegend reine Textüberlieferung. Außer den Melodien in den ›Carmina Burana‹ kennen wir nur eine Handschrift mit Noten aus dieser Zeit: Ein kostbares Bruchstück, das leider verschollen ist, enthielt die Melodie zum vierten Leich von Ulrich von Winterstetten, in schön geschriebenen Neumen auf einem Fünf-Linien-System. Warum sonst auf die Musik verzichtet wurde, wissen wir nicht. Man wird in Rechnung stellen müssen, daß Melodieaufzeichnungen einen besonderen Aufwand erforderten und daß es angesichts der Veränderungen der Notenschrift im 13. Jahrhundert viele Schwierigkeiten dabei gab. Vielleicht ist auch mit der Möglichkeit zu rechnen, daß die Melodien weggelassen wurden, weil man ihre Kenntnis vorausgesetzt hat. Jedenfalls ist aus dem Fehlen der Melodien nicht immer der Schluß zu ziehen, daß die Sammler nur noch an den Texten interessiert gewesen seien. Die deutsche Überlieferung unterscheidet sich in diesem Punkt auffällig von der französischen. Die französischen Chansonniers des 13. Jahrhunderts bieten eine ungemein reiche Musiküberlieferung. Über tausend Melodien sind dort erhalten. Allerdings hat es auch in Frankreich Unterschiede gegeben: die südfranzösischen Liedersammlungen des 13. Jahrhunderts sind, ebenso wie die deutschen, fast

---

[80] Ouch muoz ich klagen den von Eist, Den guoten Dietmâren, Und die andern, die dâ wâren Ir sûl und ir brücke: Heinrîch von Rücke, Und von Hûsen Friderîch, Von Guotenburc Uolrîch, Und der reine Hûg von Salzâ (2438–45)

alle ohne Noten. Was an Melodien zu Trobadorliedern bekannt ist, stammt entweder aus nordfranzösischer Überlieferung oder aus zwei Liedersammlungen des 14. Jahrhunderts, der Mailänder Handschrift G und der Pariser Handschrift R. Auch in Deutschland gibt es aus dem 14. Jahrhundert mehr Melodien als aus dem 13. Diese Verteilung zeigt an, daß es nicht richtig wäre, die Überlieferungsgeschichte in eine frühere Aufführungstradition und eine spätere Texttradition zu zerlegen. Neidharts Lieder sind sicherlich auch im 14. und 15. Jahrhundert noch gesungen worden. Nach der Authentizität der späten Melodieaufzeichnungen wagt man allerdings kaum zu fragen.

In einigen Fällen ist es sicher, daß man bei der Niederschrift der Lieder nicht mehr an Vortrag und Aufführung gedacht hat. In der Würzburger Walther-Reinmar-Sammlung (E) sind die Reimbindungen in einer Weise zerstört, daß die Texte nicht mehr laut gelesen oder gesungen werden konnten. In Frankreich sind sogar Sammlungen angelegt worden, die nur Ausschnitte aus Trobadorliedern enthielten: Allgemeine Sentenzen und gedankenschwere Aussagen wurden aus dem Liedzusammenhang herausgelöst. Dabei muß das didaktische Interesse an den Texten ausschlaggebend gewesen sein.

Mündliche Verbreitung

Über die mündliche Verbreitung der Lieder ist naturgemäß viel weniger bekannt. Wo davon erzählt wurde, daß die Damen und Herren der adligen Gesellschaft in geselligem Kreis Lieder sangen oder daß Berufssänger auf den Hoffesten damit auftraten, wurden schriftliche Aufzeichnungen niemals erwähnt. Ganz unbekannt scheint jedoch das Singen vom Blatt nicht gewesen zu sein, wenn man den Angaben Ulrichs von Liechtenstein und der Trobadors folgt. In vielen Fällen wird man die Lieder beim Zuhören auswendig gelernt haben. Darauf zielte Garin le Brun (2. Hälfte 12. Jahrhundert) mit seinen Lehren für adlige Mädchen: »Wenn ihr bei Leuten seid, die gerne singen, sollt ihr fröhlich sein. Wenn man in eurer Gegenwart neue Verse und Lieder vorträgt, hört aufmerksam zu, und es soll euch Freude machen, sie der Reihe nach auswendig zu lernen, wenn ihr sie im Gedächtnis behalten könnt. Wenn ihr nicht alles behalten könnt, merkt euch nur die schönsten Stellen.«[81]

---

[81] ab cels c'amont cantar, vos devez alegrar. Vers novels ni chanços, qui las diz

Wie umfangreich diese Lyrikkenntnisse waren und welchen Gebrauch man davon gemacht hat, ist aus den französischen Epen mit Lyrikeinlagen zu ersehen. Jean Renart war offenbar der erste, der lyrische Stücke in den epischen Zusammenhang eingefügt hat. Im Prolog zu seinem ›Roman de la rose ou de Guillaume de Dole‹, der wahrscheinlich 1227/28 entstanden ist, hat der Dichter auf diese Neuerung aufmerksam gemacht: Er habe in seinem Roman »schöne Lieder aufschreiben lassen, damit man die Gedichte im Gedächtnis behalte«[82]. Auf diese Weise könnte man »wie man will, daraus singen oder lesen«[83]. Er hat damit großen Anklang gefunden. Schon wenige Jahre später übernahm Gerbert de Montreuil die Technik der Lyrikeinlagen in seinem ›Roman de la violette‹; und im weiteren Verlauf des 13. Jahrhunderts sind eine ganze Reihe französischer Texte in dieser Form gedichtet worden: der ›Cléomades‹ von Adenet le Roi, der ›Roman du châtelain de Coucy‹ von Jakemes, der anonyme ›Châtelain de Saint Gille‹, ›Le tournoi de Chauvency‹ von Jacques Bretel, der ›Lai d'Aristote‹ von Henry d'Andeli und andere. Diese Erzählungen vermitteln den Eindruck, daß Lyrik und Gesang im Leben der adligen Gesellschaft eine große Rolle gespielt haben. Die Damen und Herren kannten offenbar viele Lieder auswendig. Der Kaiser selber sang mit, die Fürsten und die hohen Damen sangen, die Knappen und die Mädchen, die Menestrels und die Jongleurs. Man sang einzeln oder zu zweit oder im Chor; man sang nach dem Essen in geselliger Runde, man sang zu Ehren von Gästen, man sang beim Spazierengehen, beim Reiten, man sang beim Tanzen, die adligen Damen sangen bei der Handarbeit; man sang, wenn man fröhlich war, und auch, wenn man traurig war. Sehr beliebt waren in der französischen Gesellschaft die anonymen Lieder und Refrains, die in großer Zahl überliefert sind: Mädchenlieder (*cantigas de amigo*), Pastourellen und Romanzen, *chansons de toile, chansons d'histoire, chansons de femme, chansons de mal-mariée* und die verschiedenen Formen der Tanzlyrik. Es wurden aber auch Lieder oder einzelne Strophen aus Liedern bekannter Trouvères und Trobadors gesungen. Im ›Guillaume de Dole‹ stehen insgesamt 46 lyrische Stücke; davon stammten 16 aus höfischen Liedern. Meistens wurde nur die erste Strophe eines Liedes zitiert,

denan vos, escoltaz volonteira, e plaça vos, a teira voillas … saber, se podez retener; e si non podez toz, tenez los meillors moz (Enseignement 525–34)

[82] il a fet noter biaus chans por ramenbrance des chançons (2–3)
[83] s'en vieult, l'en i chante et lit (19)

manchmal auch mehrere Strophen, und es kam auch vor, daß eine Strophe mitten aus einem Lied gesungen wurde. Die Auswahl bezeugt, daß unter den französischen Trouvères die Dichter Gace Brulé und der Châtelain de Coucy besonders beliebt waren. Jean Renart hat die lyrischen Einlagen meistens so gewählt, daß sie recht genau in den Handlungsrahmen der Erzählung paßten. So sang Kaiser Konrad, nachdem er die (falsche) Nachricht erhalten hatte, daß seine Geliebte sich mit einem anderen Mann eingelassen hätte, eine Strophe von Gace Brulé, in der es für »große Narrheit«[84] erklärt wird, »Kundschaft einzuholen über die Frau oder die Freundin, solange man sie lieben will«[85]. In seinem Liebeskummer sang der Kaiser außerdem, »um seinen Schmerz zu besänftigen«[86], zwei Strophen aus einer Liebesklage von Renaut de Sabloeil. Nachdem aber der Verdacht gegen die schöne Lienor sich als falsch erwiesen hat und der Hof wieder voll Freude war, sang ein Ritter die ersten Strophen des berühmten Lerchenliedes von Bernart de Ventadorn: »Wenn ich die Lerche vor Freude zur Sonne auffliegen sehe . . .«[87] Manchmal ist die Beziehung zwischen dem Liedtext und der epischen Situation etwas lockerer. Eines Morgens stand der Kaiser am Fenster und dachte an die ferne Geliebte, die er noch nie von Angesicht gesehen hatte und sang die erste Strophe eines Kreuzlieds des Châtelain de Coucy, in welcher der Dichter den Wunsch aussprach, »daß ich die, der mein Herz und meine Gedanken gehören, nackt zwischen meinen Armen halten könnte, bevor ich ins heilige Land aufbreche«[88]. Es läßt sich nicht beweisen, daß die adlige Gesellschaft in Frankreich tatsächlich so viele Lieder gekannt und gesungen hat. Die Dichter hätten aber wohl kaum davon erzählen können, daß bei den verschiedensten Gelegenheiten Lieder von Trouvères und Trobadors an den Höfen gesungen wurden, wenn so etwas nie vorgekommen wäre. Insofern kommt diesen Texten ein gewisser Zeugniswert für die lyrische Praxis zu.

Keines der französischen Werke mit Lyrikeinlagen ist ins Deutsche übertragen worden. Der Grund dafür ist sicherlich nicht in einem Vorbehalt gegenüber dem neuen Stil der Liedein-

---

[84] granz folie (3625)
[85] d'esprover ne sa moullier ne s'amie tant com l'en la veut amer (3626–28)
[86] por sa dolor reconforter (3882)
[87] Quant voi l'aloete moder . . . contre el rai (5212–13)
[88] cele ou j'ai mis mon cuer et mon penser q'entre mes bras la tenisse nuete ainz q'alasse outremer (928–30)

lagen zu suchen, sondern hängt mit der veränderten literarischen Situation im 13. Jahrhundert zusammen: französische Dichtungen, die nach 1220 entstanden sind, haben nicht mehr nach Deutschland gewirkt. Aber auch die deutschen Dichter haben erzählt, bei welchen Gelegenheiten die adlige Gesellschaft Lieder sang. Als Erec in Brandigan einritt, wo ein schweres Abenteuer auf ihn wartete, »war er ganz unbeschwert. Er ritt auf die Leute zu und begrüßte sie lachend. Und er fing an, ein fröhliches Lied zu singen.«[89] Daß man beim Gehen und beim Reiten sang, bestätigt Ulrich von Liechtenstein: Einige seiner Lieder sind als Reiselieder gesungen worden (vgl. S. 755). Als Liechtenstein auf seiner Venusfahrt im Jahr 1227 nach Möllersdorf bei Wien kam, überbrachte ihm dort sein Knappe eine Botschaft seiner Dame: »Er erhob sich in höfischer Form vor mir und sang sogleich ein Lied. Damit tat er mir kund, daß er mir eine Botschaft brachte, die mich glücklich machte. Das Lied, das der höfische und kluge Knappe sang, drang mir ins Herz und tat mir inniglich wohl, weil es mir Freude gab. Nun hört die Strophe; die lautete so: ›Ihr sollt mir ein Willkommen sagen, denn der euch Neues bringt, das bin ich ...‹«[90] Was der Knappe sang, war die erste Strophe aus dem Preislied Walthers von der Vogelweide (56, 14). Das Lied war offenbar in der Mitte des 13. Jahrhunderts so gut bekannt, daß der Verfassername nicht genannt zu werden brauchte. Vielleicht darf man daraus den Schluß ziehen, daß auch in Deutschland die Lieder der Minnesänger mehr gesungen wurden, als die Schriftzeugnisse vermuten lassen.

[89] er was eht herzen sorgen vrî. nû reit er zuo und gruozte sî mit lachendem munde. nû huop er dâ ze stunde ein vil vroelîchez liet (8154–58)

[90] er huob sich höfschlîch nâch mir sâ und sanc ein liet sâ an der stunt. dâ mit sô tet er mir daz kunt, daz er mir braeht die botschaft, diu mir gaebe hôhes muotes kraft. Daz liet mir in daz hertze klanc, daz dâ der höfsche, kluoge sanc: ez tet mir innerclîchen wol, wan ich dâ von wart freuden vol. ... nu hoert daz liet! daz sprach alsô: Ir sult sprechen willekomen: der iu maere bringet, daz bin ich (775,4–776,4. 776,8f.)

Das vorliegende Buch über die höfische Kultur des hohen Mittelalters ist von einem Literarhistoriker verfaßt worden, der ständig seine Kompetenzen überschreitet, wenn er über Burgenbau und Kleidermoden, Tischsitten und Waffentechnik schreibt. Er kann sich allerdings darauf berufen, daß diese Sachgebiete hauptsächlich aus literarischen Quellen erschlossen werden, für die er zuständig ist; und er kann vor allem geltend machen, daß die Literaturgeschichte ein großes Interesse daran nehmen muß, sich ein genaues Bild von dem Gesellschaftsbetrieb der höfischen Zeit zu machen, weil die historische Einmaligkeit der höfischen Dichtung nur verständlich wird, wenn man sie im Zusammenhang mit ihren gesellschaftlichen und kulturellen Voraussetzungen und Bedingungen sieht. Die wichtigsten Antriebe für die Entwicklung der Adelskultur im 12. und 13. Jahrhundert lagen offenbar in der Veränderung der Herrschaftsstruktur, die sich im Aufstieg der Fürsten und in der Ausbildung der Landesherrschaft manifestierte, außerdem in der Erneuerung der Bildung, die im 12. Jahrhundert von Frankreich ihren Ausgang nahm.

Die vielen wörtlichen Zitate aus mittelalterlichen Texten sollen der Darstellung den Charakter eines Quellen- und Lesebuchs zur Kulturgeschichte der höfischen Zeit geben. Die Belegstellen aus der deutschen Dichtung und aus einem Teil der erzählenden lateinischen Quellen sind neu exzerpiert worden. Die übrigen Belege habe ich aus der Forschung übernommen; das alte Buch von Alwin Schultz ›Das höfische Leben zur Zeit der Minnesinger‹ erwies sich dabei als die ergiebigste Quelle. Zitiert wird, soweit wie möglich, nach den gängigen Ausgaben. Nur wo keine Textausgaben zur Verfügung standen, habe ich nach der Sekundärliteratur zitiert. In diesen Fällen sind die Verfassernamen im Quellenverzeichnis aufgeführt. Dort sind auch die Übersetzungen angegeben, die ich konsultiert habe, denen ich jedoch nicht immer gefolgt bin.

Es ist mir sehr schwer gefallen, auf Anmerkungen zu verzichten. Ein Anmerkungsteil hätte Gelegenheit gegeben, manche Aussagen zu differenzieren, die Informationsquellen im einzelnen nachzuweisen, zur Forschung Stellung zu nehmen und

Schwierigkeiten des Verständnisses und der Übersetzung von Originalzitaten zu diskutieren, zum Beispiel das *plabatico* im Bayerischen Landfrieden von 1244 (S. 175), *ex empto* in der Heeresordnung von 1188 (S. 412), *foragiare* oder *formidare* in der Turnierkritik Jakobs von Vitry (S. 377), *Tharsis* bei Petrus de Ebulo (S. 649). Die Rücksicht auf den Umfang des Ganzen hat solche Erörterungen verboten.

Das Buch wäre nicht ohne fremde Hilfe zustandegekommen. Beim Exzerpieren der deutschen Texte haben mir Elke Brüggen, Franz-Josef Holznagel, Petra Kellermann-Haaf, Andreas Kohlhage und Bernd Wodarz geholfen. Martina Schöler und Nurit Seewi haben die Forschungsliteratur beschafft. Anette Hild, Ute Klammer, Diethild Münstermann-Lohn und vor allem Monika Schausten haben die Korrekturen mitgelesen; Monika Schausten hat auch das Personenregister ausgearbeitet. Bei der Reinschrift hat Angelika Zawodny geholfen; die Hauptarbeit lag in den Händen von Susanne Couturier. Kritik und Anregungen für das erste Kapitel verdanke ich Ludwig Vones, für den Lyrik-Teil des siebenten Kapitels Burghart Wachinger. Teile der Arbeit habe ich mit Cornelia Klinger und mit Ursula Liebertz-Grün besprochen; das ganze Manuskript haben Elke Brüggen und Petra Kellermann-Haaf kritisch durchgesehen. Bei der Verifizierung der Übersetzungen war ich besonders auf Hilfe angewiesen. Die Übersetzungen aus dem Altfranzösischen und Provenzalischen haben Brigitte Jacobsen und vor allem Elke Kurschildgen begutachtet und korrigiert. Für die Übersetzungen aus dem Lateinischen habe ich mir öfter bei Jürgen Stohlmann Rat geholt. Am meisten bin ich Udo Gerdes verpflichtet, der in ebenso freundschaftlicher wie kompetenter Weise meine Wiedergaben der lateinischen Zitate überprüft hat. Ihnen allen gilt mein herzlicher Dank.

Juni 1985   J. B.

Anhang

Abkürzungen

ABäG	Amsterdamer Beiträge zur älteren Germanistik
ABl.	Altdeutsche Blätter
AC	L'année canonique
ADAW	Abhandlungen der Deutschen Akademie der Wissenschaften zu Berlin. Klasse für Sprachen, Literatur und Kunst
AESC	Annales. Economies, sociétés, civilisations
AfD	Archiv für Diplomatik
AfdA	Anzeiger für deutsches Altertum
AGG	Archiv der Gesellschaft für ältere deutsche Geschichtskunde
AHR	The American Historical Review
AKG	Archiv für Kulturgeschichte
Al.	Alemannia
AM	Acta musicologica
AMw.	Archiv für Musikwissenschaft
AQ	Ausgewählte Quellen zur deutschen Geschichte des Mittelalters. Freiherr vom Stein-Gedächtnisausgabe
Arch.	Archiv für das Studium der neueren Sprachen und Literaturen
AUF	Archiv für Urkundenforschung
BDLG	Blätter für deutsche Landesgeschichte
BEC	Bibliothèque de l'Ecole des chartes
BMGN	Bijdragen en mededelingen betreffende de geschiedenis der Niederlanden
BON	Blätter für oberdeutsche Namenforschung
BPC	Bibliotheca patrum Cisterciensium
BPH	Bulletin philologique et historique
BRG	Bibliotheca rerum Germanicarum
BuS	Burgen und Schlösser
BzN	Beiträge zur Namenforschung
Ca.	Carinthia I
CC	Corpus Christianorum. Seria Latina
CC CM	Corpus Christianorum. Continuatio mediaevalis
CCM	Cahiers de civilisation médiévale
CIC	Corpus iuris canonici
CJ	The Classical Journal
CN	Cultura neolatina
Co.	Concilium. Internationale Zeitschrift für Theologie
CSEL	Corpus scriptorum ecclesiasticorum Latinorum
DA	Deutsches Archiv für Erforschung des Mittelalters
DALV	Deutsches Archiv für Landes- und Volksforschung
DU	Der Deutschunterricht
Eg.	Etudes germaniques
EHR	The English Historical Review
Eu.	Euphorion
FMLS	Forum for Modern Language Studies

FmS	Frühmittelalterliche Studien
Fr.	Francia
FS	French Studies
FuF	Forschungen und Fortschritte
GDV	Geschichtsschreiber der deutschen Vorzeit
Gf.	Der Geschichtsfreund. Mittheilungen des historischen Vereins der fünf Orte Lucern, Uri, Schwyz, Unterwalden und Zug
GGN	Nachrichten von der kgl. Gesellschaft der Wissenschaften zu Göttingen. Phil.-hist. Klasse
GLL	German Life and Letters
Gm.	Germania
GRM	Germanisch-Romanische Monatsschrift
HGb.	Hansische Geschichtsblätter
HJb.	Historisches Jahrbuch
HJL	Hessisches Jahrbuch für Landesgeschichte
HTb.	Historisches Taschenbuch
HZ	Historische Zeitschrift
IASL	Internationales Archiv für Sozialgeschichte der Literatur
JAMS	Journal of the American Musicological Society
JARG	Jahrbuch der Arbeitsgemeinschaft der Rheinischen Geschichtsvereine
JEGP	Journal of English and Germanic Philology
JfLF	Jahrbuch für fränkische Landesforschung
JGF	Jahrbuch für Geschichte des Feudalismus
JGoR	Jahrbuch für Geschichte der oberdeutschen Reichsstädte
JMH	Journal of Medieval History
JOWG	Jahrbuch der Oswald von Wolkenstein-Gesellschaft
Lili.	Zeitschrift für Literaturwissenschaft und Linguistik
LV	Landeskundliche Vierteljahrsblätter
Ly.	The Library
MA	Le moyen âge
MB	Monumenta Boica
MD	Musica disciplina
MDAI	Mitteilungen des Deutschen Archäologischen Instituts. Römische Abteilung
Me.	Merkur
MGES	Mitteilungen der deutschen Gesellschaft zur Erforschung Vaterländischer Sprache und Alterthümer
MGH	Monumenta Germaniae historica
MGH Const.	Constitutiones et acta publica
MGH Dipl.	Diplomata
MGH Ep. BdK	Epistolae. Die Briefe der deutschen Kaiserzeit
MGH SS	Scriptores
MGH SS rer. Germ.	Scriptores rerum Germanicarum
MH	Mediaevalia et Humanistica, N. S.
MINF	Mémoires de l'Institut national de France. Académie des inscriptions et belles-lettres
MIÖG	Mitteilungen des Instituts für österreichische Geschichtskunde
MlJ	Mittellateinisches Jahrbuch
MLN	Modern Language Notes

Mo.	Monatshefte
MS	Monumenti storici
MSB	Sitzungsberichte der Bayerischen Akademie der Wissenschaften. Phil.-hist. Klasse
MSNH	Mémoires de la Sociéte néophilologique de Helsinki
MSt.	Medieval Studies
NA	Neues Archiv der Gesellschaft für ältere deutsche Geschichtskunde
NAV	Nuovo Archivo Veneto
Ne.	Neophilologus
NHJ	Neue Heidelberger Jahrbücher
NphM	Neuphilologische Mitteilungen
NZM	Neue Zeitschrift für Musik
ÖAW An.	Österreichische Akademie der Wissenschaften. Phil.-hist. Klasse. Anzeiger
OGS	Oxford German Studies
PBA	Proceedings of the British Academy
PBB	Beiträge zur Geschichte der deutschen Sprache und Literatur
PG	Patrologia Graeca
Ph.	Philobiblon
Pi.	Philologus
PJb.	Preußische Jahrbücher
PL	Patrologia Latina
PMLA	Publications of the Modern Language Association
PS	Der praktische Schulmann
QFIA	Quellen und Forschungen aus italienischen Archiven und Bibliotheken
RBM	Revue belge de musicologie
RBPH	Revue belge de philologie et d'histoire
RDC	Revue de droit canonique
RF	Romanische Forschungen
Rh.	Revue historique
RHC Occ.	Recueil des historiens des croisades. Historiens occidentaux
RHE	Revue d'histoire ecclésiastique
RHGF	Recueil des historiens des Gaules et de la France. Nouvelle édition
RIS	Rerum Italicarum scriptores
RJb.	Romanistisches Jahrbuch
RLR	Revue des langues romanes
RM	Revue de musicologie
Ro.	Romania
RR	Romanic Review
RS	Rolls Series. Rerum Britannicarum medii aevi scriptores
RSt.	Romanische Studien
RUB	Revue de l'Université de Bruxelles
RVjb.	Rheinische Vierteljahrsblätter
Sc.	Saeculum
SG	Studia Gratiana
SHF	Société de l'histoire de France
Si.	Signs. Journal of Women in Culture and Society
SiP	Studies in Philology

791

SM	Studi medievali
SMRH	Studies in Medieval and Renaissance History
Sp.	Speculum
SRA	Scriptores rerum Austriacarum
SRGS	Scriptores rerum Germanicarum praecipue Saxonicarum
TQ	Theologische Quartalschrift
Tr.	Traditio
TvR	Tijdschrift voor Rechtsgeschiedenis
UB	Urkundenbuch
Un.	Universitas
VfL	Vierteljahrsschrift für Literaturgeschichte
VHVO	Verhandlungen des Historischen Vereins für Oberpfalz und Regensburg
Vi.	Vivarium
Vr.	Viator. Medieval and Renaissance Studies
VSWG	Vierteljahrschrift für Sozial- und Wirtschaftsgeschichte
WS	Wolfram-Studien
WSB	Sitzungsberichte der kais. Akademie der Wissenschaften in Wien. Phil.-hist. Klasse
WZUG	Wissenschaftliche Zeitschrift der Ernst-Moritz-Arndt-Universität Greifswald. Gesellschafts- und sprachwissenschaftliche Reihe
WZUR	Wissenschaftliche Zeitschrift der Universität Rostock. Gesellschafts- und sprachwissenschaftliche Reihe
ZfbLG	Zeitschrift für bayerische Landesgeschichte
ZfdA	Zeitschrift für deutsches Altertum
ZfdB	Zeitschrift für deutsche Bildung
ZfdK	Zeitschrift für deutsche Kulturgeschichte
ZfdPh.	Zeitschrift für deutsche Philologie
ZfdSp.	Zeitschrift für deutsche Sprache
ZfdW	Zeitschrift für deutsche Wortforschung
ZffSL	Zeitschrift für französische Sprache und Literatur
ZfgSW	Zeitschrift für die gesamte Staatswissenschaft
ZfhF	Zeitschrift für historische Forschung
ZfhwF	Zeitschrift für handelswissenschaftliche Forschungen, N. F.
ZfhWK	Zeitschrift für historische Waffen- und Kostümkunde
ZfkT	Zeitschrift für katholische Theologie
ZfPG	Zeitschrift für preußische Geschichte und Landeskunde
ZfrPh.	Zeitschrift für romanische Philologie
ZfSG	Zeitschrift für Schweizerische Geschichte
ZfsT	Zeitschrift für systematische Theologie
ZFTV	Zeitschrift des Ferdinandeums für Tirol und Vorarlberg, Folge 3
ZGO	Zeitschrift für die Geschichte des Oberrheins
ZhVS	Zeitschrift des historischen Vereins für Steiermark
ZKG	Zeitschrift für Kirchengeschichte
ZRG GA	Zeitschrift der Savigny-Stiftung für Rechtsgeschichte. Germanistische Abteilung
ZRG KA	Zeitschrift der Savigny-Stiftung für Rechtsgeschichte. Kanonistische Abteilung
ZTZ	Zeitschrift für Tierzüchtung und Züchtungsbiologie

Lateinische Quellen

ABAELARD: Historia calamitatum. Hg. J. Monfrin. ⁴1978. – ACERBUS MORENA: Historia. Hg. F. Güterbock. In: Das Geschichtswerk des Otto Morena. MGH SS rer. Germ. N. S. 7, 1930, S. 130–76. – ADALBERO VON LAON: Carmen ad Rotbertum regem. Hg. C. Carozzi. 1979. – ADAM VON BREMEN: Gesta Hammaburgensis ecclesiae pontificum. Hg. u. übs. B. Schmeidler u. W. Trillmich. In: Quellen des 9. und 11. Jahrhunderts zur Geschichte der hamburgischen Kirche und des Reiches. AQ 11, 1961, S. 135–499. – ADEMAR VON CHABANNES: Chronicon. Hg. J. Chavanon. 1897. – AELRED VON RIEVAULX: De speculo charitatis. Hg. C. H. Talbot. Opera omnia, Bd. 1, CC CM 1, 1971, S. 3–161. – ALBERICH VON TROISFONTAINES: Chronica. Hg. P. Scheffer-Boichorst. MGH SS 23, 1874, S. 631–950. – ALBERT VON METZ: De diversitate temporum. Hg. G. H. Pertz. MGH SS 4, 1841, S. 700–23. – ALBERT VON STADE: Cronica. Hg. J. M. Lappenberg. MGH SS 16, 1859, S. 283–378; übs. F. Wachter. GDV 72, ²1896. – ALBERTUS MAGNUS: De animalibus libri XXVI. Hg. H. Stadler. 1920. – ALBERTUS MAGNUS: Enarrationes in primam partem evangelii Lucae. Hg. S. A. Borgnet. Opera omnia, Bd. 22, 1894. – AMBROSIUS: De Abraham libri duo. Hg. Migne PL 14, 1882, Sp. 437–524. – ANDREAS CAPELLANUS: De amore libri tres. Hg. E. Trojel. ³1972. – ANNALES ADMUNTENSES, CONTINUATIO GARSTENSIS siehe Continuatio Garstensis. – ANNALES AQUENSES. Hg. G. Waitz. MGH SS 24, 1879, S. 34–39. – ANNALES BLANDINIENSES. Hg. L. Bethmann. MGH SS 5, 1844, S. 20–34. – ANNALES COLMARIENSES MAIORES. Hg. P. Jaffé. MGH SS 17, 1861, S. 202–32; übs. H. Pabst u. W. Wattenbach. In: Annalen und Chronik von Kolmar. GDV 75, ³1940, S. 39–119. – ANNALES S. GEORGII. Hg. G. H. Pertz. MGH SS 17, 1861, S. 295–97. – ANNALES MAGDEBURGENSES. Hg. G. H. Pertz. MGH SS 16, 1859, S. 105–96; übs. E. Winkelmann u. W. Wattenbach. GDV 63, ³1941. – ANNALES MARBACENSES. Hg. H. Bloch. MGH SS rer. Germ. 9, 1907; übs. G. Grandaur. GDV 74, ²1896. – ANNALES OTAKARIANI. Hg. R. Köpke. MGH SS 9, 1851, S. 181–94; übs. G. Grandaur. In: Die Fortsetzungen des Cosmas von Prag. GDV 66, ²1940, S. 143–76. – ANNALES PEGAVIENSES. Hg. G. H. Pertz. MGH SS 16, 1859, S. 234–70. – ANNALES PRAGENSES III. Hg. R. Köpke. MGH SS 9, 1851, S. 198–209; übs. G. Grandaur. In: Die Fortsetzungen des Cosmas von Prag. GDV 66, ²1940, S. 187–220. – ANNALES QUEDLINBURGENSES. Hg. G. H. Pertz. MGH SS 3, 1839, S. 22–90. – ANNALES RATISPONENSES siehe Hugo von Lerchenfeld. – ANNALES REINERI siehe Reiner von St. Jacob. – ANNALES REINHARDSBRUNNENSES. Hg. F. X. Wegele. 1854. – ANNALES SPIRENSES. Hg. G. H. Pertz. MGH 17, 1861, S. 80–85. – ANNALES STADENSES siehe Albert von Stade. – ANNALES STEDERBURGENSES siehe Gerhard von Stederburg. – ANNALES VETERO-CELLENSES. Hg. J. O. Opel. 1874. – ANNALES VINCENTII siehe Vinzenz von Prag. – ANNALES WEISSENBURGENSES. Hg. O. Holder-Egger. In: Lamperti monachi Hersfeldensis opera. MGH SS rer. Germ. 38, 1894, S. 9–57. – ANNALES WELFICI WEINGARTENSES. Hg. u. übs. E. König. In: Historia Welforum. 1938,

S. 86–95. – ANNALES DE WIGORNIA. Hg. H. R. Luard. In: Annales Monastici, Bd. 4. RS 36, 4, 1869, S. 355–564. – ANNALISTA SAXO. Hg. G. Waitz. MGH SS 6, 1844, S. 542–777; übs. E. Winkelmann u. W. Wattenbach. GDV 54, ³1941. – ANONYMUS HASERENSIS. Hg. L. Bethmann. MGH SS 7, 1846, S. 253–67. – ANSBERT siehe Historia de expeditione Friderici. – ANSELMUS: Vita Adalberti. Hg. P. Jaffé. BRG 3, 1866, S. 568–603. – ARNOLD VON LÜBECK: Chronica. Hg. J. M. Lappenberg. MGH SS 21, 1869, S. 100–250; übs. J. C. M. Laurent. GDV 71, ³1940. – ASTRONOMUS: Vita Hludovici imperatoris. Hg. u. übs. R. Rau. In: Quellen zur karolingischen Reichsgeschichte, Bd. 1. AQ 5, 1968, S. 255–381. – AUGUSTINUS: De bono coniugali. Hg. Migne PL 40, 1887, Sp. 373–96. – AUGUSTINUS: De civitate Dei. Hg. B. Dombart u. A. Kalb. Bd. 1–2, Opera 14. CC 47–48, 1955. – AUGUSTINUS: Enarrationes in Psalmos I–L. Hg. E. Dekkers u. J. Fraipont. CC 38, 1956. – AUGUSTINUS: Quaestiones in Heptateuchum. Hg. J. Fraipont. CC 33, 5, 1958, S. 1–377.

BALDERICH: Gesta Alberonis archiepiscopi Treverensis. Hg. G. Waitz, übs. H. Kallfelz. In: Lebensbeschreibungen einiger Bischöfe des 10.–12. Jahrhundert. AQ 22. 1973, S. 543–617. – BALDERICH VON DOL: Historia de peregrinatione Jerosolimitana. RHC Occ. 4, 1871, S. 1–111. – BARTHOLOMAEUS ANGLICUS: De proprietatibus rerum. Hg. G. B. Pontanus. 1601. – M. BATESON: A London Municipal Collection of the Reign of John. EHR 17, 1902, S. 480–511. – BAUDRI VON BOURGUEIL: Les œuvres poétiques. Hg. P. Abrahams. 1926. – BENEDIKT VON PETERBOROUGH: Gesta regis Henrici secundi. Hg. W. Stubbs. Bd. 1–2. RS 49, 1867. – BERNHARD VON CLAIRVAUX: Epistolae 181–547. Hg. J. Leclercq u. H. M. Rochais. Opera 8, 1977. – BERNHARD VON CLAIRVAUX: Liber ad milites Templi de laude novae militiae.

Hg. J. Leclercq u. H. M. Rochais. Opera 3, 1963, S. 205–39. – BERTHOLD VON ZWIEFALTEN: Chronicon. Hg. u. übs. L. Wallach, E. König u. K. O. Müller. In: Die Zwiefalter Chroniken Ortliebs und Bertholds. ²1978, S. 136–287. – BIBLIA SACRA JUXTA VULGATAE. Hg. A. C. Fillion. 1887. – J. B. BÖHMER: Regestae imperii IV, 3: Die Regesten des Kaiserreiches unter Heinrich VI. Bearb. v. G. Baaken. 1972; Regesta imperii V. Neu hg. v. J. Ficker u. E. Winkelmann. Teil 2, 1892–94. – BONIZO VON SUTRI: Liber de vita Christiana. Hg. E. Perels. 1930. – F. BOURQUELOT: Etudes sur les foires de Champagne. Bd. 1, 1865. – BREVE CHRONICON AUSTRIAE MELLICENSE. Hg. W. Wattenbach. MGH SS 24, 1879, S. 69–71. – J. A. BRUNDAGE: Prostitution in Medieval Canon Law. Si. 1, 1976, S. 825–45. – BRUNO: Saxonicum bellum. Hg. u. übs. E. Lohmann u. F.–J. Schmale. In: Quellen zur Geschichte Kaiser Heinrichs IV. AQ 12, 1963, S. 191–405. – C. BULLOCK-DAVIES: Menestrellorum multitudo, Minstrels at a Royal Feast. 1978. – BURCHARD VON URSBERG: Chronicon. Hg. O. Holder-Egger u. B. von Simson. MGH SS rer. Germ. 16, 1916.

CAESARIUS VON HEISTERBACH: Dialogus miraculorum. Hg. J. Strange. 1851. – CAESARIUS VON HEISTERBACH: Vita Engelberti. Hg. F. Zschaeck. In: Die Wundergeschichten des Caesarius von Heisterbach. Hg. A. Hilka. Bd. 3, 1937, S. 223–328; übs. K. Langosch. GDV 100, ³1955. – CAESARIUS VON HEISTERBACH: Vita sanctae Elyzabeth lantgravie. Hg. A. Huyskens. Ebd., S. 344–88. – CARMEN DE GESTIS FREDERICI IMPERATORIS IN LOMBARDIA. Hg. I. Schmale-Ott. MGH SS rer. Germ. 62, 1965. – CARMINA BURANA. Hg. A. Hilka, O. Schumann u. B. Bischoff. Bd. 1–3, 1930–1970. – A. CARTELLIERI: Philipp II. August. Bd. 2, 1906. – E. CASPAR: Die Kreuzzugsbullen Eugens III. NA 45, 1924, S. 285–305. – CHRISTINA von Markyate siehe De s. Theodora virgine. – Chronica de gestis consulum Andegavorum. Hg. L. Halphen u. R. Poupardin. In: Chroniques des comtes d'Anjou. 1913, S. 25–73. – Chronica s. Petri Erfordensis moderna. Hg. O. Holder-Egger. In: Monumenta Erphesfurtensia. MGH SS rer. Germ. 42, 1899, S. 117–364; übs. G. Grandaur. GDV 52, ²1893. – Chronica Polonorum. Hg. R. Köpke. MGH SS 9, 1851, S. 418–78. – Chronica regia Coloniensis. Hg. G. Waitz. MGH SS rer. Germ. 18, 1880; übs. C. Platner u. W. Wattenbach. GDV 69, ²1896. – Chronica Reinhardsbrunnensis. Hg. O. Holder-Egger. MGH SS 30, 1, 1896, S. 490–656. – Chronicon Andegavense breve. RHGF 11, 1876, S. 169–70. – Chronicon Colmariense. Hg. P. Jaffé. MGH SS 17, 1861, S. 240–70; übs. H. Pabst u. W. Wattenbach. In: Annalen und Chronik von Kolmar. GDV 75, ³1940, S. 143–230. – Chronicon Ebersheimense. Hg. L. Weiland. MGH SS 23, 1874, S. 427–53. – Chronicon Eberspergense. Hg. W. Arndt. MGH SS 20, 1868, S. 9–16. – Chronicon Gozecense. Hg. R. Köpke. MGH SS 10, 1852, S. 140–57. – Chronicon Montis sereni. Hg. E. Ehrenfeuchter. MGH SS 23, 1874, S. 130–226. – Chronicon terrae Misnensis. Hg. J. B. Mencken. SRGS 2, 1728, Sp. 313–76. – Cicero: De officiis. Hg. C. Atzert. Scripta 48, ⁴1963. – C. Cipolla: Discorso. NAV 10, 1895, S. 405–504. – P. Classen: Zur Geschichte der Frühscholastik in Österreich und Bayern. MIÖG 67, 1959, S. 249–77. – Codex epistolaris Wibaldi siehe Wibald von Stablo. – Codex Falkensteinensis. Hg. E. Noichl. 1978. – Codex Udalrici. Hg. P. Jaffé. BRG 5, 1869, S. 1–469. – H. Conrad: Gottesfrieden und Heeresverfassung in der Zeit der Kreuzzüge. ZRG GA 61, 1941, S. 71–126. – Continuatio Admuntensis. Hg. W. Wattenbach. MGH SS 9, 1851, S. 579–93. – Continuatio Clau-

stroneoburgensis i. Ebd., S. 607–13. – Continuatio Claustroneoburgensis iii. Ebd., S. 629–37. – Continuatio Cremifanensis. Ebd., S. 544–49. – Continuatio Garstensis. Ebd., S. 593–600. – Continuatio Lambacensis. Ebd., S. 556–61. – Continuatio Mellicensis. Ebd., S. 501–35. – Continuatio Sancrucensis i. Ebd., S. 626–28. – Continuatio Sancrucensis ii. Ebd., S. 637–46. – Continuatio Scotorum. Ebd., S. 624–26. – Continuatio Zwetlensis ii. Ebd., S. 541–44. – Corpus der altdeutschen Originalurkunden bis zum Jahr 1300. Bd. 1. Hg. F. Wilhelm. 1932. – Cyprianus siehe Pseudo-Cyprianus.

De rebus Alsaticis ineuntis saeculi xiii. Hg. P. Jaffé. MGH SS 17, 1861, S. 232–37; übs. H. Pabst u. W. Wattenbach. In: Annalen und Chronik von Kolmar. GDV 75, ³1940, S. 121–35. – De s. Theodora virgine quae et Christina dicitur. Hg. C. H. Talbot. 1959. – L. Delisle: Littérature latine et histoire du moyen âge. 1890. – H. Denifle u. E. Chatelain (Hg.): Chartularium universitatis Parisiensis. Bd. 1, 1899. – Descriptio Theutoniae. Hg. P. Jaffé. MGH SS 17, 1861, S. 238–40; übs. H. Pabst u. W. Wattenbach. In: Annalen und Chronik von Kolmar. GDV 75, ³1940, S. 139–42. – O. Dobenecker (Hg.): Regesta diplomatica necnon epistolaria historiae Thuringiae. Bd. 2, 1900.

Ebbo: Vita Burchardi episcopi Wormatiensis. Hg. G. Waitz. MGH SS 4, 1841, S. 829–46. – Ekbert von Schönach siehe Roth. – Ekkehard iv.: Casus sancti Galli. Hg. u. übs. H. F. Haefele. AQ 10, 1980. – Ekkehard von Aura: Chronica. Hg. u. übs. F.-J. Schmale u. I. Schmale-Ott. In: Frutolfs und Ekkehards Chroniken. AQ 15, 1972, S. 267–377. – R. Elze: Königskrönung und Ritterweihe. In: Institutionen, Kultur und Gesellschaft im Mittelalter. Festschrift für J. Flekkenstein. 1984, S. 327–42. – C. Erd-

MANN u. N. FICKERMANN (Hg.): Briefsammlungen der Zeit Heinrichs IV. MGH Ep. BdK 5, 1950. – ERFURTER CHRONIK siehe Chronica s. Petri Erfordensis. – ERMOLDUS NIGELLUS: In honorem Hludowici christianissimi Caesaris Augusti. Hg. E. Faral. ²1964. – EUDES VON SAINT-MAUR: Vita Burcardi. Hg. C. Bourel de la Roncières. 1892.

J. FLECKENSTEIN: Zum Problem der Abschließung des Ritterstandes. In: Historische Forschungen für W. Schlesinger. 1974, S. 252–71. – FLORES HISTORIARUM. Hg. H.R. Luard. Bd. 1–3. RS 95, 1890. – J. FLORI: Chevalerie et liturgie. MA 84, 1978, S. 247–78, 409–42. – G. FRANZ (Hg.): Quellen zur Geschichte des deutschen Bauernstandes im Mittelalter. AQ 31, 1967. – N. FRYDE: Deutsche Englandkaufleute in frühhansischer Zeit. HGb. 97, 1979, S. 1–14. – FULCHER VON CHARTRES: Historia Hierosolymitana. Hg. H. Hagenmeyer. 1913. – FULKO IV. VON ANJOU: Fragmentum historiae Andegavensium. Hg. L. Halphen u. R. Poupardin. In: Chroniques des comtes d'Anjou. 1913, S. 232–38.

GALBERT VON BRÜGGE: Passio Karoli comitis. Hg. R. Köpke. MGH SS 12, 1856, S. 561–619. – GANDOLF VON BOLOGNA: Sententiae. Hg. J. de Walter. 1924. – GEOFFREY VON MONMOUTH: Historia regum Britanniae. Hg. A. Griscom. 1929. – GERHARD VON STEDERBURG: Annales. Hg. G.H. Pertz. MGH SS 16, 1859, S. 119–231. – GERHOH VON REICHERSBERG: Expositio Psalmorum. Hg. D. u. O. van den Eynde u. A. Rijmersdael. Opera inedita, Bd. 21, 1, 1956. – GERLACH VON MÜHLHAUSEN: Annales. Hg. W. Wattenbach. MGH SS 17, 1861, S. 683–710; übs. G. Grandaur. In: Die Jahrbücher von Vincenz und Gerlach. GDV 67, ²1895, S. 79–158. – GERVASIUS VON CANTERBURY: Chronica. Hg. W. Stubbs. Bd. 1. RS 73, 1, 1879. – GESTA ABBA-

TUM S. BERTINI SITHIENSIUM siehe Simon. – GESTA ABBATUM TRUDONENSIUM. Hg. R. Köpke. MGH SS 10, 1852, S. 213–448. – GESTA ALBERONIS siehe Balderich. – GESTA AMBAZIENSIUM DOMINORUM. Hg. L. Halphen u. R. Poupardin. In: Chroniques des comtes d'Anjou. 1913, S. 74–132. – GESTA CONSULUM ANDEGAVORUM, ADDITAMENTA. Ebd., S. 135–71. – GESTA EPISCOPORUM CAMERACENSIUM, CONTINUATIO. Hg. L. Bethmann. MGH SS 7, 1846, S. 489–500. – GESTA EPISCOPORUM HALBERSTADENSIUM. Hg. L. Weiland. MGH SS 23, 1874, S. 73–123. – W. GIESEBRECHT: Geschichte der deutschen Kaiserzeit. Bd. 2, ⁵1885. – GIRALDUS CAMBRENSIS: De principis instructione. Hg. G. F. Warner. Opera 8, RS 21, 8, 1891. – GISLEBERT VON MONS: Chronicon Hanoniense. Hg. L. Vanderkindere. 1904. – GOTTFRIED VON VITERBO: Dinumeratio regnorum imperio subjectorum. Hg. L. Delisle (vgl. dort), S. 41–50. – GOTTFRIED VON VITERBO: Memoria saeculorum. Hg. G. Waitz. MGH SS 22, 1872, S. 94–106. – GOTTFRIED VON VITERBO: Speculum regum. Ebd., S. 21–93. – M. GRABMANN: Die Geschichte der scholastischen Methode. Bd. 2, 1911. – GRATIANUS: Decretum. Hg. F. Friedberg. CIC 1, 1879. – GREGOR DER GROSSE: Epistolae. Hg. Migne PL 77, 1896, Sp. 431–1328. – GREGOR DER GROSSE: Liber sacramentorum. Hg. Migne PL 78, 1895, Sp. 25–240. – J. GRIMM (Hg.): Weisthümer. Bd. 2, 1842. – GUIBERT DE NOGENT: De vita sua. Hg. Migne PL 156, 1880, Sp. 837–962. – GUIBERT DE NOGENT: Historia quae dicitur Gesta Dei per Francos. Hg. C. Thurot. RHC Occ. 4, 1879. – GUILLAUME LE BRETON: Gesta Philippi Augusti. Hg. H.F. Delaborde. In: Œuvres de Rigord et de Guillaume le Breton. Bd. 1. SHF 69, 1, 1882, S. 168–320. – GUILLAUME LE BRETON: Philippis. Ebd., Bd. 2. SHF 69, 2, 1885. – GUNTHER VON PAIRIS: Ligurinus. Hg. Migne PL 212, 1855, Sp. 255–476.

C.-J. Hefele u. H. Leclercq (Hg.): Histoire des conciles d'après les documents originaux. Bd. 1–8, 1907–21. – H. Heger: Das Lebenszeugnis Walthers von der Vogelweide. 1970. – Heinrich von Albano: Epistolae. Hg. Migne PL 204, 1855, Sp. 215–52. – Helinand von Froidmont: Chronicon. Hg. Migne PL 212, 1855, Sp. 771–1082. – Helinand von Froidmont: De bono regimine principis. Ebd., Sp. 735–46. – Helinand von Froidmont: Sermones. Hg. B. Tissier. BPC 7, 1669, S. 205–306. – Helmold von Bosau: Chronica Slavorum. Hg. u. übs. B. Schmeidler u. H. Stoob. AQ 19, 1973. – Heloise siehe Abaelard. – Herbord: Dialogus de vita Ottonis episcopi Babenbergensis. Hg. R. Köpke. MGH SS rer. Germ. 33, 1868; übs. H. Prutz u. W. Wattenbach. GDV 55, ²1894. – Hermann von Reichenau: De octo vitiis principalibus. Hg. E. Dümmler. ZfdA 13, 1867, S. 385–434. – Hermann von Tournai: Liber de restauratione s. Martini Tornacensis. Hg. G. Waitz. MGH SS 14, 1883, S. 274–327. – R. Heuberger: Das Urkunden- und Kanzleiwesen der Grafen von Tirol. MIÖG Erg.bd. 9, 1915, S. 51–177, 265–394. – Hieronymus: Adversus Jovinianum. Hg. Migne PL 23, 1883, Sp. 221–354. – Hieronymus: Epistolae. Hg. I. Hilberg. Bd. 3. CSEL 56, 1918. – Hildebert von Lavardin: Quam novica sint sacris hominibus femina, avaritia, ambitio. Hg. Migne PL 171, 1893, Sp. 1428–30. – Hildebert von Lavardin: Vita s. Hugonis. Hg. Migne PL 159, 1903, Sp. 857–94. – Historia de expeditione Friderici imperatoris. Hg. A. Chroust. In: Quellen zur Geschichte des Kreuzuges Friedrichs I. MGH SS rer. Germ. N. S. 5, 1928, S. 1–115. – Historia peregrinorum. Ebd., S. 116–72. – Historia Welforum. Hg. u. übs. E. König. 1938. – Horaz: Ars poetica. Hg. F. Klingner. Carmina. 1940, S. 229–41. – W. Hotz: Pfalzen und Burgen der Stauferzeit. 1981. – Hugo von Lerchenfeld: Annales Ratisponenses, Continuatio. Hg. W. Wattenbach. MGH SS 17, 1861, S. 579–90. – Hugo von St. Victor: Commentaria in hierarchiam coelestem s. Dionysii Areopagitae. Hg. Migne PL 175, 1879, Sp. 929–1154. – Hugo von St. Victor: Epistola de virginitate beatae Mariae. Hg. Migne PL 176, 1880, Sp. 857–76. – Hugo von St. Victor: Institutiones in Decalogum legis dominicae. Ebd., Sp. 9–18. – Hugo von St. Victor: Miscellanea. Hg. Migne PL 177, 1879, Sp. 469–900.

Innozenz iii.: Epistolae. Bd. 3. Hg. Migne PL 216, 1891.

Jakob von Vitry: Historia occidentalis. Hg. H. Rashdall (vgl. dort). Bd. 3, S. 439–40. – Jakob von Vitry: Sermo ad virgines. Hg. J. Greven: Der Ursprung des Beginenwesens. HJb. 35, 1914, S. 43–49. – Jakob von Vitry: Sermones vulgares. Hg. J. B. Pitra. In: Analecta novissima spicilegii solesmensis. Bd. 2, 1888, S. 344–442. – Jakob von Vitry: Vita b. Mariae Oigniacensis. In: Acta Sanctorum. Junii IV, 1707, S. 636–66. – Jean de Marmoutier: Historia Gaufredi ducis Normannorum et comitis Andegavorum. Hg. L. Halphen u. R. Poupardin. In: Chroniques des comtes d'Anjou. 1913, S. 172–231. – Johannes Cinnamus: Historiae. Hg. Migne PG 133, 1864, Sp. 299–708. – Johannes von Salisbury: Metalogicus. Hg. C. J. Webb. 1929. – Johannes von Salisbury: Policraticus. Hg. C. J. Webb. Bd. 1–2, 1909. – Johannes von Victring: Liber certarum historiarum. Hg. F. Schneider. MGH SS rer. Germ. 36, Bd. 1–2, 1909–10; übs. W. Friedensburg. GDV 86, ²1899. – K. Jordan (Hg.): Die Urkunden Heinrichs des Löwen. MGH Dipl. Laienfürsten 1, 1949. – Justinus: Lippiflorium. Hg. u. übs. H. Althof. 1900. – Juvenal: Saturae. Hg. U. Knoche. 1950.

Anonyme Kaiserchronik. Hg. F.-J. Schmale u. I. Schmale-Ott. In: Frutolfs und Ekkehards Chroniken. AQ 15, 1972, S. 211–65. – KÖLNER KÖNIGSCHRONIK siehe Chronica regia Coloniensis. – KONRAD VON MEGENBERG: Ökonomik. Hg. S. Krüger. Bd. 1–2, 1973–77. – KONRAD VON MURE: Summa de arte prosandi. Hg. W. Kronbichler. 1968. – F. W. VON KRIES: Textkritische Studien zum Welschen Gast Thomasins von Zerclaere. 1967. – J. KÜHNEL (Hg.): Dû bist mîn, ih bin dîn. Die lateinischen Liebes- (und Freundschafts-) Briefe des clm 19411. 1977.

LAMBERT VON ARDRES: Historia comitum Ghisnensium. Hg. J. Heller. MGH SS 24, 1879, S. 550–642. – LAMBERT VON ARRAS: Epistolae et aliorum ad ipsum. Hg. Migne PL 162, 1889, Sp. 647–702. – LAMPERT VON HERSFELD: Annales. Hg. O. Holder-Egger u. W. D. Fritz, übs. A. Schmidt. AQ 13, 1962. – R. LAUFNER: Der älteste Koblenzer Zolltarif. LV 10, 1964, S. 101–7. – LAUTERBERGER CHRONIK siehe Chronicon Montis sereni. – A. LECOY DE LA MARCHE (Hg.): Anecdotes historiques, légendes et apologues tirés du recueil inédit d'Etienne de Bourbon. 1877. – LIBELLUS DE DICTIS QUATUOR ANCILLARUM. Hg. A. Huyskens. In: Quellenstudien zur Geschichte der hl. Elisabeth. 1908, S. 112–40. – DAS LIEBESKONZIL ZU REMIREMONT. Hg. C. Oulmont: Les débats du clerc et du chevalier. 1911, S. 93–100. – LIEBHART VON PRÜFENING: Horreum formice. Hg. M. Grabmann (vgl. dort), Bd. 2, S. 486–87, Anm. 1. – LIPPIFLORIUM siehe Justinus. – LIUDPRAND VON CREMONA: Antapodosis. Hg. J. Bekker, übs. A. Bauer u. R. Rau. In: Quellen zur Geschichte der sächsischen Kaiserzeit. AQ 8, 1971, S. 524–89. – LUDOLF VON HILDESHEIM: Summa dictaminum. Hg. L. Rockinger (vgl. dort), Bd. 1, S. 347–402.

MAGNUS VON REICHERSBERG: Annales. Hg. W. Wattenbach. MGH SS 17, 1861, S. 439–534. – J. D. MANSI (Hg.): Sacrorum conciliorum nova, et amplissima collectio. Bd. 21, 1776; Bd. 24, 1780; Bd. 25, 1782. – MARBOD VON RENNES: Carmina varia. Hg. Migne PL 171, 1893, Sp. 1647–86. – MARBOD VON RENNES: Liber decem capitulorum. Ebd., Sp. 1693–1716. – MATHEOLUS: Liber lamentationum. Hg. A. G. van Hamel. Bd. 1–2, 1892–1905. – MATHIAS VON NEUENBURG: Chronica. Hg. A. Hofmeister. MGH SS rer. Germ. N. S. 4, 1924; übs. G. Grandaur. GDV 84, ³1912. – MATTHÄUS VON PARIS: Chronica majora. Hg. H. R. Luard. Bd. 1–7, RS 57, 1872–83; übs. G. Grandaur u. W. Wattenbach. GDV 73, 1890. – MATTHÄUS VON PARIS: Historia Anglorum. Hg. F. Madden. Bd. 1–3, RS 44, 1866–69. – M. MAYR-ADLWANG: Regesten zur tirolischen Kunstgeschichte. ZFTV Folge 3, Bd. 42, 1898, S. 117–203. – MINISTERIA CURIE HANONIENSIS. Hg. L. Vanderkindere. In: Gislebert von Mons (vgl. dort), S. 333–43. – MONUMENTA BOICA. Bd. 13, 1777; Bd. 28, 1, 1829. – MGH CONST.: Constitutiones et acta publica imperatorum et regum. Bd. 1–2. Hg. L. Weiland. 1893–1896. – MGH DIPL. F I: Die Urkunden Friedrichs I. Bd. 2. Bearb. v. H. Appelt. 1979. – MGH DIPL. K III: Die Urkunden Konrads III. Bearb. v. F. Hausmann. 1969. – MGH DIPL. O II: Die Urkunden Ottos II. Bd. 1. Bearb. v. T. Sickel. 1888. – MGH LEGES. Bd. 2. Hg. G. H. Pertz. 1837. – MONUMENTA UNDERSTORFENSIA. MB 14, 1784, S. 111–70. – MORALIUM DOGMA PHILOSOPHORUM. Hg. J. Holmberg. 1929. – MYTHOGRAPHUS VATICANUS III. Hg. G. H. Bode. In: Scriptores rerum mythicarum Latini tres Romae nuper reperti. Bd. 1, 1834, S. 152–256.

NARRATIO DE ELECTIONE LOTHARII REGIS. Hg. W. Wattenbach. MGH SS 12, 1856, S. 509–12. – NICHOLAS TREVETH: Annales. Hg. T. Hog. 1845. – NITHARD: Historiae. Hg. E. Müller, übs. R. Rau. In: Quellen zur karolingischen Reichsgeschichte. Bd. 1. AQ 5, 1968, S. 385–461. – NORBERT: Vita Bennonis II episcopi Osnabrugensis. Hg. H. Bresslau, übs. H. Kallfelz. In: Lebensbeschreibungen einiger Bischöfe des 10.–12. Jahrhunderts. AQ 22, 1973, S. 372–441.

ODO VON CLUNY: Vita s. Geraldi Auriliacensis comitis. Hg. Migne PL 133, 1851, Sp. 639–710. – ORDERICUS VITALIS: Historia ecclesiastica. Hg. u. übs. M. Chibnall. Bd. 1–6, 1969–80. – ORTLIEB VON ZWIEFALTEN: Chronicon. Hg. u. übs. L. Wallach, E. König u. K.O. Müller. In: Die Zwiefalter Chroniken Ortliebs und Bertholds. ²1978, S. 2–135. – OTAKAR VON PRAG siehe Annales Otakariani. – OTLOH VON ST. EMMERAM: De cursu spiritali. Hg. Migne PL 146, 1884, Sp. 241–44. – OTLOH VON ST. EMMERAM: Liber visionum. Ebd., Sp. 341–88. – OTTO MORENA: Historia Frederici. Hg. F. Güterbock. MGH SS rer. Germ. N.S. 7, 1930. – OTTO VON FREISING: Chronica sive Historia de duabus civitatibus. Hg. A. Hofmeister u. W. Lammers, übs. A. Schmidt. AQ 16, 1961. – OTTO VON FREISING: Gesta Frederici. Hg. G. Waitz, B. Simson u. F.-J. Schmale, übs. A. Schmidt. AQ 17, 1965. – OTTO VON ST. BLASIEN: Chronica. Hg. A. Hofmeister. MGH SS rer. Germ. 47, 1912; übs. H. Kohl. GDV 58, ³1941. – OVID: Amores. Hg. u. übs. F. W. Lenz. 1965. – OVID: Remedia amoris. Hg. u. übs. F. W. Lenz. 1960.

PETRUS ALFONSI: Disciplina clericalis. Hg. A. Hilka u. W. Söderhjelm. 1911. – PETRUS DAMIANI: Contra clericos aulicos. Hg. Migne PL 145, 1867, Sp. 467–72. – PETRUS DE EBULO: Liber ad honorem augusti. Hg. E. Rota. RIS 31, 1, 1904. – PETRUS LOMBARDUS: Libri IV sententiarum. Hg. PP. Collegii s. Bonaventurae. Bd. 1–2, ²1916. – PETRUS VENERABILIS: Statuta congregationis Cluniacensis. Hg. Migne PL 189, 1890, Sp. 1023–48. – PETRUS VON AUVERGNE: In politico-

rum continuatio. In: Thomas von Aquin: Opera omnia. Hg. R. Busa. Bd. 7, 1980, S. 412–80. – PETRUS VON BLOIS: Epistolae. Hg. Migne PL 207, 1904, Sp. 1–560. – PETRUS VON BLOIS: Liber de confessione sacramentali. Ebd., Sp. 1077–92. – B. PEZ (Hg.): Thesaurus novissimus anecdotorum. Bd. 6. 1–2, 1721. – F. PFEIFFER: Zwei ungedruckte Minnelieder. Gm. 12, 1867, S. 49–55. – PHILIPP VON HARVENGT: De institutione clericorum. Hg. Migne PL 203, 1855, Sp. 665–1206. – PHILIPP VON HARVENGT: Epistolae. Ebd., Sp. 1–180. – PSEUDO-CYPRIANUS: De duodecim abusivis saeculi. Hg. S. Hellmann. 1910.

QUINTILIANUS: Institutio oratoria. Hg. u. übs. H. Rahn. Bd. 1–2, 1972–75.

RADULF VON COGGESHALL: Chronicon Anglicanum. Hg. J. Stevenson. RS 66, 1875. – RAHEWIN siehe Otto von Freising. – RAINALD VON DASSEL siehe Codex epistolaris Wibaldi. – H. RASHDALL: The Universities of Europe in the Middle Ages. Bd. 1–3, ²1936. – A. RAUCH (Hg.): Rerum Austriacarum scriptores. Bd. 2, 1793. – REGULA COMMILITONUM CHRISTI. Hg. G. Schnürer. In: Die ursprüngliche Templerregel. 1903. – REINER VON ST. JACOB: Annales. Hg. G.H. Pertz. MGH SS 16, 1859, S. 632–80; übs. C. Platner. GDV 70, ²1896. – REINERUS ALEMANNICUS: Phagifacetus. Hg. H. Lemcke. 1880. – RHETORICA ECCLESIASTICA. Hg. L. Wahrmund. 1906. – J. RIEDMANN: Die Beziehungen der Grafen und Landesfürsten von Tirol zu Italien bis zum Jahre 1335. 1977 (= Riedmann I). – J. RIEDMANN: Adelige Sachkultur Tirols in der Zeit von 1290 bis 1330. In: Adelige Sachkultur des Spätmittelalters (vgl. S. 810), S. 105–31 (= Riedmann II). – ROBERTUS MONACHUS: Historia Hierosolymitana. RHC Occ. 3, 1866, S. 717–882. – L. ROCKINGER: Briefsteller und Formelbücher des 11.–14. Jahrhunderts. Bd. 1–2,

799

1863–64. – Roger von Hoveden: Chronica. Hg. W. Stubbs. Bd. 1–4. RS 51, 1868–71. – Roger von Wendover: Flores historiarum. Hg. H. G. Hewlett. Bd. 1–3. RS 84, 1884–89. – F. Röhrig: Der Verduner Altar. 1955. – Rolandinus von Padua: Chronica. Hg. P. Jaffé. MGH SS 19, 1866, S. 32–147. – G. Rösch: Venedig und das Reich. Handels- und verkehrspolitische Beziehungen in der deutschen Kaiserzeit. 1982. – E. W. E. Roth (Hg.): Die Visionen der hl. Elisabeth und die Schriften der Äbte Ekbert und Emicho von Schönach. 1844. – Ruodlieb. Hg. G. B. Ford, übs. F. P. Knapp. 1977. – Rupert von Deutz: Commentaria in Evangelium s. Joannis. Hg. Migne PL 169, 1894, Sp. 201–828. – T. Rymer (Hg): Foedera, conventiones, litterae, et cujuscunque generis acta publica. Bd. 1, 1, ⁴1816.

Salimbene von Parma: Chronica. Hg. G. Scalia. Bd. 1–2, 1966; übs. A. Doren. Bd. 1–2. GDV 93–94, ²1914. – Saxo Grammaticus: Gesta Danorum. Hg. J. Olrik u. H. Raeder. Bd. 1–2, 1931–57 (Bd. 2 bearb. von F. Blatt). – J. F. Schannat u. J. Hartzheim (Hg.): Concilia Germaniae. Bd. 3–4, 1760–61. – A. Schaube: Handelsgeschichte der romanischen Völker des Mittelmeergebiets bis zum Ende der Kreuzzüge. 1906. – H. J. Schmitz: Die Bußbücher und das kanonistische Bußverfahren. 1898. – Schneller (u. a.) (Hg.): Vermischte Urkunden. Gf. 7, 1851, S. 155–212. – E. Schröder: Die Tänzer von Kölbigk. ZKG 17, 1897, S. 94–164. – Sicardus von Cremona: Chronica. Hg. O. Holder-Egger. MGH SS 31, 1903, S. 22–181. – Sigeboto: Vita Paulinae. Hg. J. R. Dietrich. MGH SS 30, 2, 1934, S. 909–38. – Sigfrid von Balnhusen: Compendium' historiarum. Hg. O. Holder-Egger. MGH SS 25, 1880, S. 679–718. – Simon: Gesta abbatum s. Bertini Sithiensium. Hg. O. Holder-Egger. MGH SS 13, 1881, S. 635–63. – R. Sprandel: Die wirtschaftlichen Beziehungen zwischen Paris und dem deutschen Sprachraum im Mittelalter. VSWG 49, 1962, S. 289–319. – O. Stolz: Der geschichtliche Inhalt der Rechnungsbücher der Tiroler Landesfürsten von 1288–1350. 1957. – W. von Stromer: Bernardus Teotonicus und die Geschäftsbeziehungen zwischen den deutschen Ostalpen und Venedig vor Gründung des Fondaco dei Tedeschi. In: Beiträge zur Handels- und Verkehrsgeschichte. Hg. P. W. Roth. 1978, S. 1–15. – G. Struck: Handschriftenschätze der Landesbibliothek Kassel. In: Die Landesbibliothek Kassel. Hg. W. Hopf. 1930, Teil 2. – J. Sydow: Beiträge zur Geschichte des deutschen Italienhandels im Früh- und Hochmittelalter. VHVO 97, 1956, S. 405–13.

Thietmar von Merseburg: Chronicon. Hg. R. Holtzmann, übs. W. Trillmich. AQ 9, 1962. – Thomas von Aquin: Summa theologiae. Hg. R. Busa. Opera omnia, Bd. 2, 1980, S. 184–926; Teil III Supplementum, zit. nach der Ausgabe v. 1887. – Thomas von Chobham: Summa confessorum. Hg. F. Broomfield. 1968. – Thomas Wykes: Chronica. Hg. H. R. Luard. In: Annales monastici. Bd. 4. RS 36, 4, 1869, S. 6–319. – J. A. Tomaschek (Hg.): Die Rechte und Freiheiten der Stadt Wien. Bd. 1, 1877.

Ulrich von Strassburg: De pulchro. Hg. M. Grabmann. MSB 1925, Nr. 5, S. 73–84. – Urkundenbuch zur Geschichte der Babenberger in Österreich. Bd. 1. Bearb. v. H. Fichtenau u. E. Zöllner. 1950. – Hansisches Urkundenbuch. Bd. 1–3. Bearb. v. K. Höhlbaum. 1876–86. – Urkundenbuch des Landes ob der Enns. Bd. 2, 1856. – Urkundenbuch der Stadt Leipzig. Bd. 2. Bearb. v. K. Frh. von Poser-Klett. 1870. – Lübeckisches Urkundenbuch. Bd. 1, 1843. – Regensburger Urkundenbuch. Bd. 1. Bearb. v. J. Widemann. MB 53, 1912. – Urkundenbuch der

STADT STRASSBURG. Bd. 1. Bearb. v. W. Wiegand. 1879. – THURGAUISCHES URKUNDENBUCH. Bd. 2. Bearb. v. J. Meyer u. F. Schaltegger. 1917. – URKUNDENBUCH DER STADT UND LANDSCHAFT ZÜRICH. Bd. 1. Bearb. v. J. Escher u. P. Schweizer. 1888.

VERGIL: Aeneis. Hg. J. Götte. 1958. – VINZENZ VON BEAUVAIS: De eruditione filiorum nobilium. Hg. A. Steiner. 1938. – VINZENZ VON PRAG: Annales. Hg. W. Wattenbach. MGH SS 17, 1861, S. 658–83; übs. G. Grandaur. In: Die Jahrbücher von Vincenz und Gerlach. GDV 67, ²1895, S. 3–76. – VITA ADALBERTI siehe Anselmus. – VITA BENNONIS siehe Norbert. – VITA BERTHOLDI GARSTENSIS. Hg. H. Pez. SRA 2, 1743, Sp. 81–129. – VITA BURCARDI siehe Eudes von Saint-Maur. – VITA BURCHARDI siehe Ebbo. – VITA CHRISTINAE siehe De s. Theodora virgine. – VITA S. CUNEGUNDIS. Hg. G. Waitz. MGH SS 4, 1841, S. 821–28. – VITA S. GERALDI siehe Odo von Cluny. – VITA HEINRICI IV IMPERATORIS. Hg. W. Eberhard u. F.-J. Schmale, übs. I. Schmale-Ott. In: Quellen zur Geschichte Kaiser Heinrichs IV. AQ 12, 1963, S. 407–67. – VITA HLUDOVICI siehe Astronomus. – VITA S. HUGONIS siehe Hildebert von Lavardin. – VITA MEINWERCI EPISCOPI PATHERBRUNNENSIS. Hg. F. Tenckhoff. MGH SS rer. Germ. 59, 1921. – VITA PAULINAE siehe Sigeboto. – VITA OTTONIS siehe Herbord. – VITA THEODERICI ABBATIS ANDAGINENSIS. Hg. W. Wattenbach. MGH SS 12, 1856, S. 36–57. – C. VOGEL u. R. ELZE: Le pontifical romano-germanique du dixième siècle. 1963.

G. WAITZ: Beschreibung einiger Handschriften. AGG 11, 1858, S. 248–514. – WALTER MAP: De nugis curialium. Hg. T. Wright. 1850. – WALTER VON MORTAGNE: De sacramento conjugii. Hg. Migne PL 176, 1880, Sp. 153–74. – L. A. WARNKÖNIG: Flandrische Staats- und Rechtsgeschichte bis zum Jahr 1305. Bd. 1–2, 1835–36. – R. WEIGAND: Liebe und Ehe bei den Dekretisten des 12. Jahrhunderts. In: Love and Marriage in the Twelfth Century (vgl. S. 836f.), S. 40–58. – L. WEINRICH (Hg.): Quellen zur deutschen Verfassungs-, Wirtschafts- und Sozialgeschichte bis 1250. AQ 32, 1977. – J. WERNER: Beiträge zur Kunde der lateinischen Literatur des Mittelalters. 1905. – WIBALD VON STABLO: Epistolae. Hg. P. Jaffé. BRG 1, 1864, S. 76–616. – WIDUKIND VON CORVEY: Res gestae Saxonicae. Hg. H. E. Lohmann u. P. Hirsch, übs. A. Bauer u. R. Rau. In: Quellen zur Geschichte der sächsischen Kaiserzeit. AQ 8, 1971, S. 1–183. – WILHELM VON MALMESBURY: Gesta regum Anglorum. Hg. W. Stubbs. Bd. 1–2. RS 90, 1887–89. – WILHELM VON NEWBURGH: Historia rerum Anglicarum. Hg. R. Howlett. In: Chronicles of the Reigns of Stephen, Henry II., and Richard I. Bd. 1–2. RS 82, 1–2, 1884–85. – WILHELM VON TYRUS: Historia rerum in partibus transmarini gestarum. RHC Occ. 1, 1–2, 1844. – J. M. VAN WINTER: Cingulum militiae. TvG 44, 1976, S. 1–92. – WIPO: Gesta Chuonradi II. imperatoris. Hg. H. Bresslau, übs. W. Trillmich. In: Quellen des 9. und 11. Jahrhunderts zur Geschichte der hamburgischen Kirche und des Reiches. AQ 11, 1961, S. 505–613. – WIPO: Tetralogus. Hg. H. Bresslau. Opera. MGH SS rer. Germ. 51, ³1915, S. 75–86.

ZWIEFALTENER CHRONIK siehe Berthold, Ortlieb.

Deutschsprachige Quellen

ALBER:Tnugdalus. Hg. A. Wagner. In: Visio Tnugdali. 1882, S. 119–86. – ALBRECHT: Jüngerer Titurel (J. Titurel). Hg. W. Wolf. Bd. 1–2, 1955–68 (bis Str. 4394); Hg. K. A. Hahn. 1842 (ab Str. 4338); Hg. W. Wolf: Wer war der Dichter des Jüngeren Titurel? ZfdA 84, 1952/53, S. 309–46 (= Wolf I); Hg. W. Wolf: Altdeutsche Übungstexte 14, 1952 (= Wolf II). – ALBRECHT VON JOHANSDORF (A. v. Johansdorf): Lieder. In: Minnesangs Frühling (vgl. dort), Nr. 14, S. 178–95; übs. G. Schweikle (vgl. dort), Bd. 1, S. 326–51. – STRASSBURGER ALEXANDER. Hg. K. Kinzel. 1884. – VORAUER ALEXANDER siehe Lamprecht. – MEISTER ALTSWERT. Hg. W. Holland u. A. Keller. 1850. – ARISTOTELES UND PHYLLIS. Hg. H. Niewöhner. In: Neues Gesamtabenteuer. Bd. 1, ²1967, Nr. 34, S. 234–43. – ATHIS UND PROPHILIAS. Hg. C. von Kraus. In: Mittelhochdeutsches Übungsbuch. ²1926, Nr. 3, S. 63–82.

LAUBACHER BARLAAM siehe Otto von Freising. – BERTHOLD VON HOLLE (B. v. Holle): Demantin. Hg. K. Bartsch. 1875. – BERTHOLD VON REGENSBURG (B. v. Regensburg): Predigten. Hg. F. Pfeiffer. Bd. 1–2, 1862–80. – DIE HALBE BIRNE. Hg. G. A. Wolff. 1893. – BITEROLF. Hg. O. Jänicke. In: Biterolf und Dietleib. 1866, S. 1–197. – F. M. BÖHME: Geschichte des Tanzes in Deutschland. Bd. 1–2, 1886. – KONRAD BOLLSTATTER: Losbuch. Faksimile-Ausgabe. 1973. – BOPPE: Sprüche. Hg. G. Tolle. 1894. – DER HEIMLICHE BOTE. Hg. H. Meyer-Benfey. In: Mittelhochdeutsche Übungsstücke. ²1920, Nr. 7, S. 30–32. – DIU VRÔNE BOTSCHAFT ZE DER CHRISTENHEIT. Hg. R. Priebsch. 1895. – SANCT BRANDAN. Hg. C. Schröder. 1871. – ZWEITES BÜCHLEIN. Hg. H. Zutt. In: Hartmann von Aue: Die Klage. Das (zweite) Büchlein. 1968, S. 119–63. – DER VON BUWENBURG: Lieder. In: Schweizer Minnesänger (vgl. dort), Nr. 23, S. 256–64.

DEUTSCHE LIEDERDICHTER DES 13. JAHRHUNDERTS. Siehe Liederdichter. – DIETMAR VON AIST (D. v. Aist): Lieder. In: Minnesangs Frühling (vgl. dort), Nr. 8, S. 56–69; übs. G. Schweikle (vgl. dort), Bd. 1, S. 136–59. – DIETRICH VON DER GLEZZE (D. v. d. Glezze): Der Borte. Hg. O. R. Meyer. 1915.

EBERNAND VON ERFURT (E. v. Erfurt): Heinrich und Kunigunde. Hg. R. Bechstein. 1860. – EIKE VON REPGOW: Sachsenspiegel, Landrecht. Hg. K. A. Eckhardt. 1955. – EILHART VON OBERG (E. v. Oberg): Tristrant. Hg. F. Lichtenstein. 1877; Hg. H. Bußmann. 1969. – TILEMANN ELHEN VON WOLFHAGEN: Limburger Chronik. Hg. A. Wyss. 1883. – ENGELHART VON ADELNBURG (E. v. Adelnburg): Lieder. In: Minnesangs Frühling (vgl. dort), Nr. 20, S. 283–84; übs. G. Schweikle (vgl. dort), Bd. 1, S. 322–25. – ENIKEL siehe Jans Enikel.

DIE DEMÜTIGE FRAU. Hg. H. Niewöhner. In: Neues Gesamtabenteuer. Bd. 1, ²1967, Nr. 36, S. 251–54. – DIE GUTE FRAU. Hg. E. Sommer. ZfdA 2, 1842, S. 385–481. – FRAUENLOB: Gedichte. Hg. K. Stackmann u. K. Bertau. Bd. 1–2, 1981. – FREIDANK: Bescheidenheit. Hg. H. E. Bezzenberger. 1872. – FRIEDRICH VON HAUSEN (F. v. Hausen): Lieder. In: Minnesangs Frühling (vgl. dort), Nr. 10, S. 73–96; übs. G. Schweikle (vgl. dort), Bd. 1, S. 222–59. – FRIEDRICH VON SUONENBURG (F. v. Suonenburg): Sprüche. Hg. A. Masser. 1979.

GAURIEL VON MUNTABEL. Hg. F. Khull. 1885. – GEDRUT-GELTAR: Gedichte. In: Deutsche Liederdichter des 13. Jahrhunderts (vgl. dort), Bd. 1, Nr. 13, S. 77–79. – MILLSTÄTTER GENESIS. Hg. J. Diemer. Bd. 1–2, 1862. – WIENER GENESIS. Hg. V. Dollmayr. –

1932. – DER VON GLIERS: Lieder. In: Schweizer Minnesänger (vgl. dort), Nr. 20, S. 189–206. – GOTTFRIED VON STRASSBURG (G. v. Straßburg): Tristan. Hg. K. Marold. ³1969; übs. R. Krohn. Bd. 1–3, 1980. – GRAF RUDOLF. Hg. P. F. Ganz. 1964. – F. K. GRIESHABER (Hg.): Deutsche Predigten des XIII. Jahrhunderts. Bd. 2, 1846.

HADLOUB: Lieder. In: Schweizer Minnesänger (vgl. dort), Nr. 27, S. 283–361. – DER ARME HARTMANN: Rede vom Glauben. Hg. H. F. Maßmann. In: Deutsche Gedichte des 12. Jahrhunderts. Bd. 1, 1837, S. 1–42. – HARTMANN VON AUE (H. v. Aue): Erec. Hg. A. Leitzmann u. L. Wolff. ⁵1972; übs. T. Cramer. 1972. – HARTMANN VON AUE: Gregorius. Hg. H. Paul u. B. Wachinger. ¹³1984. – HARTMANN VON AUE: Der arme Heinrich. Hg. H. Paul u. G. Bonath. ¹⁵1984. – HARTMANN VON AUE: Iwein. Hg. G. F. Benecke, K. Lachmann u. L. Wolff. Bd. 1–2, ⁷1968; übs. T. Cramer. ³1981. – HARTMANN VON AUE: Klage. Hg. A. Schirokauer u. P. W. Tax. 1979. – HARTMANN VON AUE: Lieder. In: Minnesangs Frühling (vgl. dort), Nr. 22, S. 404–30. – DAS HÄSLEIN. Hg. F. H. von der Hagen. In: Gesamtabenteuer. Bd. 2, 1838, Nr. 21, S. 5–18. – DIE HEIDIN. Hg. E. Henschel u. U. Pretzel. 1957; übs. U. Pretzel. In: Deutsche Erzählungen des Mittelalters. 1971, S. 135–63. – KAISER HEINRICH: Lieder. In: Minnesangs Frühling (vgl. dort), Nr. 9, S. 70–72; übs. G. Schweikle (vgl. dort), Bd. 1, S. 260–65. – HEINRICH DER GLICHEZARE: Reinhart Fuchs. Hg. K. Düwel. 1984. – HEINRICH VON BERINGEN: Schachbuch. Hg. P. Zimmermann. 1883. – HEINRICH VON FREIBERG (H. v. Freiberg): Die Ritterfahrt des Johann von Michelsberg. Hg. A. Bernt. In: Heinrich von Freiberg. 1906, S. 239–48. – HEINRICH VON FREIBERG: Tristan. Ebd., S. 1–211. – HEINRICH VON MELK (H. v. Melk): Erinnerung an den Tod. Hg.

R. Kienast. 1946, S. 30–57. – HEINRICH VON MELK: Priesterleben. Ebd., S. 9–29. – HEINRICH VON MORUNGEN (H. v. Morungen): Lieder. In: Minnesangs Frühling (vgl. dort), Nr. 19, S. 236–82; übs. H. Tervooren. 1975. – HEINRICH VON NEUSTADT (H. v. Neustadt): Apollonius von Tyrland. Hg. S. Singer. 1906. – HEINRICH VON RUGGE (H. v. Rugge): Lieder. In: Minnesangs Frühling (vgl. dort), Nr. 15, S. 196–223. – HEINRICH VON DEM TÜRLIN (H. v. d. Türlin): Die Krone. Hg. G. H. F. Scholl. 1852. – HEINRICH VON DEM TÜRLIN: Der Mantel. Hg. O. Warnatsch. 1883. – HEINRICH VON VELDEKE (H. v. Veldeke): Eneit. Hg. L. Ettmüller. 1852; Hg. G. Schieb u. T. Frings. 1964. – HEINRICH VON VELDEKE: Lieder. In: Minnesangs Frühling (vgl. dort), Nr. 11, S. 97–149; übs. G. Schweikle (vgl. dort), Bd. 1, S. 166–205. – HEINRICH VON VELDEKE: Servatius. Hg. T. Frings u. G. Schieb. 1956. – HEINRICH HETZBOLT VON WEISSENSEE: Lieder. In: Deutsche Liederdichter des 13. Jahrhunderts (vgl. dort), Bd. 1, Nr. 20, S. 148–52. – HELMBRECHT siehe Wernher der Gartenaere. – HERBORT VON FRITZLAR (H. v. Fritzlar): Liet von Troye. Hg. G. K. Frommann. 1837. – HERGER siehe Spervogel. – BRUDER HERMANN: Leben der Gräfin Jolande von Vianden. Hg. J. Meier. 1889. – HERMANN DER DAMEN: Sprüche. In: Minnesinger (vgl. dort), Bd. 3, Nr. 28, S. 160–70. – HERRAND VON WILDONIE (H. v. Wildonie): Der nackte Kaiser. Hg. H. Fischer u. P. Sappler. In: Herrand von Wildonie. ³1984, Nr. 3, S. 22–43. – HERZOG ERNST. Hg. K. Bartsch. 1869. – ULMER HOFZUCHT. Hg. A. von Keller. In: Erzählungen aus altdeutschen Handschriften. 1855. S. 531–46. – DER SAELDEN HORT. Hg. H. Adrian. 1927. – HUGO VON TRIMBERG (H. v. Trimberg): Der Renner. Hg. G. Ehrismann. Bd. 1–4, 1908–11.

JANS ENIKEL (J. Enikel): Fürstenbuch. Hg. P. Strauch. 1900. – JANS

ENIKEL: Weltchronik. Hg. P. Strauch. 1891. – JOHANN VON WÜRZBURG (J. v. Würzburg): Wilhelm von Österreich. Hg. E. Regel. 1906. – MITTELDEUTSCHE JUDITH. Hg. R. Palgen u. H.-G. Richert. [2]1969. – JÜNGERER TITUREL siehe Albrecht. – DER JUNKER UND DER TREUE HEINRICH. Hg. K. Kinzel. 1880.

KAISERCHRONIK. Hg. E. Schröder. 1895. – DER KANZLER: Gedichte. In: Deutsche Liederdichter des 13. Jahrhunderts (vgl. dort), Bd. 1, Nr. 28, S. 185–217. – KÖNIG ROTHER. Hg. T. Frings u. J. Kuhnt. 1922. – KÖNIG TIROL siehe Tirol und Fridebrant. – PFAFFE KONRAD: Rolandslied. Hg. C. Wesle u. P. Wapnewski. [2]1967; übs. D. Kartschoke. 1970. – KONRAD FLECK (K. Fleck): Flore und Blanscheflur. Hg. E. Sommer. 1846. – KONRAD VON FUSSESBRUNNEN (K. v. Fussesbrunnen): Die Kindheit Jesu. Hg. H. Fromm u. K. Grubmüller. 1973. – KONRAD VON HEIMESFURT: Urstende. Hg. K. A. Hahn. In: Gedichte des XII. und XIII. Jahrhunderts. 1840, S. 103–28. – KONRAD VON LANDECK: Lieder. In: Schweizer Minnesänger (vgl. dort), Nr. 21, S. 207–46. – KONRAD VON WÜRZBURG (K. v. Würzburg): Engelhard. Hg. P. Gereke u. I. Reiffenstein. [2]1963. – KONRAD VON WÜRZBURG: Heinrich von Kempten. Hg. E. Schröder. In: Konrad von Würzburg: Kleinere Dichtungen. Bd. 1, [3]1959, S. 41–68. – KONRAD VON WÜRZBURG: Herzmaere. Ebd., S. 12–40. – KONRAD VON WÜRZBURG: Partonopier und Meliur. Hg. K. Bartsch. 1871. – KONRAD VON WÜRZBURG: Trojanerkrieg. Hg. A. von Keller. 1858. – KONRAD VON WÜRZBURG: Turnier von Nantes. Hg. E. Schröder. In: Konrad von Würzburg: Kleinere Dichtungen. Bd. 2, [3]1959, S. 42–75. – LANDGRAF LUDWIGS KREUZFAHRT. Hg. H. Naumann. 1923. – KRISTAN VON HAMLE: Lieder. In: Deutsche Liederdichter des 13. Jahrhunderts (vgl. dort), Bd. 1, Nr. 30, S. 220–24. –

KUDRUN. Hg. K. Bartsch u. K. Stackmann. [5]1965. – DER VON KÜRENBERG: Lieder. In: Minnesangs Frühling (vgl. dort), Nr. 2, S. 24–27; übs. G. Schweikle (vgl. dort), Bd. 1, S. 118–23.

PFAFFE LAMPRECHT: Alexander. Hg. K. Kinzel. 1884. – LANDGRAF LUDWIGS KREUZFAHRT siehe unter K. – DAS LEBEN DER HL. ELISABETH. Hg. M. Rieger. 1868. – DAS LEBEN DER GRÄFIN JOLANDE VON VIANDEN siehe Bruder Hermann. – DIE BEIDEN UNGLEICHEN LIEBHABER. Hg. A. Mihm: Aus der Frühzeit der weltlichen Rede. PBB 87, 1965, S. 416–18. – DEUTSCHE LIEDERDICHTER DES 13. JAHRHUNDERTS. Hg. C. von Kraus. Bd. 1–2, [2]1978. – LIMBURGER CHRONIK siehe Elhen von Wolfhagen. – DER LITSCHOWER: Sprüche. In: Minnesinger (vgl. dort), Bd. 3, Nr. 15, S. 46–47. – LOHENGRIN. Hg. T. Cramer. 1971. – LUCIDARIUS. Hg. F. Heidlauf. 1915. – LUCIDARIUS-VORREDE. Hg. E. Schröder: Die Reimvorreden des deutschen Lucidarius. GGN 1917, S. 153–72.

DER MAGEZOGE. Hg. G. Rosenhagen. In: Die Heidelberger Handschrift Cpg 341. 1909, Nr. 36, S. 21–29. – MAI UND BEAFLOR. Hg. W. Vollmer. 1848. – WALLERSTEINER MARGARETE. Hg. K. Bartsch. In: Germanistische Studien 1, 1872, S. 1–30. – MARIA UND DIE HAUSFRAU. Hg. F. H. von der Hagen. In: Gesamtabenteuer. Bd. 3, 1850, Nr. 78, S. 481–88. – MARIENGRÜSSE. Hg. F. Pfeiffer. ZfdA 8, 1851, S. 274–98. – DER MARNER: Gedichte. Hg. P. Strauch. 1876. – DIE MAZE. Hg. H. Meyer-Benfey. In: Mittelhochdeutsche Übungsstücke. [2]1920, Nr. 6, S. 24–30. – MEINLOH VON SEVELINGEN: Lieder. In: Minnesangs Frühling (vgl. dort), Nr. 3, S. 28–31; übs. G. Schweikle (vgl. dort), Bd. 1, S. 126–35. – DER MEISSNER: Sprüche. Hg. G. Objartel. 1977. – MINNE UND GESELLSCHAFT. Hg. K. Mattaei. In:

Mittelhochdeutsche Minnereden. Bd. 1, 1913, Nr. 6, S. 65–73. – DER MINNEHOF. Hg. A. Bach. In: Die Werke des Verfassers der Schlacht bei Göllheim. 1930, S. 220–26. – DIE SCHWEIZER MINNESÄNGER (BSM). Hg. K. Bartsch. 1886. – DES MINNESANGS FRÜHLING (MF). Hg. H. Moser u. H. Tervooren. ³⁶1977. – MINNESINGER (HMS). Hg. F. H. von der Hagen. Bd. 1–4, 1838. – G. MÖNCKE (Hg. u. Übs.): Quellen zur Wirtschafts- und Sozialgeschichte mittel- und oberdeutscher Städte im Spätmittelalter. AQ 37, 1982. – MONUMENTA WITTELSBACENSIA. Hg. F. M. Wittmann. Abt. 2, 1861. – MORANT UND GALIE. Hg. T. Frings u. E. Linke. 1976. – MORIZ VON CRAÛN (M. v. Craûn). Hg. U. Pretzel. ⁴1975.

DIE NACHTIGALL. Hg. F. H. von der Hagen. In: Gesamtabenteuer. Bd. 2, 1850, Nr. 25, S. 71–82. – NEIDHART: Lieder. Hg. E. Wießner, H. Fischer u. P. Sappler. ⁴1984. – NEIDHART C. Die Berliner Neidhart-Handschrift c. Hg. I. Bennewitz-Behr. 1981. – NIBELUNGENLIED. Hg. u. übs. H. Brackert. Bd. 1–2, 1970–71. – NIBELUNGENLIED C. Das Nibelungenlied nach der Handschrift C. Hg. U. Hennig. 1977.

ORENDEL. Hg. H. Steinger. 1935. – ORTNIT. Hg. A. Amelung. In: Ortnit und die Wolfdietriche. Bd. 1, 1871, S. 1–77. – OTTE: Eraclius. Hg. H. Graef. 1883. – OTTO VON BOTENLOUBEN: Lieder. In: Deutsche Liederdichter des 13. Jahrhundert (vgl. dort), Bd. 1, Nr. 41, S. 307–16. – OTTO VON BRANDENBURG (O. v. Brandenburg): Lieder. Ebd., Nr. 42, S. 317–20. – OTTO VON FREISING: Laubacher Barlaam. Hg. A. Perdisch. 1913. – OTTOKAR VON STEIERMARK (O. v. Steiermark): Österreichische Reimchronik. Hg. J. Seemüller. Bd. 1–2, 1890–93.

ALSFELDER PASSIONSSPIEL. Hg. R. Froning. In: Das Drama des Mittelalters. Bd. 2–3, 1891–92, S. 547–864. – F. PFAFF (Hg.): Die große Heidelberger Liederhandschrift in getreuem Textabdruck. 1909. – DER PLEIER: Garel vom blühenden Tal. Hg. W. Herles. 1981. – DER PLEIER: Meleranz. Hg. K. Bartsch. 1861. – DER PLEIER: Tandareis und Floribel. Hg. F. Khull. 1885. – ZÜRICHER PREDIGTEN. Hg. W. Wackernagel. In: Altdeutsche Predigten und Gebete. 1876. – PROSA-LANCELOT. Hg. R. Kluge. Bd. 1–3, 1948–74. – PSEUDO-GOTTFRIED VON STRASSBURG: Gedichte. In: Minnesinger (vgl. dort), Bd. 2, 1838, Nr. 124, S. 266–78.

VOM RECHT. Hg. W. Schröder. In: Kleinere deutsche Gedichte des 11. und 12. Jahrhunderts. Bd. 2, 1972, Nr. 8, S. 112–31. – BRAUNSCHWEIGISCHE REIMCHRONIK. Hg. L. Weiland. 1877. – REINBOT VON DURNE (R. v. Durne): Der hl. Georg. Hg. C. von Kraus. 1907. – REINFRIED VON BRAUNSCHWEIG (R. v. Braunschweig). Hg. K. Bartsch. 1871. – REINHART FUCHS siehe Heinrich der Glichezare. – REINMAR DER ALTE: Lieder. In: Minnesangs Frühling (vgl. dort), Nr. 21, S. 285–403. – REINMAR VON BRENNENBERG: Gedichte. In: Deutsche Liederdichter des 13. Jahrhunderts (vgl. dort), Bd. 1, Nr. 44, S. 325–33. – REINMAR VON ZWETER (R. v. Zweter): Sprüche. Hg. G. Roethe. 1887. – DER BURGGRAF VON RIETENBURG: Lieder. In: Minnesangs Frühling (vgl. dort), Nr. 5, S. 34–37; übs. G. Schweikle (vgl. dort), Bd. 1, S. 160–65. – RITTER ODER KNECHT. Hg. J. Frh. von Laßberg. In: Liedersaal. Bd. 2, 1822, Nr. 88, S. 9–15. – DIE RITTERFAHRT. Hg. A. Bach. In: Die Werke des Verfassers der Schlacht bei Göllheim. 1930, S. 230–33. – RITTERTREUE. Hg. L. Pfannmüller. In: Mittelhochdeutsche Novellen. Bd. 2, 1912, S. 5–26. – ROBYN: Sprüche. In: Minnesinger (vgl. dort), Bd. 3, Nr. 6, S. 31. – ROLANDSLIED siehe PFAFFE KONRAD. – JOHANNES ROTHE: Der Ritterspiegel. Hg. H. Neumann. 1936. – RUBIN: Lieder. In: Deutsche Liederdichter des 13. Jahrhunderts (vgl.

dort), Bd. 1, Nr. 47, S. 338–58. – Ru-DOLF VON EMS (R. v. Ems): Alexander. Hg. V. Junk. Bd. 1–2, 1928–29. – RUDOLF VON EMS: Der gute Gerhard. Hg. J. Asher. ²1971. – RUDOLF VON EMS: Weltchronik. Hg. G. Ehrismann. 1915. – RUDOLF VON EMS: Wilhelm von Orlens. Hg. V. Junk. 1905. – MEISTER RUMSLANT: Sprüche. In: Minnesinger (vgl. dort), Bd. 3, Nr. 20, S. 52–68. – RUPRECHT VON WÜRZBURG: Die Treueprobe. Hg. H. Niewöhner. In: Neues Gesamtabenteuer. Bd. 1, ²1967, Nr. 37, S. 255–68.

SACHSENSPIEGEL siehe Eike von Repgow. – DER SAELDEN HORT siehe Hort. – SALMAN UND MOROLF. Hg. F. Vogt. 1880. – DER SCHLEGEL. Hg. L. Pfannmüller. In: Mittelhochdeutsche Novellen. Bd. 2, 1912, S. 27–63. – MAGDEBURGER SCHÖPPENCHRONIK. Hg. K. Janicke. 1869. – DER TUGENDHAFTE SCHREIBER: Gedichte. In: Minnesinger (vgl. dort), Bd. 2, Nr. 102, S. 148–53. – SCHWABENSPIEGEL, LANDRECHT. Hg. W. Wackernagel. 1840. – G. SCHWEIKLE: Die mittelhochdeutsche Minnelyrik. Bd. 1, 1977. – E. FRH. VON SCHWIND u. A. DOPSCH (Hg.): Ausgewählte Urkunden zur Verfassungsgeschichte der deutsch-österreichischen Erblande im Mittelalter. 1895. – SEIFRIED HELBLING (S. Helbling). Hg. J. Seemüller. 1886. – SIGEHER: Sprüche. Hg. H. P. Brodt. 1913. – TRIERER SILVESTER. Hg. C. von Kraus. 1895. – SPERVOGEL: Sprüche. In: Minnesangs Frühling (vgl. dort), Nr. 6–7, S. 38–55. – DER VON STAMHEIN: Lieder. In: Deutsche Liederdichter des 13. Jahrhunderts (vgl. dort), Bd. 1, Nr. 55, S. 417–20. – STEINMAR: Lieder. In: Schweizer Minnesänger (vgl. dort), Nr. 19, S. 170–88. – STOLLE: Sprüche. In: Minnesinger (vgl. dort), Bd. 3, Nr. 1, S. 3–10. – DER STRICKER: Der nackte Bote. Hg. H. Fischer u. J. Janota. In: Der Stricker: Verserzählungen I. ⁴1979, Nr. 9, S. 110–26. – DER STRICKER: Daniel vom blühenden Tal. Hg. M. Resler. 1983. – DER STRICKER:

Die Frauenehre. Hg. W. W. Moelleken. In: Die Kleindichtung des Strikkers. Bd. 1, 1973, Nr. 3, S. 15–91. – DER STRICKER: Die Gäuhühner. Hg. H. Mettke. In: Fabeln und Mären von dem Stricker. 1959, Nr. 24, S. 78–87. – DER STRICKER: Die Minnesänger. Hg. W. W. Moelleken, G. Agler-Beck u. R. E. Lewis. In: Die Kleindichtung des Strickers. Bd. 5, 1978, Nr. 146, S. 83–97. – DER STRICKER: Der Pfaffe Amis. Hg. H. Lambel. In: Erzählungen und Schwänke. 1883, S. 1–102. – DER STRICKER: Der Weinschlund. Hg. H. Fischer u. J. Janota. In: Der Stricker: Verserzählungen I. ⁴1979, Nr. 13, S. 155–60. – PETER SUCHENWIRT: Werke. Hg. A. Primisser. 1827.

TANNHÄUSER: Gedichte. Hg. J. Siebert: Der Dichter Tannhäuser. 1934, S. 81–126. – TANNHÄUSER: Hofzucht. Ebd., S. 194–206. – DER TEICHNER: Gedichte. Hg. H. Niewöhner. Bd. 1–3, 1953–56. – DER TEUFELSPAPST. Hg. F. H. von der Hagen. In: Gesamtabenteuer. Bd. 2, 1850, Anhang Nr. 4, S. 549–62. – THOMASIN VON ZIRKLAERE (T. v. Zirklaere): Der Wälsche Gast. Hg. H. Rückert. 1852. – TIROL UND FRIDEBRANT. Hg. A. Leitzmann u. I. Reiffenstein. In: Winsbeckische Gedichte. ³1962, S. 76–96. – JÜNGERER TITUREL siehe Albrecht. – TNUGDALUS siehe Alber. – DER TRAUM. Hg. J. Frh. von Laßberg. In: Lieder-Saal. Bd. 1, 1820, Nr. 25, S. 129–49.

ULRICH VON ETZENBACH (U. v. Etzenbach): Alexander (mit Anhang). Hg. W. Toischer. 1888. – ULRICH VON ETZENBACH: Wilhelm von Wenden. Hg. H.-F. Rosenfeld. 1957. – ULRICH VON GUTENBURG (U. v. Gutenburg): Lieder. In: Minnesangs Frühling (vgl. dort), Nr. 12, S. 150–65; übs. G. Schweikle (vgl. dort), Bd. 1, S. 284–315. – ULRICH VON LIECHTENSTEIN (U. v. Liechtenstein): Frauenbuch. Hg. K. Lachmann. In: Ulrich von Liechtenstein. 1841, S. 594–660. – ULRICH VON

LIECHTENSTEIN: Frauendienst. Hg. R. Bechstein. Bd. 1–2, 1888. – ULRICH VON LIECHTENSTEIN: Lieder. In: Deutsche Liederdichter des 13. Jahrhunderts (vgl. dort), Bd. 1, Nr. 58, S. 428–94. – ULRICH VON TÜRHEIM (U. v. Türheim): Rennewart. Hg. A. Hübner. 1938. – ULRICH VON TÜRHEIM: Tristan. Hg. T. Kerth. 1979. – ULRICH VON DEM TÜRLIN (U. v. d. Türlin): Willehalm. Hg. S. Singer. 1893. – ULRICH VON WINTERSTETTEN (U. v. Winterstetten): Lieder. In: Deutsche Liederdichter des 13. Jahrhunderts (vgl. dort), Bd. 1, Nr. 59, S. 459–554. – ULRICH VON ZATZIKHOVEN (U. v. Zatzikhoven): Lanzelet. Hg. K. A. Hahn. 1845.

VIRGINAL. Hg. J. Zupitza. In: Dietrichs Abenteuer. 1870, S. 1–200.

W. WACKERNAGEL (Hg.): Lyrische Gedichte des XII., XIII. und XIV. Jahrhunderts. ABl. 2, 1840, S. 121–33. – WALTHER VON DER VOGELWEIDE (W. v. d. Vogelweide): Gedichte. Hg. K. Lachmann, C. von Kraus u. H. Kuhn. [13]1965; übs. P. Wapnewski. [7]1970. – DER WARTBURGKRIEG. Hg. T. A. Rompelman. 1939. – R. WEGELI: Inschriften auf mittelalterlichen Schwertklingen. Diss. Leipzig 1904. – DER WEINSCHWELG. Hg. H. Fischer u. J. Janota. In: Der Stricker: Verserzählungen II. [3]1984, Nr. 18, S. 42–58. – SÄCHSISCHE WELTCHRONIK. Hg. L. Weiland. 1877. – BRUDER WERNHER: Sprüche. Hg. A. E. Schönbach. Bd. 1–2, 1904. – PFAFFE WERNHER: Maria. Hg. C. Wesle, H. Fromm. [2]1969. – WERNHER DER GARTENAERE: Helmbrecht. Hg. F. Panzer u. K. Ruh. [9]1974; übs. H. Brackert, W. Frey u. D. Seitz. 1972. – WERNHER VON ELMENDORF: Moralium dogma philosophorum deutsch. Hg. J. Bumke. 1974. – WIGAMUR. Hg. F. H. von der Hagen u. J. G. Büsching. In: Deutsche Gedichte des Mittelalters. Bd. 1, 1808, Nr. 3. – WILLIRAM VON EBERSBERG: Paraphrase des Hohen Liedes. Hg. J. Seemüller. 1878. – DER WINSBEKE. Hg. A. Leitzmann u. I. Reiffenstein. In: Winsbeckische Gedichte. [3]1962, S. 1–45. – DIE WINSBEKIN. Ebd., S. 46–66. – WIRNT VON GRAFENBERG (W. v. Grafenberg): Wigalois. Hg. J. M. N. Kapteyn. 1926. – CLAUS WISSE u. PHILIPP COLIN: Der Nüwe Parzifal. Hg. K. Schorbach. 1888. – WOLFDIETRICH A. Hg. H. Schneider. 1931; hg. A. Amelung. In: Ortnit und die Wolfdietriche. Bd. 1, 1873, S. 79–163. – WOLFDIETRICH B. Hg. O. Jänicke. Ebd., S. 165–301. – WOLFRAM VON ESCHENBACH (W. v. Eschenbach): Parzival. Hg. K. Lachmann. In: Wolfram von Eschenbach. [6]1926, S. 13–388; übs. W. Spiewok. Bd. 1–2, 1981. – WOLFRAM VON ESCHENBACH: Titurel. Ebd., S. 389–420. – WOLFRAM VON ESCHENBACH: Willehalm. Ebd., S. 423–640; übs. D. Kartschoke. 1968.

FROBEN C. VON ZIMMERN: Zimmerische Chronik. Hg. P. Herrmann. Bd. 1–4, 1932.

Romanische Quellen

ADENET LE ROI: Berte aus grans piés. Hg. A. Henry. 1963. – L'ART D'AMOUR. Hg. B. Roy. 1974. – AUCASSIN ET NICOLETTE. Hg. H. Suchier. [10]1932. – J. AUDIAU (Hg.): Les poésies des quatres troubadours d'Ussel. 1922.

BAUDOIN DE CONDÉ: Li contes dou Wardecors. Hg. A. Scheler. In: Baudoin de Condé: Dits et contes. Bd. 1, 1866, S. 17–29. – BERNART DE VENTADORN: Lieder. Hg. C. Appel. 1915. – G. BERTONI (Hg.): I trovatori d'Italia. 1915. – BERTRAN DE BORN: Lieder.

Hg. C. Appel. 1932. – Blancandin et l'orgueilleuse d'amour. Hg. F. P. Sweetser. 1964. – J. Boutière u. A.-H. Schutz (Hg.): Biographies des troubadours. 1950.

Le Chevalier aux deux epées. Hg. W Foerster. 1877. – Chrétien de Troyes: Le conte du Graal (Perceval). Hg. A. Hilka. 1932; übs. K. Sandkühler. ²1957; Erste Fortsetzung. Hg. W. Roach. Bd. 1–3, 1949–55; übs. K. Sandkühler. 1959. – Chrétien de Troyes: Yvain. Hg. u. übs. I. Nolting-Hauff. 1962. – Córtes de Valladolid de 1258. In: Cortes de los antiguos reinos de Leon y de Castilla. Bd. 1, 1861, S. 54–63.

H. Duplès-Agier (Hg.): Ordonnance somptuaire inédite de Philippe le Hardi. BEC 5, 1854, S. 176–81.

Etienne de Fougières: Le livre des manières. Hg. J. Kremer. 1887. – Etienne de Meaux siehe H. van der Werf.

Floire et Blanceflor. Hg. M. Edélstand de Méril. 1856.

Garin le Brun: Enseignement. Hg. C. Appel. RLR 33, 1889, S. 404–32. – Gautier d'Arras: Ille et Galeron. Hg. F. A. G. Cowper. 1956. – Gerbert de Montreuil: Le roman de la violette. Hg. D. L. Buffum. 1928. – Gontier de Soignies: Lieder. Hg. A. Scheler. In: Trouvères belges. Bd. 2, 1879, Nr. 1, S. 1–71. – Guillaume ix d'Aquitaine: Lieder. Hg. A. Jeanroy. 1927. – Guillaume de Lorris: Le roman de la rose. Hg. u. übs. K. A. Ott. Bd. 1–3, 1976–79. – Guiot de Provins: La Bible. Hg. J. Orr. 1915. – Guiraut Riquier: Lieder. Hg. U. Mölk. 1962.

Histoire de Guillaume le Maréchal. Hg. P. Meyer. Bd. 1–3, 1891–1901. – Huon de Bordeaux. Hg. P. Ruelle. 1960.

Jacques Bretel: Le tournoi de Chauvency. Hg. M. Delbouille. 1932. – Jaufré Rudel: Lieder. Hg. A. Jeanroy. 1924. – Jean Renart: Galeron de Bretagne. Hg. L. Foulet. 1925. – Jean Renart: Le roman de la rose ou de Guillaume de Dole. Hg. F. Lecoy. 1962; übs. H. Birkhan. 1982. – Jean de Joinville: Histoire de Saint Louis. Hg. N. de Wailly. 1868. – W. Jungandreas: Die Einwirkung des Französischen auf das Moselfränkische. NphM 70, 1969, S. 561–604.

Lai du lecheor. Hg. G. Paris. In: Lais inédits. Ro. 8, 1879, S. 64–66. – A. Långfors (Hg.): Recueil général des jeux-partis français. Bd. 1–2, 1926.

Philippe de Novare: Mémoires. Hg. C. Kohler. 1913. – Philippe de Novare: Les quatre âges de l'homme. Hg. M. de Fréville. 1888. – Philippe de Remi: Jehan et Blonde. Hg. H. Suchier. 1885. – A. Pillet u. H. Carstens: Bibliographie der Troubadours. 1933.

Richard de Fournival: Consaus d'amours. Hg. W. M. McLeod. SiP 32, 1935, S. 1–21. – Robert Grosseteste: Rules. Hg. D. Oschinsky. In: Walter of Henley and Other Treatises on Estate Management und Accounting. 1971, S. 387–415. – Robert de Blois: Le chastoiement des dames. Hg. J. Ulrich. In: Robert de Blois: Sämtliche Werke. Bd. 3, 1895, S. 55–78. – Robert de Blois: L'enseignement des princes. Ebd., S. 1–54. – Le Roman d'Enéas. Hg. J. Salverda de Grave, übs. M. Schöler-Beinhauer. 1972. – Le Roman de Horn siehe Thomas.

Sone de Nansay. Hg. M. Goldschmidt. 1899.

Thomas: Le roman de Horn. Hg. M. K. Pope. 1955.

Urbain le courtois A. Hg. H. R. Parsons. Anglo-Norman Books of

Courtesy and Nurture. PMLA 44, 1929, S. 398–408.

WACE: Roman de Rou. Hg. H. Andresen. Bd. 1–2, 1877–79. – WATRIQUET DE COUVINS: Dits. Hg. A. Scheler. 1868. – H. VAN DER WERF: The Chansons of the Troubadours and Trouvères. A Study of the Melodies and Their Relation to the Poems. 1972. – WILHELM IX. VON AQUITANIEN siehe Guillaume IX. – F. WITTHOEFT: Sirventes joglaresc. 1891.

Literatur

Zur Einleitung

Grundlegend für *die Sachkultur der höfischen Zeit* ist A. SCHULTZ: Das höfische Leben zur Zeit der Minnesinger. Bd. 1–2, ²1889. Außerdem: M. HEYNE: Fünf Bücher deutscher Hausaltertümer von den ältesten geschichtlichen Zeiten bis zum 16. Jahrhundert. Bd. 1–3, 1899–1903 (mehr nicht erschienen).

Die älteren *kulturgeschichtlichen Darstellungen* werden hier übergangen, mit Ausnahme des noch heute wertvollen Werks von A. LUCHAIRE: La société française au temps de Philippe-Auguste. ²1909. Aus neuerer Zeit sind zu nennen: H. NAUMANN: Deutsche Kultur im Zeitalter des Rittertums. 1938. – J. HASHAGEN: Kultur des Mittelalters. Eine Einführung. 1950. – F. HEER: Mittelalter. 1961. – H. KOHLHAUSSEN: Ritterliche Kultur aus mittelalterlichem Hausrat gedeutet. 1962. – M. W. LABARGE: A Baronial Household of the Thirteenth Century. 1965. – F. H. BÄUML: Medieval Civilization in Germany, 800–1273. 1969. – J. LE GOFF: Kultur des europäischen Mittelalters. 1970. – W. H. SCHWARZ: Sachgüter und Lebensformen. Einführung in die materielle Kulturgeschichte des Mittelalters und der Neuzeit. 1970. – R. DELORT: Le moyen âge. Histoire illustrée de la vie quotidienne. 1972. – A. BORST: Lebensformen im Mittelalter. 1973. – J. u. F. GIES: Life in a Medieval Castle. 1975. – M. PASTOUREAU: La vie quotidienne en France et en Angleterre au temps des chevaliers de la table ronde (XIIᵉ–XIIIᵉ siècles). 1976. – O. BORST: Alltagsleben im Mittelalter. 1983. – H. KÜHNEL (Hg.): Alltag im Spätmittelalter. 1984.

Wichtige *Dokumentationen der modernen Realienforschung* sind die vom Institut für mittelalterliche Realienkunde Österreichs herausgegebenen Bände: DIE FUNKTION DER SCHRIFTLICHEN QUELLE IN DER SACHKULTURFORSCHUNG. 1976; DAS LEBEN IN DER STADT DES SPÄTMITTELALTERS. ²1980; KLÖSTERLICHE SACHKULTUR DES SPÄTMITTELALTERS. 1980; EUROPÄISCHE SACHKULTUR. 1980; ADELIGE SACHKULTUR DES SPÄTMITTELALTERS. 1982; DIE ERFORSCHUNG VON ALLTAG UND SACHKULTUR DES MITTELALTERS. 1984; BÄUERLICHE SACHKULTUR DES SPÄTMITTELALTERS. 1984.

Zur *Sachkultur der Klöster* vgl. außerdem G. ZIMMERMANN: Ordensleben und Lebensstandard. Die Cura Corporis in den Ordensvorschriften des abendländischen Hochmittelalters. 1973. – L. MOULIN: La vie quotidienne des religieux au moyen âge, Xᵉ–XVᵉ siècle. 1978.

Eine erste Zusammenfassung der *Mittelalter-Archäologie* bietet M. DE BOUARD: Manuel d'archéologie médiévale. De la fouille à l'histoire. 1975.

Einen hohen Informations- und Dokumentationswert besitzen die *Ausstellungskataloge:* KUNST UND KULTUR IM WESERRAUM. 800–1600. Bd. 1–2, ³⁻⁴1967. – RHEIN UND MAAS. Kunst und Kultur 800–1400. 1972. – 1000 JAHRE BABENBERGER IN ÖSTERREICH. 1976. – DIE ZEIT DER STAUFER. Geschichte – Kunst – Kultur. Bd. 1–5, 1977–79. – WITTELSBACH UND BAYERN. Bd. 1: Die Zeit der frühen Herzöge. Teil 1–2, 1980.

Zum *Quellenwert literarischer Texte* vgl. die theoretischen Ausführungen von H. SCHÜPPERT: Der Beitrag der Literaturwissenschaft für die mittelalterliche Realienkunde. In: Die Erforschung von Alltag und Sachkultur des Mittelalters (vgl. S. 810), S. 158–67. – Die *kulturgeschichtliche Auswertung literarischer Texte* war ein beliebtes Thema älterer (und einiger neuerer) Dissertationen. Nur sehr wenige dieser Beiträge besitzen die hohe Qualität der Arbeiten von G. SIEBEL: Harnisch und Helm in den epischen Dichtungen des 12. Jahrhunderts bis zu Hartmanns Erek. Diss. Hamburg 1968, und S. ŽAK: Musik als »Ehr und Zier« im mittelalterlichen Reich. Studien zur Musik im höfischen Leben, Recht und Zeremoniell. Diss. Frankfurt a. M. 1978. Einen eigenen Wert behält das umfangreiche Werk von C.-V. LANGLOIS: La vie en France au moyen âge de la fin du XIIᵉ au milieu du XIVᵉ siècle. Bd. 1–4, 1924–28.

Zum *Zeugniswert von Bildern* vgl. E. KEYSER: Das Bild als Geschichtsquelle. 1935. – H. PAUER: Bildkunde und Geschichtswissenschaft. MIÖG 71, 1963, S. 194–210. – H. BOOCK-MANN: Über den Aussagewert von Bildquellen zur Geschichte des Mittelalters. In: Wissenschaft, Wirtschaft und Technik. W. Treue zum 60. Geburtstag. 1969, S. 29–37.

Zur *laudatio temporis acti* vgl. H. DELBRÜCK: Die gute alte Zeit. PJb. 71, 1893, S. 1–28. – R. KOCH: Klagen mittelalterlicher Didaktiker über die Zeit. Diss. Göttingen 1931. – M. BEHRENDT: Zeitklage und laudatio temporis acti in der mittelhochdeutschen Lyrik. 1935. – H. LINKE: Der Dichter und die gute alte Zeit. Der Stricker über Schwierigkeiten des Dichtens und des Dichters im 13. Jahrhundert. Eu. 71, 1977, S. 98–105.

Das Thema *Literatur und Gesellschaft im Mittelalter* ist erst einmal zusammenfassend behandelt worden, von dem Historiker R. SPRANDEL: Gesellschaft und Literatur im Mittelalter. 1982, mit reichen Literaturangaben.

Zu Kapitel I
Die adlige Gesellschaft im hohen Mittelalter. Historische Informationen

Eine gute *Einführung in die Probleme der mittelalterlichen Gesellschaftsgeschichte* gibt H. BOOCKMANN: Einführung in die Geschichte des Mittelalters. 1978. Zur *Feudalgesellschaft* im hohen Mittelalter außerdem M. BLOCH: La société féodale. Bd. 1–2, 1939–40, ein grundlegendes Werk, das erst jetzt ins Deutsche übersetzt worden ist: Die Feudalgesellschaft. 1982. – K. BOSL: Frühformen der Gesellschaft im mittelalterlichen Europa. Ausgewählte Beiträge zu einer Strukturanalyse der mittelalterlichen Welt. 1964. – K. BOSL: Die Grundlagen der modernen Gesellschaft im Mittelalter. Eine deutsche Gesellschaftsgeschichte des Mittelalters. Bd. 1–2, 1972. – G. DUBY: Hommes et structures du moyen âge. Recueil d'articles. 1973. – G. DUBY: Die drei Ordnungen. Das Weltbild des Feudalismus. 1981. – Von großem Wert sind die einschlägigen Artikel in: GESCHICHTLICHE GRUNDBEGRIFFE. Historisches Lexikon zur politisch-sozialen Sprache in Deutschland. Hg. O. Brunner, W. Conze u. R. Koselleck. Bisher: Bd. 1–5 (A-Soz), 1972–84.

Zum *Rechtsbegriff* und zur *Rechtsauffassung* vgl. F. KERN: Recht und Verfassung im Mittelalter. HZ 120, 1919, S. 1–79. Kritisch: H. KRAUSS: Dauer und Vergänglichkeit im mittelalterlichen Recht. ZRG GA 75, 1958, S. 206–51. – K. KROESCHELL: Recht und Rechtsbegriff im 12. Jahrhundert. In: Probleme des 12. Jahrhunderts. 1968, S. 309–35. – Zu den *verschiedenen Rechtskreisen* K. KROESCHELL: Deutsche Rechtsgeschichte. Bd. 1–2, 1972–73. Außerdem die einschlägigen Artikel im HANDWÖRTERBUCH ZUR DEUTSCHEN RECHTSGESCHICHTE. Hg.

A. Erler u. E. Kaufmann. Bisher: Bd. 1–3, 1971–84.

Einige wichtige Arbeiten über die *Herrschaft* als Grundbegriff der mittelalterlichen Verfassungsgeschichte sind gesammelt in: HERRSCHAFT UND STAAT IM MITTELALTER. Hg. H. Kämpf. 1956. Außerdem O. BRUNNER: Land und Herrschaft. Grundfragen der territorialen Verfassungsgeschichte Österreichs im Mittelalter. ⁴1959. Zur Kritik an dieser Lehre vgl. K. KROESCHELL: Haus und Herrschaft im frühen deutschen Recht. 1968. – Vgl. außerdem den Band IDEOLOGIE UND HERRSCHAFT IM MITTELALTER. Hg. M. Kerner. 1982.

Zum *Lehnsrecht und Lehnswesen* vgl. H. MITTEIS: Lehnrecht und Staatsgewalt. Untersuchungen zur mittelalterlichen Verfassungsgeschichte. 1933. – STUDIEN ZUM MITTELALTERLICHEN LEHENSWESEN. 1960. – G. DROEGE: Landrecht und Lehnrecht im hohen Mittelalter. 1969. – F. L. GANSHOF: Was ist das Lehnswesen? ⁵1977. – K.-F. KRIEGER: Die Lehnshoheit der deutschen Könige im Spätmittelalter (ca. 1200–1437). 1979.

Zur *mittelalterlichen Ständeauffassung* vgl. W. SCHWER: Stand und Ständeordnung im Weltbild des Mittelalters. Die geistes- und gesellschaftsgeschichtlichen Grundlagen der berufsständischen Idee. ²1952. – H. STAHLEDER: Zum Ständebegriff im Mittelalter. ZfbLG 35, 1972, S. 523–70. – O. G. OEXLE: Die funktionale Dreiteilung der »Gesellschaft« bei Adalbero von Laon. Deutungsschemata der sozialen Wirklichkeit im frühen Mittelalter. FmS 12, 1978, S. 1–54. – T. STRUVE: Pedes rei publicae. Die dienenden Stände im Verständnis des Mittelalters. HZ 236, 1983, S. 1–48. – O. G. OEXLE: Tria genera hominum. Zur Geschichte eines Deutungsschemas der sozialen Wirklichkeit in Antike und Mittelalter. In: Institutionen, Kultur und Gesellschaft im Mittelalter. Festschrift für J. Fleckenstein. 1984, S. 483–500.

Zum mittelalterlichen *Königtum* vgl. DAS KÖNIGTUM. Seine geistigen und rechtlichen Grundlagen. 1956. – BEITRÄGE ZUR GESCHICHTE DES MITTELALTERLICHEN DEUTSCHEN KÖNIGTUMS. Hg. T. Schieder. 1973. – P. R. MÁTHÉ: Studien zum früh- und hochmittelalterlichen Königtum, Adel und Herrscherethik. (1976). – E. SCHUBERT: König und Reich. Studien zur spätmittelalterlichen deutschen Verfassungsgeschichte. 1979. Zur *Herrschaftsterminologie* vgl. E. MÜLLERMERTENS: Regnum Teutonicum. Aufkommen und Verbreitung der deutschen Reichs- und Königsauffassung im frühen Mittelalter. 1970. – H. BEUMANN: Die Bedeutung des Kaisertums für die Entstehung der deutschen Nation im Spiegel der Bezeichnungen von Reich und Herrscher. In: Aspekte der Nationenbildung im Mittelalter. Hg. H. Beumann u. W. Schröder. 1978, S. 317–65. Grundlegend zu den *Abzeichen der Herrschaft* ist P. E. SCHRAMM: Herrschaftszeichen und Staatssymbolik. Beiträge zu ihrer Geschichte vom 3. bis zum 16. Jahrhundert. Bd. 1–3, 1954–56. Reiches Bildmaterial enthalten die hervorragend dokumentierten Bände von P. E. SCHRAMM u. F. MÜTHERICH: Denkmale der deutschen Könige und Kaiser. Bd. 1–2 (Bd. 2 von P. E. Schramm u. H. Fillitz), 1962–78. Speziell zu den Wiener Reichskleinodien H. FILLITZ: Die Insignien und Kleinodien des Heiligen Römischen Reiches. 1954.

Zur *Stellung der Fürsten* und zur *Entstehung der Landesherrschaft* vgl. J. FICKER: Vom Reichsfürstenstande. Forschungen zur Geschichte der Reichsverfassung, zunächst im XII. und XIII. Jahrhunderte. Bd. 1, 1861; Bd. 2, hg. P. Puntschart. Teil 1–3, 1911–23. – W. SCHLESINGER: Die Entstehung der Landesherrschaft. Untersuchungen vorwiegend nach mitteldeutschen Quellen. 1941. – E. E. STENGEL: Land- und lehnrechtliche Grundlagen des Reichsfürstenstandes. ZRG GA 66, 1948, S. 294–342. – Th. MAYER: Fürsten und Staat. Studien zur Verfassungsgeschichte des deut-

schen Mittelalters. 1950. – DER DEUT-
SCHE TERRITORIALSTAAT IM
14. JAHRHUNDERT. Hg. H. Patze.
Bd. 1–2, 1970–71.

Zum *Strukturwandel des mittelalterlichen Adels* vgl. K. SCHMID: Zur
Problematik von Familie, Sippe und
Geschichte, Haus und Dynastie beim
mittelalterlichen Adel. Vorfragen zum
Thema »Adel und Herrschaft im Mittelalter«. ZGO 105, 1957, S. 1–62. –
K. SCHMID: Über die Struktur des
Adels im früheren Mittelalter. JfLF
19, 1959, S. 1–23. – W. STÖRMER: Früher Adel. Studien zur politischen
Führungsschicht im fränkisch-deutschen Reich vom 8. bis 11. Jahrhundert. Bd. 1–2, 1973. – K. F. WERNER:
Adel. A. Fränkisches Reich, Imperium, Frankreich. In: Lexikon des
Mittelalters. Bd. 1, 1980, Sp. 118–28.

Zur *Ministerialität* vgl. K. BOSL:
Die Reichsministerialität der Salier
und Staufer. Ein Beitrag zur Geschichte des hochmittelalterlichen
deutschen Volkes, Staates und Reiches. Bd. 1–2, 1950–51. – K. BOSL:
Das ius ministerialium. Dienstrecht
und Lehnsrecht im deutschen Mittelalter. In: Studien zum mittelalterlichen Lehenswesen (vgl. S. 812),
S. 51–94. – HERRSCHAFT UND STAND.
Untersuchungen zur Sozialgeschichte
im 13. Jahrhundert. Hg. J. Fleckenstein. 1977.

Zur *Geschichte der Stadt* im Mittel-
alter vgl. H. PLANITZ: Die deutsche
Stadt im Mittelalter. Von der Römer-
zeit bis zu den Zunftkämpfen. [2]1965. –
UNTERSUCHUNGEN ZUR GESELL-
SCHAFTLICHEN STRUKTUR DER MIT-
TELALTERLICHEN STÄDTE IN EUROPA.
1966. – DIE STADT DES MITTELAL-
TERS. Hg. C. Haase. Bd. 1–3,
1969–1973. – STADT UND STÄDTEBÜR-
GERTUM IN DER DEUTSCHEN GE-
SCHICHTE DES 13. JAHRHUN-
DERTS. Hg. B. Töpfer. 1976. – ALT-
STÄNDISCHES BÜRGERTUM. Hg. H.
Stoob. Bd. 1–2, 1978. – BEITRÄGE
ZUM HOCHMITTELALTERLICHEN
STÄDTEWESEN. Hg. B. Diestelkamp.
1982.

Zur *Geschichte der Bauern* vgl. G.
FRANZ: Geschichte des Bauernstandes
vom frühen Mittelalter bis zum
19. Jahrhundert. 1970. – WORT UND
BEGRIFF »BAUER«. Hg. R. Wenskus
(u. a.). 1975. – DEUTSCHES BAUERN-
TUM IM MITTELALTER. Hg. G. Franz.
1976.

Zur *Wirtschaftsgeschichte des Mit-
telalters* vgl. THE CAMBRIDGE ECO-
NOMIC HISTORY OF EUROPE. Hg.
M. M. Postan (u. a.). Bd. 1–3, [2]1966,
1952, 1963. – HANDBUCH DER DEUT-
SCHEN WIRTSCHAFTS- UND SOZIAL-
GESCHICHTE. Hg. H. Aubin u. W.
Zorn. Bd. 1, 1971. – H. KELLENBENZ:
Deutsche Wirtschaftsgeschichte.
Bd. 1, 1977. – EUROPÄISCHE WIRT-
SCHAFTSGESCHICHTE. Hg. C. M. Ci-
polla u. K. Borchardt. Bd. 1, 1978. –
HANDBUCH DER EUROPÄISCHEN
WIRTSCHAFTS- UND SOZIALGE-
SCHICHTE. Hg. H. Kellenbenz. Bd. 2,
1980.

Zur *Entstehung der Geldwirtschaft*
vgl. Th. MAYER: Geschichte der Fi-
nanzwirtschaft vom Mittelalter bis
zum Ende des 18. Jahrhunderts. In:
Handbuch der Finanzwissenschaft.
Hg. W. Gerloff u. F. Neumark. Bd. 1,
[2]1952, S. 236–72. – A. SUHLE: Deutsche Münz- und Geldgeschichte von
den Anfängen bis zum 15. Jahrhundert. [3]1964. – M. M. POSTAN: Medieval Trade and Finance. 1973. – R.
SPRANDEL: Das mittelalterliche Zah-
lungssystem nach hansisch-nordi-
schen Quellen des 13.–15. Jahrhunderts. 1975.

Zur *Entwicklung der Technik* vgl.
L. WHITE, JR.: Die mittelalterliche
Technik und der Wandel der Gesell-
schaft. 1968. – L. WHITE, JR.: Die
Ausbreitung der Technik, 500–1500.
In: Europäische Wirtschaftsgeschich-
te (s. oben). Bd. 1, S. 91–110.

Zum *mittelalterlichen Fernhandel*
vgl. die Literaturangaben S. 816 f.

Zu den *wirtschaftlichen Grundlagen der Königs- und Landesherrschaft*
vgl. E. BAMBERGER: Die Finanzverwaltung in den deutschen Territorien
des Mittelalters (1200–1500). ZfgSW

77, 1922/23, S. 168–255. – B. Heusinger: Servitium regis in der deutschen Kaiserzeit. Untersuchungen über die wirtschaftlichen Verhältnisse des deutschen Königtums, 900–1250. AUF 8, 1923, S. 26–159. – H. Spangenberg: Territorialwirtschaft und Stadtwirtschaft. 1932. – H.-J. Riekkenberg: Königsstraße und Königsgut in liudolfingischer und frühsalischer Zeit (919–1056). AUF 17, 1941, S. 32–154. – H. Oehler: Das Itinerar des Königs, seine Ordnung und seine Beziehungen zur Regierungstätigkeit in der Zeit Kaiser Lothars III. Diss. Freiburg i. Br. (masch.) 1957. – J. Dikow: Die politische Bedeutung der Geldwirtschaft in der frühen Stauferzeit. Diss. Münster 1958. – W. Metz: Staufische Güterverzeichnisse. Untersuchungen zur Verfassungs- und Wirtschaftsgeschichte des 12. und 13. Jahrhunderts. 1964. – U. Dirlmeier: Mittelalterliche Hoheitsträger im wirtschaftlichen Wettbewerb. 1966. – C. Brühl: Fodrum, gistrum, servitium regis. Studien zu den wirtschaftlichen Grundlagen des Königtums im Frankenreich und in den fränkischen Nachfolgestaaten Deutschland, Frankreich und Italien vom 6. bis zur Mitte des 14. Jahrhunderts. Bd. 1–2, 1968. – A. Haverkamp: Königsgastung und Reichssteuer. ZfbLG 31, 1968, S. 768–821. – G. Droege: Die Ausbildung der mittelalterlichen territorialen Finanzverwaltung. In: Der deutsche Territorialstaat im 14. Jahrhundert (vgl. S. 813). Bd. 1, S. 325–45. – C. Brühl: Die Finanzpolitik Friedrich Barbarossas in Italien. HZ 213, 1971, S. 13–37. – W. Metz: Das Servitium regis. Zur Erforschung der wirtschaftlichen Grundlagen des hochmittelalterlichen deutschen Königtums. 1978. – H. Stehkämper: Geld bei deutschen Königswahlen des 13. Jahrhunderts. In: Wirtschaftskräfte und Wirtschaftswege. Hg. J. Schneider. Bd. 1, 1978, S. 83–135.

Zum *Rittertum* vgl. die veralteten Gesamtdarstellungen von K. H. Roth von Schreckenstein: Die Ritterwürde und der Ritterstand. 1886. – L. Gautier: La chevalerie. 1884. Aus der neueren Ritterforschung vgl. S. Painter: French Chivalry. Chivalric Ideas and Practices in Mediaeval France. 1940. – A. Borst: Das Rittertum im Hochmittelalter. Idee und Wirklichkeit. Sc. 10, 1959, S. 213–31. – J. M. van Winter: Rittertum. Ideal und Wirklichkeit. 1969. – G. Duby: Die Ursprünge des Rittertums. In: Das Rittertum im Mittelalter (s. unten), S. 349–69. – R. Barber: The Knight and Chivalry. 1970. – A. von Reitzenstein: Rittertum und Ritterschaft. 1971. – J. Fleckenstein: Friedrich Barbarossa und das Rittertum. Zur Bedeutung der großen Mainzer Hoftage von 1184 und 1188. In: Festschrift für H. Heimpel. Bd. 2, 1972, S. 1023–41. – Das Rittertum im Mittelalter. Hg. A. Borst. 1976. – J. Fleckenstein: Die Entstehung des niederen Adels und das Rittertum. In: Herrschaft und Stand (vgl. S. 813), S. 17–39. – R. Barber: The Reign of Chivalry. 1980. – J. Fleckenstein: Über Ritter und Rittertum. Zur Erforschung einer mittelalterlichen Lebensform. In: Mittelalterforschung. Forschung und Information. Hg. R. Kurzrock. 1981, S. 104–14. – F. Cardini: Alle radici della cavalleria medievale. 1981. – J. Flori: L'idéologie du glaive. Préhistoire de la chevalerie. 1983. – K. Leyser: Early Medieval Canon Law and the Beginnings of Knighthood. In: Institutionen, Kultur und Gesellschaft im Mittelalter (vgl. S. 812), S. 549–66. – W. Rösener: Bauer und Ritter im Hochmittelalter. Aspekte ihrer Lebensform, Standesbildung und sozialen Differenzierung im 12. und 13. Jahrhundert. Ebd., S. 665–92. – M. Keen: Chivalry. 1984. – B. Arnold: German Knighthood, 1050–1350. 1985. – Das Ritterbild in Mittelalter und Renaissance. 1985. – Populären Charakter besitzen die Darstellungen von W. Hensen: Die Ritter. Eine Reportage über das Mittelalter. 1976. – W. Meyer u. E.

LESSING: Deutsche Ritter – Deutsche Burgen. 1976. – K. BRUNNER u. F. DAIM: Ritter, Knappen, Edelfrauen. Ideologie und Realität des Rittertums im Mittelalter. 1981.

Zur *Ausbildung des Ritterstandes* vgl. E. F. OTTO: Von der Abschließung des Ritterstandes. HZ 162, 1940, S. 19–39. – J. FLECKENSTEIN: Zum Problem der Abschließung des Ritterstandes. In: Historische Forschungen für W. Schlesinger. 1974, S. 252–71.

Zur *Wort- und Sachgeschichte von miles, chevalier und ritter* vgl. P. GUILHIERMOZ: Essai sur l'origine de la noblesse en France au moyen âge. 1902, S. 331 ff. – G. GOUGENHEIM: De »chevalier« à »cavalier«. In: Mélanges de philologie romane et de littérature médiévale offerts à E. Hoepffner. 1949, S. 117–26. – K.-J. HOLLYMAN: Le développement du vocabulaire féodal en France pendant le haut moyen âge. 1957. – P. VAN LUYN: Les »milites« dans la France du XIe siècle. Examen des sources narratives. MA 77, 1971, S. 5–51, 193–238. – J. JOHRENDT: »Milites« und »Militia« im 11. Jahrhundert. Untersuchungen zur Frühgeschichte des Rittertums in Frankreich und Deutschland. Diss. Erlangen-Nürnberg 1971. – H. G. REUTER: Die Lehre vom Ritterstand. Zum Ritterbegriff in Historiographie und Dichtung vom 11. bis zum 13. Jahrhundert. ²1975. – J. FLORI: La notion de chevalerie dans les chansons de geste du XIIe siècle. Etude historique de vocabulaire. MA 81, 1975, S. 211–44, 407–45. – K. O. BROGSITTER: »Miles«, »chevalier« und »ritter«. In: Sprachliche Interferenz. Festschrift für W. Betz. 1977, S. 421–35. – J. BUMKE: Studien zum Ritterbegriff im 12. und 13. Jahrhundert. ²1977. – J. FLORI: Chevalerie et liturgie. Remise des armes et vocabulaire »chevaleresque« dans les sources liturgiques du IXe au XIVe siècle. MA 84, 1978, S. 247–78, 409–42. – H. KELLER: Militia. Vasallität und frühes Rittertum im Spiegel oberitalienischer miles-Belege des 10. und 11. Jahrhunderts. QFIA 62, 1982, S. 59–118.

Literaturangaben zur *Schwertleite* S. 826 f., zum *religiösen Ritterbegriff* und zu den *geistlichen Ritterorden* S. 830, zum *Ritterbild der höfischen Dichtung* S. 830 f.

Zum *mittelalterlichen Reisekönigtum* und den Ansätzen zur *Residenzbildung* vgl. A. SCHULTE: Anläufe zu einer festeren Residenz der deutschen Könige im Hochmittelalter. HJb. 55, 1935, S. 131–42. – H. SPROEMBERG: Residenz und Territorium im niederländischen Raum. RVjb. 6, 1936, S. 113–39. – W. BERGES: Das Reich ohne Hauptstadt. In: Das Hauptstadtproblem in der Geschichte. Festgabe zum 90. Geburtstag F. Meinekes. 1952, S. 1–29. – E. EWIG: Résidence et capitale pendant le haut moyen âge. Rh. 230, 1963, S. 25–72. – H. C. PEYER: Das Reisekönigtum des Mittelalters. VSWG 51, 1964, S. 1–21. – H. KOLLER: Die Residenz im Mittelalter. JGoR 12/13, 1966/67, S. 9–39. – H. PATZE: Die Bildung der landesherrlichen Residenzen im Reich während des 14. Jahrhunderts. In: Stadt und Stadtherr im 14. Jahrhundert. Hg. W. Rausch. 1972, S. 1–54.

Zum *Reisezeremoniell* und speziell zum *Herrscheradventus* vgl. E. PETERSON: Die Einholung des Kyrios. ZfsT 7, 1930, S. 682–702. – H.-W. KLEWITZ: Die Festkrönungen der deutschen Könige. ZRG KA 28, 1939, S. 48–96. – W. BULST: Susceptacula regum. In: Corona quernea. Festgabe K. Strecker zum 80. Geburtstag. 1941, S. 97–135. – E. H. KANTOROWICZ: Laudes regiae. A Study in Liturgical Acclamations and Mediaeval Ruler Worship. 1946. – A. M. DRABEK: Reisen und Reisezeremoniell der römisch-deutschen Herrscher im Spätmittelalter. 1964. – W. DOTZAUER: Die Ankunft des Herrschers. Der fürstliche »Einzug« in die Stadt. AKG 55, 1973, S. 245–88. – H. M. SCHALLER: Der heilige Tag als Termin mittelalterlicher Staatsakte. DA 30, 1974, S. 1–24. – P. WILLMES: Der Herrscher-Adventus im Kloster des Frühmittelalters. 1976. – H. J. BERBIG: Zur rechtlichen Relevanz von Ritus und Zeremoniell im römisch-deutschen Imperium. ZKG 92, 1981, S. 204–49. – S. Žak: Das Tedeum als Huldigungsgesang. HJb. 102, 1982, S. 1–32.

Zur *Wortgeschichte von »höfisch«* vgl. die unzulängliche Arbeit von W. Schrader: Studien zum Wort »höfisch« in der mittelhochdeutschen Dichtung. 1935. Zur Kritik vgl. P. Ganz: Der Begriff des »Höfischen«

bei den Germanisten. WS 4, 1977, S. 16–32. Zur *Wortgeschichte von curialis* vgl. R. Köhn: Militia curialis (vgl. S. 838). – C. S. Jaeger: The Courtier Bishop (vgl. S. 831). – P. F. Ganz: curialis/hövesch (Manuskript).

Literatur zu den *Hoffesten* S. 825 f.) zur *Hofkritik im Mittelalter* S. 838, zum *Ideal der höfischen Vollkommenheit* S. 828 ff.

Zu Kapitel II
Die Rezeption der französischen Adelskultur

Über die *geschichtlichen Beziehungen zwischen Deutschland und Frankreich* im hohen Mittelalter vgl. W. Kienast: Deutschland und Frankreich in der Kaiserzeit (900–1270). Weltkaiser und Einzelkönige. Bd. 1–3, ²1974–75. Auf die gesellschaftlichen, kulturellen und literarischen Beziehungen ist Kienast nicht eingegangen. Im übrigen sei auf die Arbeiten des Historikers Karl F. Werner verwiesen, der heute als der beste Kenner der deutsch-französischen Geschichte im Mittelalter gelten kann.

Die *kulturellen Beziehungen* zwischen Frankreich und Deutschland im Mittelalter sind früher fast nur unter nationalistischen Gesichtspunkten gesehen worden. Die ältere Literatur verdient nicht mehr genannt zu werden. In neuerer Zeit ist das Thema nur von dem Romanisten Fritz Neubert behandelt worden, vgl. F. Neubert: Ein Jahrtausend deutsch-französischer geistiger Beziehungen. Arch. 188, 1951, S. 41–65; erweitert in F. Neubert: Studien zur vergleichenden Literaturgeschichte. 1952, S. 147–201. – F. Neubert: A propos des débuts des relations culturelles entre la France et l'Allemagne. In: Homenaje à F. Krüger. Bd. 2, 1954, S. 547–74.

Zu den *internationalen Wirtschafts- und Handelsbeziehungen* im hohen Mittelalter vgl. außer der S. 813 genannten Literatur W. Heyd: Ge-

schichte des Levantehandels im Mittelalter. Bd. 1–2, 1879. – K. Höhlbaum: Kölns älteste Handelsprivilegien für England. HGb. 1882, S. 39–48. – A. Schulte: Geschichte des mittelalterlichen Handels und Verkehrs zwischen Westdeutschland und Italien mit Ausschluß von Venedig. Bd. 1–2, 1900. – F. Keutgen: Der Großhandel im Mittelalter. HGb. 1901, S. 65–138. – A. Schaube: Handelsgeschichte der romanischen Völker des Mittelmeergebiets bis zum Ende der Kreuzzüge. 1906. – R. Häpke: Brügges Entwicklung zum mittelalterlichen Weltmarkt. 1908. – H. Bächtold: Der norddeutsche Handel im 12. und beginnenden 13. Jahrhundert. 1910. – F. Bastian: Regensburgs Handelsbeziehungen zu Frankreich. In: Festgabe H. Grauert. 1910, S. 91–110. – W. Stein: Der Streit zwischen Köln und Flandern um die Rheinschiffahrt im 12. Jahrhundert. HGb. 17, 1911, S. 187–213. – W. Stein: Handels- und Verkehrsgeschichte der deutschen Kaiserzeit. 1922. – G. Bens: Der deutsche Warenfernhandel im Mittelalter. 1926. – H. Laurent: Un grand commerce d'exportation au moyen âge. La draperie des Pays-Bas en France et dans les pays méditerranées (XIIᵉ–XVᵉ siècle). 1935. – H. Ammann: Deutschland und die Messen der Champagne. JARG 2, 1936, S. 61–75. – H. Am-

MANN: Die Anfänge der deutsch-italienischen Wirtschaftsbeziehungen des Mittelalters. RVjb. 7, 1937, S. 179–94. – H. AMMANN: Untersuchungen zur Geschichte der Deutschen im mittelalterlichen Frankreich. DALV 3, 1939, S. 306–33; 5, 1941, S. 580–90. – H. REINCKE: Die Deutschlandfahrt der Flandrer während der hansischen Frühzeit. HGb. 67/68, 1942/43, S. 51–95. – H. HEIMPEL: Seide aus Regensburg. MIÖG 62, 1954, S. 270–98. – H. AMMANN: Deutschland und die Tuchindustrie Nordwesteuropas im Mittelalter. HGb. 72, 1954, S. 1–63. – MEDIEVAL TRADE IN THE MEDITERRANEAN WORLD. Illustrative Documents Translated with Introduction and Notes by R. S. Lopez u. I. W. Raymond. 1955. – J. SYDOW: Beiträge zur Geschichte des deutschen Italienhandels im Früh- und Hochmittelalter. Teil 1. VHVO 97, 1956, S. 405–13. – H. AMMANN: Die Anfänge des Aktivhandels und der Tucheinfuhr aus Nordwesteuropa nach dem Mittelmeergebiet. In: Studi in onore di A. Sapori. 1957, S. 273–310. – H. AMMANN: Wirtschaftsbeziehungen zwischen Oberdeutschland und Polen im Mittelalter. VSWG 48, 1961, S. 433–43. – R. SPRANDEL: Die wirtschaftlichen Beziehungen zwischen Paris und dem deutschen Sprachraum im Mittelalter. VSWG 49, 1962, S. 289–319. – H. KELLENBENZ: Rheinische Verkehrswege der Hanse zwischen Ostsee und Mittelmeer. In: Die Deutsche Hanse als Mittler zwischen Ost und West. 1963, S. 103–18. – W. RAUSCH: Handel an der Donau. Bd. 1, 1969. – M. MITTERAUER: Zollfreiheit und Marktbereich. Studien zur mittelalterlichen Wirtschaftsverfassung am Beispiel einer niederösterreichischen Altsiedellandschaft. 1969. – R. SCHÖNFELD: Regensburg im Fernhandel des Mittelalters. VHVO 113, 1973, S. 7–48. – LA LANA COME MATERIA PRIMA. Atti della »Prima settimani di studio«. Hg. M. Spallanzini. 1974. – ZWEI JAHRTAUSENDE KÖLNER WIRTSCHAFT.

Hg. H. Kellenbenz. Bd. 1, 1975. – T. H. LLOYD: The English Wool Trade in the Middle Ages. 1977. – W. VON STROMER: Bernardus Teotonicus und die Geschäftsbeziehungen zwischen den deutschen Ostalpen und Venedig vor Gründung des Fondaco dei Tedeschi. In: Beiträge zur Handels- und Verkehrsgeschichte. Hg. P. W. Roth. 1978, S. 1–15. – W. VON STROMER: Bernardus Teotonicus e i rapporti commerciali tra la Germania meridionale e Venezia prima della istituzione del Fondaco dei Tedeschi. 1978. – N. FRYDE: Deutsche Englandkaufleute in frühhansischer Zeit. HGb. 97, 1979, S. 1–14. – T. H. LLOYD: Alien Merchants in England in the High Middle Ages. 1982. – G. RÖSCH: Venedig und das Reich. Handels- und verkehrspolitische Beziehungen in der deutschen Kaiserzeit. 1982.

Über den *Aufschwung der wissenschaftlichen Bildung in Frankreich* und die sogenannte *Renaissance des 12. Jahrhunderts* vgl. die klassische Darstellung von C. H. HASKINS: The Renaissance of the Twelfth Century. 1927. Außerdem: TWELFTH-CENTURY EUROPE AND THE FOUNDATIONS OF MODERN SOCIETY. Hg. M. Clagett (u. a.). 1961. – ENTRETIENS SUR LA RENAISSANCE DU 12ᴱ SIÈCLE. Hg. M. de Gandillac u. E. Jeauneau. 1968. – DIE RENAISSANCE DER WISSENSCHAFTEN IM 12. JAHRHUNDERT. Hg. P. Weimar. 1981. – RENAISSANCE AND RENEWAL IN THE TWELFTH CENTURY. Hg. R. L. Benson u. G. Constable. 1982.

Über die *Anfänge der Universitäten* vgl. H. RASHDALL: The Universities of Europe in the Middle Ages. Bd. 1–3. ²1936. – H. GRUNDMANN: Vom Ursprung der Universität im Mittelalter. ²1960. – J. EHLERS: Die hohen Schulen. In: Die Renaissance der Wissenschaften im 12. Jahrhundert (s. oben), S. 57–85. Über das *Studentenleben* vgl. C. H. HASKINS: The Life of Medieval Students as Illustrated by Their Letters. AHR 3, 1898, S. 203–29. Über die *deutschen Studenten*

817

in Paris A. Budinsky: Die Universität Paris und die Fremden an derselben im Mittelalter. 1876. – A. Hofmeister: Studien über Otto von Freising. Teil 1. NA 37, 1912, S. 99–161, 633–768. Über den *Zusammenhang zwischen wissenschaftlicher Bildung und höfischer Kultur* P. Classen: Die Hohen Schulen und die Gesellschaft im 12. Jahrhundert. AKG 48, 1966, S. 155–80.

Zur *Rezeption der französischen Frühscholastik in Deutschland* vgl. H. Weisweiler: Das Schrifttum der Schule Anselms von Laon und Wilhelms von Champeaux in deutschen Bibliotheken. Ein Beitrag zur Geschichte der Verbreitung der ältesten scholastischen Schule in deutschen Landen. 1936. – P. Classen: Zur Geschichte der Frühscholastik in Österreich und Bayern. MIÖG 67, 1959, S. 249–77.

Einen guten Überblick über den *sprachlichen Einfluß Frankreichs* gibt E. Öhmann: Der romanische Einfluß auf das Deutsche bis zum Ausgang des Mittelalters. In: Deutsche Wortgeschichte. Hg. F. Maurer u. H. Rupp. Bd. 1, ³1974, S. 321–96. Das ganze Material ist gesammelt bei H. Palander: Der französische Einfluß auf die deutsche Sprache im 12. Jahrhundert. MSNH 3, 1902, S. 75–204. – H. Suolahti: Der französische Einfluß auf die deutsche Sprache im 13. Jahrhundert. Bd. 1–2, 1929–33. Außerdem E. Öhmann: Studien über die französischen Worte im Deutschen im 12. und 13. Jahrhundert. Diss. Helsinki 1918. – E. Öhmann: Die mittelhochdeutsche Lehnprägung nach altfranzösischem Vorbild. 1951. – T. Frings: Germania Romana. Bd. 1, ²1966; Bd. 2 (von G. Müller u. T. Frings), 1968. – E. Öhmann: Das französische Wortgut im Mittelniederdeutschen. ZfdSp. 23, 1967, S. 35–47.

Die *literarischen Beziehungen zwischen Frankreich und Deutschland* im Mittelalter sind noch niemals zum Gegenstand einer gründlichen Untersuchung gemacht worden. Knappe Übersichten bieten V. Klemperer: Romanische Literaturen (Einfluß auf die deutsche). In: Reallexikon der deutschen Literaturgeschichte. Hg. P. Merker u. W. Stammler. Bd. 3, 1928–29, S. 73–107. – H. Spanke: Deutsche und französische Dichtung des Mittelalters. 1943. – H. Schneider: Deutsche und französische Dichtung im Zeitalter der Hohenstaufen. Un. 1, 1946, S. 953–66. – C. Minis: Französisch-deutsche Literaturberührungen im Mittelalter. RJb 4, 1951, S. 55–123; 7, 1955/56, S. 66–95. – F. H. Oppenheim: Der Einfluß der französischen Literatur auf die deutsche. In: Deutsche Philologie im Aufriß. Hg. W. Stammler. Bd. 3, ²1962, Sp. 1–106. – J. Bumke: Die romanisch-deutschen Literaturbeziehungen im Mittelalter. 1967. – W. P. Gerritsen: Les relations littéraires entre la France et les Pays-Bas au moyen âge. In: Moyen âge et littérature comparée. 1967, S. 28–46. – R. Schnell: Zum Verhältnis von hoch- und spätmittelalterlicher Literatur. 1978, S. 83 ff.

Zur *Rezeption des »roman courtois«* gibt es zahlreiche Spezialuntersuchungen, aber nur wenige Arbeiten von übergreifendem Charakter. Vgl. W. Kellermann: Altdeutsche und altfranzösische Literatur. GRM 11, 1923, S. 217–25, 278–88. – H. Hempel: Französischer und deutscher Stil im höfischen Epos. GRM 23, 1935, S. 1–24. – P. Tilvis: Über die unmittelbaren Vorlagen von Hartmanns Erec und Iwein, Ulrichs Lanzelet und Wolframs Parzival. NphM 60, 1959, S. 29–65, 129–44. – C. Lofmark: Der höfische Dichter als Übersetzer. In: Probleme mittelhochdeutscher Erzählformen. Hg. P. F. Ganz u. W. Schröder. 1972, S. 40–64. – C. Lofmark: The Authority of the Source in Middle High German Narrative Poetry. 1981.

Zur *These von der »adaptation courtoise«* vgl. M. Huby: L'adaptation courtoise: position des problèmes. In:

Moyen âge et littérature comparée. 1967, S. 16–27. – M. HUBY: L'adaptation des romans courtois en Allemagne au XIIe et au XIIIe siècle. 1968. – R. PÉRENNEC: Adaptation et société. L'adaptation par Hartmann d'Aue du roman de Chrétien de Troyes, Erec et Enide. Eg. 28, 1973, S. 289–303. – ACTES DU COLLOQUE DES 9 ET 10 AVRIL 1976 SUR »L'ADAPTATION COURTOISE« EN LITTÉRATURE MÉDIÉVALE ALLEMANDE. Hg. D. Buschinger. 1976. – J. FOURQUET: Les adaptations allemandes de romans chevaleresques français. Changement de fonction sociale et changement de vision. Eg. 32, 1977, S. 97–107. – A. WOLF: Die »adaptation courtoise«. Kritische Anmerkungen zu einem neuen Dogma. GRM N. F. 27, 1977, S. 257–83. – J.-M. PASTRÉ: Raffinement du style et raffinement des moeurs dans les œures allemandes d'adaptation. In: Littérature et société au moyen âge. Hg. D. Buschinger. 1978, S. 71–87. – J.-M. PASTRÉ: Rhétorique et adaptation dans les œuvres allemandes du moyen âge. 1979. – M. HUBY: Zur Definition der adaptation courtoise. Kritische Antwort auf kritische Anmerkungen. GRM N. F. 33, 1983, S. 301–22. – R. PÉRENNEC: Recherches sur le roman arthurien en vers en Allemagne aux XIIe et XIIIe siècles. Bd. 1–2, 1984.

Zur *Rezeption der romanischen Lyrik* vgl. A. LÜDERITZ: Die Liebestheorie der Provençalen bei den Minnesingern der Stauferzeit. 1904. – W. NIKKEL: Sirventes und Spruchdichtung. 1907. – O. GOTTSCHALK: Der deutsche Minneleich und sein Verhältnis zu Lai und Descort. Diss. Marburg 1908. – F. GENNRICH: Der deutsche Minnesang in seinem Verhältnis zur Troubadour- und Trouvèrekunst. ZfdB 2, 1926, S. 536–66, 622–32. – H. SPANKE: Romanische und mittellateinische Formen in der Metrik von Minnesangs Frühling. ZfrPh. 49, 1929, S. 191–235. – W. BÜCHELER: Französische Einflüsse auf den Strophenbau und die Strophenbindung bei den deutschen Minnesängern. Diss.

Bonn 1930. – T. FRINGS: Minnesinger und Troubadours. 1949. – T. FRINGS: Erforschung des Minnesangs. FuF 26, 1950, S. 9–13, 39–43. – TROUVÈRES ET MINNESÄNGER. Bd. 1–2. Hg. I. Frank u. W. Müller-Blattau. 1952–1956. – H.-H. S. RÄKEL: Metrik und Rhythmus in der deutschen und französischen Lyrik am Ende des 12. Jahrhunderts. In: Akten des V. Internationalen Germanisten-Kongresses Cambridge 1975. Hg. L. Forster u. H.-G. Roloff. Heft 2, 1976, S. 340–49. – S. RANAWAKE: Höfische Strophenkunst. Vergleichende Untersuchungen zur Formentypologie von Minnesang und Trouvèrelied an der Wende zum Spätmittelalter. 1976.

Zu den *Kontrafakturen* vgl. F. GENNRICH: Liedkontrafaktur in mittelhochdeutscher und althochdeutscher Zeit. ZfdA 82, 1948/50, S. 105–41. – U. AARBURG: Melodien zum frühen deutschen Minnesang. ZfdA 87, 1956/57, S. 24–44; erweiterte Fassung in: Der deutsche Minnesang. Hg. H. Fromm. 1961, S. 378–423. – E. JAMMERS: Der Vers der Trobadors und Trouvères und die deutschen Kontrafakturen. In: Medium Aevum Vivum. Festschrift für W. Bulst. 1960, S. 147–60. – B. KIPPENBERG: Der Rhythmus im Minnesang. Eine Kritik der literar- und musikhistorischen Forschung mit einer Übersicht über die musikalischen Quellen. 1962.

Zu den *übrigen Gattungen* vgl. H. SCHNEIDER: Deutsche und französische Heldenepik. ZfdPh. 51, 1926, S. 200–43. – E. WECHSSLER: Deutsche und französische Mystik. Meister Ekkehart und Bernhard von Clairvaux. Eu. 30, 1929, S. 40–93. – H. NIEDNER: Die deutschen und französischen Osterspiele bis zum 15. Jahrhundert. 1932. – F. PANZER: Die nationale Epik Deutschlands und Frankreichs in ihrem geschichtlichen Zusammenhang. ZfdB 14, 1938, S. 249–65. – H. P. GOODMAN: Original Elements in the French and German Passion Plays. Bryn Mawr College Ph. D. Diss.

1951. – F. FROSCH-FREIBURG: Schwankmären und Fabliaux. Ein Stoff- und Motivvergleich. 1971. – A. WOLF: Die Verschriftlichung der Nibelungensage und die französisch-deutschen Literaturbeziehungen im Mittelalter. In: Hohenemser Studien zum Nibelungenlied. Hg. A. Masser. 1981, S. 53–71.

Zu Kapitel III
Sachkultur und Gesellschaftsstil

1. Burgen und Zelte

Zum *Burgenbau* im Mittelalter vgl. O. PIPER: Burgenkunde. ³1912. – B. EBHARDT: Der Wehrbau Europas im Mittelalter. Versuch einer Gesamtdarstellung der europäischen Burgen. Bd. 1–2, 1939–58. – E. KLEBEL: Mittelalterliche Burgen und ihr Recht. ÖAW An. 89, 1952, S. 27–61. – P. HÉLIOT: Sur les résidences princières bâties en France du Xᵉ au XIIᵉ siècle. MA 61, 1955, S. 27–61. – W. KIESS: Die Burgen in ihrer Funktion als Wohnbauten. Diss. Stuttgart 1961. – DEUTSCHE KÖNIGSPFALZEN. Beiträge zu ihrer historischen und archäologischen Erforschung. Bd. 1–3, 1963–79. In diesem bedeutenden Werk sind hauptsächlich die älteren Pfalzanlagen des 9.–11. Jahrhunderts behandelt. Für die höfische Zeit vgl. vor allem K. BOSL: Pfalzen und Forsten. Bd. 1, S. 1–29, und K. HAUCK: Tiergärten im Pfalzbereich. Bd. 1, S. 30–74. – H. KUNSTMANN: Mensch und Burg. Burgenkundliche Betrachtungen an ostfränkischen Wehranlagen. 1967. – H.-M. MAURER: Die Entstehung der hochmittelalterlichen Adelsburg in Südwestdeutschland. ZGO 117, 1969, S. 295–332. – H. EBNER: Entwicklung und Rechtsverhältnisse der mittelalterlichen Burg. ZhVS 61, 1970, S. 27–50. – P. WARNER: The Medieval Castle. Life in a Fortress in Peace and War. 1971. – H. J. MRUSEK: Gestalt und Entwicklung der feudalen Eigenbefestigung im Mittelalter. 1973. – H. EBNER: Die Burgenpolitik und ihre Bedeutung für die Geschichte des Mittelalters. Ca. 164, 1974, S. 33–51.

– C. MECKSEPER: Ausstrahlungen des französischen Burgenbaus nach Mitteleuropa im 13. Jahrhundert. In: Beiträge zur Kunst des Mittelalters. Festschrift für H. Wentzel. 1975, S. 135–44. – L. VILLENA: Glossaire. Burgenfachwörterbuch des mittelalterlichen Wehrbaus. 1975. – BURGEN IM DEUTSCHEN SPRACHRAUM. Ihre rechts- und verfassungsgeschichtliche Bedeutung. Hg. H. Patze. Bd. 1–2, 1976. Aus diesem wichtigen Sammelwerk sind besonders zu nennen: H. EBNER: Die Burg als Forschungsproblem mittelalterlicher Verfassungsgeschichte. Bd. 1, S. 11–84; F. SCHWIND: Zur Verfassung und Bedeutung der Reichsburgen, vornehmlich im 12. und 13. Jahrhundert. Bd. 1, S. 85–122; H.-M. MAURER: Rechtsverhältnisse der hochmittelalterlichen Adelsburg vornehmlich in Südwestdeutschland. Bd. 2, S. 77–190. – J. GARDELLES: Les palais dans l'Europe occidentale chrétienne du Xᵉ au XIIᵉ siècle. CCM 19, 1976, S. 117–34. – T. MARTIN: Die Pfalzen im 13. Jahrhundert. In: Herrschaft und Stand (vgl. S. 813), S. 277–301. – H. EBNER: Die Burg in historiographischen Werken des Mittelalters. In: Festschrift für F. Hausmann. 1977, S. 119–51. – BURGEN UND FESTE PLÄTZE. Der Wehrbau vor Einführung der Feuerwaffen. Hg. R. Huber u. R. Rieth. ²1977. – W. HOTZ: Kleine Kunstgeschichte der deutschen Burg. ⁴1979. – G. BINDING (u. a.): Burg. In: Lexikon des Mittelalters. Bd. 2, 1983, Sp. 957–1003. Die reiche regionale Burgenforschung muß hier unberücksichtigt bleiben.

Speziell zu den *staufischen Königs-*

burgen und Pfalzen vgl. noch G. SCHLAG: Die deutschen Kaiserpfalzen. 1940. – O. E. WÜLFING: Burgen der Hohenstaufen in Schwaben, Franken und Hessen. 1960. – H.-M. MAURER: Burgen. In: Die Zeit der Staufer (vgl. S. 810), Bd. 3, S. 119–28. – F. ARENS: Die staufischen Königspfalzen. Ebd., S. 129–42. – W. HOTZ: Pfalzen und Burgen der Stauferzeit. Geschichte und Gestalt. 1981. Dazu kommen eine Reihe bedeutender Monographien zu einzelnen Pfalzen und Burgen, die hier nicht aufgeführt werden können.

Zur *Auswertung der literarischen Quellen* vgl. H. LEO: Über Burgenbau und Burgeneinrichtung in Deutschland vom 11. bis zum 14. Jahrhundert. HTb. 8, 1837, S. 165–245. – A. SCHULTZ: Über Bau und Einrichtung der Hofburgen des XII. und XIII. Jahrhunderts. 1862. – H. KUPFER: Die Burg in der deutschen Dichtung und Sage. Teil 1. Progr. Schneeberg. 1880. – A. SCHULTZ: Das höfische Leben zur Zeit der Minnesinger (vgl. S. 810), Bd. 1, S. 7 ff. – H. SCHUMACHER: Das Befestigungswesen in der altfranzösischen Literatur. Diss. Göttingen 1906. – H. LICHTENBERG: Die Architekturdarstellungen in der mittelhochdeutschen Dichtung. 1931, S. 66 ff. – M. PFÜTZE: »Burg« und »Stadt« in der deutschen Literatur des Mittelalters. Die Entwicklung im mittelfränkischen Sprachgebiet vom Annolied bis zu Gottfried Hagens Reimchronik (ca. 1100–1300). PBB (Halle) 80, 1958, S. 272–320. – K.-B. KNAPPE: Das Leben auf Burgen im Spiegel mittelalterlicher Literatur. BuS 15, 1974, S. 1–8, 123–31. – P. RICHÉ: Les représentations du palais dans les textes littéraires du haut moyen âge. Fr. 4, 1976, S. 161–71. – P. WIESINGER: Die Burg in der mittelhochdeutschen Dichtung. ÖAW An. 113, 1976, S. 78–110.

Zur *Geschichte des Mobiliars und der Einrichtungsgegenstände* vgl. K. SEIFART: Das Bett im Mittelalter. ZfdK 2, 1857, S. 74–91. – A. KERLL: Saal und Kemenate der altfranzösischen Ritterburg, zumeist nach dichterischen Quellen. Diss. Göttingen 1909. – H. KOHLHAUSSEN: Geschichte des deutschen Kunsthandwerks. 1955. – J. HÄHNEL: Stube. Wort- und sachgeschichtliche Beiträge zur historischen Hausforschung. 1975. – S. HINZ: Innnenraum und Möbel von der Antike bis zur Gegenwart. 1976. – H. APPUHN: Möbel des hohen und späten Mittelalters in den ehemaligen Frauenklöstern am Lüneburg. In: Klösterliche Sachkultur des Spätmittelalters (vgl. S. 810), S. 343–52. – H. STAMPFER: Adelige Wohnkultur des Spätmittelalters in Südtirol. In: Adelige Sachkultur des Spätmittelalters (vgl. S. 810), S. 365–76. – E. NELLMANN: Ein zweiter Erec-Roman? Zu den neugefundenen Wolfenbütteler Fragmenten. ZfdPh. 101, 1982, S. 28–78, bes. S. 65 ff. (zur höfischen Kissenterminologie).

2. Kleider und Stoffe

Den besten Überblick über die *Geschichte der Kleidung* im Mittelalter gibt E. THIEL: Geschichte des Kostüms. Die europäische Mode von den Anfängen bis zur Gegenwart. [5]1980. Aus der älteren Forschung ist von besonderem Gewicht G. DEMAY: Le costume du moyen âge d'après les sceaux. 1880. Vgl. außerdem H. WEISS: Kostümkunde. Geschichte der Tracht und des Geräthes im Mittelalter vom 4ten bis zum 14ten Jahrhundert. 1864. – J. QUICHERAT: Histoire du costume en France depuis les temps les plus reculés jusqu'à la fin du XVIIIe siècle. 1875. – C. PITON: Le costume civil en France du XIIe au XIXe siècle. 1913. – C. ENLART: Le costume. 1916. – P. POST: Das Kostüm. In: Deutscher Kulturatlas. Hg. G. Lüdtke u. L. Mackensen. Bd. 2, 1928–38, Bll. 21–21e. – E. NIENHOLDT: Die deutsche Tracht im Wandel der Jahrhunderte. 1938. – M. G.

Houston: Medieval Costume in England and France. The 13th, 14th and 15th Centuries. 1950. – J. Evans: Dress in Mediaeval France. 1952. – O. Šroňková: Die Mode der gotischen Frau. 1954. – M. Beaulieu: Le costume antique et médiéval. ³1961.

Zu *einzelnen Kleidungsstücken* vgl. J. Wirsching: Die Manteltracht im Mittelalter. Diss. Würzburg 1915. – P. Post: Vom mittelalterlichen Schnurmantel. ZfhWK N. F. 4, 1932–34, S. 123–28. – K. Polheim: Der Mantel. In: Corona quernea. Festgabe K. Strecker. 1941, S. 41–64. – B. Schier: Die mittelalterlichen Anfänge der weiblichen Kopftrachten im Spiegel des mittelhochdeutschen Schrifttums. In: Beiträge zur sprachlichen Volksüberlieferung. 1953, S. 141–55. – I. Fingerlin: Gürtel des hohen und späten Mittelalters. 1971.

Über *Kleiderverbote und Kleiderordnungen* vgl. P. Kraemer: Le luxe et les lois somptuaires au moyen âge. Thèse Paris 1920. – L. C. Eisenbart: Kleiderordnungen der deutschen Städte zwischen 1350 und 1700. 1962. – G. Hampel-Kallbrunner: Beiträge zur Geschichte der Kleiderordnungen mit besonderer Berücksichtigung Österreichs. 1962. – V. Baur: Kleiderordnungen in Bayern vom 14. bis zum 19. Jahrhundert. 1975.

Über den *Zusammenhang von Kleidung und Gesellschaftsordnung* vgl. R. Barthes: Histoire et sociologie du vêtement. Quelques observations méthodologiques. AESC 12, 1957, S. 430–41. – Die Mode in der menschlichen Gesellschaft. Hg. R. König u. P. W. Schuppisser. 1958. – Dress, Adornment, and the Social Order. Hg. M. E. Roach u. J. B. Eicher. 1965. – F. Piponnier: Costume et vie sociale. La cour d'Anjou, XIVᵉ–XVᵉ siècle. 1970. – A. Borst: Lebensformen im Mittelalter (vgl. S. 810), S. 191 ff. – H. Platelle: Le problème du scandale. Les nouvelles modes masculines aux XIᵉ et XIIᵉ siècles. RBPH 53, 1975, S. 1071–96. – M. Beaulieu: Le costume, miroir des mentalités de la France médiévale (1350–1500). In: Mélanges offerts à J. Dauvillier. 1979, S. 65–87.

Zu den *Kleiderbeschreibungen der höfischen Dichter* vgl. M. Winter: Kleidung und Putz der Frau nach den altfranzösischen Chansons de geste. 1886. – A. Schultz: Das höfische Leben zur Zeit der Minnesinger (vgl. S. 810), Bd. 1, S. 222 ff. – M. Heyne: Körperpflege und Kleidung bei den Deutschen. 1903. – E. R. Goddard: Women's Costume in French Texts of the 11th and 12th Centuries. 1927. – E. Bertelt: Gewandschilderungen in der erzählenden höfischen Dichtung des 12. und 13. Jahrhunderts. Diss. Münster 1936. – R. van Uytven: Cloth in Medieval Literature of Western Europe. In: Cloth and Clothing in Medieval Europe. Essays in Memory of E. M. Carus-Wilson. 1983, S. 151–83. – Nach Abschluß dieses Manuskripts erschien G. Raudszus: Die Zeichensprache der Kleidung. Untersuchungen zur Symbolik des Gewandes in der deutschen Epik des Mittelalters. 1985. – Eine neue Untersuchung der deutschen Quellen unternimmt E. Brüggen in ihrer (noch nicht abgeschlossenen) Kölner Dissertation. Ich konnte diese Arbeit benutzen.

Zur *kostümgeschichtlichen Auswertung von Werken der bildenden Kunst* vgl. M. Hauttmann: Der Wandel der Bildvorstellungen in der deutschen Dichtung und Kunst des romanischen Zeitalters. In: Festschrift H. Wölfflin. 1924, S. 63–81. – G. Barmeyer: Die Gewandung der monumentalen Skulptur des 12. Jahrhunderts in Frankreich. Diss. Frankfurt a. M. 1933. – L. Ritgen: Die höfische Tracht der Isle de France in der 1. Hälfte des 13. Jahrhunderts. ZfhWK Folge 3, Bd. 4, 1962, Heft 1, S. 8–24. – L. Ritgen: Kleidung der Isle de France in der 2. Hälfte des 13. Jahrhunderts. Ebd., Heft 2, S. 87–111. – O. Rady: Das weltliche Kostüm von 1250–1410 nach Ausweis der figürlichen Grabsteine im mittelrheinischen

Gebiet. 1976. – N. Rasmo: Die Mode als Wegweiser für die Datierung von Kunstwerken des 14. Jahrhunderts. In: Das Leben in der Stadt des Spätmittelalters (vgl. S. 810), S. 261–74.

Über die *kostbaren Stoffe* vgl. X. Francisque-Michel: Recherches sur le commerce, la fabrication et l'usage des étoffes de soie, d'or et d'argent et autres tissus précieux en occident, principalement en France pendant le moyen âge. Bd. 1, 1852. – J.H. Schmidt: Alte Seidenstoffe. Ein Handbuch für Sammler und Liebhaber. 1958. – R. Grönwoldt: Kaisergewänder und Paramente. In: Die Zeit der Staufer (vgl. S. 810), Bd. 1, S. 607–44. – L. von Wilckens: Seidengewebe in Zusammenhang mit der heiligen Elisabeth. In: Sankt Elisabeth. Fürstin, Dienerin, Heilige. Ausstellung zum 750. Todestag. 1981, S. 285–302. Zu den *Pelzen* vgl. R. Delort: Le commerce des fourrures en occident à la fin du moyen âge (vers 1300 – vers 1450). Bd. 1–2, 1978. Eine Zusammenstellung der in den deutschen und französischen Texten der höfischen Zeit vorkommenden *Stoff- und Pelznamen* gibt A. Schultz: Das höfische Leben zur Zeit der Minnesinger (vgl. S. 810). Bd. 1, S. 332 ff.

Zur *kirchlichen Kleiderkritik* vgl. R. Harvey: Gelwez gebende. The Kulturmorphologie of a Topos. GLL 28, 1975/76, S. 263–85. – U. Ernst: Der Antagonismus von vita carnalis und vita spiritualis im Gregorius Hartmanns von Aue. Eu. 72, 1978, S. 160–226; 73, 1979, S. 1–105 (»Profane und sakrale Gewandung«: Bd. 72, S. 212 ff.). – U. Lehmann-Langholz: Kleiderkritik in mittelalterlicher Dichtung. Der Arme Hartmann, Heinrich »von Melk«, Neidhart, Wernher der Gartenaere, nebst einem Ausblick auf die Stellungnahme spätmittelalterlicher Dichter. Diss. (masch.) Köln 1983. (Die Verfasserin hat mir nicht erlaubt, Einsicht in ihre Arbeit zu nehmen.)

3. Waffen und Pferde

Einen guten Überblick über die *Waffenkunde des Mittelalters* gibt C. Gaier: Les armes. 1979. Nützliche Hilfsmittel sind die Zeichnungen und Erklärungen von O. Gamber: Arma defensiva tabulae. 1972. Grundlegend zu den Waffen der höfischen Zeit ist G. Demay: Le costume du moyen âge d'après les sceaux. 1880. Vgl. außerdem W. Boeheim: Handbuch der Waffenkunde. Das Waffenwesen in seiner historischen Entwicklung vom Beginn des Mittelalters bis zum Ende des 18. Jahrhunderts. 1890. – H. Müller: Historische Waffen. Kurze Entwicklungsgeschichte der Waffen vom Frühfeudalismus bis zum 17. Jahrhundert. 1957. – H. Nickel: Der mittelalterliche Reiterschild des Abendlandes. Diss. F.U. Berlin 1958. – C. Blair: European Armour. Circa 1066 to circa 1700. 1958. – R.E. Oakeshott: The Archeology of Weapons. Arms and Armour from Prehistory to the Age of Chivalry. 1960. – H. Seitz: Blankwaffen. Bd. 1–2, 1965–68. – P. Martin: Waffen und Rüstungen von Karl d. Gr. bis zu Ludwig XIV. 1967. – K. Raddatz (u. a.): Bewaffnung. In: Reallexikon der Germanischen Altertumskunde. Bd. 2, [2]1976, S. 361–482. – O. Gamber: Die Bewaffnung der Stauferzeit. In: Die Zeit der Staufer (vgl. S. 810), Bd. 3, S. 113–18. – L. u. F. Funcken: Rüstungen und Kriegsgerät im Mittelalter. 8.–15. Jahrhundert. 1979.

Zur *Auswertung der literarischen Quellen* vgl. San-Marte (d. i. A. Schulz): Zur Waffenkunde des älteren deutschen Mittelalters. 1867. – A. Sternberg: Die Angriffswaffen im altfranzösischen Epos. 1886. – V. Schirling: Die Verteidigungswaffen im altfranzösischen Epos. 1887. – V. Bach: Die Angriffswaffen in den altfranzösischen Artus- und Abenteuer-Romanen. 1887. – A. Schultz: Das höfische Leben zur Zeit der Minnesinger (vgl. S. 810). Bd. 2, S. 1 ff. – J. Schwietering: Zur Geschichte von

823

Speer und Schwert im 12. Jahrhundert. 1912. – F. Schmid: Die ritterlichen Schutz- und Angriffswaffen in der mittelhochdeutschen Literatur von 1170–1215. Diss. (masch.) Freiburg i. Br. 1922. – F. Doubek: Studien zu den Waffennamen in der höfischen Epik. ZfdPh. 59, 1935, S. 313–53. – G. Siebel: Harnisch und Helm in den epischen Dichtungen des 12. Jahrhunderts bis zu Hartmanns Erek. Diss. Hamburg 1968. – D. Hüpper-Dröge: Schild und Speer. Waffen und ihre Bezeichnungen im frühen Mittelalter. 1983. – A. Masser: Iwein-Fresken von Burg Rodenegg in Südtirol und der zeitgenössische Ritterhelm. ZfdA 112, 1983, S. 177–98.

Zm *ritterlichen Einzelkampf* vgl. F. Bode: Die Kampfschilderungen in den mittelhochdeutschen Epen. Diss. Greifswald 1909. – K. Grundmann: Studien zur Speerkampfschilderung im Mittelhochdeutschen. 1939. – W. Harms: Der Kampf mit dem Freund oder Verwandten in der deutschen Literatur bis um 1300. 1963. – M. Désilles-Busch: Doner un don – sicherheit nemen. Zwei typische Elemente der Erzählstruktur des höfischen Romans. Diss. Berlin F. U. 1970. – R. B. Schäfer-Maulbetsch: Studien zur Entwicklung des mittelhochdeutschen Epos. Die Kampfschilderung in Kaiserchronik, Rolandslied, Alexanderlied, Eneide, Liet von Troye und Willehalm. 1972.

Zu den *Pferden der Ritterzeit* vgl. F. Pfeiffer: Das ross im altdeutschen. 1855. – M. Jähns: Roß und Reiter in Leben und Sprache, Glauben und Geschichte der Deutschen. Bd. 1–2, 1872. – A. Kitze: Das Roß in den altfranzösischen Artus- und Abenteuer-Romanen. 1888. – F. Rünger: Herkunft, Rassezugehörigkeit, Züchtung und Haltung der Ritterpferde des Deutschen Ordens. Ein Beitrag zur Geschichte der ostpreußischen Pferdezucht und der deutschen Pferdezucht im Mittelalter. ZTZ 2, 1925, S. 211–308. – H. Kolb: Namen und Bezeichnungen der Pferde in der

mittelalterlichen Literatur. BzN 9, 1974, S. 151–66. – A.-M. Bautier: Contribution à l'histoire du cheval au moyen âge. BPH 1976, S. 209–49.

4. Essen und Trinken

Zur *Kulturgeschichte des Essens und Trinkens* vgl. G. Schiedlausky: Essen und Trinken. Tafelsitten bis zum Ausgang des Mittelalters. 1956. – H. Wühr: Altes Eßgerät. Löffel – Messer – Gabel. 1961. – B. A. Henisch: Fast and Feast. Food in Medieval Society. 1976. – M. P. Cosman: Fabulous Feasts. Medieval Cookery and Ceremony. 1976. – P. Rachbauer: Essen und Trinken um 1200. In: Nibelungenlied. Ausstellung zur Erinnerung an die Auffindung der Handschrift A. 1979, S. 135–46. – J. M. van Winter: Kochkultur und Speisegewohnheiten der spätmittelalterlichen Oberschichten. In: Adelige Sachkultur des Spätmittelalters (vgl. S. 810), S. 327–42.

Zur *Auswertung der literarischen Zeugnisse* vgl. A. Schultz: Das höfische Leben zur Zeit der Minnesinger (vgl. S. 810), Bd. 1, S. 360 ff. – F. Fuhse: Sitten und Gebräuche der Deutschen beim Essen und Trinken von den ältesten Zeiten bis zum Schlusse des XI. Jahrhunderts. Diss. Göttingen 1891. – M. Heyne: Das deutsche Nahrungswesen. 1901. – O. Klauenberg: Getränke und Trinken in altfranzösischer Zeit nach poetischen Quellen dargestellt. Diss. Göttingen 1904. – W. Pieth: Essen und Trinken im mittelhochdeutschen Epos des 12. und 13. Jahrhunderts. Diss. Greifswald 1909. – G. F. Jones: The Function of Food in Mediaeval German Literature. Sp. 35, 1960, S. 78–86. – R. Roos: Begrüßung, Abschied, Mahlzeit. Studien zur Darstellung höfischer Lebensweise in den Werken der Zeit von 1150–1320. Diss. Bonn 1975.

Zu den *Tischzuchten* vgl. P. Merker: Die Tischzuchtliteratur des 12.–16. Jahrhunderts. MGES 11, 1920, S. 1–52. – S. Glixelli: Les contenances de table. Ro. 47, 1921, S. 1–40. – S. GIEBEN: Robert Grosseteste and Medieval Courtesy-Books. Vi. 5, 1967, S. 47–74. Zur gesellschaftsgeschichtlichen Bedeutung der Tischzuchten vgl. N. ELIAS: Über den Prozeß der Zivilisation. Bd. 1, ²1969, S. 75 ff. Die wichtigsten deutschen Texte sind gesammelt in: HÖFISCHE TISCHZUCHTEN und GROBIANISCHE TISCHZUCHTEN. Hg. T. P. Thornton. 1957. Eine gründliche Untersuchung der deutschen Texte und ihres Zusammenhangs mit der lateinischen Tradition fehlt. Notiz bei der Korrektur: Zur lateinischen und französischen Tischzuchtliteratur vgl. jetzt J. NICHOLLS: The Matter of Courtesy. Medieval Courtesy Books and the Gawain-Poet. 1985.

Zur *Sauf- und Freßliteratur* vgl. A. HAUFFEN: Die Trinkliteratur in Deutschland bis zum Ausgang des 16. Jahrhunderts. VfL 2, 1889, S. 481–516 (unzureichend). – E. SIMON: Literary Affinities of Steinmar's Herbstlied and the Songs of Colin Muset. MLN 84, 1969, S. 375–86. – E. GRUNEWALD: Die Zecher- und Schlemmerliteratur des deutschen Spätmittelalters. Diss. Köln 1976.

Das älteste deutsche Kochbuch ist: DAZ BUCH VON GUTER SPISE. Hg. J. Hajek. 1958. Dieser Text ist wahrscheinlich zu Anfang des 14. Jahrhunderts entstanden. Vgl. H. WISWE: Kulturgeschichte der Kochkunst. Kochbücher und Rezepte aus zwei Jahrtausenden. 1970.

Zu Kapitel IV
Höfische Feste. Das Protokoll der Umgangsformen

1. Hoffeste

Zum *Mainzer Hoffest von 1184* vgl. J. FLECKENSTEIN: Friedrich Barbarossa und das Rittertum. Zur Bedeutung der großen Mainzer Hoftage von 1184 und 1188. In: Festschrift für H. Heimpel. Bd. 2, 1972, S. 1023–41. – A. BORST: Lebensformen im Mittelalter (vgl. S. 810), S. 85 ff.

Die *literarischen Festbeschreibungen der höfischen Zeit* sind noch nicht gesammelt und ausgewertet worden. Einige Materialien bei A. SCHULTZ: Das höfische Leben zur Zeit der Minnesinger (vgl. S. 810), Bd. 1, S. 486 ff. Vgl. auch W. MOHR: Mittelalterliche Feste und ihre Dichtung. In: Festschrift für K. Ziegler. 1968, S. 37–60. Unzureichend ist H. BODENSOHN: Die Festschilderungen in der mittelhochdeutschen Dichtung. 1936.

Zum *Herrschaftszeremoniell* des hohen Mittelalters und zum *Herrscher-Adventus* vgl. S. 815 f.

Zu den *höfischen Formen der Anrede und Begrüßung* vgl. F. SCHILLER: Das Grüßen im Altfranzösischen. Diss. Halle 1890. – G. EHRISMANN: Duzen und Ihrzen im Mittelalter. ZfdW 1, 1901, S. 117–49; 2, 1902, S. 118–59; 4, 1903, S. 210–48; 5, 1903/1904, S. 127–220. – W. BOLHÖFER: Gruß und Abschied in althochdeutscher und mittelhochdeutscher Dichtung. Diss. Göttingen 1912. – P. RETTIG: Die Entwicklung der höfischen Anrede in der altdeutschen Dichtung. Teil 1. Diss. Gießen 1922. – R. BROS: Begrüßung, Abschied, Mahlzeit (vgl. S. 824).

Über *die weltliche Festmusik und die dabei verwendeten Instrumente* informiert vorzüglich S. ŽAK: Musik als »Ehr und Zier« im mittelalterlichen Reich (vgl. S. 811). Vgl. außerdem C. SACHS: Handbuch der Musikinstrumentenkunde. ²1930. – E. A. BOWLES: Haut and Bas. The Grouping of Musical Instruments in the

Middle Ages. MD 8, 1954, S. 115–40. – E. A. BOWLES: Musical Instruments at the Medieval Banquet. RBM 12, 1958, S. 41–51. – E. A. BOWLES: La hiérarchie des instruments de musique dans l'Europe féodale. RM 42, 1958, S. 155–69. – W. SALMEN: Tischmusik im Mittelalter. NZM 10, 1959, S. 323–26. – E. A. BOWLES: Musical Instruments in Civic Processions during the Middle Ages. AM 33, 1961, S. 147–61. – R. HAMMERSTEIN: Die Musik der Engel. Untersuchungen zur Musikanschauung des Mittelalters. 1962. – H. HEYDE: Trompete und Trompetenblasen im europäischen Mittelalter. Diss. (masch.) Leipzig 1965. – R. STEGER: Philologia musica. Sprachzeichen, Bild und Sache im literarisch-musikalischen Leben des Mittelalters: Lire, Harfe, Rotte und Fidel. 1971. – R. HAMMERSTEIN: Diabolus in musica. Studien zur Ikonographie der Musik im Mittelalter. 1974. – D. MUNROW: Instruments of the Middle Ages and Renaissance. 1976. – H. GIESEL: Studien zur Symbolik der Musikinstrumente im Schrifttum der alten und mittelalterlichen Kirche (von den Anfängen bis zum 13. Jh.). 1978. – MUSIQUE, LITTÉRATURE ET SOCIÉTÉ AU MOYEN ÂGE. Actes du colloque 24–29 mars 1980. Hg. D. Buschinger u. A. Crépin. 1980. – J. MONTAGU: Geschichte der Musikinstrumente in Mittelalter und Renaissance. 1981.

Zur *Darstellung von Musik und Musikinstrumenten in der höfischen Literatur* vgl. F. BRÜCKER: Die Blasinstrumente in der altfranzösischen Literatur. 1926. – F. DICK: Bezeichnungen für Saiten- und Schlaginstrumente in der altfranzösischen Literatur. 1932. – D. TREDER: Die Musikinstrumente in den höfischen Epen der Blütezeit. 1933. – H. RIEDEL: Die Darstellung von Musik und Musikerlebnis in der erzählenden deutschen Dichtung. ²1961. – W. RELLEKE: Ein Instrument spielen. Instrumentenbezeichnungen und Tonerzeugungsverben im Althochdeutschen, Mittelhochdeutschen und Neuhochdeutschen. 1980.

Zum *höfischen Tanz* vgl. F. M. BÖHME: Geschichte des Tanzes in Deutschland. Bd. 1–2, 1886. – J. WOLF: Die Tänze des Mittelalters. AMw. 1, 1918/19, S. 10–42. – C. SACHS: Eine Weltgeschichte des Tanzes. 1933. – W. BAHR: Zur Entwicklungsgeschichte des höfischen Gesellschaftstanzes. 1941. – D. HEARTZ: Hoftanz and Basse Dance. JAMS 19, 1966, S. 13–36. – K. H. TAUBERT: Höfische Tänze. Ihre Geschichte und Choreographie. 1968. – A. HARDING: An Investigation into the Use and Meaning of Medieval German Dancing Terms. 1973. – W. SALMEN: Ikonographie des Reigens im Mittelalter. AM 52, 1980, S. 14–26. – G. C. BUSCH: Ikonographische Studien zum Solotanz im Mittelalter. 1982.

Zu den *Spielleuten* vgl. S. 842.

2. Schwertleiten

Die *Geschichte der Schwertleite* ist noch nicht geschrieben worden. Grundlegend sind die folgenden drei materialreichen Arbeiten: W. ERBEN: Schwertleite und Ritterschlag. Beiträge zu einer Rechtsgeschichte der Waffen. ZfhWK 8, 1918/20, S. 105–67. – J. M. VAN WINTER: Cingulum militiae. Schwertleite en miles-terminologie als spiegel van veranderend menselijk gedrag. TvR 44, 1976, S. 1–92. – J. FLORI: Les origines de l'adoubement chevaleresque. Etude des remises d'armes et du vocabulaire qui les exprime dans les sources historiques latines jusqu'au début du XIIIᵉ siècle. Tr. 35, 1979, S. 209–72.

Zu den *historischen Zeugnissen* vgl. außerdem K. H. ROTH VON SCHREKKENSTEIN: Die Ritterwürde und der Ritterstand (vgl. S. 814), S. 203 ff. – P. GUILHIERMOZ: Essai sur l'origine de la noblesse en France au moyen âge. 1902, S. 393 ff. – C. ERDMANN: Die Entstehung des Kreuzzugsgedankens (vgl. S. 830), S. 326 ff. – D. SANDBER-

GER: Die Aufnahme in den Ritterstand in England. AKG 27, 1937, S. 74–93. – J. FLORI: Chevalerie et liturgie. Remise des armes et vocabulaire »chevaleresque« dans les sources liturgiques du IXᵉ au XIVᵉ siècle. MA 84, 1978, S. 247–78, 409–42. – M. KEEN: Chivalry. 1984 (»The Ceremony of Dubbing to Knighthood«: S. 64–82).

Zu den *literarischen Zeugnissen* über die Schwertleite vgl. K. TREIS: Die Formalitäten des Ritterschlags in der altfranzösischen Epik. Diss. Berlin 1887. – A. SCHULTZ: Das höfische Leben zur Zeit der Minnesinger (vgl. S. 810), Bd. 1, S. 181 ff. – E. H. MASSMANN: Schwertleite und Ritterschlag, dargestellt auf Grund der mittelhochdeutschen literarischen Quellen. Diss. Hamburg 1932. – F. PIETZNER: Schwertleite und Ritterschlag. Diss. Heidelberg 1934. – J. FLORI: Sémantique et société médiévale. Le verbe adouber et son évolution au XIIᵉ siècle. AESC 31, 1976, S. 915–40. – J. BUMKE: Studien zum Ritterbegriff im 12. und 13. Jahrhundert (vgl. S. 815), S. 101 ff. – J. FLORI: Pour une histoire de la chevalerie. L'adoubement dans les romans de Chrétien de Troyes. Ro. 100, 1979, S. 21–53. – R. LÉNAT: L'adoubement dans quelques textes littéraires de la fin du XIIᵉ siècle. Clergie et chevalerie. In: Mélanges de la langue et littérature françaises du moyen âge et de la renaissance offerts à C. Foulon. Bd. 1, 1980, S. 195–203.

3. Turniere

Zur *Geschichte der Turniere* und zu *ihrer Darstellung in der höfischen Dichtung* vgl. F. NIEDNER: Das deutsche Turnier im XII. und XIII. Jahrhundert. 1881. – A. SCHULTZ: Das höfische Leben zur Zeit der Minnesinger (vgl. S. 810), Bd. 2, S. 106 ff. – O. MÜLLER: Turnier und Kampf in den altfranzösischen Artusromanen. Progr. Erfurt 1907. – K. G. T. WEBSTER: The Twelfth-Century Turney.

In: Anniversary Papers by Colleagues and Pupils of G. L. Kittredge. 1913, S. 227–34. – F. H. CRIPPS-DAY: The History of the Tournament in England and in France. 1918. – R. C. CLEPHAN: The Tournament. Its Periods and Phases. 1919. – N. DENHOLM-YOUNG: The Tournament in the Thirteenth Century. In: Studies in Medieval History Presented to F. M. Powicke. 1948, S. 240–68. – R. HARVEY: Moriz von Craûn and the Chivalric World. 1961 (»The Tournament«: S. 112–258). – G. DUBY: Le dimanche de Bouvines. 1973, S. 111 ff. – P. CZERWINSKI: Die Schlacht- und Turnierdarstellungen in den deutschen höfischen Romanen des 12. und 13. Jahrhunderts. Diss. Berlin F. U. 1975. – M.-L. Chênerie: Ces curieux chevaliers tournoyeurs. Des fabliaux aux romans. Ro. 97, 1976, S. 327–68. – R. BARBER – J. BARKER: Tournaments. 1985.

Zur *Einwirkung der höfischen Dichtung auf die Turnierpraxis* vgl. R. S. LOOMIS: Chivalric and Dramatic Imitations of Arthurian Romance. In: Medieval Studies in Memory of A. K. Porter. Bd. 1, 1939, S. 79–97. – E. SANDOZ: Tourneys in the Arthurian Tradition. Sp. 19, 1944, S. 389–420. – R. H. CLINE: The Influence of Romances on Tournaments of the Middle Ages. Sp. 20, 1945, S. 204–11.

Über die ›*Histoire de Guillaume le Maréchal*‹ vgl. H. WINTER: Das Kriegswesen in der altfranzösischen Histoire de Guillaume le Maréchal. Diss. Gießen 1911. – S. PAINTER: William Marshal. Knight-Errant, Baron, and Regent of England. 1933. – A. RIEDEMANN: Lehnswesen und höfisches Leben in der altfranzösischen Histoire de Guillaume le Maréchal. Diss. Münster 1938. – L. D. BENSON: The Tournament in the Romances of Chrétien de Troyes and L'Histoire de Guillaume le Maréchal. In: Chivalric Literature. Hg. L. D. Benson u. J. Leyerle. 1980, S. 1–24, 147–52.

Über die *Turnierdarstellungen im* ›*Frauendienst*‹ *von Ulrich von Liech-*

tenstein vgl. R. BECKER: Ritterliche Waffenspiele nach Ulrich von Lichtenstein. Progr. Düren 1887. – O. HÖFLER: Ulrichs von Liechtenstein Venusfahrt und Artusfahrt. In: Studien zur deutschen Philologie des Mittelalters. F. Panzer zum 80. Geburtstag. 1950, S. 131–52. – U. PETERS: Frauendienst. Untersuchungen zu Ulrich von Lichtenstein und zum Wirklichkeitsgehalt der Minnedichtung. 1971 (»Ulrichs Artusfahrt und die literarisierte Turnierpraxis des europäischen Adels im 13. und 14. Jahrhundert«: S. 173–205). – H. REICHERT: Vorbilder für Ulrich von

Lichtensteins Frisacher Turnier. In: Die mittelalterliche Literatur in Kärnten. Hg. P. Krämer. 1981, S. 189–216.

Über *kirchliche Turnierverbote und Turnierkritik* vgl. F. MERZBACHER: Das kirchliche Turnier- und Stierkampfverbot. In: Im Dienste des Rechtes in Kirche und Staat. Festschrift zum 70. Geburtstag von F. Arnold. 1963, S. 261–68. – J. LE GOFF: Réalités sociales et codes idéologiques au début du XIIIe siècle. Un exemplum de Jacques de Vitry sur les tournois. In: Europäische Sachkultur des Mittelalters (vgl. S. 810), S. 101–12.

Zu Kapitel V
Das höfische Gesellschaftsideal

1. Der höfische Ritter

Zu den *Fürstenspiegeln* ist grundlegend W. BERGES: Die Fürstenspiegel des hohen und späten Mittelalters. 1938. Vgl. außerdem E. BOOZ: Fürstenspiegel des Mittelalters bis zur Scholastik. Diss. Freiburg i. Br. 1913. – L. K. BORN: The Perfect Prince. A Study in Thirteenth- and Fourteenth-Century Ideals. Sp. 3, 1928, S. 470–504. – J. RÖDER: Das Fürstenbild in den mittelalterlichen Fürstenspiegeln auf französischem Boden. Diss. Münster 1933. – W. KLEINEKE: Englische Fürstenspiegel vom Policraticus Johanns von Salisbury bis zum Basilikon Doron König Jakobs I. 1937. – H. H. ANTON: Fürstenspiegel und Herrscherethos in der Karolingerzeit. 1968. – P. HADOT: Fürstenspiegel. In: Reallexikon für Antike und Christentum. Bd. 8, 1972, Sp. 555–632. – O. EBERHARDT: Via regia. Der Fürstenspiegel Smaragds von St. Mihiel und seine literarische Gattung. 1977.

Zum *traditionellen Herrscherbild* vgl. J. STRAUB: Vom Herrscherideal in der Spätantike. 1939. – F. TAEGER: Charisma. Studien zur Geschichte des antiken Herrscherkultes. Bd. 1–2, 1957–1960. – H. WOLFRAM: Constantin als Vorbild für den Herrscher des hochmittelalterlichen Reiches. MIÖG 68, 1960, S. 226–43. – H. STEGER: David rex et propheta. König David als vorbildliche Verkörperung des Herrschers und Dichters im Mittelalter, nach Bilddarstellungen des 8.–12. Jahrhunderts. 1961. – H. WOLFRAM: Splendor Imperii. Die Epiphanie von Tugend und Heil in Herrschaft und Reich. 1963. – P. E. SCHRAMM: Das Alte und das Neue Testament in der Staatslehre und Staatssymbolik des Mittelalters. In: La biblia nell'alto medioevo. 1963, S. 229–55. – H. KLOFT: Liberalitas principis. Herkunft und Bedeutung. Studien zur Prinzipatsideologie. 1970. – A. FRH. VON MÜLLER: Gloria Bona Fama Bonorum. Studien zur sittlichen Bedeutung des Ruhms in der frühchristlichen und mittelalterlichen Welt. 1977. – M. MCCORMICK: Eternal Victory – Triumphal Rulership in Late Antiquity, Byzantium, and the Early Medieval West. 1985. – Einige wichtige Beiträge sind gesammelt in den Bänden IDEOLOGIE UND HERR-

SCHAFT IN DER ANTIKE. Hg. H. Kloft. 1979, und DAS BYZANTINISCHE HERRSCHERBILD. Hg. H. Hunger. 1975.

Zur *Adelsethik* im frühen und hohen Mittelalter und zum *Herrscherbild in der mittelalterlichen Literatur* vgl. A. KÜHNE: Das Herrscherideal des Mittelalters und Kaiser Friedrich I. 1898. – F. VOGT: Das Kaiser- und Königsideal in der deutschen Dichtung des Mittelalters. 1908. – L. SANDROCK: Das Herrscherideal in der erzählenden Dichtung des deutschen Mittelalters. Diss. Münster 1931. – H. SCHMITZ: Blutsadel und Geistesadel in der hochhöfischen Dichtung. 1941. – H. KALLFELZ: Das Standesethos des Adels im 10. und 11. Jahrhundert. Diss. Würzburg 1960. – F. BITTNER: Studien zum Herrscherlob in der mittellateinischen Dichtung. Diss. Würzburg 1962. – J. FECHTER: Cluny, Adel und Volk. Studien über das Verhältnis des Klosters zu den Ständen (910–1156). Diss. Tübingen 1966. – A. GEORGI: Das lateinische und deutsche Preisgedicht des Mittelalters in der Nachfolge des genus demonstrativum. 1969. – M.F. HELLMANN: Fürst, Herrscher und Fürstengemeinschaft. Untersuchungen zu ihrer Bedeutung als politischer Elemente in mittelhochdeutschen Epen. Diss. Bonn 1969. – D. OBERMÜLLER: Die Tugendkataloge der Kaiserchronik. Studien zum Herrscherbild der frühmittelhochdeutschen Dichtung. Diss. Heidelberg 1971. – G. KOCH: Auf dem Wege zum Sacrum Imperium. Studien zur ideologischen Herrschaftsbegründung der deutschen Zentralgewalt im 11. und 12. Jahrhundert. 1972. – W. STÖRMER: Früher Adel. Studien zur politischen Führungsschicht im fränkisch-deutschen Reich vom 8. bis 11. Jahrhundert. Bd. 1–2, 1973. – K. BOSL: Leitbilder und Wertvorstellungen des Adels von der Merowingerzeit bis zur Höhe der feudalen Gesellschaft. MSB 1974, Nr. 5. – E. KLEINSCHMIDT: Herrscherdarstellung. Zur Disposition mittelalterlichen Aussageverhaltens, untersucht an Texten über Rudolf I. von Habsburg. 1974. – K. R. GÜRTTLER: Künec Artûs the guote. Das Artusbild der höfischen Epik des 12. und 13. Jahrhunderts. 1976. – K. H. BORCK: Adel, Tugend und Geblüt. Thesen und Beobachtungen zur Vorstellung des Tugendadels in der deutschen Literatur des 12. und 13. Jahrhunderts. PBB 100, 1978, S. 423–57. – LEGITIMATIONSKRISEN DES DEUTSCHEN ADELS, 1200–1900. Hg. P. U. Hohendahl u. P. M. Lützeler. 1979. – ADELSHERRSCHAFT UND LITERATUR. Hg. H. Wenzel. 1980. – D. NEUENDORFF: Studie zur Entwicklung der Herrscherdarstellung in der deutschsprachigen Literatur des 9.–12. Jahrhunderts. 1982.

Zur *bildlichen Herrscherdarstellung* ist grundlegend P. E. SCHRAMM: Die deutschen Kaiser und Könige in Bildern ihrer Zeit, 751–1190. [2]1983. Dieses Werk hat keine Fortsetzung gefunden. Vgl. außerdem M. KEMMERICH: Die Porträts deutscher Kaiser und Könige bis auf Rudolf von Habsburg. NA 33, 1908, S. 461–513. – M. KEMMERICH: Die Deutschen Kaiser und Könige im Bilde. 1910. – S. H. STEINBERG u. C. STEINBERG-VON PAPE: Die Bildnisse geistlicher und weltlicher Fürsten und Herren. Teil 1: Von der Mitte des 10. bis zum Ende des 12. Jahrhunderts (800–1200). Textband, Tafelband. 1931. – K. F. A. MANN: Das Herrscherbild der Hohenstaufenzeit. Diss. (masch.) Berlin F. U. 1952. – H. KELLER: Das Nachleben des antiken Bildnisses von der Karolingerzeit bis zur Gegenwart. 1970. – P. BLOCH: Bildnis im Mittelalter. Herrscherbild – Grabbild – Stifterbild. In: Bilder vom Menschen in der Kunst des Abendlandes. Jubiläumsausstellung der Preußischen Museen Berlin. 1980, S. 105–41. – J. WOLLASCH: Kaiser und Könige als Brüder der Mönche. Zum Herrscherbild in liturgischen Handschriften des 9.–11. Jahrhunderts. DA 40, 1984, S. 1–20.

Über die *fürstlichen Grabbilder* vgl. D. SCHUBERT: Von Halberstadt nach Meißen. Bildwerke des 13. Jahrhunderts in Thüringen, Sachsen und Anhalt. 1974. – K. BAUCH: Das mittelalterliche Grabbild. Figürliche Grabmäler des 11.–15. Jahrhunderts in Europa. 1976. Über die Naumburger Stifterfiguren vgl. W. SCHLESINGER: Meißner Dom und Naumburger Westchor. Ihre Bildwerke in geschichtlicher Betrachtung. 1952. – E. SCHUBERT: Der Westchor des Naumburger Domes. Ein Beitrag zur Datierung und zum Verständnis der Standbilder. ADAW 1964, Nr. 1. – W. SAUERLÄNDER: Die Naumburger Stifterfiguren. In: Die Zeit der Staufer (vgl. S. 810), Bd. 5, S. 169–245.

Zur *Kreuzzugsidee* und zum *religiösen Ritterbegriff* ist grundlegend C. ERDMANN: Die Entstehung des Kreuzzugsgedankens. 1935. Zuletzt J. FLORI: L'idéologie du glaive. Préhistoire de la chevalerie. 1983. Vgl. außerdem G. WOLFRAM: Kreuzpredigt und Kreuzlied. ZfdA 30, 1886, S. 89–132. – U. SCHWERIN: Die Aufrufe der Päpste zur Befreiung des heiligen Landes von den Anfängen bis zum Ausgang Innozenz' IV. 1937. – V. CRAMER: Die Kreuzzugspredigt zur Befreiung des Heiligen Landes. 1095–1270. 1939. – F.-W. WENTZLAFF-EGGEBERT: Kreuzzugsdichtung des Mittelalters. Studien zu ihrer geschichtlichen und dichterischen Wirklichkeit. 1960. – W. BRAUN: Studien zum Ruodlieb. Ritterideal, Erzählstruktur und Darstellungsstil. 1962. – H. HOFFMANN: Gottesfriede und Treuga Dei. 1964. – A. NOTH: Heiliger Krieg und Heiliger Kampf in Islam und Christentum. 1966. – F. PRINZ: Klerus und Krieg im früheren Mittelalter. 1971. – R.R. BOLGAR: Hero or Anti-Hero? The Genesis and Development of the Miles Christianus. In: Concepts of the Hero in the Middle Ages and the Renaissance. Hg. N.T. Burns u. C.J. Reagan. 1975, S. 120–46. – P. ROUSSET: L'idéal chevaleresque dans deux Vitae clunisiennes. In: Etudes de civilisation médiévale (IXᵉ–XIIᵉ siècles). Mélanges offerts à E.-R. Labande. (1975), S. 623–33. – A. WANG: Der Miles Christianus im 16. und 17. Jahrhundert und seine mittelalterliche Tradition. Ein Beitrag zum Verhältnis von sprachlicher und graphischer Bildlichkeit. 1975. – R.C. SCHWINGES: Kreuzzugsideologie und Toleranz. Studien zu Wilhelm von Tyrus. 1977. – J. ASHCROFT: Miles Dei – Gotes Ritter. Konrad's Rolandslied and the Evolution of the Concept of Christian Chivalry. FMLS 17, 1981, S. 146–66. – G. ALTHOFF: Nunc fiant Christi milites, qui dudum extiterunt raptores. Zur Entstehung von Rittertum und Ritterethos. Sc. 32. 1981, S. 317–33. – J. FLORI: La chevalerie selon Jean de Salisbury (nature, fonction, idéologie). RHE 77, 1982, S. 35–77. – S. KRÜGER: Character militaris und character indelebilis. Ein Beitrag zum Verhältnis von miles und clericus im Mittelalter. In: Institutionen, Kultur und Gesellschaft im Mittelalter (vgl. S. 812), S. 567–80.

Zu den *geistlichen Ritterorden* vgl. DIE GEISTLICHEN RITTERORDEN EUROPAS. Hg. J. Fleckenstein u. M. Hellmann. 1980. Darin besonders der Aufsatz von J. FLECKENSTEIN: Die Rechtfertigung der geistlichen Ritterorden nach der Schrift De laude novae militia Bernhards von Clairvaux. S. 9–22.

Zur Diskussion über *das ritterliche Tugendsystem* vgl. RITTERLICHES TUGENDSYSTEM. Hg. G. Eifler. 1970.

Zum *Ritterbild der höfischen Dichtung* vgl. S. JAUERNICK: Das theoretische Bild des Rittertums in der altfranzösischen Literatur. Diss. Göttingen 1961. – G. MEISSBURGER: De vita christiana. Zum Bild des christlichen Ritters im Hochmittelalter. DU 14, 1962, Heft 6, S. 21–34. – D. ROCHER: »Chevalerie« et littérature »chevaleresque«. Eg. 21, 1966, S. 165–79; 23, 1968, S. 345–57. – C. MOORMAN: A Knyght there Was. The Evolution of the Knight in Literature. 1967. – W.

SCHRÖDER: Zum ritter-bild der früh-mittelhochdeutschen Dichter. GRM 53, 1972, S. 333–51. – W. P. GERRITSEN: Het beeld van feodaliteit en ridderschap in middeleeuwse litteratuur. BMGN 89, 1974, S. 241–61. – P. MÉNARD: Le chevalier errant dans la littérature arthurienne. In: Voyage, quête, pèlerinage dans la littérature et la civilisation médiévale. 1976, S. 289–311. – D. H. GREEN: The King and the Knight in the Medieval Romance. In: Festschrift for R. Farrell. 1977, S. 175–83. – CHIVALRIC LITERATURE. Essays on Relations between Literature and Life in the Later Middle Ages. Hg. L. D. Benson u. J. Leyerle. 1980. – KNIGHTHOOD IN MEDIEVAL LITERATURE. FMLS 17, 1981, Heft 2. – G. KAISER: Der Ritter in der deutschen Literatur des hohen Mittelalters. In: Das Ritterbild in Mittelalter und Renaissance (vgl. S. 814), S. 37–49.

Zum *Ritterbegriff* und zur *sozialen Erscheinung des Rittertums* vgl. S. 814f.

Über *Adelserziehung im Mittelalter* jetzt N. ORME: From Childhood to Chivalry. The Education of the English Kings and Aristocracy 1066–1530. 1984. Für Deutschland fehlt eine kritische Darstellung. Vgl. noch E. RUST: Die Erziehung des Ritters in der altfranzösischen Epik. Diss. Berlin 1888. – F. TETZNER: Die Erziehung der juncherren in der Blütezeit des Rittertums. PS 38, 1889, S. 412–30, 481–500, 609–20, 671–86. – F. MEYER: Jugenderziehung im Mittelalter, dargestellt nach den altfranzösischen Artus- und Abenteuerromanen. Progr. Solingen 1896. – N. SCHNEIDER: Erziehergestalten im höfischen Epos. 1935. – M. P. COSMAN: The Education of the Hero in Arthurian Romance. 1965. – A. MUNDHENK: Der Winsbecke oder Die Erziehung des Ritters. In: Interpretationen mittelhochdeutscher Lyrik. Hg. G. Jungbluth. 1969, S. 269–86. – S. KRÜGER: Das Rittertum in den Schriften des Konrad von Megenberg. In: Herrschaft und Stand (vgl. S. 813), S. 302–28.

Zur *Vorbildlichkeit der Dichtung und ihrer gesellschaftlichen Ausstrahlung* vgl. T. HIRSCH: Über den Ursprung der Preußischen Artushöfe. ZfPG 1, 1864, S. 3–32. – W. STÖRMER: König Artus als aristokratisches Leitbild während des späten Mittelalters, gezeigt an Beispielen der Ministerialität und des Patriziats. ZfbLG 35, 1972, S. 946–71. – A. OSTMANN: Die Bedeutung der Arthurtradition für die englische Gesellschaft des 12. und 13. Jahrhunderts. Diss. Berlin F. U. 1975. – W. STÖRMER: Adel und Ministerialität im Spiegel der bayerischen Namengebung (bis zum 13. Jahrhundert). DA 33, 1977, S. 84–152.

Zur *Bedeutung der Hofkleriker für die Ausbildung des höfischen Gesellschaftsideals* vgl. H. BRINKMANN: Entstehungsgeschichte des Minnesangs. 1926. – C. S. JAEGER: The Courtier Bishop in Vitae from the Tenth to the Twelfth Century. Sp. 58, 1983, S. 291–325. – C. S. JAEGER: Beauty of Manners and Discipline (schoene site, zuht). An Imperial Tradition of Courtliness in the German Romance. In: Barocker Lust-Spiegel. Festschrift für B. L. Spahr. 1984, S. 27–45. Nach Abschluß des Manuskripts erschien das wichtige Buch von C. S. JAEGER: The Origin of Courtliness. Civilizing Trends and the Formation of Courtly Ideals (939–1210). 1985.

Zu den *Streitgesprächen über die Vorzüge des Ritters und des Klerikers* vgl. C. OULMONT: Les débats du clerc et du chevalier dans la littérature poétique du moyen âge. 1911. – E. FARAL: Les débats du clerc et du chevalier dans la littérature du XIIe et XIIIe siècles. Ro. 41, 1912, S. 473–517. – H. WALTHER: Das Streitgedicht in der lateinischen Literatur des Mittelalters. 1920, S. 145 ff. – W. T. H. JACKSON: Der Streit zwischen miles und clericus. ZfdA 85, 1954/55, S. 293–303. – G. TAVANI: Il dibattito sul chierico e il cavaliere nella tradizione mediolatina e volgare. RJb. 15, 1964, S. 51–84.

2. Die höfische Dame

Obwohl in den letzten Jahren viel Literatur zum Thema *Die Frau im Mittelalter* erschienen ist, fehlt es noch vielfach an gründlichen Untersuchungen. Für *Frankreich* und *England* sind zu nennen: A. LEHMANN: Le rôle de la femme dans l'histoire de la France au moyen âge. 1952. – D. M. STENTON: The English Woman in History. 1957. Für *Deutschland* gibt es nur das materialreiche, aber in seinen Gesichtspunkten vollkommen veraltete Werk von K. WEINHOLD: Die deutschen Frauen in dem Mittelalter. Bd. 1–2, ³1897. Ergänzend H. FINKE: Die Frau im Mittelalter. 1913.

An *neueren Darstellungen* seien genannt. HISTOIRE MONDIALE DE LA FEMME. Hg. P. Grimal. Bd. 1–2, 1965–66. – M. BARDÈCHE: Histoire des femmes. Bd. 1–2, 1968. – V. L. BULLOUGH: The Subordinate Sex. A History of Attitudes towards Women. 1973. – S. HARKSEN: Die Frau im Mittelalter. 1974. – NOT IN GOD'S IMAGE. A History of Women in Europe from the Greeks to the Nineteenth Century. Hg. J. O'Faolain u. L. Martines. 1974. – THE ROLE OF WOMEN IN THE MIDDLE AGES. Hg. R. T. Morewedge. 1975. – WOMEN IN MEDIEVAL SOCIETY. Hg. S. M. Stuard. 1976. – G. BECKER (u. a.): Zum kulturellen Bild und zur realen Situation der Frau im Mittelalter und in der frühen Neuzeit. In: Aus der Zeit der Verzweiflung. Zur Genese und Aktualität des Hexenbildes. 1977, S. 11–128. – F. u. J. GIES: Women in the Middle Ages. 1978. – MEDIEVAL WOMEN. Hg. D. Baker. 1978. – R. PERNOUD: La femme au temps des cathédrales. 1980. – S. SHAHAR: Die Frau im Mittelalter. 1981 – P. KETSCH: Frauen im Mittelalter. Bd. 1–2, 1981–84. – A. M. LUCAS: Women in the Middle Ages. Religion, Marriage and Letters. 1983. – E. POWER: Als Adam grub und Eva spann, wo war da der Edelmann? Das Leben der Frau im Mittelalter. 1984. –

E. ENNEN: Frauen im Mittelalter. 1984.

Zur *Rechtsstellung der Frau* vgl. R. BARTSCH: Die Rechtsstellung der Frau als Gattin und Mutter. Geschichtliche Entwicklung ihrer persönlichen Stellung im Privatrecht bis in das 18. Jahrhundert. 1903. – M. WEBER: Ehefrau und Mutter in der Rechtsentwicklung. 1907. – H. FEHR: Die Rechtsstellung der Frau und der Kinder in den Weistümern. 1912. – LA FEMME. Hg. J. Gilissen. Bd. 1–2, 1959–62. Zur *kirchenrechtlichen Bewertung der Frau* vgl. R. METZ: Recherches sur le statut de la femme en droit canonique. Bilan historique et perspectives d'avenir. AC 12, 1968, S. 85–113.

Zur *Stellung der Frau in der mittelalterlichen Gesellschaft* und speziell zum Thema *Die Frau als Herrscherin* vgl. W. KOWALSKI: Die deutschen Königinnen und Kaiserinnen von Konrad III. bis zum Ende des Interregnums. 1913. – T. VOGELSANG: Die Frau als Herrscherin im hohen Mittelalter. Studien zur consors regni-Formel. 1954. – M. F. FACINGER: A Study of Medieval Queenship. Capetian France 987–1237. SMRH 5, 1968, S. 1–48. – D. HERLIHY: Women in Medieval Society. 1971. – S. KONECNY: Die Frauen des karolingischen Königshauses. Die politische Bedeutung der Ehe und die Stellung der Frau in der fränkischen Herrscherfamilie vom 7. bis zum 10. Jahrhundert. 1976. – R. FOSSIER: La femme dans les sociétés occidentales. CCM 20, 1977, S. 93–102. – FRAUEN IN DER GESCHICHTE. Hg. A. Kuhn (u. a.). Bd. 1–4, 1979–83. – P. STAFFORD: Queens, Concubines, and Dowagers. The King's Wife in the Early Middle Ages. 1983.

Die *Stellung der Frau im Wirtschaftsleben* ist am besten aufgearbeitet, vgl. K. BÜCHER: Die Frauenfrage im Mittelalter. ²1910. – H. WACHENDORF: Die wirtschaftliche Stellung der Frau in den deutschen Städten des späteren Mittelalters. Diss. Hamburg

1934. – J. BARCHEWITZ: Von der Wirtschaftstätigkeit der Frau in der vorgeschichtlichen Zeit bis zur Entfaltung der Stadtwirtschaft. 1937. – L. HESS: Die deutschen Frauenberufe des Mittelalters. Diss. Königsberg 1940. – B. KUSKE: Die Frau im mittelalterlichen deutschen Wirtschaftsleben. ZfhwF 11, 1959, S. 148–57. – E. ENNEN: Die Frau in der mittelalterlichen Stadtgesellschaft Mitteleuropas. HGb. 98, 1980, S. 1–22. – M. WENSKY: Die Stellung der Frau in der stadtkölnischen Wirtschaft im Spätmittelalter. 1980. – K. WESOLY: Der weibliche Bevölkerungsanteil in spätmittelalterlichen und frühneuzeitlichen Städten und die Betätigung von Frauen im zünftigen Handwerk (insbesondere am Mittel- und Oberrhein). ZGO 128, 1980, S. 69–117. – B. HÄNDLER-LACHMANN: Die Berufstätigkeit der Frau in den deutschen Städten des Spätmittelalters und der beginnenden Neuzeit. HJL 30, 1980, S. 131–75. – E. UITZ: Zu einigen Aspekten der gesellschaftlichen Stellung der Frau in der mittelalterlichen Stadt. JGF 5, 1981, S. 57–88.

Über die *Erziehung und Bildung der Frauen* vgl. J.M. FERRANTE: The Education of Women in the Middle Ages in Theory, Fact, and Fantasy. In: Beyond Their Sex. Learned Women of the European Past. Hg. P.H. Labalme. 1981, S. 9–42. Ferner das oben genannte Buch von A.M. LUCAS. Sonst gibt es nur Uraltliteratur: C. JOURDAIN: L'éducation des femmes au moyen âge. MINF 28, 1874, S. 79–133. – F. KÖSTERUS: Frauenbildung im Mittelalter. 1877. – A.A. HENTSCH: De la littérature didactique du moyen âge, s'adressant spécialement aux femmes. Diss. Halle 1903. – B. MAY: Die Mädchenerziehung in der Geschichte der Pädagogik von Plato bis zum 18. Jahrhundert. Diss. Erlangen 1908. – H. JACOBIUS: Die Erziehung des Edelfräuleins im alten Frankreich. Nach Dichtungen des XII., XIII. und XIV. Jahrhunderts. 1908.

Zur *Rolle der Frau im Literatur- und Kunstbetrieb* vgl. H. GRUNDMANN: Die Frauen und die Literatur im Mittelalter. Ein Beitrag zur Frage nach der Entstehung des Schrifttums in der Volkssprache. AKG 26, 1936, S. 129–61. – R. LEJEUNE: Rôle littéraire d'Aliénor d'Aquitaine et de sa famille. CN 14, 1954, S. 5–57. – R. LEJEUNE: Rôle littéraire de la famille d'Aliénor d'Aquitaine. CCM 1, 1958, S. 319–37. – ELEANOR OF AQUITAINE. Patron and Politician. Hg. W.W. Kibler. 1976. – T. LATZKE: Der Fürstinnenpreis. MlJ 14, 1979, S. 22–65. – S.G. BELL: Medieval Women Book Owners. Si. 7, 1982, S. 742–68. – E. SCHRAUT u. C. OPITZ: Frauen und Kunst im Mittelalter. Katalog zur Ausstellung. 1983.

Zur *christlichen Bewertung der Frau* können nur wenige Titel angeführt werden: M. BERNARDS: Speculum Virginum. Geistigkeit und Seelenleben der Frau im Hochmittelalter. 1955. – M. STOECKLE: Studien über Ideale in Frauenviten des VII.–X. Jahrhunderts. Diss. München 1957. – K. THRAEDE: Frau. In: Reallexikon für Antike und Christentum. Bd. 8, 1972, Sp. 197–269. – M.M. MCLAUGHLIN: Peter Abelard and the Dignity of Women. Twelfth Century Feminism in Theory and Practice. In: Pierre Abélard – Pierre le Vénérable. 1975, S. 287–334. – A. HUFNAGEL: Die Bewertung der Frau bei Thomas von Aquin. TQ 156, 1976, S. 133–47. – M.-T. d'ALVERNY: Comment les théologiens et les philosophes voient la femme. CCM 20, 1977, S. 105–28.

Zur *mittelalterlichen Biologie und Anthropologie der Frau* vgl. A. MITTERER: Mann und Weib nach dem biologischen Weltbild des hl. Thomas und dem der Gegenwart. ZfkT 57, 1933, S. 491–556. – V.L. BULLOUGH: Medieval Medical and Scientific Views of Women. Vr. 4, 1973, S. 485–501.

Zur *religiösen Frauenbewegung* vgl. J. GREVEN: Die Anfänge der Beginen. 1912. – E.W. MCDONNEL: The

Beguines and Beghards in Medieval Culture. 1954. – H. GRUNDMANN: Religiöse Bewegungen im Mittelalter. Untersuchungen über die geschichtlichen Zusammenhänge zwischen der Ketzerei, den Bettelorden und der religiösen Frauenbewegung im 12. und 13. Jahrhundert und über die geschichtlichen Grundlagen der deutschen Mystik. ²1961. – G. KOCH: Frauenfrage und Ketzertum im Mittelalter. Die Frauenbewegung im Rahmen des Katharismus und des Waldensertums und ihre sozialen Wurzeln (12.–14. Jahrhundert). 1962. – G. KOCH: Die Frau im mittelalterlichen Katharismus und Waldensertum. SM Ser. 3a, Bd. 5, 1964, S. 741–74. – E. MCLAUGHLIN: Die Frau und die mittelalterliche Häresie. Co. 12, 1976, S. 34–44.

Zur *Tradition der frauenfeindlichen Literatur* vgl. A. WULFF: Die frauenfeindlichen Dichtungen in den romanischen Literaturen des Mittelalters bis zum Ende des 13. Jahrhunderts. 1914. – K. M. ROGERS: The Troublesome Helpmate. A History of Misogyny in Literature. 1966. – R. SCHNELL: Zum Verhältnis von hoch- und spätmittelalterlicher Literatur. 1978, S. 83 ff.

Zum *Bild der Frau in der höfischen Literatur* vgl. A. KÖHN: Das weibliche Schönheitsideal in der ritterlichen Dichtung. 1930. – W. SPIEWOK: Minneidee und feudalhöfisches Frauenbild. WZUG 12, 1963, S. 481–90. – C. SOETEMAN: Das schillernde Frauenbild mittelalterlicher Dichtung. ABäG 5, 1973, S. 77–94. – J. M. FERRANTE: Women as Image in Medieval Literature. From the Twelfth Century to Dante. 1975. – R. LEJEUNE: La femme dans les littératures françaises et occitanes du XIᵉ au XIIIᵉ siècle. CCM 20, 1977, S. 201–16.

Zum *Frauenbild der höfischen Lyrik* vgl. C. LEUBE-FEY: Bild und Funktion der domna in der Lyrik der Trobadors. 1971. – W. D. PADEN, JR.: The Troubadour's Lady. Her Marital Status and Social Rank. SiP 72, 1975,

S. 28–50. – L. SALEM: Die Frau in den Liedern des »Hohen Minnesangs«. 1980. – G. SCHWEIKLE: Die frouwe der Minnesänger. Zu Realitätsgehalt und Ethos des Minnesangs im 12. Jahrhundert. ZfdA 109, 1980, S. 91–116.

Zum *Frauenbild der höfischen Epik* vgl. M. M. MANN: Die Frauen und die Frauenverehrung in der höfischen Epik nach Gottfried von Straßburg. JEGP 12, 1913, S. 355–82. – H.-J. BÖCKENHOLT: Untersuchungen zum Bild der Frau in den mittelhochdeutschen »Spielmannsdichtungen«. Diss. Münster 1971. – A. K. BLUMSTEIN: Misogyny and Idealization in the Courtly Romance. 1977. – V. MERTENS: Laudine. Soziale Problematik im Iwein Hartmanns von Aue. 1978. – G. J. LEWIS: daz vil edel wîp. Die Haltung zeitgenössischer Kritiker zur Frauengestalt der mittelhochdeutschen Epik. In: Die Frau als Heldin und Autorin. Hg. W. Paulsen 1979, S. 66–81. – E. SCHÄUFELE: Normabweichendes Rollenverhalten. Die kämpfende Frau in der deutschen Literatur des 12. und 13. Jahrhunderts. 1979. – I. HENDERSON: Die Frauendarstellung im nachklassischen Roman des Mittelalters. ABäG 14, 1979, S. 137–48. – H. GÖTTNER-ABENDROTH: Die Herrin und ihr Held. Matriarchale Mythologie in der Epik des Mittelalters. In: H. Göttner-Abendroth: Die matriarchalen Religionen in Mythos, Märchen und Dichtung. 1980, S. 173–230. – N. C. ŽAK: The Portrayal of the Heroine in Chrétien de Troyes' Erec et Enide, Gottfried von Straßburg's Tristan and Flamenca. 1983. – P. KELLERMANN-HAAF: Frau und Politik im Mittelalter. Untersuchungen zur politischen Rolle der Frau in den höfischen Romanen des 12., 13. und 14. Jahrhunderts. Diss. (masch.) Köln 1983.

Zum *Frauenbild der Schwänke* vgl. F. BRIETZMANN: Die böse Frau in der deutschen Literatur des Mittelalters. 1912. – M. LONDNER: Eheauffassung und Darstellung der Frau in der spät-

mittelalterlichen Märendichtung. Diss. Berlin F. U. 1973.
Zur *Darstellung der Frau in der Geschichtsschreibung* vgl. M.-L. PORTMANN: Die Darstellung der Frau in der Geschichtsschreibung des früheren Mittelalters. 1958.

3. Höfische Liebe

Zum *Begriff der höfischen Liebe* gibt es eine ungemein reiche internationale Forschung, aus der hier nur einige besonders wichtige Titel genannt werden. Die interessantesten Aspekte finde ich in den Arbeiten von Rüdiger Schnell. Für die soziologischen Fragen erweist sich der Forschungsbericht von Ursula Liebertz-Grün als ein zuverlässiger Führer. Ausgangspunkt der »amour courtois«-Forschung war der Aufsatz von G. PARIS: Études sur les romans de la table ronde. Lancelot du Lac. 2. Le conte de la Charrette. Ro. 12, 1883, S. 459–534. Vgl. außerdem R. R. BEZZOLA: Guillaume IX et les origines de l'amour courtois. Ro. 66, 1940, S. 145–237. – A. J. DENOMY: Fin'Amors. The Pure Love of the Troubadours. Its Amorality and Possible Source. MSt. 7, 1945, S. 139–207. – H. KOLB: Der Begriff der Minne und das Entstehen der höfischen Lyrik. 1958. – E. LEA: Erziehen – im Wert erhöhen – Gemeinschaft in Liebe. PBB (Halle) 89, 1967, S. 255–89. – THE MEANING OF COURTLY LOVE. Hg. F. X. Newman. 1968. – H. WENZEL: Frauendienst und Gottesdienst. Studien zur Minne-Ideologie. 1974. – R. SCHNELL: Ovids Ars amatoria und die höfische Minnetheorie. Eu. 69, 1975, S. 132–59. – R. BOASE: The Origin and Meaning of Courtly Love. A Critical Study of European Scholarship. 1977. – H. KUHN: Determinanten der Minne. Lili. 7, 1977, Heft 26, S. 83–94. – R. SCHNELL: Hohe und niedere Minne. ZfdPh. 98, 1979, S. 19–52.
Zur *Soziologie der höfischen Liebe*

vgl. E. WECHSSLER: Frauendienst und Vasallität. ZffSL 24, 1902, S. 159–90. – W. MOHR: Minnesang als Gesellschaftskunst. DU 6, 1954, Heft 5, S. 83–107. – E. KÖHLER: Die Rolle des niederen Rittertums bei der Entstehung der Trobadorlyrik. In: E. Köhler: Esprit und arkadische Freiheit. 1966, S. 9–27. – E. KÖHLER: Vergleichende soziologische Betrachtungen zum romanischen und zum deutschen Minnesang. In: Der Berliner Germanistentag 1968. Hg. K. H. Borck u. R. Henß. 1970, S. 61–76. – C. WALLBAUM: Studien zur Funktion des Minnesangs in der Gesellschaft des 12. und 13. Jahrhunderts. Diss. Berlin F. U. 1972. – U. PETERS: Niederes Rittertum oder hoher Adel? Zu Erich Köhlers historisch-soziologischer Deutung der altprovenzalischen und mittelhochdeutschen Minnelyrik. Eu. 67, 1973, S. 244–60. – E. KLEINSCHMIDT: Minnesang als höfisches Zeremonialhandeln. AKG 58, 1976, S. 35–76. – U. LIEBERTZ-GRÜN: Zur Soziologie des amour courtois. Umrisse der Forschung. 1977. – G. KAISER: Minnesang – Ritterideal – Ministerialität. In: Adelsherrschaft und Literatur. Hg. H. Wenzel. 1980, S. 181–208.
Zu *Andreas Capellanus* vgl. W. T. H. JACKSON: The De Amore of Andreas Capellanus and the Practice of Love at Court. RR 49, 1958, S. 243–51. – F. SCHLÖSSER: Andreas Capellanus. Seine Minnelehre und das christliche Weltbild des 12. Jahrhunderts. ²1962. – R. SCHNELL: Andreas Capellanus, Heinrich von Morungen und Herbort von Fritzlar. ZfdA 104, 1975, S. 131–51. – F. TAIANA: Amor purus und die Minne. 1977. – A. KARNEIN: Auf der Suche nach einem Autor. Andreas, Verfasser von De Amore. GRM N. F. 28, 1978, S. 1–20. – R. SCHNELL: Andreas Capellanus. Zur Rezeption des römischen und kanonischen Rechts in De Amore. 1982. – A. KARNEIN: De Amore in volkssprachlicher Literatur. Untersuchungen zur Andreas Capellanus-Rezep-

tion in Mittelalter und Renaissance. 1985.

Zur *Ehelehre und Sexualethik der Scholastik* und zum *kanonischen Eherecht* vgl. P. BROWE: Beiträge zur Sexualethik des Mittelalters. 1932. – J. DAUVILLIER: Le mariage dans le droit classique de l'église depuis le décret de Gratien (1140) jusqu'à la mort de Clément V. (1314). 1933. – H. PORTMANN: Wesen und Unauflöslichkeit der Ehe in der kirchlichen Wissenschaft und Gesetzgebung des 11. und 12. Jahrhunderts. 1938. – J. FUCHS: Die Sexualethik des hl. Thomas von Aquin. 1949. – M. MÜLLER: Die Lehre des hl. Augustinus von der Paradiesehe und ihre Auswirkung in der Sexualethik des 12. und 13. Jahrhunderts bis zu Thomas von Aquin. 1954. – L. BRANDL: Die Sexualethik des hl. Albertus Magnus. 1955. – J. G. ZIEGLER: Die Ehelehre der Pönitentialsummen von 1200–1350. 1956. – H. A. J. ALLARD: Die eheliche Lebens- und Liebesgemeinschaft nach Hugo von St. Viktor. 1963. – R. WEIGAND: Die Lehre der Kanonisten des 12. und 13. Jahrhunderts von den Ehezwecken. SG 12, 1967, S. 443–78. – J. A. BRUNDAGE: The Crusader's Wife. A Canonistic Quandary. Ebd., S. 425–41. – J. T. NOONAN, JR.: Marital Affection in the Canonists. Ebd., S. 479–509. – R. WEIGAND: Unauflöslichkeit der Ehe und Eheauflösungen durch Päpste im 12. Jahrhundert. RDC 20, 1970, S. 44–64. – R. WEIGAND: Das Scheidungsproblem in der mittelalterlichen Kanonistik. TQ 151, 1971, S. 52–60. – R. WEIGAND: Kanonistische Ehetraktate aus dem 12. Jahrhundert. In: Proceedings of the Third International Congress of Medieval Canon Law. Hg. S. Kuttner. 1971, S. 59–79. – J. T. NOONAN, JR.: Power to Dissolve. Lawyers and Marriages in the Courts of the Roman Curia. 1972. – J. T. NOONAN, JR.: Power to Choose. Vr. 4, 1973, S. 419–34. – H. ZEIMENTZ: Ehe nach der Lehre der Frühscholastik. 1973. – J. A. BRUNDAGE: Concubinage and Marriage in Medieval Canon Law. JMH 1, 1975, S. 1–17. – C. DONAHUE, JR.: The Policy of Alexander the Third's Consent Theory of Marriage. In: Proceedings of the Fourth International Congress of Medieval Canon Law. Hg. S. Kuttner. 1976, S. 251–81. – V. PFAFF: Das kirchliche Eherecht am Ende des 12. Jahrhunderts. ZRG KA 63, 1977, S. 73–117. – M. M. SHEEHAN: Marriage Theory and Practice in the Conciliar Legislation and Diocesan Statutes of Medieval England. MSt. 40, 1978, S. 408–60. – M. M. SHEEHAN: Choice of Marriage Partner in the Middle Ages. SMRH 1, 1978, S. 1–33. – J. A. BRUNDAGE: Rape and Marriage in Medieval Canon Law. RDC 28, 1978, S. 62–75. – C. N. L. BROOKE: Aspects of Marriage Law in the Eleventh and Twelfth Centuries. In: Proceedings of the Fifth International Congress of Medieval Canon Law. Hg. S. Kuttner u. K. Pennington. 1980, S. 333–44. – J. A. BRUNDAGE: Carnal Delight: Canonistic Theories of Sexuality. Ebd., S. 361–85. – R. WEIGAND: Zur mittelalterlichen kirchlichen Ehegerichtsbarkeit. ZRG KA 67, 1981, S. 213–47.

Über *Ehe und Sexualität in der mittelalterlichen Adelsgesellschaft* vgl. F. FRH. VON REITZENSTEIN: Liebe und Ehe im Mittelalter. 1912. – P. RASSOW: Zum Kampf um das Eherecht im 12. Jahrhundert. MIÖG 58, 1950, S. 310–16. – J. F. BENTON: Clio and Venus. A Historical View of Medieval Love. In: The Meaning of Courtly Love (vgl. S. 835), S. 19–48. – J.-L. FLANDRIN: Contraception, mariage et relations amoureuses dans l'occident chrétien. AESC 24, 1969, S. 1370–90. – D. HERLIHY: The Medieval Marriage Market. In: Medieval and Renaissance Studies. Hg. D. B. J. Randall. 1976, S. 3–27. – IL MATRIMONIO NELLA SOCIETÀ ALTOMEDIEVALE. 1977. – G. DUBY: Medieval Marriage. Two Models from Twelfth Century France. 1978. – P. DINZELBACHER: Über die Entdeckung der Liebe im Hochmittelalter. Sc. 32, 1981, S. 185–208. – LOVE AND MARRIAGE IN

THE TWELFTH CENTURY. Hg. W. van Hoecke u. A. Welkenhuysen. 1981. – J. BUMKE: Liebe und Ehebruch in der höfischen Gesellschaft. In: Liebe als Literatur. Hg. R. Krohn. 1983, S. 25–45. – J. GOODY: The Development of the Family and Marriage in Europe. 1983. – AMOUR, MARIAGE ET TRANSGRESSIONS AU MOYEN ÂGE. Hg. D. Buschinger u. A. Crépin. 1984. – G. DUBY: Ritter, Frau und Priester. Die Ehe im feudalen Frankreich. 1985.

Über Liebe und Ehe in der höfischen Literatur vgl. P. SCHULTZ: Die erotischen Motive in den deutschen Dichtungen des 12. und 13. Jahrhunderts. Diss. Greifswald 1907. – A. DREXEL: Über gesellschaftliche Anschauungen, wie sie in den mittelhochdeutschen höfischen und Volksepen hervortreten. Diss. Kempten 1909. – J. COPPIN: Amour et mariage dans la littérature française du nord au moyen âge. 1961. – L. POLLMANN: Die Liebe in der hochmittelalterlichen Literatur Frankreichs. 1966. – H. E. WIEGAND: Studien zur Minne und Ehe in Wolframs Parzival und Hartmanns Artusepik. 1972. – H. METZ: Die Entwicklung der Eheauffassung von der Früh- zur Hochscholastik in der mittelhochdeutschen Epik. Diss. Köln 1972. – B. M. FABER: Eheschließung in mittelalterlicher Dichtung vom Ende des 12. bis zum Ende des 15. Jahrhunderts. Diss. Bonn 1974. – W. HOFMANN: Die Minnefeinde in der deutschen Liebesdichtung des 12. und 13. Jahrhunderts. Diss. Würzburg 1974. – P. WAPNEWSKI: Waz ist minne. Studien zur Mittelhochdeutschen Lyrik. 1975. – IN PURSUIT OF PERFECTION. Courtly Love in Medieval Literature. Hg. J. M. Ferrante (u. a.). 1975. – H. EGGERS: Die Entdeckung der Liebe im Spiegel der deutschen Dichtung der Stauferzeit. In: Geist und Frömmigkeit der Stauferzeit. Hg. W. Böhme. 1978, S. 10–25. – P. WAPNEWSKI: Das Glück der unglücklichen Liebe oder Schmerz laß nicht nach. Liebe als

Dichtung: Minnesang. Me. 34, Heft 382, 1980, S. 238–47. – C. MUSCATINE: Courtly Literature and Vulgar Language. In: Court and Poet. Hg. G. S. Burgess. 1981, S. 1–19. – R. SCHNELL: Grenzen literarischer Freiheit im Mittelalter. Teil 1. Arch. 218, 1981, S. 249–70. – L. P. JOHNSON: Down with hohe Minne. OGS 13, 1982, S. 36–48. – R. SCHNELL: Von der kanonistischen zur höfischen Ehekasuistik. Gautier d'Arras: Ille et Galeron. ZfrPh. 98, 1982, S. 257–95. – R. SCHNELL: Gottfrieds Tristan und die Institution der Ehe. ZfdPh. 101, 1982, S. 334–69. – R. SCHNELL: Praesumpta mors. Zum Widerstreit von deutschem, römischem und kanonischem Eherecht im Guten Gerhard Rudolfs von Ems. ZRG GA 100, 1983, S. 181–212. – X. VON ERTZDORFF: Tristan und Lanzelot. Zur Problematik der Liebe in den höfischen Romanen des 12. und frühen 13. Jahrhunderts. GRM N. F. 33, 1983, S. 21–52. – G. KAISER: Liebe außerhalb der Gesellschaft. Zu einer Lebensform der höfischen Liebe. In: Liebe als Literatur (s. oben), S. 79–97. – H. WENZEL: Fernliebe und Hohe Minne. Zur räumlichen und sozialen Distanz in der Minnethematik. Ebd., S. 187–208. – R. SCHNELL: Literatur als Korrektiv sozialer Realität. Zur Eheschließung in mittelalterlichen Dichtungen. In: Non nova, sed nove. Mélanges de civilisation médiévale dédiés à W. Noomen. 1984, S. 225–38. – LIEBE – EHE – EHEBRUCH IN DER LITERATUR DES MITTELALTERS. Hg. X. von Ertzdorff u. M. Wynn. 1984. – R. SCHNELL: Causa amoris. Liebeskonzeption und Liebesdarstellung in der mittelalterlichen Literatur. 1985.

Zur Minnegeselligkeit, zu den Streitgedichten und zu den Liebeshöfen vgl. P. REMY: Les cours d'amour. Légende et réalité. RUB 7, 1955, S. 179–97. – E. KÖHLER: Der Frauendienst der Trobadors, dargestellt an ihren Streitgedichten. GRM 41, 1960, S. 201–31. – S. NEUMEISTER: Das Spiel mit der höfischen Liebe. Das altprovenzalische Partimen. 1969. – I. GLIER: Artes amandi. Untersuchungen zu Geschichte, Überlieferung und Typologie der deutschen Minnereden. 1971. – U. PETERS: Cour d'amour – Minnehof. Ein Beitrag zum Verhältnis der französischen und deutschen Minnedichtung zu den Unterhaltungsformen ihres Publikums. ZfdA 101, 1972, S. 117–33. – C. SCHLUMBOHM: Jocus und Amor. Liebesdiskussion vom mittelalterlichen joc partit bis zu den preziösen questions d'amour. 1974. – R. SCHNELL: Facetus, Pseudo-

Ars amatoria und die mittelhochdeutsche Minnedidaktik. ZfdA 104, 1975, S. 224–47. – I. KASTEN: geteiltez spil und Reinmars Dilemma. MF 165, 37. Zum Einfluß des altprovenzalischen dilemmatischen Streitgedichts auf die mittelhochdeutsche Literatur. Eu. 74, 1980, S. 16–54. – A. KARNEIN: Europäische Minnedidaktik. In: Europäisches Hochmittelalter. Hg. H. Krauss. 1981, S. 121–44. – R. SCHNELL: Zur Entstehung des altprovenzalischen dilemmatischen Streitgedichts. GRM N. F. 33, 1983, S. 1–20.

Zu Kapitel VI
Hofkritik

Die *lateinische Hofkritik des 12. Jahrhunderts* ist gut behandelt von C. UHLIG: Hofkritik im England des Mittelalters und der Renaissance. Studien zu einem Gemeinplatz der europäischen Moralistik. 1973. Interessante neue Aspekte haben Rolf Köhn und C. Stephen Jaeger entwickelt, vgl. R. KÖHN: Militia curialis. Die Kritik am geistlichen Hofdienst bei Peter von Blois und in der lateinischen Literatur des 9.–12. Jahrhunderts. In: Soziale Ordnung im Selbstverständnis des Mittelalters. Hg. A. Zimmermann. 1. Halbbd., 1979, S. 227–57. – C. S. JAEGER: The Court Criticism of MHG Didactic Poets. Social Structures and Literary Conventions. Mo. 74, 1982, S. 398–409. – C. S. JAEGER: The Nibelungen Poet and the Clerical Rebellion against Courtesy. In: Spectrum medii aevi. Essays in Early German Literature in Honor of G. F. Jones. 1983, S. 177–205. – C. S. JAEGER: The Barons' Intrigue in Gottfried's Tri-

stan. Notes toward a Sociology of Fear in Court Society. JEGP 83, 1984, S. 46–66. Eine zusammenfassende Analyse der *hofkritischen Motive in der mittelhochdeutschen Literatur* fehlt. Vgl. noch I. VON DER LÜHE U. W. RÖCKE: Ständekritische Predigt des Spätmittelalters am Beispiel Bertholds von Regensburg. In: Literatur im Feudalismus. Hg. D. Richter. 1975, S. 41–82. – D. SCHMIDTKE: Mittelalterliche Liebeslyrik in der Kritik mittelalterlicher Moraltheologen. ZfdPh. 95, 1976, S. 321–45. – E. TÜRK: Nugae curialium. Le règne d'Henri II Plantagenêt (1145–1189) et l'éthique politique. 1977. – G. SCHOLZ-WILLIAMS: Against Court and School. Heinrich of Melk and Hélinand of Froidmont as Critics of Twelfth Century Society. Ne. 62, 1978, S. 513–26. – H. KIESEL: Bei Hof, bei Höll. Untersuchungen zur literarischen Hofkritik von Sebastian Brant bis Friedrich Schiller. 1979.

Zu Kapitel VII
Der Literaturbetrieb der höfischen Zeit

1. Mündlichkeit und Schriftlichkeit in der höfischen Gesellschaft

Über *Mündlichkeit und Schriftlichkeit in der adligen Laiengesellschaft* vgl. H. FICHTENAU: Mensch und Schrift im Mittelalter. 1946. – RECHT UND SCHRIFT IM MITTELALTER. Hg. P. Classen. 1977. – ORAL TRADITION, LITERARY TRADITION. Hg. H. Bekker-Nielsen (u. a.). 1977. – F. H. BÄUML: Medieval Literacy and Illiteracy. An Essay toward the Construction of a Model. In: Germanic Studies in Honor of O. Springer. 1978, S. 41–54. – D. H. GREEN: Oral Poetry and Written Composition. An Aspect of the Feud between Gottfried and Wolfram. In: D. H. Green u. L. P. Johnson: Approaches to Wolfram von Eschenbach. 1978, S. 163–264. – M. T. CLANCHY: From Memory to Written Record. England 1066–1307. 1979. – F. H. BÄUML: Varieties and Consequences of Medieval Literacy and Illiteracy. Sp. 55, 1980, S. 237–65. – LITERALITÄT IN TRADITIONELLEN GESELLSCHAFTEN. Hg. J. Goody. 1981. – H. VOLLRATH: Das Mittelalter in der Typik oraler Gesellschaften. HZ 233, 1981, S. 571–94. – SCHRIFT UND GEDÄCHTNIS. Beiträge zur Archäologie der literarischen Kommunikation. Hg. A. u. J. Assmann u. C. Hardmeier. 1983. – B. STOCK: The Implications of Literacy. Written Language and Models of Interpretation in the Eleventh and Twelfth Centuries. 1983.

Über die *Laienbildung im hohen Mittelalter* findet man die besten Informationen bei Thompson und Grundmann, vgl. J. W. THOMPSON: The Literacy of the Laity in the Middle Ages. 1939. – H. GRUNDMANN: Litteratus – illiteratus. Der Wandel einer Bildungsnorm vom Altertum zum Mittelalter. AKG 40, 1958, S. 1–63. –

Vgl. noch die materialreiche Arbeit von G. ZAPPERT: Über ein für den Jugendunterricht Kaiser Maximilian's I. abgefaßtes lateinisches Gesprächsbüchlein. WSB 28, 1858, S. 193–280. – Außerdem: V. H. GALBRAITH: The Literacy of the Medieval English Kings. PBA 21, 1935, S. 201–38. – P. RICHÉ: Recherches sur l'instruction des laïcs du IXe au XIIe siècle. CCM 5, 1962, S. 175–82. – K. SCHREINER: Laienbildung als Herausforderung für Kirche und Gesellschaft. Religiöse Vorbehalte und soziale Widerstände gegen die Verbreitung von Wissen im späten Mittelalter und in der Reformation. ZfhF 11, 1984, S. 257–354. – LITERATUR UND LAIENBILDUNG IM SPÄTMITTELALTER UND IN DER REFORMATIONSZEIT. Hg. L. Grenzmann u. K. Stackmann. 1984.

Aus der umfangreichen *Oral Poetry-Forschung* können nur wenige Titel genannt werden. Die beste Beschreibung mündlicher Kompositionsweise gab A. B. LORD: Der Sänger erzählt. Wie ein Epos entsteht. 1965. Einen Querschnitt durch die Forschung bietet der Band ORAL POETRY. Das Problem der Mündlichkeit mittelalterlicher epischer Dichtung. Hg. N. Voorwinden u. M. de Haan. 1979. Weitere Literaturangaben bei E. R. HAYMES: Das mündliche Epos. Eine Einführung in die Oral Poetry-Forschung. 1977. Kritisch M. CURSCHMANN: The Concept of Oral Formula as an Impediment to Our Understanding of Medieval Oral Poetry. MH 8, 1977, S. 63–79.

Zur *Entstehung der dynastischen Geschichtsschreibung* und zum *Verhältnis von Fürstenhof und Hauskloster* vgl. H. PATZE: Adel und Stifterchronik. Frühformen territorialer Geschichtsschreibung im hochmittelalterlichen Reich. BDLG 100, 1964, S. 8–81; 101, 1965, S. 67–128.

Zum *Urkunden- und Kanzleiwesen der weltlichen Fürstenhöfe* vgl. O. REDLICH: Die Privaturkunden des Mittelalters. In: Handbuch der Mittelalterlichen und Neueren Geschichte. Abt. 4, Bd. 1, 3, 1911. – H. BRESSLAU: Handbuch der Urkundenlehre für Deutschland und Italien. Bd. 1–2, ²1912–31. – H. PATZE: Neue Typen des Geschäftsschriftgutes im 14. Jahrhundert. In: Der deutsche Territorialstaat im 14. Jahrhundert (vgl. S. 813), Bd. 1, S. 9–64. – DIE FÜRSTENKANZLEI DES MITTELALTERS. Anfänge weltlicher und geistlicher Zentralverwaltung in Bayern. Verfaßt von J. Wild. 1983. – LANDESHERRLICHE KANZLEIEN IM SPÄTMITTELALTER. Bd. 1–2, 1984.

Zur *Kanzlei Heinrichs des Löwen* vgl. F. HASENRITTER: Beiträge zum Urkunden- und Kanzleiwesen Heinrichs des Löwen. 1936. – K. JORDAN: Einleitung zu: Die Urkunden Heinrichs des Löwen. MGH Dipl. Laienfürsten 1, 1949. – Für die *Kanzlei der Thüringer Landgrafen* fehlt eine neuere Untersuchung. Eine knappe Charakterisierung bei H. PATZE: Die Entstehung der Landesherrschaft in Thüringen. Bd. 1, 1962, S. 527ff. Für die letzten Jahre der Ludowinger vgl. D. HÄGERMANN: Studien zum Urkundenwesen König Heinrich Raspes (1246/47). DA 36, 1980, S. 487–548. – Zur *Kanzlei der Babenberger in Österreich* vgl. O. FRH. VON MITIS: Studien zum älteren österreichischen Urkundenwesen. 1912. – H. FICHTENAU: Das Urkundenwesen in Österreich vom 8. bis zum frühen 13. Jahrhundert. 1971. Zur *Kanzlei der Wittelsbacher in Bayern* vgl. S. HOFMANN: Urkundenwesen, Kanzlei und Regierungssystem der Herzoge in Bayern und Pfalzgrafen bei Rhein von 1180 bzw. 1214 bis 1255 bzw. 1294. 1967. – L. SCHNURRER: Urkundenwesen, Kanzlei und Regierungssystem der Herzöge von Niederbayern, 1255–1340. 1972.

Über die *ältesten Urbare* vgl. W. METZ: Staufische Güterverzeichnisse.

Untersuchungen zur Verfassungs- und Wirtschaftsgeschichte des 12. und 13. Jahrhunderts. 1964. – W. VOLKERT: Die älteren bayerischen Herzogsurbare. BON 7, 1966, S. 1–32.

Zum *Aufkommen der deutschsprachigen Urkunden im 13. Jahrhundert* vgl. M. VANCSA: Das erste Auftreten der deutschen Sprache in Urkunden. 1895. – F. WILHELM: Zur Geschichte des Schrifttums in Deutschland bis zum Ausgang des 13. Jahrhunderts. 1. Von der Ausbreitung der deutschen Sprache im Schriftverkehr und ihren Gründen. 1920. – H. HIRSCH: Zur Frage des Auftretens der deutschen Sprache in den Urkunden und der Ausgabe deutscher Urkundentexte. MÖIG 52, 1938, S. 227–42. – R. NEWALD: Das erste Auftreten der deutschen Urkunde in der Schweiz. ZfSG 22, 1942, S. 489–507. – H. G. KIRCHHOFF: Zur deutschsprachigen Urkunde des 13. Jahrhunderts. AfD 3, 1957, S. 287–327. – I. STOLZENBERG: Urkundsparteien und Urkundensprache. Ein Beitrag zur Frage des Aufkommens der deutschsprachigen Urkunde am Oberrhein. AfD 7, 1961, S. 214–89; 8, 1962, S. 147–269. – B. BOESCH: Die deutsche Urkundensprache. Probleme ihrer Erforschung im deutschen Südwesten. RVjb. 32, 1968, S. 1–28. – I. REIFFENSTEIN: Deutschsprachige Arengen des 13. Jahrhunderts. In: Festschrift für M. Spindler. 1969, S. 177–92. – H. DE BOOR: Actum et Datum. Eine Untersuchung zur Formelsprache der deutschen Urkunden im 13. Jahrhundert. MSB 1975, Nr. 4. – U. SCHULZE: Lateinisch-deutsche Parallelurkunden des 13. Jahrhunderts. Ein Beitrag zur Syntax der mittelhochdeutschen Urkundensprache. 1975. – F. SCHUBERT: Sprachstruktur und Rechtsfunktion. Untersuchung zur deutschsprachigen Urkunde des 13. Jahrhunderts. 1979.

Zum *literarischen Mäzenatentum im Mittelalter* vgl. S. Moore: General Aspects of Literary Patronage in the Middle Ages. Ly. Ser. 3, Bd. 4, 1913, S. 369–92. – K. J. Holzknecht: Literary Patronage in the Middle Ages. Univ. of Pennsylvania Ph. D. Diss. 1923. Einige neuere Forschungsbeiträge sind gesammelt in dem Band: Literarisches Mäzenatentum im Mittelalter. Hg. J. Bumke. 1982.

Über den *Kaiserhof als literarisches Zentrum* gibt es nur die unzureichende Darstellung von W. C. McDonald: German Medieval Literary Patronage from Charlemagne to Maximilian I. A Critical Commentary with Special Emphasis on Imperial Promotion of Literature. 1973. Vgl. außerdem J. Fleckenstein: Die Hofkapelle der deutschen Könige. Bd. 1–2, 1959–66. – S. Haider: Zum Verhältnis von Kapellanat und Geschichtsschreibung im Mittelalter. In: Geschichtsschreibung und geistiges Leben im Mittelalter. Festschrift für H. Löwe. 1978, S. 102–38.

Über die *Hofgeschichtsschreibung unter Friedrich I.* vgl. R. Holtzmann: Das Carmen de Frederico I imperatore aus Bergamo und die Anfänge einer staufischen Hofhistoriographie. NA 44, 1922, S. 252–313. – E. Ottmar: Das Carmen de Friderico I. imperatore aus Bergamo und seine Beziehungen zu Otto-Rahewins Gesta Friderici, Gunthers Ligurinus und Burchard von Ursbergs Chronik. NA 46, 1925, S. 430–89. – I. Schmale-Ott: Einleitung zu: Carmen de gestis Frederici I imperatoris in Lombardia. 1965, S. XXIX ff. – W. Wattenbach u. F.-J. Schmale: Deutschlands Geschichtsquellen im Mittelalter. Vom Tode Kaiser Heinrichs V. bis zum Ende des Interregnum. Bd. 1, 1976, S. 46 ff.

Für die *Gönnerverhältnisse in Frankreich* ist grundlegend R. R. Bezzola: Les origines et la formation de la littérature courtoise en occident (500–1200). Bd. 1–3 (in 5 Bdn), 1944–63. Für *England* vgl. W. F. Schirmer u. U. Broich: Studien zum literarischen Patronat im England des 12. Jahrhunderts. 1962. – M. D. Legge: Anglo-Norman Literature and Its Background. 1963. Zu *einzelnen französischen Höfen* vgl. M. D. Stanger: Literary Patronage at the Medieval Court of Flanders. FS 11, 1957, S. 214–29. – J. F. Benton: The Court of Champagne as a Literary Center. Sp. 36, 1961, S. 551–91. Zur *Rolle der Frau im Literatur- und Kunstbetrieb* vgl. S. 833.

Zum *fürstlichen Mäzenatentum in Deutschland* vgl. F. Wilhelm: Zur Geschichte des Schrifttums in Deutschland bis zum Ausgang des 13. Jahrhunderts. 2. Der Urheber und sein Werk in der Öffentlichkeit. 1921. – U. Müller: Untersuchungen zur politischen Lyrik des deutschen Mittelalters. 1974. – J. Bumke: Mäzene im Mittelalter. Die Gönner und Auftraggeber der höfischen Literatur in Deutschland, 1150–1300. 1979.

Zu den *Anfängen des Literaturbetriebs in der Stadt* vgl. U. Peters: Literatur in der Stadt. Studien zu den sozialen Voraussetzungen und kulturellen Organisationsformen städtischer Literatur im 13. und 14. Jahrhundert. 1983. Zur *Situation in Basel* vgl. I. Leipold: Die Auftraggeber und Gönner Konrads von Würzburg. 1976. Zur *Situation in Zürich* vgl. H.-E. Renk: Der Manessekreis, seine Dichter und die Manessische Handschrift. 1974.

3. Autor und Publikum

Über *die höfischen Dichter, ihre Selbstdarstellung und ihren Platz in der Gesellschaft* vgl. E. Köhler: Die Selbstauffassung des höfischen Dichters. In: Der Vergleich. Festgabe für H. Petriconi. 1955, S. 65–79. – J. Gernentz: Die gesellschaftliche Stellung des Künstlers in Deutschland um 1200. WZUR 9, 1959/60, S. 121–25. –

F. Tschirch: Das Selbstverständnis des mittelalterlichen deutschen Dichters. In: Beiträge zum Berufsbewußtsein des mittelalterlichen Menschen. Hg. P. Wilpert. 1964, S. 239–85.

Über die *Standesverhältnisse der Minnesänger und Spruchdichter* vgl. F. Grimme: Die Anordnung der großen Heidelberger Liederhandschrift. NHJ 4, 1894, S. 53–90. – A. Schulte: Die Standesverhältnisse der Minnesänger. ZfdA 39, 1895, S. 185–251. – F. Grimme: Freiherren, Ministerialen und Stadtadlige im XIII. Jahrhundert. Mit besonderer Berücksichtigung der Minnesinger. Al. 24, 1897, S. 97–141. – A. Wallner: Herren und Spielleute im Heidelberger Liedercodex. PBB 33, 1908, S. 483–540. – P. Kluckhohn: Ministerialität und Ritterdichtung. ZfdA 52, 1910, S. 135–68. – K. Franz: Studien zur Soziologie des Spruchdichters in Deutschland im späten 13. Jahrhundert. 1974. – J. Bumke: Ministerialität und Ritterdichtung. 1976.

Über *die Spielleute und die fahrenden Dichter* vgl. E. Faral: Les jongleurs in France au moyen âge. 1910. – A. Mönckeberg: Die Stellung der Spielleute im Mittelalter. 1. Spielleute und Kirche im Mittelalter. Diss. Freiburg i. Br. 1910. – H. Naumann: Versuch einer Einschränkung des romantischen Begriffs Spielmannsdichtung. DVjs. 2, 1924, S. 777–94. – E. Frh. von Künssberg: Swer einen spilman haben wil, der sol in auch beraten. In: Deutschkundliches. F. Panzer zum 60. Geburtstage. 1930, S. 61–69. – H. Steinger: Fahrende Dichter im deutschen Mittelalter. DVjs. 8, 1930, S. 61–79. – P. Wareman: Spielmannsdichtung. Versuch einer Begriffsbestimmung. Proefschrift Amsterdam 1951. – F. H. Bäuml: Guot umb êre nemen and Minstrel Ethics. JEGP 59, 1960, S. 173–83. – A. Schreier-Hornung: Spielleute, Fahrende, Außenseiter. Künstler der mittelalterlichen Welt. 1981. – H. Kästner: Harfe und Schwert. Der höfische Spielmann bei Gottfried von Straßburg. 1981. – W.

Hartung: Die Spielleute. Eine Randgruppe in der Gesellschaft des Mittelalters. 1982. – W. Salmen: Der Spielmann im Mittelalter. 1983.

Zum *Publikum der höfischen Literatur* gibt es nur wenige Arbeiten, vgl. W. Fechter: Das Publikum der mittelhochdeutschen Dichtung. 1935. – F. P. Knapp: Literatur und Publikum im österreichischen Hochmittelalter. In: Babenberger Forschungen. Hg. M. Weltin. 1976, S. 160–92. – M. S. Batts: Author and Public in the Late Middle Ages. In: Interpretation und Edition deutscher Texte des Mittelalters. Festschrift für J. Asher. 1981, S. 178–86.

Zu den *adligen Personennamen aus der höfischen Literatur* vgl. I. V. Zingerle: Die Personennamen Tirols in Beziehung auf deutsche Sage und Litteraturgeschichte. Gm. 1, 1856, S. 290–95. – R. Müller: Beiträge zur Geschichte der höfischen Epik in den österreichischen Landen, mit besonderer Rücksicht auf Kärnten. Ca. 85, 1895, S. 33–51. – F. Panzer: Personennamen aus dem höfischen Epos in Baiern. In: Philologische Studien. Festgabe für E. Sievers. 1896, S. 205–20. – E. Kegel: Die Verbreitung der mittelhochdeutschen erzählenden Literatur in Mittel- und Niederdeutschland, nachgewiesen auf Grund von Personennamen. 1905.

4. Aufführung und Verbreitung der Literatur

Zur *schriftlichen und mündlichen Verbreitung der Literatur* vgl. W. Wattenbach: Das Schriftwesen im Mittelalter. ³1896. – G. H. Putnam: Books and Their Makers during the Middle Ages. Bd. 1–2, 1896–97. – R. K. Root: Publication before Printing. PMLA 28, 1913, S. 417–31. – R. Crosby: Oral Delivery in the Middle Ages. Sp. 11, 1936, S. 88–110. – H. J. Chaytor: From Script to Print. 1945. – S. Gutenbrunner: Über Rollencharakteristik und Choreographie beim Vortrag mittelalterlicher Dichtungen. ZfdPh. 75, 1956, S. 34–47. – K. H. BERTAU u. R. STEPHAN: Zum sanglichen Vortrag mittelhochdeutscher strophischer Epen. ZfdA 87, 1956/57, S. 253–70. – W. MOHR: Vortragsform und Form als Symbol im mittelalterlichen Liede. In: Festgabe für U. Pretzel. 1963, S. 128–38. – G. WOLF: Untersuchungen zur Literatursoziologie des deutschen Buches im Mittelalter. Mit besonderer Berücksichtigung der Schreibstuben des Meister Hesse in Straßburg und des Diebold Lauber in Hagenau. Diss. (masch.) Innsbruck 1963. – K. H. BERTAU: Epenrezitation im deutschen Mittelalter. Eg. 20, 1965, S. 1–17. – G. KARHOF: Der Abschnitt als Vortragsform in Handschriften frühmittelhochdeutscher Dichtungen. Diss. Münster 1967. – A. C. BAUGH: The Middle English Romance. Some Questions of Creation, Presentation, and Preservation. Sp. 42, 1967, S. 1–31. – H. KUHN: Minnesang als Aufführungsform. In: Festschrift für K. Ziegler. 1968, S. 1–12. – R. M. WALKER: Oral Delivery or Private Reading? A Contribution to the Debate on the Dissemination of Medieval Literature. FMLS 7, 1971, S. 36–42. – F. O. BÜTTNER: Mens divina liber grandis est. Zu einigen Darstellungen des Lesens in spätmittelalterlichen Handschriften. Ph. 16, 1972, S. 92–126. – F. OHLY: Zum Dichtungsschluß Tu autem, domine, miserere nobis. DVjs. 47, 1973, S. 26–68. – A. MASSER: Wege der Darbietung und der zeitgenössischen Rezeption höfischer Literatur. In: Deutsche Heldenepik in Tirol. Hg. E. Kühebacher. 1979, S. 382–406. – M. G. SCHOLZ: Hören und Lesen. Studien zur primären Rezeption der Literatur im 12. und 13. Jahrhundert. 1980; dazu die Rezension von D. KARTSCHOKE, IASL 8, 1983, S. 253–66. – D. KARTSCHOKE: Ulrich von Liechtenstein und die Laienkultur des deutschen Südostens im Übergang zur Schriftlichkeit. In: Die mittelalterliche Lite-

ratur in Kärnten. Hg. P. Krämer. 1981, S. 103–143. – U. MEHLER: dicere und cantare. Zur musikalischen Terminologie und Aufführungspraxis des mittelalterlichen geistlichen Dramas in Deutschland. 1981. – M. CURSCHMANN: Hören – Lesen – Sehen. Buch und Schriftlichkeit im Selbstverständnis der volkssprachlichen literarischen Kultur Deutschlands um 1200. PBB 106, 1984, S. 218–57. – C. SCHMID-CADALBERT: Mündliche Traditionen und Schrifttum im europäischen Mittelalter. ABäG 21/22, 1984, S. 85–114. – D. H. GREEN: On the Primary Reception of Narrative Literature in Medieval Germany. FMLS 20, 1984, S. 289–308. – M. WEHRLI: Literatur im deutschen Mittelalter. Eine poetologische Einführung. 1984 (»Mündlichkeit und Schriftlichkeit«: S. 47–67). – D. H. GREEN: Oral and Written Literature in Medieval Germany. In: The Spirit of the Court. Hg. G. S. Burgess u. R. A. Taylor. 1985, S. 5–8.

Zum *lauten und leisen Lesen im Mittelalter* vgl. J. BALOGH: Voces paginorum. Beiträge zur Geschichte des lauten Lesens und Schreibens. Pi. 82, 1927, S. 84–109. – G. L. HENDRICKSON: Ancient Reading. CJ 25, 1929/30, S. 182–96. – P. SAENGER: Silent Reading. Its Impact on Late Medieval Script and Society. Vr. 13, 1982, S. 367–414.

Zum Thema *Text und Bild* vgl. O. SÖHRING: Werke bildender Kunst in altfranzösischen Epen. RF 12, 1900, S. 491–640. – R. S. LOOMIS: Arthurian Legends in Medieval Art. 1938. – W. STAMMLER: Epenillustration. In: Reallexikon der deutschen Kunstgeschichte. Bd. 5, 1967, Sp. 810–57. – H. FRÜHMORGEN–VOSS: Mittelhochdeutsche weltliche Literatur und ihre Illustration. DVjs. 43, 1969, S. 23–75. – P. KERN: Bildprogramm und Text. Zur Illustration des Rolandsliedes in der Heidelberger Handschrift. ZfdA 101, 1972, S. 244–70. – M. LENGELSEN: Bild und Wort. Die Federzeichnungen und ihr Verhältnis zum Text in der Handschrift P des deutschen Rolandsliedes. Diss. Freiburg i. Br. 1972. – N. H. OTT u. W. WALLICZEK: Bildprogramm und Textstruktur. Anmerkungen zu den Iwein-Zyklen auf Rodeneck und in Schmalkalden. In: Deutsche Literatur im Mittelalter. Hg. C. Cormeau. 1979, S. 473–500. – W. HAUG (u. a.): Runkelstein. Die Wandmalereien des Sommerhauses. 1982. – N. H. OTT: Geglückte Minne-Aventiure. Zur Szenenauswahl literarischer Bildzeugnisse im Mittelalter. JOWG 2, 1982/83, S. 1–32. – N. H. OTT: Epische Stoffe in mittelalterlichen Bildzeugnissen. In: Epische Stoffe des Mittelalters. Hg. V. Mertens u. U. Müller. 1984, S. 449–74.

Zu einer *Überlieferungsgeschichte der höfischen Literatur* ist bisher nur einmal ein Ansatz gemacht worden, der unzureichend blieb: F. NEUMANN: Überlieferungsgeschichte der altdeutschen Literatur. In: Geschichte der Textüberlieferung der antiken und mittelalterlichen Literatur. Bd. 2, 1964, S. 641–702. Vgl. zuletzt K. GRUBMÜLLER: Gegebenheiten deutschsprachiger Textüberlieferung bis zum Ausgang des Mittelalters. In: Sprachgeschichte. Hg. W. Besch (u. a.). 1. Halbbd., 1984, S. 214–23. Die Forschungsliteratur zur Überlieferungsgeschichte einzelner Werke kann hier nicht aufgeführt werden, ebensowenig die neueren Arbeiten zu den Methoden und Prinzipien der Textkritik. Zur *Literaturgeographie* vgl. die wichtige Untersuchung von T. KLEIN: Untersuchungen zu den mitteldeutschen Literatursprachen des 12. und 13. Jahrhunderts. Habilitationsschrift (masch.) Bonn 1982. Zu den *Münchener Handschriften Cgm 19 und Cgm 51* und der Frage ihrer Herkunft vgl. F. RANKE: Die Überlieferung von Gottfrieds Tristan. ZfdA 55, 1917, S. 157–278, 381–438. – G. BONATH: Untersuchungen zur Überlieferung des Parzival Wolframs von Eschenbach. Bd. 1–2, 1970–71; dazu die Rezension von J. HEINZLE, AfdA 84, 1973, S. 145–57. Beide Münchener

Handschriften liegen in Faksimileausgaben vor.

Zur *Lyriküberlieferung* vgl. W. WILMANNS: Zu Walther von der Vogelweide. ZfdA 13, 1867, S. 217–88 (»Wie bildeten sich die größeren Liedersammlungen?«: S. 224–29). – W. WISSER: Das Verhältnis der Minneliederhandschriften B und C zu ihrer gemeinschaftlichen Quelle. Progr. Eutin 1889. – W. WISSER: Das Verhältnis der Minneliederhandschriften A und C zu ihren gemeinschaftlichen Quellen. Progr. Eutin 1895. – H. SCHNEIDER: Eine mittelhochdeutsche Liedersammlung als Kunstwerk. PBB 47, 1923, S. 225–60. – E. H. KOHNLE: Studien zu den Ordnungsgrundsätzen mittelhochdeutscher Liederhandschriften. 1934. – C. BÜTZLER: Die Strophenanordnung in mittelhochdeutschen Liederhandschriften. ZfdA 77, 1940, S. 143–74. – E. JAMMERS: Das Königliche Liederbuch. Eine Einführung in die sogenannte Manessische Handschrift. 1965. – A. H. TOUBER: Formale Ordnungsprinzipien in mittelhochdeutschen Liederhandschriften. ZfdA 95, 1966, S. 187–203. – G. SPAHR: Weingartner Liederhandschrift. Ihre Geschichte und ihre Miniaturen. 1968. – H. FRÜHMORGEN-VOSS: Bildtypen in der Manessischen Liederhandschrift. In: Werk – Typ – Situation. 1969, S. 184–216. – H. KUHN: Die Voraussetzungen für die Entstehung der Manessischen Handschrift und ihre überlieferungsgeschichtliche Bedeutung. In: H. Kuhn: Liebe und Gesellschaft. Hg. W. Walliczek. 1980, S. 80–105, 188–92. – O. SAYCE: The Medieval German Lyric, 1150–1300. 1982. – F. H. BÄUML u. R. H. ROUSE: Roll and Codex. A New Manuscript Fragment of Reinmar von Zweter. PBB 105, 1983, S. 192–231, 317–30. Die großen Liederhandschriften liegen alle in Faksimileausgaben vor. Zu den *deutschen Strophen der ›Carmina Burana‹* vgl. B. WACHINGER: Deutsche und lateinische Liebeslieder. Zu den deutschen Strophen der Carmina Burana. In:

From Symbol to Mimesis. Hg. F. H. Bäuml. 1984, S. 1–34. Korrekturnachtrag: Über den *sensationellen Fund einer neuen bebilderten Liederhandschrift* berichten A. VIZKELETY u. K.-A. WIRTH: Funde zum Minnesang. Blätter aus einer bebilderten Liederhandschrift. PBB 107, 1985, S. 366–75.

Über *die französischen und provenzalischen Chansonniers* vgl. G. GRÖBER: Die Liedersammlungen der Troubadours. RSt. 2, 1875/77, S. 337–670. – A. JEANROY: Bibliographie sommaire des chansonniers provencaux. 1916. – A. JEANROY: Bibliographie sommaire des chansonniers français du moyen âge. 1918. – G. RAYNAUDS BIBLIOGRAPHIE DES ALTFRANZÖSISCHEN LIEDES. Neu bearb. von H. Spanke. Teil 1, 1955. – D'A. S. AVALLE: La letteratura medievale in lingua d'oc nella sua tradizione manoscritta. 1961. – D'A. S. AVALLE: Überlieferungsgeschichte der altprovenzalischen Literatur. In: Geschichte der Textüberlieferung der antiken und mittelalterlichen Literatur. Bd. 2, 1964, S. 261–318.

dtv dokumente

dtv dokumente

Ordnung, Fleiß und
Sparsamkeit
Texte und Dokumente
zur Entstehung der
»bürgerlichen Tugenden«
Hrsg. v. Paul Münch
dtv 2940

Das Klassische Weimar
Texte und Zeugnisse
Hrsg. v. Heinrich Pleticha
dtv 2935

Kinderstuben
Wie Kinder zu Bauern,
Bürgern, Aristokraten
wurden. 1700-1850
Herausgegeben von
Jürgen Schlumbohm
dtv 2933

Parole der Woche
Eine Wandzeitung
im Dritten Reich
1936-1943
Herausgegeben von
Franz-Josef Heyen
dtv 2936

Hitlers Machtergreifung
1933
Herausgegeben von
Josef und Ruth Becker
dtv 2938

Die russische Revolution
1917
Herausgegeben von
Manfred Hellmann
dtv 2903

Anatomie des
SS-Staates
Band 1
Hans Buchheim:
Die SS –
das Herrschafts-
instrument
Hans Buchheim: Befehl
und Gehorsam
dtv 2915

Band 2
Martin Broszat:
Konzentrationslager
Hans Adolf Jacobsen:
Kommissarbefehl
Helmut Krausnick:
Judenverfolgung
dtv 2916

Rudolf Höß:
Kommandant in
Auschwitz
Hrsg. v. Martin Broszat
dtv 2908

dtv
**Wörterbuch
der
Kirchen-
geschichte**

**Carl Andresen
Georg Denzler**

Carl Andresen und
Georg Denzler:

dtv-Wörterbuch
der
Kirchengeschichte

Originalausgabe
dtv 3245

...Dieses kaum genug zu
lobende Unternehmen sei...
als verläßliches, wohlfeiles
und...handliches Handbuch
bezeichnet, das deutlich mehr
als »Grundkenntnisse der
Kirchengeschichte« vermittelt
und das Zeug zu einem
Standardwerk hat. (FAZ)

...in seiner ökumenischen
Ausgewogenheit ist das Buch
vorbildlich.
(Neue Zürcher Zeitung)

...Das neue Wörterbuch
wird...dazu beitragen, ge-
schichtliches Bewußtsein zu
heben und vereinfachte
volkstümliche Urteile abzu-
bauen.
(Christ in der Gegenwart)

...Das Wörterbuch wird...am
effektivsten genutzt werden
können, wenn es im Unterricht,
Seminar oder beim Selbst-
studium herangezogen wird,
um Fakten zu finden,
Grundlagen zu gewinnen,
Fundamente zu sichern.
(forum religion)

...Es gibt nichts Vergleichbares (auch im Blick auf den
moderaten Preis bei dtv).
(Das Historisch-Politische
Buch)

Philosophie und Theologie

**Erich Fromm:
Haben oder Sein**

Die seelischen Grundlagen einer neuen
Gesellschaft

dtv
Sachbuch

Erich Fromm:
Haben oder Sein
Die seelischen
Grundlagen einer
neuen Gesellschaft
dtv 1490

**Karl Jaspers:
Was ist
Philosophie?**

Ein Lesebuch

dtv

Karl Jaspers:
Was ist Philosophie?
Ein Lesebuch
dtv 1575
Was ist Erziehung?
Ein Lesebuch
dtv 1617

**Wilhelm Weischedel:
Die philosophische
Hintertreppe**

34 große Philosophen in Alltag und Denken

dtv

Wilhelm Weischedel:
Die philosophische
Hintertreppe
34 große Philosophen
in Alltag und Denken
dtv 1119

Glaube und Vernunft

Texte zur Religionsphilosophie
Herausgegeben von Norbert Hoerster

dtv wissenschaft

N. Hoerster (Hrsg.):
Glaube und Vernunft
Texte zur
Religionsphilosophie
dtv 4338

**Warum ich
Christ bin**

Herausgegeben von Walter Jens

dtv

Walter Jens (Hrsg.):
Warum ich Christ bin
dtv 1743

dtv

Historische Romane
im dtv

Alfred Döblin:
Wallenstein
Roman

dtv 10144

Jochen Klepper:
Der Vater
Roman eines Königs

dtv

dtv 1258

Robert
von Ranke Graves:
Ich, Claudius,
Kaiser und Gott

dtv/List

dtv 1300

Marguerite Yourcenar:
Ich zähmte die Wölfin
Die Erinnerungen des
Kaisers Hadrian

dtv

dtv 1394

Werner J. Egli:
Die Siedler / dtv 10494

Martin Gregor-Dellin:
Schlabrendorf oder
Die Republik
dtv 10309

T. E. Lawrence:
›Lawrence von Arabien‹
Die sieben Säulen
der Weisheit / dtv 1456

André Malraux:
Die Eroberer
dtv 10308

Régine Pernoud:
Königin der
Troubadoure
Eleonore
von Aquitanien
dtv 1461

Theodor Plievier:
Des Kaisers Kulis
dtv 10237

Kenneth Roberts:
Nordwest-Passage
dtv 10426

Annemarie Selinko:
Désirée / dtv 1399

Martin Stade:
Der König und
sein Narr / dtv 1651

Jakob Wassermann:
Caspar Hauser oder
Die Trägheit des
Herzens / dtv 10192

Deutsche Geschichte der neuesten Zeit

Herausgegeben von Martin Broszat, Wolfgang Benz und Hermann Graml

Peter Burg:
Der Wiener Kongreß
dtv 4501

Michael Stürmer:
Die Reichsgründung
dtv 4504

Horst Möller:
Weimar
dtv 4512

Martin Broszat:
Die Machtergreifung
dtv 4516

Wolfgang Benz:
Die Gründung der Bundesrepublik
dtv 4523

Dietrich Staritz:
Die Gründung der DDR
dtv 4524

dtv-Geschichte der Antike

Herausgegeben von Oswyn Murray

Oswyn Murray:
Das frühe
Griechenland
dtv 4400

John K. Davies:
Das klassische
Griechenland
und die Demokratie
dtv 4401

Frank K. Walbank:
Die hellenistische
Welt
dtv 4002

Robert M. Ogilvie:
Das frühe Rom
und die Etrusker
dtv 4003

Michael Crawford:
Die römische
Republik
dtv 4004

Colin Wells:
Das Römische Reich
dtv 4005